DE STEM VAN SIBYLLE

Johannes Mario Simmel

DE STEM VAN SIBYLLE

MCMLXXXVI
De Boekerij – Amsterdam

Oorspronkelijke titel: Die im Dunkeln sieht man nicht (Droemer Knaur, München)
Vertaling: Miep Rijsbergen
Omslagontwerp: Julie Bergen
Omslagdia: ABC

De in dit boek gebruikte gedeelten van enkele sonnetten van
William Shakespeare zijn afkomstig uit deel twaalf van
De Werken van William Shakespeare, vertaald door dr. L.A.J. Burgersdijk, en
recentelijk in facsimile opnieuw uitgegeven door Uitgeverij Het Spectrum B.V.

In memoriam Lulu Simmel

CIP-Gegevens Koninklijke Bibliotheek, Den Haag

Simmel, Johannes Mario

De stem van Sibylle / Johannes Mario Simmel ; [vert. uit
het Duits door Miep Rijsbergen]. – Amsterdam : De Boekerij
Vert. van: Die im Dunkeln sieht man nicht : Roman. –
München : Droemer Knaur, 1985.
ISBN 90-225-0640-1 geb.
UDC 82-3 UGI 450
Trefw.: romans ; vertaald.

© MCMLXXXV by Droemersche Verlagsanstalt Th. Knaur Nachf., München.
D/MCMLXXXVI/4789/35   ISBN 90 225 0640 1

Boek een

1

Op 11 februari 1984 tegen zes uur in de middag trof Daniel Ross voorbereidselen om zich in zijn appartement op de parterre van een gebouw aan de rustige Sandhöfer Allee in Frankfurt aan de Main van het leven te beroven. 11 februari 1984 viel op een zaterdag. Ross had het tijdstip van zijn zelfmoord met zorg gekozen. Bij een dergelijke onderneming bestaat, ook al is de gebruikte methode nog zo veilig, altijd het gevaar dat men gestoord of voortijdig ontdekt en in het leven teruggehaald wordt. Daarom gaan zelfmoordenaars vaak naar een bos, een berg, een boothuis bij het meer, of zoeken ze een tijdstip uit waarop ze lang genoeg ongestoord kunnen zijn en pas gevonden worden als het te laat is. Daniel Ross had een zaterdagmiddag uitgekozen. Daarop volgden de nacht van zaterdag op zondag, de hele zondag en de nacht van zondag op maandag. Pas daarna kwam de werkster weer. De wederwaardigheden van Ross in de afgelopen vier maanden waren van dien aard, dat hij goede redenen had geen telefoontje, geen bezoek, zelfs geen enkele belangstelling van wie dan ook te verwachten. Zo wanhopig als hij daarover geweest was, zo vredig voelde hij zich nu in deze situatie. In Frankfurt sneeuwde het, maar niet hard.

Dus gooide hij, al voor de tweede keer, een handvol witte capsules in zijn mond en spoelde die weg met een flinke slok whisky. Hij dronk hem puur; in zijn glas zaten alleen ijsblokjes. Toen at hij een halve snee brood met ham, zorgvuldig kauwend. Ik moet er wat bij eten, dacht hij, anders kots ik de hele troep weer uit. Hij zat achter zijn bureau, waarop een schemerlamp met een groene kap brandde. Er was geen ander licht in de grote werkkamer vol boeken. Het raam naast het bureau keek uit op een verwilderde tuin, waarin twee katten krijsend elkaar achternazaten. Ross draaide zijn hoofd om. De ruit weerspiegelde zijn gezicht, want buiten was het donker geworden. Vlug keek hij weer een andere kant op. Daarbij gleed zijn blik op het onder manuscripten bedolven bureau en bleef hangen aan een zilveren plaatje dat schuin op een standaard stond. Er waren woorden in gegraveerd. Lees dat nog maar eens, dacht hij. Dat was je gelukkigste tijd.

DE WERELD WAARIN WIJ LEVEN KAN WORDEN BESCHOUWD ALS HET RESULTAAT VAN VERWARRING EN TOEVAL; ALS ZIJ ECHTER HET RESULTAAT IS VAN EEN PLAN, MOET DAT HET PLAN VAN EEN DUIVEL GEWEEST ZIJN. IK ACHT TOEVAL EEN MINDER PIJNLIJKE EN TEVENS MEER PLAUSIBELE VERKLARING. BERTRAND RUSSELL

Daaronder las hij de met de hand aangebrachte inscriptie:

Voor Daniel, ter gelegenheid van de eerste verjaardag van onze grote liefde.
Sibylle

Wenen, 17 november 1971

Zo, zei hij bij zichzelf, nu heb je nog een keer aan haar gedacht. Nu doorgaan! Uit een glazen potje met schroefdeksel liet hij opnieuw witte capsules in zijn rechterhand vallen. Hij was linkshandig. Alles wat hij nodig had, stond op het bureau: een glas, een fles whisky, ijsblokjes in een zilveren ijsemmertje, een aantal belegde boterhammen op een bord en vier doosjes Nembutal – nu geopend en de potjes eruitgehaald.

Hij was heel gemakkelijk aan het slaapmiddel gekomen. In verband met een zware verkoudheid in december vorig jaar was hij naar een dokter ver weg in de stadswijk Eschersheim gegaan; daar had hij een kleine afleidingsmanoeuvre uitgevoerd en op het gunstige moment een receptenboekje gestolen. Op de formulieren stond al een stempel. Hij had ze alleen maar hoeven invullen. Daarna was hij naar vier verschillende apotheken gegaan. In één doosje zaten vijfentwintig capsules en hij had er honderd nodig. Daar had hij in de studio goed naar geïnformeerd – bij een arts die wetenschappelijk adviseur was bij het medisch tijdschrift *Spreekuur*. Eén capsule Nembutal bevatte honderd milligram ferrobarbituraat. De hoogste toegestane dagelijkse dosis was achthonderd milligram, dus acht capsules. Bij gebruik van tien gram ferrobarbituraat was het gegarandeerd met je gebeurd. Dat betekende honderd capsules. Ross spoelde voor de vierde maal een handvol met whisky weg en at daarna de andere helft van de snee brood met ham. Buiten schreeuwden de katten.

Hij was in december al zo wanhopig geweest dat het voor hem vaststond dat hij er een eind aan zou maken. Het móest. Een man kan niet verder leven als alles voor hem ophoudt. Hij had het in december al willen doen, maar toen was zijn oudste vriend overleden. In het Martin Luther Ziekenhuis in Berlijn. Hij was er direct met het vliegtuig heen gegaan. Een nachtzuster had hem de laatste woorden van zijn vriend Fritz meegedeeld. 'Hij zei: "Tijd dat ik ga." Daarna sloot hij zijn ogen en was dood ...'

Tijd dat ik ga.

Daniel Ross was bezeten geraakt van deze woorden. Tijd dat hij ging. Het was tijd voor hem, hoog tijd. 's Nachts droomde hij van Fritz en hoorde hij hem de woorden zeggen. Hij hoorde hem ook een paar maal overdag terwijl hij wakker was. Heel luid. Zo ver had die vervloekte Nobilam hem al gebracht. Waartoe die vervloekte Nobilam hem nog meer had gebracht, daar moest hij beslist niet aan denken.

Hij wilde het vlak na de begrafenis van zijn vriend doen, in Berlijn nog, maar toen kreeg hij een aanbod van een onafhankelijke televisieproduktiemaatschappij. Dat duurde drie weken en de zaak liep op niets uit. Daarna leek het erop dat hij met uiterste krachtsinspanning erin zou slagen van het afschuwelijke spul af te komen. Hij was drie dagen buiten zichzelf van vreugde, tot hij een terugslag kreeg. En wát voor een terugslag! Met verschrikkelijke ontwenningsverschijnselen. Er bestond voor hem geen uitweg meer, geen enkele. Afgelopen donderdag had hij een nieuw record geboekt. Er waren dertien tabletten Nobilam voor nodig geweest om zijn angst min of meer weg te nemen, om hem enigszins tot kalmte te brengen. Toen was zijn walging van zichzelf zo groot geworden, dat hij besloot er zaterdag een eind aan te maken. Hij had nog nooit medelijden met zichzelf gehad. Hij had alleen walging, woede en afschuw gevoeld. Dat hielp hem nu, dat hielp hem enorm.

Weer nam hij een handvol capsules, weer dronk hij whisky en weer at hij. Ross vloekte terwijl hij kauwde. Wat een gedoe met die milligramcapsules. Er waren er nog steeds een hele hoop. Hij moest ze allemaal zelf in zijn bek stoppen. Natuurlijk versterkte de whisky de uitwerking. Nou ja, verdomme, dacht hij, daarom drink je die toch, pillenvreter. Je mag geen enkel risico lopen. Hier schuin tegenover is het academisch ziekenhuis en vijfhonderd meter verderop, in de Heinrich Hoffmannstrasse, is de psychiatrische kliniek. Geen risico's dus. En geen gevloek en geen toestanden. 't Is Marilyn ook gelukt met pillen slikken. Of hoe dacht je anders dat die ertussenuit is geknepen? Doorgaan dus. En vlug een beetje! Hij slikte juist de laatste hap van zijn tweede boterham door toen de telefoon overging.

Automatisch nam hij op, al zo versuft dat hij niet eens kwaad was over deze onderbreking.'

'Hallo?'

'Met wie spreek ik?'

Een vrouwenstem. Met een accent. Wat voor accent? 't Zal me een zorg zijn wat voor accent, dacht hij. 'Wie wilt u spreken?'

'De heer Daniel Ross.'

Hij gaf geen antwoord.

'Hallo!'

'Ja.'

'Bent u de heer Daniel Ross?'

'Ja. Wat wilt u?' Hij merkte dat hij licht lallend sprak en dat stemde hem tot voldoening. Het begint te werken, dacht hij. Hij nam een grote slok.

'Mijn naam is Mercedes Olivera. Ik moet u dringend spreken.'

Ross zette het glas met een klap op het bureau neer. Nu was hij woedend.

'Ha, ha, ha.'

'Wat zegt u?'

'Wát een lol! Wie bent u? Iemand van de omroep? Zijn er nog meer bij? Wie zijn die andere grapjassen? Wie zijn die klootzakken?' schreeuwde hij onbeheerst en hij schrok er zelf van. Niet doen. Niet schreeuwen. De ander krijgt dan het gevoel dat hier iets niet in de haak is. Komt hierheen. Stuurt iemand hier naartoe. De politie. Plotseling kreeg hij het verschrikkelijk heet, het zweet brak hem uit. Dat kende hij. Kwam van de Nobilam. Daar had hij al een hele tijd last van, heel vaak 's nachts in zijn slaap, ook in de studio bij het werk. Heel onverwachts. Het zweet stroomde van zijn voorhoofd in zijn ogen. Het brandde. Over zijn rug liep ook zweet; hij voelde het onder zijn pyjamajasje. Hij had zich namelijk klaargemaakt om in bed te gaan liggen voordat hij met het slikken van de capsules was begonnen. Hij zei: 'Neemt u mij niet kwalijk. Het spijt me. Ik verloor mijn kalmte. U zoekt een andere Ross. Ross is een veel voorkomende naam.'

'U woont toch in de Sandhöfer Allee?' De stem klonk zeer beslist.

'Ja.'

'Dan bent u het!'
Dit wordt een idioot gesprek, dacht hij. En als er nu tóch eens een paar in de studio zitten die me ertussen willen nemen? Nee, dacht hij. Nee. Die zijn allemaal dolblij dat ze niets meer met me te maken hebben. Die willen geen contact meer met mij. Ik heb de pest. Maar wie is dan die vrouw?
'Waar bent u?'
'Op Kloten.'
'Wáár?'
'Luchthaven van Zürich. Die heet toch Kloten – of niet soms?'
Eensklaps klonk er zachte muziek. Langzame, ouderwetse, weemoedige muziek. Een lage vrouwenstem zong: *'... wenn ich mir was wünschen dürfte ...'* Sibylle. Ons lied, dacht hij. Hoe komt dat lied op de lijn?
Hij beefde nu van schrik over zijn hele lichaam. Wat heeft dát te betekenen, dacht hij ontsteld. Hoor ik weer een stem, zoals ik de stem van Fritz heb gehoord? En ook muziek erbij? Ons lied? En nog een andere stem? Is het die vervloekte Nobilam? Krijg ik weer hallucinaties? Heb ik een medicijnendelirium? Op zaterdagavond? Met al die Nembutal in mijn maag? Hij raakte in paniek, sprong op en schreeuwde: 'Bent u echt ...?'
'Ik begrijp u niet.'
'... käm' ich in Verlegenheit ...' zong de vrouw. Ruisend zette het orkest in.
O, alsjeblieft niet. Nee, nee, nee, dacht hij vertwijfeld. Hij beet op zijn onderlip. Hij ging zitten. Eensklaps werd hij misselijk. Dat kwam vaker voor, heel onverwacht. Dat had hij ook te danken aan die vervloekte Nobilam. Maar zonder die vervloekte Nobilam kan ik niet leven, dacht hij.
Het wordt steeds erger. Krankzinnig! Ik wil immers helemaal niet leven! Ik wil dood! Hij dronk, schonk whisky bij en dronk weer. De fles stootte tegen het glas, zo trilde zijn hand.
'Hallo!' Nu klonk de vrouwenstem ongerust. 'Hallo! Wat is er met u? Bent u ziek? Scheelt er iets aan, meneer Ross?'
'Het ... is ... uitstekend ... met mij ... Bent u echt ...' Hij slikte. Zijn misselijkheid nam af.
'Wat bedoelt u met: Bent u écht?'
'Bent u echt ... op ... Kloten?' Beheers je, man. Slappeling. Zenuwpees. Hystericus. Verdomde rotvent. Je moet je beheersen.
'Dat zeg ik toch! Ik bel vanuit een bar. De barkeeper was zo vriendelijk ...'
'... was ich mir denn wünschen sollte ...'
Dat houd ik niet uit. Dat houd ik niet uit. Hij riep: 'Is daar muziek?'
'Ja. De barkeeper heeft een cassettebandje opgezet. U kunt de muziek horen, hè?'
'O ...' Hij voelde een grote opluchting. Zijn stemming sloeg ogenblikkelijk om. Die vrouw was er echt. En ook *'Wenn ich mir was wünschen dürfte'.* Alles was werkelijkheid. Zijn dood zou niet door een delirium worden verpest. Maar waarom wilde die vrouw hem spreken?
'... eine schlimme oder gute Zeit ...' De lage vrouwenstem. Het orkest.

Een piano. Sibylle. Destijds in Wenen, toen we zo jong en gelukkig waren. Maar nu? Juist nu? Sibylle . . .
'Ik ben zojuist geland, meneer Ross.'
'Waar komt u vandaan?'
'Uit Buenos Aires.'
'. . . *wenn ich mir was wünschen dürfte* . . .' Dietrich was degene die zong! Marlene Dietrich.
'Wáárvandaan?'
'Uit Buenos Aires.'
'. . . *möcht' ich etwas glücklich sein* . . .'
'Het is bijzonder belangrijk. Ik moet u onmiddellijk spreken.'
'. . . *denn wenn ich gar zu glücklich wär'* . . .'
'Ik ken u niet!'
'*Hätt' ich Heimweh nach dem Traurigsein,*' zong Marlene Dietrich. Het orkest speelde luider en daar kwam het slot van het lied. Nu klonk er andere muziek.
'Maar ík ken ú wel!'
Dat hield geen mens vol. Dit was onverdraaglijk. De hoorn viel in zijn schoot. Hij legde hem op het toestel en ging weer door met drinken. Hij hijgde een beetje. Plotseling walgde hij van zijn klamme pyjama. Onzeker stond hij op en liep door de grote, donkere werkkamer met de boekenplanken naar de slaapkamer, waar hij een van de twee lampen aan weerskanten van zijn bed aanknipte. Hij haalde een schone pyjama uit de kast, trok de andere uit, ging naar de badkamer, droogde zijn lichaam af en wreef het in met eau de cologne en trok de schone pyjama aan. Als een grote golf sloeg de vermoeidheid over hem heen. M'n bed in, nu m'n bed in. Hij had het dek al teruggeslagen toen hem iets te binnen schoot. De capsules! Hij moest ze allemaal innemen, ook de laatste. En de deur afsluiten! Hij wankelde nu al op zijn weg terug naar het bureau. Toen hij de laatste capsule met whisky had doorgeslikt, begon de telefoon weer te rinkelen. Zwaar versuft nam hij op en onmiddellijk hoorde hij haar stem weer: 'Met . . .'
'Ja, ik weet 't. Loop naar de duivel!' Hij had er genoeg van. Hij wilde naar bed. Slapen. Dood. Rust.
'Ik smeek u, meneer Ross!'
'Ja, ja, ja,' zei hij en dacht: Dietrich zingt niet meer. Deze muziek ken ik niet.
'Wij moeten samen een reis maken.'
'Niks daarvan,' zei hij.
'Wat?'
'Niks daarvan. Ik sta op het punt om te vertrekken.'
'Maar . . . maar . . . Dat kunt u niet doen!' schreeuwde ze. Nu schreeuwde zíj.
Hij lachte kwaad.
'Lacht u niet! U weet immers niet waar het om gaat!'
'Goed, goed,' zei hij en legde de hoorn op het toestel.
Daarna bukte hij zich en haalde de stekker uit het stopcontact. Zo. Nu

kon dat gekke wijf niet meer opbellen. Nu kon niemand meer opbellen. Hij ging naar het portaal, draaide het veiligheidsslot van de voordeur om en schoof de ketting ervoor. Vanuit de slaapkamer viel een lichtstreep in de werkkamer. Ross knipte de bureaulamp uit en wankelde terug naar de slaapkamer. Ook hier keken de ramen uit op de tuin. De kater en de krolse kat schreeuwden nog steeds. Ross moest naar de badkamer. Het mysterieuze telefoontje van de vrouw was hij allang vergeten. Hij was nu stomdronken en viel om van de slaap. Eensklaps schoten hem de woorden van Bertrand Russell op het zilveren plaatje te binnen en hij dacht aan de duivel, die deze wereld van verwarring en toeval met opzet had geschapen. Hij glimlachte. Nu ga je sterven, zei hij bij zichzelf en hij werd vervuld van een gevoel van grote gelukzaligheid. Hij werd met de minuut rustiger. Slapen, dacht hij. Slapen en nooit meer wakker hoeven worden. Zijn glimlach werd breder. Er is geen leven na de dood en er bestaat geen God. Het argument dat degenen die in Hem geloven aanvoeren, namelijk dat iets de eerste oorzaak moet zijn geweest, is klinkklare onzin, dacht hij. Ze beweren dat alles wat in deze wereld geschiedt een oorzaak heeft en dat men bij de eerste oorzaak moet komen, als men de keten van alle oorzaken en gevolgen steeds verder terug volgt. En die eerste oorzaak noemen ze God. Maar als álles een oorzaak heeft, moet ook God een oorzaak hebben. En als er iets bestaat wat geen oorzaak heeft, kan dat net zo goed God als de wereld zijn. Vervloekt, dacht hij, wie kan me ook maar één reden noemen waarom de wereld niet zonder oorzaak kan zijn begonnen en waarom ze niet altijd al heeft bestaan? Wie zegt dat de wereld een begin moet hebben gehad? Waarom? Het idee-fixe dat alles een begin moet hebben gehad, is alleen maar het gevolg van ons belachelijk beperkte voorstellingsvermogen.

Hij verliet de badkamer, ging in bed liggen en deed het licht uit. Zo is alles toch nog goed afgelopen, dacht hij. De katten in de tuin krijsten nu hartverscheurend en uit de door de lichten van de grote stad melkachtig verlichte hemel vielen sneeuwvlokken. Enkele minuten later viel hij in slaap. Hij droomde van de duivel die de wereld geschapen had.

2

'Wij zullen ons recht natuurlijk nooit met geweld trachten te verkijgen, maar wij stáán erop en wij achten het vanzelfsprekend, dat dit recht op onze geboortegrond en de hereniging van ons vaderland in vrede en vrijheid voor alle werkelijk Duits denkende politici – en ook voor alle fatsoenlijke buitenlandse politici – een *conditio sine qua non* is. Daarom reageren wij nog steeds met hevige verontwaardiging op de door de heer Brandt in zijn tijd gevoerde zogenaamde *Ostpolitik* en de schandalige erkenning van de Oder-Neisse-grens. Wíj hebben deze grens niet erkend en dat zullen we ook nooit doen!'

Deze woorden werden gesproken op dinsdag 8 november 1983 in studio III van de zender Frankfurt door Siegfried Woitech, van beroep vice-voorzitter van de *Vereinigten Vertriebenenverbände Deutschlands e.V.* Daniel Ross, een slanke, bijna magere man van zesenveertig jaar met vol, al volkomen wit haar, zwaarmoedige grijze ogen en een grote mond in een smal gezicht, zat aan een tafel tegenover deze functionaris. Het eens in de veertien dagen uitgezonden *Focus*, waarvan Ross sedert zes jaar redacteur en presentator was, liep al vijf minuten. Deze vanwege haar ongedwongenheid buitengewoon populaire rubriek – er werden alleen interviews over actuele onderwerpen gebracht en alle discussies werden *live*, zonder proefdraaien vooraf uitgezonden – hield zich als het programma *Kennzeichen D* van de zender Freies Berlin bezig met gebeurtenissen die de beide Duitslanden betroffen. In de drie kwartier dat *Focus* werd uitgezonden, werden altijd diverse onderwerpen behandeld en Ross sprak altijd met verscheidene mensen. Siegfried Woitech was uitgenodigd omdat zijn vereniging op 4 november in de Westfalenhalle te Dortmund een grote demonstratie had gehouden, waarbij rellen en hevige vechtpartijen tussen zeer uiteenlopend georiënteerde toehoorders waren ontstaan. Er moest ingegrepen worden door tweehonderd politiemensen en er waren elf zwaargewonden en een groot aantal lichtgewonden gevallen. Er werden talrijke personen aangehouden. Kranten, radio en televisie spraken daarna, al naar gelang hun politieke instelling, van 'communistische terreurgroepen', respectievelijk 'rechtsradicale excessen van levensgevaarlijke aard'. Siegfried Woitech was de eerste gast van Daniel Ross in de uitzending van *Focus* op 8 november 1983. Het gesprek werd opgenomen met drie elektronische camera's. Ross had Woitech voor het begin van de uitzending meegenomen naar de regiekamer, die een etage hoger lag en van waaruit men door een zeer groot raam in de studio omlaag kon kijken. Hij had de regisseur, de vrouwelijke beeldschakeltechnicus en het hoofd techniek aan hem voorgesteld en de functionaris wist nu dat schakeltechnici op aanwijzing van de regisseur een keuze doen uit de opnamen die door de cameramensen met hun zware apparaten aan de monitors in de regiekamer werden doorgegeven. Alle monitors bevonden zich boven de grote regietafel. De geluidskwaliteit werd in een andere ruimte gecontroleerd.

'Als op de camera die op u gericht is een rood lampje begint te knipperen, is uw beeld uitgekozen en dat gaat dan rechtstreeks de ether in. U bent dan op alle televisieschermen waarp *Focus* aan staat, te zien,' had Ross aan Woitech uitgelegd. Nu deze zijn principeverklaring en zijn felle verontwaardiging over de *Ostpolitik* van Willy Brandt uitte, knipperde het rode lampje van de camera die tegenover hem op een zware zuil was gemonteerd. Het idee dat honderdduizenden mensen in het land hem bij wijze van spreken in de huiskamer hadden, bracht Woitech in een lichte roes.

Daar het lampje van de camera voor hem nog steeds flikkerde, voegde hij eraan toe: 'De heer Brandt was tijdens de oorlog niet hier. Wij weten niet wat hij in het buitenland heeft gedaan. Wij waren hier. Wij weten wat wij in dit land hebben gedaan. Voor mijn vrienden en mij zijn dit in elk geval' – hier verhief hij zijn stem en hief zijn ronde hoofd op – 'nog altijd heilige woorden . . .' Hij schraapte zijn keel, keek ernstig strak in het objectief van de op hem gerichte camera en het was te zien dat zijn ogen vochtig werden. 'Ik heb mij gegeven met hart en met hand aan u, land vol lief en leven, mijn dierbaar vaderland!'

Tijdens dit lange betoog, waarbij alleen Woitech in beeld was, bepoederde een grimeuse opnieuw het gezicht met de losgeweekte make-up van Daniel Ross en ze stelde met bezorgdheid vast dat hij plotseling zwaar transpireerde. De druppels rolden als parels van zijn hoofd in zijn hals en onder zijn boord. Zijn lippen trilden. Zijn vingers beefden en hij vouwde zijn handen op zijn knieën.

'Wat is er?' fluisterde de grimeuse geschrokken. De presentator was bij iedereen geliefd en werd hooglijk gewaardeerd.

Op de vraag van de jonge vrouw schudde hij slechts het hoofd.

'Alles in orde?'

Hij knikte en gaf een wenk hem alleen te laten. De grimeuse verdween achter het studiodecor. Tegen de daar staande televisiemedewerkers en twee andere gesprekspartners van Ross die op hun beurt wachtten, zei ze bezorgd: 'Er is iets met hem. Moeten we niet een dokter . . .'

'Onzin,' zei een medewerker. 'Dat is hem toch al een paar maal overkomen, Olga. Hj slikt voortdurend pillen voor iedere *Focus*, dat wéét je toch. Het zijn die pillen. Hij heeft geen dokter nodig.'

Inderdaad had Ross er al eerder tijdens een uitzending last van gehad dat het zweet hem plotseling uitbrak en – dat had de medewerker heel juist gezien – het was te wijten aan de hoeveelheid Nobilam die Ross sedert twaalf jaar regelmatig elke ochtend in een te hoge dosis innam. Voor elke uitzending van *Focus*, en verder ook bij elke gelegenheid waarbij grote concentratie en inspanning werden vereist, slikte hij een extra dosis. Maar vanavond – hij merkte het met toenemende nervositeit – had het middel dat hem altijd kalmeerde en zeker van zichzelf maakte een verkeerde uitwerking. *Het wond hem op!* Hij voelde het zweet over zijn hele lijf, zijn hart klopte als een razende en hij voelde een blinde woede tegen datgene wat Woitech had uitgekraamd. Ten slotte had deze aan zijn sentimentele gedicht nog de woorden 'Arm, verdeeld vaderland!' toegevoegd.

Ross boog zich naar voren. Op zijn voorhoofd parelden opnieuw zweetdruppels. Zijn gezicht trilde.

'Aiaiaiai,' zei de regisseur boven in de cabine. Hij haalde de microfoon die voor hem op tafel stond naar zich toe en zei: 'Camera twee! Charley, neem Daniel in close-up!'

De man achter camera twee had, evenals zijn collega's, een koptelefoon op. Onmiddellijk vulde het gezicht van Ross het hele monitorscherm.

'Twee,' zei de regisseur tegen de beeldtechnicus. Ze knikte, boog zich over de tafel met de vele regelaars, lampjes en schakelaars en direct daarna begon het rode lampje van camera twee te knipperen.

Ross zei opgewonden: 'Ons arme vaderland, beste meneer Woitech, is verdeeld omdat wij Duitsers onder een misdadigersregime, onder de grootste misdadigers uit de mij bekende geschiedenis, een misdadige oorlog, de grootste uit de mij bekende geschiedenis, zijn begonnen . . .'

'Ho, ho, ho!' zei de regisseur achter de tafel in de een verdieping hoger gelegen cabine. Hij heette Kramsky en was licht aangeschoten. Dat was hij vaak. Tal van medewerkers van studio Frankfurt – en andere studio's – waren vaak wat aangeschoten.

'. . . een oorlog,' vervolgde Ross steeds luider en steeds hartstochtelijker, terwijl hij het bloed in zijn aderen voelde bonken en die vervloekte Nobilam een verkeerde uitwerking had, verkeerd, verkeerd, 'waarin zestig miljoen mensen zijn omgekomen, onder wie alleen al vier komma acht miljoen Duitsers en twintig miljoen Russen . . . een oorlog . . .'

'Een ogenblikje graag,' zei de ander kalm.

'Nu ben ík aan het woord, meneer Woitech. Ik heb u ook laten uitpraten . . . een oorlog waarin grote, oude en prachtige steden, waaronder de onze, met de grond gelijk werden gemaakt . . .'

'Hou hem vast!' zei Kramsky verheugd. En in de microfoon: 'Pak Daniel nog dichterbij als het kan, Charley!'

Charley beneden in de studio achter camera twee knikte. Het beeld van Ross op de monitor werd overmatig groot. Het rode lampje van camera twee knipperde en knipperde . . .

Ross raakte buiten zichzelf. '. . . een oorlog waarin bloeiende landen, waaronder ons arme vaderland, totaal werden verwoest en wij de ongelukkige bewoners van al die landen niets anders hebben gelaten dan hun ogen om te huilen, een oorlog waar Duitse mensen in concentratiekampen hun Duitse broeders en zes miljoen joden vermoordden . . . een oorlog waarin . . .'

Woitech zei hoofdschuddend: 'Begint u nu ook al met die ontstellende onzin, meneer Ross? Een Duitse presentator van de Duitse televisie wil met alle geweld de Duitse schuld bewijzen, tut, tut, tut.'

'Sjors,' zei de dronken regisseur Kramsky verrukt, 'nu is 't jouw beurt, vlug! En neem die vent heel groot!'

De beeldtechnicus, een knappe jonge vrouw in een blauwe stofjas, begon te beven. 'Ophouden!' riep ze. 'Afgelopen!'

'Niks ophouden,' zei Kramsky. 'Wanneer gebeurt er nou zo iets?' Hij gaf de beeldtechnicus, die een schakelaar wilde omdraaien, een klap op haar hand. 'Laat dat, kreng! Maak dat je wegkomt! Wég, heb ik gezegd!' Hij gaf haar een zet. Ze gleed van haar stoel, wankelde, herstelde zich en belandde met haar rug tegen de wand van de cabine, waar ze bleef staan met haar vuisten tegen haar mond gedrukt.

Intussen sprak Woitech – in de cabine hoorde men het via de luidsprekers – zacht, bijna vermanend verder: 'Wat zegt u toch onverantwoordelijke dingen, meneer Ross! Wereldberoemde en gerespecteerde Amerikaanse en Engelse historici als Toland en Irving hebben in hun werk geconstateerd dat deze oorlog ons is opgedrongen. En houdt u toch op over die joden van u! Zeker, er is een aantal joden gedood. Maar beslist geen zes miljoen. Hooguit twee. De oude leugen, met de bedoeling dat ook onze achterkleinkinderen zich nog schuldig voelen tegenover Israël en betalen, betalen en nog eens betalen . . .' Hij stak zijn hand op. 'Hoeveel Duitsers zijn er niet door Russen, Polen en Tsjechen van huis en haard verdreven? Hoevelen heeft men niet hun geboortestreek ontnomen? Ik zal het u zeggen, meneer Ross: twaalf miljoen! Jazeker, twáálf miljoen ontheemden! Hoeveel Duitsers zijn er niet omgekomen op de vlucht, door verdrijving en deportatie? Bijna dríe miljoen! En hoeveel zijn er niet na vijfenveertig op een beestachtige manier vermoord? Honderdduizenden, vele honderdduizenden! We moeten er toch eindelijk eens mee ophouden ons volk door het slijk te halen!'

Terwijl Woitech aan het woord was, probeerde de grimeuse het gezicht van Daniel Ross weer bij te werken. Hij was niet in beeld. Ze streek met een kwast pancake uit en fluisterde smekend: 'Toe, meneer Ross, laat dat alstublieft! Houd u er toch mee op! U maakt uzelf ongelukkig . . .'

Hij schudde zwijgend en verbitterd het hoofd.

'Er ís toch iets met hem!' riep de beeldtechnicus boven in de cabine. 'Zien jullie niet hoe beroerd Daniel eraan toe is? Uitschakelen, uitschakelen!'

'Dat vind ik ook,' zei het hoofd van de techniek, die in een hoekje zat. 'Daar komt gedonder van, Kramsky, dat voorspel ik je.'

'En de kranten morgen? En het schandaal, man? Dacht je nu heus dat ik dit m'n neus voorbij laat gaan?'

'Je bent gek! Je vliegt eruit! Je wordt ontslagen!'

'Ik ben bezopen. Ken jij ook maar iemand die ze ontslagen hebben omdat hij bezopen was? Pak 'm nog dichterbij, camera 1!'

Woitech was doorgegaan. 'Wie waren de ware misdadigers? Wie heeft de Poolse officieren in Katyn vermoord? Wie heeft Dresden verwoest toen het vol zat met vluchtelingen? Wie heeft onze vrouwen en dochters verkracht? Wie heeft mensen aan schuurdeuren vastgenageld? Hen het raam uit gegooid? Aan elkaar gebonden in rivieren gesmeten? Hen doodgeranseld, doodgeschopt, doodgemarteld? Die Aziatische horden . . .'

In de regiecabine rinkelde de telefoon. Het hoofd techniek nam op. Een luide stem sloeg hem uit de hoorn tegemoet. Geschrokken richtte hij zich op.

'Met Colledo!' schreeuwde de mannenstem. 'Met wie spreek ik?'

'Zettler. Hoofd techniek, meneer Colledo.'

Door de luidspreker kwam de stem van Ross beneden uit de studio. 'Aziatische horden . . . Daar hebben we dan eindelijk weer dat mooie, oude toontje. En ú wilt een hereniging in vrede en vrijheid, een man als u?'

'Wie is de regisseur?'

'Kramsky.'

'Laat hem aan de lijn komen! Nou, vooruit, komt er nog wat van?'

Het hoofd van de techniek gaf de hoorn door aan de regisseur.

'Daar heb je het gedonder in de glazen,' zei hij. 'Colledo.'

De regisseur noemde zijn naam.

'Kramsky!' brulde Conrad Colledo, hoofd van de afdeling Politiek en

Actualiteiten van de zender. 'Wat is er met jou aan de hand? Zeker weer dronken, hè?'

'Ja, meneer Colledo ...'

Intussen bleef Ross doorschreeuwen. De make-up stroomde met het zweet van zijn gezicht in zijn nek en op zijn overhemd. Van tijd tot tijd hapte hij naar adem. 'Hereniging! Hoor eens, in zeventig jaar tijd zijn wij driemaal een oorlog begonnen! Een verenigd Duitsland is veel te gevaarlijk. Het moet verdeeld blijven. Dat is de mening van de hele wereld.'

'Waarom draait die uitzending nog steeds?' klonk de stem van Colledo door de hoorn.

'Ik heb ... Wij zijn ... volkomen buiten onzelf ... Wij ... Neemt u ons niet kwalijk, meneer Colledo, neemt u ons niet kwalijk, alstublieft!'

'Uitschakelen zeg ik!' schreeuwde Colledo.

'Zelfs u, meneer Woitech, zelfs u wilt die hereniging niet, weest u toch eerlijk! Hoe hoog is eigenlijk uw salaris als ...'

De stem van Ross brak af. Op het lege scherm van de monitors in de regiekamers flikkerde het. Kramsky had eindelijk de uitzending afgebroken. Door de grote ruit zag hij dat de drie cameralieden, de grimeuse en de studiomedewerkers naar de twee mannen aan de tafel in het decor renden en hen tot kalmte trachtten te brengen. Op de monitors verscheen de mededeling: STORING. Er werd muziek opgezet.

'God zij dank één normaal mens in huis,' klonk de stem van Colledo door de telefoon. 'Wie is vanavond de omroepster?'

'Ilse.'

'Ik bel haar direct op en vertel haar wat ze moet zeggen. Jij bekommert je om Ross en Woitech. Die man mag in géén geval het gebouw verlaten. Verstop hem maar in de garderobe. Hij moet bewaakt worden. Geef hem champagne, kaviaar, of weet ik veel ... Hij mag in geen geval contact hebben met journalisten voordat ik met hem heb gesproken.'

'Alle uitgangen zijn afgesloten, meneer Colledo.'

'Via de telefoon bedoel ik, bezopen ellendeling! Je hebt het met opzet gedaan, geef het maar toe!'

'Meneer Colledo, ik zweer ...'

'Ja, ja, ja. Niemand van jullie vertrekt! Ik stap dadelijk in mijn auto. Over een half uur ben ik in de studio.'

'O jee ...' Kramsky keek door het raam de studio in.

'Wat o jee?'

'Het gaat niet goed met meneer Ross. Twee studiomedewerkers ondersteunen hem. Hij is er beroerd aan toe, meneer Colledo.'

'Laten ze hem naar de bedrijfsarts brengen!'

Kramsky maakte via de luidspreker contact met de studio en riep door de microfoon: 'Breng hem naar de dokter!'

'Op jouw advies zaten we nét te wachten!' schreeuwde een medewerker terug.

'En jij,' brieste Colledo, 'gaat ook direct naar de dokter en blaast in het pijpje, Kramsky! Direct, heb ik gezegd. En Zettler ook! Begrepen?' De verbinding werd verbroken.

De vrouwelijke beeldtechnicus begon luid te snikken.

'Hou op, stomme trut,' zei Kramsky. En tegen het hoofd techniek: 'Nou, hoe zit 't, gaan we?'

'Ik kom zo.'

Kramsky verdween. De deur viel achter hem dicht.

Het hoofd van de techniek bukte zich en diepte uit de onderste lade een cognacfles op. Hij ontkurkte die en dronk met enorme teugen.

'Wat doet u daar?' riep de beeldtechnicus ontdaan.

'Dat zie je toch. Ik ben me aan 't bezatten. Ik moet ook dronken zijn. Als ik niet dronken ben, bestaat er voor mij geen excuus dat ik niet eerder de zaak heb uitgeschakeld.' Hij nam de fles weer op. Daarna zei hij: 'Idioten die wij zijn.'

3

'Kramsky en Zettler hebben allebei meer dan 1,5 promille,' zei Conrad Colledo terwijl hij in zijn grote werkkamer liep te ijsberen. 'En jij helemaal niets. Het is om te huilen, man. Waarom heb jij je ook niet bezopen?'

Daniel Ross antwoordde niet.

Hij zat in een buisstoel en staarde naar een lithografie van Picasso aan de muur. Het was een vrouwenkop *en profil* en tegelijkertijd van voren. De vrouw had slechts één oog.

Het grote kantoorgebouw stond via een reeks gangen in verbinding met de opnamestudio's. De zender Frankfurt bevond zich in de nabijheid van de stad Königstein in de Taunus aan de voet van de Grote Feldberg, vijfentwintig minuten rijden van Frankfurt.

'Als je dronken was geweest, zou er absoluut niets zijn gebeurd. Je weet toch, in instituten als het onze wordt dermate gezopen dat er een extra sterk sociaal vangnet voor alcoholici is geïnstalleerd. Niemand wordt de laan uit gestuurd omdat hij dronken is, ook al haalt hij de verschrikkelijkste dingen uit. Kijk maar naar Juhnke. Hoeveel uitzendingen die al niet heeft verprutst! En iedereen is dol op hem. Jij met je rotpillen ook. Nu zitten we met de ellende.'

Ross antwoordde nog steeds niet.

Hij was heel bleek en zijn gezicht glom van de crème waarmee de grimeuse de make-up had verwijderd. Ze had te veel crème gebruikt en toen ze de rest met een Kleenex wilde weghalen, had Ross haar, trillend van ongeduld, opzij geduwd en was hij weggelopen. De make-up zat op de witte boord van het overhemd dat Ross open droeg, zijn stropdas was omlaaggetrokken en hij had zijn jasje uitgedaan omdat hij het weer heet had. Onder zijn grijze ogen zaten donkere wallen, zijn witte haar glansde onder de sterke plafondverlichting.

Het was al over twaalven. Colledo had uren doorgebracht met de verbitterde Siegfried Woitech en al zijn overredingskracht aangewend. Daartussendoor waren hem de alcoholpercentages in het bloed van Kramsky en Zettler meegedeeld en hij had inwendig gevloekt toen hij op het formulier van de dokter de naam van zijn oude vriend Daniel Ross las en daarachter een doorgestreepte nul zag.

Daarna had hij zich weer tot de functionaris gewend, de in zijn eer zo zwaar aangetaste, oprechte democraat – met deze woorden karakteriseerde Woitech zichzelf. Het was Colledo duidelijk dat hij alles in het werk moest stellen om de man tot kalmte te brengen. Geen enkel verstandig mens bond de strijd aan met de verenigingen voor ontheemden. Colledo had nog van zijn huis uit gebeld met de intendant, de heer Von Karrelis, om over de toekomst van Daniel Ross te spreken. Colledo verklaarde daarna tegenover de woedende Siegfried Woitech, dat de intendant van de zender had verzekerd dat Ross, morgen, woensdag, op de beste zendtijd, in aansluiting op het journaal van acht uur 's avonds, voor de camera zijn excuses zou aanbieden voor deze ernstige ontsporing.

'Doet hij dat werkelijk?' vroeg de functionaris ongelovig.

'U hebt het woord van de intendant, meneer Woitech. Daniel Ross zal zich in elk geval verontschuldigen en een verklaring afleggen waarin de verenigingen voor ontheemden worden gerehabiliteerd. En daarmee is uw eer toch wel hersteld, is het niet?'

'Nou ja, dat wel,' zei Woitech. Plotseling begon hij te lachen.

'Wat is er?' vroeg Colledo.

'U hebt me de hele tijd champagne aangeboden, meneer Colledo, en dat heb ik natuurlijk geweigerd. Tja, als de zaken er zo voorstaan denk ik dat ik toch maar een glas drink na al die opwinding. Maar u moet wel meedrinken!'

'Graag.' Colledo haalde een fles uit het emmertje, dat al uren geleden met twee glazen door een meisje uit de kantine was gebracht. Colledo opende de fles, schonk de glazen halfvol en overhandigde er een aan de man met het ronde hoofd.

'Laten we klinken!' riep Woitech.

Ze stootten de glazen tegen elkaar, nadat Woitech eerst het glas had geheven en Colledo ernstig in de ogen had gekeken terwijl hij hem luid 'Op uw gezondheid!' had toegewenst.

Na het derde glas was hij geroerd en plechtig. 'U bent een verschrikkelijk fatsoenlijke man, meneer Colledo. En uw intendant ook. Ik zal natuurlijk aan mijn collega's vertellen hoe uw houding was en hoe u hebt ingegrepen. Mijn compliment, meneer Colledo! Het is uitermate correct! Dat zal ik ook alle journalisten vertellen. Het spijt me wel voor de heer Ross, maar een man die geen leiding kan geven aan een interview, is voor zo'n uitzending werkelijk onmogelijk, nietwaar?'

'De heer Ross is een zeer bekwame vent, maar helaas is hij ziek.'

'Wat scheelt hem dan?'

'Zenuwen, meneer Woitech.'

'Tja, in dat geval. Maar juist in dat geval! U kunt toch niet iemand die zenuwziek is hier tekeer laten gaan!'

4

Deze laatste woorden gaf Conrad Colledo later in zijn werkkamer niet door aan Daniel Ross. Al het andere wel. Ross zat roerloos zonder tegenspraak te luisteren. Colledo liep nog steeds heen en weer.
'Zou je het vervelend vinden om te gaan zitten, Conny?'
'O, neem me niet kwalijk.'
'Neem míj niet kwalijk. Ik barst van de koppijn.'
Colledo liet zich in een stoel achter zijn bureau van stalen buizen met een dikke glasplaat vallen. Het zeer grote vertrek was modern ingericht. Het had vier ramen, die wegens de airconditioning niet konden worden geopend. Deze vier ramen waren een statussymbool. Zij gaven aan dat Colledo een zeer hoge positie binnen de hiërarchie van de zender bekleedde. Er waren drie-, twee- en ontelbare eenraam-medewerkers. Het kantoor van de intendant had zes ramen en was zeer groot.
'Je gaat vanavond dus je verontschuldigingen aanbieden,' zei Colledo zacht. Het klonk als een smeekbede.
'Natuurlijk,' zei Ross zonder op te kijken. 'Ik doe alles. Het spijt me ook werkelijk.'
'En dat je daarna niet meer voor de camera mag, begrijp je ook.'
'Dat begrijp ik ook. Ik was erg gehecht aan *Focus*. Het was mijn programma. Ik heb het opgebouwd. Zes jaar lang heeft er dank zij jou niemand ook maar één keer een vinger in de pap gehad.'
'Tja, maar nu ...'
'... nu is alles afgelopen. Duidelijk. Volkomen duidelijk.' Ross vroeg: 'En wat gebeurt er met mij?'
'Kleuteruurtje,' zei Colledo afgemat. Ook hij trok zijn stropdas omlaag en maakte zijn boord los.
'Wát?'
'Natuurlijk niet het kleuteruurtje!' Colledo sloeg op de glazen plaat. 'Ik wilde daar alleen mee zeggen: iets wat ongeveer net zo attractief is. Het een of andere volkomen onbelangrijke baantje op een volkomen onbelangrijke afdeling.'
'Het is toch duidelijk,' zei Ross, zijn vriend eindelijk aankijkend, 'dat ik me dat niet kan veroorloven. In verband met de collega's bij andere zenders. En om redenen van – vergeef me het harde woord – zelfrespect. Is dat ook duidelijk?'
'Natuurlijk.'
'Wat gebeurt er als ik weiger zo'n baantje te accepteren?'
'Dan moet je je ontslag indienen. Kijk me niet zo aan, man!' schreeuwde Colledo. 'Kijk niet zo, verdomme! Ik ben je vriend! We hebben eenentwintig jaar samengewerkt. Aan jou heb ik te danken dat ik op deze stoel zit. Jij

hebt me weggehaald bij de Süddeutsche Rundfunk toen deze baan hier vrijkwam. Denk je dat ik zo iets ooit kan vergeten? Die godverdomde tabletten van jou ook! Moet je die nou echt slikken? Kun je dan niet leven zonder die troep?'

'Nee,' zei Ross. 'Dat kan ik inderdaad niet.'

'Sorry,' zei Colledo.

Daarna zwegen ze allebei. Ze hoorden de aanzwellende en weer wegstervende sirene van een ambulance.

'Als ik opzeg, krijg ik dan een schadeloosstelling?' informeerde Ross eindelijk.

'Nee.'

'En als ik me niet laat overplaatsen en geen ontslag aanvraag?'

'Ik heb het allemaal al met de intendant besproken. Je hebt zo lang prima werk geleverd, Danny. De zender zal jou dan ontslaan. Dan krijg je een schadeloosstelling. Maar eruit moet je. In jouw situatie gebeurt er de volgende keer weer zo iets. Godallemachtig, wat een ordinaire smerige geschiedenis! Die pillen van jou! Jouw pillenslikkerij is de schuld van alles! Je ruïneert je carrière, je gezondheid en je werkkracht met die rotzooi!'

'Dat is niet waar,' zei Ross. Het klonk uit de hoogte. 'Ik slik die troep al twaalf jaar. Heb je ooit gemerkt dat ik daardoor niet behoorlijk kon werken? Je hebt er nooit iets van gemerkt! Zonder dat spul kan ik niet werken.'

'Omdat je eraan verslaafd bent.'

'Ik ben niet verslaafd. Ik heb alleen mijn dosis nodig. Het wordt niet meer. 't Blijft steeds gelijk. Hoeveel mensen slikken trouwens niet kalmerende middelen? Waaruit bestaat ons leven eigenlijk? Uit nervositeit, spanning, uit angst het niet aan te kunnen, onbestemde angst, angst voor de volgende catastrofe. Angst! Angst! Angst! Als je zo bent, moet je jezelf nu eenmaal helpen. Jij, jij bent niet zo, wees er blij om! Veel mensen drinken. Je ziet het zelf; de hele televisie verzuipt in de drank. Anderen nemen weer kalmerende middelen. Ik bijvoorbeeld.'

'De situaties die jij opnoemt maken deel uit van ons leven. Angst is vaak een belangrijke veiligheidsmaatregel. Spanning kan de prestatie verhogen.'

'En als je die spanning niet meer aankunt? De drukte? De angst? Ach, daar begrijp jij toch niets van. Ik zou ook liever drinken, geloof me maar. Iedereen zou schattig voor me zijn. En zo bezorgd. Drinken is toegestaan, pillen zijn verboden.'

'Je kunt de mensen niet bevrijden, maar je kunt hen helpen zich minder ellendig te voelen,' zei Colledo.

'Wat is dat?'

'Amerikaanse reclametekst voor artsen. Heb ik gelezen toen ik laatst in New York was. Bedoeld om artsen te motiveren kalmerende middelen voor te schrijven – de grootste farmaceutische handel ter wereld.'

Ross maakte nerveus een afwerend gebaar. 'Geen discussie alsjeblieft. Ik bied vanavond mijn verontschuldigingen aan. Opzeggen doe ik nu al.' Hij rommelde in zijn broekzak en haalde er een pakje Nobilam en een velletje bedrukt papier uit. 'Nog één ding: ik weet nu waarom me dat gisteravond is overkomen. Komt eens in de tienduizend gevallen voor. En juist mij moest dat gebeuren.'

'Waar heb jij 't over, verdomme nog-aan-toe?'

'Hier!' Ross hield het blaadje omhoog. 'Dit is een bijsluiter. Zit bij elk medicijn. Ook daarbij. Ja, bekijk het maar! Nobilam heet dat spul en zonder dat kan ik niet werken – en niet leven. Bekijk het maar goed!'

'Praat niet zo tegen mij, man!'

'Sorry. 't Spijt me. Maar luister, Conny. Nadat . . . nadat ik de uitzending verprutst had, schoot me te binnen dat ik op de bijsluiter eens iets had gelezen. En daar staat het! Daar staat het . . .' Ross ging met een vinger de regels langs. 'Hier.' Hij las voor: ' "Geattendeerd wordt op de mogelijkheid van een paradoxe reactie, opwinding in plaats van kalmering" – begrijp je? Opwinding in plaats van kalmering. – "die ook kan ontstaan bij vergelijkbaar sedatief werkende medicamenten!" ' Ross sloeg met een hand op het briefje. '*Opwinding in plaats van kalmering.* Het spul heeft gisteravond een tegenovergestelde uitwerking gehad. Ik slik het twaalf jaar en alles gaat goed. En dan gebeurt zo iets. En natuurlijk prompt tijdens de uitzending!'

'Danny! Alsjeblieft! Ik ben je vriend. Ik kan niet aanzien dat jij kapotgaat aan die troep. Zeker, blijf rustig, *kapotgaat* heb ik gezegd. En dat doe je. Nu, zonder baan, zal je angst steeds groter worden. Je onrust, je nervositeit. Blijf kalm, onderbreek me niet! Geloof je dat in onze branche ook maar iemand zijn mond houdt? Wat denk je hoeveel collega's al weten van jouw pillenslikkerij? De meesten, Danny. En degenen die het nog niet weten, krijgen het nu te horen. Laat eerst die knullen van de sensatiepers hun gang maar eens gaan! Wacht maar tot je-weet-wel-wie komt opdagen! Het zal je na wat er gebeurd is niet lukken een andere baan te vinden – in jouw toestand. Je moet, hoor je, je móet gewoon een ontwenningskuur doen! Dat is het eerste dat je moet doen. Dat vraag ik je. Ik smeek je, ga naar een kliniek, doe een ontwenningskuur, ter wille van mij; goed, Danny?'

'Nee,' zei Ross, weer naar de grond kijkend.

'Maar waarom niet? Waarom niet, man?'

'Omdat ik dat al heb gedaan.'

'Heb jij al . . .'

'Ja.'

'Wanneer?'

'Twaalf jaar geleden.'

'Twaalf jaar geleden? In 1971? Toen had je toch nog de leiding van de studio Zuidoost-Europa in Wenen?'

'Ik heb een kuur in Wenen gedaan. Daarom weet jij er niets van. Niemand hier weet er iets van. In Wenen, ja. Bij de afdeling Psychiatrie van het Algemeen Ziekenhuis.'

'Maar . . . maar . . . Je zegt toch dat je dit spul al twaalf jaar slikt. Ik begrijp er niets van. Waar hebben ze je dan twaalf jaar geleden aan ontwend in Wenen?'

'Oxazepam,' zei Ross.

'Oxa...'

'Oxazepam. Een ander middel. Heel goed. Ik heb het maar één jaar geslikt. Veel te veel. Ik moest echt af van die Oxazepam. Het ging niet meer. Zo iets als vanavond had destijds iedere dag kunnen gebeuren.'

'En toen hebben ze jou twaalf jaar geleden Nobilam in plaats van Oxazepam gegeven?'

'Ja,' zei Ross. 'En vóór die Oxazepam heb ik zeven jaar valium geslikt.'

Colledo fluisterde: 'En na zeven jaar valium heb je al een ontwenningskuur gedaan?'

'Ja. Ook in Wenen. Ook in het Algemeen Ziekenhuis. Geweldige mensen. Ze hadden door dat ik mijn krankzinnige leven zonder het een of ander middel gewoon niet aankon. *Niet aankon!* Daarom hebben ze geprobeerd mij geleidelijk te ontwennen. Daarom kreeg ik Nobilam. Wat heb je, Conny? Conny, wat is er?'

Colledo was opgestaan en naar een van de donkere ramen gelopen. Zijn kantoor lag op de achtste verdieping van het gebouw. Hij keek neer op het grandioze lichttapijt van Frankfurt. De regen sloeg tegen de ruit.

'Mijn God,' zei hij met verstikte stem, 'wat ben jij een arme drommel.'

Weer volgde zwijgen.

Daarna zei Colledo, naar de miljoenen kleurige lichtjes van de stad in de verte kijkend: 'Ga terug naar Wenen, Danny! Toe! Ga weer terug naar die specialist! Doe weer een kuur!'

'Nee,' zei Ross en zijn stem klonk plotseling hard. 'Nee, ik ga niet naar Wenen. Nooit meer.'

'Maar waarom niet, Danny?'

'Omdat daar de enige mensen werken in wie ik vertrouwen heb. Die me kennen en weten wat er met mij aan de hand is.'

'Je bedoelt dat je daarom niet naar iemand anders gaat?'

'Ja.'

'Ik begrijp het niet. Waarom dan niet naar Wenen? Naar je vrienden, naar de dokter in wie jij vertrouwen hebt en die jou zo goed kent. Waarom niet, Danny?'

'Het is geen gewone dokter,' zei Ross. 'Het is een vrouwelijke dokter. En ik... ik schaam me te erg voor haar.'

5

Er was warmte, gouden licht en stilte.

Er waren zilveren wolken, geweldig en fantastisch gevormd.

En er waren geen zorgen meer, geen beslommeringen, geen haast en geen droefenis. Er was geen angst meer, nee, geen angst.

Er was een rode roos.

Hij keek er gelukkig naar en dacht: die roos ben ik. Mijn lichaam, in aarde gebed, is vergaan. Een deel ervan, de organische bestanddelen, zijn veranderd in koolzuur en ammoniak en hebben zich verspreid over de hele

23

wereld. De anorganische bestanddelen, de verschillende zouten, zijn in de grond gedrongen waarin ik lig en die hebben deze roos tot bloei gebracht, deze prachtige roos. Ik ben een roos geworden. Een roos en een wolk, want de gassen in mijn lichaam zijn opgestegen. Ik ben een wolk. Het begon te regenen, zacht en licht. Ik ben de regen, dacht hij, ja, ook de regen. Er bestaat een wereldenergie waarvan de hoeveelheid precies is vastgelegd. Niet het kleinste deeltje van deze energie mag ooit verloren gaan. Ze mag alleen van gedaante veranderen. In andere energie. In oneindig veel andere vormen van energie. Warmte bijvoorbeeld. De energie die mijn lichaam verliet toen ik stierf, is warmte geworden, warmte die ik voel, gouden licht dat op de roos schijnt. Ik ben het licht, dacht hij. Ik ben de warmte. Iedere boom, ieder blad, iedere steen bevat een deel van mij. Want de bestanddelen van mijn lichaam zijn nu overal, in de lucht en op de aarde. Ik ben de aarde. Ik ben de rivier. Ik ben de zee. Ik ben iets geworden van alles wat er in het oneindige heelal bestaat. Ik ben het heelal. Het heelal dat er altijd al was, dat nooit een begin heeft gehad en waarvoor het niet nodig was ooit te beginnen. Niets ben ik meer, nu ben ik alles. En ik heb eindelijk rust.

Hoe heerlijk is dat, dacht hij. Wat heerlijk is de dood, wat heerlijk is de eeuwigheid. Ja, ik ben nu ook de eeuwigheid. Waarom heb ik dat vroeger niet geweten? Waarom heb ik me dat vroeger niet kunnen voorstellen? Ik wou dat ik vlak na mijn geboorte was gestorven. Nee, dat is een verkeerde gedachte. Ik mocht niet direct sterven. Ik moest opgroeien, opdat mijn lichaam al die bestanddelen kreeg die nu een andere gedaante hebben aangenomen. Ik heb moeten leven om op die manier universeel te mogen zijn: een deel van alles wat bloeit en leeft en groeit, ja, van alles wat er gebeurt op deze wereld, in dit heelal, want ik heb vast ook met mijn belevenissen, de goede en de slechte, met mijn gedachten en met mijn werk energie geschapen en meegebracht in de dood, opdat deze energie een deel van de wereldenergie wordt.

En weer zag hij de roos en daar waren weer de warmte, het gouden licht en de stilte.

Er gebeurde iets vreselijks. Hij wist niet wat. Maar de stilte werd eensklaps verstoord door een luidruchtige, afgrijselijke wirwar van afschuwelijke klanken, een hels kabaal. En er was geen licht meer maar duisternis, o, een afschuwelijke duisternis. En er was geen warmte meer maar kou, een verschrikkelijke kou die hem deed rillen.

Tijdens zijn geluk was hij gewichtloos geweest. Nu voelde hij ineens weer zijn lichaam. Zijn lichaam werd heen en weer gesjord, omhooggetrokken, men liet het vallen. Steeds meer fysieke gewaarwordingen deden zich gelden – hoofdpijn, pijn in zijn ledematen en kou, die grote kou. Vol ontzetting dacht hij: dit is niet de dood.

Het volgende moment sloeg iemand tweemaal heftig in zijn gezicht en een vrouwenstem schreeuwde: 'Doorslikken!' Vlak daarna dacht hij dat hij stikte. Zijn neus werd dichtgeknepen, op een pijnlijke manier werden de vleugels toegedrukt. Lucht! Hij wilde lucht. Zojuist nog had hij geen lucht nodig gehad, maar nu wel: Hij voelde weer angst, een ellendige angst. Zijn lichaam, dat voelde hij, verzette zich. Daarna sperde hij zijn mond open, wijd open, om door zijn mond adem te kunnen halen. Voordat hij dit kon, stroomde een hete, afschuwelijk smakende vloeistof in zijn keel. Hij wilde het uitspuwen, maar in plaats daarvan slikte hij het door. Hij kreunde. Dit hield hij niet vol. Dit was te erg. De vloeistof had zijn maag bereikt. Deze protesteerde onmiddellijk. De vloeistof schoot weer omhoog. Hij voelde dat hij overgaf, overgaf met grote heftigheid. Hij rilde van afschuw. Hij opende moeizaam, o zo moeizaam zijn ogen. Alles zag hij door sluiers en slierten. Zijn hoofd barstte bijna. Waar was hij? In de badkuip. Hoe was hij in de badkuip gekomen? Boven zich zag hij een vrouw die zich naar hem overboog. Ze scheen naakt te zijn, net als hij. Hij voelde warm water. Die vrouw . . . Ze spoelde hem met de douche schoon.

Hij zat, merkte hij, met zijn rug tegen de opstaande rand van de badkuip geleund. Hij haalde adem, diep adem, nu was zijn neus vrij.

Vlak daarna was zijn neus weer dicht. De vrouw drukte de neusvleugels samen. Hij sperde zijn mond open. Het volgende moment schoot de hete, smerige vloeistof in zijn keel, die walgelijke troep. De vrouw zei iets. Hij verstond haar niet. Hij begon weer over te geven. Dit hou ik niet vol, dacht hij. Dit is te veel. Dit kan ik niet aan. Dood! Ik wil dood. Er kwam een verschrikkelijk vermoeden in hem op: *Ze wilde hem in het leven terughalen!* In dat ellendige, smerige leven. Uit het heelal van de dood. En dat deed die naakte vrouw met haar grote borsten, die zich nu weer over hem heen had gebogen terwijl de douche alles wegspoelde.

Reutelend haalde hij door zijn mond adem. Hij huilde nu van woede en hulpeloosheid. Weer zei de vrouw iets. Weer verstond hij haar niet. Ze had absoluut geen medelijden. Zonder medelijden drukte ze zijn neus dicht en weer moest hij zijn mond opensperren, weer stroomde het smerige goedje in zijn keel, waarna hij moest overgeven.

Hij voelde zich verschrikkelijk zwak. Zijn hart klopte als een razende. Daarna was de kwelling voorbij. Hij kon ademhalen. Heerlijk warm stroomde het water van de douche over zijn borst. Een hand raakte zijn hand aan. Het duurde een hele tijd voordat hij begreep dat de vreemde vrouw zijn pols voelde. Plotseling was hij alleen. Ze had de badkamer verlaten. Zijn hoofd gleed opzij op de koude tegels van de kuiprand. Hij was zo zwak dat hij zijn ogen niet langer kon openhouden. Zijn hoofd deed zo'n pijn dat hij dacht dat het zou barsten. De roos, dacht hij.

Toen was ze er weer.

Ze pakte hem beet aan zijn haren en trok zijn hoofd achterover. Ze kneep zijn neus dicht. Hij sperde zijn mond open. De kwelling ging verder. Ze goot nieuw spul in zijn keel. Hij gaf over. Ze spoelde hem schoon en zei weer iets. Ditmaal schreeuwde ze. Zijn hele lichaam beefde nu. Voor zijn ogen draaiden zwarte slierten en kringen. Hij hoorde de jonge vrouw hijgen. Het moest voor haar een grote inspanning zijn. Ze hield zijn hoofd vast en voorkwam dat hij in de badkuip onderuit gleed. In haar andere hand had ze een kan met de walgelijke vloeistof. Inderdaad, ze hijgde van inspanning. Maar ze gaf het pas op toen hij het bewustzijn verloor.

Hij kwam bij en onmiddellijk drukte ze zijn neus weer dicht. Ze ging door. Hij voelde zich steeds zwakker worden. Ze goot het goedje in zijn mond. Hij gaf over. Hij verloor het bewustzijn. Hij kwam weer bij. Alles begon van voren af aan. Na de eerste seconde van de eeuwigheid was het dan zover dat hij alleen nog bittere gal spuwde. Toen kreeg hij een poosje rust. Daarna goot de vrouw warm water in zijn keel. Ook dat hield hij niet binnen. Driemaal warm water. Hij voelde dat zijn hart bleef stilstaan. Ze heeft je gedood, dacht hij. Bedankt. Alles werd zwart voor zijn ogen. De stilte keerde terug. Welkom, dood, dacht hij.

Hij sloeg zijn ogen op. Nu zag hij alles duidelijk. Ze zat op de rand van het bed. Hij lag tot aan zijn kin toegedekt. Ze was nu niet naakt meer. Ze droeg een vleeskleurige beha en een vleeskleurig slipje. Ze had glanzend zwart haar en stralende blauwe ogen. Haar huid was door de zon diep gebruind.
'Wie bent u?' Hij bracht de woorden nauwelijks verstaanbaar uit.
'Niet praten!'
'Hoe bent u hier binnengekomen?'
Ze schudde het hoofd en legde haar wijsvinger op haar volle, mooi gevormde lippen.
'Moet ik nu blijven leven?'
'Niet praten!' zei ze.
Alles werd weer zwart.

Hij werd wakker. Ze zat bij zijn bed. Nu droeg ze een blauwe ochtendjas. Haar gezicht was bleek. Ze leek uitgeput. De lamp naast het bed brandde nog, maar het was dag. Achter de ramen sneeuwde het hard. De storm ging tekeer en joeg sneeuwwolken voor zich uit. Hij hoorde een vensterluik klapperen.
'Hallo,' zei ze.
Hij antwoordde niet.
'U hebt lang geslapen. Dertien uur. Haast veertien. Het is bijna halfelf.'
Ze had naar het tafeltje naast het bed gekeken. Daarop stond een wekkerradio.
'Bijna veertien uur?' Hij had nog steeds hoofdpijn.
'Ja, meneer Ross.'
'U kent mijn . . .' Hij zweeg.
'Ik ben Mercedes Olivera.'
Hij haalde zijn schouders op. Zijn hoofd deed steeds meer pijn.
'Herinnert u het zich niet?'
'Wat?'
'Ik heb opgebeld. Gisteren.'
Hij keek haar zwijgend aan.

26

'Uit Zürich. Vanaf het vliegveld.'
'O . . .' Hij kreunde. Nu wist hij het weer.
'Nu herinnert u het zich, hè?'
'Ja.'
'U wilde zich van het leven beroven, meneer Ross. Waarom?'
'Dat gaat u niet aan. U hebt me teruggehaald. Waarom?'
'Mijn hemel, ik kon u niet laten sterven!'
'Waarom niet?'
'Toe, meneer Ross!' Ze legde een hand tegen zijn wang.
'Nee,' zei hij.
'Wat nee?'
'Neemt u die hand weg! Ik hou daar niet van.'
Ze trok haar hand terug.
'Wat kan het u schelen dat ik dood wil? U hebt alles verprutst.'
'U bent nog erg zwak, meneer Ross. Ieder mens die op sterven ligt, kan
me wat schelen.'
'Florence Nightingale,' zei hij. 'Nobele verpleegster. Goed mens. Alles
hebt u verprutst.'
'Laat me uw pols voelen!'
'Raak me niet aan!' Woedend zei hij: 'Zonder u had ik nu rust. Het is
gemeen wat u gedaan hebt.'
'U staat voor het belangrijkste moment in uw leven. U móet leven!'
'Ik vind u onuitstaanbaar,' zei hij. Daarna viel hij weer in slaap.

Toen hij wakker werd, was het buiten donker. De storm gierde nog steeds.
Hij zwiepte sneeuw tegen de ramen. Weer zat de jonge vrouw aan zijn bed.
Ze zag er nu doodmoe uit, maar ze glimlachte.
'En, marmot?'
'Hoelang heb ik deze keer geslapen?'
'Ruim zeven uur. Het is zes uur in de avond.'
Hij probeerde zich op te richten, kreunde en viel op zijn kussen terug.
'Wat is er?'
'Ik moet naar de badkamer.'
Ze boog zich naar hem toe. 'Wacht, ik zal u ondersteunen.'
'Ik kan het best alleen.'
'Nee, dat kunt u niet.' Haar gezicht was nu heel dicht bij het zijne. De
ochtendjas viel open, hij zag haar mooie, grote borsten in de diep uitgesne-
den beha, maar hij voelde geen begeerte; hij was veel te zwak. Even liet hij
zijn hoofd op haar schouder rusten. Hij snoof de geur van parfum op. 'Zo,'
zei ze, 'nu uw benen buiten bed. Langzaam aan! Denk om uw bloeddruk!'
Gehoorzaam liet hij langzaam zijn benen uit het bed glijden.
Ze legde een arm om zijn schouders. 'Ik breng u.'
'Niet nodig . . .' Hij stond op. Woest draaide alles om hem heen.
'Doe het toch maar alstublieft,' zei hij. Daarna ontdekte hij dat hij niets
aan had. Voetje voor voetje bracht ze hem naar de badkamer. Hij liet zich
op de closetbril zakken. Ze ondersteunde hem nog steeds.

'Kan ik u alleen laten?'

'Blijft u maar liever! Ik voel me zo draaierig. Ik verlang wel veel van u, ik weet 't. Neemt u mij niet kwalijk.'

'Ik heb wel meer een naakte man gezien, meneer Ross. Ook in een dergelijke situtatie.'

De badkamer was schoon. Hij zei: 'U hebt in de badkuip dat smerige goedje in mijn mond gegoten om mijn maag leeg te krijgen, is het niet?'

'Inderdaad, meneer Ross. Het was een verschrikkelijk zwaar karwei. Eerst moest ik u van het bed hierheen slepen. U was zo zwaar dat ik u tweemaal heb laten vallen. Daarna moest ik me uitkleden, omdat ik het zo heet had. En om mijn spullen te sparen. Het ergste was om u over de rand van het bad te krijgen. En er weer uit. Maar ik moest het wel in de badkuip doen omdat ik er water bij nodig had. Terwijl u sliep heb ik de boel hier schoongemaakt en zelf een bad genomen.'

'Wat een conversatie!' zei hij.

'Denkt u dat u nu iets kunt eten? Bouillon?'

'Ik weet het niet.'

'U moet. U hebt een paar flessen mineraalwater leeggedronken.'

'Wanneer?'

'Telkens als u even wakker was, heb ik het u gegeven.'

'Daar weet ik niets van.'

'U hebt enorm veel vocht verloren. Dat moest aangevuld worden.'

'Heb ik zoveel gedronken?'

'Merkt u dat niet?' Ze keek hem glimlachend aan.

Hij beantwoordde de glimlach met trillende lippen. 'Hoe oud bent u?'

'Drieëndertig. Hoezo?'

'Behoorlijk onbeschaamd voor drieëndertig.'

'Volkomen onbeschaamd. Tjonge, wat ben ik blij!'

'Waarom?'

'Dat het al zoveel beter met u gaat.'

'Wat hebt u met mijn pyjama gedaan?'

'Uitgetrokken. Ik kon u toch niet in pyjama in de badkuip . . .'

'Natuurlijk niet.' Hij stond op. Zijn knieën trilden hevig. 'Als u nog eens zo vriendelijk wilt zijn?'

Ze ondersteunde hem op de weg terug naar het bed en weer rook hij de geur van parfum en van haar huid.

'Wat hebt u me allemaal naar binnen laten werken?' vroeg hij toen hij weer lag.

'Van alles en nog wat. Toen ik u zag . . .'

'Hoe bent u binnengekomen?'

'Ik heb een keukenraam ingeslagen, vanuit de tuin, en de grendel weggeschoven. God zij dank woont u op de begane grond! Natuurlijk heb ik eerst aangebeld – heel lang. Toen u niet opendeed, werd ik bang. U had aan de telefoon zo'n merkwaardige stem. Boven u wonen ook mensen, hè?'

'Een oud echtpaar en een man alleen.'

'Ik had een naar voorgevoel. Ik wilde geen opzien baren. Anders zouden de andere huurders argwanend zijn geworden. Die zouden beslist de politie hebben gewaarschuwd - dat gevaar bestond in elk geval - en die zou uw voordeur hebben geforceerd. En dan zou u in een psychiatrische inrichting zijn beland. Daar worden mensen die een poging tot zelfmoord doen toch heen gebracht, niet?'

'Die is hier vlakbij.'

'Wie?'

'Een psychiatrische kliniek. Geen halve kilometer hiervandaan.'

'Ziet u wel! Natuurlijk zouden ze u daar hebben gehouden. Weken. En dat is eenvoudig onmogelijk.'

'Waarom?'

'Uw vader verwacht u.'

Hij slikte moeizaam, staarde haar aan, en probeerde te spreken. Die poging mislukte. De schok was te groot.

'Wat is er?'

'Mijn vader . . .'

'Ja?'

'Mijn vader is in maart 1945 gesneuveld.'

'Nee.'

'Wat nee?'

'Nee, hij is niet gesneuveld. Hij leeft. In Buenos Aires. Hij heet nu Olivera en wacht op u. Daarom ben ik naar Duitsland gekomen.'

'Waarom?'

'Om u naar hem toe te brengen.'

'U kunt mij niet bij hem brengen. Wat is dat voor onzin?' Hij wond zich op. 'Mijn vader is al negenendertig jaar dood!'

'Hij is niet dood. Hij leeft. Geloof me toch! Toe, alstublieft! Hij leeft en wil u iets geven. Zo snel mogelijk.'

Dit was te veel voor hem. Hij zweeg en staarde haar aan.

'Wat is er? Waarom zegt u niets?'

'Wie . . . wie bent u eigenlijk?'

'Ik ben zijn dochter,' antwoordde ze heel langzaam en heel rustig. 'Zijn stiefdochter, bedoel ik. Hij is met mijn moeder getrouwd. Dus ben ik uw stiefzuster, meneer Ross.'

Hij sloot zijn ogen. 'En wat wil hij mij geven?'

'Een geheim internationaal verdrag. Ik moest het keukenraam wel inslaan. Daarna moest ik snel ingrijpen. Gelukkig vond ik alles in de keuken. Een paar stukken huishoudzeep, zout, azijn en mosterd.'

'Ik begrijp er geen snars van.'

'Ik moest uw maag toch leegmaken, al die Nembutal er weer uit krijgen.'

Hij opende zijn ogen weer.

'Hoe weet u dat ik . . .'

'De doosjes liggen op het bureau. Ik heb een grote pan met water gevuld en op de grootste pit gezet. Daar heb ik alles in gegooid wat ik vinden kon, veel zout, veel azijn en mosterd. De zeep heb ik in heel dunne schijfjes gesneden, vlokken bijna. Toen moest ik alles aan de kook brengen en weer

29

laten afkoelen. Steeds overgooien van de ene pan in de andere. Tot het niet te heet meer voor u was.'
'Heb ik geraspte zeep ...'
'En al dat andere, ja.'
'Hoe kwam u daarop?'
'De EHBO-cursus.'
'En als ik nu toch het hoekje was omgegaan? Ondanks alles?'
'Dan zou ik erbij zijn geweest. Dood door schuld. Maar ik moest het risico nemen. Ik moest wel. Ik had geluk. U ook.'
'Ik niet.' Zoëven had hij zich nog goed gevoeld. Ineens voelde hij zich weer beroerd.
'Je moet me alles vertellen.'
Hij schudde het hoofd.
'Maar natuurlijk doe je dat. Later, Daniel. Als alles weer goed met je is. Ik mag toch Daniel zeggen, hè?'
'Natuurlijk, Mercedes – als je het goedvindt.'
'Vanzelfsprekend.' Ze zei: 'Weet je, we hebben wel reusachtig veel geluk gehad, allebei. Twintig minuten nadat ik met je belde, vertrok er een toestel hierheen. Ik kon nog een plaats krijgen. Om half negen was ik al hier.' Ze stond op. 'En nu krijg je een lekkere, sterke bouillon.' Ze liep naar de deur.
Hij had het gevoel dat hij nu pas plotseling uit een diepe droom ontwaakte.
'Mercedes!'
'Ja?' Ze draaide zich glimlachend om.
'Wat heb je gezegd?'
'Nu krijg je een lekkere, sterke bouillon.'
'Nee,' zei hij. 'Daarvoor. Wat moet mijn vader, die negenendertig jaar geleden overleden is, mij in Buenos Aires geven, zo snel mogelijk?'
'Een internationale geheime overeenkomst. Ik heb in de keuken alles al klaargemaakt. Ik ben zo weer terug.'
Hij staarde naar het plafond. De storm gierde en ruiste, donderde en jammerde. Als ik gek ben geworden, dan is dat best, dacht Ross.

6

Op de omslag was met zwarte inkt een adelaar met een hakenkruis in zijn klauwen ingeperst. ZAKBOEKJE stond daaronder.
Ross opende het oude, dunne boekje.
Daar was de foto van zijn vader. Een smal gezicht met grote ogen en dunne lippen. Het grijze haar kortgeknipt. Ross merkte dat zijn hand beefde. Hij las op de bladzijde met de foto de persoonsgegevens. Naam: Ross, Georg. Geboren: 11 januari 1907. Plaats: Wenen/Ostmark. Rang: majoor. Hij bladerde verder. De pagina's waren vergeeld en hadden vochtvlekken.
'Is dat je vader?'
'Ja.' Zijn stem trilde.

'Daar bestaat niet de minste twijfel over?'
'Niet de minste.' Hij keek haar aan. 'Hoe komt dit in jouw bezit?'
'Hij heeft het me meegegeven, verdorie! Hoe zou het anders in mijn bezit komen? Uit het rijk der doden? Jouw vader lééft, geloof me toch eindelijk!' Hij antwoordde niet. Hij staarde naar de foto in het zakboekje. Mercedes zat weer tegenover hem. Hij werd gesteund door een kussen in zijn rug. Hij had een andere pyjama aangetrokken, drie kommen vlees-bouillon gedronken en hij voelde zich nog steeds erg zwak, maar veel beter en helemaal helder. Mercedes droeg nu een grijs mantelpakje met een lichtblauw sjaaltje om haar hals. Ze had zich opgemaakt.

'Hier,' zei ze en overhandigde hem een vergeelde, verbleekte foto. Hij keek haar verwezen aan. Dat was hij! Een kleine jongen met een speel-broekje aan en een daarover hangend bloesje, het haar als een pagekopje geknipt. Blij lachend op de schouders van zijn vader, die het uniform van een majoor bij de Duitse Wehrmacht droeg. Zijn vader had een pijp in de mond. Hij stond voor een met wijnranken begroeide villa in een grote tuin.

'Herinner je je die foto nog?' vroeg Mercedes.

'Ja. Mijn moeder heeft hem genomen. In dat huis hebben we gewoond. Een huurhuis. Sternwartestrasse. Achttiende district. In de Cottage. Ik herinner me de pijp van mijn vader. Tegen het einde van de oorlog waren er maar weinig sigaretten meer. Toen begon hij met pijproken. Deze foto moet gemaakt zijn toen hij de laatste keer voor zijn dood met verlof kwam.'

Ze zei geduldig: 'Hij heeft me deze foto drie dagen geleden gegeven. Hij is niet dood. Ik moet je met deze foto daarvan overtuigen.'

'Maar wij kregen de officiële mededeling van zijn dood!' Hij citeerde scanderend: '"Gevallen tijdens trouwe plichtsbetrachting voor Führer, Volk en Vaderland bij zware defensieve gevechten op twee maart negen-tienhonderdvijfenveertig in de omgeving van Küstrin." Hoe kan hij dan nog in leven zijn? En waarom hebben we nooit iets van hem gehoord, in al die jaren?'

'Dat zal hij je zelf vertellen. Hier, wie is dit?' Ze overhandigde hem nog een foto.

Hij zag zichzelf als kleine jongen met een tengere vrouw die trachtte te glimlachen. Ze zaten naast elkaar op een bank naast de radio.

'Mijn moeder – en dat was een zogenaamde *Volksempfänger*,' zei Ross. 'Daar waren er miljoenen van. Wij hadden nog een toestel; daarmee luisterde mijn moeder 's nachts altijd naar Londen. Natuurlijk luisterde ze alleen naar Londen als mijn vader er niet was. Hij zou haar grif hebben aangegeven. Hij was een fanatieke nazi. Ik ben ervan overtuigd dat hij veel mensen heeft aangegeven. Die vervloekte schoft. O, wat heb ik hem gehaat!'

'Omdat hij een fanatieke nazi was?'

'In die tijd was ik veel te klein, nog maar net zeven jaar. Ik begreep er nog niets van. In die tijd vond ik het altijd heerlijk als hij met verlof kwam. In die tijd hield ik nog van hem. Je ziet wel hoe blij ik lach op die foto. Nee, later, jaren later, toen ik volwassen werd en het kon begrijpen, heeft mijn arme moeder alles over hem verteld. Wat voor een afschuwelijke nazi hij

31

was. En dat haar leven een hel was. Dat ze in het verborgene huilde van angst, dagenlang, voordat hij kwam. Omdat hij scènes maakte, de vreselijkste scènes. 's Nachts als ik sliep, ging hij tekeer. Dat hoorde ik natuurlijk niet . . . ik was nog klein. Pas later heb ik alles begrepen. Het huwelijk was kapot. Hij wilde scheiden zodra de oorlog was afgelopen. Arme moeder. Toen begon ik hem te haten.' Hij zei: 'Jij weet alles over mij en hem en mijn moeder, hè?'

'Ja.'

'Vertel me dan ook eens waar hij heeft gewerkt voordat hij bij de Wehrmacht kwam!'

Het antwoord kwam prompt: 'Hij was directeur van een filiaal van de Österreichische Sparkasse.'

Ross keek haar lang aan. 'Goed dan, hij leeft. Die vervloekte schoft leeft. Ik begrijp het nog steeds niet. Hoezo heet hij geen Ross meer? Hoezo heet hij Olivera? Hoe is hij in Argentinië gekomen? De smeerlap. O, nu haat ik hem pas echt! En dat terwijl hij zo charmant, zo lief, zo vriendelijk kon zijn – als hij wilde. Ook voor mijn arme moeder.' Hij wees naar de vergeelde foto. 'Zie je die schoenen met riempjes en hoge, dikke hakken? Dat werden kurkschoenen genoemd. Vreemd, welke dingen je je nog herinnert. Ik herinner me de hele geschiedenis . . . Mijn vader bracht die schoenen eens mee toen hij met verlof kwam. Die schoenen – dat heeft mijn moeder mij allemaal later verteld en nu schiet het me weer na lange tijd te binnen – kwamen uit Italië. Mijn vader moet ze van een kameraad hebben gekregen, want hij zat immers voortdurend aan het oostfront. Destijds een grote sensatie: Italiaanse kurkschoenen! Je ziet dat de kurk met leer bekleed is. Mijn moeder was blij toen mijn vader ze haar gaf. Twee uur later huilde ze. Om hem. Door hem. Een sadist. Hij had er plezier in als mijn moeder huilde. Bekijk haar maar eens! Midden in de dertig, vrijwel net zo oud als jij, Mercedes. Een oude vrouw zonder hoop.'

'Wat verweet hij haar dan?'

'Niets! Hij had gewoon genoeg van haar. Mijn moeder was ervan overtuigd dat er een andere vrouw in zijn leven was. Ik ook.'

'Wat bedoel je met: ik ook?'

'Ik was er ook zeker van – later, toen ik mijn verstand ging gebruiken en mijn moeder met mij over alles sprak.'

'Waarom kwam je vader eigenlijk nog naar Wenen met verlof, als er toch alleen maar tranen en scènes waren?'

'Hij was stapelgek op mij. Ik betekende alles voor hem.'

'Jij zou bij een scheiding toch aan je moeder zijn toegewezen.'

'Ja,' zei hij verbluft. 'Natuurlijk.'

'Dat moet hij hebben geweten.'

'Dat moet wel . . . Misschien was ik hem ook wel volmaakt onverschillig en speelde hij alleen maar komedie. Misschien had hij een heel andere reden om naar Wenen te komen.'

'Dat is mogelijk,' zei ze.

'Ken jij die reden?'

'Ja.'
'En die is?'
'Jouw vader,' zei Mercedes, 'zal je alles vertellen. Niet ik maar je vader. Ik mag het niet. Hij heeft het me verboden.'
'Waarom doe je dit allemaal?'
'Omdat ik van hem houd,' zei ze energiek. 'Hij is de prachtigste mens die ik ken.'
'Dan moet het een andere man zijn. Een dubbelganger. Krankzinnig! Mijn vader is een schoft, een vervloekte schoft.'
'De geweldigste man ter wereld,' zei zij hartstochtelijk.
Ze keken elkaar zwijgend aan.
De storm loeide nog steeds.
Mercedes overhandigde Ross een aantal vergeelde vellen papier.
'Brieven,' zei hij. 'Brieven van mij aan hem.'
'Inderdaad, brieven van jou. Hij heeft ze bewaard. Veertig jaar. Drie dagen geleden gaf hij ze aan mij. Je kon al snel goed lezen en schrijven, zei hij.'
Ross staarde naar een oud blad papier, dat met het ongeoefende handschrift van een kind was bedekt.
Lieve vader, moeder heeft verteld dat waar u bent een grote veldslag is geweest. Ik hoop dat alles goed met u is. Schrijf alstublieft heel snel . . . Ross draaide het vel om. Hij las: *14 september 1943*. Hij pakte een andere brief en las vluchtig een paar regels door. *21 februari 1945* . . . *Er is iets heel ergs gebeurd. Op 18 februari 's morgens was er weer een bombardement en deze keer ook op onze buurt. Ons huis is getroffen. Alles is kapot en al onze mooie spullen zijn ook kapot. Moeder blijft maar huilen en ik moet ook huilen, want mijn loopfiets is stuk en ook mijn teddybeer. Wij waren in de bunker bij de bioscoop Apollo, u weet wel, anders waren we nu dood. Ze hebben ons bij vreemde mensen gebracht. Moeder schrijft u precies, waar. Die vreemde mensen zijn heel naar tegen ons* . . .
'Inderdaad, ons huis is platgegooid,' zei hij, 'en we hebben alles verloren. Vlak voor het einde van de oorlog. Daarna hebben we jarenlang bij vreemde mensen op een kamer gewoond . . .' Hij staarde de jonge vrouw aan. 'Maar dit is toch niet mogelijk.'
'Wat niet?'
'Dat jij me nu deze brieven brengt.' Hij zei luider: 'Waar heb je ze vandaan? Zeg de waarheid! Voor wie werk je?' Ze beantwoordde zijn blik zwijgend.
Hij mompelde: 'Neem me niet kwalijk . . . Maar als jíj nu eens negenendertig jaar lang zou denken dat je vader dood is en plotseling komt er iemand opdagen die zegt . . . Het spijt me . . . Neem me alsjeblieft niet kwalijk!'
Ze knikte.
Hij pakte een andere brief: *6 januari 1943* . . . *Lieve vader. Veel geluk en gezondheid gewenst met uw verjaardag en ik hoop dat u weer snel bij ons terugkomt. Moeder schrijft u ook een brief. Ze heeft een heel mooie nieuwe*

hoed. Hij is van panama, heeft ze verteld, dat is een stof die eruitziet als eierschalen. Van voren zit hij op het voorhoofd getrokken en aan de achterkant loopt hij wat omlaag. Hij is heel klein en heel leuk en moeder heeft gezegd dat hij jong staat en hij heet kollidzjhoed. 'Collegehoed,' zei Ross, naar het papier starend. 'Ik weet het nog precies. *Inderdaad, mijn moeder zei dat hij jong stond. Jaren later hadden we het nóg over die hoed* . . .' Hij las verder: *Ik heb voor uw verjaardag een heleboel bloemen getekend* . . . Hij zag dat de brief omlijst was met kleurige tekeningen . . . *De rode bloemen zijn tulpen en de blauwe zijn klokjes en de bruine margrieten. In plaats van geel heb ik bruin genomen, want ik heb geen geel kleurpotlood meer en die zijn ook niet te koop. En die twee harten zijn van moeder en van mij* . . . *Veel liefs, Daniel.*

Hij keek haar hulpeloos aan. Zijn stem klonk smekend. 'Wat moet ik geloven? Wie moet ik geloven?'

'Mij,' zei ze. 'Jouw vader leeft en je móet hem direct zien. Dat is de waarheid.'

'Waarom vertel je me niet wat er aan de hand is met die geheime internationale overeenkomst?'

'Omdat hij het je zal vertellen. Mij zou je niet geloven. Dat verdrag is te afschuwelijk. Je moet het lezen. Het gaat om vrede. Bestaat er iets belangrijkers dan dat? Wij moeten allemaal onze uiterste best doen om te voorkomen dat er een atoomoorlog komt.'

Hij keek haar verbaasd aan, want haar stem had opeens zeer luid geklonken. Haar gezicht trilde.

'Jij bent toch ook voor vrede!'

'Nee,' zei hij. 'Ik ben voor oorlog. Ik wil dat er een SS 20 pal op mijn hoofd valt.'

Haar gezichtsuitdrukking verkilde.

'Wat moet ik op zo'n vraag anders antwoorden?' vroeg hij.

'Het is al goed,' zei ze. Maar ze was gekwetst. 'Hier.' Ze overhandigde hem een grote kleurenfoto. 'Heb ik een week geleden gemaakt.'

Ross zag tussen twee oude, grote palmen een man in een licht kostuum en met witte schoenen. Hij stond op een kortgemaaid gazon voor een wit huis van twee verdiepingen met een plat dak. Het huis lag in een park vol exotische bomen en had hoge openslaande ramen tot op de grond. Er waren grindpaden, keurig gesnoeide heggen en grote bloembedden in alle mogelijke kleuren te zien. De man keek recht in de camera. Hij lachte. Hij had gezonde, sterke tanden. Hij was slank en had een smal gezicht met grijze ogen en een mond met dunne lippen. Zijn haar was net als dat van Ross sneeuwwit en nog erg vol. Bij de rechterslaap liep over de door de zon gebruinde huid een verticale, lichte streep; het restant van een groot litteken.

'Herken jij je vader?'

'Mogelijk,' zei hij en hij voelde die onbestemde angst, een angst die niet te beschrijven valt en die hij al zoveel jaren zo goed kende, langzaam, heel langzaam, in zich opstijgen. 'Ja, dat is 'm. Dat litteken op zijn voorhoofd . . .

Als jongeman heeft hij een ernstig motorongeluk gehad. Bijna was hij daarbij om het leven gekomen. Dat litteken ... Is dat het huis waarin hij woont?'

'Ja.'

'Het schijnt hem bijzonder goed te gaan. Hoe komt meneer Olivera aan zoveel geld?'

'Toe, Daniel ... Hij heeft er heel hard voor gewerkt ... zijn hele leven.'

'O ja? Als wat?'

'Hij was bankdirecteur.'

'Wás?'

'Hij is zevenenzeventig!' Ze gaf Ross een andere foto. 'Deze heb ik van heel dichtbij genomen. Kijk goed naar de datum van de krant in zijn hand.'

De man hield op deze foto een krant zo, dat duidelijk de naam van de krant en de regels daaronder waren te lezen. De krant heette *La Prensa.* 'De datum,' zei Mercedes nog eens. Hij las: 3 Febrero 1984.

'Geloof je nu dat hij nog leeft?'

'Hij leeft ...' Zijn stem was nog maar een gefluister. 'Die schoft leeft ...' En daar was die angst weer, die naamloze angst in hem, nog ver, maar hij kwam steeds nader en nader. 'Verdomme,' zei hij terwijl hij Mercedes aankeek, 'waarom heb je me niet dood laten gaan!'

In plaats van te antwoorden gaf ze hem een gesloten envelop.

Hij scheurde hem open en ontvouwde een met een pietepeuterig maar duidelijk handschrift bedekt vel, waarop linksboven in keurige drukletters het adres van de afzender stond.

EDUARDO OLIVERA
CESPEDES 1006
BUENOS AIRES

8 februari 1984

Mijn lieve zoon Daniel,

Deze brief wordt aan jou overhandigd door je stiefzuster Mercedes. Het zal beslist een schok voor je zijn te horen dat ik nog in leven ben, maar voor mij bestond er in 1945 geen andere mogelijkheid dan officieel dood te zijn. Het is een avontuurlijk en lang verhaal, dat ik je alleen kan vertellen als je tegenover mij zit. / Dan wil ik je ook uitleggen, waarom ik pas nu, na zoveel jaren, wat van me laat horen en waarom ik dat niet eerder heb gedaan.

Ik verzoek je dringend, dadelijk met Mercedes naar mij toe te komen, want ik ben in het bezit van een geheim document dat – als het in de publiciteit zou komen – voor de grote mogendheden een zware slag zou zijn en het verschrikkelijke gevaar van een atoomoorlog zou bezweren.

Ik weet dat jij in Frankfurt bij de televisie werkt. Wat ik jou te geven heb, zou jou en jouw zender aan een reuzesensatie helpen die de wereld zal veranderen. Je zult begrijpen, dat ik ook hierover persoonlijk met je moet spreken. Als ik je alles heb verteld, zul je ook alles begrijpen wat er is gebeurd – en je zult mij vergeven. Ik weet het. Ik ben zevenenzeventig jaar.

Ik wil vrede met je sluiten, Daniel – en ik wil ook nog beleven, dat datgene

wat ik jou heb te geven, de mensen van alle naties doet inzien welk duivels
spelletje er met hen wordt gespeeld. Beschouw me alsjeblieft niet als een
fantast. En dan nog dit: ik ben te oud om te liegen. Ik smeek je, mijn zoon,
kom naar me toe!

Je vader

Hij liet de brief zakken.
'Wat is er?' Mercedes keek hem geschrokken aan. 'Je bent helemaal
bleek. Je beeft, Daniel.'
'Zou je ...' Hij slikte moeizaam. 'Zou je alsjeblieft naar de badkamer
willen gaan ... Daar hangt een medicijnkastje ...'
'Ja, ja, en dan?'
'In dat kastje vind je een medicijn dat Nobilam heet ...'
'Nobilam ...'
'Ja ... alsjeblieft ... breng ... een ... doosje ... hier ... Vlug!'
Nu schoot de angst in hem omhoog als een fontein. Hij voelde zich
duizelig worden. Hij liet zich achterover in bed vallen. In zijn borst bonkte
iets dat hij niet kon lokaliseren, niet kon benoemen – als al zo vaak, zo vaak.
Te lang niets ingenomen ... te veel gepraat ... me te veel opgewonden,
dacht hij.
Mercedes kwam met het doosje en een glas water terug. Ze scheurde het
doosje open en trok de plastic dop uit het glazen buisje. Hij hield zijn
bevende hand op.
'Hoeveel?'
'Vijf ... zes ... acht ...'
De tabletten rolden uit het buisje. Hij gooide ze in zijn mond. Met water
spoelde hij ze weg.
Mercedes keek hem ontdaan aan. 'Wat is er?'
'Daarom ... wilde ik me ... van kant maken.' Het spreken spande hem
onnoemelijk in. 'Wacht maar ... een half uur ... Dan werkt dat spul ...
Dan zal ik je alles vertellen ... alles ... De hele vervloekte geschiedenis ...'

7

Niemand sprak.
Buiten woedde de storm. Ross lag stil op zijn rug met zijn ogen gesloten.
Als een sterke luchtbel bonkte de angst tegen zijn borstbeen ter hoogte van
zijn hart. Hij kende dat. Het was steeds weer onheilspellend. Plop. Plop.
Plop. Daarna weer minutenlang rust. En dan in zijn keel. Plop. Plop. Plop.
Hij slikte voortdurend. Dat gebonk kon hij niet wegslikken. De spieren in
zijn armen en benen trilden. Dat was ook een teken. Gek, dacht hij, als het
heel erg is, transpireer ik niet. Daar was de duizeligheid weer. Hij keek naar
Mercedes. Hij had een punt nodig waarop hij zich kon fixeren.
'Is het heel erg?'
Hij knikte.

Hij tilde zijn handen op en spreidde zijn vingers. Ze beefden hevig. Een leuke, zware tremor, dacht hij. Maar hij kon het niet zeggen. Hij zou nu geen woord hebben kunnen uitbrengen. In zijn mond hoopte zich speeksel op. Hij slikte het met grote moeite door. Het was alsof hij absoluut geen spieren meer had.

'Ben je verslaafd?'

Knikken.

Daar was de luchtbel weer. Plop, plop, plop. Hij liet zijn handen op de deken vallen. Mercedes streek erover met koele, gladde vingers, heel behoedzaam, heel voorzichtig. Ze glimlachte. Het kloppen van de luchtbel die niet bestond, daar was het weer, in zijn keel. Hij wilde iets zeggen.

'Niet praten,' zei ze.

Hij lag te woelen in bed. Hij kreeg kramp in zijn tenen en gleed heen en weer. Hij verloor haar gezicht niet uit het oog.

'Het gaat echt over,' zei ze. 'Ik zal bidden dat het overgaat.'

In zijn ogen kwam een uitdrukking van verbazing, toen hij zag dat ze haar hoofd boog.

Na een hele tijd keek ze weer op. 'Beter?'

Hij wilde zijn hoofd schudden, maar daarna knikte hij en grinnikte als een arme dwaas. Het ging inderdaad beter. De imaginaire luchtbel klopte niet meer. Zijn angst, zijn imaginaire angst, trok weg. Tien minuten later was het helemaal over.

'Je hebt weer kleur op je gezicht.'

'Bedankt voor het bidden.'

'Bid jij nooit?'

'Ik?' Eensklaps was alles weer in orde, eensklaps kon hij weer vloeiend spreken. 'Ik ben een heel arm heidens kind, dat nooit de weg naar zijn Heiland vindt.'

'Maar bidt ook niet een arm heidens kind in zo'n situatie?'

Hij staarde haar aan.

'Wat is er?'

'Je bent geweldig.'

'Omdat ik het heb geraden?'

'Ja.'

'Dat was niet moeilijk. Je was ontzettend bang, hè?'

Hij knikte.

'Wie bidt er dan niet?'

'Zeker,' zei hij. 'Maar bij mij heeft het nog nooit geholpen.' Ross dacht: Hoe kan iets helpen dat niet bestaat? Hij zei: 'Luister, Mercedes . . .'

Ze onderbrak hem. 'Wil je me niet morgen alles vertellen? Je gezicht is helemaal spits. Je hebt slaap nodig.'

'Nee . . . Ik . . . ik wil nu vertellen. Ik ben niet moe. Die Nobilam heeft geholpen . . . Ik bedoel: jouw bidden.'

'Het zal de Nobilam wel zijn geweest.'

Hij zei: *'Wenn ich mir was wünschen dürfte . . .'*

'Wat zeg je?'
'Toen je mij opbelde uit de bar op de luchthaven, hoorde ik Marlene Dietrich dat lied zingen. Jij vertelde dat de barkeeper een cassette had opgezet. Ik was al versuft door de Nembutal en de whisky. Maar toen ik die melodie hoorde, schrok ik me naar ... *Wenn ich mir was wünschen dürfte* ... Marlene Dietrich heeft dat lied wereldberoemd gemaakt ... Een fantastische vrouw ... Ik bewonder haar ... Weet je wat Hemingway over haar heeft geschreven?'
'Hemingway?'
'"Zelfs als ze niets anders had dan haar stem, zou ze daarmee je hart kunnen breken ...",' citeerde hij.
'Ja,' zei Mercedes. 'Ja, dat klopt.'
'"... maar ze heeft bovendien nog een prachtig figuur en die tijdloze schoonheid van haar gezicht," ' vervolgde hij. ' "Het maakt niet uit waarmee ze je hart breekt, als ze er maar is om het weer in elkaar te zetten ..." Geweldig, hè?'
'Inderdaad, ja,' zei Mercedes.
'En waar,' zei hij. 'Iedereen móet het zo voelen. Ik wou dat ik Dietrich eens had ontmoet. Of dat ik haar alleen maar had gesproken – aan de telefoon.' Weer maakte hij gebruik van de woorden van Hemingway: ' "Ik weet dat ik Marlene nooit kon zien zonder dat ze iets met mijn hart deed en zonder dat ze me gelukkig maakte. Mocht ze daardoor mysterieus worden, dan is het een prachtig mysterie ..." Een prachtig mysterie,' herhaalde hij.
'Tja, dat is Marlene Dietrich!'
'Je praat te veel,' zei Mercedes.
'*Wenn ich mir was wünschen dürfte*. Weet je, in 1931, in een UFA-film onder regie van Robert Siodmak – *Der Mann, der seinen Mörder sucht* heette die – toen zong een ander voor het eerst dat lied ... Wij verzamelden oude platen, 78-toerenplaten, weet je wel. En juist van die schellakplaat waren allebei de labels helemaal afgekrabd. Niettemin zijn die vrouw en ik destijds overal achter gekomen – alleen niet wie het lied zong. We hebben in Wenen geïnformeerd bij de eigenares van bioscoop Bellaria. Daar worden regelmatig heel oude films gedraaid. Het werd gezongen door een meisje, zei ze. Maar de naam herinnerde ze zich niet meer ... Eigenaardig was dat. We hebben de naam nooit kunnen achterhalen ... Dat is nu al zo lang geleden ... Zoveel jaar ... En toen hoorde ik dat lied weer ... Dat moet iets te betekenen hebben, dacht je ook niet?'
'Ben je bijgelovig, Daniel?'
'Als iemand niet kan geloven, is hij bijgelovig.' Hij herhaalde: '*Wenn ich mir was wünschen dürfte* ...' Hij glimlachte.
'Jullie hebben veel van elkaar gehouden,' zei ze zacht.
'Ja, heel veel. Zij was de vrouw die mij ... heeft gered.' Hij sprak steeds langzamer. Hij sloot zijn ogen. 'Telkens weer gered ... Ik zou allang niet meer in leven zijn zonder haar ... Leven en liefde ... heeft ze me gegeven ... zoveel liefde ... *Wenn ich mir was wünschen dürfte* ... ons lied ... in Wenen. En nu hoorde ik het weer ... bij jouw telefoontje ... vreemd ...

vind je niet? Sibylle kent me als geen ander. Maar ik kan niet naar Sibylle. Ik kan het niet . . . Ten slotte . . . ten slotte hebben we elkaar gedood . . .' Hij was nu nog maar nauwelijks te verstaan. 'Men doodt altijd wat men liefheeft . . .'

Mercedes boog zich over hem heen. Hij haalde diep adem. Hij was in slaap gevallen. De jonge vrouw trok de deken recht. Daarna zat ze weer rechtop en keek naar Ross. Haar gezicht stond zeer ernstig.

8

Sibylle was opgestaan en stond nu met haar rug naar hem toe bij haar bureau. Sibylle was zesendertig jaar, van gemiddelde lengte en slank. Ze had kastanjebruin haar en bijzonder grote ogen van dezelfde kleur. Haar mond was breed, haar lippen licht gewelfd en geschapen om te lachen. Daniel was drieëndertig en zijn haar was nog blond. Hij was hersteld en zag er gezond uit. Het was stil in de grote spreekkamer van Sibylle op de eerste verdieping van de afdeling Psychiatrie en Neurologie op het reusachtige terrein van het Algemeen Ziekenhuis in Wenen.

'We zijn er dus achter gekomen dat uw verslaving aan valium – en trouwens uw hele verslavende gedrag – vrijwel niets met stress of met uw krankzinnige beroep te maken heeft, maar veel meer met factoren uit uw jeugd en een overmatige moederbinding.'

Ross stond eveneens op. 'Dokter . . .'

'Ja?' Ze draaide zich om.

Hij stond vlak voor haar. Hij zei: 'Er is nog een complicatie die ik u moet meedelen.'

'Welke?'

'Ik hou van je, Sibylle. Sedert ik je ken. Ik aanbid je.'

Haar ogen waren eensklaps enorm groot. Hij sloeg zijn armen om haar heen en drukte zijn lichaam tegen het hare. Ze verweerde zich tevergeefs. Hun lippen ontmoetten elkaar. Hij kuste haar hard, en hard bleef haar mond. Daarna openden haar lippen zich en ze werden zacht en heerlijk. De kus duurde lang. Ten slotte legde ze haar hoofd op zijn schouder en haar wang tegen de zijne.

Ze fluisterde: 'Ik begrijp je, Daniel . . .' Haar armen omknelden hem. Ze kusten elkaar opnieuw. Daarna keken ze elkaar in de ogen.

'Voor eeuwig,' zei hij.

'Voor eeuwig,' antwoordde zij.

Sibylle lachte plotseling fijntjes.

'Wat is er?'

'Niets, lieveling.'

'Wel waar! Waarom lachte je?'

'Ik dacht bij mezelf: moederbinding! Natuurlijk ben ik ouder,' zei Sibylle en ze lachte weer.

Hij had het plotseling koud en werd abrupt wakker.

39

Mercedes zat aan zijn bed. Ze droeg een zwarte, glimmende pyjama. 'Wat is er... Hoezo...' Hij was nog erg versuft. De zon scheen in de slaapkamer. 'Ik ben weer in slaap gevallen, hè?'
Ze knikte.
'Ik wilde je toch vertellen in welke situatie ik mij bevind. Waarom ik niet naar Wenen kan ... maar wel zou moeten ... Heb ik dat verteld?'
'Je was gewoon nog te zwak.'
Hij keek op de wekkerradio op het tafeltje naast het bed.
'Halftien. Weer tien uur geslapen.'
'Dertien. Hoe voel je je nu, op deze prachtige maandag?'
'Goed,' zei hij. 'Maar jij ... Waar heb jij geslapen?'
'Naast jou.'
'Wát?'
Ze haalde haar schouders op. 'Als er nou een bank in je flat was geweest ... Maar je hebt alleen dit bed. Dat heel breed is. Met twee dekens en extra kussens. Dus heb ik ook een pyjama aangetrokken en ben naast je gaan liggen. Ben je geshockeerd?'
'Nee.' Hij keek haar aan. Een streep zonlicht viel op haar donkere haar en gaf het een rossige glans.
'Die dame was het ook niet.'
'Welke dame?'
'Ik ken haar niet. Kwam klokslag negen uur. Een oudere dame. Met een loden jas en een jagershoedje. En een heel grote boodschappentas vol levensmiddelen.'
'Dat was mevrouw Glanzer. Mijn huishoudster.'
'Ja, dat dacht ik al. Bijzonder energiek. Draagt gezondheidsschoenen.'
'Hoe weet ... O, natuurlijk, die maken veel lawaai als ze loopt.'
'Ik werd er in elk geval wakker van.'
'Wat zei ze?'
'Alweer een nieuwe.'
'Zeer onbehoorlijk.'
'Hoezo? Ik lag bij jou in bed. Je schijnt een bewogen privé-leven te hebben.'
'Mercedes, werkelijk ...' Verlegen zei hij: 'Soms hou ik het alleen-zijn niet uit. Die angst. Ik ben voor alles bang. Voor mensen. Weersveranderingen. Het leven. Ik ben bang voor mijn angst. Al tijden word ik 's nachts wakker en voel me afgrijselijk ... En als er dan iemand naast me ligt ... een meisje ... jong, stevig, warm vlees, waar ik me tegenaan kan vleien zonder het meisje te wekken ... En alleen te weten: daar is leven, zorgeloosheid, gezondheid ... dan ...'
'Dan?'
'... dan geloof ik ten slotte toch telkens weer dat ik niet doodga.'
'Als jij 's nachts wakker wordt, geloof je dan dat je doodgaat?'
'Heel vaak, ja.'
'Waaraan?'

'Dat weet ik niet. 's Nachts is het erger dan overdag ... Daarom die meisjes ... Je lacht ...'

'Nee, hoor!'

'Ja, hoor!' Hij ging overeind zitten. 'Lach alsjeblieft niet. Het is met me gedaan, Mercedes. De zender heeft me ontslagen; er is iets voorgevallen. En geen enkele andere zender wil me nog hebben. De produktiemaatschappij waarbij ik heb gesolliciteerd, bestaat niet meer ...' Hij boog zich naar voren. 'Ik heb nog wat geld op de bank. Die ploert van een vader van me! Maar wat hij schrijft ..., en wat jij vertelt over die overeenkomst ... Als jij meent dat het een sensatie is ... Dan zou dat toch een kans voor me kunnen zijn ... Dus moet ik naar mijn vader ...'

Hij onderbrak zichzelf. 'Dat heb je mooi voor elkaar gekregen. Gefeliciteerd!'

Ze keek hem stralend aan.

'Maar ik voel me zo down ... Stel dat ik de vlucht niet meer aankan ... dat ik daarginds een inzinking krijg ...'

'Bel die Sibylle van jou toch op. Opbellen betekent niet naar haar toegaan. Opbellen – dat kun je toch wel! Als zij de enige dokter is in wie je vertrouwen hebt. Aan haar kun je alles vertellen– natuurlijk alleen over je toestand. Voor de rest alleen wat absoluut noodzakelijk is. Eén woord te veel zou zelfmoord betekenen. Zeg haar dat je afgeluisterd wordt.'

Hij onderbrak haar nerveus: 'Ik ben niet gek!'

'Neem me niet kwalijk. Maar er staat zoveel op het spel. Onder andere ons leven. Jij doet dat wel op de juiste manier, ik weet het. Sibylle zal je advies geven, ze vindt wel een oplossing. Vooruit, kom mee!'

'Waarheen?'

'Naar de telefoon. Sibylle opbellen.' Ze zag dat zijn gezicht betrok. 'Daniel! Je moet het niet overdrijven, hoor!'

'Dat wil ik ook niet. Ik bel op. Beslist. Ik voel me alleen zo ... Ik heb behoefte aan koffie. Na het ontbijt bel ik op.'

'Op je erewoord, heidenkind?'

'Op mijn erewoord.'

Ze stak haar rechterhand uit en Ross schudde die. Er schoot hem iets te binnen.

'Hoe is mevrouw Glanzer binnengekomen? Ik had de deur toch op slot gedaan en de ketting ervoor geschoven?'

'En ik heb alles weer opengedaan nadat ik door het keukenraam naar binnen was geklommen. Mijn koffers stonden immers op straat. Zo, en nu ga ik het ontbijt klaarmaken. Jij moet iets in je maag krijgen. Kun jij je alleen wassen en scheren?'

Hij stond op. Zijn knieën trilden nog maar heel licht.

'Ja,' zei hij. 'Maar mevrouw Glanzer ...'

'Ik heb gezegd dat je iets verkeerds hebt gegeten en dat je een kleine voedselvergiftiging hebt gehad. En dat ik voor je zou zorgen en dat de dokter ook al is geweest. Dat je rust moet hebben. Absolute rust.'

'Geloofde ze dat?'

'Alles. Ze komt woensdag pas terug. Ik kan heel overtuigend zijn, weet je. Zo, en nu in bad!'
De zon scheen verblindend in de kamer, er vloog een vliegtuig laag over het huis en alles kwam hem onwezenlijk voor, volkomen onwezenlijk.

9

Ze ontbeten in de keuken.
Allebei droegen ze een ochtendjas. Mercedes had voor de ingeslagen ruit een groot stuk karton geklemd. Er was koffie, sinaasappelsap, verse broodjes, boter, ham, zachtgekookte eieren, kaas en jam. Ross had eensklaps een enorme trek. Tot groot genoegen van Mercedes.
Tussen hen in lag de *Frankfurter Allgemeine* van die dag. Die had mevrouw Glanzer meegebracht. Zijn blik viel op de krantekop op de voorpagina.
'Andropov is dood!'
'Hij is donderdag overleden. Wist je dat niet?'
Ross schudde het hoofd.
'O,' zei ze. 'De Russen hebben het vrijdag pas bekendgemaakt. Zaterdag stond het in de krant. Ik heb het gezien toen ik in Zürich was geland.'
'Zaterdag heb ik geen kranten meer gelezen . . .' Hij hield plotseling op, pakte de krant en begon te lezen.
Joeri Andropov was inderdaad vorige week donderdag op de leeftijd van negenenzestig jaar om 16.50 uur plaatselijke tijd na langdurige ziekte en een korte ambtsperiode in Moskou overleden. Vierhonderdvierenvijftig dagen tevoren, op 12 november 1982, had het Centrale Comité hem als partijsecretaris gekozen en iets later tot partijleider en staatshoofd. De laatste honderdvierenzeventig dagen was Andropov, opvolger van Leonid Brezjnev, aan de publiciteit onttrokken geweest – sedert 18 augustus 1983.
'Morgen wordt hij begraven,' zei Ross met de krant in zijn handen. 'Vandaag beslissen ze wie zijn opvolger wordt. Men houdt er rekening mee dat het Konstantin Tsjernenko zal zijn, een boerenzoon uit Siberië, tweeënzeventig jaar. Nooit van gehoord.'
'Wij wel,' zei Mercedes.
'Wie wij?'
'Vader en ik. Tsjernenko is de oudste partijfunctionaris die ooit partijleider is geworden. Hij is maar een jaar jonger dan toen Stalin overleed na een bijna dertigjarig bewind.'
'En dat weet jij allemaal?'
'Ik heb politicologie gestudeerd, Daniel. Ik werk en denk politiek sedert ik echt heb leren denken.'
'Wat bedoel je met werken?' Hij keek haar over zijn krant heen aan.
'Bij de internationale vredesbeweging.' Ze sprak nu luider en haar ogen straalden.
'O, heremijntijd,' zei hij. 'Internationale vredesbeweging! Vrede stichten

zonder wapens. Vier komma zes miljard mensen willen zich niet door tweehonderd oude mannen in de atoomdood laten jagen. Zwaarden omsmeden tot ploegscharen...' Hij hield verbluft op, want Mercedes had iets uitgeroepen. Haar gezicht was volkomen veranderd. Haar spieren trilden, haar wenkbrauwen waren samengetrokken en er stond een uitdrukking van fanatieke hartstocht in haar ogen.

'Hou je mond!' had Mercedes geroepen. En ze vervolgde: 'Jij lacht om de vredesbeweging, hè? Jij vindt ons naïef en idealistisch en slaven van Moskou, niet? Dromers en sektariërs, hè?'

'Nee, hoor...'

'Wel waar! Maar je vergist je, meneer Ross! Nu, juist nu, als je dat document ziet, zul je inzien dat de vredesbeweging – en zeker met het materiaal dat mijn vader heeft – de belangrijkste beweging ter wereld is. In Argentinië hebben we het tot voor kort moeilijk gehad. Heel moeilijk. Acht jaar militaire dictatuur! Maar toen kregen we op dertig oktober verkiezingen. Sindsdien is Argentinië een democratie. Al op dertien december, drie dagen na zijn beëdiging, kondigde president Alfonsin nieuwe wetten af. Op de vijftiende stuurde hij achtenveertig hoge officieren met vervroegd pensioen. Op de negenentwintigste begon er al een monsterproces tegen leden van de drie militaire junta's. Nu is alles gemakkelijker. Nu kunnen we eindelijk behoorlijk werken.' Ze zag zijn verschrikte gezicht. 'Neem me mijn uitbarsting niet kwalijk, maar...'

'Je bent fanatiek, Mercedes.'

'Voor de vrede wel, ja. Voor vrede heb ik alles over. Mijn leven – direct! – als dat helpt de vrede te bewaren.'

'Sorry,' zei hij, terwijl hij dacht: vermoedelijk niet alleen háár leven. Ook het leven van anderen. Goeie hemel, in wat voor 'n affaire ben ik verzeild geraakt?

Ze zei, nu weer rustig: 'Tsjernenko is een echte bestuursfunctionaris. Al heeft hij nog nooit de leiding gehad van een staatsonderneming of een staatsfunctie bekleed. Geen mens weet wat hij, nu hij aan de macht is, gaat doen. Is hij werkelijk aan de macht, of zijn het de mannen achter hem? Of is het alleen een overgangsregeling? Andropov was negenenzestig, Tsjernenko is nu al tweeënzeventig. In Moskou doet het praatje de ronde dat de partij een begrafenisonderneming is.'

'En Reagan?' zei hij. 'Die is drieënzeventig!'

'En Amerika gaat dit jaar naar de stembus.' Op het gezicht van Mercedes stond weer een vastbesloten uitdrukking. 'Jij kunt me niet begrijpen, omdat jij niet weet wat je in Buenos Aires te wachten staat. Maar je moet me begrijpen. Daarom ben ik toch gekomen – om je te halen, en wel zo snel mogelijk. Mijn God, onze tijd loopt af!'

'Je doet zo griezelig,' zei hij.

'Niet ik.' Mercedes schudde haar hoofd. 'Maar de regeringen van de grote mogendheden! En het wordt steeds erger. Steeds griezeliger. Steeds onberekenbaarder – door dat verdrag. Je moet het lezen! Het valt niet uit te leggen. Oude mannen die hun leven al achter de rug hebben. Wist je, dat

43

in tweeëntwintig van de zesenzestig jaar van haar bestaan zieke mannen
aan de top van de Sovjetunie stonden?'
Ross zei: 'George Orwell heeft in 1984 geschreven: "Of de Grote Broeder
leeft, is onbelangrijk." '
'Orwell! Als Orwell mijn vader had ontmoet, zou hij dat nooit hebben
geschreven.'
Hij keek haar geboeid aan. Die vrouw is werkelijk een bezetene, dacht hij.
Bezeten van haar overtuiging dat zij en die ploert van een vader van mij de
vrede op de wereld in handen hebben; dat ze de wereld kunnen behoeden
voor een vreselijke oorlog, die het einde van alles zou betekenen. Ze heeft
razende haast. Ze is bang dat onze tijd afloopt.
Mercedes riep: 'Orwell zou dat hele boek niet hebben geschreven, die
onschuldige, vriendelijke, ontspannende roman – vergeleken bij de wáár-
heid over 1984.' Haar lippen trilden. 'Jij zult die waarheid kennen,' zei
Mercedes Olivera. 'Nu zul je haar kennen.'

10

'Algemeen Ziekenhuis.'
'Hè, hè! Eindelijk.'
'Wat zegt u?'
'Niets, niets. Ik bel uit Frankfurt. Ik zou graag dokter Mannholz van de
afdeling Psychiatrie willen spreken.'
'Die werkt hier niet.'
'Onzin. Natuurlijk werkt ze bij u. Ze heeft mij behandeld.'
'En ik zeg u, dat wij geen dokter Mannholz hebben.'
'Lieve juffrouw, ik ben er zeker van dat u een dokter Mannholz hebt. Bij
de psychiatrische afdeling.' Hij hoorde het stemmengegons van de meisjes
in de telefooncentrale. 'U bent overbelast natuurlijk. Het is bijzonder
belangrijk. Waarschijnlijk zit u nog niet lang op die plaats. Wilt u even bij
een collega informeren?'
'Ik werk al elf jaar in de centrale. Maar goed . . . Een ogenblikje . . .' Hij
hoorde de telefoniste onduidelijk met een collega praten.
'Iets niet in orde?' vroeg Mercedes. Ze stond vlak naast Ross bij zijn
bureau, waarop nog de aangebroken doosjes Nembutal lagen. Tussen een
vol glas verschaalde whisky en de fles Chivas stond het glimmende zilveren
plaatje met de uitspraak van Bertrand Russell, dat hij van Sibylle had
gekregen – in 1971, dertien jaar geleden. Mercedes las de gegraveerde tekst
terwijl hij nerveus met zijn vingers op het schrijfblad trommelde.
'Dat is geweldig.'
'Wat? Hallo! Hallo, juffrouw . . . Wat is geweldig?'
Mercedes wees met haar kin naar het bordje. 'Ook al ben je het er niet mee
eens,' zei ze. 'Was Sibylle dat wel?'
'Wat?'
'Was zij het met Russell eens?'

'Nee. Ze geloofde in . . . Hallo! Ja, juffrouw?'
'We hebben het gevonden,' klonk de stem uit Wenen.
'Fijn.'
'Mevrouw Mannholz werkt hier al acht jaar niet meer.'
'Niet meer in het Algemeen Ziekenhuis?'
'Nee. Ze werkt ergens anders. Ik kan u het adres en het telefoonnummer geven.'
'O, graag.' Hij pakte een potlood.
'Particulier sanatorium Kingston bij Heiligenkreuz, telefoon: negen-drie-vier. Netnummer: nul-twee, twee-vijf, acht. Hebt u dat?'
'Ja. Ik dank u, juffrouw, u bent een engel.'
'Tot uw dienst. Goedemorgen.'
Hij legde de hoorn op de haak.
Mercedes ging in een fauteuil naast het bureau zitten.
'Vreemd.' Hij staarde naar het zilveren plaatje.
'Dat ze ergens anders werkt? Wat is daaraan zo vreemd?'
'Ze werkte zo graag in die kliniek. Ze kon zich niet voorstellen dat ze daar ooit weg zou gaan.' Hij haalde zijn schouders op en toetste het landnummer voor Oostenrijk in – 0043, daarna het netnummer van Heiligenkreuz en ten slotte het nummer van het sanatorium.
Er werd direct opgenomen.
Een mannenstem: 'Goedemorgen, sanatorium Kingston.'
'Goedemorgen. Ik zou graag dokter Mannholz spreken. Ik bel vanuit Frankfurt.'
'Ik verbind u door met haar secretaresse.'
'Dank u.'
Een vrouwenstem: 'Met de secretaresse van dokter Mannholz.'
Hij herhaalde zijn verzoek.
'Met wie spreek ik?'
'Ross. Daniel Ross uit Frankfurt.'
'Een ogenblikje alstublieft. Ik moet de dokter oppiepen. Ze is niet op haar kamer. Wilt u even wachten?'
'Ja.'
'Wat is er?' vroeg Mercedes.
'Ik moet even wachten. De dokter wordt opgepiept. Ze is niet op haar kamer. Libanon in doodsstrijd.'
'Wat?'
Hij wees op een uitgave van *Time*. 'Staat daar.'
'Luister, Daniel, je kunt het ook overdrijven. Uiteindelijk heeft jouw vriendin dat telefoontje niet verwacht.'
'Ja hoor. 't Is al goed.' Hij streek met zijn hand door zijn witte haren.
'Hallo, meneer Ross?'
'Is ze er nu?'
'We hebben de dokter opgepiept. Ze komt eraan. Nog een ogenblikje graag.'
'Zeker.' Hij begon te fluiten.

45

'Danny!'

Hij kromp ineen alsof hij schrok, toen ze zijn naam uitriep. 'Sibylle! Wat ben ik blij jouw stem te horen.'

'Ik ook, Danny. Ik ook. Goeie genade, je hebt nooit meer iets van je laten horen sinds toen.' Haar stem haperde. 'Bijna dertien jaar, Danny.'

'Jij hebt toch ook nooit een teken van leven gegeven,' zei hij moeizaam. 'Dat hadden we zo afgesproken. Jij hebt gezegd dat het niet anders kon. We zouden geen contact meer met elkaar opnemen, nooit meer. Dat weet je toch wel.'

'Ik weet het nog precies. We hebben ons allebei aan die afspraak gehouden.'

'Ja, inderdaad.' Zijn ogen prikten plotseling.

'Ik heb ineens zulke brandende ogen,' klonk de stem uit Oostenrijk waarvan hij zo had gehouden, in zijn oor. 'Wat is er aan de hand, Danny? Is er iets gebeurd? Gaat het niet goed met je?'

'Inderdaad,' zei hij.

'Die Nobilam. Slik je weer te veel?'

'Veel te veel.'

'Neem het eerste het beste vliegtuig en kom naar Wenen! Heiligenkreuz ligt daar negenentwintig kilometer ten zuiden van. Pak een taxi! Waarom heb je niet eerder opgebeld?'

'Ik schaamde me zo, Sibylle. Voor mijn zwakheid, mijn verslaving. Die heeft ons uiteengedreven . . .'

'Dat is niet waar.'

'Dat is wel waar!' Ross sprak nu luider. Hij leek te zijn vergeten dat Mercedes meeluisterde. 'We hadden samen een fantastische tijd. Maar het kon niet goed gaan tussen ons tweeën . . . Met een vent als ik . . . die laf is en onzeker en vergaat van de angst . . . die jammert en niet kan leven zonder die ellendige tabletten . . . Telkens andere . . . Telkens nieuwe . . .'

'Danny! Hou toch op! Je bent nu depressief, je bent nu jezelf niet. Kom direct hierheen! Je bent de geweldigste man ter wereld, als je je toevallig niet weer eens helemaal kapotgemaakt hebt . . .'

'Ik stel helemaal niets voor. Overmatige moederbinding – nebbisj! Dat was toch alleen maar een smoes voor die pillenslikkerij. Een goede smoes. Een goed excuus, Sibylle . . . Je hebt me ook Oxazepam gegeven en onmiddellijk slikte ik te veel van dat spul – net als daarvoor met die valium – en weer ben ik op mijn bek gevallen en die lieve schat van een dokter moest me helpen . . . een keer, twee keer . . . Dat is toch gelukt door die grote liefde! Ten slotte is het zelfs die goeie Sibylle, die overal begrip voor heeft, de keel uit gaan hangen.'

Mercedes keek hem verschrikt aan. Hij weet niet meer dat ik hier ben, dacht ze. Hij houdt natuurlijk nog steeds van die vrouw. En zij?

. . . onze grote liefde. Sibylle.

'Danny!' zei Sibylle intussen. 'Toe! Je weet dat het niet zo was.'

'Zo was het precies. Luister! Een mop. 'n Klein jongetje komt uit school en zegt huilend: "Mammie, mammie, de meester heeft tegen een andere

46

meester gezegd dat ik een Oedipus-complex heb." Zegt de moeder: "Dat is toch onzin. Daar moet je gewoon niet naar luisteren, schatje. Zolang je maar van je mammie houdt."' Hij schaterde en de tranen liepen over zijn wangen. Mercedes keek bezorgd naar hem. 'Jij lacht niet, Sibylle. Niet leuk?'

'Nee. En nu is het afgelopen. Wanneer ben je hier?'
'Dat is nu juist het probleem. Daarom bel ik op. Ik kan niet komen.'
'Waarom niet?'
'Dat kan ik niet zeggen.'
'Danny, wat is dat voor nonsens?'
'Dat is geen nonsens, Sibylle. Ik moet ervan uitgaan dat de telefoon wordt afgeluisterd. Misschien de jouwe ook wel. De mijne hoogstwaarschijnlijk. Ze hebben immers tijd genoeg gehad sinds . . .' Hij zweeg.
'Sinds wat? Danny, doe niet zo raar!'
'Alsjeblieft, geloof me nou! Bij jou luistert er niemand mee, hoop ik?'
'Nee.'
'Echt niet?'
'Echt niet, Danny. Je beledigt me.'
'Sorry. Dat wilde ik niet. Dus echt niemand?'
'Nee!' schreeuwde ze onbeheerst.

Op een afstand van hemelsbreed ongeveer zeshonderd kilometer stond de chef de clinique dr. Sibylle Mannholz in haar grote, geheel wit gehouden spreekkamer aan haar bureau. Ze hield de telefoonhoorn tegen haar oor. Haar bruine ogen waren groot van opwinding. Ze streek met haar hand door haar kortgeknipte kastanjebruine haar. Naast haar stond een grote man. De grote man droeg evenals zij een witte doktersjas; zijn regelmatige, zeer bleke gezicht was onbewogen en hij hield een meeluisterapparaat aan zijn oor. Zo kon hij ieder woord horen dat Daniel sprak, even duidelijk als dokter Mannholz. De grote, bleke man had dik, zwart haar, dat strak achterover was gekamd en ogen die een merkwaardige combinatie van eigenschappen verrieden: een ijzige koude en droefheid.

'Goed, goed, ik geloof je. Maar ik moet nu oppassen. Heel erg oppassen . . . Ik vertel je alles wat ik mag vertellen.'

Hij deelde mee dat hij zijn baan bij de televisie kwijt was en waarom, dat hij wekenlang vergeefs ander werk had gezocht. Hij beschreef de bijwerkingen van Nobilam, zijn wanhoop, zijn verijdelde poging tot zelfmoord. Hij vertelde over de vrouw die zijn leven had gered. Sibylle en de grote, bleke man luisterden oplettend. De medicus keek het ondergesneeuwde park in, dat door hoge muren werd omgeven. Een verpleger en een patiënt stapten door de sneeuw.

'. . . nou, en dat was het,' klonk de stem van Ross door de beide telefoonhoorns.

'Wat bedoel je met "dat was het"? Waarom kun je niet direct naar me toe komen?'

De grote, donkerharige en bleke man schreef op een blok:

Wie is die vrouw? Wat wil ze?

'Omdat ik eerst nog iets moet regelen, Sibylle. Dat moet beslist.'
'Houdt dat verband met die vrouw?'
Pauze. Daarna: 'Ja.'
  'Wie is die vrouw, Danny? Hoe kon ze jouw leven redden?'
'Het spijt me, dat kan ik niet zeggen.'
'En wat ze van jou wil, ook niet?'
'Ze heeft me een bericht gebracht.'
'Bericht? Van wie?'
'Niet via de telefoon.'
Sibylle keek de dokter aan. Er stond een vreemde, triomfantelijke
uitdrukking op haar gezicht. Hij keek ook haar aan – droevig en kil. Hij
schreef op het blok:

Waarvandaan?

'En waarvandaan ook niet?'
  'Ja, dat wel. Dat moet ik zeggen. Dat is mijn probleem. Ik moet daarheen.
Het bericht kwam uit Buenos Aires . . .'
'Wat?'
'Buenos Aires.'

Buenos Aires

schreef de bleke dokter op het blok. Daarna keek hij weer het besneeuwde
park in. De beide mannen droegen een dikke jas en een bontmuts. Het was
ijskoud buiten, hoewel de zon in de kamer scheen.
  'En,' klonk de stem van Ross, 'ik weet niet of ik die lange vlucht volhoud.
Ik heb je mijn symptomen beschreven – wat die Nobilam bij mij heeft
aangericht. Ik bedoel: wat ik met die Nobilam heb aangericht. En dan nog
die zelfmoordpoging.'
'Ben je erg verzwakt?'
'Behoorlijk. Ginds in Buenos Aires is het nu het heetste jaargetijde,
Sibylle.'
'Ik weet het.'
  Op het bureau tussen de stapels dossiers, boeken en dozijnen medicijnen
stond een grote kleurenfoto in een lijst. Daarop was een circa veertigjarige
man te zien met bruine ogen en bruin haar. De man lachte. Hij leek veel op
Sibylle.
'Maar ik móet erheen,' vervolgde Ross.
'Waarom?'
'Daar is een man die werk voor me heeft.'
'Wat voor werk?'
'Het mijne. Nieuws. Een prachtverhaal. Ik ben er toch uitgevlogen,

Sibylle. Geen hond geeft me immers nog werk. Dit is mijn laatste kans. Die man geeft me weer een baan. Een geweldige baan, Sibylle.'
'Kan hij dat niet doen nadat je bij mij bent geweest?'
'Nee, dat gaat niet. Ik moet zo snel mogelijk naar hem toe. Er hangt zoveel voor me vanaf, Sibylle.'
De bleke, donkerharige man, wiens wenkbrauwen naar elkaar toe waren gegroeid, schreef op het blok:

Hij moet naar B.A. Beslist!!

Sibylle zei: 'Ik begrijp wat het voor jou betekent, Danny – in jouw situatie. Natuurlijk moet je erheen.' Ross merkte niet dat haar stem trilde.
'Ja hè, Sibylle, vind je ook niet?'
Ze hoorde hem kort en opgelucht lachen. De dokter hoorde het ook. Hij schreef op het blok:

Maar daarna direct hier komen! Direct!

Het laatste woord onderstreepte hij. Daarna tikte hij met zijn potlood op het schrijfblok.
Sibylle keek hem aan. In haar blik vermengde zich onnoemelijke haat met onnoemelijke onmacht. Ze zei: 'Maar daarna kom je direct naar me toe, Danny. Dat moet je me beloven! Ik heb je twee keer op de been geholpen. Ik krijg je ook een derde keer op de been. Je mag nu onder geen voorwaarde naar een dokter die je niet even goed kent als ik.'
'Natuurlijk kom ik dan direct naar je toe. Maar ik zeg je toch, dat ik niet weet of ik de reis naar Argentinië wel aankan. Kun jij me daarbij helpen? – Maar ik heb geen idee, hoe.'
De donkerharige man schreef:

Reinstein! Maar Reinstein moet hem nauwlettend onderzoeken!
We willen de man levend – en ook de vrouw!

Sibylle aarzelde. Ze keek de dokter smekend aan. Zijn merkwaardige ogen beantwoordden haar blik – nu alleen maar ijskoud, niet ook droevig.
'Sibylle! Ben je daar nog?'
Met een ruw gebaar zette de bleke man de grote kleurenfoto van de lachende man vlak voor Sibylle neer. Ze kromp ineen.
'Ja,' zei ze. 'Ja, Danny ...'
'Wat was er dan?'
'Wat?'
'Waarom gaf je geen antwoord? Luistert er toch iemand mee?'
'Of er iemand ... Danny! Ik heb je gezegd dat ik alleen ben.'
De man naast haar glimlachte voor het eerst. Hij was geamuseerd. En verschrikkelijk opgewonden. Maar hij had zichzelf volkomen in de hand.

Ze hadden hem tijdens de vijf jaar durende speciale opleiding erin getraind zich volkomen te beheersen.

'Je bent dus echt alleen?'

'Danny!' zei Sibylle. Er klonk wanhoop door in haar stem, wanhoop die hij niet waarnam. 'Denk je dat ik sta te liegen? Denk je dat echt?' Haastig zei hij: 'Nee . . . nee . . . toe! Ik heb dat niet zo bedoeld. Nu zie je hoe het met me gesteld is. Kun je . . . kun je me misschien helpen?'

De dokter tikte met het potlood op een woord dat hij had opgeschreven; het woord *Reinstein.*

Wanhopig vechtend om zelfbeheersing, zei Sibylle: 'Het is al goed, Danny. Je moet kalm zijn tijdens de vliegreis. Ja, ik denk dat ik je kan helpen.'

'O, Sibylle!'

'Nu je een nieuwe baan in het vooruitzicht hebt, ga je toch niet nog eens proberen zelfmoord te plegen, hè?'

'Echt niet. Hoezo?'

'Ik stond er juist aan te denken je naar de psychiatrische kliniek in Frankfurt te sturen en daar een dokter op te bellen met wie ik in Wenen heb samengewerkt.'

'Nee! Geen psychiatrie! Die houden me weken, maanden vast. Het moet nu allemaal snel gaan, Sibylle, zo snel mogelijk.'

'Daarom juist. Daar dacht ik net ook aan. In principe is het voldoende als je een inwendig onderzoek krijgt. Hart, bloeddruk, bloedbezinking, röntgenfoto van de longen – na die zelfmoordpoging. Nieren, enzovoort. Een compleet onderzoek. Ik heb een oude vriend. Geweldige arts. Bij de Eerste Medische Universiteitskliniek.'

'Daar woon ik vlak naast.'

De dokter die naast Sibylle stond, knikte tevreden.

'Reinstein heet de man. dr. Ernst Reinstein. Ik bel hem dadelijk op. Als het goed is kun je morgen weer rennen. Je kunt je helemaal aan die Reinstein toevertrouwen. Je kunt je wel voorstellen wat medici soms te behandelen krijgen, in wat voor een situatie ze komen, niet? Ik heb Reinstein vaak geholpen en Reinstein mij. Hij zal ons precies vertellen wat er met je aan de hand is. Hij belt alle gegevens aan mij door. Als we allebei zeggen dat je naar Buenos Aires mag voordat je naar mij toe komt, kun je zonder zorgen vertrekken.'

'Bedankt, Sibylle.'

'Niets te danken,' zei ze toonloos.

Naam en adres van de man in B.A.

schreef de grote, bleke man met de eigenaardige ogen op het blok.

'Hoe lang duurt dat onderzoek?' kwam de stem van Ross.

'Een hele dag. Van 's ochtends tot 's avonds. Maar dan ga je ook helemaal door de molen! Dat doet Reinstein alleen voor mij. Anders duurt het veel langer. Bloedafname 's ochtends vroeg. Dan moet je beslist nuchter zijn. Zonder Nobilam! Onder geen voorwaarde Nobilam voordat er bloed is afgenomen! Er zit nog genoeg in je lichaam – helaas. Daarna kun je het weer innemen. Die korte tijd speelt nu ook geen rol meer. Zodra jij je beroerd voelt, ga dan je gang maar, pillenvreter! Ik zal dat met Reinstein bespreken. Waar woont die man?'

'In Buenos Aires. Dat heb ik toch gezegd.'

De dokter tilde de grote foto op en hield die vlak voor het gezicht van Sibylle. Haar hele lichaam beefde nu.

'Buenos Aires – waar?'

'Het spijt me.'

'Wil je me zijn adres niet geven?'

'Dat mag ik niet. Ook niet zijn naam. Dat is ook echt niet belangrijk.'

'Natuurlijk niet. Het zou alleen een voorzorgsmaatregel zijn geweest. Als er toch iets mocht gebeuren.' Sibylle keek de donkerharige man aan, weer met een triomfantelijke uitdrukking op haar gezicht. Een armzalige, miserabele triomf. De arts haalde gelaten zijn schouders op.

'Geef me nu jouw nummer. Ik bel dadelijk Reinstein op en daarna bel ik je terug.' Hij gaf zijn telefoonnummer.

'Tot zo, Danny!'

'Ik wacht.'

Ze legde de hoorn neer en liet zich in een witte fauteuil vallen. Ze hijgde. Ze drukte haar handen tegen haar wangen.

'Nu, vooruit, dokter Mannholz!' zei de grote, bleke arts. Hij pakte de hoorn van het toestel en hield die haar voor. 'Vooruit! Nu dokter Reinstein bellen!'

'Ik . . . kan . . . het niet.'

'Natuurlijk kunt u dat.' Met zijn andere hand hield hij weer de foto van de lachende man voor haar gezicht. 'U moet aan hém denken.'

'Ik denk ook aan hem . . .'

'Vooruit dan! Ik zal het nummer draaien.' Hij deed het al. 'U moet het woord doen!'

Sibylle nam de hoorn over. Ze hoorde het draaien van de kiesschijf. Daarna klonk het signaal. Vervolgens een vrouwenstem: 'Academisch ziekenhuis.'

'Dokter . . . Reinstein . . . alstublieft.' Sibylle had moeite om genoeg lucht te krijgen.

In Frankfurt zei Ross tegen Mercedes: 'Ze is geweldig, hè?'

'Ja,' zei Mercedes en haar heldere blauwe ogen stonden nietszeggend. 'Inderdaad geweldig.'

Hij ging naar de keuken en haalde een glas water. Daarna pakte hij een buisje Nobilam en slikte vijf tabletten met water door.

'Nu geeft het niet, heeft Sibylle gezegd. Nu mag ik dat spul innemen zodra ik me bang of benauwd voel. En ik voel me een beetje benauwd. Nogal logisch.'

Mercedes zei: 'Als je een afspraak voor morgen krijgt, loopt alles nog goed.'

'Hoe bedoel je?'
'Morgen is het dinsdag. Dan heeft jouw vriendin woensdag de uitslag. De eerstvolgende rechtstreekse machine van Frankfurt naar Buenos Aires vertrekt pas donderdag. Lufthansa. Vrijdags en zondags vliegen er machines van Aerolineas Argentinas. En zaterdags van de Lufthansa.'
'Heb je al geïnformeerd?'
'Zoals je ziet.'
'Wanneer?'
'Voordat ik uit Buenos Aires ben vertrokken.'
Hij keek haar zwijgend aan.
'Ik ben ook geweldig,' zei ze. 'Let maar op hoe geweldig ik kan zijn!' Hij ging zitten.
'Daniel?'
'Ja?'
'Jouw moeder, Thea Ross, is toch al in 1969 overleden?'
'Dat klopt. Hoezo?'
'En toch . . .' Ze zweeg.
'Wat "en toch"?'
Ze schudde het hoofd.
'Nee, ik wil het weten,' riep hij uit.
De telefoon ging over.
'Neem hem op!' zei Mercedes. Hij pakte de hoorn en hoorde dezelfde mannenstem als voordien: 'Goedemorgen, met sanatorium Kingston. Spreek ik met de heer Ross uit Frankfurt?'
'Ja.'
'Een ogenblikje, ik verbind u door met dokter Mannholz.'
Een klik op de lijn. Daarna hoorde hij de stem van Sibylle: 'Danny?'
'Ja.'
'Nou, ik heb met Reinstein gesproken. Alles in orde. Morgenochtend om half acht, nuchter. Ik zal je zijn doorkiesnummer in het ziekenhuis geven.'
Ze deed het. Hij noteerde het. 'Bel hem direct op, zo gauw dit gesprek is beëindigd. Hij zal je het nodige vertellen – waar je moet komen en wat er onderzocht wordt.'
'Prima!'
'Het zal wel woensdagmiddag worden voordat hij alle gegeven bij elkaar heeft.'
'Dat geeft niets, Sibylle. De rechtstreekse machine vertrekt pas donderdag.'
De grote, bleke dokter glimlachte weer. Op het blok schreef hij:

Donderdag

En daaronder:

Ik weet genoeg

52

Daarna scheurde hij het bovenste vel eraf en stopte het in zijn zak.
'Je moet me beslist bellen als je morgenavond klaar bent.'
'Waarom beslist?'
'Ik moet weten hoe jij je voelt. Dan kan ik met Reinstein bespreken wat we je voor de reis meegeven. En woensdagmiddag blijf ik thuis. Zo gauw ik alle attesten weet en op de hoogte ben, bel ik je op.'
'Dank je wel, Sibylle, heel erg bedankt. Och ja...'
'Wat is er?'
'Bijna vergeten: vertel eens, wat ter wereld doe jij toch in Heiligenblut?'
'Heiligenkreuz.'
'Kreuz dan. Wat doe je daar? Waarom ben je niet meer in het Algemeen Ziekenhuis?'
'Ik heb een fantastisch aanbod gekregen, weet je. Dat móest ik gewoon accepteren.'
'Maar je wilde toch niet weg bij het Algemeen Ziekenhuis?'
'Dit was iets anders. Ik vertel het je wel als je komt. En die vrouw moet meekomen, hoor je! Ze moet nu steeds bij je zijn. Voor het geval dat je beroerd wordt. En je komt zo snel mogelijk! Dat heb je beloofd. Denk aan de liefde die er tussen ons was. Zweer je op die liefde, dat je dadelijk daarna hier komt?'
'Dat zweer ik, Sibylle.'
'Goed, tot dan. Het ga je goed, Danny.'
'Het ga je goed, Sibylle.' Hij hing op en keek Mercedes aan. 'Bid alsjeblieft dat de attesten goed zijn. Dan zal het wel lukken.'
'Het móet lukken,' zei Mercedes. 'Ik bid al de hele tijd.'
'En nu die Reinstein...'
Ross keek naar het nummer dat hij had genoteerd en begon te draaien.

Op hetzelfde moment haastte de grote, donkerharige en zeer bleke dokter zich door een gang op de eerste verdieping van het sanatorium. Hij bereikte de deur van zijn werkkamer en ontsloot die. De deur viel achter hem dicht. Er hing een bordje op, waarin drukletters op stond: DR. GERD HERDEGEN. De man die Herdegen heette, ging zitten en trok de telefoon naar zich toe, nadat hij een met het toestel verbonden apparaatje, een zogenaamde interruptor, had ingeschakeld. Wat hij nu zei, was voor iedereen die meeluisterde onverstaanbaar gebrabbel. Slechts één persoon, wiens toestel op de pendant van de interruptor was aangesloten, verstond Herdegen.

Omgekeerd verstond behalve Herdegen ook niemand wat degene wiens nummer hij toen in grote haast koos, door de telefoon zei. Dit nummer begon met 00441.

00441 was het nummer van Londen.

Sibylle zat in haar kamer voor de foto van de lachende man te huilen. Ze veegde met een zakdoek de tranen weg. De vrouwelijke lector Sibylle Mannholz huilde alsof ze nooit meer zou kunnen ophouden.

53

11

'Attentie, alstublieft!' schalde een meisjesstem door vele luidsprekers. 'Lufthansa maakt informatie bekend over vlucht negenhonderdzeventien vanuit Frankfurt via Rio de Janeiro en Sao Paulo.' De stem herhaalde de mededeling in het Engels en het Portugees.

Een reusachtige jumbo van het type Boeing 747E stoof in de verte over een van de landingsbanen, minderde vaart, liep uit en draaide een taxibaan op. Het was vrijdag 17 februari 1984, 11.45 uur, en het was bloedheet in Ezeiza, de grootste luchthaven van Zuid-Amerika, drieëndertig kilometer van Buenos Aires. De thermometer gaf tweeënveertig graden Celsius in de schaduw aan. De lucht kookte. Het asfalt was zacht. Er kwamen busjes naar de gelande jumbo. Deze was vrijwel tot de laatste plaats bezet en voerde driehonderdeenenzeventig passagiers aan.

Toen Daniel Ross uit de koelte van het vliegtuig op de bovenste tree van de vliegtuigtrap stapte, trof de gloed van de zon hem als een hamer op zijn schedel. Hij kreunde en wankelde licht.

'Is het erg?' Mercedes, vlak achter hem, legde bezorgd een hand op zijn schouder.

'Het gaat wel,' zei hij.

Ze hadden allebei luchtige kleding aan en een witte linnen hoed op. Mercedes had zo'n hoed voor Daniel meegebracht naar Frankfurt. Ze zei dat hij hem wel móest hebben en dat alle mensen in die hitte hoofdbedekking hadden. Volgens haar was het levensgevaarlijk ook maar even zonder iets op je hoofd te lopen.

De leuning van de gangway was gloeiend. De trap was nu vol met passagiers. Vier treden achter Ross liep een jonge man in een beige tropenkostuum. Hij droeg een beige pet met klep en leek op de filmster Alain Delon.

In de busjes bedroeg de temperatuur zeker vijftig graden. De zojuist aangekomen passagiers hadden zonder uitzondering een bleek, uitgeput gezicht. Ross voelde zich duizelig. De bus waarin hij stond, slingerde. Ross vloekte zachtjes.

'Het is zo over,' zei Mercedes. 'Mijn wagen staat hier.'

Maar het duurde natuurlijk nog een hele tijd voordat ze door de pascontrole en de douane waren. Ross droeg een winterjas over zijn arm, Mercedes een bontmantel. Op de plek waar de jassen lagen, waren hun mouwen doordrenkt van het zweet. De reusachtige hal van de luchthaven was airconditioned, alle koelmachines werkten op volle toeren, maar ze konden niet tegen de hitte op. De lucht was vochtig en zwoel.

De vorige avond, donderdag om 22.00 uur, was het toestel in het winterse Frankfurt op een zojuist weer schoongemaakte baan tussen bergen sneeuw gestart. Het tijdsverschil tussen Frankfurt en Buenos Aires bedroeg vier uur; de duur van de vlucht was dus zeventien uur en vijfenveertig minuten, met inbegrip van de tussenlandingen.

De passagiers werden door een groot aantal ambtenaren aan talrijke loketten afgewerkt. De jonge man die op Alain Delon leek, in het beige tropenkostuum en met de beige pet, was op een gewiekste manier vóór Mercedes en Ross door de pascontrole gekomen. Hij liep naar de grote ronddraaiende band voor de teruggave van de bagage. Halverwege passeerde hij twee andere jonge mannen, die een witte linnen broek en een loshangend katoenen overhemd met opgestroopte mouwen droegen; de een had een groen, de ander een rood overhemd aan. De man die op Alain Delon leek bleef staan en draaide zich even om.

'Balie acht,' zei hij. 'De twee die juist met de beambte staan te praten. Zij draagt een seringkleurige jurk, hij een wit overhemd en een blauwe broek. Allebei een witte hoed. Ze hebben hun jas over hun arm. Zien jullie ze?'

De twee mannen knikten. Ze droegen hoeden van riet.

'Jullie weten wat jullie te doen staat?'

'Natuurlijk,' zei de man met het rode overhemd.

'De duivel hale jullie, als jullie ze kwijtraken. Ik ben met hen hierheen gekomen. Nu is het jullie beurt.'

De man in het tropenkostuum zette zijn weg voort naar de lopende band, waarachter talrijke douaniers stonden te wachten.

Tegen kwart over een – anderhalf uur later – reed een metallic kastanjebruine Cadillac Seville van Ezeiza over een hypermoderne snelweg in de richting van Buenos Aires. Deze weg heette Autopiste Tte. General Riccheri; Ross had dat op verscheidene grote borden gelezen.

Het was druk op de autopista. De Cadillac werd op grote afstand gevolgd door een rode Ferrari. Achter het stuur zat de jonge man in het rode overhemd die met zijn collega in de hal had gestaan. Op gepaste afstand daarachter reed een witte Chevrolet. Daar zat de jonge man met het groene overhemd aan het stuur.

Aan beide zijden van de brede snelweg strekten zich dichte bossen uit. Ross zag kleine bossen met ceders, cipressen, palmen, pijnbomen, eucalyptussen en cactussen, zo hoog als eiken. Mercedes reed snel en zeker. Ze droeg nu een donkergetinte zonnebril. In de wagen was het koel. De airconditioning zoemde zacht.

'Daniel?'

'Ja?'

'Ik zou je iets willen vragen. Maar word alsjeblieft niet direct kwaad.'

'Echt niet. Wat is er?'

Ze keek naar het verblindende lint van de snelweg dat op hen afvloog, en van tijd tot tijd in de achteruitkijkspiegel.

'Ik weet dat jij je vader haat. Ik weet ook hoe erg en waarom. Ik vraag je uit de grond van mijn hart – in het belang van de zaak – ga niet dadelijk in de aanval, begin niet direct met beschuldigingen en scheldpartijen. Ik begrijp je heel goed, heus. Je móet je vader wel haten. Maar wil je je beheersen zo goed als je kunt? Beschouw hem als een partner in een belangrijke zaak. Je hóeft immers niet van hem te houden. Je moet met hem samenwerken. Daar is een minimum aan tegemoetkoming en begrip van beide kanten voor nodig. Denk je dat minimum te kunnen opbrengen?'

Hij legde zijn hand op haar rechterhand, die op het stuur lag.

'Ik beloof je me normaal te gedragen, Mercedes.'

'Dank je,' zei ze.

'Eh ... Mercedes?'

'Ja?'

'Ik heb ook een verzoek. We vertellen hem niets over mijn verslaving en mijn zelfmoordpoging, hè?'

'Geen woord. Dat blijft een geheim tussen ons tweeën.'

'Jij ook bedankt,' zei Ross.

De Cadillac bereikte de voorsteden van Buenos Aires. Hoe langer ze reden, hoe meer Ross onder de indruk raakte. Hij had vaak Noord-Amerika bezocht; Zuid-Amerika nog nooit. Buenos Aires was een reusachtige, alle voorstellingen te boven gaande, onvoorstelbaar grote stad. De autopista liep nu enigszins af. Ross keek over een eindeloze huizenzee. Uit een folder in het vliegtuig wist hij dat hier tien miljoen mensen woonden. De stad had een explosieve groei ondergaan; aan het begin van deze eeuw had men haar letterlijk opnieuw moeten opbouwen, van de grond af. Alleen de binnenstad was enigermate onaangeroerd gebleven. Vrijwel alle wegen liepen in eindeloos lange, parallelle lijnen, die door andere parallelle lijnen doorsneden werden. Ondanks deze bijna wiskundige indeling van de *avenida's* en huizenblokken was Buenos Aires een van de mooiste steden ter wereld. Ze werd niet verstikt door beton, flatgebouwen en verstopte verkeersaders. Overal waren parken die het stadsbeeld opvrolijkten, had Ross gelezen, en nu – ze reden vanuit het zuidwesten Buenos Aires binnen – was daar het eerste park; hij zag weer palmen, het diepe groen van cypressen, kurkeiken, banyanbomen, rode, witte, blauwe, gele, zelfs gouden bloemen in enorme hoeveelheden – en een meertje waarin zwanen rondzwommen.

'Een meer!' zei hij verbluft.

'Daarvan zijn er honderden, grote en kleine.' Mercedes reed met de zekerheid van een taxichauffeur.

De Autopista Tte. General Riccheri liep een flink stuk in oostelijke richting tot in de metropool door, aan weerskanten omzoomd met bomen, struiken, bloemen en gazons. Ze kwamen bij een reusachtig klaverbladvormig verkeersplein met viaducten en onderdoorgangen. Rechtstreeks omhoog naar het noorden en omlaag naar het zuiden liep de stadssnelweg Avenida General Paz, die ook omlijst werd door stralend groen. Mercedes reed verder oostwaarts. De autopista veranderde nu van naam in Avenida Tte. General Dellepiane en deed ook dienst als lokale snelweg. Hij werd omzoomd door palmen, cypressen en bloeiende bloembedden.

'Een beetje veel generaals, als je 't mij vraagt,' zei Ross.

'We hadden ze dan ook acht jaar in overvloed,' antwoordde Mercedes. 'Maar degenen naar wie straten en snelwegen zijn genoemd, waren de

stichters van de staat Argentinië.' Ze keek weer in de achteruitkijkspiegel.
'Is er iets?'
'Ik hoop van niet. We worden vanaf de luchthaven al gevolgd door een rode Ferrari. Ik heb hem de hele tijd in de gaten gehouden. Wacht eens . . .' Mercedes trapte op de rem en reed langzamer. De rode Ferrari kwam snel naderbij. De jonge man met het rode overhemd stak zijn hand op en lachte vriendelijk naar Mercedes toen de auto's op gelijke hoogte waren. Zij zwaaide terug. De rode Ferrari stoof voorbij en was vlak daarna tussen het verkeer verdwenen.
'Aardige kerel,' zei Mercedes.
'Knappe dame,' zei Ross. 'Ik zou in zijn plaats ook gezwaaid hebben.'
Ze keek hem lachend aan en streek met haar rechterhand over zijn witte haar. 'Dank je, Daniel,' zei ze.
'Graag gedaan, mevrouw,' zei hij.
'Ik heb me vergist, God zij dank,' zei Mercedes.
'We zijn allebei nerveus,' zei Ross.
Geen van beiden merkte de witte Chevrolet op die hen nu in plaats van de Ferrari volgde.
De Avenida Tte. General Dellepiane kwam uit op een rotonde. Nu reed Mercedes een groot stuk over de Avenida San Pedrito in noordelijke richting, waarna ze weer in oostelijke richting reden en de bijna eindeloos lange Avenida J.B. Justo insloegen. De witte Chevrolet volgde.
Een heel eind verderop in het oosten, wist Ross, vormde de Rio de la Plata de grens van de stad. Hij zag weer palmen zo groot en zo oud dat het tot zijn verbeelding sprak. Alles is verbeelding, dacht hij. Deze gigantische stad. Al die bloemen. De parken en meren. Het krankzinnige verkeer. De rustige, bedachtzame vrouw hier naast mij. Nog geen week geleden slikte ik Nembutal om dood te gaan. Nu ben ik hier, aan de andere kant van de wereld, waar de grootste sensatie van mijn leven op mij wacht. De uitslagen van alle onderzoeken waren redelijk. Sibylle zei dat ik zonder risico de reis kon ondernemen. Ik zal straks een man terugzien van wie ik negenendertig jaar lang heb aangenomen dat hij dood was. Een man met een geheim dat de wereld zal schokken. Zachtjes ruiste de koele lucht van de airconditioning. Ongelooflijk, dacht hij. Absoluut ongelooflijk.
De Cadillac reed nog steeds op de Avenida J.B. Justo. De witte Chevrolet volgde.
'Daniel?'
'Ja?'
Ze keek voor zich uit terwijl ze sprak: 'Wij gaan nu samenwerken. Samen zullen we naar Europa terugkeren. We zullen samen leven – wie weet hoe lang. Ik wilde je alleen zeggen dat ik heel gelukkig ben dat ik met jou mag samenwerken. Jij bent zo verstandig. Zo sympathiek.'
Hij antwoordde: 'Dank je. Dat is lief van je, Mercedes. Het vergaat mij precies eender. Ik bewonderde je vanaf het eerste moment. Ik ben blij dat ik je heb leren kennen – zonder jou zou ik nu dood zijn.'
'Niet meer aan denken! Samen redden we het wel. Er is niets dat we niet

57

samen aankunnen. Dat weet ik.' Ze keek hem door haar donkere glazen glimlachend aan. Vlak daarna sloegen ze linksaf, weer in noordelijke richting, de Avenida Cabildo in. Hij zag pompeuze villa's, grote tuinen die in alle kleuren bloeiden, kleine bossen, daarna weer twee parken met een meertje waarvan het wateroppervlak in de zon schitterde. Het verkeerslawaai stierf weg. Zoemend gleed de wagen door smallere straten. 'Deze wijk heet Palermo,' zei Mercedes. 'Achter ons liggen de Botanische- en de dierentuin, rechts is de polovereniging, daarachter het Parque Tres de Febrero met zijn meertjes, de overdekte wielerbaan en het planetarium. Ik geloof dat het het grootste en mooiste park van de stad is. Vanuit het planetarium kun je al omlaagkijken op de havens en de Rio de la Plata.' Ze sloeg linksaf een lange straat in. Aan weerskanten stonden palmen.

Eindelijk stopte Mercedes voor een smeedijzeren hek met ingelegd bladgoud dat zich in een hoge muur bevond die een groot terrein omsloot. Opzij daarvan op de muur stonden smeedijzeren letters en een nummer. Ross las: CESPEDES 1006.

Mercedes pakte een elektronisch zendapparaatje zo groot als een pakje sigaretten en drukte op een knop. Het toegangshek zwaaide open. Mercedes reed over een grindweg het park in. Ook hier stonden palmen.

Ross draaide zich om. Door de achterruit zag hij dat het hek weer dichtging. Wat hij niet zag, was de witte Chevrolet die hen tot hier gevolgd was. De jonge man met het groene katoenen overhemd die achter het stuur zat, bekeek de ingang even aandachtig en reed daarna snel door.

De Cadillac reed zeker vijf minuten door het park. Daarna kwam het witte huis van twee verdiepingen met het platte dak en de hoge ramen, dat Ross van de foto kende, in zicht. Op zware marmeren zuilen rustte een reusachtig balkon op de eerste verdieping, waarop verscheidene ramen met gesloten gordijnen uitkwamen.

Mercedes stuurde de wagen tot voor de deur en stopte. Ze stapten uit. Een man en twee vrouwen, allemaal in lichte, luchtige kleding, kwamen het huis uit. Ze groetten vriendelijk. Mercedes zei dat ze de bagage uit de kofferbak moesten halen.

Ross stapte op het kortgemaaide gazon naast de grindweg. Hij stond nu in het park. Opnieuw vielen hem de talrijke boomsoorten op en in de bloembedden bloeiden stralend witte, gele, rode en donkerpaarse gladiolen, rode, witte en paarse geraniums en piepkleine roosjes in uiteenlopende kleuren. Veel van de machtige boomstammen waren omwonden met klimop, een overvloed van witte, bloeiende jasmijn, met bougainvillea's, die doornige klimplanten met hun gedraaide ovale blaadjes en hun bloemen in alle schakeringen tussen rood, violet en oranje. En – het leek wel een psychedelische droom – aan de bomen hingen grote trossen orchideeën in zulke vormen en van zo'n schoonheid als Ross nog nooit had gezien.

Rechts naast het huis was een tennisbaan en daarvoor een groot zwembad, waarvan de tegels het water helderblauw deden lijken. Aan de rand stonden witte rieten stoelen onder parasols. Er klom juist een man uit het bassin. Hij was slank, gespierd en bruin, zijn kortgeknipte haar was spierwit en heel dik. Hij had een smal gezicht en doordringende, enigszins hooghartige ogen. Zijn lippen waren smal. Zijn tanden waren stralend wit, nu hij lachend met opgeheven arm naar Ross toe kwam. Deze bleef onbeweeglijk staan. Hij voelde zijn hart kloppen, snel en hevig. Na veertig jaar zag hij zijn vader terug. Hij wilde hem tegemoetlopen, maar hij kon niet van zijn plaats komen, alsof hij verlamd was. Dichter- en dichterbij kwam zijn vader met grote, zelfverzekerde passen. Kaarsrecht, zeer superieur was zijn gang. Hij had zijn arm laten zakken, maar hij glimlachte nog steeds. Zo haastte hij zich met bijna jeugdig elan naderbij, met het hoofd achterovergeworpen. En eensklaps schoot Ross voor zo'n soort man het woord te binnen waarnaar hij had gezocht sedert hij zijn vader zag. Eensklaps wist hij het weer, dat woord. De man die daar naar hem toe kwam, glimlachend en schijnbaar zo sterk en zo onoverwinnelijk, was een *Herrenmensch*.

12

'Daniel!'
Ross stond nog steeds onbeweeglijk, niet in staat een vin te verroeren. De man op wiens witbehaarde, bruine borst waterdruppels glinsterden, pakte de rechterhand van Ross met beide witbehaarde, bruine, pezige handen en schudde die zo stevig dat het pijn deed.
'Dag,' zei hij, denkend aan wat hij Mercedes had beloofd. Ze stond naast hem en keek glimlachend maar met ernstige ogen naar de mannen. Ik zal mijn woord houden, ik móet mijn woord houden, dacht Daniel Ross bij zichzelf. De man die eens, heel lang geleden, Georg Ross had geheten en nu al heel lang Eduardo Olivera heette, pakte Ross bij de armen en drukte hem stevig tegen zich aan. Hij sloeg Daniel op zijn smalle rug. Daniel liet het over zich heen gaan. Met zijn gezicht vlak voor dat van zijn zoon zei de vader op het ritme van de slagen: 'Jongen . . . mijn jongen . . .' Hij keek hem nu van zeer nabij in de ogen, vol ontroering en liefde, oprecht. 'Dat je echt bent gekomen! Ik dank je.' Hij liet Ross los en omhelsde Mercedes. 'Ik dank je, liever. Jij hebt hem bij mij gebracht.' Hij liet zijn armen zakken en zei (nee, dacht Ross, nee!) met zijn ogen ten hemel gericht: 'En ik dank Hem. Na zoveel jaren . . . Mijn leven is bijna ten einde . . . En nu wordt het toch nog werkelijkheid . . . Een wonder . . . een groot wonder . . .' Hij deed een stap achteruit. 'Nemen jullie mij niet kwalijk,' zei hij, 'maar ik ben ontroerd.' Hij zweeg en ook Mercedes en Ross zwegen. De bedienden haalden de koffers uit de Cadillac. Een papegaai die in een palm zat, een groot, kakelbont beest, schreeuwde lang en opgewonden. Andere papegaaien in het park gaven antwoord.
Eduardo Olivera pakte de hand van zijn zoon en van zijn stiefdochter. 'Mijn kinderen!' zei hij.
Dat hou ik niet vol, dacht Ross.
Olivera moest een zesde zintuig hebben, want hij liet de handen dadelijk los en zijn stem klonk plotseling weer opgewekt en normaal toen hij

informeerde of de vlucht goed was verlopen, wat zij bevestigden, en of ze moe waren, wat zij ontkenden.

'Hebben jullie honger?'

'We hebben nog in het vliegtuig gegeten, vader,' zei Mercedes.

'Geen honger dus?'

'Nee.'

'Ik ook niet,' zei Olivera. 'Ik heb vandaag heel laat ontbeten. Mooi, geen middageten dus. Maar jullie willen je vast wel opfrissen. Kom mee naar het zwembad! Het water is heerlijk. Jullie moeten zwemmen! Dat zal jullie goeddoen. Daarna de siësta. Alles slaapt. En na de thee gaan we praten. Wat drinken jullie?' Hij zei tegen Ross: 'Geen whisky bij die hitte; het zou je dood zijn. Ik beveel gin-tonic aan met veel ijs. Oké?'

'Oké,' zei Mercedes. Ross knikte zwijgend.

'Miguel!' Olivera wendde zich tot een jongeman met een donkere huid bij de auto. Hij bestelde de drankjes. Miguel antwoordde kort en heel beleefd en boog.

'Kom mee,' zei Olivera en hij stapte voorop over het gazon naar het zwembad. Hij wees naar een rij witgeverfde houten hokjes. 'Ga jij in dat rechtse hokje daar, Daniel. Alles wat je nodig hebt, is daar al. Mercedes heeft haar spullen altijd hier beneden. De douches zijn achter de cabines.'

Ross zag dat er in het park manshoge marmeren beelden op grote sokkels stonden. Ze schitterden fel in het onbarmhartige zonlicht. Op het hoofd van een godin zat een kolibrie.

'Daniel!'

Ross draaide zich om. Zijn vader was al bij het zwembad, Mercedes verdween net in haar hokje. Zijn vader zwaaide, liep de veerplank op, strekte zijn armen naar voren, wipte een paar maal op en neer en sprong vervolgens elegant, bijzonder elegant, in het opspattende water. Hij kwam weer boven en zwom met krachtige slagen langs de lange zijde van het grote bassin. Eensklaps werd de lucht vervuld van een oorverdovend lawaai, waardoor de lucht en de vloer waarop Ross stond begonnen te trillen. Een formatie straaljagers van de Argentijnse luchtmacht raasde laag over. De *Herrenmensch* en de ruiters van de Apocalyps. De aarde moet trillen bij de ondergang van de Germanen. Ondergang? dacht hij. Wanneer gaat zo iemand ooit onder.

13

Op hetzelfde moment stopte de witte Chevrolet die Mercedes en Ross vanaf de luchthaven tot aan het landgoed van Olivera in de Cespedes 1006 was gevolgd, een heel stuk westelijker voor de hoofdingang van het reusachtige kerkhof Federico Lacroze in de stadswijk Chacarta. De jonge man met het groene katoenen overhemd stapte uit en ging naar een telefooncel. Hij gooide muntjes in de automaat en draaide een nummer. Nadat de telefoon één keer was overgegaan werd er opgenomen.

'Ja?' vroeg een mannenstem.
'Met Roberto. Het adres is Cespedes duizendzes.'
'Cespedes duizendzes,' herhaalde de man aan de andere kant van de lijn.
'Er stond geen naam op het hek.'
'Geeft niet. Bedankt.'
Klik. De verbinding was verbroken.
De man die zich Roberto noemde, verliet snel de gloeiendhete cel en liep naar de geparkeerde Chevrolet terug. Hij nam plaats achter het stuur en reed weg.

Nóg verder weg, in het noordwesten van de stad, zat een man die wegens de krankzinnig hoge temperatuur alleen een doek om zijn lendenen droeg, in een kamer van zijn woninkje in een straat met de naam Husares. Door het raam zag hij de troosteloze kazernes en exercitieplaatsen van het *Regimento 3 de Infanteria General Belgrano*. In de verzengende, moordende hitte van de vroege middag was geen sterveling te zien. De lucht kookte boven de lege pleinen. De eenzame man – hij was ongeveer zestig jaar en volkomen kaal – had zijn voeten op tafel gelegd en hield de telefoonhoorn tegen zijn oor. Hij had een goede vriend bij het bevolkingsbureau. En het bevolkingsbureau had een goede computer.

Het duurde geen vijf minuten of de vriend kwam weer aan de lijn:
'Cristobal?'
'Ja.'
'Cespedes duizendzes is van een zekere Eduardo Olivera.'
'Bedankt, Ruiz,' zei Cristobal. Hij legde de hoorn op de haak, draaide de elektrische ventilator zo, dat de hete, maar in elk geval in beweging gebrachte lucht recht in zijn gezicht blies en haalde zijn voeten van tafel. Daarna schakelde hij de interruptor naast zijn telefoon in, waardoor zijn stem voor derden onverstaanbaar zou zijn, pakte de hoorn weer op en draaide een lang nummer. Het nummer begon met 00441.
00441 is voor de hele wereld het nummer van Londen.

14

Nu zwommen ze alle drie.
Mercedes droeg een minuscule bikini, die vrijwel haar hele mooie, wat weelderige lichaam liet zien. Ross had een van de zwarte zwemshorts genomen, waarvan er in de cabine verscheidene lagen. Hij schaamde zich een beetje. Zijn huid was bleek, die van de anderen diep goudbruin. Ross zwom twee baantjes met Mercedes, maar kreeg toen steken in zijn hart. Hij dacht aan de woorden van een dokter van de eerstehulpdienst een jaar geleden in een hotel in Istanboel. Hij had hem laten halen, omdat hij bij het wakker worden 's morgens vroeg weer eens, zoals zo vaak, meende te gaan sterven.
'U mankeert absoluut niets,' had die dokter gezegd, 'alleen lichamelijke inspanning. U doet niet aan sport, hè? Nooit gedaan, hè? Altijd alleen maar

achter uw bureau, in het vliegtuig en in de auto gezeten. Voor geen goud een stap verzetten! Mooi, heel mooi. Weet u waarom u zich zo beroerd voelt? Omdat u een volkomen verrotte bloedsomloop hebt. Ja, ja, kijkt u me maar aan! Ik geef u een spuitje. Dan gaat u slapen. Maar daarmee is de zaak niet afgedaan, vriend, absoluut niet. U bent zesenveertig? Ik zou eerder denken zestig. U moet uw levenswijze rigoureus veranderen!'

Dat weet ik zelf ook wel, betweter, had Ross destijds gedacht. Wat weet jij af van Nobilam? Zou jij kunnen drinken uit de kelk waaruit ik drink? Zou jíj dan nog in leven zijn?

Dat schoot hem te binnen toen hij zijn hart voelde. Het stak. De bloedtoevoer haperde. Ik ben inderdaad een wrak, dacht hij. En kijk dan eens naar Mercedes. Kijk dan eens naar mijn vader. Ik ben ouder en meer afgeleefd dan hij, die vervloekte schoft. Nee! Dat niet! Ik heb het Mercedes beloofd.

'Zullen we een wedstrijdje doen?' riep Olivera.

Naar de duivel met die steken, dacht Ross. Natuurlijk, wij tweeën, om het hardst, vuile ploert. Nog steeds wij tweeën! Zijn vader bevond zich opzij van hem, halverwege het zwembad. Eensklaps kreeg Ross een pijnlijke klap tegen zijn borst en hij werd in het water teruggeduwd. Olivera schaterde. Mercedes klom uit het zwembad en bleef met een onbewogen gezicht aan de rand staan. Haar grote stevige borsten kwamen boven en onder de smalle baan stof te voorschijn.

Ross begreep het: zijn vader had een aan de kant aangebrachte kraan van de *jet-stream* helemaal opengedraaid. Nu schoten van de voorkant van het zwembad waterstralen onder hoge druk op hem af.

'Vooruit, zoon van me! Wie er het eerste is!' Zijn vader duwde zich van de zijkant van het zwembad af en begon tegen de *jet-stream* te vechten. Ross haalde diep adem, daarna gooide hij zich in de spuitende watermassa. Hij ging kopje onder, kwam weer boven, kreeg water binnen, spuwde het uit en zwom alsof zijn leven ervan afhing. Zijn lijf deed pijn, iedere spier. Het bloed klopte in zijn hals. Voor zijn ogen draaiden vurige wielen. Maar hij gaf het niet op. Niet telkens weer, *Herrenmensch*, dacht hij. Niet telkens weer en voorgoed. Al ga ik nu de pijp uit met mijn door verslaving aangetaste lichaam, mijn verrotte bloedsomloop, en al moet jij me dood uit jouw protserige zwembad vissen, rotvent, je mag niet winnen, je mag niet winnen!

Hij begon te crawlen. Zijn vader ook. Ze waren nu zij aan zij. Ross dacht: hij lacht tenminste niet. Wild begon Ross met zijn armen te slaan. De tegendruk van de straal werd steeds groter, hoe dichter hij die naderde. Hij had het gevoel dat het ijskoude water plotseling het vlees van zijn botten scheurde. Hij had een razende hoofdpijn, in zijn rechterbeen voelde hij een lichte kramp, maar hij gaf het niet op. Triomfantelijk zag hij dat zijn vader achterbleef, een halve meter, een meter. Ross spande zich nog meer in. De verscheurende golven van de stroom geselden zijn lichaam dat zo rood als een kreeft was geworden. Ik heb nooit een hoge dunk gehad van vechters, dacht hij, maar soms moet je dat wel zijn. Hij dook. Hij zwom onder de bulderende straal door. Hij kwam weer aan de oppervlakte, kreeg een klap, dook weer onder, weer boven en weer onder. In zijn hoofd dreunden klokken. Hij zag vrijwel niets meer, toen hij eensklaps tegen de muur van de voorkant stootte. Hij pakte een handvat en draaide zich om. Terwijl de watermassa over hem heen brak, zag hij, minstens zes meter teruggeslagen, zijn vader. Kijk aan, dacht Ross. Hij voelde zich eensklaps geweldig.

15

Ze zaten uit te rusten in de witte rieten stoelen. Miguel had de drankjes geserveerd. De glazen besloegen in de hitte. Nu hadden ze alle drie een witte frotté badjas aan. Mercedes had een rood doekje om haar natte zwarte haren gebonden.

'Op de winnaar!' zei Eduardo Olivera.

Ze dronken.

Het drankje was zo koud, dat de tanden van Ross pijn deden. Er zaten vier ijsblokjes in het grote glas. Bovenop dreef de helft van een kleine groene citroen. De gin-tonic smaakte bitter en heerlijk na de inspanning. Ross voelde zijn dijen onder de badjas trillen.

'Iedereen houdt van winnaars,' zei Olivera. Ross zag het litteken op zijn rechterslaap, het lichte spoor van het oude litteken. 'Geen mens houdt van verliezers. We voelen ons niet prettig in hun gezelschap. Er wordt verwacht dat we medelijden met hen hebben, dat ze onze sympathie hebben. Men verwacht van ons medelijden en troost voor verliezers. Waar is de schoot waarin ze hun hoofd kunnen leggen en mogen huilen? Ik hoopte dat jij zou winnen, Daniel. Ik heb jouw sterkte gevoeld. Anders had ik Mercedes niet weggestuurd om jou te halen. Jij bent sterk, hoewel je er verschrikkelijk beroerd uitziet. Maar het zit in je als het erop aankomt. Ja, dat voelde ik. Uiteindelijk ben je mijn zoon. Ik moet jou nu het werk laten doen. Dat wedstrijdzwemmen zoëven was een test, geen uitdaging. Je hebt het opgevat als een uitdaging, omdat je mij haat. Je haat me toch, nietwaar?'

Mercedes keek Ross smekend aan. Hij zei hard: 'Ja.'

Olivera lachte dreunend. Hij vroeg: 'Erg?'

'Heel erg, ja,' zei Ross. 'Het spijt me, Mercedes.'

'Je hoeft je niet te verontschuldigen, jongen,' zei zijn vader. 'Ik weet het toch. Hoe kon het ook anders. Je haat me onuitsprekelijk. Heb ik 't goed?'

'Inderdaad,' zei Ross. 'Onnoemelijk.'

'Daarom dacht je in het zwembad ook: hij mag niet winnen! Al is het mijn dood. Dat dacht je toch, mijn zoon?'

'Ja.'

'En daarom heb je van mij gewonnen. Haat maakt sterk. Wie haat is tot alles in staat, ook tot het moeilijkste. Zullen we op de haat drinken, mijn zoon?'

'Graag,' zei Ross.

'Toe . . .' begon Mercedes ongelukkig.

'Jij niet! Dat is een zaak tussen mannen. Een zaak tussen vader en zoon. Tussen een verloren vader en zoon, zou ik moeten zeggen. Tussen een weergevonden vader en zoon. *A tu salud,* zoon, op de haat!'

'Op de haat!' zei Ross en dronk zijn glas leeg.

Olivera pakte een draadloze telefoon die op tafel stond en riep de naam van Miguel. Deze meldde zich. Olivera bestelde andere drankjes, zo verstond Ross.

'*Si, señor,*' klonk de stem van de bediende.

'Wat zei u als laatste?' informeerde Ross.

'Met wat meer gin graag. Uitmuntend, die drankjes, maar er zou wat meer gin in kunnen, vind ik. Mercedes, jij bent de knapste vrouw van Argentinië. Rustig! Je mag je vader niet tegenspreken. Is ze niet razend knap, Daniel?'

'Inderdaad,' zei deze. 'Hoe komt het dat u nog leeft?'

'Je hebt me toch beloofd...' begon Mercedes.

'Ik houd mijn belofte,' zei Ross. 'Ik ben heel vriendelijk en beslist niet agressief. Hij weet dat ik hem haat. Mijn antwoord was geen verrassing voor hem. Integendeel zelfs. Het doet hem genoegen. Hij ziet dat ik niet lieg. Wees maar gerust, Mercedes. Er komt geen ruzie, nietwaar?'

'Ruzie?' zei Olivera. 'Wat is dat?'

In de bomen zongen vele vogels. Ross keek omhoog. De vogels zaten op de waaiervormige takken van stokoude palmen, in de cipressen en pijnbomen, in de eucalyptusbomen en in de cactussen die zo hoog als een eik waren. De vogels hadden veren in allerlei kleuren.

'Dus,' zei Ross, 'hoe komt het dat u nog leeft? Eens heette u Georg Ross en was u hoofd van een filiaal van de Österreichische Sparkasse in Wenen. In de oorlog was u majoor. Majoor Georg Ross is gevallen tijdens trouwe plichtsbetrachting voor Führer, Volk en Vaderland bij zware defensieve gevechten op twee maart negentienhonderdvijfenveertig in de omgeving van Küstrin. Dat heeft men aan mijn moeder geschreven en ze heeft heel erg gehuild.'

'O ja?' Olivera trok zijn wenkbrauwen op. 'Wat is Hecuba voor hem, wat is hij voor haar, dat ze zo om hem moet huilen? Hamlet, een beetje veranderd. Heeft ze gehuild? En zelfs erg?'

'Toen ik groter werd en begreep wat moeder mij over u vertelde, kon ik haar tranen ook niet begrijpen.' Ross keek Mercedes aan. 'Dit is een vriendelijke conversatie tussen ons tweeën.'

Miguel kwam aan over het grasveld. Hij bracht de nieuwe drankjes op een zilveren dienblad, zette ze vaardig neer en nam de lege glazen mee.

'Dank je, Miguel,' zei Olivera.

'Altijd tot uw dienst, senõr,' zei Miguel en haastte zich naar het huis terug.

Olivera keek hem na. 'Een goeie knul,' zei hij. 'Chauffeur, tuinman, en hij kan perfect serveren. Heeft wat verstand van techniek. Eersteklas masseur. Zou zich voor mij in stukken laten scheuren. Is nog niet zo erg lang bij me. Ik heb hem van Carlo Alvarez overgenomen.'

'Wie is dat?'

'Generaal Alvarez was een van de kopstukken van de militaire junta. Een oude vriend van mij. Hij moet nu voor de rechter komen. Je weet toch dat het hier sinds kort een democratie is?'
'En u bent niet zo gek op een democratie.'
Olivera keek Ross verbaasd aan. 'Wat bedoel je daarmee, Daniel? Ik beschouw de democratie als de beste van alle mogelijke staatsvormen.'
'Ú zou dat vinden?' Ross lachte.
'Ja, ik,' zei Olivera ernstig.
'Maar u was toch een gewetenloze nazi!'
'Wanneer? Bijna veertig jaar geleden! Ik ben al heel lang geen nazi meer. Wat ik beleefd, wat ik gehoord, wat ik gezien en gelezen heb heeft me de ogen geopend voor de ongelooflijke misdaden van de nazi's. Ik ben een heel ander mens geworden. Dat was een dom lachje, Daniel. Alleen een dwaas behoudt zijn leven lang dezelfde overtuiging.'
Ross staarde Olivera lang aan. 'Goed, u bent een democraat geworden,' zei hij ten slotte zwichtend.
'Zeker,' zei Olivera.
'Dacht je dat wij anders zo fantastisch met elkaar zouden kunnen opschieten?' vroeg Mercedes.
'Och, Mercedes,' zei Ross.
'Wat bedoel je daarmee? Als iemand vader kent, dan ben ik dat wel. Ik leerde hem kennen toen ik drie jaar was. Sedertdien heeft hij voor mij gezorgd. Toen ik groter werd heeft hij zich beziggehouden met mijn opvoeding en mijn ideeën. Hij heeft me nooit bevoogd. Hij gaf me boeken. Hij nam me mee naar lezingen, naar de schouwburg, naar de bioscoop. Hij wilde dat ik zelf mijn eigen mening vormde. Hij heeft me op een *democratische* wijze opgevoed. Hij heeft spijt gekregen, hij heeft geboet. Hij is een ander mens geworden. Kijk naar mij! Ik ben toch een overtuigd aanhangster van de democratie. Geloof je me?'
'Ik geloof je, Mercedes.'
'Dan moet vader dat toch ook zijn!' riep ze uit.
Ross zweeg.
'Ik ben het werkelijk. Overigens: president Alfonsin heeft uiterst bekwame medewerkers. Ik ben vaak uitgenodigd bij de belangrijkste daarvan en ze komen nog vaker hier om te vertellen over hun problemen en hun plannen en mij om advies te vragen.'
'U?' vroeg Ross. 'Met zo'n vriend als de generaal?'
'Ze weten heel goed dat hij mijn vriend is, hoewel hij generaal was. Ik sta bekend als een echte democraat, Daniel. Natuurlijk probeer ik nu de mensen van Alfonsin te helpen waar ik kan. Voor Argentinië vind ik een democratie echter niet zo geschikt,' zei Olivera.
'Waarom niet?'
'Het zijn wilde mensen hier. Ze hebben een sterke hand nodig.'
'Een dictatuur bedoelt u.'
Olivera trok zijn schouders op. 'We zullen eens kijken hoe lang die democratie overeind blijft.'

Plop, deed de denkbeeldige luchtbel in de borst van Ross. Plop, plop.
'Wat is er met je? Je ziet bleek. Wind je je zo op over mijn eerlijkheid?'
'Dat zal het wel zijn. U en eerlijkheid!' zei Ross.
'Daniel!' riep Mercedes uit.
Olivera lachte. 'Mijn zoon,' zei hij, 'laten we drinken op jouw verstand –
en op jouw schoonheid, dochterlief.'
Ze dronken.
'*A tu salud*,' zei Olivera weer.
'Maar nu terug naar u!' zei Ross.
'Heb je al eens eerder zulke minuscule citroenen gezien? Groeien alleen
hier. Terug naar mij. Goed. Op twee maart negentienhonderdvijfenveertig
is Georg Ross, majoor en bankdirecteur van de Österreichische Sparkasse,
bij zware defensiegevechten in het district Küstrin gevallen – tijdens trouwe
plichtsbetrachting voor Führer, Volk en Vaderland. Wel, hij is herrezen.
Ook Lazarus is herrezen.'
'U bent herrezen als Eduardo Olivera,' zei Ross.
'En als bankier,' zei zijn vader. 'In 1945 waren er heel wat Lazarussen.'
'O ja,' zei Ross.
'Nu begrijp je het, hè?'
'Inderdaad,' zei Ross.
'Eerst was ik een kleine bankier. Toen woonde ik nog niet hier. Daarna
werd ik een grote bankier. En ik verhuisde.'
Weer werd de lucht vervuld van een plotseling gedonder. Weer beefde de
grond. Er raasde een groep straaljagers laag over het park. De ruiten
trilden.
'Die straaljagers,' zei Olivera, 'vlogen soms ook over het huis toen
generaal Alvarez, mijn vriend, Miguel nog nodig had. Ze vliegen ook nu, nu
hij hem niet meer nodig heeft en Miguel bij mij en dit land een democratie
is. Dezelfde machines. Met dezelfde piloten. Ze moeten bereid zijn ons land
te beschermen. Het land is steeds hetzelfde gebleven.' Olivera strekte zijn
armen uit. 'Kinderen! Wat ben ik gelukkig dat ik jullie bij me heb, jullie
allebei! Kom, dan gaan we nog even zwemmen.'
'Ik zou u graag vragen . . .'
'Nee,' zei Eduardo Olivera. Hij stond op en deed zijn badjas uit. 'Nu geen
vragen meer, Daniel. Na de siësta zal ik je het document laten zien. Dan
beantwoord ik al je vragen. Heb je de orchideeën in de bomen gezien? Die
bruingele met hun violette lippen? Zijn ze niet prachtig? *Vanda tricolor*
heten ze. Ik houd van orchideeën . . .'
Plop, plop, plop.
Ross perste zijn lippen samen. De angst, de angst die onwerkelijk maar
veel erger was dan verklaarbare angst, daar kwam ze, nog ver weg, maar ze
was op komst. Ross stond snel op. Mercedes keek hem bezorgd aan. Hij
schudde glimlachend het hoofd en ging naar de kleedhokjes.
'Wat is er?' vroeg Olivera.
'Niets. Ben zo terug. Ik moet alleen . . .'
'O.'

Ross bereikte de cabines. Hij ging de zijne binnen en sloot de deur. Hij pakte uit de zak van zijn jasje een glazen buisje en schudde vijf tabletten Nobilam in zijn hand. Hij opende zijn mond en gooide de tabletten naar binnen. Hij kon al jaren allerlei soorten pillen zonder water slikken. Sibylle heeft gezegd dat ik Nobilam mag nemen zodra ik denk het nodig te hebben, suste hij zichzelf. Daarna stopte hij het buisje weer in zijn zak en stapte naar buiten. Een kwartiertje en alles is weer in orde, dacht hij op weg naar het zwembad. Olivera en Mercedes waren al in het water. Ze spetterden elkaar nat en lachten. Ross keek lang naar zijn vader, die met zijn handen roeide en iets naar Mercedes riep. Ross merkte dat hij zich al beter voelde. Haat was een gevoelige zaak.

16

De man die eens Georg Ross had geheten en zich nu al heel lang Eduardo Olivera noemde, liep in de grote bibliotheek van zijn huis van het ene hoge raam naar het andere en liet door een druk op de knop de elektrisch bediende zware, metalen rolluiken zakken. In de bibliotheek brandde licht. Mercedes en Daniel zaten in een diepe fauteuil. Zij droeg een huiskostuum van dunne, goudkleurige stof – pantalon, witte blouse – en gouden slippers. Het hele huis was airconditioned en in de bibliotheek met haar vele duizenden boeken heerste een heerlijk koele temperatuur. Een antieke pendule op de schoorsteenmantel gaf de tijd aan: vier minuten over zes. Ross voelde zich uitgerust. Hij had droomloos en heel diep geslapen. Daarna hadden ze in de bibliotheek thee gedronken. Miguel – hij droeg een witte pantalon en een hoog gesloten wit jasje – was bezig met het afruimen van de kopjes, de theepot en dergelijke van een lage marmeren tafel voor de grote open haard en zette alles op een serveerwagen. Er viel een lepeltje op de grond. Het duurde een paar seconden voordat hij dat gevonden had.

'Neemt u mij niet kwalijk, señorita,' zei hij tegen Mercedes en hij stond op.

'Toe nou, Miguel!'

'Nee, het was erg onhandig van me.' Hij zag er goed uit, deze jonge, slanke, donkerharige man met zijn grote, amandelvormige ogen en volle lippen. Zijn stem had een warme, aangename klank.

'Goed,' zei Mercedes, 'goed.'

'Is er nog iets van uw dienst, señorita?'

'Niets. Dank je, Miguel.'

'En de heren?'

'Je kunt gaan,' zei Olivera bij een van de ramen vandaan. 'De bar is hier. Het avondeten graag over twee uur. Zeg je dat tegen Maria?'

'Ja, señor. Over twee uur. Altijd tot uw dienst.' Miguel verdween, de serveerwagen langzaam voor zich uit duwend. De grote deur van de bibliotheek sloot geruisloos achter hem. Mercedes pakte een sigaret uit de

67

zilveren doos die op de lage marmeren tafel stond. Ross stond op en gaf haar vuur.

'Dank je, Daniel.' Ze keek hem glimlachend aan.

Hij ging weer zitten.

'Daniel, je gaat nu een film zien,' zei Olivera, terwijl hij nog steeds bezig was met de metalen rolluiken. 'Deze film speelt zich af in Teheran, de hoofdstad van het tegenwoordige Iran. Voordat ik je hem laat zien, moet ik nog een paar dingen zeggen voor een beter begrip van zaken.' Olivera had een witte, linnen pantalon aan en een loshangend, blauw overhemd. De derde metalen jaloezie zakte, via een druk op de knop aangedreven door kleine, onzichtbare elektromotoren. 'Tot 1935 heette Iran het "Keizerrijk Perzië". Dat keizerrijk werd in 1907 verdeeld in een Britse en een Russische invloedssfeer. Sedert 1921 bestond er een verdrag tot protectie met de Sovjetunie.' Olivera ging naar het vierde raam en liet het zware rolluik zakken. 'Van 28 november tot en met 1 december 1943 vond in Teheran een conferentie van de zogeheten Grote Drie plaats: Stalin, Roosevelt en Churchill. Het was voor het eerst dat Roosevelt en Churchill Stalin ontmoetten.' Olivera ging naar het vijfde en laatste raam. 'Stalin had gestaan op Teheran en aan geen enkele oorlogsconferentie is ooit zo'n lang en taai gevecht om plaats en tijdstip van ontmoeting voorafgegaan als aan deze, waarvoor Churchill de deknaam "Eureka" had voorgesteld.' Het vijfde metalen rolluik zat op zijn plaats. 'Zo,' zei Olivera, 'nu is het vertrek absoluut geluiddicht.'

Hij ging naar een boekenplank naast de schoorsteen en drukte op een verborgen knop. Een deel van het rek draaide opzij en er werd een grote, in de muur gebouwde kluis zichtbaar. Olivera stelde, terwijl hij de kast met zijn brede rug aan het oog onttrok, de juiste cijfercombinatie in. Intussen zei hij: 'Het vasthouden van Stalin aan Teheran had echter ook nadelen. Het weer was er in dat jaargetijde bijzonder onbestendig. Prompt dwongen de weersomstandigheden de toendertijd reeds zwaar zieke president Roosevelt het conferentieoord vroeger dan de bedoeling was te verlaten. Op aanraden van zijn lijfarts wilde hij voorkomen dat hij bij de nadering van een gebied met slecht weer op grote hoogte zou moeten vliegen. De besprekingen op 1 december werden daarom al te zeer gecomprimeerd, alleen om er zeker van te zijn dat Roosevelt de volgende dag via Egypte naar huis kon reizen.' De zware, ruim dertig centimeter dikke stalen deur van de brandkast zwaaide open. Uit de ruime kast pakte Olivera een voorwerp dat leek op een dun boek dat in een hoes zat. 'Nu weten we,' vervolgde hij, 'dat op de conferentie van Teheran over het vestigen van een tweede front in Frankrijk werd gesproken. Dat leidde tot de landing van de geallieerden in Normandië op 6 juni 1944. In Teheran kwam men slechts tot overeenstemming over de opening van dit tweede front, dat zou worden gecoördineerd met een Russisch tegenoffensief in het voorjaar van datzelfde jaar. Uitgewerkte plannen waren er nog niet. En verder, volgens de officiële geschiedschrijving echter tevergeefs, hielden de Grote Drie zich bezig met de grondlijnen van hun naoorlogse politiek.'

Olivera had de kluis weer gesloten. Ross zag dat wat hij in zijn hand had een videocassette was. Olivera ging ermee naar een grote wandbar aan de andere kant van de schoorsteen en opende de beide helften van een mahoniehouten deur. Een televisietoestel werd zichtbaar. Olivera trok dit wat naar voren. Naast de televisie stond een modern videoapparaat met daarop een sierlijk schemerlampje. Olivera knipte dit aan en deed tegelijkertijd de plafondverlichting uit. Het licht kwam nu nog vanaf één plek. De reusachtige bibliotheek lag in het halfdonker.

'In die tijd,' zei Olivera, die bezig was met de video, 'werden per vliegtuig natuurlijk talrijke filmteams aangevoerd, die opnamen maakten voor de weekjournaals van de westelijke en Russische bioscopen. Maar daarnaast ontstond een film van vierendertig minuten, waarvan, met uitzondering van degenen die aan de produktie meewerkten, niemand iets wist behalve Roosevelt en Stalin en hun beide politieke adviseurs. Tot op dit moment weten op de wereld slechts die mannen iets af van het bestaan van deze film, die tot de nauwste medewerkers van Stalin en Roosevelt behoorden – als ze nog in leven zijn – en ook nog de opvolgers van Stalin en Roosevelt als leiders van de twee grootste machten ter wereld, evenals hun naaste medewerkers. En Mercedes en ik. Ik moet mezelf corrigeren: minister van Buitenlandse Zaken Joachim von Ribbentrop, minister van Propaganda Joseph Goebbels en Reichsführer SS Heinrich Himmler wisten natuurlijk ook af van het bestaan van deze film, die – zo meenden Stalin en Roosevelt – door speciaal uitgezochte, absoluut betrouwbare en integere Amerikaanse specialisten in slechts twee exemplaren was gemaakt: een versie met Russische tekst en Russische commentaarstem en een met Engelse tekst en Engelse commentaarstem. Wat ik hier heb, is een kopie van het Amerikaanse exemplaar.'

'Hoezo kopie? In 1943 bestonden er toch nog geen video-opnamen! Destijds werden films opgenomen op 35 mm-film.'

'Dat is juist, Daniel. Ik had eerst ook de kopie op 35 mm-film van Kodak in mijn bezit. Pas later heb ik die film op een videocassette laten overnemen.'

'Waarom?'

'Om twee redenen: het Kodak-materiaal kon het natuurlijk niet eeuwig uithouden. 1943 – dat is 41 jaar geleden! Zo lang blijft zelfs het beste materiaal niet intact. Ik móest de film wel op video overzetten. Ik ben er zeker van dat men dat in het Kremlin en in het Witte Huis ook heeft gedaan. De oorspronkelijke film was circa zeshonderd meter lang, woog tegen de zes kilo en zat in een grote aluminium trommel. Daarmee zou geen mens ook ooit maar door één enkele douanecontrole zijn gekomen. Ik heb overigens drie videokopieën laten maken bij een Duitser hier. De man is vijf jaar geleden overleden. Klein heette hij. Paulo Klein. Een betrouwbare vriend.'

'Waarom wilde u kopieën van uw kopie?'

'Ter bescherming van mezelf. De tweede cassette ligt in een banksafe. Als me iets overkomt, als ik een plotselinge of onnatuurlijke dood sterf, heeft

69

mijn advocaat volmacht de kopie uit de kluis te halen en op een internationale persconferentie te laten zien. Datzelfde geldt,' vervolgde Olivera, 'als ik langer dan twee weken verdwenen ben of niets van me laat horen. Ik heb de cassette indertijd zeer opvallend gedeponeerd. Je kunt niet voorzichtig genoeg zijn. Jij zult dat ook moeten zijn, Daniel, als jij de film nu krijgt.'

'Hoe moet ik dat doen?' vroeg Ross.

'Net als ik,' zei Olivera. 'De derde kopie ligt hier in de brandkast. Jij krijgt dus twee kopieën en deponeert ook dadelijk een exemplaar met overeenkomstige instructies, die je openbaar maakt.'

'Hoe is die film eigenlijk in uw bezit gekomen?'

Olivera leunde tegen de boekenwand en stak zijn handen in de zakken van zijn linnen broek. 'De minister van Buitenlandse Zaken, Joachim von Ribbentrop,' zei hij, 'was een dwaas. Maar hij beschikte over één groot talent: uitstekende medewerkers aan zich binden. Zodoende had hij veruit de best werkende interne geheime dienst – deze was zelfs beter dan die van Canaris. De dienst van Von Ribbentrop had eersteklas mensen op alle belangrijke punten ter wereld. Eind 1945 was het apparaat nog volkomen intact. In de Bondsrepubliek bestaan toch verscheidene met elkaar concurrerende diensten, is het niet? Nou, in het Derde Rijk was het precies eender. Ook in het keizerrijk Iran had men allang een spionagenet opgebouwd als onderdeel van een veel groter systeem dat het hele Midden-Oosten omspande. En één man had dat geweldige netwerk gecreëerd.'

'U?' vroeg Ross.

'Ja, ik,' zei Eduardo Olivera, die heel lang geleden Georg Ross had geheten.

'Dus u bent nooit militair geweest.'

'Nooit.' Olivera schudde het hoofd. 'In alle belangrijke steden van het Midden-Oosten en op alle steunpunten had ik volstrekt betrouwbare vertegenwoordigers ingezet. Dat waren altijd mensen uit het land zelf. In Teheran zetelde een man, Chan Ragai genaamd, jong, zeer dynamisch en zeer succesvol. Zijn agenten kende ik niet – volgens een lang bestaande wet van alle diensten ter wereld. Men kent altijd maar één man van het desbetreffende net.'

'Hoe onderhield u contact met die Chan Ragai?'

'Via een zender en koeriers. Het ministerie van Buitenlandse Zaken van Von Ribbentrop bevond zich in de Wilhelmstrasse in Berlijn. Daar had ik ook een kantoor. Daar stonden grote zend- en ontvangstinstallaties. Chan Ragai ontving van mij de opdracht om alles wat er tijdens deze conferentie van de Grote Drie gebeurde, uiterst nauwlettend te volgen. Zijn mensen leverden uitstekend werk. Met name een agent, die mij tot op heden alleen onder de afkorting CX 21 bekend is. CX 21 speelde het klaar in het bezit te komen van een kopie van de film die ik je nu zal laten zien, Daniel.'

Olivera liet zich op een bank voor de open haard vallen en drukte op de knop van een afstandsbediener die hij nu in zijn hand had. Op de beeldbuis was een enigszins versleten zwart-wit film te zien.

Onder begeleiding van korte fluittonen verschijnen de cijfers 3, 2 en 1. Daarna – het betreft een zwart-wit film – is het vignet te zien van de Verenigde Staten: een gestileerde adelaar met een gestileerde vredestak in de rechter- en een eveneens gestileerde lictorenbundel in de linker-klauw; voor zijn borst, vierkant en eveneens gestileerd, de Amerikaanse vlag, boven de kop van de adelaar een aan weerszijden opwapperend lint met de woorden E PLURIBUS UNUM. Rondom de adelaar loopt een gesloten cirkel. Daarop staat: SEAL OF THE PRESIDENT OF THE UNITED STATES. Het vignet blijft een tijdje in beeld. Dan volgen, in hoofdletters, de woorden TOP SECRET en daarna in het Engels de woorden:

VAN DEZE FILM BESTAAT SLECHTS ÉÉN ANDER EXEMPLAAR MET RUSSISCHE TEKST EN COMMENTAAR IN HET RUSSISCH. DE ENGELSE VERSIE IS BESTEMD VOOR HET GEHEIM ARCHIEF VAN DE PRESIDENT DER VERENIGDE STATEN VAN AMERIKA IN HET WITTE HUIS, WASHINGTON D.C. DE RUSSISCHE VERSIE IS BESTEMD VOOR HET GEHEIME ARCHIEF VAN DE SECRETATIS-GENERAAL VAN HET CENTRALE COMITÉ VAN DE COMMUNISTISCHE PARTIJ VAN DE SOVJETUNIE, RESPECTIEVELIJK VAN HET STAATSHOOFD VAN DE UNIE VAN SOCIALISTISCHE SOVJETREPUBLIEKEN IN HET KREMLIN TE MOSKOU. NA HET ONDER EDE BELOVEN VAN GEHEIMHOUDING IS HET DE NAASTE MEDEWERKERS VAN DE BEIDE VERTEGENWOORDIGDE REGERINGS-LEIDERS, EVENALS DE NAASTE MEDEWERKERS VAN DE OPVOLGERS VAN DE VERTE-GENWOORDIGDE REGERINGSLEIDERS, TOEGESTAAN KENNIS VAN DEZE FILM EN ZIJN INHOUD TE NEMEN. NIEMAND ANDERS MAG DIT FILMDOCUMENT OOIT TE ZIEN KRIJGEN OF VAN HET BESTAAN DAARVAN KENNIS NEMEN. DE BEIDE EXEMPLAREN DIENEN VOOR ALTIJD BEWAARD TE BLIJVEN.

FADE-OUT

FADE-IN

Een totaalbeeld van de stad Teheran. Dan klinkt het Amerikaanse Engels van een

COMMENTATOR

Dit is de stad Teheran, hoofdstad van het keizerrijk Iran, opgenomen op de ochtend van 27 november 1943. Morgen, 28 november 1943, begint hier de conferentie van de Grote Drie: de premier van het Verenigd Koninkrijk Groot-Brittannië en Noord-Ierland, Winston Churchill, de president van de Verenigde Staten van Amerika, Franklin Delano Roosevelt, en de voorzitter van de Raad van Volkscommissarissen van de Unie van Socialistische Sovjetrepublieken, maarschalk Josif Vissarionovitsj Stalin.
Militair vliegveld voor de stad. Op de achtergrond, machtig en onheilspellend, de hoge bergketen van het met sneeuw bedekte Elbruz-gebergte. Zojuist is een groot viermotorig vliegtuig van het type Liberator geland dat nu uitloopt. De vliegtuigtrap wordt aangereden. Het schijnt erg koud te zijn; de paar mannen die voor ontvangst zijn verschenen,

burgers en militairen, dragen een dikke jas en een hoofdbedekking, de meesten een bontmuts. Er is een bijzonder groot aantal Russische militaire voertuigen en soldaten met machinepistolen rondom het terrein van het vliegveld te zien. Er zijn uitermate zware veiligheidsmaatregelen getroffen. Het luik van de machine wordt geopend. Op de bovenste trede van de gangway verschijnt in uniformjas en pet met klep Winston Churchill. Hij heeft een dikke sigaar in zijn mond, laat een brede lach zien en steekt de wijsvinger en middelvinger omhoog voor het beroemde V-teken, dat *victory* (overwinning) betekent. De Russische veiligheidsmensen in opperste paraatheid. Gejaagde en gespannen sfeer. Het groepje mannen verwelkomt Churchill, die de gangway is afgekomen. Een tiental andere personen verlaat het vliegtuig.

14.35 uur plaatselijke tijd. Op dit geheim gehouden tijdstip landt de machine met premier Churchill – om veiligheidsredenen – niet op de burgerluchthaven Mehrabad, maar op het Russische militaire vliegveld. De premier is met een kleine staf medewerkers gekomen. Hier begroet hij de Britse ambassadeur in Teheran. Minister Churchill wordt in diens wagen naar de Britse ambassade gebracht.

Churchill stapt in een op het vliegveld voorgereden auto, de Britse ambassadeur volgt hem. Het gezelschap van Churchill maakt gebruik van drie andere wagens die de landingsbaan zijn opgekomen. De kleine colonne zet zich in beweging. Voorop een grote politiewagen met blauwe zwaailichten. Op de brede treeplanken staan zwaargewapende Perzische politiemannen.

'Wie heeft deze opnamen gemaakt?' vroeg Ross, die geboeid naar de televisie zat te kijken.
'Uitgelezen Amerikaanse en Russische cameralieden uit het leger,' antwoordde Olivera. 'De reporters, operateurs van het bioscoopjournaal en fotografen landden pas later op de burgerluchthaven Mehrabad.' Olivera had een staande schemerlamp aangeknipt en Ross zag dat zijn vader een boek naast zich had liggen. Op zijn knieën lag nog een boek geopend.
'Churchill lachte wel voor de camera's, maar hij was woedend,' zei Mercedes. Ze had haar vergulde slippers uitgedaan en haar benen opgetrokken. Ze zat opgevouwen in haar fauteuil.
'Hoezo woedend?' vroeg Ross. Het beeld wisselde ...

Het kleine konvooi rijdt over een straatweg van het militaire vliegveld naar de stad. Met korte tussenruimten bewaken Perzische cavaleristen de weg. Aanvankelijk zijn er nog maar weinig wuivende mensen te zien.

'Hij was niet tevreden over de veiligheidsmaatregelen,' zei Olivera, terwijl hij een bril met een zwaar hoornen montuur opzette. 'Ik heb hier een deel van zijn memoires. Churchill schrijft: "... Toen we de stad naderden, stond over een afstand van minstens vijf kilometer elke vijftig meter een wachtpost van de cavalerie aan weerskanten van de weg. Kwaadwillige mensen konden daaruit zonder problemen concluderen dat er een hoge persoonlijkheid werd verwacht en welke weg die zou nemen ... Het tempo was langzaam en al spoedig vulde een grote menigte de tussenruimten tussen de ruiters op. Politiemensen te voet waren er, áls ze er al waren, maar weinig ..." De film bevestigt wat Churchill later schreef.'

Voorsteden van Teheran. Plotseling veel mensen tussen de ruiters. De meesten verrast en ernstig. CAMERA toont een klein meisje dat op de schouders van haar vader zit te zwaaien. Vanuit verschillende posities de rit door het stadscentrum. Hier verdringen zich de mensen op beangstigende wijze; ze komen – zonder daarbij gehinderd te worden – vlak bij de wagen.

Olivera zei, met het boek op zijn knieën: 'Churchill zegt verder: "In het stadscentrum stond de menigte vier, vijf rijen dik. Men kwam vriendelijk maar terughoudend tot op een paar passen van de wagen. Tegen twee of drie vastbesloten individuen met revolvers of bommen zou geen bescherming zijn geweest ..."'

De menigte wordt steeds dichter. Het konvooi rijdt stapvoets. Bij een kruispunt moet men zelfs stoppen. De weg is verstopt door de mensen. Perzische soldaten blijven de toestand slechts met moeite meester. De mensen wijken onwillig en langzaam achteruit.

De stem van Olivera klonk: 'Churchill schrijft: "Bij het naar de ambassade leidende kruispunt ontstond een opstopping; we zaten drie tot vier minuten vast te midden van een menigte ons aangapende Perzen. Als men zich zou hebben voorgenomen het grootste risico te lopen en zowel had afgezien van de bescherming van een geheime aankomst als de begeleiding van een sterk escorte, had men het probleem niet beter kunnen oplossen. Desondanks gebeurde er niets. Ik lachte naar de menigte en de meesten lachten terug ..."'

De film op de beeldbuis toont een onbewogen, rustige Churchill met sigaar in de mond. Hij wuift naar de mensen die zich rond zijn wagen verdringen en lacht. Veel mensen wuiven terug en lachen eveneens. Zonder zijn sigaar uit zijn mond te nemen zegt Churchill iets tegen de naast hem zittende Britse ambassadeur. Deze knikt en trekt een woedend gezicht.
Het kruispunt is eindelijk ontruimd, de auto's kunnen doorrijden. Smalle straten die uiteindelijk uitkomen op een bredere. Het konvooi bereikt een grote villa die in een tuin ligt. De tuinpoort staat open. Het hele terrein, de inrit, de weg door de tuin en de villa worden door

Brits-Indische soldaten bewaakt. Ze dragen een witte tulband. Ze zijn allemaal zwaarbewapend. Het konvooi rijdt naar de villa. CAMERA ZWENKT en toont het aangrenzende terrein, een in verhouding tot de tuin van de Britse ambassade reusachtig park waarin verscheidene gebouwen staan. Hier wemelt het van Russische soldaten.

COMMENTATOR

Het konvooi auto's met premier Churchill heeft nu de Britse ambassade bereikt. Churchill en zijn medewerkers zullen hier logeren. De residentie wordt bewaakt door Brits-Indische soldaten. (*Na het zwenken van de camera*): Hier vlak naast bevindt zich de Russische ambassade, die reeds betrokken is door maarschalk Stalin en zijn gezelschap.

Olivera ging, aan zijn bril trekkend, door met het voorlezen: '"De gebouwen", schrijft Churchill, "lagen naast elkaar. De over onze veiligheid wakende Brits-Indische brigade kwam daardoor in contact met de nog talrijkere, hun eigen gebied afsluitende Russen en spoedig zetten ze de zaak volkomen af, zodat we ons in een geïsoleerde, volgens de eisen van de oorlog beveiligde enclave bevonden …"'

Opnieuw het Russische militaire vliegveld. Er landt een machine van het type Flying Fortress. Deze stopt op dezelfde plaats als eerder het vliegtuig waarmee Churchill is gekomen. Het vliegterrein is weer hermetisch afgesloten. Een lange rij grote Amerikaanse wagens – Chevrolets, Buicks, Chryslers, Lincolns en Cadillacs – rijdt naar het vliegtuig. Het luik van de *Flying Fortress* wordt geopend, de trap wordt aangereden. Onbarmhartig toont de camera hoe president Roosevelt door twee Amerikaanse veiligheidsfunctionarissen de trap wordt afgedragen en in een rolstoel wordt gezet. (Na zijn aandoening van kinderverlamming kan de president niet meer lopen en slechts heel kort met moeite staan.) Hij wordt verwelkomd door talrijke burgers en militairen. De rolstoel verdwijnt achter een limousine. De president wordt blijkbaar in een auto getild. Men ziet zijn bleke, door ziekte getekende gezicht even later voor een achterraam.

COMMENTATOR

16.47 uur. Op dit eveneens geheim gehouden tijdstip landt het vliegtuig van president Roosevelt op het Russische militaire vliegveld. De president komt naar de conferentie Eureka, zoals ze op voorstel van de Britse premier wordt genoemd, met een gezelschap dat bestaat uit zesenzeventig personen.

Dit buitengewoon grote aantal medereizigers zien wij nu. Steeds meer burgers en militairen komen uit het vliegtuig de gangway af. De mannen stappen in de auto's. Net als bij Churchill rijdt er een politiewagen met blauwe zwaailichten aan de kop van het ditmaal zeer lange konvooi.

'Allemachtig,' zei Ross. 'Een begeleiding van zesenzeventig man!'

De beelden die de videofilm nu toonde, waren in principe gelijk aan die van de aankomst van Churchill en zijn rit naar de stad. Met de afstandsbediening zette Olivera de stem van de commentator zachter. Bij de beelden van de Amerikaanse delegatie naar en door de stad zei Olivera, het tweede boek pakkend: 'Ik heb hier een – overigens uitstekend – werk van Gottfried Zieger. De auteur van dit in 1967 verschenen boek: *Conferentie van Teheran in 1943* was destijds werkzaam bij het Instituut voor Volkenrecht van de universiteit van Göttingen. Hij schrijft in hoofdstuk III: "...afgezien van de problemen rond de onderbrenging van deze reusachtige staf, bleek al dadelijk dat de ligging van het Amerikaanse onderkomen zeer ongeschikt was..."'

De film toont de aankomst van de rij wagens voor de Amerikaanse ambassade, een groot, wit gebouw, dat eveneens in een tuin ligt. Zeer veel Amerikaanse soldaten, zwaarbewapend, bewaken het terrein.

'"... Het gezantschap van de Verenigde Staten was namelijk bijna twee kilometer verwijderd van de ambassadegebouwen van Groot-Brittannië en de Sovjetunie," schrijft Zieger. "De vrees werd uitgesproken dat de president bij zijn dagelijkse ritten daarheen iets zou kunnen overkomen..." En op een andere plaats noteert Zieger: "Volgens het logboek van de president was het de Amerikanen bekend dat Teheran tot voor kort 'volledig onder Duitse controle' had gestaan,"' Olivera begon, eerst onderdrukt, te lachen terwijl hij verder las – '"of, zoals Roosevelt het drastisch uitdrukte, 'het hoofdkwartier voor de hele spionage van de Asmogendheden in het Midden-Oosten' was en zich genoeg aanhangers van Duitsland in de Perzische hoofdstad zouden ophouden..."' Nu schaterde Olivera het uit. Hij kwam maar langzaam tot bedaren en zei, nog steeds onderbroken door uitbarstingen van vrolijkheid: 'Slim van die lui, hè? Die hadden toch zomaar in de gaten dat wij in Teheran werkzaam waren! Ik wil mezelf echt geen pluim op de hoed steken...'

'Dat hoeft ook niet,' zei Ross tussen zijn tanden door. 'Dat doet Roosevelt al.'

'O, Daniel,' zuchtte Olivera, 'is dat dan geen compliment?'

Ross zag dat Mercedes hem smekend aankeek. Haar ogen bedelden: alsjeblieft, doe het niet! Je hebt beloofd je te beheersen. Ross knikte. Ze glimlachte naar hem. Hij keek weer naar de televisie.

De film toont nu een zaal in een van de villa's die bij de Russische ambassade horen. Een schitterende ruimte. In de zaal en in gesprek: Stalin in uniform (wit jasje), een kleine man met een ouderwetse lorgnet op zijn neus en nog een forse man in uniform.

Olivera had het geluid door een druk op de knop weer harder gezet.

De reeds eerder gearriveerde Russische veiligheidsorganisaties beweerden aan het eind van de middag van 27 november een komplot tegen een van de Grote Drie op het spoor te zijn gekomen. Maarschalk Stalin pleegde met minister van Buitenlandse Zaken Vjatsjeslav Michailovitsj Molotov en zijn persoonlijke politiek adviseur generaal Kliment Jefremovitsj Vorosjilov ...

Avond. Minister van Buitenlandse Zaken Molotov rijdt van de Russische ambassade naar de Amerikaanse legatie, verlaat de auto, wordt door burgers het huis binnengeleid en in een vertrek ontvangen door een circa vijftig jaar oude burger. Verwelkoming, handen schudden en de twee gaan naar een ander vertrek.

Op de dag van aankomst begeeft minister van Buitenlandse Zaken Molotov zich 's avonds naar de Amerikaanse legatie, waarbij hij de persoonlijke politieke adviseur van president Roosevelt, Harry Lloyd Hopkins, nog eens nadrukkelijk wijst op de aanwezigheid van Duitse agenten en hun misdadige activiteiten.

Olivera had het eerste boek weer ter hand genomen. Bij de foto's van de verhuizing, die uitvoerig getoond werd, zei hij, het geluid zachter zettend: 'Weer Churchill: "Het door Amerikaanse troepen bewaakte Amerikaanse gezantschap was bijna twee kilometer van ons verwijderd; dát betekende dat óf de president, óf Stalin en ik twee- of driemaal per dag door de nauwe straten van Teheran heen en weer moesten. Molotov, reeds vierentwintig uur voor ons gearriveerd, deelde ten overvloede mee dat de Russische veiligheidsdienst een komplot op het spoor was gekomen om een van de Grote Drie, zoals wij werden genoemd, te vermoorden en de gedachte dat wij voortdurend de straten moesten passeren vervulde hem met ontzetting. Elke gebeurtenis in die richting zou mogelijk een slechte indruk maken, was zijn mening. Dat viel niet te ontkennen. Ik ondersteunde daarom met alle kracht het beroep van Molotov op de president, zijn intrek te nemen in de Russische ambassade, die qua ruimte drie- tot viermaal groter was dan de andere ambassades, in een groot park lag en omringd werd door Russische troepen en Russische politie..."'

Juist op dit punt toont de film het enorme aantal Russische veiligheidsmensen tijdens de verhuizing van de Amerikanen.

'"...Het lukte ons," schrijft Churchill, "de president tot het aannemen van deze goede raad te bewegen en de volgende middag verhuisde hij met zijn persoonlijke staf, inclusief de uitmuntende Filippijnse koks van zijn jacht, naar het Russische domein, waar hem een ruim en comfortabel onderkomen werd aangeboden."'

Scènes van de verhuizing van de Amerikanen naar de Russische ambassade. CAMERA toont weer in CLOSE-UP de persoonlijke adviseur van Roosevelt, Harry Hopkins.

'Je ziet, Daniel,' zei Olivera, 'dat de tekst van de commentator en die uit de memoires van Churchill bij deze passage vrijwel identiek zijn. Alleen begon Churchill zijn memoires pas vele jaren later te schrijven. Aan de echtheid van de beelden en het filmcommentaar kan dus geen twijfel bestaan. Churchill schrijft: "Zodoende bevonden wij ons allemaal binnen een klein gebied, waar wij zonder gevaar voor storende elementen de problemen van de wereldoorlog konden bespreken. Het werd mij in het Britse gezantschap zeer aangenaam gemaakt; en naar de villa van de Sovjets, waarvan men echt wel kan zeggen dat die op dat moment het middelpunt van de wereld vormde, hoefde ik maar een paar honderd meter af te leggen. Ik voelde me nog steeds niet goed; mijn verkoudheid en mijn keelpijn waren zo kwaadaardig, dat ik zo nu en dan nauwelijks kon spreken. Niettemin stelde lord Moran mij – door mijn keel in te smeren en door zijn onvermoeibare zorg – in staat datgene te zeggen wat ik te zeggen had – en dat was veel."'
Olivera zette zijn bril af en sloot het boek.

De CAMERA toont nu VAN NABIJ het gebouw van de Russische ambassade en haalt het steeds dichterbij.

FADE-OUT

FADE-IN

Een zaal met reusachtige tapijten, gobelins, oude schilderijen en antieke meubelen. Tegenover elkaar zittend en poserend voor fotografen en camerateams: Roosevelt en Stalin.

Olivera zette het geluid weer hard.

COMMENTATOR
28 november 1943: Eerste bespreking Stalin – Roosevelt in de Russische ambassade. Aanvang: 15.00 uur plaatselijke tijd. Einde: 16.00 uur plaatselijke tijd. Tevens aanwezig: twee tolken en een stenograaf.

CROSSFADING

Een grote conferentiezaal. Ongeveer vijfentwintig mannen, sommigen in uniform en anderen in burger.

COMMENTATOR
Eerste plenaire zitting op 28 november 1943 in de Russische ambassade. Aanvang: 16.00 uur. Einde: 19.30 uur. Deelnemers: president Roosevelt, zijn persoonlijke adviseur Harry Hopkins, luitenant-admiraal Leahy, luitenant-admiraal King, generaal-majoor Deane, kapitein Royal en

Charles Bohlen. – Premier Churchill, minister van Buitenlandse Zaken Eden, veldmaarschalk Dill, generaal Brooke, admiraal Cunningham, generaal Portal, luitenant-generaal Ismay, majoor Birse. – Maarschalk Stalin, volkscommissaris voor buitenlandse aangelegenheden Molotov, generaal Vorosjilov, Pavlov en Berezkov . . .

CROSSFADING

Olivera zei: 'Zieger brengt overigens over deze samenkomsten in zijn boek exact verslag uit – met dezelfde gegevens en tijdstippen. Over de volgende ontmoeting deelt hij natuurlijk niets mee . . .'

Een klein vertrek. Aanwezig Harry Hopkins en generaal Vorosjilov. Beiden zeer ernstig.

COMMENTATOR

29 november 1943, 2 uur in de ochtend. Eerste geheime ontmoeting tussen Harry Hopkins en generaal Vorosjilov, de persoonlijke politieke adviseurs van president Roosevelt en maarschalk Stalin, in een achteraf gelegen salon van de Russische ambassade. Later aanwezig: twee tolken en een stenograaf. Van deze ontmoeting zijn alleen Roosevelt en Stalin op de hoogte. Ze duurt tot 4.30 uur in de ochtend. Een eerste gedachtenwisseling en een eerste ontwerp van een bilaterale geheime overeenkomst tussen de Sovjetunie en de Verenigde Staten van Amerika . . .

CROSSFADING

Daniel Ross, die gekleed was in een wit nethemd en een blauwe spijkerbroek, schoot omhoog. Ademloos zei hij: 'Een bilaterale geheime overeenkomst – in 1943 al?'

'Zeker. En wat voor een! Denk je dat ik je voor de lol hier heb laten halen door Mercedes? Denk je dat ik ten onrechte van mening ben dat men met deze film de wereld kan schokken? Blijf kalm en luister!'

Ross zakte in de fauteuil terug.

'Ik heb het je voorspeld,' fluisterde Mercedes.

Intussen was het beeld op het televisiescherm veranderd en toonde het de eerste gezamenlijke vergadering van de militaire vertegenwoordigers van de drie grootmachten op 29 november 1943 – weer in de ambassade van de USSR – aanvang 10.30 uur, einde circa 13.30 uur. Er volgden beelden van de tweede bespreking tussen Stalin en Roosevelt op 29 november 1943 in de Russische ambassade; begin 14.45 uur. Einde 15.30 uur.

Vervolgens waren er opnamen te zien van de tweede plenaire zitting op 29 november 1943 in de Russische ambassade. Aanvang: 16.00 uur. Einde 19.30 uur.

Olivera zei: 'Ook deze ontmoetingen worden minutieus in het werk van Zieger vermeld. Wat dan volgt, natuurlijk niet . . .'

CROSSFADING

Het kleine ambassadevertrek met daarin Harry Hopkins en generaal Vorosjilov. Een met talrijke papieren bedekt bureau waaraan de beide mannen tegenover elkaar zitten.

COMMENTATOR

30 november 1943, 1.30 uur in de morgen. Tweede geheime ontmoeting tussen Harry Hopkins en generaal Vorosjilov in de achteraf gelegen salon van de Russische ambassade. Later aanwezig: de beide tolken en een stenograaf. Twee absoluut betrouwbare specialisten van het Amerikaanse leger hebben deze opnamen en die van de eerste geheime ontmoeting gemaakt. Tussen Roosevelt en Stalin was afgesproken dat deze geheime ontmoetingen op beeld zouden worden vastgelegd. De specialisten hadden vanzelfsprekend zwijgplicht. Doel van de ontmoeting: definitieve uitwerking van de bilaterale geheime overeenkomst. Einde van de ontmoeting 3.45 uur in de morgen.

CROSSFADING

'Wonderlijk,' zei Ross.
'Wacht maar af!' zei Olivera.
Er volgden beelden van de bespreking tussen Stalin en Churchill op 30 november, aanvang 12.40 uur, einde circa 13.30 uur, plaats: Britse ambassade; daarna opnamen van een bespreking tijdens de lunch op 30 november 1943 in de eetzaal van de Russische ambassade, aanvang: 13.30 uur, einde: 15.45 uur; vervolgens beelden van de derde plenaire zitting op 30 november 1943, aanvang: 16.00 uur, einde: 18.15 uur. Plaats Russische ambassade; aansluitend een rondetafelconferentie op 30 november 1943 in de Russische ambassade, aanvang: 19.00 uur, einde 19.40 uur.
'Dit alles,' zei Olivera, 'kun je bij Zieger in *De conferentie van Teheran in 1943* nalezen. Gegevens en tijdstippen komen exact overeen. Het volgende wordt niet vermeld, want Zieger wist daar niets van . . .

Op de beeldbuis is de kleine salon in de Russische ambassade te zien. Aanwezig: Stalin, Roosevelt, Harry Hopkins, Vorosjilov en twee tolken. Roosevelt en Stalin zitten naast elkaar aan het bureau. Beiden tekenen een in een leren omslag liggend dun document. Ze wisselen de mappen uit en tekenen nog eens.

COMMENTATOR

1 december 1943, 6 uur in de ochtend. Stalin en Roosevelt ondertekenen de door hun persoonlijke adviseurs uitgewerkte en in de Engelse en Russische taal getypte geheime overeenkomst. Ook deze opnamen werden op verzoek van de beide staatshoofden door de reeds eerder genoem-

de Amerikaanse specialisten gemaakt, zoals het ook de wens van Roosevelt en Stalin was, de overeenkomst op film vast te leggen, en wel bladzijde voor bladzijde zo langzaam, dat de tekst onder alle omstandigheden gemakkelijk te lezen is. – Hier nu deze tekst.

CROSSFADING

De eerste pagina van de overeenkomst, bovenste gedeelte. Zeer duidelijk te lezen, hoewel dit deel net als de gehele film door ouderdom is aangetast en hier en daar scheurtjes en geluidsbarstjes vertoont en er ook krassen en vlekken op zitten.

Het is nu doodstil in de bibliotheek.

Ross leest:

BILATERALE OVEREENKOMST (TOPGEHEIM)

De president van de Verenigde Staten van Amerika en de voorzitter van de Raad van volkscommissarissen van de Unie van Socialistische Sovjetrepublieken hebben hun politieke adviseurs opdracht gegeven de perspectieven van de politiek van hun beider staten op lange termijn te formuleren. Naar aanleiding van de ondertekening van het communiqué d.d. 1 december 1943 over het verloop en de resultaten van de conferentie van de belangrijkste drie geallieerde landen te Teheran verklaren de regering van de Verenigde Staten van Amerika en de regering van de Unie van Socialistische Sovjetrepublieken – hierna te noemen 'de mogendheden' – de beginselen van hun toekomstige politiek:

DE CAMERA GLIJDT HEEL LANGZAAM OMLAAG, REGEL VOOR REGEL

De regeringen van de Verenigde Staten van Amerika en de Unie van Socialistische Sovjetrepublieken: –
– in het bewustzijn dat zij de grootste last van de strijd tegen het Duitse Rijk en zijn bondgenoten dragen;
– gezamenlijk vastbesloten ook na de zegevierende beëindiging van de strijd zich niet aan de verantwoordelijkheid voor de wereldvrede te onttrekken en deze gezamenlijk te dragen;
– in de overtuiging dat slechts twee sterke en onafhankelijke mogendheden het ene doel van handhaving van vrede, gerechtigheid en welzijn op de wereld werkelijk kunnen verdedigen;
– zich bewust van hun verantwoordelijkheid zichzelf en alle volkeren ter wereld te bevrijden van de bedreigingen van een aanvalspolitiek;
– in het besef van de noodzaak een geordende overgang van oorlog naar vrede te verzekeren en de internationale veiligheid in de toekomst te garanderen;
verklaren gezamenlijk:
1.
De mogendheden verplichten zich, zich bij hun onderlinge betrekkingen

van iedere gewelddaad, iedere agressieve houding en iedere aanval op elkaar te onthouden, zowel alleen als in samenwerking met andere mogendheden.

Mocht een van de mogendheden het doelwit van agressieve handelingen van een derde staat worden, dan zal de andere mogendheid op geen enkele wijze die derde staat ondersteunen.

Deze overeenkomst staat geen van de mogendheden in de weg, een ...

De eerste pagina wordt weggenomen, de CAMERA filmt het bovenste gedeelte van pagina 2.

... derde staat te hulp te komen, ook als deze inspanningen tegen de andere mogendheid of tegen een groep mogendheden waartoe de andere mogendheid behoort, zijn gericht. In een dergelijke situatie zullen de beide mogendheden echter elke directe en rechtstreekse confrontatie van hun troepen en hun militaire personeel vermijden.

2.

De mogendheden erkennen de bijzondere verantwoordelijkheden, die elke mogendheid ten opzichte van bepaalde gebieden heeft.

I

De gebieden van bijzondere verantwoordelijkheid van de Unie van Socialistische Sovjetrepublieken worden in Europa begrensd door de lijn die de troepen van de Sovjetunie bij afsluiting van een wapenstilstand met het Duitse Rijk zullen hebben bereikt, respectievelijk door een tussen de geallieerden en geassocieerde mogendheden overeengekomen demarcatielijn.

De Unie van Socialistische Sovjetrepublieken streeft naar een politieke en territoriale hervorming van deze gebieden.

'En bij God, de Sovjetunie hééft die gebieden hervormd, politiek en territoriaal!' zei Mercedes. Ze was opgestaan en had de film met een druk op de stoptoets van het videoapparaat stilgezet. Haar stem klonk uiterst zakelijk. 'Hongarije! Een reusachtige bevolkingsuitwisseling met Tsjechoslowakije. Grootgrondbezit, banken en industrie genationaliseerd. Kerkelijke en particuliere scholen genationaliseerd, landbouw meedogenloos genationaliseerd. In 1947 kunnen de communisten, gesteund door het Rode Leger, de oppositie uitschakelen. Om het verzet van de clerus te breken, wordt kardinaal Mindszenty veroordeeld tot levenslange gevangenisstraf. Zich verzettende politici worden in gruwelijke processen als "Titoïsten" en "imperialistische agenten" ter dood veroordeeld en terechtgesteld. Onder Imre Nagy worden ze dan gerehabiliteerd – verschrikkelijk, als je bedenkt, dat eind 1956 de troepen van het Rode Leger het land binnenvallen, Imre Nagy ten val brengen en hem later vermoorden. Hebben de Amerikanen bij dat alles ook maar met hun ogen geknipperd? Absoluut niet! Hebben ze de Hongaren geholpen? Ze hebben geen vinger uitgestoken. En waarom niet? *Omdat het immers zo was overeengekomen in Teheran.'*

Mercedes stak weer een sigaret op. Ross keek gefascineerd naar haar. 'Tsjechoslowakije!' zei Mercedes, nog steeds zakelijk. 'Een deel daarvan, Roethenië, wordt in 1946 – onder druk natuurlijk – bij Rusland ingelijfd. Meningsverschillen tussen niet-socialistische partijen maken het de communisten twee jaar later mogelijk een staatsgreep te plegen. Minister van Buitenlandse Zaken Jan Masaryk, de zoon van de grote Tomas Masaryk, valt onder mysterieuze omstandigheden uit het raam van zijn werkkamer en is dood. Zelfmoord? Moord? Op wens van Stalin wordt veel prominenten een proces aangedaan wegens "titoïstische en zionistische activiteiten". Ze worden allen terechtgesteld. Duizenden mensen worden vermoord. De Amerikanen? Hebben die ook maar met hun ogen geknipperd? Welnee. Hebben ze geholpen? Zelfs geen vinger uitgestoken. En waarom niet? *Omdat het immers zo was overeengekomen in Teheran.'*

De beeldbuis van het televisietoestel wierp een flakkerend licht op Mercedes. Haar goudkleurige huiskleding glansde. Ze sprak steeds eender – schijnbaar kalm en koel. Ross zat diep onder de indruk naar haar te staren.

'Polen!' zei Mercedes. 'De regering in ballingschap wordt sedert juli 1945 niet meer erkend en is opgeheven. Vrije verkiezingen zijn niet mogelijk en de sovjettisering van Polen is niet meer tegen te houden. De Sovjetunie dwingt de ruil af van een voor het verkeer en door bodemschatten waardevol gebied tegen een ander stuk zonder enige betekenis. Na de aanpassing volgt in 1949 het volledige buigen onder de Russische politiek. In 1955 komt Polen, evenals de DDR, Tsjechoslowakije, Hongarije en andere Oostbloklanden in het Warschaupact. Al die landen zijn satellieten van Rusland geworden. Het IJzeren Gordijn is allang neergelaten. Hebben de Amerikanen ook maar de minste of geringste tegenwerping gemaakt? Niets en nooit. En waarom niet? *Omdat het immers zo overeengekomen was in Teheran.'* Mercedes zei: 'Ik ben geen Russenhaatster. De Amerikanen komen straks ook nog aan de beurt. We lopen alleen het verdrag in de juiste volgorde door, dat prachtige verdrag.' Ze drukte op een andere toets van het videoapparaat. De film liep weer door.

De CAMERA glijdt naar het einde van pagina twee. Op de beeldbuis staat te lezen:
De Verenigde Staten van Amerika nemen een bijzondere verantwoordelijkheid op zich ten aanzien van de ten westen en ten zuiden van deze lijn gelegen gebieden in Europa . . .

Mercedes stopte de film weer.

'En hebben de Amerikanen daar soms niet hun best gedaan?' vroeg ze. 'Wat de Sovjets met geweld moesten klaarspelen, omdat ze geen miljarden hadden, lukte de Amerikanen zonder geweld, want zij hadden wèl miljarden. Het Marshallplan. Europa wordt weer opgebouwd, met name Duits-

82

land, opdat geen land in zijn armoe communistisch wordt. Een leger voor West-Duitsland – onder oud nazi-generaals, omdat er toevallig geen andere zijn. Maakt dat de Amerikanen iets uit? Welnee. Integendeel: ze weten dat de nazi-generaals uitermate betrouwbare bondgenoten zijn. Daarop komt in de DDR natuurlijk dadelijk een Nationale Volksarmee tot stand. Ook met oud nazi-generaals. Generaal moet je zijn. Bij voorkeur een Duitse generaal. Die zijn altijd nodig. Die staan altijd in aanzien. Bij vriend en vijand. Of hij nu de oorlog wint of verliest – hij staat in aanzien. Waarom? Omdat men hem straks weer nodig heeft! Waarom ben jíj geen generaal, Daniel? Stom, hoor! Je zou een fijn leventje hebben – en geen zorgen. Hoera, daar is het *Wirtschaftswunder!* Met Amerikaans geld en voormalige leiders van de Duitse oorlogseconomie! Nou én? Staatssecretaris Globke, de persoonlijke adviseur van Adenauer, is de auteur van een commentaar op de Neurenbergse rassenwetten. "Die man kan ik niet missen," zegt Adenauer. Tja, als hij hem niet missen kan! Vriendschap met de fascistische dictator Franco. Als die maar luchtsteunpunten voor de Amerikaanse luchtmacht ter beschikking stelt – voor honderden miljoenen dollars per jaar, die in zijn eigen zak terechtkomen. Vriendschap met de meest kwalijke figuren in Turkije en Griekenland. Miljoenen ook voor hen. Als hun regeringen maar vierkant tegen het communisme zijn. Als ze allemaal later maar in de NAVO komen, of op zijn minst steunpunten verhuren voor de bommenwerpers en de oorlogsschepen van de "vrije wereld"! Protest van de Russen? Ernstig protest? Waarom? *Als het immers zo is overeengekomen in Teheran!'*

De film draait verder.

II
Als gebieden onder de bijzondere verantwoordelijkheid der Verenigde Staten beschouwen de mogendheden het Amerikaanse dubbele continent, met inbegrip van de daarbij gelegen eilanden, evenals Groenland en IJsland.
III
De mogendheden zullen hun invloed aanwenden opdat de momenteel onder beheer van de Europese mogendheden staande gebieden in Afrika volledige onafhankelijkheid verkrijgen. De mogendheden verklaren, dat zij op het Afrikaanse continent niet zullen streven naar de behartiging van eenzijdige belangen naar een positie die in strijd is met de belangen van de andere mogendheid. Overeenkomstig streven van derde staten zullen zij met gepaste middelen weerstaan.

'Met gepaste middelen weerstaan, Daniel! In Angola, in Kongo hébben de Russen overeenkomstig streven van deze staten met gepaste middelen weerstaan. De Amerikanen hebben geen woord gezegd. Dat wil zeggen, gezégd hebben ze een heleboel, maar ze hebben niets gedáán. Ze waren het

83

immers met de Sovjets eens.' Mercedes ging vlak bij het televisietoestel staan.

Nee, dacht Ross, nee ...

IV

Met goedkeuring van de Unie van Socialistische Sovjetpublieken beschouwen de Verenigde Staten van Amerika Turkije en de landen van het Nabije Oosten ten zuiden van de zuidelijke grens van de Socialistische Sovjetrepublieken tot aan de oostelijke grens van het keizerrijk Iran als gebieden die vallen onder de speciale verantwoordelijkheid van de Verenigde Staten van Amerika. De mogendheden zijn het erover eens dat het probleem van het ontheemde joodse volk dient te worden opgelost en zij stemmen ermee in, de stichting van een joodse staat in Palestina te ondersteunen.

'Dat hebben ze dan ook gedaan,' zei Mercedes, nog steeds op dezelfde zakelijke toon. 'De Amerikanen hebben Israël gesteund met geld en wapens en adviseurs en de Sovjets hebben de Arabieren, de Syriërs en de Saoediërs gesteund met adviseurs, wapens en geld. Precies zoals een eindje terug in het verdrag staat: "Deze overeenkomst staat geen van de mogendheden in de weg een derde staat te hulp te komen, ook al zijn de inspanningen tegen de andere mogendheid gericht."'. Ze drukte haar sigaret uit. '"In een dergelijke sitatie", Daniel, dat heb je gelezen, "zullen de beide mogendheden elke directe en rechtstreekse confrontatie van hun troepen en hun militaire personeel vermijden". En hoe dat gelukt is. Bravo! Alles verliep gesmeerd. Heeft in het Nabije Oosten of ergens anders op de wereld sedert het einde van de oorlog ook maar één Amerikaanse soldaat op één Russische soldaat geschoten, of andersom – zelfs als het ging om een crisisgebied als Israël? Nooit, nee. Dat doen de heren niet. De heren doen elkáár nooit iets. Sinds 1945 zijn er 148 oorlogen geweest. Kleine oorlogen. Er zijn miljoenen in die kleine oorlogen omgekomen. 148 oorlogen, waarin één partij of ook wel beide partijen door de Sovjets of Amerika gesteund werden, natuurlijk zonder dat het ooit tot een "rechtstreekse confrontatie van hun troepen" kwam.' Mercedes bleef nog steeds zakelijk: '*Die twee hebben in deze oorlogen nieuwe wapensystemen getest. Ze hadden oefenterrein nodig. Ze moesten immers even sterk blijven, nietwaar, anders zou dit geheime verdrag zinloos zijn geweest. Zie je nu wat de Sovjets en de Amerikanen in 1943 in Teheran hebben gedaan, Daniel? Ze hebben de wereld onderling verdeeld.* De supermachten moeten samen tot overeenstemming komen, schreeuwt iedereen nu. Tot overeenstemming komen? Dat is toch allang gebeurd!' Mercedes had de pauzeknop van het videoapparaat ingedrukt. De film en de kopie van het verdrag waren blijven staan terwijl zij sprak. Nu liet ze de cassette doorlopen. De camera filmde het onderste gedeelte van pagina drie.

V

De afbakening van de verantwoordelijkheid op het Indische subconti-
nent en in het Verre Oosten zal in een speciale overeenkomst tussen de
mogendheden worden vastgelegd na de definitieve overwinning op het
keizerrijk Japan. De mogendheden zullen deze kwestie in vriendschappelijke overeenstemming regelen. Daarbij zullen zij aan de toekomstige
rol van China groot belang hechten. Zij gaan ervan uit dat Korea en de
landen van het Indochinese schiereiland, evenals van de Zuidoostazia-
tische archipel volledige . . .

Pagina vier

. . . politieke zelfstandigheid zullen krijgen.

Mercedes drukte de pauzetoets weer in. 'Volledige politieke zelfstandigheid!' zei ze. 'Door die landen in tweeën te delen. *Korea*. Achtendertigste
breedtegraad. Noord- en Zuid-Korea. Ieder het zijne. In "vriendschappelijke overeenstemming". *Vietnam*. Noord- en Zuid-Vietnam, toen de Amerikanen het land binnenvielen. In "vriendschappelijke overeenstemming".
Verdelen! Het briljantste idee van de politici van onze tijd. *Berlijn, Duitsland, Oost en West*. Allemaal in "vriendschappelijke overeenstemming:!"
Ze liet de film doorlopen.

VI

De Unie van Socialistische Sovjetrepublieken erkent de bijzondere
verantwoordelijkheid van de Verenigde Staten van Amerika met betrekking tot Australië, Nieuw-Zeeland en de Stille Zuidzee.

3.

De mogendheden delen de opvatting, dat na de volledige militaire en
politieke overwinning op het Duitse Rijk, pas dan een nieuwe Duitse
staat die één geheel vormt kan worden gesticht, als de zekerheid bestaat
dat van deze staat geen bedreiging van de internationale vrede en de door
deze overeenkomst geschapen orde kan uitgaan.

'Dus nooit,' zei Mercedes. 'Duitsland moet altijd verdeeld blijven. Dan
heben ze meteen twee oefenterreinen!'

4.

De mogendheden achten de instelling van een bijzondere verantwoordelijkheid voor Arctica en Antarctica niet noodzakelijk. Zij zullen zich
verzetten tegen alle aanspraken van de zijde van derde staten. Voor
toekomstige activiteiten op het Antarctische continent wordt gestreefd
naar een oplossing met deelname van derde geïnteresseerde staten.

5.

De vrijheid van de zeeën blijft onaangetast. De mogendheden behouden zich echter voor de aan hun kusten grenzende wateren te verklaren tot zones waarin zijzelf bijzondere bevoegdheden kunnen hebben. De mogendheden zijn het erover eens dat in het principe van de vrijheid der zeeën in het bijzonder ook de exploitatie van de in en onder de zeeën aangetroffen bruikbare vindplaatsen van mineralen is begrepen.

De videokopie van de oude film schitterde en flikkerde een beetje. Het beeld was vergeeld, maar de getypte tekst was duidelijk leesbaar. Olivera leunde op de bank achterover.

'Leuk hè, Daniel?' zei hij. 'O, en het wordt nog veel leuker.' Hij strekte zich tevreden uit.

Pagina vijf wordt opgeslagen.

6.

Zou er een meningsverschil ontstaan over de uitbreiding van de gebieden van bijzondere verantwoordelijkheid der beide mogendheden, dan zullen deze daarover onverwijld in onderhandeling treden en de kwestie in vriendschappelijk overleg oplossen.

'Vriendschappelijk! Alweer dat woord!' zei Mercedes, de projectie onderbrekend. 'Begrijp je, Daniel? Het zijn vrienden, die twee supervijanden, die elkaar direct na de oorlog en tot op heden steeds woester, steeds infamer beschimpen, bedreigen, vervloeken, voor de "bron van alle kwaad" uitmaken, voor "kapitalistisch misdadigersmoeras", voor moordenaars en bandieten die alleen op macht uit zijn, voor een dodelijk gevaar voor de mensheid, waarom men moet bewapenen, bewapenen en nog eens bewapenen om deze wereld van de ondergang te redden. Komedie, Daniel, komedie! Poppenkast. De mislukte ontwapeningsbesprekingen: komedie! Komt het zien, dames en heren, komt het zien! Hier ziet u het grote, het superwereldtoneel. Hier tonen wij u hoe we elkaar haten. Wat voor gevaarlijke, gewetenloze misdadiger die ander is. Hoe men hem daarom moet vernietigen, uitroeien, van de kaart vegen. En wij allen, wij miljarden, leven in dat circus van bedrog, wij geloven de bedriegers, wij beven van angst om onze wereld. Wij zien in dat de bewapening móet doorgaan, steeds verder. Alleen zo maken we een kans de ene booswicht of de ander te verslaan, de ene booswicht onder controle te houden of de ander. Kiest u maar, dames en heren, kiest u maar! Het maakt niet uit wat u kiest. De groten zijn tot overeenstemming gekomen – in Teheran in 1943, toen ze de wereld samen verdeelden. Het spel is indertijd al gespeeld. *Rien ne va plus!*'

'Maar ik begrijp niet . . .'

'Wat begrijp je niet, Daniel?'

'"Bewapenen, bewapenen", zeg jij. En ze bewapenen inderdaad, ze bewapenen zo krankzinnig, die twee supermachten, dat hun economie eraan kapotgaat.'

'Natuurlijk!'

'Ja, maar waaróm verdorie, als ze de wereld samen hebben verdeeld en het in alles met elkaar eens zijn – cynisch en met minachting voor de mens?' 'Aha,' zei Olivera, zich weer uitrekkend. 'Een heel goede vraag. Daar zul je ook een heel goed antwoord op krijgen als je punt 15 hebt gelezen, Daniel. Dan zul je alles begrijpen wat Mercedes zegt. Wacht punt 15 af. Ga maar door, Mercedes, lieverd.'

Ze liet de film weer doorlopen en zei: 'Punt zeven en acht, Daniel, let nu op!'

7.

Mochten er in de gebieden van bijzondere verantwoordelijkheid van een der mogendheden situaties ontstaan die deze nopen haar verantwoordelijkheden actief na te komen, dan zal deze alle maatregelen nemen die zij noodzakelijk acht om elke aantasting van vrede en veiligheid te voorkomen. De andere mogendheid zal deze maatregelen respecteren en zich harerzijds bij alle door haarzelf om deze reden te nemen maatregelen bewust zijn van de uit deze overeenkomst voortvloeiende verplichtingen en niets ondernemen wat de positie van de andere mogendheid zou kunnen schaden.

'Zie je wel!' Mercedes drukte weer de pauzetoets in. Het beeld bleef staan. 'Openhartiger kan het toch echt niet worden geformuleerd! Waar overal zijn dergelijke situaties zogenaamd al ontstaan? Bij de Praagse Lente? Toen de tanks van de Russen die neersloegen? Toen het Rode Leger heel Tsjechoslowakije bezette en de "Lente" in een zee van bloed en tranen dompelde? De Amerikanen waren via de inlichtingendienst van de Duitse Bondsrepubliek al van tevoren van de inval op de hoogte. De Sovjets hadden hen daarvan indirect in kennis gesteld. Die inval was gewoonweg onvermijdelijk, om elke aantasting van de vrede en veiligheid te voorkomen! En wat hebben de Amerikanen gedaan? Ze hebben zich aan de overeenkomst gehouden – precies zoals de Sovjets zich aan de overeenkomst houden en inzien dat de Amerikanen in *Nicaragua, Grenada* en *heel Midden-Amerika* "elke aantasting van vrede en veiligheid moeten voorkomen". De Sovjets gedragen zich even correct als de Amerikanen. Mijn compliment, hoor! Precies zoals het van echte heren wordt verwacht.'

Mercedes maakte haar sigaret uit.

Ross zat haar aan te staren.

'*Korea*, 1950. Noordkoreaanse troepen overschrijden de achtendertigste breedtegraad naar Zuid-Korea. De status-quo tussen de invloedssferen van beide supermachten wordt bedreigd, militair en politiek. De Veiligheidsraad veroordeelt Noord-Korea als agressor. De Amerikanen, die een bijzonder groot belang bij de status-quo in Korea hebben, dragen de grootste last van de oorlog. De Amerikanen móeten wel ingrijpen. Volgens de inhoud van het verdrag! "Vrede en veiligheid" van een gebied "onder hun bijzondere verantwoordelijkheid" staan op het spel. De Sovjets hebben daar begrip voor. Ze steunen Noord-Korea niet. Hooguit met wapens en geld. Honderdduizenden sneuvelden – voor vrede en veiligheid.' Mercedes streek met haar hand over haar voorhoofd. 'Libanon!' zei ze, nog steeds op dezelfde uiterst zakelijke, onnatuurlijk kalme toon. 'Libanon in 1958 en Libanon nu. In 1958 móeten de mariniers van de Amerikanen daar wel landen om de "rust te herstellen". Nu moeten ze dat weer. Het gaat om vrede en veiligheid. De Sovjets hebben daar begrip voor. Waarom? Omdat het immers zo is overeengekomen in Teheran.'

Ross zat Mercedes nog steed aan te staren.

'Hongarije 1956,' vervolgde ze. 'Opstand tegen de communistische machthebbers. Russische tanks en Russische troepen slaan de opstand bloedig neer. Tienduizenden mensen worden gedood. Honderdduizenden vluchten naar het buitenland. En wat doet Amerika? Niets. Het repecteert het Russische optreden. De Sovjets houden zich even goed aan punt zeven van de geheime overeenkomst. "Vrede en veiligheid" van een gebied onder hun "bijzondere verantwoordelijkheid". En vrede en veiligheid keren terug in Hongarije – net als in Korea en in Tsjechoslowakije . . .'

'En Afghanistan,' zei Olivera. 'Na de verdrijving van de koning zijn daar verschillende communistische partijen die niets van Moskou willen weten. De Moskou-getrouwe communisten raken in een steeds ongunstiger positie en lopen het risico het land te worden uitgejaagd. Het betreft slechts een kleine splintergroepering. Maar alsjeblieft: één telefoontje en de vrienden vallen Afghanistan al binnen.' Olivera schraapte zijn keel. 'In het Westen verdenkt men de Russen er natuurlijk van dat zij een toegang naar de Indische Oceaan willen. De "weg naar de warme zee" behoorde reeds tot de tsaristische politiek. Wij moeten de Sovjetunie allemaal bedanken, omdat zij Afghanistan vrede en veiligheid heeft gebracht.'

'Niet zonder – zoals gewoonlijk – eerst de Amerikanen daarvan op de hoogte te hebben gesteld en hun toestemming te hebben verkregen,' zei Mercedes. 'En wat doen de Amerikanen? In de media protesteren ze verontwaardigd, precies zoals de Russische media telkens verontwaardigd reageren. Maar dóen? Wat doen de Amerikanen? Niets. Inderdaad, ze zijn eerzame verdragspartners. Ieder zijn eigen helft van de wereld.' Ze haalde adem. '17 juni 1953: Opstand in de DDR tegen het communistische regime. Russische soldaten met tanks slaan deze bloedig neer.' Mercedes werd steeds ijziger. 'En wat doen de Amerikanen? Niets.'

'13 augustus 1961. De Berlijnse Muur wordt gebouwd. En wat doen de Amerikanen?' vroeg Olivera. 'Niets. Een dozijn tanks; de helft zou voldoende zijn geweest om de muur neer te maaien. Komt er ook maar één tank? Natuurlijk niet. Opnieuw hebben de Sovjets hun verdragspartner vooraf ingelicht en naar het verdrag verwezen. De Amerikanen beseffen dat de muur voor de Sovjets noodzakelijk is – zoals Zuid-Korea voor hen. Maar natuurlijk, zeggen de Amerikanen, ga je gang, bouw die muur maar! Er heerst bij jullie een zware crisis. Schep dus "vrede en veiligheid"! We wensen jullie veel succes.'

Hij was steeds sneller gaan spreken, maar nog sneller begon Mercedes te praten: 'Vietnam. Weer een situatie die Amerika noopt zijn verplichting na te komen. Een lange, zeer lange oorlog! Honderdduizenden doden, verminkten, door napalm verbrande, door gesproeid vergif gedode mensen. Kleine mensen, onbelangrijke mensen. Ook Amerikanen. Een land verwoest. Een oeroude cultuur verwoest. Onbelangrijk! Amerika moet zijn verplichting nakomen om "vrede en veiligheid" in een "gebied onder zijn speciale verantwoordelijkheid" te herstellen. Met een beestachtige oorlog. De Sovjets hebben daar begrip voor. De Sovjets leveren wapens aan het noorden, maar zij grijpen niet actief in. De Sovjets kunnen gerust zijn. *Alles werd in Teheran vastgelegd.* Ieder het zijne. Beide respecteren wat de ander toebehoort. Laat de mensen maar met miljoenen doodgaan als het moet, Amerika en de Sovjetunie bezitten de wereld! De wereld is van hen, ieder de helft. Maar moet de mensheid, het slachtvee, dat weten? Mag ze dat weten? Nooit en te nimmer!'

'September 1983,' zei Olivera. 'Russische jachtvliegtuigen schieten een jumbo van de Zuidkoreaanse luchtvaartmaatschappij KAL met 269 mensen aan boord neer, omdat die ten zuidwesten van Sachalin het Russsiche luchtruim is binnengedrongen. Aanvankelijk hevige verontwaardiging. De Amerikaanse president dreigt met het ergste. Dan is het heel snel weer stil, muisstil rond die massamoord. Vloog er niet in het kielzog van de jumbo een Amerikaans spionagevliegtuig mee? Laten we er niet meer over praten! Sarajevo, de zogenaamde Poolse aanval op de zender Gleiwitz – ze hebben de Eerste en de Tweede Wereldoorlog veroorzaakt. En ditmaal? Er gebeurt niets. Helemaal niets. Wat een zegen voor de mensheid is toch dat geheime verdrag van Teheran!'

De film loopt verder.

8.
De mogendheden gaan ervan uit, dat de staten van Europa zullen trachten hun ten gevolge van de huidige oorlog verloren politieke betekenis te herwinnen.

'Let nu op, Daniel!' zei Olivera.

Mocht daaruit een situatie voortvloeien die de door deze overeenkomst geschapen orde van veiligheid en vrede in gevaar zou kunnen brengen – bijvoorbeeld in de voortdurende haard van onrust Duitsland – dan zal elke mogendheid voor de te nemen maatregelen van de andere mogendheid begrip tonen en de mogendheden zullen zo nodig gezamenlijk tegen deze bedreiging van vrede en veiligheid optreden.'

'Zo nodig gezamenlijk!' riep Mercedes uit. 'En doen de mogendheden dat niet? Doen ze dat niet met alles wat in hun macht is? Heeft de opvoering van de bewapening niet nog eens honderden atoomwapens in Duitsland gebracht, in die voortdurende haard van onrust die vrede en veiligheid in gevaar brengt? Pershing's II en kruisraketten? In dat Duitsland, waar al vijfduizend atoomkoppen lagen opgeslagen – meer dan in welk land van

Europa? En hebben de Sovjets daarop niet in de DDR nieuwe raketbases voor hun SS 20's gebouwd? Is heel Duitsland niet één grote atoombasis? Niemand weet écht wat er gebeurt als een atoombom van de huidige sterkte – Hiroshima was daarbij vergeleken maar een kleinigheid – tot ontploffing komt. Niemand! Niemand weet wat er gebeurt, als er vijftig, honderd, tweehonderd waterstofbommen tot ontploffing komen. De wetenschapsmensen hebben er geen idee van. En de militairen al helemaal niet. Maar men móet het toch weten! Men moet toch op de hoogte zijn! Een beperkte atoomoorlog is mogelijk, zegt Reagan. Die kan zelfs gewonnen worden. Nou, vooruit dan! Laten we dan die voortdurende haard van onrust Duitsland, laten we dan dat hele verdomde Europa opblazen! Dan vliegen tegelijkertijd zeshonderd miljoen mensen de lucht in. Nou én! De wereld is toch al hopeloos overbevolkt. Tijd dat er iets aan wordt gedaan. Zeshonderd miljoen mensen. Wat is dat nou? Een druppel op een gloeiende plaat. Vooruit dus! Schiet die Pershing's II af! Schiet die SS-20's af! Schiet die kruisraketten af! Dan zullen we weten wat er gebeurt.'

Mercedes hield zich aan de televisie vast en onderdrukte het trillen van haar lichaam. Ross moest denken aan haar uitbarsting in Frankfurt. Ze was fanatiek.

'Voor de vrede, zeker. Voor de vrede heb ik alles over. Mijn leven – direct! – als dat de vrede helpt bewaren.' Dat had ze uitgeroepen, hij herinnerde het zich precies. Hij keek met verbazing naar haar. Wat een vrouw!

'Maar ik begrijp het niet . . .' Ross keek naar Olivera. 'Hoezo een atoomoorlog in Duitsland? . . . In Europa? De twee supermachten willen toch geen atoomoorlog waarbij ze zelf betrokken worden!'

'Natuurlijk willen ze dat niet, Daniel,' zei Olivera.

'Maar Mercedes . . .'

'. . . is over haar toeren. Ziet alles te dichtbij. Het is dichtbij genoeg. Maar nog niet zo heel dichtbij. Nog steeds is geen van de beide grote staten er zeker van dat hij de ander ook werkelijk aankan. Ze bereiden zich voor, zeker, ze stoppen de wereld vol met atoomraketten, vooral in Europa. Maar ze willen een absolute bescherming hebben tegen een atoomaanval op hun eigen land. Wacht punt 15 maar af, Daniel, dan zul je het begrijpen. Mercedes, wil je de film laten doordraaien? En kalmeer een beetje, je moet tot kalmte komen . . .'

'Ik moet niet tot kalmte komen, ik moet me druk maken!' riep ze uit.

De film gaat verder.

9.

In situaties waarin het noodzakelijk zou blijken dat een van de mogendheden maatregelen ter handhavng van haar bijzondere verantwoordelijkheid neemt, zal ze de andere mogendheid daarvan op . . .

Pagina zes is nu op de beeldbuis te zien.

. . . passende wijze op de hoogte brengen.

'Nou, en dat is tot nu toe ook elke keer gebeurd,' zei Olivera. Mercedes was op een kruk naast het videoapparaat neergezakt. 'Laten we overigens de arme Polen niet vergeten. Toen het daar tot een uitbarsting kwam en de Sovjets bereid waren bij het uitbreken van rellen tussen Poolse burgers en Poolse militairen direct met tanks het land binnen te rijden, deelden ze dat natuurlijk ook aan de regering Reagan mee. De Amerikanen konden een streng optreden tegenover de Polen alleen maar goedkeuren. Ze beseften dat de Sovjets niet konden toestaan dat een gebied onder hun "bijzondere verantwoordelijkheid" zich met een vrije vakbond en andere vrijheden van de landen van het Oostblok zou losmaken en dus zetten de Amerikanen de levensmiddelenleveranties aan Polen stop, hoewel ze wisten dat de mensen daar honger leden – maar ze leverden wel, zoals tevoren, reusachtige hoeveelheden graan aan de Sovjets. Ook daar verliep alles zoals het hoorde. Precies volgens het verdrag.'

Voor het doorgeven van dringende informatie in situaties die onmiddellijke opheldering behoeven, zullen de mogendheden een rechtstreekse telefoonverbinding tussen de regering der Verenigde Staten van Amerika en die van de Unie van Socialistische Sovjetrepublieken tot stand brengen. Bovendien zullen de mogendheden verdere noodzakelijke informatie onder de grootste geheimhouding via elke andere weg, met inbegrip van de diplomatieke kanalen, uitwisselen. De ambassadeurs van de mogendheden hebben altijd het recht bij voorrang met de respectieve regering in contact te treden. De regeringshoofden van de mogendheden zullen elkaar ontmoeten als de situatie dat raadzaam lijkt te maken.

10.
De mogendheden zien de noodzaak in van de oprichting van een algemene internationale organisatie tot behoud van de internationale vrede en de internationale veiligheid. De mogendheden zullen in deze toekomstige Organisatie der Verenigde Naties naar beste vermogen meewerken.

'Naar beste vermogen meewerken!' zei Mercedes, die zichzelf weer in de hand had, met rustige stem. 'Kijk maar eens hoe! Wat een successen, wat een geweldige sucessen heeft de UNO al niet geboekt!'

Zij zijn zich er intussen wel van bewust dat het bestaan van een dergelijke organisatie hen niet ontslaat van de bijzondere verantwoordelijkheid die zij volgens de inhoud van de overeenkomst hebben te dragen.

'Waarmee de waarde van de UNO tot nul is gereduceerd, zoals iedere dag te zien is,' zei Olivera. Hij lachte. 'Vind je het niet leuk wat ik je te bieden heb, Daniel? Het is nogal wat, hè?'
Ross antwoordde niet.

Bij de komende uitwerking van deze organisatie zullen de mogendheden er zorg voor dragen, dat er zich van de zijde van de Organisatie van de Verenigde Naties of van een derde staat geen belemmering zal voordoen voor de door een mogendheid tijdens de uitoefening van haar bijzondere verantwoordelijkheid genomen maatregelen.

'Die zin vind ik de mooiste,' zei Olivera. 'Ik kan er niet genoeg van krijgen.' Eensklaps was daar weer die angst. Ze schoot in Ross omhoog als een fontein. Angst ... angst ... Hij slikte ... De luchtbel die niet bestond, bonkte tegen zijn hart ... Vlug haalde hij het buisje te voorschijn, hij opende het, liet de tabletten in zijn hand vallen – vijf, zes, zeven, acht – en slikte ze door. Hij zag dat Mercedes merkte wat hij deed. Wat geeft 't, ze weet wat er met me aan de hand is, dacht hij. Die schoft daar heeft het niet gezien. Alleen dat is belangrijk.

11.

De mogendheden zullen voor de gebieden onder hun speciale verant-woordelijkheid ter handhaving en verzekering van vrede en veiligheid passende bondgenootschappen tussen staten in het leven roepen ...

'De NAVO en het Warschaupact! Organisaties die beide zijden hebben opgericht ter bescherming tegen elkaar en om elkaar aan te vallen. En tot hun ontstaan is in Teheran met de allervriendelijkste wederzijdse instem-ming besloten, om de wereld in tweeën te delen,' zei Mercedes.

... om door deze samensmelting met een militair, politiek of economisch doel in de toekomst in de desbetreffende gebieden een evenwichtige politiek te bewerkstelligen.

Ross haalde licht en voorzichtig adem. Hij voelde zich wat beter. Nee, dacht hij, ik moet eerst zo snel mogelijk naar Sibylle om me te laten oplappen. Pas daarna heb ik de kracht om me met deze geschiedenis bezig te houden. De grootste geschiedenis van deze eeuw.

Pagina zeven is nu in beeld.

12.

Zich ervan bewust dat hun behoefte op lange termijn aan aardolie en andere mineralen aanzienlijk zal stijgen, beschouwen de mogendheden hun voorziening van deze grondstoffen als een aangelegenheid van gemeenschappelijk belang.

13.

De mogendheden verwachten grote vorderingen bij het onderzoek en het gebruik van de ruimte. Ze beschouwen de ruimte en de mogelijkheden die daar worden geopend als een aangelegenheid van gemeenschappelijk belang.

14.
De mogendheden verwachten een snelle verdere ontwikkeling van onbemande vliegende voorwerpen met raketaandrijving voor militaire doeleinden, evenals van wapens op basis van toepassing van kernsplijting. Opdat deze ontwikkeling niet leidt tot een gevaar voor de doelstellingen van deze overeenkomst, zullen de mogendheden door middel van gemeenschappelijke inspanningen er zorg voor dragen dat de door deze techniek geopende mogelijkheden niet ter beschikking zullen komen van derde staten. Mochten de mogendheden zich genoodzaakt zien van deze wapens gebruik te maken, dan zal het gebruik op een zodanige wijze geschieden dat het territorium van de mogendheden onder geen enkele omstandigheid daaronder te lijden heeft.

'Waterstofbommen, atoomraketten op de hele wereld, op dat vervloekte Europa, maar nooit een Russische raket op Amerika, nooit een Amerikaanse raket op de Sovjetunie!' riep Mercedes weer opgewonden. 'Dat Hopkins en Vorosjilov niet gestikt zijn in die formulering! Ze hebben toen toch al precies geweten dat al het onderzoek van de ruimte uitsluitend ten dienste van militaire doeleinden zou staan! Tegenwoordig hebben we satellieten in het heelal die atoomkoppen op afroep bij zich hebben. Tegenwoordig hebben we spionagesatellieten die vanaf hun krankzinnige hoogte zelfs de kentekenplaat van een auto op het gebied waar ze net overheen vliegen kunnen fotograferen en doorgeven. Tegenwoordig hebben we antiraketsatellieten, die aanvliegende raketten in de lucht vernietigen. Nu zul je zo alles begrijpen, Daniel, de hele ongelooflijke infamie, de werkelijke infamie van dit verdrag, de wérkelijke reden waarom dit verdrag in 1943 is afgesloten. Het is erger dan mensenhersens kunnen bevatten. Wacht maar af! Nog even. Wacht maar op punt 15!'

Slotbepalingen:

15.
Bovenstaande overeenkomst geldt tot 1 januari 2000. Tot dan zijn de huidige en toekomstige regeringen van beide mogendheden daaraan gebonden. Elk der beide mogendheden is bij de uitoefening van haar nationale soevereiniteit gerechtigd per genoemde datum deze overeenkomst te verbreken, indien zij beslist dat door buitengewone, met de inhoud van deze overeenkomst verband houdende gebeurtenissen een bedreiging van haar hoogste belangen is ingetreden. Elk der beide mogendheden dient daarbij echter een tijdige opzegtermijn van deze overeenkomst in acht te nemen, die wij stellen op vijf jaar vóór de afloop, dus per 1 januari 1995. Uiterlijk op dat tijdstip dient aan de andere mogendheid de eventuele terugtreding uit de overeenkomst te worden

meegedeeld. De mededeling dient een uiteenzetting te bevatten van de bijzondere gebeurtenissen waardoor naar de mening van de mededelende mogendheid een bedreiging van haar hoogste belangen is ingetreden.

Mercedes drukte de pauzeknop van de videoapparatuur in. Het beeld op de buis bleef staan.

'En nu,' zei ze, 'zijn we zover. Nu zul je begrijpen, Daniel, waarom dit onderlinge geheime verdrag destijds in Teheran eigenlijk werd afgesloten.'

'Omdat Amerika en de Sovjetunie een adempauze nodig hadden,' zei Ross, en zijn stem klonk toonloos. Hij perste zijn handen tegen elkaar.

'Inderdaad! Omdat die twee mogendheden een adempauze nodig hadden – en dat wisten ze!' Mercedes was nu zeer opgewonden.

Hij dacht: als iemand ter wereld ook maar een flauw vermoeden heeft van wat wij drieën hier weten, welk bewijs wij hebben. Als één mens aan een van de beide mogendheden dat ook maar als een veronderstelling meedeelt . . .

Mercedes riep: 'Duitsland was nog niet overwonnen! De Amerikanen wisten dat de invasie voor hen een ongelooflijke militaire inspanning – de grootste in de geschiedenis – zou zijn. De Sovjets moesten vanuit het oosten nog tegen Duitsland vechten. De Russische geheime dienst rapporteerde – dat staat nu vast – dat de Amerikanen al bezig waren aan de samenstelling van een atoombom. Het Russische wetenschappelijk onderzoek lag ver, veel te ver, achter. De Sovjets moesten inhalen, ze moesten ook een atoombom hebben voordat er een evenwicht tussen de mogendheden zou kunnen bestaan. Rusland was verwoest tot in de Kaukasus. Er waren twintig miljoen mensen gedood. Het land stond op de rand van een ineenstorting, dat wisten de Russen. En ze wisten ook dat de Amerikanen dat wisten. En de Amerikanen wisten weer dat de Russen wisten dat de Amerikanen na de Duitse capitulatie bijna hun hele nationale vermogen in het verwoeste Europa zouden moeten steken, in elk geval in het westelijk deel, om de verwoeste landen weer te helpen opbouwen, om van de mensen in die landen vijanden van het communisme te maken, om nieuwe Europese legers op te bouwen, ook een Duits leger, die met hen tegen de Sovjets zouden vechten. En de Russen wisten hetzelfde van de landen die nu onder hun heerschappij vielen bij de verdeling van de wereld. Ook zij hadden in die landen nieuwe legers nodig, die met hen tegen de Amerikanen zouden vechten, waaronder een Duits leger. Van het Duitse leger moesten er twee komen! De Sovjets wisten dat ze hun bevolking in leven moesten houden. En de Amerikanen vreesden, na de krankzinnige uitgaven voor bewapening, voor werkloosheid van vele miljoenen mensen en de ineenstorting van de economie. Ja, ze hadden een adempauze nodig. Net zo lang tot ze er weer bovenop waren. Sterk waren, tot de tanden gewapend. Tot aan de grenzen van het mogelijke op hun territorium – alle andere landen konden hen niets schelen – onkwetsbaar.'

'Geloof je dat werkelijk?' vroeg Ross geschokt. 'Ik bedoel: geloof je echt dat Hopkins en Vorosjilov er in Teheran van uitgingen dat hun beide reusachtige landen elkaar de volgende grote oorlog zouden aandoen? Is dat niet tè fantastisch? Het is al erg genoeg dat ze een plan maakten om de wereld te verdelen, maar dat kan ik me nog wel voorstellen. Daarbij gingen Roosevelt en Stalin misschien werkelijk van die – eveneens moeilijk te accepteren – gedachte uit op die manier weliswaar eigenmachtig en willekeurig met vele miljoenen mensen om te gaan, maar zo toch een ramp van de omvang van de vorige te voorkomen. Ze hadden een adempauze nodig, zei ik – vanuit het huidige standpunt bezien. Maar indertijd . . . misschien wilden Roosevelt en Stalin werkelijk zekerder zijn van een vrede, door hun belangen – de belangen van de beide supermogendheden – van het begin af aan vast te leggen. Kan het ook niet zo zijn geweest?'

Haperend zei Mercedes: 'Misschien wel, Daniel. Ik geef toe, dat is een mogelijkheid. De beide supermachten wilden voor eens en voor altijd tot een akkoord komen, of alleen kleine, beperkte oorlogen. Laten we er nu eens van uitgaan dat de opstellers van het verdrag op z'n minst nog tot dergelijke – ook al dubieuze – menselijke gevoelens in staat waren. Maar één ding is zeker: ze wantrouwden elkaar toen al diep! Het is wel zeker, dat geen mens van beide kanten ook maar met enige zekerheid kon voorspellen of twee zo verschillende maatschappelijke systemen op den duur in vrede naast elkaar zouden kunnen leven. Ze kunnen het niet, dat zien we. In 1948 kwam het al tot een blokkade van Berlijn. Toen kwamen de beide mogendheden al voor het eerst met elkaar in botsing. Na slechts drie jaar rust! Je weet wat Churchill, die ze niet mee lieten doen – ze lieten niemand meedoen – heeft gezegd. Hij heeft gezegd: "Ik vrees dat we het verkeerde varken hebben geslacht." Zeer, zeer wanhopig, zijn cynisme. Wat gebeurde er in 1948? Niets. Elk van de beide reuzen was nog veel te zwak om de ander de doodsteek te kunnen toebrengen. Maar op z'n laatst vanaf dat moment moest zelfs de onnozelste hals het verdrag opvatten zoals jij het direct instinctief hebt opgevat, Daniel.'

'Vanuit het huidige standpunt bezien!' herhaalde hij luid. 'En omdat ik weiger te geloven . . .' Hij zweeg.

'Omdat je weigert te geloven dat de mens zo verderfelijk kan zijn. Daniel, lieve Daniel, ik vrees dat de mens wel degelijk zo verderfelijk kan zijn. Al dachten de opstellers en ondertekenaars van deze overeenkomst werkelijk niet aan een "adempauze" – in hun onderbewustzijn was die gedachte er wel. Daar ben ik van overtuigd. Ik kan me voorstellen dat alle betrokkenen van grote droefheid waren vervuld over de toekomst van het menselijke ras. Eerlijke droefheid; wanhopige droefheid. Het eindresultaat echter was alléén de verantwoordelijkheid tegenover de eigen natie. En grenzeloze naïviteit: laat de rest van de wereld maar naar de haaien gaan – onze beide naties moeten overleven! En daarvoor hadden die twee mogendheden behoefte aan een periode van rust die niet verstoord werd door geruzie in de rest van de wereld, door – een nachtmerrie in het atoomtijdperk – een te vroeg uitgebroken nieuwe oorlog waarin ze meegesleurd zouden worden, hoewel ze nog niet helemaal onkwetsbaar en ijzersterk waren. Deze overeenkomst moest dat gevaar voorkomen, onder alle omstandigheden. En daarom hielden beide partijen zich daar zo lang en ook zo precies aan.'

'En de ruimtevaart moest hen dan volkomen onkwetsbaar en ijzersterk maken,' zei Ross.

'Ja, Daniel, ja! De vreedzame, zuiver wetenschappelijke doeleinden dienende ruimtevaart, die alleen ten dienste stond van moorddadige, militaire doeleinden. Zouden er werkelijk in vreedzame, redelijke, ten dienste van de mensheid staande doeleinden ooit zulke krankzinnige geldsommen zijn geïnvesteerd? In de wetenschap? De vooruitgang? Belachelijk! Oorlog! Oorlog! Daar was natuurlijk geld voor beschikbaar, daar is altijd geld voor beschikbaar geweest!'

'En zo wedijverden ze met elkaar en doen dat nog steeds tot op dit moment,' zei Daniel, en hij had het gevoel alsof hij in een droom sprak. 'De Sovjets met de Amerikanen – om het overwicht in de ruimte.'

'Zo is het, Daniel.' Mercedes knikte. 'De bom hebben ze allebei. Raketten ook. Maar verdedigingssystemen in de ruimte, de antiraketsystemen en ale andere fantastische instrumenten die tegenwoordig in het heelal zweven en zo iets als een omheining, een schild tegen aanvliegende raketten dienen te vormen, die zijn nog niet genoeg. Het schild is nog doordringbaar. De antiraketsystemen zijn niet de oplossing. Er bestaan al vernietigers van deze systemen. Zeker, men zal het schild ondoordringbaar maken. Wees maar niet bang! Dat duurt niet lang meer. Zie je, en daarom wordt alles al voorbereid voor een atoomoorlog, daarom staat Europa, en in het bijzonder Duitsland – de beide Duitslanden – stijf van de raketten met atoomkoppen en daarom wordt de politieke situatie steeds meer verscherpt.' Mercedes werd weer hartstochtelijk en riep uit: 'Zodat op het moment, op hetzelfde moment dat een van de beide grootmachten een totale bescherming voor haar territorium heeft gevonden, onmiddellijk een atomaire aanval op de andere mogendheid kan worden gedaan! 1 januari van het jaar 2000! De twee supermogendheden trekken zich echt geen lor aan van de duur van het verdrag en van de eerste januari 1995, de laatste termijn voor opzegging. Nog een jaar. Nog twee jaar. In elk geval duurt het niet lang meer. Dan is een van de beide mogendheden de ander voor bij de bescherming van haar land. Dan is dit verdrag vergeten. Dan slaat die mogendheid toe. En dat weten ze alle twee. En vier miljard mensen weten dat niet en bidden voor vrede, hopen op vrede, vechten voor vrede. Omdat zij de waarheid niet kennen . . .' Haar lichaam beefde weer.

Ross stond op, ging naar haar toe, drukte haar tegen zich aan en streek over haar rug.

'Hierover moet zelfs de duivel huilen,' zei Mercedes, 'en zich vol afschuw afwenden van zo'n misdaad van de mensheid. De twee supermachten werken koortsachtig aan de perfecte beveiliging van hun land. En ze spelen het klaar, natuurlijk! Die mogelijkheid bestaat. Het duurt niet lang meer of ze hebben het voor elkaar. Dan gaat de eerste in de aanval. Dan komt de apocalyps. En omdat dat zo is, moeten wij snel handelen. Snel. Begrijp je nu waarom de tijd zo dringt? De tijd jaagt ons op.'

'Ik begrijp het,' zei Ross.
'Lees dan ook nog het slot,' zei Mercedes en ze liet de film doorlopen.

16.
Deze overeenkomst wordt in twee exemplaren ondertekend, waarvan een exemplaar in het Engels en het andere in het Russisch is opgemaakt. De redactie in beide talen is identiek. Deze overeenkomst wordt van kracht bij de ondertekening. Ze wordt nu en voor altijd als topgeheim behandeld. Als waarborg daarvoor worden beide exemplaren van deze overeenkomst na ondertekening gefilmd en in aanwezigheid van de ondertekenaars vernietigd. Elk van de beide mogendheden ontvangt haar eigen exemplaar van de film. Beide mogendheden zullen het document zo behandelen, dat het te allen tijde tegen openbaarmaking, in het bijzonder door opening van de normale staatsarchieven, is beveiligd.

Opgemaakt te Teheran, 1 december 1943.

De president van de Verenigde Staten van Amerika,

Bij volmacht van de Raad van volkscommissarissen van de Unie van Socialistische Sovjetrepublieken,

Handtekening
(Franklin D. Roosevelt)

Handtekening
(J.W. Stalin)

Pagina acht blijft nog een tijdje in beeld, daarna wordt uitgezoomd.

Olivera stond op en zette de videorecorder en het televisietoestel uit. Hij deed het licht van de twee grote kroonluchters aan. Niemand zei iets toen hij de cassette weer in de kluis opborg. Niemand zei iets toen hij daarna van het ene raam naar het andere ging en de zware metalen rolluiken omhoog liet glijden. Hij opende een van de ramen. Daarna ging hij op de bank zitten en keek in de donkere open haard.
Mercedes zei: 'Daniel, jij vroeg toch waarom dit verdrag gefilmd is?'
'Ja,' zei deze. 'Dat vraag ik me inderdaad af. Op schrift stellen zou toch voldoende zijn geweest?'
'Zeker niet,' zei Mercedes.
'Dat begrijp ik niet.'
'De Amerikanen vertrouwden de Sovjets toen al niet. De Amerikanen waren bang dat de Russen het bestaan van dit verdrag, als het alleen op schrift stond, gewoonweg zouden ontkennen als het niet meer in hun kraam te pas kwam. Dat verdrag hebben wij nooit ondertekend, dat verdrag heeft nooit bestaan, zouden de Russen hebben kunnen zeggen. Het is een verzinsel van de Amerikanen en de handtekeningen zijn niet echt. Zonder de film zouden echter ook de Amerikanen gemakkelijk hebben kunnen ontkennen dat er zo'n verdrag bestond. Daarom werd die film opgenomen,

begrijp je, Daniel. De héle film. De ontmoetingen van Hopkins en Vorosjilov. De ondertekening van het verdrag door Roosevelt en Stalin. De film toont de hoofdpersonen. Wat de film laat zien kan niet gemakkelijk worden ontkend. Ze kunnen niet zeggen dat ze nooit bijeen zijn gekomen om het verdrag te ondertekenen. En ook niet dat het gefilmde verdrag nooit heeft bestaan.'

'Nee, dat niet,' zei Ross. 'Maar de Russen of de Amerikanen of allebei hadden toch op z'n minst kunnen zeggen – en dat kunnen ze overigens nu nog: "Die hele film met inbegrip van het verdrag is een vervalsing". In eerste instantie een vervalsing van de nazi's.'

'Dat zullen ze zeker zeggen als de film nu in de openbaarheid komt,' mengde Olivera zich in het gesprek. 'Volkomen juist gedacht, Daniel. Ze zullen dat wel móeten zeggen, er blijft hun absoluut niets anders over. Al is de film honderd maal echt.'

'Ook al is de film honderd maal een falsificatie,' zei Ross.

'Hij ís echt, Daniel,' zei Olivera. 'Die beelden zijn nu eenmaal niet uit de wereld te helpen. Die mannen werden werkelijk gefilmd. De Amerikanen die de film opnamen, wilden – zoals gezegd – voorkomen dat de Russen het bestaan van het verdrag zouden ontkennen. Daarom geen schriftelijke overeenkomst. Daarom een gefilmde overeenkomst met een film van de voorgeschiedenis.'

Ross ging naar het open raam. Het avondlijke park met zijn prachtige bomen, struiken en bloemen lag voor hem. De lucht was zoet en zwaar van de geur van de bloeiende jasmijn. Ross haalde diep adem.

Toen merkte hij dat Mercedes naast hem stond. Haar hand greep de zijne en hield die vast. Zo stonden ze zwijgend, een hele tijd.

17

Ze aten om acht uur 's avonds. De lichtstrepen van de ondergaande zon gleden nog door het park en drongen de eetkamer binnen, met zijn donkere lambrizering, zijn gobelins, de grote tafel en de stoelen die hoge, gebeeldhouwde leuningen van zwart ebbehout hadden. Aan de rechthoekige tafel was plaats voor zestien personen. Miguel had slechts aan één uiteinde gedekt. Mercedes zat tussen Ross en Olivera in. Ze hadden zich verkleed.

De knappe bediende Miguel – hij droeg nog steeds de witte pantalon en het witte, hooggesloten jasje van die middag – serveerde vaardig en discreet als een *maître* in een luxueus restaurant. Door de zware tapijen waren zijn schreden onhoorbaar. De gerechten kwamen met een lift uit de keuken naar boven en werden op een eveneens gebeeldhouwd buffet neergezet. De bediende was uitermate hoffelijk. Daniel Ross hoorde waarom er zo vroeg werd gegeten: Miguel was vrij van vrijdagavond tot zondagmorgen. Olivera, die steeds opnieuw hoog opgaf van zijn personeelslid, verklaarde dat hij er goed op lette dat deze zijn werk niet te laat beëindigde. Bij bijzondere gelegenheden, bjvoorbeeld als Olivera precies op vrijdag mensen had uitgenodigd en Miguel Morales nodig was, werd de vrije tijd van de bediende natuurlijk verschoven.

Miguel serveerde de tweede gang. Mercedes nam heel weinig, evenals Ross. Olivera had veel trek.

'Zo gaat dat niet,' zei hij. 'Jullie moeten goed eten, kinderen!'

'Ik voel me telkens weer beroerd als ik die film zie,' zei Mercedes. Ze had nu een donkergroene jurk aan.

Ross keek Miguel na, die met een zware zilveren schotel naar het buffet terugliep; daarna keek hij Olivera aan. 'Verstaat hij echt geen Duits?'

'Geen woord, Daniel. Heerlijk, die vis. Werkelijk heerlijk.' Olivera sprak Spaans tegen Miguel, die verheugd glimlachte en een buiging maakte. De bediende zei iets. 'Hij is zeer bedroefd dat jullie zo weinig eten,' verklaarde Olivera. En weer in het Spaans tegen de bediende: 'De lange vlucht, weet je. De verandering van klimaat.'

'O, natuurlijk, señor. Wat dom van mij dat ik daaraan niet heb gedacht.'

De derde gang kwam: vlees. Olivera nam een groot stuk. Hij scheen in een uitstekend humeur te zijn. Mercedes en Ross wilden niets hebben. Mercedes zei tegen Miguel: 'Morgen is alles weer in orde.'

'Ik hoop het van ganser harte, señorita,' zei de bediende ernstig.

Ook van de kaas en van het dessert at alleen Olivera. Daarna dronken ze allemaal mokka. Miguel had eerst de borden en het bestek afgeruimd en die evenals de serveerschotels met de lift naar de keuken gestuurd.

Olivera keek op de klok. Het was kwart voor negen.

'Zo,' zei hij, 'jij bent klaar, Miguel. We gaan straks weer naar de bibliotheek. De drankjes kan ik zelf maken. Hup, verdwijn!'

'Dank u, señor.'

'Wat ben je vanavond van plan?'

'In Chacarta is een nieuwe discotheek.'

Olivera vertaalde dit voor Ross. Hij zei: 'Dat is een stadswijk meer naar het westen.' En weer in het Spaans tegen Miguel: 'Heb je nog steeds dat schattige meisje met het rode haar?'

'Carmelita? Nee, señor.' Miguel werd verlegen. 'Ik heb het uitgemaakt.'

'Waarom?'

'Ze was te jaloers.'

'Je hebt natuurlijk al een ander.'

'Ja, señor. Ze heet Maria Perichole.'

'Zwart?'

'Blond. Bijna goud. Lang, gouden haar.'

'Die knaap verwisselt de knapste meisjes van de stad als zijn hemd. Een kunst als je er zo uitziet!'

Miguel boog nog eens en zei een paar woorden.

'Hij wenst ons allemaal een prettige avond,' vertaalde Mercedes.

'Gedraag je netjes, jongen,' zei Olivera. 'En als je al niet netjes kunt zijn, wees dan voorzichtig!'

Miguel lachte, liet daarbij zijn mooie tanden zien en verdween.

'In het hele land is niet nog zo'n bediende te vinden als Miguel,' zei

Olivera. 'Ik moet mijn vriend, generaal Alvarez, werkelijk dankbaar zijn dat hij hem naar mij toe heeft gestuurd. Wat een trouw, wat een toewijding! Bediende hij niet perfect? Even perfect rijdt hij auto. Hij houdt de tuin bij. Repareert gewoonweg alles wat kapot is. En hij is een fantastische masseur. Werkelijk.' Tegen Ross zei hij: 'Hij moet jou ook eens masseren, Daniel. Jouw lichaam heeft dat dringend nodig.'

'Ja, ja,' zei Ross.

'Nee, nee! Jij bent ook niet meer de jongste. Je hart, je bloedsomloop. Kijk me aan! Er gaat geen dag voorbij dat ik niet minstens twee uur iets aan mijn gezondheid doe. Dat moet jij ook doen. Beloof me dat, wil je?'

'Ja,' zei Ross. 'Ja, verdomme.'

Olivera lachte.

'Kijk niet zo verschrikt, Mercedes. Daniel gaat nu met zijn gehate vader samenwerken. Dat is wel erg. Nee, echt, ik kan me in jouw situatie verplaatsen, Daniel.' Olivera lachte weer schaterend.

Miguel Morales hoorde hem. Hij was juist de bibliotheek binnengekomen en had het licht aangedaan. Nu kroop hij onder de lage marmeren tafel die bij de schoorsteen stond, ging op zijn rug liggen en zocht even. Daarna haalde hij van de onderkant van de marmeren plaat een voorwerp af dat de vorm had van een halve kogel. Het voorwerp was van metaal en had de grootte van een rijksdaalder. Het was een afluisterapparaat, een piepklein elektronisch instrumentje met een uiterst gevoelige microfoon en een sterke transmitter. Het afluisterapparaatje – van Japanse makelij – kon gesprekken die de microfoon opnam tot driehonderd meter verderop zenden, zelfs door betonnen muren en plafonds heen. Miguel had het tegen de onderkant van de marmeren tafel geplakt toen hij die middag de theekopjes afruimde. Hij had daarbij een lepeltje laten vallen om een voorwendsel te hebben zich te bukken en onder de tafel te zoeken. Niemand was iets bijzonders opgevallen. Olivera had gelijk. Miguel was inderdaad bijzonder handig.

De jongeman met de gladde, donkere huid en de grote, zwarte, amandelvormige ogen stopte het afluisterapparaat in een zak van zijn witte pak. Uit een andere zak haalde hij een ander, nog ongebruikt apparaatje. Vlak daarna had hij dit op de plaats van het vorige onder de marmeren tafel bevestigd.

Hij verliet nu de bibliotheek en ging naar de bovenverdieping van het huis. Daar waren de kamers van het personeel. Miguel deed de zijne open en draaide de deur achter zich weer op slot. Het vertrek was groot, ernaast lag een badkamer. Miguel had de muren van de kamer met foto's en posters van beroemde filmsterren en de populairste Argentijnse zangers volgehangen. In een hoek stond een tafeltje met een felgekleurde madonna van beschilderd aardewerk. Er stond een vaas bloemen naast; Miguel zorgde altijd voor verse. Vaak knielde hij neer voor het tafeltje. Miguel was vroom.

Hij ging naar het toilet in de badkamer. Weer hurkte hij op de grond. Hij haalde achter de pot een elektronische ontvanger van het formaat van een doosje cigarillo's en een iets grotere recorder te voorschijn. Ontvanger en recorder waren via een dun kabeltje met elkaar verbonden en waren eveneens van Japanse makelij. Het ging om speciale fabrikaten waarbij tamelijk grote cassettes hoorden. Aan één kant kon drie uur worden opgenomen en de cassette hoefde als de tijd om was niet te worden omgedraaid. Zonder omdraaien nam de recorder aan de tweede kant van de cassette nog eens drie uur op. Verder schakelde het apparaat automatisch in zodra het van de ontvanger geluiden, gesprekken of een enkele stem opving die door het afluisterapparaat werden doorgezonden. De recorder schakelde uit als hij langer dan vijf minuten geen impuls kreeg en schakelde onmiddellijk weer in wanneer de ontvanger van het afluisterapparaat iets nieuws registreerde.

Miguel maakte de recorder open en haalde de grote cassette eruit. Hij liep naar zijn kamer terug. Deze was ingericht met meubels die van hemzelf waren en die hij had meegebracht, zoals zijn kleerkast met twee laden voor ondergoed en sokken. Miguel trok de linkerlade uit. Hij sloeg met zijn vuist driemaal flink op een hoek van de triplex bodem, die daarna opening. De plaat zwaaide omhoog en er werd een vak zichtbaar van ongeveer tien centimeter diep en van de grootte van de la. In het vak lagen talrijke cassettes zoals die welke Miguel uit de recorder had gehaald en ook enkele afluisterapparaatjes. In een wit plastic zakje dat Miguel uit het vak haalde, zaten twee cassettes – blijkbaar bespeeld, want hij stopte daar nu de cassette uit de recorder bij. Daarna scheurde hij de folie van een nieuwe cassette, ging weer naar de badkamer en plaatste die in de recorder. Als Olivera, zoals hij had aangekondigd, naar de bibliotheek zou teruggaan en met zijn dochter en de man die zogenaamd zijn zoon was – dat had hij tegen Miguel gezegd, maar deze had dat geen moment geloofd: iemand van de andere kant van de wereld, met wie Olivera zich urenlang met neergelaten metalen jaloezieën opsloot! – als die drie nu hun gesprek vervolgden, zou hun conversatie op de nieuwe cassette worden vastgelegd.

Miguel zette de recorder weer achter de closetpot, ging zijn kamer in, sloot de bergplaats door de triplex plaat omlaag te drukken en de la in de kast te schuiven.

Hij haalde een overhemd met blauwe en rode strepen en een blauwe pantalon uit de kast en zocht daarbij blauwe sokken uit met blauwe espadrilles. Hij douchte en trok de uitgekozen kleren aan. Met grote zorgvuldigheid hing hij het witte kostuum op een hangertje. Voordat hij zijn kamer verliet, knielde hij voor de kleurige madonna neer en sprak mompelend met gevouwen handen een gebed uit als dank voor de tot dan toe verleende hulp en steun, waarop een gebed volgde met het verzoek om voortdurende bescherming en nooit eindigende genade.

Daarna stond hij op. Hij pakte de plastic zak met cassettes en een leren handtasje zoals hier alle mannen droegen, waarin zijn geld, papieren en een autosleutel zaten. Hij deed de deur van het slot en sloot die achter zich weer af. Enkele minuten later reed hij in zijn Volkswagen door het grote park naar de uitgang.

18

'Au!' zei de grote man, die naakt op zijn buik lag. 'Niet zo hard, knul! Je doet me pijn.'

'Neem me niet kwalijk, generaal,' zei Miguel Morales. 'Maar ik moet het harder doen. Uw nekspieren zijn weer volkomen verkrampt.'

De naakte, naar vetlijvigheid neigende man lag op een hoge massagebank, waarvan de schuimrubberlaag met badlakens was bedekt. Miguel, in een witte pantalon, witte sandalen en een wit overhemd met korte mouwen, stond naast de tafel in de grote badkamer van generaal Carlo Maria Alvarez en masseerde hem. Dit gebeurde bijna vier maanden vóór de boven beschreven gebeurtenissen op dinsdagmorgen 25 oktober 1983.

Miguel strooide talkpoeder op zijn handen en ging verder met het bewerken van de nekspieren van de generaal.

'Luister goed naar me,' zei Alvarez. 'Het is heel belangrijk. Jij bent mij toch echt en eerlijk toegedaan, hè jongen?'

'Ja, generaal.'

'En je doet onvoorwaardelijk alles wat ik van je verlang?'

'Alles, generaal.'

'Ik houd ook van jou. Nog nooit heb ik een jongeman met zo'n goed karakter en zo'n trouw ontmoet. En je vergeet niet dat ik je uit de ellende heb gehaald?'

'Dat zal ik nooit vergeten, generaal.'

'Goed. Je kent toch señor Olivera, jongen? Mijn goede vriend Eduardo Olivera?'

'Zeker, generaal.' Miguel bewerkte nu de rug van de dikke man.

'Hij wil jou zo graag hebben. Zou hij werkelijk een goede vriend zijn – vervloekt, wat doet dat pijn!'

'Het moet, generaal.'

'Goed, hoor. Ik weet eigenlijk niet of hij echt een goede vriend is. Vergeet niet mijn bovenbenen goed aan te pakken, jongen. Mijn benen worden zo vlug moe.'

'Ja, generaal.' Miguel gebruikte veel talkpoeder. Hij kreeg het heet. Dit was een zwaar karwei. 'Ik begrijp niet wat u bedoelt,' zei hij. 'Weet u niet of señor Olivera werkelijk een goede vriend is?'

'Precies.' Alvarez gromde. 'Daar. Ja! Doorgaan daar. Dat doet me goed. Olivera is een eigenaardige man, weet je. Hij heeft mij en mijn vrienden altijd goed geholpen. Niet alleen als bankier. Ook met inlichtingen.' Miguel masseerde zijn zitvlak. De generaal sprak door: 'Maar is hij trouw? Zo trouw als jij, jongen? Maar half zo trouw? Harder! Dat kun je gerust steviger doen. Zal hij nu niet overlopen en een vriend van onze vijanden worden?'

'Ik begrijp u niet, generaal ...'

'We staan voor de verkiezingen,' zei Alvarez. 'Over vijf dagen vinden die plaats. We gaan die verliezen. Alfonsin wint.'

'Heilige Maria – nee, daar geloof ik niets van!' riep Miguel uit.
'Je zult het zien. Wij verwachten een nederlaag. Sedert de Falkland-
oorlog haat het volk ons. Ook vroeger werden we door de mensen gehaat,
maar we waren wél gevreesd. Nu worden we alleen nog gehaat. Graag mijn
dijen nog eens!'
'Ja, generaal!' Miguel sloeg met de zijkanten van zijn handen snel en
nauwkeurig langs het rechterbovenbeen. Datzelfde deed hij bij het linker-
been – verscheidene keren.
'Alfonsin wint,' zei Alvarez. 'En natuurlijk doet hij de junta een proces
aan.'
'Ook u, generaal?' Miguel was ontdaan. Hij hield op met masseren en
begon te huilen.
'Huil niet, beste jongen! Dat heeft geen zin. Ze zullen ons een proces
aandoen, ongetwijfeld.'
'U bedoelt . . . dat u in de gevangenis komt?' Miguel stond nog steeds
verbijsterd te kijken. Hij streek met zijn arm over zijn natte wangen.
'Ja zeker, knul. Het heeft geen zin daar je ogen voor te sluiten. Ik weet dat
je het eens bent met alles wat ik doe, niet?'
'Zeker, generaal. Mijn dankbaarheid en liefde voor u kennen geen
grenzen. Ik sta altijd tot uw dienst.'
Carlo Maria Alvarez draaide zich kreunend op zijn rug. Hij had bijna
vrouwelijke borsten. Miguel begon zijn borsten te bewerken.
'Ik heb jou al aan hem vermaakt, beste jongen,' zei de generaal.
'De generaal heeft . . .'
'Als ze me komen halen, kun jij direct bij hem beginnen. Neem al je
spullen mee – het zal lang duren.'
Generaal Alvarez bewoonde een reusachtige villa aan de Dorrego in de
deftige buurt Palermo. Elf straten verderop liep de lange Cespedes, waar
Olivera zijn huis had.
'Maar . . . maar ik wil niet, generaal! Ik wil niet naar señor Olivera. Als
u echt wordt gearresteerd en veroordeeld, pleeg ik zelfmoord.' Miguel had
weer tranen in zijn ogen.
'Dat zou heel lief maar ook heel dom van je zijn,' zei Alvarez. 'Als je dood
bent kun je niemand van nut zijn. Als je leeft, kun je, juist bij Olivera, mijn
goede vriend, van heel veel nut zijn – voor óns.'
'Voor u?' Miguel masseerde nu van de borst omlaag in de richting van de
grote, slappe buik van de generaal.
'Voor ons, ja, beste jongen,' zei Alvarez. 'Voor al degenen die nu ten val
worden gebracht. Dit blijft geen democratie, geloof me! Wij komen terug.'
'U komt terug?' Miguel gaf kletsende slagen op de slappe buik. Het
verlepte vlees gleed heen en weer.
'Wij zijn altijd nog teruggekomen. Hoeveel ze er nu ook zullen opsluiten
– ze kunnen ze niet allemaal opsluiten. Er blijven er genoeg in vrijheid, in
actie. Daarbij komt het geweldige verbond van de partijgenoten in het hele
land. Niemand kent dit verbond en daarom blijft dat ook intact. Voor
verzet. Voor grote aanslagen. Om onzekerheid en angst te verbreiden. Om

de weg te effenen voor onze terugkeer. Je ziet dat je werkelijk mijn hele vertrouwen hebt, knul.'

'Dat kunt u mij ook gerust schenken, generaal. Ik zou – bij de Heilige Maagd – ook mijn leven voor u geven.'

'Mocht je me niettemin teleurstellen, dan overleef je dat verraad geen dag, beste jongen. Jij bent natuurlijk niet de enige vertrouwensman. Wij hebben er duizenden, zoals je je wel kunt voorstellen. Maar jij zou een van de belangrijkste zijn. Iedereen zal door onze mensen in de gaten worden gehouden, iedereen. En het is beslist noodzakelijk dat iemand Olivera in de gaten houdt. Ik moet vermageren, ik weet het. Nou, daar krijg ik nu de gelegenheid voor. Mijn bovenbeen aan de voorkant graag.'

Miguel ging hijgend door met zijn werk. Hij was diep onder de indruk van wat hij had gehoord.

'Olivera was de goede vriend van ons allen. Intussen hoor ik uit een bepaalde bron dat hij al in contact staat met mannen uit de omgeving van Alfonsin.'

'Nee!'

'Jij kent de mensen niet, naïefje. Olivera is blijkbaar al overgelopen. Hij zal nu de goede vriend van onze vijanden worden, hen helpen – als bankier en met inlichtingen. Hij zal hen in zijn huis uitnodigen. Hij is werkelijk intelligent. Ze zullen hem om advies vragen. Ze zullen hem als een van de hunnen beschouwen. En daarom moet jij nu naar hem toe.' Alvarez streek Miguel, die nu met zijn rug naar hem toe stond terwijl hij zijn bovenbeen bewerkte, teder tussen de benen. 'Je doet het voor mij, lieve jongen. Met jouw hulp zullen wij in de gevangenis op de hoogte blijven van veel dingen die de nieuwe heren van plan zijn, wat ze willen of gaan doen. En we móeten op de hoogte zijn, dat begrijp je toch, hè? Alleen zo is een strijd in de duisternis mogelijk . . . een opstand . . . een staatsgreep later . . .'

'Maar . . . maar wat moet ik dan doen, generaal? Ik ben maar een domme jongen, die u in oneindige goedheid uit de goot hebt gehaald.'

'Je bent een verstandige jongen. Jij zult de gesprekken afluisteren die Olivera achter gesloten deuren voert. Zul je dat doen?'

'Ik doe alles, generaal.'

'Ook iemand doden?'

'Als het moet ook dat, generaal. Maar hoe moet ik die gesprekken afluisteren?'

'Wel, daarvoor bestaat uitstekende apparatuur. Je zult krijgen wat je nodig hebt. Alles zal je worden uitgelegd. Mijn vrienden en ik denken aan een moderne installatie. Jij bent toch een uitstekende knutselaar! Ik heb Olivera al verteld dat jij bij mij altijd van vrijdagavond tot zondagmorgen vrij hebt en dat hij je die tijd ook vrij moet geven. Hij zal dat graag doen. Hij wil je dolgraag hebben. Wees heel kalm! Hij is niet zoals wij zijn. Je zult geen gevaar lopen mij te bedriegen.'

'Dat zou ik nooit doen!' Miguel draaide zich met een ruk om. Zijn knappe, open gezicht toonde eerlijke verontwaardiging.

'Dat weet ik toch. Het was maar een grapje,' zei de generaal en hij pakte

Miguel weer beet. 'Mijn lieve, beste jongen. Wat ik zeggen wilde: in je vrije tijd ga je dan telkens de oogst van de afgelopen week naar een bepaalde plaats brengen ... Ze zullen je nog meedelen waar dat is ... Jij zult je verdienstelijk maken voor de revolutie, knul. Dat wil je toch – als het in mijn belang is?'

'Ik doe alles, generaal,' zei Miguel, geheel gewonnen. 'Alles wat u van mij verlangt.'

19

Miguel bereikte met zijn Volkswagen de smeedijzeren ingang. Ook hij was in het bezit van een kunststof doosje, waarmee hij elektronisch het hek kon openen. Miguel reed langzaam de straat op. Het hek sloot achter hem. Hij sloeg linksaf. Langs de Cespedes stonden aan beide zijden veel auto's onder de oude palmbomen. De jongen zag dat de buren een groot tuinfeest hielden. Hij hoorde flarden muziek en zag paartjes die buiten op een vloer van acryl dansten.

Iets verderop stonden in verschillende rijrichtingen een zwarte Buick en een blauwe Lincoln geparkeerd; de Lincoln in de richting die Miguel nu met zijn Volkswagen nam. De man achter het stuur haalde een microfoon uit de houder en zei: 'Peru, hier Cuba.'

In de zwarte Buick antwoordde een man door de microfoon: 'Oké, Cuba, veel succes! Sluiten.'

De blauwe Lincoln gleed uit de parkeerplaats. De bestuurder, die zich bij een telefoongesprek met de oude Cristobal Roberto had genoemd, droeg nog steeds hetzelfde groene overhemd en dezelfde witte pantalon van die ochtend. Naast hem zat nu de jonge man in het rode overhemd. Toen ze de Mercedes en Daniel Ross vanaf de luchthaven naar de stad volgden, had hij aan het stuur van de rode Ferrari gezeten. De organisatie beschikte over talrijke auto's. Het was nog steeds licht en zeer heet, maar de zon stond al lager. Het zou spoedig donker zijn.

Bij de Avenida Cabildo sloeg Miguel rechtsaf. Hij reed de brede weg af in zuidelijke richting. De blauwe Lincoln volgde. Miguel bereikte de poloclub, die aan zijn linkerhand lag, en de kruising met de Avenida J.B. Justo. Hier veranderde de Avenida Cabildo van naam in de Avenida Santa Fe en liep verder in zuidelijke richting langs de dieren- en botanische tuin en vele parken met meertjes. Ze liep daarna iets zuidoostwaarts.

'Hallo Peru,' zei Roberto door de microfoon. 'Hallo Peru. Hier Cuba.'

'Met Peru. Wat is er?'

'De Volkswagen rijdt de hele Avenida Santa Fe af. Als hij zo doorgaat, is hij zo bij de dokken en de haven. Blijf op ontvangst, Cuba. Sluiten.'

'Wat wil hij bij de haven, Esteban?' vroeg Roberto aan de jonge man met het rode overhemd, die in de Ferrari had gereden.

'Geen idee,' zei Esteban. Hij was kwaad. 'Die ouwe Cristobal had ons allang moeten aflossen. Man, sinds vanmiddag zijn we al bezig! Nu is het half tien. Ik ben moe. Wat een rotbaan!'

'De vent gaat naar het Retiro, Esteban! Naar het Retiro!'

Inderdaad sloeg Miguel nu boven de Plaza General San Martin en de Plaza Britania, waarachter weer grote parken lagen, linksaf en hij bereikte de reusachtige parkeerplaats voor het enorme gebouw van het centraal station van Buenos Aires. Van de zes verschillende spoorwegnetten van Argentinië dragen er vijf de naam van een generaal, inclusief hun titels; drie komen samen in het Retiro, de andere hebben eigen stations in Constitucion, Once en Lacroze. De parkeerplaats voor het Retiro was bijna vol. Hier verdrongen zich ontelbare gehaaste mensen. Roberto vond in de buurt van de Volkswagen een gaatje. Hij stak de grote wagen er handig in terwijl Esteban de microfoon pakte.

'Hallo Peru, hier Cuba.'

'Hier Peru.'

'We zijn nu op de parkeerplaats van Retiro. De Volkswagen is gestopt. Er stapt een jongeman uit. Hij heeft een polstasje bij zich en een witte plastic tas. Hij gaat naar het Retiro. We gaan erachteraan . . .'

Miguel baande zich een weg tussen de vele auto's door. Op enige afstand werd hij gevolgd door Esteban en Roberto. Miguel bereikte het enorme complex van het centraal station en de perrons voor de grote hal met zijn vele winkeltjes, die allemaal nog open waren. Hij liep langs de krantenkiosk, langs rondtrekkende kooplui en kraampjes voor reisproviand tot hij bij een grote muur met bagagekluizen kwam. Zijn achtervolgers, die achter de opgehangen pornobladen van een kiosk stonden, hielden hem scherp in de gaten. Miguel haalde een vreemd getande sleutel uit zijn polstasje en maakte kluis 214 open. Dat deed hij elke vrijdag om deze tijd sedert hij bij Olivera werkte. De witte plastic tas legde hij in de kluis. Hij had al vele cassettes in dezelfde soort tasjes hier gedeponeerd. Ze werden door een vertrouwensman van generaal Alvarez, tegen wie juist een proces was aangespannen, opgehaald. Miguel kende die man niet. Het plan was nog besproken met generaal Alvarez en Miguel had van hem, de man die hij zo vereerde en van wie hij zoveel hield, de sleutel en uitleg gekregen.

'Kluis 214 moet net als alle andere van munten worden voorzien, zodat hij kan worden afgesloten. Op z'n minst eens in de tweeënzeventig uur moeten er nieuwe munten in worden gegooid, anders loopt de klok af en kan alleen iemand die toezicht houdt hem nog openen. Maar daar hoef jij je niet om te bekommeren, knul. Daar bekommeren anderen zich om. Maar denk eraan; elke keer als de kluis geopend wordt, wordt de klok onderbroken. Jij moet dus, elke keer als je cassettes deponeert, voor het afsluiten munten in de gleuf stoppen. De mensen die de cassettes afhalen moeten dat natuurlijk ook doen, beste jongen . . .'

Miguel duwde de deur van de bagagekluis dicht, deed munten in de gleuf en sloot de deur af. De sleutel stopte hij in zijn polstasje terug. Op de sleutel waren de letters RETIRO en het nummer 214 ingeslagen. Enkele minuten later bevond Miguel zich weer op de overvolle parkeerplaats en stapte hij weer in zijn Volkswagen. Hij startte en draaide de wagen van zijn plaats. Het volgende moment botste hij tegen een grote, blauwe Lincoln, die plotseling voor hem opdook. Miguel had hem niet gezien. De twee wagens klapten met de voorspatborden tegen elkaar. Het metaal knarste. Miguel zette van schrik zijn motor af. Uit de Lincoln was een man in een groen overhemd gestapt en deze kwam nu naar hem toe.

'Ben je soms dronken, hè?' schreeuwde hij.

'Dat moet u nodig zeggen!' schreeuwde Miguel. 'Het is hier geen racebaan! U reed meer dan zestig kilometer per uur!'

'Maak je niet belachelijk!'

'De señor heeft gelijk!' riep een vrouw, Roberto aanvallend. 'U reed veel te hard!'

'Dat is waar. Ik ben getuige.'

'Ik ook!'

Eensklaps waren er veel mensen. De hitte, die ook 's avonds niet draaglijker werd, maakte iedereen nerveus en geprikkeld.

In deze chaos naderde Esteban de Volkswagen, waarvan het linkervoorportier openstond. Op de rechterstoel lag het tasje. In het voorvak zat een ritssluiting. Esteban was een oplettend waarnemer. Hij wist dat de jongeman met de donkere, gebronsde huid de sleutel van de bagagekluis in het voorvak had gestopt. Hij greep het tasje, maakte de rits open, terwijl het geschreeuw achter hem steeds heviger werd.

Daar – de sleutel! Esteban maakte dat hij wegkwam. Hij rende naar de perrons, botste tegen de mensen aan, werd uitgescholden, rende door en bereikte de wand met kluizen. Even later had hij 214 open en het plastic tasje eruitgehaald. Hij gooide muntjes in de gleuf, sloot de kluis af en rende zo snel hij kon terug naar de parkeerplaats. Tot zijn opluchting hoorde hij woedende stemmen. Ze hadden dus nog steeds ruzie met elkaar en er waren nog meer mensen bijgekomen. De Volkswagen van Miguel had het rechtervoorspatbord van de Lincoln tamelijk ver ingedrukt. Hij en Roberto bekeken al voor de zoveelste keer de schade. De omstanders leverden commentaar. Esteban drong naar voren, bereikte de Volkswagen met het geopende voorportier en liet de sleutel ongemerkt in het voorvak van het polstasje glijden, waarna hij de ritssluiting dichttrok. De plastic tas had hij onder zijn overhemd verborgen.

Intussen had een man voorgesteld de politie te waarschuwen. Verdorie, dacht Esteban, en Roberto dacht hetzelfde, maar Miguel riep geschrokken: 'Nee, geen politie!'

'Waarom niet? Het was toch duidelijk de schuld van de Lincoln?'

'Maar toch . . .' Miguel stotterde van opwinding. Alsjeblieft geen politie, dacht hij. Stel dat die vragen wat ik hier deed. Hij zei moeizaam: 'Die auto is niet van mij . . . Ik . . . ik heb hem geleend . . . Ik wil geen moeilijkheden met mijn vriend . . . Ik zal u mijn adres geven . . . Laat u de wagen maar repareren en stuurt u dan alstublieft de rekening aan mij, wilt u?' Hij keek Roberto smekend aan.

'Een vals adres zeker, hè?' zei deze.

'Nee, nee! Ik laat u mijn papieren zien.' Miguel draaide zich om, boog zich in de Volkswagen, pakte het tasje en toonde zijn rijbewijs en andere papieren. 'Hier, kijkt u maar ... Ik woon op de Cespedes 1006 ... bij señor Olivera ... daar werk ik ... Ziet u, het inschrijvingsformulier van het bevolkingsregister ... Ik woon daar pas sinds een paar weken ...' O, vervloekt, dacht hij, dat mij dat nou moest overkomen. O, Moeder Maria, help mij!

'Nou, goed,' zei Roberto, 'als u dat wilt betalen.' Hij haalde een notitie-blokje en een potlood uit zijn achterzak. 'Laat eens zien, meneer ...'

'Miguel Morales.'

'U bent gek!' schreeuwde een vrouw. 'U betaalt en die ander is de schuldige.'

Instemming van alle kanten.

'Dat is mijn zaak. Ik heb toch gezegd dat de wagen geleend is.'

Intussen had Roberto, leunend op de motorkap van de Lincoln, het adres van Miguel en zijn verzekeringsmaatschappij genoteerd.

'Oké, u krijgt de rekening. En let de volgende keer beter op! Goeden-avond.'

'Goedenavond ... en bedankt voor uw begrip,' stamelde Miguel.

De toeschouwers gingen debatterend uiteen. Ze waren het niet eens met de afloop.

'Die rotvent met zijn protserige Lincoln,' zei een vrouw tegen de man naast haar. 'Die jongen in zijn Volkswagen deed het voor hem natuurlijk in zijn broek. Alsjeblieft geen moeilijkheden met de grote heren! Zo zijn we allemaal. Daarom zullen we het ook nooit ver brengen.'

'Hou toch op, Evita!' zei haar metgezel. 'Nu komen we te laat in de bioscoop. Maar ja, jij moest zo nodig blijven kijken.'

20

In de flat van Cristobal op de tweede verdieping van het huis op nummer 25 in de straat met de naam Husares, in het westen van de stad, rinkelde de telefoon. De circa zestig jaar oude, kale man met wie Roberto tussen de middag had getelefoneerd om door te geven dat de auto die hij vanaf het vliegveld volgde, het park van de villa aan de Cespedes 1006 was ingereden, zat in een versleten leunstoel van de sombere huiskamer onder een staande schemerlamp bij een radio te luisteren naar het einde van een hoorspel naar de roman *De brug van San Luis Rey* van Thornton Wilder.

De telefoon bleef maar doorrinkelen. Cristobal stond op en haastte zich naar de andere kamer, waarvan de ramen uitkeken op het reuschtige terrein van het *Regimento 3 de Infanteria General Belgrano* met zijn exercitieter-reinen en kazernes. Het gebied werd nu door talrijke schijnwerpers, die in hoge masten waren aangebracht, stralend verlicht. De oude man droeg een handdoek om zijn lendenen. Hij had alle ramen opengezet om een beetje tocht te krijgen. Nu nam hij de hoorn op.

'Ja?'

'Met Roberto,' klonk een stem die hij kende. 'Wij hebben iets wat u direct moet krijgen.'

'Wat is het?' Cristobal was alleen telefonisch bereikbaar. Technici van de organisatie hadden de lijn zo geprepareerd dat de gesprekken niet konden worden afgeluisterd. Radioverkeer met Cristobal zou te riskant zijn geweest.

Roberto bracht verslag uit van wat er was gebeurd.

Cristobal kwam tot leven. 'Breng die cassettes dadelijk hier! Ik kom naar beneden. Hoe lang hebben jullie nodig om hier te komen?'

'Ongeveer een half uur. Het is druk op de weg.'

'Goed. Ik sta dan in de schaduw van de voordeur. Jullie rijden langzaam voorbij en geven mij het plastic tasje vanuit de wagen.'

'Oké, Cristobal, tot zo.'

De oude man legde de hoorn op de haak, liep naar de huiskamer met de versleten meubelen terug en ging weer zitten. Door de radio hoorde hij een stem die de uitzending van *De brug van San Luis Rey* besloot.'

'Spoedig echter zullen wij allen sterven en elke herinnering aan die vijf zal dan van de aarde zijn verdwenen en wijzelf zullen voor een korte tijd bemind en dan vergeten worden. Maar die liefde zal genoeg zijn geweest; al deze gevoelens van liefde keren terug naar die ene, die haar liet ontstaan. De liefde heeft zelfs geen herinnering nodig. Er is een land der levenden en een land der doden en de brug daartussen is liefde – het enig blijvende, de enige zin.'

Cristobal zette het toestel af. Zijn lippen bewogen zich geluidloos. Hij herhaalde de laatste zin en keek zonder iets te zien. Een zeer droevige, oude man en zeer eenzaam.

21

Toen de blauwe Lincoln vijfendertig minuten later langzaam met gedimd licht door de Husares gleed, stond Cristobal in het donker bij de voordeur. Een hand strekte zich vanuit het raampje van de auto naar hem uit. Handig nam de oude man het plastic tasje over. De Lincoln reed door en sloeg de volgende hoek om.

Cristobal sloot de huisdeur af en ging naar zijn flat terug. In zijn werkkamer bekeek hij de drie cassettes. Hij had bandrecorders in allerlei soorten, maar de cassettes pasten nergens in. Dat had Cristobal niet verwacht. Zodra hij ze zag, was het hem duidelijk dat deze cassettes voor een bijzonder doel en een bijzonder toestel waren gemaakt. In de handel was zo'n apparaat beslist niet te koop.

Hij stond op en sloot alle ramen. Nu ging hij zitten, schakelde de interruptor in en draaide 00441, het kengetal van Londen en daarna een nummer van zeven cijfers.

De telefoon ging over, vervolgens klonk een zachte mannenstem: 'Hallo.'

Cristobal sprak nu Engels. Hij noemde zijn naam en verontschuldigde zich dat hij nog zo laat stoorde.

'Dat geeft niets.' De stem uit Londen klonk vriendelijk. 'Een ogenblikje!' Het kraakte op de lijn. 'Zo, de interruptor is ingeschakeld. Wat is er?'

'Het spijt me werkelijk, mr. Morley. Hier is het half twaalf. Dan is het bij u al half drie. U sliep vast al.'

'Dat geeft niets. Ik heb u toch gezegd dat u mij dag en nacht onmiddellijk moet opbellen als er iets bijzonders is. U zegt dat u de naam hebt van de man die de cassettes in de bagagekluis heeft gelegd?'

'Ja. Van zijn rijbewijs en van zijn inschrijvingsformulier bij het bevolkingsregister. Geboren 15 mei 1960 in Buenos Aires. Mijn mensen zijn zeer betrouwbaar. Op het inschrijvingsformulier stond ook het vorige adres en zijn vroegere werkgever, generaal Carlo Maria Alvarez, Dorrego 870, in de stadswijk Palermo. Dat is vlak in de buurt van Olivera's villa.'

Mr. Morley in Londen floot. 'Alvarez – de generaal van de junta?'

'Ja, sir. Ik heb het in het telefoonboek nagekeken. Dat is zijn adres. Of liever: dat was het. Hij is een paar weken geleden gearresteerd. Op 20 december is hij opgepakt. Op de 21ste is Morales naar Olivera verhuisd.'

'Je zou bijna zeggen dat hij een opdracht had, dacht u niet, Cristobal?'

'Daar lijkt het wel op, sir.'

'Een afluisterapparaat installeren en de gesprekken van zijn werkgever opnemen. Van wie kan hij zo'n gecompliceerde, speciale apparatuur hebben gekregen? Toch alleen van Alvarez en diens vrienden. Werd bij Olivera binnengesmokkeld – daar ziet het naar uit, hè?'

'Inderdaad, sir.'

'Zeg eens, Cristobal, die cassettes . . . staan er op het etiket linksboven soms drie kleine aaneengeschakelde ringen – zoals de olympische ringen, maar dan twee minder?'

De oude man keek het na.

'Ja, sir. En onder de ringen staan de letters E en X.'

'Verdorie, dat dacht ik al. Een persoonlijk fabrikaat. Kan niemand afdraaien. Alleen technici in een gespecialiseerd laboratorium. Luister, God weet wat er op die cassettes staat – ik moet ze direct hebben. Zo snel mogelijk, begrepen?'

'Ja, sir,' zei Cristobal. Zijn stem klonk vermoeid en deemoedig.

'Stuur ze naar mij toe met uw beste mannetje, met die vent die zo op Alain Delon lijkt. Hoe heet hij ook alweer?'

'Garcia, sir. Garcia Lopez.'

'Waar zit hij?'

'In de stad. Hij is met die twee uit Frankfurt meegekomen. Heeft zich een paar uur geleden gemeld – op de voorgeschreven tijd. Hij woont bij zijn vriendin. Ik heb het telefoonnummer. Maar voor morgenochtend vertrekt er geen machine meer.'

'Het kan me niet schelen hoe hij vliegt en hoe vaak hij moet overstappen

als er niet onmiddellijk een rechtstreekse vlucht is. Hij vertrekt morgenochtend, begrepen?'
'Zeker, sir,' zei Cristobal onderdanig. 'Hij pakt het eerste het beste vliegtuig. Al moet hij nog zo vaak overstappen. Hij zal de cassettes onverwijld bij u brengen zodra hij in Londen is.'
'Daar reken ik op, Cristobal. We moeten eindelijk weten wat daar aan de hand is.'
In Londen werd de hoorn op de haak gelegd. Cristobal deed hetzelfde. Die mr. Morley had mij best goedenacht kunnen wensen, dacht hij terwijl hij de interruptor uitschakelde. Wat walg ik van die troep. Maar een mens moet nu eenmaal ergens van leven. Ik zal Garcia om vijf uur wekken. Ik kan toch niet slapen. Ik kan al jaren niet meer behoorlijk slapen. Soms hooguit een of twee uur, als ik geluk heb. Om vijf uur wek ik Garcia en dan zal ik tegen hem zeggen dat hij bij me moet komen om de cassettes op te halen. En dat hij direct naar Londen moet vliegen. Geef hem nu nog maar even de tijd voor de liefde, zei de oude man bij zichzelf. Nog even tijd maar.

22

DE REICHSFÜHRER VAN DE SS EN
HOOFD VAN DE DUITSE POLITIE
Berlijn, 31 maart 1944

SS-Oberf. Prof Dr Walther Wüst,
Kurator des Ahnenerbes
und Chef Amt Ahnenerbe/Pers. Stab RFSS
und
SS-Staf. Wolfram Sievers,
Reichsgeschäftsführer des Ahnenerbes

Bij het toekomstige weeronderzoek, dat wij zoals besproken na de oorlog systematisch door middel van een organisatie van ontelbare afzonderlijke waarnemingen willen opbouwen, verzoek ik u aan het volgende feit aandacht te besteden:
De wortelen resp. de bollen van de herfsttijloos bevinden zich in respectieve jaren op ongelijke diepte in de grond. Hoe dieper ze groeien, des te strenger de winter; hoe dichter ze aan het oppervlak zitten, hoe zachter de winter. Op dit feit maakte de Führer mij attent.
w.g. H. Himmler

Eduardo Olivera, die deze brief had voorgelezen, liet een pocketboek zakken en zette zijn hoornen bril af.
'Wat heeft dat te betekenen?' vroeg Daniel Ross. Hij, Olivera en Mercedes zaten weer in de rieten stoelen aan de rand van het zwembad, waarin op de vloer achter dik glas sterke lampen waren gemonteerd, die nu brandden

en het water van het bassin een blauwe weerschijn gaven. Het licht viel ook op de drie mensen. Ze hadden eerst naar de bibliotheek willen teruggaan, maar toen stelde Olivera voor nog even buiten te gaan zitten. Naast hen stond een bar op wieltjes. Ze dronken whisky. De bibliotheek was verlaten. De bandrecorder achter de closetpot in Miguels badkamer was nog geen enkele keer aangesprongen. Het was even voor half tien.

Op datzelfde moment achtervolgden de beide jongemannen in de blauwe Lincoln de bediende in zijn Volkswagen over de Avenida Sante Fe naar het Retiro, het centraal station.

'Daarmee wil ik laten zien, waarom Himmler mij liet wachten toen ik hem op 31 maart 1944 afhaalde om hem naar het ministerie van Buitenlandse Zaken te brengen en welke zorgen hij eind maart 1944 had. Hij begroette mij in zijn werkkamer, verontschuldigde zich en dicteerde aan een secretaresse, met wie hij al voor mijn komst aan het werk was, nog dit idiote memorandum aan het *Ahnenerbe*, waarvan hij de chef was. Von Ribbentrop had hem aan de telefoon gezegd, dat hij hem en Goebbels over een kwestie van het grootste belang moest spreken. Himmler wilde mij op die manier natuurlijk ook duidelijk maken hoe hij over Von Ribbentrop dacht. Ik ben die notitie over herfsttijloos nooit vergeten omdat ik woest was over de houding van Himmler. Later vond ik dan de exacte tekst van de notitie in dit pocketboek met bijna vierhonderd brieven aan en van Himmler. Onder nummer 305 staat werkelijk de zo ongelooflijk belangrijke bijdrage van Hitler aan het weeronderzoek, die Himmler zo nodig moest dicteren terwijl hij mij staande liet wachten.' Olivera legde het boek op de tuintafel. 'Ik moest Himmler 's middags om vier uur afhalen. Nadat hij met die flauwekul klaar was, vroeg hij nog om een dikke map en ondertekende brieven. Tegen half vijf verlieten we eindelijk de *Reichsführung* in de Prinz Albrechtstrasse 8. Op nummer 9 was het hoofdbureau van de Gestapo. We reden in een auto naar het ministerie van Buitenlandse Zaken in de Wilhelmstrasse. De wagen werd door een SS'er bestuurd en naast hem zat nog iemand van de SS. Ook Himmler droeg het zwarte uniform met de zilveren doodskop op de pet. Het weer was prachtig en daarom was er midden op de dag een bombardement van de Amerikanen geweest. De Amerikanen kwamen alleen met mooi weer en altijd overdag; de Engelsen kwamen, wat voor weer het ook was, 's nachts en soms wel tot tweemaal toe. Ik herinner me dat men veel branden nog niet meester was. Er hing een reusachtige rookwolk boven de stad. Overigens – het is onbegrijpelijk als je erop terugkijkt – waren de officiële bureaus van Von Ribbentrop, Goebbels en Himmler ondanks de ononderbroken luchtaanvallen, waarbij langzaam maar zeker de hele reusachtige miljoenenstad in puin viel en duizenden hun leven verloren, nog steeds – afgezien van vaak gebroken ruiten, die onmiddellijk werden vervangen – volkomen intact en er werd ongestoord in doorgewerkt. Alleen het ministerie van Propaganda was eind januari 1944 licht getroffen door een bom. De schade werd hersteld. Ongelooflijk – ja, heus. Alsof God er hoogst persoonlijk op toezag dat de heren niet werd belet het volk in de duivelse afgrond te storten waarin het aan het eind van de oorlog belandde ...'

Olivera, de democraat, nam een slok – *in memoriam Germaniae patriae*, om zo te zeggen. Hij vervolgde: 'Op het ministerie van Buitenlandse Zaken bracht ik Himmler naar de kelder. Daar hadden we verscheidene filmkamers. Von Ribbentrop en Goebbels zaten al te wachten, beiden in burger. Een ijzige begroeting. Goebbels en Von Ribbentrop ergerden zich over de late komst van Himmler en deze liet weer zijn minachting blijken voor Von Ribbentrop en zijn vrees voor Goebbels, die hij bewonderde en benijdde, omdat deze het vertrouwen van Hitler had. Dit toonde hij op de voor hem kenmerkende wijze: door bijzonder kordaat op te treden. In aanwezigheid van Hitler kreeg hij regelmatig knikkende knieën en dan bracht hij er geen enkele samenhangende zin uit.'

'Een man met vele gezichten, die Himmler,' zei Daniel Ross.

Olivera zette zijn bril op, bladerde in het pocketboek en knikte.

'Hier wordt hij aangeduid als "schoolmeester" en als "moordenaar vanachter zijn bureau, op wiens totale balans het niet al te veel scheelde, of het waren tien miljoen mensenlevens geweest", een "ondergeschikte" en toch "opperbevelhebber", een "occultist", "kruidenkweker" en "bezetene".'

Olivera liet het boek zakken. Hij dronk. 'Tja,' zei hij, 'en hij had nog wel honderd andere gezichten.'

'Een bloeddorstig burgermannetje,' zei Ross. 'Mijn hemel, wat waren die collega's van u een psychopaten, mislukkelingen, dwazen en verschrikkelijke criminelen!' Hij wendde zich tot Mercedes. 'Jij hebt politicologie gestudeerd. Weet je dat een van de belangrijkste universitaire vakken niet eens bestaat? Ik bedoel politieke psychologie. Zou aan elke universiteit gedoceerd moeten worden! De psychologische achtergronden van historische gebeurtenissen. Wat is de psychologische verklaring van het feit dat een dakloze asociaal door het Duitse volk tot Führer wordt gekozen en dat dit volk daarna de hele wereld ongelukkig maakt? Sorry.' Hij richtte zich tot Olivera. 'Ik heb u onderbroken.'

'Ga je gang, Daniel, ga door. Het is hoogst interessant.'

'Goed,' zei Daniel, 'met politieke psychologie bedoel ik de psychologische beschouwing van de geschiedenis der mensheid. Daarin zien we telkens weer dezelfde conflicten, telkens weer dezelfde afloop, telkens weer dezelfde persoonlijkheden, dezelfde nietige aanleidingen die naar het verderf voeren en die nauwlettend zouden moeten worden onderzocht. Een voorbeeld: wij kunnen de terugkeer van het fascisme alleen voorkomen als we ons psychologisch nauwkeurig met de uitgangssituatie en de mensen bezighouden.'

'Reken maar,' zei Mercedes.

'Er bestaan historici en er bestaan psychologen – maar er bestaan geen geschiedkundige psychologen. En dat is verbijsterend, omdat de mensheid zoals bekend immers niet in staat is lering te trekken uit de geschiedenis, maar er ook absoluut geen moeite voor doet iets te leren. En dat terwijl geschiedkundige psychologie de enige kans is die we nog hebben om prospectief, dus op de toekomst gericht, kwaad te voorkomen. En die kans neemt de mensheid op de hele wereld – zonder één uitzondering – niet waar. Ongelooflijk, niet? Het interessante van geschiedenis zijn toch niet de gebeurtenissen, maar de psychologische samenhangen die tot die gebeurtenissen hebben geleid. Dat zou het enige leerzame voor ons moeten zijn. Het enige dat ons kan redden. Maar geen mens piekert er ook maar over om een dergelijke wetenschap in te stellen.' Er ontstond een lange pauze. Mercedes keek Ross strak aan. Deze merkte haar blik op en zei enigszins verlegen tegen Olivera: 'Wat gebeurde er nu in Berlijn?'

'Nou ja,' zei deze, 'Von Ribbentrop verklaarde dat ik – eigenlijk mijn dienst natuurlijk – zojuist in het bezit was gekomen van een schandalige film en dat hij die film aan Goebbels en Himmler wilde laten zien . . .'

'. . . aan u, geachte doctor en u, Reichsführer, want ik wil deze film alleen aan de Führer tonen met een exact geformuleerd voorstel van ons,' zei Von Ribbentrop. 'Gaat u zitten!' Goebbels hinkte naar een stoel op de eerste rij van de kleine filmkamer, Ross en Von Ribbentrop gingen naast hem zitten en Himmler nam plaats aan het andere einde van de rij. Von Ribbentrop stak zijn hand op voor de operateur in de cabine. Het licht in het vertrek doofde langzaam en de film begon.

Gedurende de volgende vierendertig minuten zei geen van de mannen ook maar een woord. Niemand verroerde zich. Georg Ross observeerde beurtelings hun gezichten. Het gezicht van Goebbels leek wel een masker. Op de lippen van Von Ribbentrop lag een zelfvoldane, domme glimlach. Himmler was diep onder de indruk. Zijn mond stond open. Een keer viel het lorgnet van zijn neus op zijn knieën. Zijn handen trilden toen hij hem weer op zijn neus zette. Ross, die de film al voor de derde keer zag, voelde ook ditmaal grote opwinding. Hij haalde met moeite adem en zijn handen werden klam. Daarna was de film ten einde, het filmdoek was verblindend wit, werd dan vaal en de lichten in de filmkamer gingen weer aan. Nog steeds sprak niemand, nog steeds verroerde zich niemand. Pas na enkele minuten was de ban verbroken. Goebbels stond op en zei: 'Laten we naar boven naar uw kamer gaan, Von Ribbentrop.'

'"Laten we naar boven naar uw kamer gaan, Von Ribbentrop,"' herhaalde Olivera veertig jaar later. 'Dat was alles wat Goebbels aanvankelijk zei. Himmler begon: "Wie garandeert ons . . ." maar Goebbels viel hem met snijdende stem in de rede: "Niet hier! Blijft u kalm, Reichsführer!" Hij hinkte al voorop naar de deur. We gingen met een lift naar de reusachtige, protserige werkkamer van Von Ribbentrop. Alles in dit kantoor was reusachtig, protserig en smakeloos. Het was de bedoeling dat buitenlandse politici en diplomaten van de enorme gangen, de geweldige zuilenhallen, de beelden en gobelins onder de indruk kwamen en tevens geïntimideerd werden. Alleen bij Hitler was het nog erger . . . Nog iets drinken, Mercedes?'

'Graag.'

'En jij, Daniel?'

'Ja.'

'Weer puur, alleen met ijs?'

'Inderdaad, ja,' zei Ross. Hij keek toe terwijl Olivera de drankjes klaarmaakte. 'Ik neem aan dat iedereen zeer opgewonden was,' zei hij. 'Natuurlijk,' zei Olivera terwijl hij een ijsblokje in een glas liet glijden. 'Goebbels vroeg me . . .'

'Hoe is deze film in uw bezit gekomen, geachte heer Ross?' Goebbels ijsbeerde over een reusachtig tapijt tussen een marmeren bureau en een marmeren zuil waarop de meer dan levensgrote kop van Hitler, in brons gegoten, stond. Bureau en zuil waren ruim dertig meter van elkaar verwijderd. De drie andere mannen zaten in enorme leren fauteuils. Ross wilde opstaan, maar Goebbels maakte een afwerend gebaar.

Ross zei: 'Uwe excellentie weet dat ik verantwoordelijk ben voor de afdeling Midden-Oosten. Wij . . .'

Goebbels viel hem in de rede: 'Uw mensen in Teheran hebben de film in hun bezit gekregen, blijkbaar een kopie. Ik feliciteer u met zulke mensen. Uitstekende prestatie. Wat ik eigenlijk bedoelde, is: hoe is de film hier in Berlijn in uw bezit gekomen?'

'Op de gebruikelijke manier, excellentie. De resident in Teheran heeft mij – uiteraard in code – via de radio laten weten dat er een kopie van deze film was buitgemaakt. Zoals gebruikelijk wordt over de radio dan niet de werkwijze meegedeeld.'

'Dat weten wij ook wel,' zei Himmler agressief. 'Ga door, meneer Ross.' Goebbels keek Himmler aan. In zijn blik lag minachting. Hij hinkte langs hem heen over het grote tapijt.

'Vandaag is het vrijdag,' zei Georg Ross. 'De radioboodschap kwam maandagnacht om 3.40 uur door. Agent CX 21 werd aangekondigd, met de filmrol. Wanneer hij precies zou arriveren, kon niet worden gezegd. Zodra hij in Berlijn was, werd via de radio gezegd, zou hij de film in een koffer met cijfersloten bij het bagagedepot van het Bahnhof Zoo deponeren. Het reçu zou hij in een envelop stoppen en met een gefingeerde afzender aan mijn privé-adres in Dahlem sturen. Vanmorgen arriveerde de brief. Ik had mijn huishoudster verzocht mij in een dergelijk geval onmiddellijk op te bellen. Zij belde, ik reed naar Dahlem om de brief te halen – inderdaad zat er een reçu in. Ik ging naar Bahnhof Zoo en haalde de koffer af. Daarna kwam ik hierheen en opende de sloten. De cijfercombinatie was via de radio binnengekomen. In de koffer lag zorgvuldig verpakt een filmrol. Verder een lange tekst in code. Mijn afdeling heeft die direct ontcijferd. Het was een mededeling van CX 21 over hoe hij in het bezit van de kopie was gekomen.'

'En hoe?' vroeg Himmler. 'Op welke manier? Door wie? Noemt u namen, details!'

'Het is gebruikelijk, Reichsführer,' mengde Von Ribbentrop zich hooghartig in het gesprek, 'dat een dienst zijn agenten beschermt.'

'Dat weet ik ook wel,' zei deze woedend. 'Ik ben niet gek, Von Ribbentrop. Als wij iets met dat spul willen doen, zullen we de mensen moeten vertellen waar we het vandaan hebben en hoe het in ons bezit is gekomen.'

'Niet per se,' zei Goebbels. 'Ik bedoel: we hoeven de mensen niet per se de waarheid te vertellen. Wie doet dat nou, Himmler? Doe toch niet zo kinderachtig!' Hij richtte zich tot Ross. 'Het interesseert me uiteraard wel, hoe uw mensen te werk zijn gegaan.'

Georg Ross zei: 'Al op 29 november van het vorige jaar ontving ik een radioboodschap van mijn resident in Teheran. Hij gaf me in bedekte termen te kennen dat agent CX 21 . . .'

'Wie is dat, voor de duivel?' riep Himmler.

'Dat weet ik niet, Reichsführer. Dat weet niemand – alleen de resident in Teheran. Elk lid van een net kent nooit meer dan maar één ander lid.'

'U hoeft mij echt geen lesje te geven! Dat is me bekend.'

'Waarom vraagt u er dan naar, Himmler?' Goebbels keek hem in het voorbijlopen spottend aan.

'Ik . . . sla alstublieft niet zo'n toon aan, doctor, wilt u?'

Goebbels reageerde absoluut niet. Hij zei tegen Ross: 'U werd in de rede gevallen. Neemt u ons niet kwalijk.'

Ross maakte zittend een buiging.

'Ik wilde zeggen: in de radioboodschap van 29 november gaf mijn resident in Teheran mij in bedekte termen te kennen dat agent CX 21 contact had gelegd met een Amerikaan die bij de produktie van de film was betrokken. Die Amerikaan scheen zich in de grootste financiële moeilijkheden te bevinden. Hij was bereid CX 21 een kopie van de film te verschaffen, als wij op een rekening in Zwitserland vijf miljoen dollar stortten.'

'Hóeveel?' Himmler zette ongelovig zijn lorgnet af.

'Vijf miljoen dollar,' zei Goebbels geërgerd. 'Vindt u dat soms te veel voor zo'n document?' Daarna vroeg hij aan Ross, zonder verder nog aandacht aan Himmler te besteden: 'En?'

'En ik besprak de zaak met de chef van de geheime dienst en met de minister. Wij waren van mening dat we het moesten riskeren. De man die verantwoordelijk is voor Zwitserland regelde het nodige.'

'God zij dank!' zei Goebbels. Hij keek Himmler aan. Die zette zijn lorgnet weer op en trok het gezicht van een verongelijkt kind.

'U weet natuurlijk niet wie die Amerikaan is?'

'Natuurlijk niet,' zei Ross. 'Maar als we het willen weten, als we de naam – zeer tegen onze principes – móeten prijsgeven, kan ik de identiteit van de man en zijn positie natuurlijk te allen tijde laten vaststellen, doctor.'

'Goed. Ga door, Ross!'

Ross zei: 'Nadat de mededeling was ontcijferd, stelde ik onmiddellijk de minister op de hoogte en we bekeken samen de film.'

'Tweemaal,' zei Von Ribbentrop. 'Daarna heb ik u beiden opgebeld, mijne heren. Ik ben van mening dat wij met deze film de oorlog kunnen winnen, en wel heel snel.'
'Dat is ook mijn mening,' zei Goebbels. Hij had een kleur gekregen. 'Dit is het meest ongehoorde dat ik ooit heb meegemaakt. De gevolgen die het bekendmaken van deze film – als het maar handig wordt voorbereid – kan hebben, zijn gewoonweg niet te overzien.' Hij zette zijn gehandicapte maar snelle wandeling dwars over het reusachtige tapijt weer voort, met zijn handen op zijn rug. 'Allereerst moeten we een heleboel kopieën maken,' zei hij. 'De film moet bij de diplomatieke missies van het Duitse Rijk in alle neutrale landen – Zwitserland, Zweden, Spanje, Portugal, in heel Zuid-Amerika, Turkije enzovoort, enzovoort – aan alle geaccrediteerde gezanten of ambassadeurs, wier land met ons in oorlog is, getoond worden.' Goebbels lachte. 'Wat een heerlijke verrassing zal dat zijn voor Churchill – bijvoorbeeld.' Hij sprak steeds sneller. 'En voorts moeten alle door ons aangestelde politici in de landen die we hebben veroverd en bezet, de film zien: in Frankrijk, Polen, Noorwegen, Griekenland, Joegoslavië, Tsjechoslowakije, Hongarije en de Sovjetunie – voor zover die in ons bezit is. De politici én de miljoenen mensen in al die landen.' Hij was voor de bronzen kop blijven staan en keek ernaar. Daarna draaide hij zich om en hinkte verder. 'Voorts in landen die aan onze kant strijden. Roemenië, Bulgarije. En dat moet snel gebeuren, mijne heren! U kent allemaal de situatie. Bulgarije en Roemenië zullen we over een paar maanden moeten ontruimen. Maar het is van het grootste belang dat juist de mensen in Oost-Europa de film zien, want volgens het geheime verdrag zullen zij immers in Russische slavernij komen. Stelt u zich eens voor, wat een paniek daar zal uitbreken!'
'Precies daaraan hebben wij ook gedacht,' zei Von Ribbentrop. 'Daarom hebben wij u beiden uitgenodigd. U, doctor, omdat u het beste weet hoe men zo iets het meest effectief kan aanpakken, en u, Reichsführer, omdat u de macht hebt om in Duitsland en in alle bezette landen alles door te zetten wat dr. Goebbels wil. Op die manier kan het ons lukken vrijwel de hele wereld – naar Amerika dringt het door vanuit Zuid-Amerika en naar Rusland vanuit het door ons bezette gedeelte – voorbeeldig onder de aandacht te brengen, hoe twee mannen – twéé mannen zeg ik! – niets-ontziend, cynisch en met minachting voor de mensheid, het over het toekomstige lot van miljoenen en miljoenen mensen samen eens zijn geworden en de wereld in Teheran onderling hebben verdeeld. Dacht u niet, dr. Goebbels?'
'Ik vind,' zei de kleine man met de klompvoet terwijl hij bleef staan, 'het idee dat Rusland en Amerika de wereld werkelijk in tweeën hebben gedeeld, helemaal niet zo gek. Een man als Churchill bijvoorbeeld zal zich dat vast evengoed kunnen voorstellen als ik. En hij zal het zich des te beter kunnen voorstellen, hoe heftiger de Amerikanen en Russen protesteren en deze film als Duitse propaganda betitelen. Wat ze natuurlijk doen, wel móeten doen.' Hij liep door. 'Laat mij mijn gedachten verder uitspinnen. We moeten de film met name ook in alle bioscopen van het Grootduitse

Rijk brengen. Onze mensen moeten horen wat men met hen en hun land van plan is. Dat men het in tweeën wil delen, voorgoed. Dat het oostelijke deel in handen zal vallen van de bolsjevieken. Dat de mensen in dat oostelijk deel evenals de mensen in heel Oost- en Zuidoost-Europa geknecht en onderdrukt zullen worden door Rusland. Stelt u zich de uitwerking op onze Duitse mensen voor! Het vaderland – verdeeld! Verscheurd! Bezet!' Hij hijgde. 'Die film moet ook in de neutrale landen van het Verre Oosten en met name in Japan worden getoond. Japan, dat een heldhaftige oorlog tegen Amerika voert. Denkt u zich eens in hoe die trotse natie op zo'n film zal reageren! Stelt u zich voor hoe vrouwen, zonen, dochters en verloofden in de door ons veroverde gebieden zullen reageren, die hun man, hun vader, hun verloofde hebben verloren! Ongelooflijk ... ongelooflijk ...' Hij hinkte nu bijna struikelend. 'Wat een fanatieke vastbeslotenheid om voor elk huis, elke boom te vechten zullen alle Duitsers en de mensen in heel Zuidoost-Europa hebben bij de gedachte wat hen te wachten staat! Hoe zullen de zwaargewonden, de invaliden, de geamputeerden reageren, dat leger van miljoenen mensen van zovele naties? Waar hebben ze voor gevochten? Voor de bevrijding van vrees en ellende? Nee! Tot groter roem van twee mannen die menen dat de wereld van hen is.'

'Natuurlijk moeten de films begeleid worden door een stem in de verschillende landstalen,' zei Von Ribbentrop.

Goebbels keek hem spottend aan. 'Meent u dat echt, Von Ribbentrop? Wij weten dat de Anglo-Amerikanen een invasie voorbereiden op de Franse kust. Een geweldige operatie! Als die invasie lukt, zouden wij twee fronten hebben. Daarom moet nu alles snel gaan, snel, zeg ik. De Amerikaanse, Britse en Canadese troepen moeten van die film af weten voordat ze tot de aanval op de vesting Europa overgaan. Wat zal er dan in hen omgaan, wat móet er dan in hen omgaan? Met welke gevoelens zullen ze hun leven inzetten in de gevaarlijkste onderneming uit de krijgsgeschiedenis? Met welke gevoelens zullen de reeds nu dodelijk vermoeide soldaten van het Rode Leger doorvechten? Hoe zullen allen die nu tegen ons vechten op deze infamie reageren? Italië heeft gecapituleerd. Maar onze troepen zijn daar nog in gevecht met de Anglo-Amerikanen. In Noord-Italië moeten we de film natuurlijk ook vertonen! De mensen! Wat zullen de mensen doen? Als we het handig aanpakken zullen hele legers aan het muiten slaan, hele volkeren in opstand komen – dan móet het geallieerde bondgenootschap ineenstorten ...' Hij zweeg buiten adem.

In de stilte die nu volgde zei Himmler: 'Fantastisch! Prachtig! En als die film nu een vervalsing is?'

'Datzelfde wilde ik allang vragen,' zei Daniel Ross. Hij wees met een vinger naar Olivera. 'En als de film die u mij hebt laten zien een vervalsing is?'

'Daarop kan ik alleen antwoorden met de woorden van Goebbels, Daniel,' zei Olivera glimlachend ...

'Wat heet hier vervalsing, Himmler?' riep Goebbels uit. 'Nogmaals: de

Amerikanen en de Russen zullen hoe dan ook zeggen dat het een falsificatie is - dat móeten ze wel zeggen. Maar nu onder ons: wie zou de film vervalst hebben? Onder ons, heb ik gezegd. Meneer Ross, hebben uw mensen hier in Berlijn die film vervalst?'
'Nee, excellentie. Ik heb al verteld hoe hij in mijn bezit is gekomen.'
'Von Ribbentrop?'
'Nee. Ik heb vanmiddag voor het eerst van het bestaan ervan gehoord.'
'Dan kan hij dus alleen in Teheran vervalst zijn,' zei Goebbels. 'Die mogelijkheid bestaat. Het is onwaarschijnlijk maar mogelijk. Waarom zouden uw mensen in Teheran zo'n enorm karwei op zich nemen, meneer Ross? Hebben ze eigenlijk wel de middelen daartoe? Ik wil zeggen, over één ding zijn we het toch wel eens, Himmler: de opnamen van de personen zijn niet vervalst. Wij weten allemaal hoe Stalin en Churchill eruitzien, niet-waar? Die opnamen móeten dus echt zijn. Ook de opnamen van Harry Hopkins en Vorosjilov. Die twee móeten elkaar ontmoet hebben. Of denkt u dat het toneelspelers waren, Himmler? Toe nou!'
De Reichsführer antwoordde woedend: 'Goed, goed. Maar wie zegt dat er bij de ontmoeting van die twee niet heel andere dingen zijn besproken? Iets volkomen onschuldigs. Wie zegt dat Roosevelt en Stalin daar niet het een of andere onbelangrijke document hebben ondertekend, de een of andere afspraak tussen hun beide staten? Wat dan? Uzelf, Von Ribbentrop, hebt het niet-aanvalsverdrag met Rusland ondertekend en bent daarbij samen met Molotov gefilmd, heel openlijk. Hoewel dat werkelijk een belangrijk verdrag was, omdat we gewoon nog niet klaar waren om Rusland aan te vallen.'
'Waar bent u op uit, Himmler?' informeerde Goebbels.
'Voor mijn part zijn alle opnamen van de personen echt. Maar is het gesproken commentaar wel echt? Ik bedoel: zegt de commentator wel de waarheid? En in het bijzonder: is dat geheime verdrag wel echt? Voor een vervalser is het toch een koud kunstje om echte opnamen samen met een vervalst document te monteren, is het niet?'
'Ik zal u eens wat zeggen, Himmler,' verklaarde Goebbels. 'Natuurlijk zullen wij het hele verdrag laten onderzoeken door onze beste specialisten om vast te stellen of het echt is. Dat is een vanzelfsprekendheid. Daarvóór mag de film door niemand worden gezien, duidelijk? Ik ga ervan uit dat het verdrag op z'n minst in het jargon en op de wijze is opgemaakt waarin dergelijke documenten gewoonlijk worden opgesteld. Zelfs als we aanne-men dat de hele zaak een falsificatie is - denkt u dan dat de vervalser of vervalsers zich zoveel moeite hadden getroost als niet ook het verdrag zelf absoluut echt zou lijken? Nooit! En dan nog iets: wie, Himmler, wie zou de film vervalst hebben? En áls er vervalst werd - ik zeg u, dat dit voor een publiek van ontelbare miljoenen geen enkel verschil maakt. En waarom niet? Omdat iedereen zich kan voorstellen dat er een dergelijk verdrag tussen de Amerikanen en Russen is afgesloten. Omdat het mogelijk is! Daarom zal men ook een falsificatie voor echt houden. En meer nog: daarom is het volkomen onbelangrijk of de film echt of vervalst is.'

'Zeer juist!' riep Von Ribbentrop.

Goebbels vervolgde: 'Niets is zo effectief als het visuele. Dat heeft de grootste overtuigingskracht. Aan de echtheid van de personen kan niet worden getwijfeld. Een dergelijke vervalsing zou niemand voor elkaar hebben gekregen. Dus zullen de mensen ook in de echtheid van het verdrag geloven. Omdat het zo waarschijnlijk is.'

'Omdat het zo waarschijnlijk is, Daniel,' zei Eduardo Olivera. Hij nam een slok whisky. 'Dat is het antwoord op jouw vraag. Omdat het - en tegenwoordig duizenden malen meer dan toen - zo hoogst waarschijnlijk is dat er inderdaad een dergelijk verdrag werd opgemaakt.'

'De tijden zijn veranderd!' riep Ross uit. 'Door de televisie is de wereld klein geworden. Geen televisiezender ter wereld zou het wagen deze film uit te zenden zonder nauwlettend te onderzoeken of er geen getuigen zijn voor de echtheid. Of zonder een onderzoek in te stellen of hij soms toch werd vervalst - ik weet niet door wie. In Duitsland is men nog te zeer geschokt door het schandaal dat de *Stern* met de vervalste dagboeken van Hitler veroorzaakte.

'Maar dat was ook een stomme vervalsing,' zei Olivera kwaad. 'Zo stom, dat ik nooit van de verdenking kon loskomen dat het achter de schermen in wezen om iets heel anders ging.'

'Dat geloof ik niet,' protesteerde Ross. 'Over de hele wereld ontstonden verontwaardiging en schade voor de *Stern*. Als deze film vervalst is, is het op een onvergelijkelijk geraffineerde manier gedaan en zou het een onvergelijkelijk hevige verontwaardiging oproepen. Zo iets wil niemand. En zeker geen televisiezender. Nee, nee, dát moet u duidelijk zijn: niemand zal deze film zo maar uitzenden. Onder alle omstandigheden zal men allereerst de grootste moeite doen om geloofwaardige getuigen te vinden - voor een vervalsing of voor de echtheid. Dat zal moeilijk zijn, want het is al zo lang geleden en de meeste mensen die indertijd aan deze zaak werkten zijn dood. Niet allemaal. U leeft immers ook nog, vader. Er moeten ook nog anderen in leven zijn. We moeten ze vinden! Het mogen gerust mensen zijn die vertellen dat de film echt is en het bewijzen en mensen die getuigen dat hij vervalst is. Wij presenteren de toeschouwer de film dan met beide versies. Wij laten de toeschouwer zelf oordelen. Waarom kijkt u me zo aan?'

Olivera zei met verstikte stem: 'Je hebt voor het eerst vader tegen mij gezegd.'

23

'Zo, heb ik dat.' Ross stond op, liep naar de bar en maakte een nieuw drankje klaar. Hij dronk snel en sprak tegelijkertijd door: 'En wat het meest de doorslag geeft, waarom we beslist een onderzoek moeten instellen, is: alles wat ik nu weet - en wat Mercedes allang weet - weten we alleen van ú. U hebt net verteld hoe het indertijd in Berlijn was, wat u hebt gezegd en wat Goebbels, Von Ribbentrop en Himmler hebben gezegd. Die drie zijn allang dood. En als u nu eens liegt? Als alles zich nu eens heel anders heeft afgespeeld?'

'Waarom zou ik liegen? Hoe had het zich dan moeten afspelen?'

'Nou,' zei Ross, 'bijvoorbeeld zo: van authentiek materiaal afkomstig uit Teheran en van vervalst materiaal – ik bedoel het verdrag – dat uit Duitsland kwam, is in Berlijn door vakmensen met alle raffinement een film gemonteerd. En jullie hebben gesproken over die film en de mogelijkheden die de verspreiding ervan bood. Ik moet zeggen dat die versie mij uiterst waarschijnlijk lijkt – ook al lijkt de kopie nu, veertig jaar later, door hetgeen er inmiddels op de wereld is gebeurd, niet vals maar echt.'

'De film ís echt,' zei Olivera nadrukkelijk.

'Dat zegt ú. Dat zegt u hardop. Maar kan ik u geloven? U wilt de film toch verkopen – voor veel geld, is 't niet? Of wilt u hem voor niets afstaan?'

'Natuurlijk wil ik hem verkopen. Wat zou jij doen, Daniel, als je zo'n film had – in deze tijd?'

'Hetzelfde.'

'Zie je wel.'

'Ja, zie je wel. En daarom moet u erbij blijven dat de film echt is – zelfs al weet u of vermoedt u dat hij vervalst is.'

'Hij ís niet vervalst,' zei Olivera nu heel zacht.

'En waarom heeft Goebbels hem dan destijds niet in honderden kopieën overal laten draaien waar hij hem, zoals u beweert, wilde laten draaien?'

'Dat zal ik je zo vertellen, jongen. Ook al beschouw jij je vader als een leugenaar. Dat speelt geen rol. Daar heb je het recht toe. In zo'n belangrijke zaak heb je daar het recht toe. Ook al ben ik niet bepaald gelukkig met je houding.'

'Het komt er nu niet op aan of u gelukkig bent. Waarom is die film nooit door de nazi's vertoond?' vroeg Ross kwaad.

'Goebbels zei die middag . . .'

'We gaan onmiddellijk aan de slag. Allereerst moeten specialisten de tekst van het verdrag onderzoeken. Als zij die goedkeuren, kan in Babelsberg worden begonnen met het maken van kopieën en commentaren. De kopie die we hier hebben, moet op een absoluut veilige plaats worden bewaard.'

Von Ribbentrop zei: 'Wij hebben een gebouw in de Meinekestrasse, doctor. Enkele afdelingen zijn daar veilig ondergebracht. Het gebouw is vier verdiepingen hoog en heeft ook nog drie kelderverdiepingen. In het plafond van elke kelder zijn stalen platen verwerkt. Drie verdiepingen onder de grond staan kluizen met onze belangrijkste documenten. Geen bom kan daar iets vernietigen, ook niet de zwaarste.'

'Dus op naar de Meinekestrasse met die filmrol!' zei Goebbels.

Een uur later bereikten de Mercedes van Himmler en een Opel P 4, de dienstwagen die Ross ter beschikking was gesteld, de Kurfürstendamm, waar ze de Meinekestrasse insloegen. Ze stopten voor een gebouw dat bij het ministerie van Buitenlandse Zaken hoorde. De beide SS'ers, begeleiders van Himmler, stapten uit. Himmler bleef achter in de Mercedes zitten en trok de gordijntjes van de zijramen dicht want hij wilde niet gezien worden. Hij zag er altijd verschrikkelijk tegen op zo onverwachts in het openbaar op te treden. De SS'ers, bomen van kerels, haalden een koffer uit de achterbak van de P 4, die door een van hen naar binnen werd gedragen, op de voet gevolgd door Ross, terwijl de ander terug naar de Mercedes liep. Ross en zijn metgezel daalden de vele treden af naar de derde kelderverdieping. Een politieman die naast de portiersloge had gestaan, liep voorop. Hij kende Ross, die zich daarom niet had hoeven legitimeren. Elk trapportaal was beveiligd met twee stalen deuren, die de agent omstandig van het slot deed. Op de derde verdieping zag de verblufte SS'er reusachtige in de muur gebouwde kluizen. Het vertrek werd verlicht door sterke lampen. Ross nam de koffer over van de jongeman.

'Allebei omdraaien!' zei hij.

De SS'er en de politieman draaiden hem de rug toe. Ross stelde de combinatie van het cijferslot van een kluis in. De deur zwaaide open. Ross zette de koffer op een lege plank van dik staal. Daarna sloot hij de kast en draaide aan de schijf met de cijfers. De drie mannen gingen weer naar boven. De politieman deed de lichten uit op iedere etage die ze verlieten en sloot achter hen de stalen deuren weer af.

De SS'er nam weer naast zijn collega plaats achter het stuur van de Mercedes. Ross opende het achterportier. Bevreesd schoof de man met het lorgnet en het schoolmeestersgezicht achteruit, zijn ene hand half opgeheven als ter afweer van een klap.

'Ik wilde alleen even Heil Hitler zeggen,' verklaarde Ross.

'Ja . . . o ja. Heil Hitler, meneer Ross!' Himmler hief zijn hand op voor de zogenaamde Duitse groet, Ross deed hetzelfde.

'We bellen u morgenochtend op, Reichsführer,' zei hij. Hij sloeg het portier dicht en gaf de SS'er aan het stuur een wenk. De Mercedes vertrok. Ross liep langzaam naar zijn Opel terug. Het was half zeven 's avonds. Hij reed naar Dahlem, waar hij in Im Dohl een villa bewoonde die in een enorme tuin stond. De villa's daaromheen waren van talrijke nazi-topmensen en hoge ambtenaren van verschillende ministeries en organisaties in het stadscentrum. Ross liep de tuin door, waar de eerste bloemen al bloeiden. Het was een warme, mooie lenteavond. Het huis was zoals vele andere hier van een jood geweest. In de zogenoemde *Reichskristallnacht* van 9 op 10 november 1938 was zijn juwelierszaak op de Kurfürstendamm, evenals vele andere joodse zaken in heel Duitsland, leeggeplunderd. Hij en zijn vrouw werden door mensen van de SA doodgeslagen – zoals vele andere joden. Het ministerie van Buitenlandse Zaken bracht Georg Ross tijdens zijn regelmatige verblijven in Berlijn hier onder. De villa was nog steeds ingericht met de mooie en kostbare meubelen, tapijten en schilderijen van de vroegere eigenaar.

Terwijl Ross zijn regenjas uittrok, verscheen zijn huishoudster, mevrouw Valerie von Tresken, in de vestibule. Ross droeg een grijs kostuum van zeer fijn Engels flanel, een zijden overhemd met geborduurd monogram en een stropdas van foulard. Hij liep rechtop en verend en maakte de indruk zelfverzekerd en zich van zijn belangrijke positie bewust te zijn. De onderworpen en ook opvliegende filiaalhouder van de Österreichische Sparkasse in Wenen had niet het minste meer met hem gemeen. 'Heil Hitler, mevrouw Von Tresken.' Hij schonk haar een glimlach. 'Heil Hitler, meneer Ross.' Mevrouw Von Tresken was lang en mager, ze droeg haar haren opgestoken in een knot, gaf de voorkeur aan zwarte jurken en gebruikte nooit poeder of make-up. Ze zei: 'Juffrouw Holm is er al.'

'Wat, zo vroeg al?'

'Er was vandaag niets meer voor haar te doen, zegt ze.'

'Waar is Dora?'

'In bad.' Mevrouw Von Tresken keurde alles af wat de jonge toneelspeelster van wie hier sprake was, ook deed. Het meeste keurde ze de voortdurende aanwezigheid van Dora Holm in dit huis af. Mevrouw Von Tresken was afkomstig uit Oost-Pruisen en ze sprak met het accent van die streek. Ze woonde net als de kokkin en het kamermeisje sedert vijf jaar in de villa die Ross bij zijn verblijf in Berlijn onderdak verschafte. Het eerste half jaar was fantastisch geweest voor mevrouw Von Tresken. Toen kon zij de vrouw des huizes spelen en Ross alle bewondering en liefde geven die ze onmiddellijk voor hem had opgevat. Ze was even oud als hij en ze had in haar wanhopige verkramping, die het gevolg was van een al te strenge opvoeding, steeds gehoopt dat hij haar gevoelens zou beantwoorden. Maar toen was dat jonge ding gekomen, dat hoertje, en Ross had absoluut geen oog meer gehad voor een andere vrouw. Mevrouw Von Tresken had nooit begrepen hoe een man met zoveel charme en zulke goede manieren dermate het hoofd kon verliezen voor een meisje dat tien jaar jonger en zo verschrikkelijk ordinair was. Verbitterd keek ze Ross na, toen deze met twee treden tegelijk de trap op rende.

Hij holde een kleedkamer op de eerste etage binnen. Daar verkleedde hij zich. Zijn kostuum hing hij op een knaapje. Hij koos een lichte pantalon uit en een katoenen overhemd. Toen hij de kledingstukken uit de kast haalde, zag hij in een hoek het uniform van een majoor van de Duitse Wehrmacht. Snel sloot hij de kast. Daarna haastte hij zich naar de deur van de badkamer en klopte aan.

'Ik ben het, Georg.'

'Kom binnen!'

Dora Holm zat in de kuip en lachte hem toe. Hij zag haar knappe gezicht, haar prachtige borsten, haar natte, fijne huid en hij voelde zich gelukkig en uitgerust en tien jaar jonger.

'Dag, schat!' Hij kuste haar natte mond en daarna haar tepels.

'Toe ... doorgaan ... het is zo fijn ...' Ze duwde hem haar borsten tegemoet en verhief haar lichaam uit het water door op haar ellebogen te steunen. 'Daar ook.' zei ze. Hij kuste en likte haar rozige lijf. 'O ... o ... jij weet precies, waar,' hijgde ze. 'Vandaag gaan we fijn spelen, hè, lieveling? Ik heb zo'n zin in spelen.'

'Ik ook.' Hij richtte zich op. 'Nu is het afgelopen. Maar straks spelen we weer door.'

'Daar heb ik geen bezwaar tegen.'

Hij ging op een kruk zitten.

'Of niet?'

'Straks, schat. Straks, zo lang je wilt!'

'Maar ik wil nú! Als jij niet wilt, begin ik wel zonder jou.' Een hand verdween onder het schuim aan de oppervlakte. Hij bewoog een tijdje en toen lachte ze.

'Wat is er toch met uw broek aan de hand, meneer Ross?'

Hij lachte ook.

'Nee,' zei ze. 'Ik wil nu toch maar niet. Nu voel ik me zo heerlijk opgewonden en dat wil ik blijven tot na het eten. En na het eten gaan we spelen, hè?'

'Ja, schatje.' O God, dacht hij, wat hou ik van haar. 'Hoe komt het dat je al thuis bent? Ik dacht dat jullie tot zes uur draaiden.'

Ze lachte weer.

Een vrouw die altijd lacht, een knappe, jonge vrouw, dacht hij. En Thea in Wenen. Nee, niet aan denken!

'Komt allemaal door de salami,' zei Dora.

'Ik begrijp er geen barst van.'

'Vind je mijn borsten mooi?'

'Ja, schatje van me.'

'Zijn ze niet te groot? Soms ben ik bang dat ze te groot zijn.'

'Ze zijn precies goed.'

'Fijn. Dat is belangrijk voor me. Ze moeten precies goed voor jou zijn, lieveling.' Ze streelde haar borsten.

Hij dacht: binnenkort kennen we elkaar al vijf jaar. Toen ik haar voor het eerst ontmoette in de Königin-Bar zat ze nog op de toneelschool van de UFA. Nu heeft ze al echt grote rollen met beroemde tegenspelers. Haar ouders in Hamburg weten van onze relatie en dat Dora met mij samenwoont. Lieve Dora.

'Wat was er met die salami?' vroeg hij.

Ze lachte weer. Onder een handdoek die ze om haar hoofd had gebonden, sprongen zwarte haartjes te voorschijn. Ze had heldere, blauwe ogen en een grote mond.

Misschien, bedacht Eduardo Olivera, ben ik daarom zo dol op mijn stiefdochter Mercedes ...

'We zijn toch bezig met de verfilming van *De wateren onder de aarde,* naar de novelle van Harsányi? Nou, en vandaag was er een scène waarin Heinrich George met zijn buurman en mij ontbijt. In de novelle en in het draaiboek staat dat de tafel doorbuigt onder vlees, brood, kaas, boter, druiven enzovoort ... en George moest salami eten. Salami, zei ik, lieveling!'

124

'Ja, ik hoor het, schat. En toen?'
'En! Wanneer heb jij voor het laatst salami gegeten? Echte Hongaarse?
Nou, zie je wel! Die is er toch al in geen eeuwigheid meer.'
Ze lachte weer. En hij dacht: wat houd ik toch van haar.
'Maar in de novelle en in het draaiboek staat: Hongaarse salami. Nou,
George maakte een stennis, dat kan ik je wel vertellen. Is daar al twee weken
geleden mee begonnen. Dat kan hij zich permitteren.' Ze imiteerde Heinrich George: 'Hier staat dat ik Hongaarse salami eet, dus kom op met die
Hongaarse salami! Verdwijn met jullie surrogaatworsten! Ik ben een
kunstenaar die zweert bij trouw aan de werkelijkheid. Als ik geen Hongaarse salami krijg, kan de scène dadelijk worden geschrapt.' Dora stak eerst
haar ene been uit het water en daarna het andere. Ross kuste vlug haar
tenen.
'Nou ja, wat moesten ze doen? Eerst informeerden ze bij Rollenhagen.
Die hadden natuurlijk niets. Daarna gingen ze gewoonweg overal informeren. Geen salami. Dus belden ze de Hongaarse ambassade op.'
'Nee toch!'
'Ja toch, lieveling. Wacht, het wordt nog veel mooier! De Hongaarse
ambassade heeft ook geen Hongaarse salami. Ze bellen naar Boedapest.
Komt er een koerier per vliegtuig uit Boedapest naar Berlijn met Hongaarse salami in een diplomatenkoffer.'
'Dat is niet waar!'
'Heus! De koerier brengt de Hongaarse salami naar de Hongaarse
ambassade. De salami is geleend van Zijne Excellentie de Rijksbestuurder
Horthy. Geléénd, zeg ik, alleen geleend. Ze moeten beloven dat hij het
grootste stuk weer terugkrijgt. Op het grote Duitse UFA-erewoord.'
'Hou op, Dora!'
'De Hongaarse salami wordt, begeleid door een attaché van de ambassade, naar Babelsberg gebracht. Afgesproken is dat George bij de repetities
alleen maar doet alsof en dat hij daarna bij de opname maar een klein stukje
opeet. Nou, en dan begint de komedie pas goed. Eerst gebeurt er nog niets.
Maar dan de eerste opname: George snijdt een enorme homp salami af,
kauwt, smakt en verspreekt zich – natuurlijk expres.'
Ross begon te lachen.
'Scène 304, take twee!' Dora deed de clapper boy na. 'George smikkelt
weer wat hij naar binnen kan krijgen, verslikt zich en krijgt een hoestbui.
Stop. De attaché wordt steeds onrustiger. Ucicky heeft de tranen in zijn
ogen – de regisseur, weet je. Hij smeekt George: "Heinrich, ter wille van mij,
alsjeblieft, doe het nu goed, hè?" Scène 304, take drie!' Dora klapt weer in
haar handen. 'George smult. Alles gaat goed. Nog drie seconden. Nog twee.
Nu verslikt George zich en kan geen lucht meer krijgen.'
'O God, nee!'
'O God, ja! De geluidstechnicus stopt. "Wat is er nu weer?" schreeuwt hij.
Dus: 304, take vier! Ditmaal begint George halverwege te lachen als een
dwaas. Wat zal ik je zeggen? Hij heeft werkelijk de hele salami naar binnen
gewerkt. Het is toch zo'n boom van een vent, niet, en pas bij het laatste stuk

is scène 304 dan eindelijk klaargekomen. Maar de man van de ambassade krijgt een driftbui en Ucicky ook en daar staat George op en zegt: "Nou, dat was het dan, dames en heren, prettige avond!" en gaat.

Daarom was ik vandaag vroeg klaar. Denk je dat Hongarije ons nu de oorlog verklaart, lieverd?'

24

Toen ze uren later gelukkig en uitgeput naakt naast elkaar in het brede bed lagen en samen een sigaret rookten, werd de romantische radiomuziek onderbroken en klonk er een mannenstem: 'Hier is de Rijkszender Berlijn; attentie, een mededeling over de situatie in de lucht: zware vijandelijke gevechtsformaties vliegen naar de Duitse Bocht en Mark Brandenburg.' De omroeper herhaalde de mededeling. Daarna klonk de romantische muziek weer.

Dora liet zich uit bed rollen. Ross stond op. Ze trokken alleen slaapkleding en hun ochtendjas aan. Dora pakte een tas van krokodilleleer waarin haar sieraden en papieren zaten, en Ross droeg een grote aktentas toen ze het huis verlieten om door de donkere tuin naar de kleine, maar met zeer dikke muren gebouwde betonnen bunker onder de grond te gaan. Von Ribbentrop had erop gestaan dat Ross deze bunker liet bouwen. Ze gingen de trappen af. Mevrouw Von Tresken, de kokkin Pikuweit en het kamermeisje zaten er al. Er was plaats genoeg. Ook hier stonden een radio en een telefoon – de leidingen waren vanuit het huis doorgetrokken.

De Rijkszender Berlijn was intussen uit de lucht, ze hoorden alleen het tikken van de zogenoemde distributieradio. Van tijd tot tijd maakte een meisje vanuit de commandocentrale van de Gauleiter bekend waar de vijandelijke machines zich bevonden. Op de eerste formaties volgden andere. Al snel hoorden ze het zware gebrom van vele motoren en het geblaf van de luchtafweer, dan de eerste explosies – ver weg. De lamp in de bunker ging uit, dan weer aan, flikkerde. De kokkin huilde.

Dora probeerde haar moed in te spreken. Ze zei: 'U moet niet bang zijn, mevrouw Pikuweit. Hier bij ons in Dahlem gebeurt niets. Ook niet in Grunewald.'

'Hoe kunt u dat nou weten?' vroeg mevrouw Von Tresken pinnig.

'Nou, is er al eens iets gebeurd? Een paar bommen, ja. Maar echt gebeurd? Nee! En weet u waarom niet, mevrouw Pikuweit? Een belichter uit de studio heeft het me verteld en ik geloof het. Ze willen toch de oorlog winnen, de Amerikanen en de Engelsen? Nou, en als ze die winnen, dan komen ze toch naar Berlijn, is het niet? En dan zullen ze toch in de mooiste villa's in de mooiste buurten willen wonen, dus waar nu de hoge pieten zitten – in Dahlem en in Grunewald. Dan gaan ze de mooiste villa's toch niet bombarderen. Dat is toch logisch, nietwaar?'

'Hou je mond toch!' zei Ross, eensklaps zeer geërgerd.

'Ik zeg toch alleen maar wat de belichter heeft gezegd. En omdat mevrouw Pikuweit zo bang is.'

'Och, beste juffrouw,' zei de bleke kokkin met roodbehuilde ogen. 'Ik huil toch niet omdat ik bang ben. Ik huil om mijn goeie Oskar. Ik heb al vijf weken niks meer van hem gehoord. Eerst mijn man. En nu ook nog mijn jongen. Hij is nog maar twintig, net twintig . . .' Ze barstte weer in tranen uit. Dora drukte haar tegen zich aan en praatte tegen haar, maar de bleke vrouw was niet tot bedaren te krijgen. Nu klonken er voortdurend explosies. De grond trilde. Weer ging het licht uit en aan. De meisjesstem sprak van zware gevechtsactiviteiten en zware bombardementen in het centrum en het noorden van de stad. En steeds kwamen er weer nieuwe gevechtsformaties op Berlijn aanvliegen.

De kokkin raakte eensklaps volkomen overstuur. Ze schreeuwde: 'Harder! Harder! Hak ze allemaal maar in de pan! Dat is de straf Gods omdat we hoera hebben geschreeuwd bij alles wat hij heeft gedaan! Hij, Hitler, in eigen persoon! Toen hij de Tsjechen aanviel en de Polen en België en Nederland en Frankrijk en Noorwegen en Rusland. En de joden! Niet één hand heeft zich tegen hem opgeheven. Waarom niet? Hij is zo sterk en wij zijn zo laf. Onbarmhartig straft ons de goede God, onbarmhartig. Daarom moeten ze creperen hier en aan de fronten, mijn arme Paul en mijn arme Oskar en zo vele, vele anderen . . .' Mevrouw Pikuweit streek met een hand over haar voorhoofd als iemand die ontwaakt.

'Neemt u mij niet kwalijk, meneer. Ik weet niet wat er met me aan de hand was, ik heb mijn verstand verloren van verdriet. Vergeef het me alstublieft!'

'Vergeven?' schreeuwde Ross met een vuurrood gezicht en buiten zichzelf van woede. 'Dat zou u wel willen, mevrouw Pikuweit! U hebt het gewaagd de Führer uit te schelden! Ongehoord! Misdadig!'

'Laat nou maar, Georg,' zei Dora zacht. 'Die arme vrouw. Haar man verloren. Haar zoon waarschijnlijk ook dood. Ze wist toch niet wat ze zei.'

'Hou je erbuiten, wil je?' schreeuwde Ross. 'Ze wist niet wat ze zei! Wat heeft dat te betekenen? Honderdduizenden verliezen hun geliefden in onze heldhaftige strijd. En mevrouw Pikuweit denkt dat ze met modder naar de Führer kan gooien. Nou, dan heeft ze zich lelijk vergist, die mevrouw Pikuweit!'

'Inderdaad, zo is het!' riep Valerie von Tresken.

'Om godswil, u gaat me toch niet aangeven, meneer Ross!' De kokkin viel op haar knieën en sloeg haar armen om zijn knieën. 'Alstublieft, geeft u mij niet aan!'

'Natuurlijk ga ik u aangeven!' brulde Ross. 'Dat is mijn plicht. U maakt u toch schuldig aan hoogverraad!'

'Alstublieft, als u mij aangeeft, is het toch met me gedaan! Ik smeek u, heb genade, meneer Ross! Ik heb het toch niet zo gemeend! Ik was alleen maar overstuur!'

'Laat onmiddellijk mijn knieën los!' schreeuwde Ross. Hij schopte naar haar. De kokkin viel op haar rug.

'Niet aangeven!' riep ze. 'Alstublieft niet aangeven!'

De telefoon rinkelde.
'Stil!' brulde Ross. 'Allemaal mond houden, onmiddellijk!' Hij nam de hoorn op en zei: 'Ja?'
'Meneer Ross?'
'Met wie spreek ik?'
'Centrale ministerie van Buitenlandse Zaken.'
'Wat is er gebeurd?'
'Ons gebouw aan de Meinekestrasse heeft een voltreffer gekregen. Het huis ernaast ook. Het is één grote puinhoop.'

25

Dok Sur, het zuidelijke dok, drong als een lange, smalle vijl zeer ver in het randgebied van Buenos Aires door. Op de naar de Rio de la Plata gekeerde zijde stonden grote raffinaderijen en olietanks. Hier was nog veel open land met vuilnisbelten, autokerkhoven, vermolmde houten hutten en duizenden ratten. Het waren enorm grote dieren en de mensen die daar woonden waren er erg bang voor, want de ratten hadden de gewoonte kleine kinderen in hun slaap aan te vallen, hun keel door te bijten en ze dan aan te vreten. Hier woonden de armsten der armen.

Aan de andere kant van dok Sur, de overkant van de Debenedettistraat, stonden in lange rijen grauwe, foeilelijke meergezinshuizen van de sociale woningbouw. De bewoners daarvan waren ook arm, maar behoorden niet meer tot de armsten der armen. De Debenedetti vormde een sociale grens die door iedereen werd gerespecteerd, zelfs door de ratten.

Een groene Ford hobbelde over de gaten van de Olimpiastraat en bleef voor een huis van drie verdiepingen staan. Er zaten twee mannen in de auto.

'Nummer vijftien. Hier wonen zijn ouders, Pio,' zei de man aan het stuur. 'Daar staat zijn Volkswagen. Hij woont op de derde verdieping, helemaal links. Dat open raam daar.'

'Oké,' zei de man die Pio heette. Hij stapte uit, liet het portier open, ging naar het houten hekje dat rond het piepkleine voortuintje stond, bukte zich voor een paar kiezelstenen en gooide die door het open raam op de derde verdieping. Het duurde niet lang of Miguel vertoonde zich. Zijn bovenlijf was naakt. Hij maakte een verschrikte indruk.

'Wat is er?'
'Miguel Morales?'
'Ja. Wie bent u?'
'Dat vertel ik je zo wel. Kom naar beneden. Het is dringend.'
'Ik wil weten wie u bent.'
'Zachtjes! Wek je ouders niet! Wat zei de mier tegen de libelle?'
Miguel haalde verlicht adem. Opgelucht antwoordde hij: 'Dans toch, dans! In de winter zul je bitter honger lijden.' Daarna betrok zijn gezicht. 'Er is toch niets gebeurd, hè?'
'Ja. Kom nu eindelijk eens naar beneden!'

'Direct.'

Miguel kwam dadelijk naar buiten. Hij had wegens de hitte alleen een slipje aan en zag er slaperig uit.

'Kom in de auto,' zei Pio.

Miguel volgde hem. 'Goedenavond,' zei hij tegen de man achter het stuur.

'Goedenavond. Ik heet Ernesto. Dat is Pio.' Ze gaven elkaar een hand. Miguel zat met Pio op de achterbank. Ernesto deed de koplampen uit. Ze praatten heel zachtjes.

'Ben je vandaag in het Retiro geweest?'

'Zoals elke vrijdag.'

'En heb je iets in de bagagekluis gelegd?'

'Drie cassettes.'

'Shit.'

'Wát shit?'

'Wanneer heb je ze erin gelegd?'

'Half tien of iets later.'

'We waren er om tien uur. Zoals altijd. De kluis was leeg.'

Miguel drukte zijn vuisten tegen zijn borst. Plotseling rilde hij alsof hij het koud had.

'We hebben de chef op de hoogte gesteld. Hij heeft ons direct naar jou gestuurd. Jij bent in het weekeinde altijd hier als je vrij hebt, zei hij. Dan breng je altijd geld en eten naar je ouders. Goeie jongen. Maar de goeie jongen heeft pech gehad.'

'Heilige Moeder Maria! Nu begrijp ik het.'

'Wat begrijp je?'

'Die rotzakken.'

'Wie?'

'Die vervloekte rotzakken! Die hebben de botsing expres georganiseerd.'

'Wat voor botsing?'

'Op de parkeerplaats voor het Retiro ...' Miguel vertelde wat daar gebeurd was. Hij concludeerde: 'Terwijl ik met de ene vent onderhandelde, moet de andere de cassettes uit de kluis hebben gehaald. Bliksemsnel.'

'Bliksemsnel! Hoe dan wel, man? Je hebt de kluis toch afgesloten, of niet soms?'

'Natuurlijk. Muntjes in de gleuf gegooid en afgesloten. Anders had ik de sleutel er toch niet uit kunnen halen.'

'Héb je die eruit gehaald?'

'Luister eens ...'

'Héb je dat, Miguel? Ze hebben drie cassettes! Het is absoluut niet te overzien wat ze nu gaan doen. Als je werkelijk de kluis hebt afgesloten, moet je toch de sleutel hebben.'

'Natuurlijk heb ik die.'

'Waar?'

'In mijn polstasje.'

'Haal hem!'

'Nou, weet je . . .'

'Haal hem, onderkruiper! Is het je niet duidelijk dat je nu al halfdood bent?'

'Half . . .' Miguel staarde Pio aan. Daarna sprong hij naar buiten. Geruisloos rende hij het huis in. Even later kwam hij terug en kroop weer op de achterbank. Hij had een leren tasje bij zich. De vreemd getande sleutel hield hij in zijn hand.

'Hier, alsjeblieft.'

'Dan moeten die kerels een duplicaat hebben gehad. Ze moeten je al langer in de gaten houden. Ze kenden het nummer van de kluis.'

'Daarmee heb je nog geen duplicaat.'

'Ik weet niet hoe ze het hebben gedaan,' zei Ernesto, 'maar ze hébben het gedaan. Staat de recorder nu aan?'

'Ja.'

'Vervloekte idioot!'

'Noem me geen idioot, wil je? Olivera heeft gezegd dat hij met die man weer naar de bibliotheek gaat. Ik heb het eerste lange gesprek opgenomen. Natuurlijk willen ze ook het tweede, dacht ik bij mezelf.'

'Dacht, m'n reet! Je bent ontdekt, Olivera weet het misschien allang. En jij plakt ergens een afluisterapparaat tegenaan en dan loopt de bandrecorder!'

'Daar kan ik ook niets aan doen.' Miguel werd koppig. 'Ik heb altijd precies gedaan wat mij gezegd werd.'

Ernesto legde een hand op zijn schouder. 'Pio bedoelt het niet zo kwaad. We zijn allemaal opgewonden. Jij kunt er niets aan doen, dat is duidelijk. Maar nu moet je doen wat wij zeggen. De chef heeft ons dat opgedragen. Jij kleedt je aan en rijdt naar de Cespedes.'

'Wat, nú?'

'Nu. Als Olivera of een ander je ernaar vraagt, verzin dan een of andere smoes. Je wilt liever in de villa slapen. Zodra het kan, haal je het afluisterapparaat weg. De recorder en de ontvanger ook. Pak alles bij elkaar, ook wat er verder nog is. Alles moet verdwijnen. Geen sporen nalaten.'

Miguel werd woedend. 'Geen sporen! Olivera weet toch allang dat ik het was! Die heeft vast al mijn kamer doorzocht en alles gevonden. Hij of zijn nieuwe vrienden – die uit Europa bijvoorbeeld. Daar staat de politie me toch al op te wachten. Jullie zijn gek. Ik kan nooit meer terug.'

'De chef zegt . . .'

'Ik heb lak aan de chef! Laat hij er zelf maar heen gaan!'

Pio had eensklaps een zwaar pistool in zijn hand. Hij duwde de loop tegen Miguels blote buik. 'Jij gaat terug en doet wat je gezegd wordt. Misschien weet Olivera nog helemaal niets.'

'Weet nog helemaal niets! Als ze al ruim twee uur geleden de cassettes hebben gepikt! Weet helemaal niets, jullie schoften! Natuurlijk weet hij het. Natuurlijk is de politie daar. En wat krijg ik? Drie jaar? Vijf?' Hij werd hysterisch.

Ernesto leunde naar achteren en sloeg hem links en rechts in het gezicht, zo hard hij kon. 'Hou je bek!'

Miguel beefde weer.

'Je gaat! En dadelijk! We rijden achter je aan. De chef heeft gezegd dat we je moeten vermoorden als je niet teruggaat. Dan kun je tenminste je mond niet opendoen als Olivera het werkelijk al zou weten.'

'Maar hij hóeft het niet te weten, zegt de chef. En jij bent de enige die het huis in kan.' Het koude staal van het pistool van Pio boorde zich in Miguels buik.

Miguel hijgde.

'Denk aan generaal Alvarez. Je hebt hem bij de Heilige Maagd gezworen dat je je leven zult geven als het noodzakelijk is. Dus: ja of nee? Doe je het niet, dan werken we de zaak nu direct af.'

Miguel zweeg.

'Smeerlap!' zei Pio plotseling verontwaardigd.

'Wat is er?' vroeg Ernesto.

'Heeft het in zijn broek gedaan. Alles drijft. Wat een smeerlapperij, zeg!' Pio was half opgestaan. Hij steunde op één hand.

'Het spijt me . . . Ik zal alles schoonmaken . . . Het kwam alleen doordat ik zo bang was . . . zo verschrikkelijk bang,' riep de knappe jongen met de gebronsde huid en de amandelvormige ogen wanhopig uit.

'Vooruit! In de kofferbak liggen lappen,' zei Pio, terwijl hij Miguel de wagen uit duwde. 'Schiet op! Ruim die troep op, vuilak!'

26

'Dat was de aanval in de nacht van 31 maart op 1 april 1944,' zei Eduardo Olivera. 'Het puin van twee huizen in de Meinekestrasse over elkaar gevallen. De filmrol drie verdiepingen onder de grond. In de vloeren van alle etages stalen platen verwerkt. En dag en nacht kwamen die gangsters, dag en nacht.'

'Laten we maar liever niet over gangsters praten,' zei Ross. 'U bent toch democraat en geen nazi meer, hebt u verklaard. Wie is er nou eigenlijk met bombarderen begonnen? Wie heeft Rotterdam en Warschau en Coventry op zijn geweten? Wie heeft brullend en onder het gejubel van zijn toehoorders verkondigd dat die steden waren *ausradiert*?'

'Het was onmenselijk, Daniel. Onmenselijk, zeg ik je,' fluisterde Olivera en bedekte zijn ogen met een hand die hij als een scherm voor zijn voorhoofd hield.

'Wanneer waren jullie dan menselijk?'

'Daniel, alsjeblieft . . .'

'Nee, Mercedes, nee! Dat door God vervloekte misdadigerstuig en mijn vader daarbij als grote partijbons! Met geestdrift! In de luxe van een huis dat het eigendom was van joden die men vermoedelijk had doodgeslagen. Heeft mijn vader zich daar ook maar íets van aangetrokken? Hij heeft zich daar geen lor van aangetrokken! Hij leidde een fijn leventje met een filmhoer. Hou toch op, dat was toch zijn mooiste tijd! Hém is niets overkomen! Vijftig miljoen mensen zijn omgekomen! Maar híj niet!' De laatste zin schreeuwde Ross uit. Hij stond op. Hij kreeg het plotseling verschrikkelijk heet en voelde zich misselijk. 'Hij hoorde bij de moordenaars, niet bij de vermoorden, mijn vader. Nu heb ik viermaal vader gezegd. U bent zeker ontroerd, hè? Daar krijgt u tranen van in uw ogen, hè? O God, en dat is mijn vader! Dat is . . .' Hij wankelde naar het zwembad.

'Waar ga je heen?' riep Mercedes.

'Weg! Ik moet weg bij die vent!' Dat kon Ross nog net uitbrengen, daarna schoot de oude, zo welbekende angst in zijn keel omhoog en hij bleef staan. Met beide handen hield hij zich vast aan de stam van een palmboom. Het bloed klopte zo hard in zijn slapen dat het pijn deed. Dit is te veel voor mij, al een hele tijd te veel, dacht hij bij zichzelf. En er komt nog meer, dat weet ik. En ik moet alles horen, want ik moet alles weten, de hele smerige waarheid, als ik met die film weg wil. En dat wil ik, dat is de story van mijn leven, de film en mijn vader bij de nazi's, bij de beul Himmler, de satan Goebbels, de schoft Von Ribbentrop. Die sloot een niet-aanvalsverdrag met Rusland, dat een jaar later prompt werd aangevallen door de nazi's, die criminelen van het Duizendjarige Rijk, en mijn vader was een van hen, een van de groten . . .

Daniel Ross ging naar het zwembad, knielde en waste zijn gezicht met koud water. Hij voelde zich ellendig. Hij slikte Nobilam, hij wist niet eens hoeveel. Hij schudde de tabletten uit het buisje in zijn hand, gooide ze in zijn mond en slikte ze door zonder water. Wat geeft het als die vent het ziet, niets geeft er meer, je moet nu volhouden, zei hij tegen zichzelf; dat is het enige dat belangrijk is, volhouden moet je. Hij kwam naar de tafel terug, schonk zijn glas halfvol whisky en dronk tot zijn ogen traanden. Hij liet zich in zijn stoel vallen.

'Zo gaat het niet, jongen,' zei Olivera. 'Ik heb jou nodig en jij hebt mij nodig.'

'Goed. Het was gewoon meer dan ik kon verdragen. Het zal niet meer gebeuren – vader! Vat het alstublieft op als een belediging als ik vader zeg en niet bijvoorbeeld als kinderliefde die aan het doorbreken is, goed?' Hij keek Olivera aan. Ze was bleek geworden. De toch al smalle lippen vormden een streep. 'En verder?' zei Ross. 'Hebt u de kokkin aangegeven?'

'Natuurlijk. Dat was mijn plicht.'

'Dat was dus uw plicht, *Herrenmensch*!'

Olivera beheerste zich uit alle macht. Hij zei: 'Nu ben ik een ander mens. Dat moet je van me aannemen. Indertijd was ik een fanatieke nazi, dat geef ik toe. Ik geef alles toe. Ik verberg niets. Ik vertel alles. Ook Mercedes wist dat niet. Het is heel . . . heel moeilijk alles te vertellen zoals het was. Neem dat maar van mij aan.'

'Dat neem ik van u aan – vader!'

'Zeg geen vader tegen mij!' schreeuwde Olivera.

Ross lachte.

132

'Hou op met lachen!'

Ross hield op.

'Ik geloofde toch in Hitler. Ik . . . voor mij was hij zo iets als een god . . . Nu weet ik allang dat hij een duivel was . . . maar toen . . .'

'Wat gebeurde er met de kokkin?'

'Werd opgehaald, natuurlijk. Nog in dezelfde nacht.'

'Gefeliciteerd! Man verloren, zoon verloren. Voor die vrouw de valbijl zeker, hè?'

'Vermoedelijk wel,' zei Olivera. 'Ik had dat over die kokkin niet aan jullie hoeven vertellen. Ik had jullie een heleboel niet hoeven vertellen. Maar ik wil jullie alles vertellen. Denk je dat het voor mij gemakkelijk is?'

'Het is voor u heel gemakkelijk geweest om de kokkin aan te geven.'

Olivera zei: 'We kunnen natuurlijk op die toon doorgaan. Maar daarmee verliezen we alleen tijd. En het is absoluut zinloos.'

'Dat is waar,' zei Ross. 'U hebt gelijk. Laten we ermee ophouden. Mijn moeder wist dus dat er een andere vrouw was. Daarom wilde u scheiden. Daarom hebt u moeder getreiterd, haar uitgescholden en scènes gemaakt, elke keer als u in Wenen met verlof kwam. Waarom kwam u eigenlijk nog?'

'In de eerste plaats omdat ik immers officieel militair was. Majoor in Rusland. Mijn camouflage. De dienst stond erop dat ik "met verlof" ging. In de tweede plaats hield ik me dan ook altijd bezig met het bureau in Wenen. Dat ressorteerde onder mij. Wenen was de springplank naar het Midden-Oosten. Je ziet: ik móest wel komen.'

'Ja, dat zie ik. Voor de dienst moest u komen. We kotsten allebei van u, allebei.'

'Jij niet. Ik hield veel van jou.'

'Maar moeder was een gruwel voor u.'

'Natuurlijk,' zei Olivera. 'De nacht van de waarheid. Ik heb in mijn leven genoeg gelogen. Ik lieg niet meer. Je wilt de waarheid horen? Die kun je krijgen. Eigenlijk kotste ik indertijd van jou – omdat jij net als je moeder een blok aan mijn been was. Ik zei toch dat ik van die jonge vrouw, die actrice, Dora Holm, hield.' Plotseling glinsterden er tranen in zijn ogen.

Ross staarde hem verwezen aan.

'Vader!' Mercedes was opgesprongen en naar Olivera gerend. Ze omhelsde en kuste hem. 'Toe, alstublieft, niet huilen!'

Olivera streek over haar zwarte haar. Hij keek haar in de ogen. Dora's haar, dacht hij, Dora's ogen.

'Die jonge vrouw was als zuurstof voor mij. Ik heb ook van jouw moeder gehouden, Mercedes. Evenveel. Maar anders. En ik houd van jou. Hij daar weet niet wat dat is, liefde.'

'Nee,' zei Ross. 'Nooit van gehoord.'

'Als hij eens wist hoeveel ik van hem houd – al zoveel jaren. Sedert ik een ander mens ben geworden. Hoe vaak heb ik niet vol liefde en verlangen over hem gesproken, Mercedes, hoe vaak!'

'Ja, dat is waar, Daniël,' zei Mercedes. Ze ging naar Ross toe en gaf schuw ook hem een kus. Daarna ging ze weer zitten.

'Sinds wanneer?' vroeg Ross.

Hij kreeg geen antwoord.

'En mijn arme moeder? Van haar hebt u nooit gehouden, hè?'

'Nooit. Of ja, toch wel. Een half jaar misschien. Maar dat was geen liefde,' zei Olivera. 'Dat was . . .'

'Ik weet al wat dat was,' viel Ross hem in de rede. Hij staarde Olivera aan. 'U hebt die arme vrouw ongelukkig gemaakt. In de steek gelaten. Mij hebt u daarmee verpest. Mij hebt u daarmee . . .'

'Wat heb ik jou daarmee?'

'Niets,' zei Ross. Ik moet uitkijken, dacht hij. 'Het veldpostnummer, de brieven uit Rusland, dat was allemaal goed georganiseerd, hè?'

'Alles. Ik was er immers van overtuigd dat ik dat allemaal moest doen opdat wij de oorlog zouden winnen.'

'Daarna zou u zijn gescheiden en getrouwd met die actrice.'

'Ja.' Nu schonk Olivera zijn glas halfvol en dronk het bijna leeg. Hij zei afwezig: 'Dan zou ik met Dora zijn . . .' Hij leunde achterover. Zijn stem werd weer koel en zakelijk. 'Goed, de affaire met die huizen in de Meinekestrasse, dat werd een regelrechte ramp.'

'Oké. Verder. Laten we doorgaan. Hoezo ramp?'

'Je kunt je wel voorstellen dat we alles in het werk stelden om in de derde verdieping onder de grond te komen. De film! De ene dag na de andere verstreek. We hadden de film hard nodig. We hadden zoveel mensen tot onze beschikking als we wilden. We hadden de beste machines. Maar we hadden gewoon geen geluk. Eerst duurde het eindeloos voordat het puin was weggeruimd en we konden beginnen met het openbranden van de eerste stalen plaat met een snijbrander. Vanuit die diepe kelder was natuurlijk geen doorbraak meer mogelijk naar andere kelders. Toen we aan de eerste plaat begonnen, smeten de Amerikanen luchtmijnen, een heel tapijt, van de Uhlandstrasse tot aan de Gedächtniskirche. Alles weer onder het puin. De machines. De apparaten. Een hoop doden. Konden we weer van voren af aan beginnen. Dat was op 24 april. Half mei zaten we weer op de eerste verdieping. Op 15 mei gooiden de Amerikanen weer alles in de buurt plat, terwijl er al niets meer overeind stond. De fundamenten van het huis verschoven. Nu werd het levensgevaarlijk daar te werken.'

'Dus namen jullie alleen nog krijgsgevangenen of politieke gevangenen.'

'Natuurlijk. Maar die saboteerden het werk. Moesten onze eigen mensen weer beginnen. Het werd juni. Toen was de invasie in Normandië. Er kwam een zware overstroming, hoofdleiding gesprongen. De boel volkomen onder water. Wekenlang pompen voordat we eindelijk konden doorgaan. De muren doorweekt. De grond begon te verzakken. Alles stortte opnieuw in. Het werd juli.'

'Enzovoort. Wanneer waren jullie eindelijk beneden?'

'Op 29 juli. Op de 20ste was de aanslag op Hitler. Stemming onder nul. De Amerikanen en Engelsen in opmars door Frankrijk. Grote offensieven van het Rode Leger. Binnen enkele dagen achtendertig Duitse divisies in de pan gehakt. De Sovjets staan in Brest-Litovsk. Een prachtige dag, die

29ste juli. Ik herinner me nog dat ik naar beneden klauterde naar de derde verdieping, door de gaten die ze in de stalen platen hadden gebrand. Er was alleen een touwladder. Ook de kluis hadden ze met een snijbrander moeten openen. De combinatie werkte niet meer. Daar lag de koffer. Ik haalde hem eruit. Ze trokken me aan een touw omhoog. Boven was natuurlijk alles afgezet. Ik naar de Rijksbank met SS-escorte. Daar heb ik de koffer helemaal achter in een grote kluis gedeponeerd.'

'Waarom wéér gedeponeerd?'

'Goebbels en Himmler waren niet in Berlijn. Toen ik bij de Rijksbank was, kwamen er prompt Amerikaanse bommenwerpers. Aanval op het stadscentrum. De Rijksbank kreeg een paar voltreffers, maar bleef overeind. Drie nachten later . . .'

. . . vielen zevenhonderd bommenwerpers van de Royal Air Force Berlijn in telkens nieuwe golven aan. Ross, de jonge Dora Holm, de huishoudster mevrouw Von Tresken, het kamermeisje en een nieuwe kokkin met de naam Emma Siedeleben zaten in de kleine bunker met dikke muren in de tuin achter de villa Im Dohl. Deze keer viel het licht na een half uur volkomen uit. De bunker had een noodaggregaat. Ross schakelde dat in. Nu hadden ze weer licht en konden ze ook weer de mededelingen via de distributieradio horen.

Het gebrom van de motoren van steeds weer andere aanvliegende eenheden vulde de lucht evenzeer als het krankzinnige geblaf van de luchtafweer en de elkaar ononderbroken opvolgende explosies in de verte. De omroepster deelde mee dat er Duitse nachtjagers waren opgestegen die al twaalf bommenwerpers hadden neergehaald. De begeleidende Britse Mosquito-jachtvliegtuigen leverden een verbitterd luchtgevecht. Andere eenheden Duitse jagers vielen de bommenwerpers al ver voor de rijkshoofdstad aan.

Tussen de mededelingen door tikte de wekker.

Dora Holm deed haar best de mensen in de kleine bunker af te leiden. Ze vertelde het ene komische verhaal na het andere. De nieuwe kokkin Siedeleben reageerde op de juiste manier: ze schaterde. Mevrouw Von Tresken lachte nooit. Ook nu niet. Ze zat met opgetrokken wenkbrauwen roerloos te kijken. Haar gezicht was een masker van minachting. Ze haatte die knappe, vrolijke jonge vrouw uit de grond van haar hart. Georg Ross lachte ook. Hij dacht: natuurlijk is Dora bang, maar ze vecht ertegen, ze speelt komedie om ons onze angst te laten vergeten. O, Dora . . .

'. . . het is een echt platvloerse klucht, die we nu met Willy Birgel filmen. Ik heb gehoord dat het oorspronkelijke verhaal afkomstig is van een Amerikaan die Ben Hecht heet. Ze hebben die Amerikaanse film ergens buitgemaakt. Goebbels heeft hem gezien en bepaald dat wij dat verhaal gewoon pikken.'

'Dora, alsjeblieft!' zei Ross gepikeerd. Het dreunen van de bommenwerpers, het lawaai van de explosies en het schieten van de luchtafweer vormden onophoudelijk de achtergrond van dit gesprek. 'Dat mag je niet zeggen! Ik accepteer dat niet. Bovendien is het niet waar. Er worden bij ons geen geallieerde films nagemaakt.'

'O nee?' Dora gooide haar zwarte haar naar achteren. Ze lachte. 'En hoe zit het met *Serenade*? Willi Forst zegt dat hij niet heeft geweten welk draaiboek hem werd gegeven. Nou, ik heb de roman gelezen, Engels, in een Amerikaanse legeruitgave: *Rebecca*. De schrijfster heet Daphne Du Maurier. Een Engelse. En *Serenade* is echt precies *Rebecca*! Waarom ook niet? Wij nemen wat we kunnen krijgen.' De explosies klonken even zeer luid en daarna weer zwakker. 'Na de eindoverwinning kunnen we altijd nog royalties uitbetalen – of niet.' Ze lachte weer.

Laat haar toch, zei Ross bij zichzelf. Laat haar toch! Het is belangrijker dat ze hier de boel aan het lachen maakt. Mevrouw Siedeleben krijgt alweer een grauw gezicht van angst.

'Goebbels is slim,' babbelde Dora verder, terwijl de omroepster zeer zware gevechtshandelingen boven het centrum en het noorden en oosten van Berlijn meldde. 'Hij weet dat de mensen nu, in deze ellende, niet onophoudelijk propaganda willen. Propaganda. Ze willen lachen, op z'n minst een beetje. Vandaar nu die komedies! Die gepikte, waarin ik met Birgel speel, daarin leert hij mij in de S-Bahn kennen. Het geheel speelt zich af in de jaren dertig. Fantastisch bedacht van Goebbels: geen puinhopen, geen oorlog, maar vrede, er is van alles te koop en niemand zegt Heil Hitler.' Een aantal vliegtuigen vloog over Dahlem. Het gebrom van de motoren werd zeer luid. Dora babbelde onbekommerd door: 'Nou ja, en dat hebben we gisteren dus opgenomen. Die scène van de kennismaking in de S-Bahn. Birgel zit tegenover mij en wil beslist met mij een gesprek aanknopen. Nou is er eens een heel beroemd tijdschrift van Ullstein geweest. *Uhu* heette dat. Hij houdt zo'n tijdschrift in zijn hand en zegt: "Och, lieve juffrouw, mag ik u mijn *Uhu* laten zien?" Het lawaai van de aanvliegende machines werd verschrikkelijk. 'En ik antwoord verontwaardigd: "Als u de eerste knoop losmaakt, trek ik aan de noodrem!"'

Mevrouw Siedeleben lacht. Zelfs mevrouw Von Tresken glimlacht, dacht Ross. Ook hij lachte. Het hardst lachte Dora zelf om haar eigen verhaal. Door het lachen en het motorlawaai heen drong eensklaps een schril gefluit, dat snel luider werd en plotseling veranderde in een afgrijselijk hoge toon. Daarbij kwam een ander, vreemd ruisend geluid, een tweede fluittoon, een derde. De hoge fluittoon en het ruisen werden oorverdovend, daarna sloegen er in de onmiddellijke nabijheid bommen in die ontploften. De bunkervloer trilde hevig. De vijf mensen vlogen tegen de betonnen muren. Nu werkte ook het noodaggregaat niet meer. Het leek alsof de bunker heen en weer werd geschud. De vrouwen krijsten. Ross lag op de vloer. Hij was er met zijn hoofd op geslagen en voelde zich versuft.

En zo, zwaar versuft, hoorde hij in het helse lawaai Dora's overslaande, eensklaps van panische angst vervulde stem: 'Eruit! Ik wil eruit! Hierbinnen kreperen we!'

In het donker trapte ze op hem. Hij probeerde haar benen vast te houden. De bunker stond nog steeds op zijn grondvesten te schudden door de enorme hoeveelheid in de omgeving ontploffende bommen. Schijnsel van vuur drong in de diepte door.

'Blijf hier!' brulde Ross. 'Je kunt nu niet naar buiten! Je kunt nu niet . . .' Nu zag hij in het schijnsel van het vuur dat ze de bunker al uit rende. 'Dora!' Hij kon aan niets anders meer denken, alleen aan dit: ik moet haar terughalen! Ze zitten immers vlak boven ons! Ze rent haar dood tegemoet.

'Meneer Ross!' schreeuwde mevrouw Von Tresken.

Hij hoorde haar stem nog. Hij stond al buiten. De villa was getroffen, zag hij. Ze stond in brand. Hij draaide zich om. Een heleboel andere villa's stonden ook in brand.

'Dora!' schreeuwde hij. 'Dora, ver . . .' In de tuin ontplofte nog een bom. De luchtdruk bereikte Ross als een onzichtbare, reusachtige vuist, tilde hem hoog op en slingerde hem weg, in een rozenperkje. Hij voelde nog de pijn van de klap, daarna verloor hij het bewustzijn.

Toen hij weer bijkwam, lag hij op zijn gezicht. Het duurde lang voordat hij weer bij zijn positieven was. In het schijnsel van de brandende villa zag hij dat hij alleen nog zijn pantalon en flarden van zijn overhemd aan had. Jasje en schoenen waren door de luchtdruk uitgerukt. Hij streek over zijn gezicht. Zijn hand werd rood van het bloed. Zijn borst was ook opengereten. Ook hier bloed, warm en kleverig. Hij hoorde geen lawaai van motoren meer. De bommenwerpers waren doorgevlogen. Overal klonk nu het gehuil van sirenes. Met veel lawaai stortten balken in de villa naar beneden. Ross wilde opstaan en zakte onmiddellijk weer in elkaar. Bij de derde poging lukte het hem pas op trillende benen te blijven staan. Hij wankelde de tuin door. Hij schreeuwde Dora's naam, telkens weer. Er kwam geen antwoord. Struikelend dwaalde hij door de verwoeste tuin. Inmiddels waren de brandweer en de ambulance gearriveerd. Mensen in uniform en artsen renden langs hem heen. Hij merkte het niet. O God, dacht hij, laat haar in leven zijn! Alleen maar bewusteloos. Alstublieft, goede God, alstublieft! Daarna viel hij over haar heen. Dora lag aan de rand van een bomkrater en haar prachtige lichaam was alleen nog bedekt met flarden van haar kleding. Het was één grote, bloedige massa. Ross richtte zich op. Daarna kromp hij van ontzeting ineen. Dora's mond en ogen stonden wijd open. Over haar rechteroog liep bedrijvig een mier.

Olivera zweeg. Hij zat in elkaar gezakt en staarde het donkere park in.

Mercedes en Ross wisselden een blik.

Olivera zei: 'Ik heb haar begraven. Op het kerkhof Schmargendorf. Haar ouders konden niet uit Hamburg overkomen. De spoorlijn was gebombardeerd. Er was geen priester. Alleen de doodgravers. Toen ze het graf dichtschepten, kwam de dagelijkse Amerikaanse aanval. We zochten bescherming onder de marmeren plaat van een groot, verschrikkelijk kitscherig mausoleum. Er vielen veel bommen op het kerkhof die oude graven omwoelden. Dat mausoleum redde ons leven. Toen de aanval voorbij was, hingen er halve skeletten met grijnzende doodshoofden in de takken van de bomen. Ik . . .' Hij hield op, want er naderde een Volkswagen op de oprijlaan. 'Miguel!' riep Olivera. De wagen stopte. Miguel Morales stapte uit en kwam naar het zwembad. Hij maakte een verlegen indruk.

'Wat is er aan de hand, jongen? Waarom kom je terug?'

Miguel zweeg en keek naar zijn schoenen.

'Voel je je niet goed?'

'Ik voel me prima, señor.'

'Nou, wat is er dan?'

'Ik heb ruzie gehad, señor,' zei Miguel, Olivera recht aankijkend. 'Met mijn meisje.'

'Met die nieuwe? Die met het gouden haar?'

'Met Maria Perichole. Ja, señor. Er was een ander. En ze flirtte met hem. Ze zaten voortdurend met elkaar te lachen en te fluisteren. Ik heb haar ter verantwoording geroepen. Uiteindelijk is ze met die andere jongen weggegaan.'

'Heeft ze je in de steek gelaten?' vroeg Olivera verbaasd.

'Ja, señor.'

'Dat is je zeker nog nooit in je leven overkomen, hè?'

'Nee, señor. Ik was zo woest dat ik . . . dat ik dacht, dat het beter was terug te gaan voordat ik iets ergs zou doen.'

'Heel verstandig van je,' prees Olivera. 'En je blijft nu hier?'

'Ja, señor. Ik ga nu slapen. Ik ben alweer tot kalmte gekomen.'

'Werkelijk?'

'Echt, señor.' Miguel glimlachte en maakte een buiging. 'Goedenacht, señorita, goedenacht, señores!' Hij liep naar de auto en reed die achter het huis. Daar ging hij blijkbaar ook naar binnen, want hij kwam niet meer naar voren.

Olivera, die hem had nagekeken, draaide zich om. Hij schrok. Ross zat scheef in zijn rieten stoel, met een hand ondersteunde hij zijn voorhoofd. Hij had zich met de grootste moeite beheerst – Mercedes had dat met bezorgheid gezien – maar nu ging het echt niet langer. Die angst. Die onwezenlijke angst, die zette zich vast op zijn borst, snoerde hem de keel dicht en kroop door zijn hersens.

'Wat is er met je, Daniel?'

'Niets,' zei Ross moeizaam. 'Heus niets. De hitte. En ik heb me natuurlijk flink opgewonden. Ik . . . ik voel me duizelig . . . hoofdpijn . . .' Olivera wist niet hoeveel inspanning elk woord hem kostte. Mercedes wist het wel, zij had dat al eerder meegemaakt met Ross.

'Wil je een paar minuten gaan liggen, Daniel?' vroeg ze.

'Ja, ik geloof dat dat het beste is.'

'Als het te veel voor je wordt, jongen, kunnen we ook gaan slapen. Hoewel het pas elf uur is.'

'Nee, niet slapen! U moet doorvertellen! Beslist. Een kwartiertje maar, een half uur, dan gaat het weer!' Ross stond op. Hij wankelde. Mercedes ondersteunde hem vlug.

'Naar de bibliotheek,' zei ze. 'Daar is het koel. Wil je in de bibliotheek liggen? Op de bank voor de haard? Wij zijn immers vlak bij je. Je hoeft maar te roepen . . .'

'Ja, dat is een goed idee.' Ross knikte.

'Dat grijpt iemand aan, ja,' zei Olivera. 'Mij ook.' Hij schonk zijn glas vol en dronk. 'Een vervloekte geschiedenis. Ik kan ook best een pauze gebruiken. Beterschap, Daniel!'

'Dank u.'

Olivera had er geen vermoeden van hoe zwaar Ross bij het lopen op Mercedes leunde. De grond golfde onder zijn voeten. Alles draaide om hem heen.

Hij kreunde.

'Arme Daniel . . . Ik zal bidden . . . Dat heb ik al de hele tijd gedaan . . . Ik zag wat er met je aan de hand was . . . Maar jouw vriendin Sibylle en die dokter Reinstein zeiden toch dat je het beslist zou volhouden.'

'Dat doe ik ook, Mercedes.' Ze bereikten het huis en vlak daarna de bibliotheek. Mercedes bracht Ross naar de bank. Hier binnen was het echt aangenaam, terwijl het in het park in deze heetste tijd van het jaar zelfs 's nachts niet koeler werd. Ross liet de slippers van zijn voeten glijden en legde zijn benen op de bank. Mercedes schoof een kussen onder zijn hoofd en maakte zijn overhemd los.

'Dokter Reinstein heeft me druppels meegegeven,' zei Ross. 'Weet je nog? Sibylle heeft dat voorgesteld voor het geval ik me bijzonder beroerd voelde. Het flesje ligt in mijn toilettas in de badkamer. Wil je het alsjeblieft halen, Mercedes? En een glas water. Met die druppels gaat het vast wel weer.'

'Direct, Daniel.' Ze holde weg.

Hij voelde de luchtbel die er niet was in zijn borst kloppen. Je moet op de been blijven. Dat móet. Je moet die story hebben . . .

Mercedes kwam terug. Ze bracht het flesje en een glas halfvol water mee.

'Hoeveel druppels?'

'Tien tot vijftien, heeft dokter Reinstein gezegd. Geef me er maar twintig.'

In het licht van de beide lampen liet Mercedes de druppels in het water vallen. Hij dronk het glas leeg en trok een gezicht.

'Bedankt,' zei hij.

Ze knielde naast hem neer. Haar gezicht was heel dicht bij het zijne. Hij rook weer de zoete geur van haar huid en haar parfum. Ze streelde zijn wangen, ze streek over zijn haar. Plotseling waren haar heldere blauwe ogen reusachtig groot.

'Danny,' fluisterde ze. 'Alsjeblieft, lieve Danny, hou vol!' Ze glimlachte. 'Ik mag toch wel Danny tegen je zeggen, hè?'

'Natuurlijk.'

Ze glimlachte. 'Je bent zo aardig, Danny.'

'Jij ook, Mercedes.'

Eensklaps drukte ze haar lippen op de zijne en haar borsten tegen zijn ontblote bovenlijf. Hij beantwoordde haar kus hartstochtelijk en door de heerlijkheid van dit moment weken angst en zwakte als door een wonder. Een wonder, dacht hij.

Plotseling maakte ze zich van hem los.

'Er zal je niets gebeuren zolang ik bij je ben,' zei ze.

'Zolang jij bij me bent,' herhaalde hij.

Ze streek nog eens over zijn voorhoofd. 'Wil je het licht aan?'

'Nee, alsjeblieft niet.'

Ze draaide het licht uit en ging naar een van de grote ramen om het te openen.

'Ik laat één deur wijd openstaan,' zei ze. 'En ik kom zo terug om te kijken hoe het met je gaat. Ik wil alleen niet dat vader ongerust wordt en een dokter laat komen.'

'Nee,' zei hij. 'Geen dokter! Dat is het laatste dat ik nu kan gebruiken.'

'Tot zo, Danny!'

'Bedankt, Mercedes.'

Hij hoorde dat haar schreden zich over het grind verwijderden. Toen bereikte ze het grasveld, dat elk geluid opslokte. Ross lag roerloos op zijn rug. Haar geur hing nog steeds om hem heen. Hij haalde diep adem. Hij sloot zijn ogen. En als dat nu eens liefde wordt? dacht hij. Een liefde na zoveel jaren? Een liefde zoals die met Sibylle? Indertijd heb ik gezworen dat me dat nooit meer zou gebeuren. Nooit meer. Ja, dacht hij, maar nu . . .

Heel zachtjes en langzaam werd de deur geopend.

Ross bewoog zich niet.

Een schaduw gleed het vertrek binnen.

Miguel! Ross richtte zich op.

De jongen verstijfde. Hij was dodelijk geschrokken. 't Is uit! dacht hij. Alles is uit!

'Miguel,' zei Ross stomverbaasd.

'Si, señor . . .' Miguels stem kwam fluisterend.

'What are you doing here?' Misschien verstaat hij wat Engels, dacht Ross.

'I look after you, sir.' Miguel was de schok te boven. '*You sick, sir?'*

'No, just al little tired.'

'Can I do something for you?' Miguel kwam dichterbij. Hij maakte een diepe buiging, zoals hij altijd deed.

'No, thank you, Miguel. It's allright.'

'As you wish, sir. Always at your service.' Weer een buiging. Miguel deed een paar stappen achteruit, daarna bukte hij zich vastberaden, betastte de onderkant van de marmeren plaat van de lage tafel, vond het afluisterapparaat en rukte het eraf. Hij haastte zich naar de deur.

'Good bye, sir!'

'Bye!' zei Ross.

En het zal liefde worden. Met zoveel haat moet er ook liefde bestaan, dacht hij. En hij voelde dat hij steeds versufter werd. Kom terug, liefde, dacht hij. Vlak daarna viel hij in slaap.

27

Hij droomde van de rode roos die hij had gezien toen hij tussen leven en dood zweefde. Daarna voelde hij dat iemand naar hem keek. Razendsnel kwam hij bij zijn positieven en sloeg hij de ogen op. Naast hem knielde Mercedes. Ze glimlachte.

'Hallo, Danny,' zei ze zacht en streelde zijn hand.

'Hallo,' zei hij en dacht aan de rode roos tussen dood en leven. Mercedes is het leven, dacht hij. Het mooie leven. Het leven kan misschien wel zo mooi zijn als de dood. Waarom niet?

'Heb ik lang geslapen?'

'Nog geen twintig minuten. Ik heb driemaal gekeken hoe het met je was. Hoe voel je je?'

'Fantastisch,' zei hij, en het was de waarheid, besefte hij met verbazing.

'Kom hier!'

Hij sloeg zijn armen om haar heen en kuste haar weer. Haar lippen openden zich onmiddellijk.

'Lieveling,' zei ze. 'Lieveling. We zullen een heerlijk leven hebben, als dat allemaal eerst maar achter de rug is.'

'Ja,' zei Daniel. 'Als alles achter de rug is.'

'Denk je dat je weer kunt opstaan en naar vader kunt komen?'

'Ik denk van wel.' Hij stond op. 'Alles in orde.'

'Die druppels zijn prima,' zei Mercedes.

'Jouw gebeden ook,' zei Daniel.

28

'Te laat,' zei dr. Joseph Goebbels. Hij liep weer heen en weer, ditmaal over het tapijt van zijn werkkamer in het ministerie van Propaganda aan de Wilhelmsplatz 8 en 9. Hij had behoefte aan beweging als hij opgewonden was, deze kleine man.

'Veel te laat,' zei hij.

'Hoezo?' vroeg Von Ribbentrop.

'Het geschikte moment is voorbij,' zei Goebbels. 'De Engelsen en Amerikanen staan voor Parijs. In het oosten trekken we steeds verder terug. De Russen staan voor Warschau en in de Karpaten. Ze vallen de komende dagen Roemenië binnen, en ook Bulgarije. Minsk, Wilna, Grodno, Loeblin in de handen van de bolsjewieken. Lemberg is gevallen. De Golf van Riga is bereikt en daardoor is de hele *Heeresgruppe Nord* afgesneden. De Führer zegt dat het noodzakelijk zal zijn zo snel mogelijk Griekenland, Albanië en Montenegro te ontruimen.'

'Wanneer heeft hij dat gezegd?' informeerde Himmler woedend.

'Gisteren.' Goebbels bleef staan en keek hem vol minachting aan. 'Tegen mij.'

'Sinds wanneer bespreekt hij militaire operaties met u?' Himmler wond zich op. 'Daar ben ík de man voor! Hij heeft mij na de aanslag tot opperbevelhebber van het reserveleger benoemd.'

'En ik heb het genoegen morgen in het Sportpalast voor de tweede keer de totale oorlog te proclameren. Alle plannen zijn uitgewerkt om op zeer korte termijn alle mannen tussen de zestien en zestig jaar die in staat zijn wapens te dragen, op te roepen voor de *Volkssturm*.'

'Voor wát?' vroeg Himmler.

'De *Volkssturm*,' zei Goebbels, met de handen op zijn rug doorhinkend. 'Klinkt goed, hè? Van mij. U krijgt het van mij cadeau. Onze steden worden bedolven onder het puin. En dan denken de heren dat het nog mogelijk is die Teheran-film te gebruiken? Denken de heren dat écht? Werkelijk?' Hij lachte kort en boosaardig.

'Die zal nog steeds zijn effect hebben,' zei Himmler woedend.

Goebbels bleef weer staan.

'Die film zou niks uithalen, Reichsführer,' zei hij zacht en zeer nadrukkelijk. 'Hij zou geen barst uithalen. De situatie is de afgelopen maanden helaas ontzettend in ons nadeel veranderd. Ik heb dat voorzien. Destijds in maart, toen Ross met die film kwam aanzetten, heb ik gezegd dat we hem zo snel mogelijk, met de grootste spoed en op zo kort mogelijke termijn overal moesten vertonen. Misschien hebt u de goedheid zich mijn woorden te herinneren. Pech dat het zo lang duurde voordat we de film weer terug hadden. Op ons rust nu eenmaal geen geluk en zegen – momenteel,' voegde hij eraan toe, op de aloude wijze het roer omgooiend. 'Maar dat komt wel weer! Wij zullen overwinnen – uiteindelijk. Duidelijk. Natuurlijk. En waarom? Omdat we móeten overwinnen.'

De andere mannen in het vertrek – ook Ross – knikten ernstig. Och, idioten, dacht de kleine man.

'En dan,' zei hij, 'als we gezegevierd hebben, zullen we de film vertonen. Overal. In de hele wereld. Zogezegd als bekroning van onze overwinning. Als we het nu deden, zouden we bespot en uitgelachen worden. In deze situatie, nu we door de geallieerden, die het nog nooit zo met elkaar eens zijn geweest, op alle fronten verslagen worden – kalm blijven, Himmler! We zijn hier onder ons en dan mag ik toch wel de waarheid zeggen. U kunt de Führer immers zo verklappen wat mijn opinie is! – in deze situatie mogen we eenvoudig niet meer beweren dat de film echt is. Al is dat honderdmaal wél het geval. De waarheid zou nooit geloofd worden. Nergens. Door niemand. Er zijn tijden waarin men elke leugen kan riskeren en ook elke waarheid. En beide worden geloofd. Maar er zijn ook tijden waarin ze niet geloofd worden, de leugen niet en evenmin de waarheid. Stalin en Roosevelt zouden niet meer bijkomen van het lachen als we nu met die film aankwamen. En niet alleen zij. Iedereen die hem ziet. Ze zouden barsten van het lachen, beste partijgenoten!'

Hij sprak nu weer sneller.

'Stuiptrekkingen van de nazi's, zou iedereen zeggen. Het is met hen gedaan, ze zijn verslagen, kapot. En dan presenteren ze ons die stomme, leugenachtige film, die kinderachtige vervalsing! Nee, mijne heren, geloof me, we mogen die film niet vertonen! Met name niet in Duitsland. In geen geval in Duitsland. De gevolgen zouden niet te overzien zijn. Later, na de eindoverwinning: overal! Maar nu niet.'

De telefoon op zijn bureau rinkelde. Hij nam op. 'Ja,' zei hij. 'Ja, dank u.' Hij legde de hoorn op de haak. 'Commandopost van de Gauleiter. Zware Amerikaanse gevechtsformaties vliegen op de hoofdstad aan. Over tien minuten wordt alarm geslagen. Ik nodig u van harte uit mee te gaan naar mijn schuilkelder. Die is veilig.'

De mannen stonden op.

'Dat vervloekte moordenaarsgebroed,' zei Himmler.

'Wie?' Goebbels keek hem aan. 'O ja,' zei hij dan, 'ja natuurlijk.' Hij stopte de papieren en dossiers die op zijn bureau lagen in een grote leren tas om ze mee naar de bunker te nemen.

Himmler en Von Ribbentrop liepen al weg.

Goebbels keek hen na. 'Wat een helden,' zei de kleine man. Aan Ross vroeg hij: 'Wat doet u hier nog?'

'Ik wacht op u, excellentie.'

'Dank u.'

Ross droeg een zwart kostuum en een zwarte stropdas. Dat was verboden. Het was verboden rouwkleding te dragen, maar hij trok zich er niets van aan. Hij trok zich op het moment nergens iets van aan. Niets kon hem meer schelen. Of hij in leven bleef of door bommen zou worden getroffen. Het interesseerde hem absoluut niets.

'U hebt een verschrikkelijk verlies geleden,' zei Goebbels, nog steeds druk doende met zijn dossiers. 'Ik weet het. U hebt veel van juffrouw Holm gehouden, dat weet ik ook. Ik betuig mijn oprechte medeleven.'

Ross knikte en zweeg.

'Hebt u al een ander onderdak?'

'Ik logeer bij een vriend.'

'Als ik u ergens mee kan helpen ...'

'Ik dank u zeer! Maar ik heb alles.'

'Niemand kan u helpen.' Goebbels knikte.

'Nee,' zei Ross. 'Niemand. Staat u mij toe dat ik uw tas draag, excellentie.'

Ze liepen naar de deur.

'Hebt u vanmiddag veel te doen?' vroeg Goebbels.

'Ja. Nee. Waarom vraagt u dat?'

'Ik moet u nog even spreken. Ik kon hier niet alles zeggen in aanwezigheid van die ... heren. Later zal ik het wel moeten zeggen. Maar nu nog niet. Alleen met u wil ik dadelijk spreken. Kunt u vanmiddag bij me komen?'

'Natuurlijk, excellentie.'

'Zullen we zeggen om vijf uur?'

'In orde.'

De sirenes begonnen te huilen.

29

Een telefoongesprek.
'Ja, hallo?'
'Ben jij het, Cristobal?'
'Met wie spreek ik?'
'Franco. Aflossing van Roberto en Esteban. Emilio is nu bij me.'
'Nog nieuws? Is die Miguel Morales teruggegaan naar Olivera?'
'Ja. En achter hem de Ford met die twee kerels. Miguel is aan de voorkant, bij de hoofdingang, naar binnen gegaan. De Ford is de weg achter de Cespedes ingereden. Zabala heet die. Tot daar loopt het park van Olivera door. Daar stond de Ford te wachten, bij de grote kerk.'
'En?'
'Na een minuut of vijftien is Morales daar over de muur geklommen. Die vogels hebben hem geholpen. Hij had een zwarte reistas en een koffer bij zich. Ze zijn met hem naar het Retiro gereden.'
'Waarheen?'
'Naar het centraal station. Ze kochten een kaartje naar Tucuman. Voor de trein van 0.15 uur.'
'Tucuman? Dat is toch helemaal in het noorden? Dat is twintig uur reizen.'
'Tweeëntwintig. Het lijkt erop dat ze hem zo ver mogelijk uit de buurt willen hebben. Maar wie wil dat, Cristobal? Wie?'
'Idioot! Hij heeft Olivera afgeluisterd, is het niet? Heeft de cassettes in een bagagekluis gedeponeerd. Vast niet voor de eerste keer. Alleen is hij er vandaag bij betrapt door Roberto en Esteban. Toen zijn opdrachtgevers van hun mensen hoorden dat de cassettes weg waren, moesten én de hele afluisterapparatuur én Miguel verdwijnen. Voordat Olivera er iets van merkte. De cassettes hebben wij nu.'
'Maar wij hebben hem toch niet laten afluisteren!'
'Madonna! Nee, wij waren het niet. Het waren anderen, die bang zijn dat het uitkomt.'
'Welke anderen, Cristobal?'
'Dat zullen we weten, als we weten wat er op de cassettes gezegd wordt. En wie er behalve Olivera spreekt. Tien voor half een. De trein naar Tucuman is dus al vertrokken.'
'Ja. Met Morales. We hebben tot het laatste moment goed opgelet. Wat nu?'
'Jullie rijden terug naar Cespedes. Ik denk niet dat daar vannacht nog iemand het huis verlaat. Maar voor de zekerheid. Om zeven uur worden jullie afgelost.'

30

'Het bombardement duurde tot half drie,' zei Olivera bij het nachtelijke zwembad. 'Was bedoeld voor het centrum. Toen we eindelijk na het sein "veilig" naar boven klommen, was het nacht, hoewel de zon scheen. Boven de stad hing dikke, zwarte rook van brandende gebouwen. Ik ging naar mijn kantoor op het ministerie van Buitenlandse Zaken. Alleen maar rampzalige radioboodschappen overal vandaan. Zeer deprimerend. Goebbels had gelijk. Die film kon niet meer worden vertoond.' Hij lachte even. 'Pas na de eindoverwinning! Om vijf uur was ik weer op het ministerie van Propaganda ...'

Goebbels ontving Ross dadelijk. Ze namen in een kleine salon plaats. In de werkkamer van de minister waren weer eens alle ruiten gebroken. Het elektrische licht brandde, want nog steeds maakte de zware rook van de dag een nacht. Van tijd tot tijd was de ontploffing van tijdbommen te horen, en klonken ook de sirenes van de brandweer en de ambulance. Goebbels zag bleek. Hij haalde een fles Franse cognac en twee glazen uit een kast. Ze gingen aan een rond tafeltje bij het raam zitten en dronken.

'Hoe lang kennen we elkaar nu, Ross?'

'Sinds ik bij u in dienst ben, excellentie. Sinds 1939. Vijf jaar bijna.'

'Ik heb altijd bewondering voor uw werk gehad. En voor uw fanatieke geloof in de Führer, de beweging, de nationaal-socialistische ideologie. Ik zou er niet sterker in kunnen geloven. U bent ontwikkeld. U bent ondanks al uw geestdriftige toewijding voor onze zaak in staat gebeurtenissen zeer logisch, wetenschappelijk zou ik bijna zeggen, op een rijtje te zetten. Dat móet u wel kunnen in uw positie. Ik moet dat ook kunnen, in de mijne.' Hij nam een slokje. 'Wij zullen vechten als nog nooit een volk gevochten heeft. Onze wonderwapens moeten alles in een mum van tijd in ons voordeel veranderen – als ze op tijd klaar zijn. En zal dat wel het geval zijn? Niemand weet het. Wat nu gaat komen, wordt verschrikkelijk, Ross, dat weet u. U kunt volkomen openhartig spreken. Dit blijft een gesprek onder vier ogen. Ik moet eens met iemand zo kunnen praten. Over féiten, Ross. Uw beroep bestaat uit feiten. Daarom is mijn keus op u gevallen. En omdat ik vertrouwen in u heb. In uw bezetenheid. En in uw koele, analytische geest.'

'Ik begrijp niet ...' begon Ross, maar Goebbels maakte een afwerend gebaar.

'Wacht even, m'n beste. We zullen vechten, zeker. En als het moet, zullen we sterven. U weet net zo goed als ik, Ross: de idee sterft niet met ons. De idee blijft voortleven. Zelfs al zouden wij in deze strijd ondergaan – ik spreek zo tegen u, omdat u het vanuit uw beroep gewend bent zonder emoties en koel alle mogelijkheden in te calculeren en ik leg u natuurlijk de plicht op, dat is vanzelfsprekend, tegenover geen mens over dit gesprek met een woord te reppen – zelfs als wij dus zouden ondergaan, zal de idee in miljoenen hersenen voortleven. Heb ik gelijk?'

'Volkomen, excellentie,' zei Ross. 'We hoeven maar te bedenken hoe lang het heeft geduurd en hoeveel bloed er moest vloeien voordat het christendom, de leer van de barmhartigheid, ingang had gevonden.'

'Uitstekend,' zei de kleine, bij de jezuïeten opgevoede Goebbels. 'Wij spreken dezelfde taal. Mochten we dus onder de overmacht van de vijand bezwijken, mochten we - schijnbaar - ondergaan, dan is dat niets anders dan een tijdelijke inzinking. De eerste christenen betaalden ook met hun leven. In werkelijkheid zal onze ondergang de geboorte van het universele nationaal-socialisme zijn. *In my end is my beginning.*'

'Het devies van de Tudors.'

'Ah, het is goed om met een ontwikkeld mens te spreken!' verzuchtte Goebbels. 'Aanvankelijk - in de eerste jaren - zijn de overwinnaars almachtig en elke tegenstand zal dan nutteloos zijn. O, maar degenen die overleven kunnen wachten! Hun tijd afwachten. En die tijd zal gekomen zijn als het een nu dubbel geknechte mensheid glashelder is geworden wat twee misdadige staten met haar hebben gedaan. Ze hebben de wereld onder elkaar verdeeld! Elk kan in zijn helft afschuwelijke daden tegenover weerloze volkeren begaan, zo vaak en zoveel ze daar zin in hebben. De volkeren onder de Amerikaanse knoet. En meer nog de volkeren onder de bolsjevistische knoet. Ze zullen worden uitgebuit. Ze zullen als beesten worden behandeld. Erger dan beesten. Zij alle, de vele volkeren in Oost en West, zullen koelies zijn die hun vrijheid hebben verloren. Ze zijn overgeleverd aan twee grote dictators - hulpeloos, rechteloos.' Goebbels was nu zeer opgewonden.

'Pas dan, m'n beste Ross, pas dan, als onder de volkeren een enorme haat, een enorme woede en een enorme onmacht is opgekropt, pas dán moet hun de film uit Teheran worden getoond! Om hun die monstrueuze gangsters in hun volle gemeenheid en meedogenloosheid te tonen. Aan de mensen van ons geliefd vaderland, dat dan verscheurd en verdeeld zal zijn - zoals in het verdrag is opgenomen - moet de film het eerst getoond worden. Hoe zal de uitwerking zijn op de Duitsers, als ze zien en lezen wat men allang met hen van plan was, in 1943 al? Hoe zal de uitwerking op alle andere verscheurde, verdeelde, onderdrukte volkeren zijn?'

Goebbels haalde diep adem.

'Dan, Ross, dán zal ieder, ook de laatste, erkennen dat wij nationaal-socialisten de eenzame strijders tegen de schurken in Washington en Moskou zijn geweest. Dan zal ieder, ook de laatste, geschokt begrijpen met welke in de geschiedenis unieke heldenmoed wij hebben getracht een in de geschiedenis unieke misdaad te voorkomen. Ieder zal begrijpen dat we deden wat we móesten doen, alles, ook de dingen die vlak na onze schijnbare ondergang als bestiale misdaad tegen de mensheid zullen worden afgeschilderd. Dan zal ook de laatste zien wie de bestiale misdaad heeft begaan die wij voorzagen en wilden voorkomen ten koste van ons leven. Niet alleen de westelijke, nee, de hele wereld wilden wij voor altijd verlossen van deze uit de hel voortgekomen, gewetenloze creaturen. Duitsland zal een geheiligd woord worden. De Führer, zijn volgelingen, de Duitse soldaten en trouwens het hele Duitse volk, zij zullen de geschiedenis ingaan als synoniem voor eer, dapperheid en heldenmoed. En het nationaal-socialisme zal dan naar de opvatting van de arme mensen in de verdeelde wereld de grootste heilsleer zijn die ooit bestaan heeft. De wereld zal gegrepen worden door een storm van woede waarmee die creaturen en hun hielelikkers worden weggevaagd. Het nationaal-socialisme zal niet alleen gerehabiliteerd worden, maar aan zijn zegetocht over de aardbol beginnen – en deze aarde zal nationaal-socialistisch zijn!'

Goebbels zweeg buiten adem.

'De hele aarde – nationaal-socialistisch. Bij God, u hebt gelijk,' fluisterde Ross gefascineerd.

'Zo zal onze overwinning eruitzien. Móet onze overwinning eruitzien. Het nationaal-socialisme zal leven, al moeten wij sterven. Pas daardoor zal het de nieuwe wereldgodsdienst worden. Door ons bloedoffer – en door deze film. Een van onze dapperste en betrouwbaarste mensen moet daarom deze film hoeden als de Heilige Graal. In de diepste bunker moet de film beschermd blijven, opdat hij hem kan tonen als de Voorzienigheid ons genadig is en wij ondanks alles toch nog zegevieren. Als het absoluut vaststaat, zonder enige twijfel, dat het ons lot is het grootste offer te brengen, dat de oorlog is verloren, dan moet die ene met de film Duitsland verlaten. Hij moet zich in een ver verwijderd land terugtrekken. Hij moet zijn leven wijden aan de waarlijk bovenmenselijke taak het nationaal-socialisme over de hele wereld te verbreiden.'

Goebbels was opgestaan. Hij liep heen en weer. Buiten werd de duisternis steeds opnieuw vuilrood verlicht door branden die in de omgeving woedden. Ook Ross stond op, zonder het te merken. Zijn ogen hechtten zich aan Goebbels alsof hij gehypnotiseerd was. 'Die man moet kunnen afwachten – jaren misschien. Tot de tijd rijp is. Tot hij van onze strijders, die dan zijn ondergedoken, de opdracht krijgt met de film in de openbaarheid te treden. Een ongelooflijke historische verantwoordelijkheid rust op hem, nietwaar?'

'Ja,' zei Ross ademloos.

'En nu vraag ik u, die onlangs zo iets vreselijks heeft meegemaakt, die de vrouw die hij zozeer liefhad heeft verloren, m'n beste Ross: wilt ú die man zijn?'

'Ja, dat wil ik,' zei Ross.

Het was lang stil bij het zwembad.

Eindelijk zei Mercedes: 'Het absoluut kwade – dat wordt nu misschien wel het absoluut goede.'

'Ik hoop het,' zei Olivera.

'Een ogenblikje!' mengde Daniel zich in het gesprek. 'Zover is het nog niet. Ik heb nog een paar vragen. Hoe bent u hier gekomen? Wanneer? En waarom heeft uw bekering van 1945 tot nu toe op zich laten wachten, verdomme! Wat is er in die negenendertig tussenliggende jaren gebeurd? Waarom hebt u de film niet vóór uw bekering aan de openbaarheid prijsgegeven – en daarmee van de hele wereld één groot concentratiekamp gemaakt?'

'Dat zal ik je vertellen, Daniel,' zei Olivera. 'Ik zal je alles vertellen.'

Boek twee

1

'Dus die drie als lijk – en alle videofilms die er zijn.'
'Inderdaad, mr. Hyde. En snel. Zo snel mogelijk.'
'Die drie zijn geen probleem mr. Morley. De videofilms wel. Omdat de kopieën gekopieerd kunnen zijn zo vaak ze maar willen.'
'Onze hoop is erop afgestemd, mr. Hyde, dat niemand er meer echt zin in heeft zodra er doden vallen.'
'Zeker, mr. Morley. Maar uw heren kunnen pas echt gerust zijn als ze alle kopieën in hun bezit hebben.'
'Natuurlijk. Mag ik u er overigens op wijzen dat u zeer waarschijnlijk gedwongen zult zijn meer dan drie mensen te . . . hm . . . elimineren.'

Dit gesprek vond plaats op de middag van 20 februari 1984, een maandag, drie dagen nadat Daniel Ross in Buenos Aires na een uitstel van veertig jaar zijn vader terugzag. Het werd gevoerd in het kantoor van een gebouw aan de Chancery Lane vlak bij de krantenwijk Fleet Street in Londen. Slechts een huizenblok westelijker verhief zich het machtige gebouw met de vele torens van de Royal Courts of Justice. Het sneeuwde in Londen en het was ijskoud. Ongeveer drie uur eerder, om 14.30 uur, was keurig op tijd het toestel van de Pan American Airways, vlucht 856, uit Chicago op de luchthaven Heathrow geland. Aan de rand van de stad werd het verkeer door de zware sneeuwval flink belemmerd. Met sneeuwruimers, die continu in gebruik waren, trachtte men de start- en landingsbanen van de luchthaven sneeuwvrij te houden en op de snelweg naar Londen waren er al talrijke botsingen geweest. De sneeuw viel op ijs – het strenge winterweer duurde nu al vele weken.

Onder de passagiers van het toestel bevond zich een grote, slanke man met een door zon en regen, weer en wind getekend gezicht, zeer heldere ogen en kortgeknipt blond haar. Hij droeg een met bont gevoerde duffelse jas. Bij de pascontrole voor buitenlanders toonde de man een Amerikaanse pas. Volgens deze pas, die natuurlijk kon zijn vervalst, was de reiziger een zekere Wayne Hyde, geboren op 12 augustus 1948 in Chicago, woonplaats ten tijde van afgifte van de pas eveneens Chicago, ongehuwd.

Hyde droeg twee plunjezakken met een Schotse ruit; ze waren van uitstekende kwaliteit, maar – dat was te zien – al zeer lang en intensief gebruikt. Hij nam een taxi. Toen de chauffeur de bagage had ingeladen, ging Hyde op de achterbank zitten en noemde hij een nummer in de Chancery Lane. Daarna leunde hij achterover, vouwde zijn handen en sloot zijn ogen. Intussen was de situatie op de snelweg naar de stad chaotisch geworden. Vanwege de botsingen leidde de politie het verkeer telkens van de ene rijbaan naar de andere. De taxi gleed over de ijslaag. De chauffeur van de wagen voor de taxi remde onverwacht en er volgde bijna een botsing.

De taxichauffeur vloekte.

'Laat dat!' zei Hyde met gesloten ogen.

'Wat is er?'

'U moet niet vloeken! Daar houd ik niet van.'

'Hoort u eens! Hebt u die vuile schoft gezien? Het scheelde niet veel of we waren erbovenop gereden.'

'Laat dat!'

'Wat nu weer?'

'Praten überhaupt. Moeilijk rijden. Ja. Nou én? Uw beroep, niet? Wees dan rustig.'

'Zoals u wenst.' De taxichauffeur was beledigd. Hij bewoog zijn lippen en vervloekte die rot-Amerikaan, want dat zijn passagier er een was, had hij al direct aan diens zware accent gemerkt.

Schorriemorrie, die yankees, dacht de chauffeur. Ze hebben ons net weer met nieuwe raketten opgezadeld. Kruisraketten en Pershing's II, daar in Greenham Common. Daar was ik de vorige week. En nog een hoop anderen. Minstens tweehonderd. Achter de prikkeldraadversperring Amerikaanse soldaten. Zetten een grote bek op en zeiden wat van *yellow. Yellow* betekent zoveel als laf. Liet een van ons zijn broek zakken. En nog een. En nog tien. Een minuut later zagen de Amerikanen tweehonderd Britse blote billen. Nou ja, 't is toch zo! Als het echt begint, wie krijgt het dan het zwaarst te verduren? Wij en de Duitsers. De Duitsers interesseren me geen lor. Maar die lui daarginds in Amerika, van hen heeft immers nog niemand ook maar één bom horen vallen. Die zouden niet zo stoer zijn als zij hadden meegemaakt wat Londen in de *Blitzkrieg* heeft doorstaan. Ga links rijden, sufferd! Jezus Christus! Nu draait die kar om z'n eigen as!

De taxichauffeur bewoog zijn lippen totdat hij zijn bestemming had bereikt. Hij vloekte de hele tijd – binnensmonds.

In de Chancery Lane stapte hij uit, opende het portier en bleef zwijgen. Hij haalde de twee plunjezakken uit de kofferbak. Zwijgend. Daarna noemde hij de ritprijs. Hyde betaalde en liet zich precies tot op de penny geld teruggeven. Daarna pakte hij de zakken op en liep zonder te groeten naar de voordeur. De chauffeur keek hem na, spuugde in de sneeuw en ging weer achter het stuur zitten. Toen hij wegreed vloekte hij weer – nu hardop.

Wayne Hyde klom met zijn bagage de trap op naar de tweede verdieping van het stille, voorname huis. Er brandde licht. Op de deur zat een koperen bordje:

ROGER MORLEY

SOLICITOR

Juridisch adviseur dus. Niet iemand die voor de rechtbank pleit, dacht Hyde. Anders zou hij *barrister-at-law* zijn. Natuurlijk *solicitor*! Dat had ik kunnen weten. Hier gaat het niet om een zaak waarbij ik bewijzen voor de rechtbank moet aandragen of laten verdwijnen.

Hij belde aan. Er klonk een zoemer. De deur ging open. Hyde stapte naar binnen. Het advocatenkantoor was heel groot en ouderwets degelijk-ingericht. Hij hoefde maar even te wachten en daar kwam Roger Morley al:

klein, kwiek, een rozig gezicht en blozende wangen, een puntbuikje en verward grijs haar, een ronde mond, muizetandjes, opgewekt en hartelijk. Een Dickens-figuur, dacht Hyde. Hij kende alles wat Dickens had geschreven. Hij kende zeer veel schrijvers. Wayne Hyde las wanneer hij daar maar de tijd voor kon vinden.

Morley begroette zijn gast verheugd. 'Fijn dat u er bent, mr. Hyde!' Hij hielp hem uit zijn jas. 'De plunjezakken laten we in het secretariaat. Wilt u mij maar volgen?' Hij liep voorop naar zijn kantoor. Hyde zag hoge, mahoniehouten panelen die de halve muur bedekten, mooie oude meubels, een sterke lamp met een kunstig geblazen groene glazen kap op het bureau en planken vol boeken die een magische uitstraling hadden. Het was warm en doodstil in het kantoor van Roger Morley. Op het grote, gebeeldhouwde bureau bevonden zich foto's, tijdschriften en een kleine bandrecorder.

'Wat drinkt u, mr. Hyde? Whisky? Cognac? Wodka?'

'Ik drink nooit alcohol, mr. Morley.'

'O, werkelijk? Dat vind ik fantastisch.' De advocaat wreef in zijn rozige handjes. 'Maar toch zeker wel thee?'

'Thee graag.'

Morley bloeide op. 'O, geweldig! Welke zou u graag drinken?' Hij opende de deur van een piepklein keukentje. Boven het elektrisch fornuis stonden blikjes van verschillende kleur op een plank. 'Wat denkt u van een Finest China Keemun, bloemig zacht? Of een China Jasmin with Flowers, licht, vervuld van de lieflijke geur van jasmijnbloesem?' Hij wees naar de kleurige blikjes. 'Flowery Orange Tea? Een Chinees-Indische selectie met het aroma van rijpe sinaasappelen? O, of deze: Assam Herenthee. Van de beste Indische herkomst, pittig zwaar. Maar misschien kunt u beter een Special Earl Grey proberen – extravagante melange van Indisch-Chinese soorten met de bijzondere geur van bergamotolie? Of, ah, een Finest highgrown Darjeeling! Die wordt ook wel Flowery Orange Pekoe genoemd. Het gaat om een hoge struik van de zuidelijke hellingen van de Himalaja met een geprononceerde muskadel-flavour. Of . . .'

'Highgrown Darjeeling, mr. Morley, als ik u verzoeken mag.'

Roger Morley sloeg zijn rozige handjes tegen elkaar. 'Uitstekend! Highgrown Darjeeling.' Hij pakte een van de blikjes van de plank en opende het. Gedurende de nu volgende conversatie maakte Roger Morley, juridisch adviseur, de thee klaar met de liefde van een kenner. Eerst liet hij de ketel vol water lopen en zette die op een kookplaat.

De man die Wayne Hyde heette en toekeek, zei: 'Ik heb uw brief en een vliegticket ontvangen. Die brief was natuurlijk niet van u. Er stond alleen in dat u mij direct verwachtte. De brief kwam van een vleeswarenfabriek in New York.'

'U zult noch voor die mensen, noch voor mij werken,' zei de rozige advocaat terwijl hij flinterdunne kopjes en schoteltjes van Chinees porselein, lepeltjes en een zilveren potje met bruine kandijsuiker aandroeg. 'Ik ben maar een tussenpersoon.'

'Ik begrijp het. Een grote zaak?'

153

'Een zeer grote zaak, mr. Hyde.'

'De heren willen niet zelf hun handen vuil maken, hè?'

'Dat kunnen ze niet, mr. Hyde. Dat kunnen ze niet. En niemand in hun dienst kan dat. U zult het zo begrijpen. Wat die heren betreft, hun probleem is dermate delicaat, dat eigenlijk niemand anders hen kan helpen dan een *merc.* De beste die te krijgen is. U, mr. Hyde.'

'Hoe weet u dat ik de beste ben?'

'O, men heeft natuurlijk inlichtingen over u ingewonnen,' zei Morley en zette een zilveren zeefje op een houder neer.

'Wie heeft inlichtingen over mij ingewonnen, mr. Morley?'

'Wel, de Amerikaanse geheime dienst . . .'

'Aha.'

'. . . en de Russische geheime dienst.'

'Mmm.'

De advocaat warmde in de kitchenette een mooie antieke zilveren kan op. Hij glimlachte naar Hyde. Roger Morley deed denken aan een gezonde, gelukkige baby.

'U weet hoe het is, mr. Hyde. De mensen zijn niet te vertrouwen, al beloven ze je bij alles wat hun heilig is een ander uit de weg te ruimen. Gewone mensen, bedoel ik. Leken. Daarom heb ik u gevraagd. U bent echt een betrouwbare moordenaar.'

'Het is mijn beroep, mr. Morley,' zei Hyde. 'Dat is het beroep van een *merc.*'

'Ik ben trots en prijs mij gelukkig u te hebben ontmoet, mr. Hyde.' Morley kwam aan met een réchaud. 'Als iemand deze afschuwelijke geschiedenis weer recht kan zetten, dan bent u dat wel. Dat zag ik dadelijk. De hemel zij dank! Heus, een zeer huiveringwekkende aangelegenheid.' Hij pakte een van de tijdschriften die voor hem lagen. Het waren dikke, geniete bladen van uitstekend papier met kleurenfoto's en ze deden denken aan dure en exclusieve pornobladen. De schreeuwende rode titel luidde *Merce-naries*, en de rode ondertitel *The Journal of Professional Adventurers*. Het tijdschrift van beroepsavonturiers. *Mercenary* is het Engelse woord voor huursoldaat. Op het titelblad van het tijdschrift dat Morley in zijn hand hield stonden drie van die huursoldaten, die zwaarbewapend en met een stalen helm op via haakladders tegen een gebouw op klommen, terwijl uit het inwendige schrikwekkende oranjekleurige tongen van vlammenwerpers schieten. Aan de linkerkant werd in kleurendruk informatie gegeven over de belangrijkste onderwerpen van het tijdschrift: EXCLUSIEF: ONZE MANNEN IN HONDURAS – EINDELIJK: DE SAS-STORY – HET LEGIOEN IN SYRIË – KOREA WACHT OP NIEUWE OORLOG – MERCS IN LIBANON – VIETNAM-CHARADE – WIJ HOUDEN SCHOONMAAK IN ANGOLA – DE GROOTSTE MERCS VAN FRANKRIJK – GEREEDMAKEN VOOR LIBIË – NACHTELIJKE AANVALLEN IN CUBA

180 Pagina's! werd in felgeel op de voorpagina aangekondigd. Het blad kostte drie dollar, in het Verenigd Koninkrijk £ 1.75. Dit blad en de andere tijdschriften stonden bol van bloeddorstige beschrijvingen van huursolda-ten in actie in de meest uiteenlopende oorlogsgebieden, eer- en respectvolle

154

series over bijzonder beroemde of beruchte huursoldaten en met exacte aanwijzingen voor de snelste, gruwelijkste en vermetelste manieren om mensen te doden. In andere artikelen maakten de schrijvers gebruik van de meest lyrische taal in hun verrukte beschrijving van nieuwe wapens, waaronder ook een aantal dat elke particulier zich kon (en ook zou moeten) permitteren: fantastische snelvuurmachinepistolen, 9 mm-pistolen, handgranaten, traangaskanonnen en kostbaarheden zoals de officieel geautoriseerde imitatie van het stiletto van de Amerikaanse Marine Raiders (snijdt door vlees als door boter), wereldwijd een beperkt aantal van 2500 stuks.

Het halve tijdschrift was – ten dele gecamoufleerd als huiveringwekkende mededelingen – gevuld met advertenties waarin huursoldaten van vele nationaliteiten volgens hun eigen verklaring hun leven alleen te danken hadden aan deze gevechtshelikopter, die aanvalstank, of juist aan dat geweer met nachtkijker. Veel pagina's zagen er nadrukkelijk onopvallend uit. Daarop werden huursoldaten gezocht door anonieme belanghebbenden, en huursoldaten die zonder werk zaten boden daar hun diensten aan.

Daar was bijvoorbeeld te lezen:

HUURSOLDAAT BIEDT ZICH AAN: *Voor alles. Overal. Moord inbegrepen. U hoeft zich niet druk te maken, hij vereffent de rekening. Werkt alleen. Razendsnel. Vertrouwelijk. Laat geen sporen achter.* Brieven aan: SKIPPER, POSTBUS 546455, SURFSIDE, FLORIDA 33154.

Of:

EX-LUITENANT MARINIERS, *Vietnam-veteraan, para, zoekt werk. Bescherming van personen en zaken. Veiligheid. Uiterst snelle hulp. Geheime bergingsoperaties.* Brieven aan: MALDONADO, POSTBUS 267, COLBY, KANSAS 67701.

Of:

IK ZOEK WERK. *Zuidoost-Azië-veteraan 66 – 70, met internationale gevechtservaring. Voor: opleiding, gijzelingen, gevechten en koeriersdiensten. Met directe ingang.* Brieven aan: VGA, POSTBUS 309, SCHENECTADY, NY 12301.

De advocaat Morley had gevonden wat hij zocht. Hij keek de man tegenover zich aan, lachte zijn babylachje en las harop voor: 'NAM-VET voor uiterst riskante jobs. Werk voor regeringen, particulieren of organisaties. Onberispelijke uitschakeling van voorwerpen en/of individuen gegarandeerd. Doe alles. Overal. U zegt wat u wilt. Ik voer het uit. Spreek vloeiend Duits, Spaans en Frans. Ook militaire en politieke problemen. Brieven aan: COPLAND, POSTBUS 41051, CHICAGO, ILLINOIS 60641.'

In de keuken begon de waterketel te fluiten. Morley stond op, liep naar het fornuis en zette de ketel op een andere plaat. Daarna schepte hij met een lepeltje verscheidene porties Highgrown Darjeeling uit het blikje, gooide de zwarte theebladeren in de opgewarmde zilveren kan en vulde deze, evenals een grotere kan zonder deksel met kokend water. Intussen zei hij: 'Copland – dat bent u, mr. Hyde, NAM-VET Vietnam-veteraan. En uiteindelijk viel onze keus op u. We moeten hem nu even laten trekken. Ik wil niet ontkennen dat wij nog een paar andere collega's van u onder de loep hebben genomen. Uw antecedenten waren veruit de beste. Van doorslaggevend belang was uw talenkennis. Ik heb gehoord aan welke operaties u al hebt deelgenomen. Alleen al wat u in Beiroet deed. Bij de massamoord in het kamp Chatilla. Dat u daar levend bent uitgekomen!'

'Geluk,' zei Hyde bescheiden. 'We worden immers ook "gelukvogels" genoemd. Tja, nu we kennis met elkaar hebben gemaakt, sir – wat kan ik voor u doen? Wie zijn mijn opdrachtgevers? Ik heb het gevoel dat het om regeringen gaat.'

'Uw gevoel is volkomen juist, mr. Hyde. Het gaat om de regeringen van de twee machtigste staten ter wereld.'

'Ik krijg van die twee samen een opdracht, begrijp ik het goed?'

'Zeker, mr. Hyde. Afschuwelijk, die sneeuw. Moet u eens horen hoe de storm tekeergaat! Kijkt u toch eens door het raam!'

Het was allang donker buiten. De sneeuw sloeg hard tegen de ruiten. 'Het hele verkeer wordt lamgelegd. Gelukkig is mijn appartement hier in dit huis. Ik denk dat ik vanavond televisie ga kijken. Kunstrijden op de schaats. Daar ben ik dol op! Daar kan ik uren naar kijken. Ja, zoals gezegd, Amerika en de Sovjetunie.' Morley schoof een aantal glanzende foto's over de tafel. 'Allereerst gaat het om deze man. Hij heet tegenwoordig Eduardo Olivera.

Vroeger heette hij Georg Ross.'

'Wanneer vroeger?'

'Onder de nazi's. Tot 1945. Dit hier is zijn stiefdochter, Mercedes Olivera, drieëndertig jaar. Moeder overleden in 1976. En dat is Daniel Ross, zoon van Georg Ross. Woont in Frankfurt aan de Main in West-Duitsland. Mercedes, de stiefdochter van Ross, heeft de zoon op 16 februari, dus vier dagen geleden, naar Buenos Aires gehaald. Zijn vader is van plan een videofilm aan de televisie te verkopen. Deze film mag nooit worden uitgezonden. Niemand mag van de inhoud daarvan kennis nemen. Ik denk dat hij nu lang genoeg heeft getrokken.' Morley haastte zich met trippelende pasjes naar het keukentje en zette de grote en de kleine kan op een zilveren dienblad dat hij midden op het bureau plaatste.

'Eerst graag de kandijsuiker, beste mr. Hyde. Een of twee stukjes, wat u lekker vindt. Daar is een tang. Altijd eerst de suiker en dan de thee. Gebruikt u de zeef. Zo is het goed. En nu, staat u mij toe . . .' Morley schonk het kopje dat voor Hyde stond bijna vol. 'Nu moet u er een beetje heet water bij schenken; in deze concentratie komt de muskadelsmaak het lieflijkst tot uiting . . .' Hij maakte zijn eigen thee klaar, nadat hij eerst drie stukjes kandij in het kopje had gedaan. 'Ik ben een zoetekauw.'

'Waarom mag niemand van de inhoud van de film kennis nemen, mr. Morley?' Hyde roerde in de thee.

'Dat zou een ramp zijn. Morley ging zitten.

'Voor Amerika of voor de Sovjetunie?'

'Misschien wel voor allebei.' De advocaat stak zijn hand uit naar de bandrecorder waarin een cassette zat. 'Hier is een in het geheim opgenomen gesprek van die drie personen in de bibliotheek van Olivera in zijn huis aan de Cespedes 1006 in de stadswijk Palermo van Buenos Aires. Het gesprek werd om zo te zeggen per abuis opgenomen door iemand die een heel andere opdracht had. Ik zal het u straks uitleggen. De afluisterapparatuur moet een van de modernste zijn die er bestaan. Speciale cassettes. In Washington hebben ze het gesprek op een gecompliceerde manier op een normale cassette overgebracht. We kunnen het beste naar dat gesprek luisteren, mr. Hyde. Daarna zullen veel vragen van uw kant overbodig zijn.'

De advocaat drukte op de weergavetoets. De stem van Eduardo Olivera was te horen: '... Nu, Daniel, ga je een film zien. De film speelt zich af in Teheran, de hoofdstad van het huidige Iran ...'

2

De band was afgedraaid.

De advocaat Morley had nog een pot thee gezet, schone kopjes en een schoon zeefje klaar gezet, en terwijl hij serveerde, zei hij: 'U bent een intelligente man, mr. Hyde. U hebt de commentaarstem van de film – werkelijk een uitstekende keus die u met de Highgrown Darjeeling hebt gedaan! – de commentaarstem van de film en de commentaren van de vrouw en van Olivera ten aanzien van de afzonderlijke punten van het geheime verdrag gehoord. Al kent u het verdrag niet in zijn geheel, nu weet u toch waar het hier om gaat.'

'Zeker, mr. Morley.'

'U zou – theoretisch natuurlijk – al is het maar tegenover één andere persoon een enkel woord daarover kunnen laten vallen. Ik geloof dat u niet meer water moet nemen om te verdunnen. In verband met de muskadelsmaak. Dan zou u een uur later dood zijn.'

'Ik ben niet gek, mr. Morley. Mijn intelligentiequotiënt is ...'

'132. Ik weet het.'

'Hoe? Ach ja, uw onderzoek.'

'Ik weet alles over u, mr. Hyde. Over uw gezondheid. Uw privé-leven. Uw werkzaamheden tot nu toe. Uw kinderziektes. U zat toch in het leger. Daarvan kreeg de Amerikaanse geheime dienst heel snel alles wat ze nog niet had. De rest kwam van de databank van de Grote Twee.'

'Hebben ze samen een databank? Dat wist ik niet.'

'Die hebben ze pas sinds vijf jaar. De tijden worden steeds explosiever. Dan moeten de beide supermogendheden op de hoogte zijn, samen, over politieke en militaire plannen van derden. En over mensen. Mensen zijn gevaarlijker dan atoomkoppen. Mensen zijn het gevaarlijkste wat er is. Om de vrede te bewaren, moet men alles over de mensen weten. Niet over iedereen. Maar over velen: idealisten, ideologen, fanatici, vredesactivisten, militairen. Mensen zoals u. Uitstekend, die thee, vindt u niet?'

'Uitstekend, ja. Weet u, ik denk dat die geschiedenis vals is.'

'Uw intelligentiequotiënt, mr. Hyde!' Morley was verrukt. 'Uw i.q.!

157

Natuurlijk is die film vervalst! Maar u ziet zelf dat hij voor echt wordt versleten.' Hij roerde in zijn thee. 'Moet u luisteren: in 1979, vijf jaar geleden, stierf in Buenos Aires een zekere Paulo Klein. Een Duitse jood; zijn ouders waren samen met hem in 1934 uit Duitsland geëmigreerd. Zijn vader erfde een grote filmkopieerfabriek in Buenos Aires, die later door de zoon werd geërfd. Toen Paulo Klein al een half jaar in het ziekenhuis Dr. Zubizareta lag – maagkanker, overal uitzaaiingen – verzocht hij de dokters iemand van de Amerikaanse ambassade bij hem te laten komen. Geen hoge functionaris, maar een kleine, onopvallende man. Dus ging er een secretaris heen. Maltravers heette hij. Timothy Maltravers. En aan deze Maltravers vertelde Klein dat hij vijf jaar eerder, in juni '74, een oude 35 mm-film met een lengte van 600 meter in het geheim had overgezet op drie videocassettes. Voor een vriend . . .'

'Hoe heet die vriend?' vroeg Timothy Maltravers. Hij was achtentwinig jaar, mager en droeg een bril met sterke glazen.
'Dat zeg ik u niet,' verklaarde Paulo Klein, die net vijfenvijftig jaar was geworden. Hij lag in een bed in de laatste kamer op een lange gang op de Kankerafdeling van het dr. Zubizareta Ziekenhuis aan de Avenida Lincoln. Klein was een rijzige, flinke man geweest. Nu was hij tot op het bot vermagerd. Hij zag eruit als een jongetje van tien jaar. Vooral zijn hoofd maakte een nietige indruk. Zijn huid was vaalgeel. Toen Maltravers kwam, had hij hem meteen laten zien hoezeer zijn huid was verminkt door de kobaltbestraling. Huiverend zag de jonge Amerikaan een paarszwarte, ondiepe put ter grootte van een ontbijtbord in zijn buik, toen Klein het lichte beddek optilde. Er lagen stroken gaas over de verbrande huid. Het stonk in het kamertje, waarvan het smalle raam op een binnenplaats uitkeek. Het stonk naar de ziekte van Klein. Het verbrande vlees stonk. Maltravers haalde adem door zijn mond.
'Ik stink, hè?' vroeg Klein. Zijn pupillen waren uitermate klein. Hij sprak met schorre stem. Zijn stembanden en strottehoofd waren ook al aangetast.
'Nee, hoor . . .'
'Ja, hoor. Ik weet het wel. Die vervloekte bestralingen. Ik verrot levend. Nou ja, het zal niet lang meer duren. Ze hebben me al op het sterfkamertje gelegd.'
'Wat een onzin!'
'Houdt u maar gerust uw zakdoek voor uw neus. Het is geen onzin. Die kamertjes aan het eind van de gang zijn sterfkamertjes. Dat heeft een nachtzuster mij verteld. Een bijzonder domme nachtzuster. Maar zodoende weet ik het. Nou, vooruit, uw zakdoek! Het raam staat dag en nacht open, maar die lucht gaat niet weg . . .'
Zo was de begroeting geweest.
Nu zat Maltravers op een stoel bij het bed, inderdaad met een zakdoek voor zijn mond, en vroeg: 'Hoe heet uw vriend?'
'Dat vertel ik u niet,' verklaarde de tot een geraamte vermagerde Klein

met hese stem. 'Ik zal u vertellen wat er op de film stond . . . staat . . .' Hij vertelde het aan Maltravers. Diens gezicht bleef onbewogen.

'Vals natuurlijk,' zei hij ten slotte.

'Nee, de film is echt!'

'Uitgesloten!'

'O, u weet natuurlijk niets van het bestaan ervan, natuurlijk.' Klein hoestte. 'Alleen een paar mensen in het Kremlin en in Washington weten ervan af. Spreek me niet tegen! Ik heb nog maar weinig tijd. En spreken is vermoeiend voor me. Mijn vriend is Duitser – net als ik. Ik bedoel: we waren het beiden van vroeger. Mijn ouders komen uit München. Daar ben ik geboren. In 1934 vluchtten we uit Duitsland. In Lissabon kregen we een inreisvisum voor Amerika. Zo werd ons leven gered. En daarom vertel ik u dat er kopieën bestaan van dat geheime verdrag. Opdat uw land op de hoogte is van het verraad dat er in 1943 is gepleegd.'

'Meneer Klein, ik verzeker u dat een dergelijk verdrag niet bestaat.'

'Beste man, wat bent u? Ambassadesecretaris. Kunt ú precies weten of een dergelijk geheim verdrag wel of niet bestaat? Begin nu niet weer! Luister naar me. Iedere minuut telt. Ik maak het niet lang meer.'

'Neemt u me niet kwalijk, meneer Klein,' zei Maltravers, de zakdoek steviger tegen zijn neus drukkend. Ik houd het hier ook niet lang meer vol, dacht hij. Arme kerel. Maar die stank . . .

'Het is al goed.' Hoesten. 'Ziet u: die man, mijn vriend, was eens een hoge nazi. Dat heeft hij mij eerlijk bekend. De geheime dienst van de nazi's kwam aan het eind van de oorlog in het bezit van een kopie van deze film. Een Amerikaan moet verraad hebben gepleegd en daarvoor veel geld hebben gevraagd. Nee! In elk geval is die kopie echt! Ik vind dat overigens helemaal niet zo ontzettend. Iedereen schreeuwt nu toch voortdurend dat die twee groten het met elkaar eens moeten worden. Nou, alsjeblieft, ze zíjn het met elkaar eens, al sinds 1943. Dan komt er tenminste nooit een grote atoomoorlog.'

'Meneer Klein . . .'

'Onderbreek me niet! De nazi's kregen de film te laat om hem nog voor propagandadoeleinden te kunnen gebruiken. Ze waren bijna al overwonnen. Daarom zou geen mens in Duitsland, in de nog bezette gebieden en in het neutrale buitenland ooit hebben geloofd dat de film echt was. Die is vals, zou iedereen hebben geroepen.'

'Het is toch ook een . . . Neemt u mij niet kwalijk, meneer Klein. Gaat u door, alstublieft.'

'Door . . .' De man in bed haalde reutelend adem. 'Goed, tijdens de oorlog konden de nazi's de film niet meer vertonen. Toen zeiden ze bij zichzelf, goed, wij gaan ten onder, maar bij onze tweede aanval zal de hele wereld nationaal-socialistisch worden. Heeft mijn vriend mij uitgelegd.'

'Tweede aanval?'

'Ja, mr. Maltravers. Toen hebben de nazi's mijn vriend aan het eind van de oorlog met de film hierheen gestuurd. Valse papieren, alles voorbereid natuurlijk. Hij moest wachten tot er een bevel kwam. Dan de film vertonen.

Aan internationale journalisten. Idee daarbij: de mensen laten het niet over hun kant gaan dat ze nu slaven van de Amerikanen of de Russen zijn, de mensen komen in opstand – de hele wereld wordt bruin.' Klein hoestte hartverscheurend. Hij draaide daarbij zijn hoofd opzij.

'Nou, en waarom heeft uw vriend dat niet gedaan?'

'Omdat hij een ander mens is geworden.'

'Wát is hij geworden?'

'Een volkomen ander mens. Algauw na zijn aankomst hier. Wist voordien niets af van de misdaden van de nazi's. Was een idealist. Hoorde nu de waarheid. Was zeer geschokt. Zenuwinstorting. Inrichting. Heus! Heb hem in 1973 leren kennen bij een ontvangst. We zijn toch eerst naar New York gevlucht, nietwaar? Mijn vader had een filmkopieerbedrijf geërfd hier in de stad. Tja, toen zijn we in 1952 hier gekomen. In '60 heb ik mijn ouders verloren. Beide in hetzelfde jaar. Ik was heel alleen. En die man, die ik in '73 leerde kennen, mocht ik wel. Een Duitser – net als ik. Ik had heimwee naar Duitsland. U weet immers, wij joden . . .'

'U kent elkaar sinds zes jaar?'

'Ja. We kennen elkaar zes jaar. Hij was toen allang een ander mens geworden. Anders zou ik toch niet bevriend met hem kunnen worden, niet? U voelt zich beroerd, ik zie het. Gaat u nog niet weg! Wie weet of ik morgen nog leef.'

'Ik blijf zo lang u wilt.'

'Bedankt, jongeman. Moge God u beschermen. Mijn vriend heeft vele jaren geprobeerd het goed te maken. Door giften; aan joodse organisaties, aan Israël. Aan de psychiatrische inrichtingen daar. Wist u dat er in Israël verhoudingsgewijs meer psychiatrische inrichtingen zijn dan in elk ander land ter wereld? En voortdurend moeten ze nieuwe bouwen. Allemaal propvol. Oudere mensen, oude mensen die de kampen, de holocaust hebben overleefd. Depressies, psychosen, de ergste psychische aandoeningen – nu pas komen die te voorschijn. Nou, en mijn vriend heeft gegeven en gegeven – een vermogen. Hoe kan ik hem dan verraden?'

'Maar waarom vertelt u dan alles aan mij?'

'Omdat de wereld er zo slecht voorstaat. We zijn zo dicht bij een atoomoorlog. Mijn vriend heeft die oude film. Ik ben bang dat hij hem vertoont. Niet als nazi. Als iemand die de mensen de ogen wil openen, die de vrede wil bewaren! De hele wereld zal zich op Amerika en de Sovjetunie storten. En dat wil ik niet! Ik wil natuurlijk geen atoomoorlog, maar ik wil ook niet dat de mensen zeggen dat de Amerikanen misdadigers zijn. Nee, zo kan ik niet sterven, als ik me voorstel dat ze dát zeggen. De Amerikanen hebben het leven van mijn ouders en van mij gered. Dat kan ik toch niet vergeten! Ze hebben samen met de Russen en de Engelsen de nazi's overwonnen. Dat kan ik ook niet vergeten. Ik zit in een moeilijk parket. Zei ik bij mezelf: op z'n minst moeten de Amerikanen en Russen wéten dat iemand kopieën van de film heeft. Dan zijn ze niet onvoorbereid als mijn vriend die kopieën vertoont. Dan kunnen ze maatregelen nemen. Bewijzen construeren dat de film door de nazi's vervalst is.'

'Mijn hemel, hij is immers ...'

'Tut, tut, tut. Niet tegenspreken! Film is echt. Kopie ook. Heeft mijn vriend gezworen bij het leven van zijn dochter. Ik geloof hem, als hij dat zweert. U niet? Ziet u wel!'

'Wat is er met het origineel gebeurd, met de 35 mm-film?' Klein hoestte weer. 'Hij is een goed mens. Maar kan gevaarlijk zijn voor de Amerikanen. En de Amerikanen zijn ook goede mensen. Hebben zoveel joden en andere mensen in grote nood geholpen ... geholpen met visum ...' Klein spuwde eensklaps bloed. In een grote boog spoot het zijn mond uit. Buiten zichzelf van ontzetting stormde Maltravers de gang op. 'Een dokter!' schreeuwde hij. 'Een dokter! Haal direct een dokter!'

'Het duurde nog drie dagen voordat hij dood was, de arme kerel,' vertelde de juridisch adviseur Roger Morley. 'Maltravers rapporteerde op de ambassade direct wat Klein had verteld. Ze namen de zaak ernstig op. Een paar uur later was men in Washington en Moskou op de hoogte. Bij de begrafenis van Klein een menigte agenten. Fotografeerden alle bezoekers. Iedereen werd geïdentificeerd. Resultaat: nul. Niemand van de bezoekers van het joodse kerkhof kwam in aanmerking als "vriend" van Klein.'

'Conclusie: de man is niet op de begrafenis geweest. De dochter ook niet,' zei Wayne Hyde.

'Juist. Toen begonnen we de zaak verduiveld serieus te nemen.'

'Wij?'

De advocaat, die eruitzag alsof hij uit een roman van Dickens was gestapt, glimlachte. 'Ik kwam in de gelegenheid bepaalde posten in Washington te vertegenwoordigen. Sedertdien leid ik de kleine organisatie.'

'Wat voor organisatie?'

'Komt zo. Ziet u, in Buenos Aires en in Israël ging het onderzoek verder. Niemand in de stad met tien miljoen mensen had geld geschonken voor joodse psychiatrische inrichtingen in Israël. Wel voor joden. Wel voor Israël. Voor alle mogelijke inrichtingen – maar niet voor psychiatrische. Dus had die vriend Klein belogen. En verder: we hebben bij alle andere vrienden van Klein geïnformeerd naar zo'n man. Niemand kende hem. Dus was hij een zeer behoedzame vriend, die nooit bij Klein thuiskwam. Ze moeten elkaar in het huis van die vriend of op een andere plaats hebben ontmoet.'

'En de familie van Klein?'

'Die had hij toch niet meer. Was nooit getrouwd. Leefde alleen. Werd in het graf van zijn ouders bijgezet. En ongetwijfeld heeft hij in zijn loyaliteitsdilemma de waarheid verteld. Daar konden we van uitgaan.'

Konden ze dat? dacht de slanke, lange Hyde met zijn getaande gezicht. Waarheid? Wat is waarheid?

'U moet bedenken,' zei de advocaat, 'dat Amerika en de Sovjetunie zich inderdaad in een afschuwelijke situatie bevonden. En nóg bevinden. De bewapeningswedloop wordt steeds krankzinniger. De angst van de mensen wordt steeds groter. De vredesbeweging wordt steeds sterker. Ik hoef u toch

niet te beschrijven wat er gebeurt als de film die de arme Klein op video
heeft overgezet, bijvoorbeeld vanavond over de hele wereld door televisie-
zenders wordt vertoond? Ik moet er niet aan denken!'
'Hoezo? Het was toch een vervalsing van de nazi's voor een heel ander
doel!'
'Dat weten u en ik en de man die de kopieën heeft. De miljoenen die de
film vanavond te zien zouden krijgen zouden het echter niet weten. Natuurlijk zouden Washington en Moskou onmiddellijk verklaren dat de film vals
is. Nou én? De mensen zouden het niet geloven. Maar zelfs áls er een paar
zouden zijn die het geloven, wat dan nog? Wat de film laat zien, is mogelijk.
En daarom zou hij alle mensen tot nadenken stemmen. Ook de Sovjets en
de Amerikanen. Met andere woorden: het speelt geen rol dat de film vals is.
Niet de geringste. En daarom mag hij nooit vertoond worden. Daarom
hebben Washington en Moskou deze kleine organisatie in het leven geroepen. Het is een hopelijk-functioneert-ze-organisatie.'
    'Wat bedoelt u daarmee?'
'Nou ja, alles wat we wisten was: in Buenos Aires woont een voormalige
Duitse topnazi, die in het bezit is van drie videokopieën van deze film. En
hij heeft een dochter. Paulo Klein, die arme kerel, was bang dat de
onbekende in deze tijd van *overkill* en overbewapening de film openbaar
zou maken. Wanneer? Dat kon niemand zeggen. Iedere dag was mogelijk.
Vandaar die organisatie. Ze beperkte zich voornamelijk tot Buenos Aires.
Daar volgde een groep mannen op mijn aanwijzingen elk spoor, elk
spoortje van een spoor. Men lette jarenlang op het kleinste teken waarmee
één man onder miljoenen mensen zich verdacht zou maken, U hebt er geen
idee van hoeveel duizenden sporen deze mensen hebben nagegaan. Alles
voor niets. Overal loos alarm. In diezelfde tijd beseften de beide grootmachten, die men steeds meer begon te vrezen en te haten, dat het nodig was
posten op te stellen waarop ze gemakkelijk dingen hoorden die van
gemeenschappelijk belang waren. Is dat duidelijk?'
    'Glashelder.'
'Zulke posten zijn bijvoorbeeld particuliere ziekenhuizen. Er zijn in heel
Europa – ook in het Oostblok – particuliere sanatoria, die naar het heet met
geld van een Amerikaanse miljonair, Kingston genaamd, zijn gebouwd en
die ondanks de hoge kosten winst opleveren – in tegenstelling tot staats-
ziekenhuizen. Deze zogeheten Kingston-sanatoria zijn in eerste instantie
bedoeld om op de hoogte te komen van de opvattingen en plannen van hoge
politici en militairen, maar ook van persoonlijkheden op het gebied van het
geestelijk leven, over hun gezondheidstoestand, hun bezigheden en hun
geheimen. Daarnaast werden deze sanatoria ingericht als schuilplaats en
onderdak voor agenten. En andere agenten – artsen, laboranten, verple-
gend personeel – zijn verantwoordelijk voor het functioneren van deze
inrichtingen. Zo'n inrichting en zo'n agent bevinden zich ook in de buurt
van Heiligenkreuz, een plaatsje bij Wenen. Zoals alle agenten in deze
sanatoria wist diegene af van de affaire met de film. Al jaren. En nu hebben

we eindelijk geluk gehad.' Morley tikte met een vinger op de foto van Daniel Ross. 'De zoon!'

'Welke zoon?'

'Olivera stuurde zijn dochter naar Europa om zijn zoon te halen. Die werkt bij de televisie.'

Hyde floot tussen zijn tanden.

'Dat wil zeggen, hij werkt niet meer bij de televisie, hij is eruit gevlogen. Hij is verslaafd aan medicijnen. Kan zich nog maar nauwelijks op de been houden. Is zeer gehecht aan een vroegere liefde die hem al een paar maal heeft geholpen, een zekere doctor Sibylle Mannholz. Zij werkt in Sanatorium Kingston bij Heiligenkreuz. Daniel Ross belde haar op omdat hij hulp nodig had om de vlucht naar Buenos Aires te doorstaan, voordat hij weer bij haar onder behandeling gaat.'

'En dat weet u allemaal van die dokter Mannholz?'

Morley lachte. 'Nee, van haar chef. Dat is onze agent. Luisterde het gesprek af.'

'Had die Mannholz daar geen bezwaar tegen?'

'Nee.'

'Waarom niet?'

'Daar zijn redenen voor,' zei Morley.

'O,' zei Hyde.

'De zoon en de stiefdochter werden al tijdens de vlucht naar Argentinië geschaduwd. Toen kwamen we erachter waar de vader woonde en hoe hij heette. Maar iets heel geks kwam ons nog meer te hulp. Olivera werd afgeluisterd. Zoals we nu weten, in opdracht van de militaire junta. Onze jonge vrienden in Buenos Aires maakten drie cassettes buit, die naar Washington werden opgestuurd en daar op normale cassettes werden overgezet. Op twee ervan staan gesprekken met politici. De derde, waarop Olivera praatte met zijn bezoeker uit Europa, die derde cassette hebt u zojuist gehoord. En nu is het uw beurt, mr. Hyde. Hoe staat het met wapens, bescherming, papieren, schuilplaatsen enzovoorts in andere landen?'

'Daar hoeft u zich geen zorgen over te maken,' zei de huursoldaat. 'Lui als ik zijn overal. Wij hebben óók een netwerk. Ik kan bijvoorbeeld niet met een wapen het vliegtuig in. Dus krijg ik in elk land precies wat ik nodig heb.'

'Goed, dat is dus allemaal uw eigen zaak.'

'Dan resteert nog de betaling.'

Morley lachte. 'Zeker. Dat zou ik bijna vergeten. Hoeveel?'

'Vijf miljoen dollar op een Zwitserse bankrekening.'

'Is dat niet een beetje . . .'

Hyde stond op. 'Dank u wel voor de thee. Prettig met u kennis te hebben gemaakt.'

'Blijft u toch zitten, verdorie! Vijf miljoen. Goed. Uiteindelijk loopt uw leven meer dan één keer gevaar.'

'De helft wordt onmiddellijk overgemaakt. De andere helft als ik me uit de affaire terugtrek.' Hyde verhief zijn stem. 'En onafhankelijk van de vraag of het me gelukt is aan al uw wensen te voldoen. Ik probeer alles af te werken zoals de bedoeling is. Maar het is mogelijk dat er een punt komt waarop ik nog niet alles heb afgewerkt, maar dat u van mening bent dat het spel verloren is en ik me moet terugtrekken. In beide gevallen dient dan de tweede helft te worden betaald. Doet u dat niet, dan . . .'

'Dat niet!' zei Morley, beschaamd naar zijn blanke handen kijkend.

'Wat niet?'

'Niet dreigen, alsjeblieft. Ik begrijp uw eis. U neemt een enorm risico. Dat moeten wij ook doen.' Morley gaf Hyde drie grote enveloppen. 'Hier is alles wat we over die drie – Olivera, zoon en stiefdochter – aan het licht hebben gebracht. Kleine dingen, grote dingen. U krijgt daardoor een perfecte indruk. Leest u alles tot u het uit uw hoofd kent en vernietigt u daarna de papieren voordat u Londen verlaat.'

Hyde schoof een briefje naar hem toe. 'Dat is het nummer bij de Schweizer Bankgesellschaft in Zürich. Ik bel hen overmorgen in de ochtend op. Als die tweeënhalf miljoen nog niet op mijn rekening staan, vlieg ik terug naar Chicago.'

'Ze zullen op uw rekening staan,' beloofde Morley. Hij opende de bureaula en haalde er een voorwerp uit in een kunststof hoes, dat eruitzag als een glad elektrisch scheerapparaat.

'Wat is dat?' vroeg Hyde.

'Dat is een zakdecodeerapparaat,' zei de rozige advocaat. 'Dit apparaat kan bijvoorbeeld ook worden gebruikt om in een vakantiehuisje de verwarming aan te zetten.' Hij stond op. 'Komt u eens hier!' Morley liep naar een plat, grijs kistje dat op een tafel stond. 'En dit hier,' zei hij, 'is een telefoonbeantwoorder. Voor mijn geheime nummer, dat ik u hier geef.' Hij overhandigde Hyde een kaartje. 'Uit uw hoofd leren en kaartje vernietigen!' Hyde knikte.

'Kijkt u eens.' Morley verschoof het kistje en de achterkant werd zichtbaar. 'Hier achterin zitten drie draaischakelaars, waarvan elke schakelaar in vijf willekeurige standen kan worden gezet. Doet u het maar eens. Maar niet twee dezelfde standen naast elkaar.'

Hyde draaide de drie schakelaars in standen tussen een en vijf.

'Goed,' zei Morley. 'Maakt u nu de decoder open. Op het midden drukken, dan valt hij in twee stukken.'

Hyde drukte. De decoder viel uiteen in twee helften. De ene had, alleen kleiner, drie schakelaars die leken op die aan de achterkant van de telefoonbeantwoorder.

'Nu zet u de knoppen op dezelfde standen als die op de telefoonbeantwoorder.'

Hyde gehoorzaamde.

'U kunt de decoder sluiten. Zo.'

'En nu?'

'En nu,' zei Roger Morley, 'is alles gereed. De decoder wordt gevoed door een batterij van vijftien volt. U kunt nu naar Tokio, naar Johannesburg, naar Rio de Janeiro vliegen – doodeenvoudig waarheen u maar wilt. Als u, wat nog wel eens zal voorkomen, contact met mij wilt hebben, gaat u naar de een of andere telefoon, draait het geheime nummer en houdt de decoder met de zwarte bovenkant voor de microfoon van de telefoonhoorn. Eerst komt de tekst waarmee ik mij meld. Dan volgt een pieptoon. Daarna drukt u op de zwarte knop van uw decoder. Nu worden drie – afhankelijk van de codering verschillende – tonen van de decoder hoorbaar, die door mijn beantwoorder worden herkend, want die is immers eender geprogrammeerd. Op die manier is mijn apparaat gereed voor opname van uw mededeling, die – en daar zult u van opkijken – in geen geval kan worden afgeluisterd.'

'U bedoelt . . .'

'Zeker, mr. Hyde! Mijn apparaat heeft natuurlijk een interruptor. Uw kleine decoder – en dat is het mooie ervan – heeft die ook. Een jaar geleden op de markt gekomen. Een wonder der techniek, vindt u niet?'

'Ja,' zei Hyde.

'Fantastisch gewoon!' dweepte Morley. 'Ik bedoel, u moet toch van waar ook ter wereld met mij kunnen spreken. Dan is zo'n piepkleine interruptor in de decoder toch goud waard.'

'Zuiver goud,' zei Hyde.

'U kunt mij alles zeggen wat u op uw hart hebt en ik beluister het. Maar zo gaat het ook andersom: ik heb een boodschap voor u. Oké, ik spreek die in op de band. U belt het geheime nummer, u houdt uw decoder bij de microfoon van de telefoon; hier in Londen loopt de opnameband terug nadat de decoder in het apparaat hetzelfde signaal heeft herkend en dan kunt u van overal ter wereld opvragen wat ik op de band heb ingesproken. Natuurlijk kunnen de schakelaars, als we dat willen, altijd anders worden ingesteld – als wij maar dezelfde positie aanhouden.' Hij klopte op het kistje. 'Ik zei al dat ik in dit huis woonde. Ik ben vrijwel altijd in de buurt van het toestel zolang de zaak loopt. Ik geloof dat dat alles is.'

'Waar zijn Daniel Ross en Mercedes Olivera nu?'

De advocaat haalde een ouderwets zakhorloge uit zijn vestzak en klapte het deksel open. Het is nu 19.30 uur. In Buenos Aires is het pas 16.30 uur. Tussen Greenwich-tijd en daarginds bestaat slechts een tijdsverschil van drie uur. Tussen het continent en daarginds is het tijdsverschil vier uur. Ross en Mercedes vertrekken vandaag om 20.00 uur met een jumbo van de Aerolineas Argentinas van Ezeiza. Dat is mijn laatste informatie. Ze komen morgen om 17.25 uur Middeneuropese tijd aan in Frankfurt. Ross moet dringend naar het sanatorium bij Heiligenkreuz. Hier is een briefje met de namen van de vrouwelijke en de mannelijke arts, het adres en het telefoonnummer van de kliniek. U kunt het volste vertrouwen hebben in deze dokter Herdegen. Hij zal u alles vertellen wat u moet weten.'

'Vliegen die twee vanuit Frankfurt rechtstreeks door naar Wenen?'

'Ik denk van niet,' zei Morley. 'Ze hebben twee van de drie videocassettes bij zich. De derde ligt, zoals u hebt gehoord,' – hij wees naar de cassetterecorder – 'in een bankkluis, ter bescherming van Olivera. Die twee hebben geboekt voor Frankfurt, omdat ze ongetwijfeld hun cassettes in veiligheid willen brengen voordat ze doorvliegen naar Wenen. Dat zou uw eerste grote kans zijn, mr. Hyde. Volgens het weerbericht zou het sneeuwen laat in de avond ophouden. Dagelijks vertrekken er verscheidene machines van Londen naar Frankfurt, de eerste al behoorlijk vroeg. U hebt dus tijd genoeg.'

'Als het tenminste niet blijft sneeuwen en de luchthaven gesloten wordt,' zei Hyde.

'Dat zou er inderdaad tussen kunnen komen,' zei Morley. 'Maar u zult wel geluk hebben, "gelukvogel"! Blijft u toch bij mij overnachten, dan kijken we samen naar het kunstrijden.'

'Ik ga liever naar een hotel.'

'Zoals u wilt. Dan beveel ik u Richmond aan. Het is klein en prettig en hier vlak in de buurt.'

'Dank u. En dank u wel voor de thee!'

'O, graag gedaan. Ik ben blij dat hij u heeft gesmaakt. Wij zullen elkaar nooit terugzien, mr. Hyde. Staat u mij toe dat ik u een geschenk geef.' Hij overhandigde hem een op prachtig geschept papier afgedrukte lijst. 'U vindt daar gegevens op over mijn soorten lievelingsthee. China Smokey. Finest Colong. Queen's Tea. Enzovoort. Gewoonweg heerlijk. U zult zien – o ja, mr. Hyde, nog iets.'

'Ja?'

Roger Morley lachte weer zijn babylachje.

'Wij zijn heel blij dat we u voor onze zaak hebben gewonnen. Maar mocht u tijdens uw werkzaamheden moeilijkheden krijgen met douane of politie, dan zal ik, noch iemand anders van onze organisatie het flauwste idee hebben wie u bent. U zoudt zich tevergeefs op ons beroepen. U moet er niet op rekenen dat ik of iemand anders ook maar een vinger zal uitsteken om u te helpen.'

3

Hamburg is ingenomen door het Rode Leger, Hannover ook – de Sovjets kwamen via Denemarken, vielen Sleeswijk-Holstein binnen en veroverden Lübeck en Kiel. Pas achter de Weser betrekken strijdkrachten van de NAVO verdedigingsstellingen voor het Ruhrgebied.

'Kaartje,' zei de jongen met zomersproeten en vlasblond haar. Hij had een korte broek aan en een loshangende blouse. Naast zijn vader, een boom van een vent met een rood gezicht, eveneens in hemdsmouwen, zat hij in het middengedeelte van de eerste rij in de toeristenklasse, vlak voor een van de filmschermen. De Boeing 747 van de Aerolineas Argentinas, om 20.00 uur plaatselijke tijd in Buenos Aires gestart en sedert veertig minuten onderweg, was maar halfvol. Door de raampjes links vielen stralen van de ondergaande zon naar binnen.

Op de lege plaats tussen hen in hadden vader en zoon een uitklapbaar bord neergelegd. Het was bedrukt met een landkaart van Europa. Bij het spel hoorden veel plastic vuurkransen, tanks, raketten en vliegtuigen, allemaal in felle kleuren. Tussen vader en zoon lag een stapel omgekeerde kaartjes. De vlasharige jongen trok er een.

'O, prima,' zei hij. 'Drie kransen.'

'Verdorie,' zei de vader.

'Je begrijpt zeker wel wat er nu gaat gebeuren, pa,' zei junior. 'Sorry. Maar nu wordt het tijd voor de *nukes*.' Met raketten die op het gebied van Polen en de DDR stonden, viel hij de omgeving van de steden Dortmund, Essen en Duisburg aan. Zijn plastic raketten waren geel, die van zijn vader groen. De jongen plaatste rode vuurkransen naast de verschoven raketten. Hij had in de gaten dat Mercedes en Ross, die op gelijke hoogte aan de linkerkant zaten, toekeken. 'Ik schakel de lanceerbases van de Pershings en de kruisraketten rondom de steden uit,' verklaarde hij. 'U spreekt Engels, hè? Oké. Dat is het belangrijkste, weet u. Altijd eerst de lanceerbases. Begrijpt u?'

'Ja, dat begrijpen we,' zei Mercedes.

Daniel zei niets. Hij was doodsbleek.

Op de plaats bij het raampje naast hem zat een oude priester in een witte pij. Hij maakte een ontdane indruk. 'Almachtige God,' mompelde hij.

De vader lachte naar Mercedes en Ross. Hij had zeer vriendelijke ogen. 'Wat zegt u van die slimme, kleine bengel, ma'am? Hij is pas elf. Maar een koppie! Die zouden de communisten wel willen hebben voor de generale staf, die jongen van mij.'

'Die steden stellen daardoor overigens niks meer voor,' zei junior. Hij had een beugel in zijn mond om zijn ver vooruitstaande tanden op hun plaats te duwen. 'Alles stort in. En dan nog de radio-actieve besmetting. Het Ruhrgebied kun je wel vergeten, pa. De troepen bij de Weser trouwens ook. Daar hebben op z'n minst tien miljoen moffen het loodje gelegd. Wacht maar eens af, als ik weer een rode krans krijg!'

'Alleen wie een kaart met een rode krans trekt mag *nukes* inzetten,' legde pa uit.

'Wát mag hij inzetten?' vroeg Mercedes.

'Nou, nucleaire wapens,' zei junior. 'U hebt toch gezegd dat u Engels spreekt!'

Pa had een kaartje getrokken. Hij duwde het zijn zoon triomfantelijk onder de neus. 'Vier kransen!'

'Godverdomme!' zei junior.

Pa schoof vier groene raketten op het oostelijk gebied.

'Goed, dan schakel ik eerst maar eens Leipzig, Rostock, Warschau en Praag uit,' zei hij en plaatste de plastic figuurtjes voor atoombomexplosies op de aangegeven plaatsen op de kaart. Hij zei ernstig tegen Mercedes: 'Het Warschaupact is veel groter dan de Bondsrepubliek. In het Oosten liggen de lanceerbases verder uit elkaar. Vandaar mijn tactiek: steden van de kaart vegen. Grote paniek. Een enorme chaos. Doe ik natuurlijk alleen als ik de NAVO ben en junior het Warschaupact.'

'Die *nukes* van jou op die stomme stadjes doen me niks,' zei junior. 'Ik heb mijn raketten verder naar achteren, in de Sovjetunie. De grote steden!

Die zijn belangrijk. Je maakt een fout, pa, dat heb ik je al meer verteld. Eerst de lanceerbases weg, geloof me maar! Dat is in de Bondsrepubliek natuurlijk gemakkelijker. Omdat die propvol zit met lanceerinrichtingen – op een heel klein gebied. Daarom moet de Bondsrepubliek ook als eerste worden uitgeschakeld – dat weet een kind. Met de eerstvolgende vijf of zes kransen heb ik die in de as gelegd.'

'Wat komen ze tegenwoordig toch op ideeën, hè?' zei de vader met de vriendelijke ogen tegen Mercedes. 'Heb ik in New York gekocht. *NAVO – De oorlog in Europa* heet het. Twaalf dollar. Binnen twee maanden zijn er meer dan driehonderdduizend van verkocht. Goed, hè? Nou ja, 't is ook leuk, vindt u niet? Weer eens wat anders. Niet gek, hè?'

'Niet gek, nee,' zei Mercedes.

'Natuurlijk slaapt de concurrentie niet,' zei pa, terwijl junior weer een kaart trok. 'Er zijn nu een heleboel van zulke spelletjes. Vliegen de winkel uit als warme broodjes. Bij de meeste draait het om Europa. *Europese Holocaust* of *Europa Tactisch*. Wat heb je?'

'Twee blauwe vliegers,' zei junior.

'Langdurig bombardement en daarna luchtlandingstroepen,' legde pa uit.

'Aha,' zei Mercedes.

Junior zette weer nieuwe plastic figuurtjes op de landkaart.

'Ik breek het zuiden open,' zei hij intussen. 'Het Beierse Woud zit vol met lanceerinrichtingen. Dan schakel ik meteen ook maar München, Stuttgart en Neurenberg uit.' Hij keek Mercedes aan. De beugel hinderde hem een beetje bij het spreken. 'Mijn vader heeft al die spelletjes gekocht. Het is allemaal hetzelfde principe, vind ik. De grap is om zo snel mogelijk de Bondsrepubliek in de as te leggen. Als het Warschaupact daarin slaagt, heeft het Europa in zijn zak – van Moskou tot Londen.'

'Wat zegt u wel van die bengel.' Pa straalde. 'Ineens heeft hij goede cijfers voor aardrijkskunde.'

'Wedden dat ik met zeven kransen aan de Atlantische Oceaan zit? En Engeland er ook nog bij heb?'

'Oké,' zei pa. 'Om tien cent, niet meer.' Tegen Mercedes zei hij: 'Hij is gek op wedden. Ik moet uitkijken dat de jongen geen gokker wordt, haha.' Hij trok een kaartje met de afbeelding van de kleurige clown. 'Verdorie,' zei hij.

'Joker,' zei junior. 'Pech. Je krijgt drie *mega-nukes* op lanceerbases in het Zwarte Woud en achter Bonn.' Hij zette daar de bijbehorende plastic figuurtjes neer. 'In verband met de straling moet je je terugtrekken. Nieuwe uitgangspositie. Dat zal wel je laatste zijn. Je ziet toch wel dat ik nu SS 20-raketten vanuit de Sovjetunie moet inzetten zodra ik weer kransen krijg. Het escaleert prima, de zaak.'

Daniel kreunde zacht.

Mercedes keek verschrikt naar hem. 'Erg?'

'Ja,' zei hij. 'Heel erg.'

'De druppels!' Ze stond vlug op en zei tegen een zich voorbijhaastende stewardess: 'Een glas water graag!'

'Dadelijk, mevrouw.'

Mercedes haalde uit het bagagerek boven de zitplaatsen een rode reistas met de opdruk van de luchtvaartmaatschappij, deed de rits open en zocht het flesje met druppels. Daarbij haalde ze de twee videocassettes uit de tas. Ze hield ze in haar linkerhand terwijl ze verder zocht.

Zes rijen achter haar zat in het middendeel een jongeman die haar nauwlettend in de gaten hield. Hij was heel lang en heel slank, zijn gezicht was bruin en hij droeg een bril met een randloos montuur. De jongeman hield Mercedes en Daniel Ross al in het oog sinds zij met Olivera waren aangekomen in de hal van luchthaven Ezeiza. Er was niets aan zijn gezicht te zien toen hij de beide videocassetes zag.

Mercedes had het flesje gevonden. Ze deed de cassettes weer in de tas, sloot die af en zette hem terug in het bagagerek.

De priester links van Daniel zat in zijn brevier te lezen. Af en toe slaakte hij een diepe zucht. De stewardess kwam met een dienblad waarop een glas water stond. Mercedes bedankte haar. Ze liet twintig druppels in het water vallen. Ross dronk het glas leeg en leunde achterover. Mercedes wiste met een zakdoek het zweet van zijn voorhoofd.

'Volhouden, Danny! Toe, alsjeblieft, hou vol!'

'Ja, Mercedes.' Hij knikte en streelde haar hand.

'Een *mega-nuke* op de grote raketbasis achter Baden-Baden,' zei junior. Hij lachte. Een opgewekt kind.

Daniel kon dat spel niet langer verdragen. Hij haalde de koptelefoon uit de zak voor hem en zette die op. De plastic beugel, een smalle halve band, liep onder zijn kin door. Hij hoorde operamuziek. Aan het voorstuk van de linkerstoelleuning zat een schakelaar. Daniel, die zijn best deed diep adem te halen om de denkbeeldige luchtbellen in zijn borst te kunnen verdragen, draaide aan de knop. Door de koptelefoon klonk een melodie van Cole Porter. Daniel draaide verder en zat toen roerloos. Hij hoorde de vibrerende, lage stem van Marlene Dietrich: '. . . *käm' ich in Verlegenheit . . .*'

'Mercedes!'

Ze keek hem ontdaan aan. Hij overhandigde haar de koptelefoon die voor haar plaats hing en tegelijkertijd zette hij de knop in dezelfde stand als de zijne. Het volgende moment werden haar ogen zo groot als schoteltjes.

'. . . *was ich mir denn wünschen sollte . . .'* zong Dietrich.

Een piano. Een saxofoon. Violen.

Daniel tilde een kant van de koptelefoon op, Mercedes deed hetzelfde.

'Griezelig , hè?'

Ze slikte en knikte. Ze kon niet spreken.

'Toen jij me de eerste keer opbelde . . . vanaf luchthaven Kloten . . . uit de bar . . .'

'Ja,' zei ze. 'En nu weer. Griezelig. Dat oude lied . . .'

'. . . *eine schlimme oder gute Zeit . . .'* zong Dietrich.

'Maar het was toch júllie lied,' zei Mercedes. 'Waarom horen wij het dan? En nu al voor de tweede keer?'

'Misschien wil het lied naar ons toe,' zei Daniel.

'... *wenn ich mir was wünschen dürfte, möcht' ich etwas glücklich sein* ...'
'Maar je houdt toch nog steeds van Sibylle ...' Haar stem was nog slechts gefluister.
Hij sloeg een arm om haar heen. Eensklaps waren angst en beklemming verdwenen, eensklaps voelde hij zich beter. Hij trok haar naar zich toe en drukte zijn lippen op de hare, die zacht en warm waren. Ze sloeg haar armen om hem heen.
'... *denn wenn ich gar zu glücklich wär', hätt' ich Heimweh nach dem Traurigsein,*'zong Marlene Dietrich. Het orkest klonk luider en speelde het leid ten einde. Ze kusten elkaar nog steeds. Er begon een ander oud lied: *Charmaine.*
Mercedes maakte zich los van Daniel. Ze zagen elkaars gezichten uiterst klein in de ogen van de ander, want het licht van de ondergaande zon viel op hen. Daarna leunden ze weer in hun stoel achterover, hielden elkaars hand vast, heel stevig, en keken elkaar ononderbroken aan. Door hun koptelefoon klonk de weemoedige, prachtige melodie. Het vliegtuig vloog evenwijdig aan de bedding van een rivier die door het oerwoud liep. In het donkergroen van de jungle zag het water er rood- en leemachtig uit. Het was een zeer grote rivier en er lagen veel eilandjes in.

4

De druppels brachten Daniel tot kalmte en maakten hem doezelig. Hij hield zijn ogen gesloten.
Goebbels heeft mijn vader cyaankali gegeven, dacht hij. Twintig capsules. In de bunker van de Rijkskanselarij, waar Hitler en zijn staf sedert 16 januari 1945 huisden. Tevergeefs trachtte men van daaruit de ineenstortende fronten opnieuw op te bouwen. Goebbels had zijn hele gezin naar de bunker gehaald. En Hitler Eva Braun. Er waren militairen ingetrokken. Radio- en telexverbindingen functioneerden gedeeltelijk nog. Laat in de avond van 7 april verscheen Georg Ross, door Goebbels geroepen, in de geweldige, bomvrije laatste oppercommandopost van het Derde Rijk. Op alle gangen en voor alle deuren naar de verschillende vleugels stonden SS'ers met hun wapen in de aanslag. Ross had bijna een uur nodig gehad om naar de bunker toe te komen. In een smal kamertje voor de particuliere vertrekken ontmoette hij de minister van Propaganda. Goebbels zag er dodelijk vermoeid uit.
'Hier, Ross.' Hij gaf Daniels vader een koffertje met cijferslot. 'De filmtrommel is goed verpakt.' Hij liet het Ross zien. Daarna sloot hij het kofferdeksel weer. 'Kies een combinatie van vier cijfers uit die u kunt onthouden en sluit hem dan af.' Ross koos de geboortedatum van Dora Holm, 3.7.17.
Daarna haalde Goebbels een foto van Hitler met diens handtekening erop uit zijn zak en scheurde die langzaam en omstandig in tweeën, zodat de scheurranden uitermate bizar gevormd werden.

'De ene helft is voor u. Wie er ook in Buenos Aires contact met u zal opnemen, hij moet in het bezit zijn van de andere helft,' zei de kleine man met de klompvoet. Ten slotte gaf hij Ross een flesje met cyaankalicapsules. 'Voor het geval dat,' zei hij. 'Ze zijn onbeperkt houdbaar. Mocht u in geval van nood tijd genoeg hebben, dan kunt u beter een capsule openbreken en de cyaankali in water oplossen. U maakt het zichzelf dan gemakkelijker. Als u de capsule stuk moet bijten, brandt het spul uw keel kapot. In beide gevallen is alles echter uiterlijk binnen een halve minuut voorbij.' In het aangrenzende vertrek hoorde Ross de kinderen van Goebbels lachen. Het was een rustige nacht. De Amerikanen en Engelsen vielen de stad sedert twee dagen niet meer aan, om de Russische operaties niet te verstoren. Op 25 april zou Berlijn door het Rode Leger omsingeld zijn.

Ross stopte het glazen buisje met de gifcapsules in zijn binnenzak.

Negenendertig jaar later haalde hij ze, zittend bij het zwembad bij zijn huis in Buenos Aires, uit de borstzak van zijn overhemd.

'Daar zijn de capsules,' zei hij.

'Hebt u dat spul nog altijd?'

'Ja, Daniel.'

'Maar waarom?'

'Je weet maar nooit,' zei de man, die zich nu al negenendertig jaar Eduardo Olivera noemde.

Perfect vervalste papieren met deze naam droeg hij in die nacht van 7 op 8 april 1945 al bij zich. Hij had ze 's middags in de kelder van het naar Zuid-Tirol overgeplaatste ministerie van Buitenlandse Zaken in ontvangst genomen. In die kelder waren enkele mannen van de geheime dienst van Von Ribbentrop achtergebleven.

'Hebt u nog iets nodig, Ross?' vroeg Goebbels.

'Nee, ik heb alles, excellentie.'

'U moet beslist vannacht nog weg. Elk moment kan de Russische doorbraak komen.' Hij gaf Ross een slap handje. 'Het beste, kerel! Mij hoeft u dat niet te wensen.' Zijn lippen vertrokken. 'Zorg goed voor de film! Hij zal de wereld veranderen.' Hij vertrok zijn lippen nog meer. 'En als hij dat niet doet,' – Goebbels haalde zijn schouders op – 'dan bent u er tenminste levend van afgekomen.'

Een klein meisje met blond haar kwam huilend de kamer inrennen. Het kleine meisje droeg een pop die ze beschuldigend omhooghield.

'Pappie, pappie, Hans heeft bij Tine een arm uitgedraaid!'

'Wel heb je ooit! Niet huilen, hoor! Ik zal Tine zo weer voor je maken!'

Goebbels gaf Ross een klap op zijn schouder en hinkte zonder nog een woord te zeggen het kleine bunkervertrek uit. In de verte hoorde Ross een stomdronken vrouw en een stomdronken man zingen.

'*Es geht alles vorüber, es geht alles vorbei . . .*'

Even voor drie uur in de ochtend arriveerde op 8 april 1945 een grijsgeschilderde wagen van de Waffen-SS op het vliegveld voor nachtjagers ten zuiden van Berlijn. Nergens brandde licht. Op de koplampen van de wagen zaten verduisteringskappen van zwart bakeliet, waarin smalle spleten waren uitgesneden. Van de drie startbanen van het vliegveld waren er twee volkomen kapotgebombardeerd, de derde had men provisorisch hersteld. Aan het einde van deze baan stond een toestel van het type Ju 52 van de Duitse luchtmacht te wachten. Hotsend reed de wagen over de weg die van het puin was ontdaan – het veld zat vol bomtrechters – tot vlak bij het toestel.

Ross stapte uit. Hij droeg een gevoerde regenjas en een hoed met een brede rand. De SS'er die gereden had en de radiotelegrafist van de Ju 52 hielpen hem met zijn bagage, twee zware koffers. Ze sjouwden ze de machine in. De derde, kleine koffer die Goebbels hem had gegeven, hield Ross in zijn hand. De nacht was helder. Ononderbroken klonk, nu eens hard, dan weer wat zachter, het lawaai van artillerievuur. Het bleke licht van de volle maan deed alles wezenloos en onwerkelijk lijken: mensen, ruïnes, het vliegtuig.

Niemand sprak een woord. De SS'er ging naar zijn auto terug. Ross stapte in het toestel en de radiotelegrafist verdween in de cockpit. De motoren begonnen te draaien. Een paar minuten later vloog de Ju 52 al in een bocht over Berlijn. Ross keek omlaag. Als in een nachtmerrie zag hij een stad in puin. Plotseling voelde hij een warm gevoel van geluk. Hij werd naar het buitenland gevlogen. Hij kwam er levend van af. Dit gevoel overweldigde hem. Hij leunde naar achteren, haalde diep adem en voelde het buisje met de cyaankalicapsules tegen zijn borst drukken. In die bunker zullen velen nu heel gauw vergif innemen, dacht hij. Goebbels heeft mij uitverkoren voor een geweldige opdracht. Ik zal doen wat ik kan. Maar het belangrijkste is niet de opdracht. Het belangrijkste is het leven. En ik zal het mijne behouden.

Het begon licht te worden toen de Ju 52 op de enige nog intact zijnde startbaan van het eveneens vrijwel volledig verwoeste vliegveld van Bergen landde. De belangrijkste haven aan de Noorse westkust en deze aan tradities rijke stad zou het eerste tussenstation worden op de grote reis van Ross. Bij het aanvliegen had Ross gezien dat het centrum van Bergen grotendeels gespaard was gebleven voor branden en bombardementen.

De machine kwam tot stilstand. Er kwam een groene Mercedes aanrijden. Ook hier zat een SS'er achter het stuur. Hij hief nonchalant zijn rechterarm op. Ross deed hetzelfde. Gesproken werd er niet. De radiotelegrafist hielp weer met de bagage. De twee piloten lieten zich niet zien. Even later reed Ross door de troosteloze puinhopen van de randgebieden over moeizaam leeggeruimde wegen naar de haven. Hier was het ijskoud. Ross rilde. Bergen lag op een vlak schiereiland en werd door hoge bergen ingesloten. De havenarmen waren labyrintachtig vertakt. Ross zag dit toen ze het water naderden.

De omgeving werd steeds droefgeestiger. Hier waren veel installaties vernield door bommen. De chauffeur reed stapvoets. Toen dook er een reusachtige betonnen muur voor hen op. Metershoog en eindeloos lang. Witte nevel veranderde alles in een griezelig, spookachtig landschap. De chauffeur stopte.

'Wat is er?' vroeg Ross.

'Weg kapot, ziet u toch. We moeten te voet naar de bunker.'

Ze stapten uit. Een woeste storm gooide Ross bijna omver. Samen met de chauffeur sjouwde hij zijn bagage door dit maanlandschap. Buiten adem bereikten ze de smalle ingang naar de grauwe betonnen bunker. Hier stonden twee mannen van de militaire politie. Hun gezicht was blauw van de kou.

'Ik word verwacht,' zei Ross. '*U Swinemünde.*'

'Wachtwoord?'

'"Keer terug, morgenrood",' schreeuwde Ross. De storm was hier zeer hevig, hij rukte de woorden uit zijn mond.

'Ogenblikje.' De ene soldaat nam de hoorn van een telefoon die in een leren hoes naast hem aan de muur hing, draaide aan de zwengel en schreeuwde in het toestel: 'De zevende man is er nu ... Ja ... In orde.' Hij legde de hoorn neer en schreeuwde naar Ross: 'Er komen zo een paar mensen om uw koffers te halen. De commandant komt zelf ook. Wacht u even?'

Ross knikte. Zijn gezicht brandde, de tranen stroomden uit zijn ogen. De chauffeur naast hem vloekte. Na enkele minuten verschenen twee jongemannen in met bont gevoerde uniformjacks. Ze knikten naar Ross en pakten de twee zware koffers, waarmee ze weer verdwenen. De chauffeur tikte nonchalant tegen zijn pet en vertrok. Door de ingang van de bunker kwam een jongeman naar buiten in het uniform van een luitenant-ter-zee tweede klasse. Hij was slank, van gemiddelde lengte en zijn gezicht was doorploegd met groeven en rimpels. Hij trok Ross de bunker in.

Na het gedonder van de storm buiten heerste in de gigantische hal – zo leek het Ross – een doodse stilte. Hij keek om zich heen. In drijvende dokken lagen vier onderzeeboten, waarvan er drie zwaar beschadigd waren. Ross ontdekte ook reusachtige werkplaatsen. Er werd nog niet gewerkt.

'De heer Eduardo Olivera?' De commandant droeg een grijze coltrui onder zijn uniformjasje.

'Ja.' Ze gaven elkaar een hand.

'Mijn naam is Jonson,' zei de commandant. 'We hebben op u gewacht. Komt u maar mee. We moeten ervandoor.'

Hun stemmen galmden. Ross volgde Jonson over verende stalen platen de bunker in. Het stonk naar olie en uitgegloeid metaal.

'Voorzichtig,' zei Jonson. Ross knikte. Hij keek naar boven. De bunker was hoog. Jonson bemerkte zijn blik. 'Het plafond is zeven meter dik,' zei hij. 'Gewapend beton. Daar is tot nu toe zelfs de zwaarste bom niet doorheengekomen.' Nu liepen ze over betonnen platforms. Daarna kwamen er weer stalen platen. Daar lag de *U Swinemünde.* Olivera staarde naar de boot. De twee mannen die de koffers hadden gedragen, stonden op het smalle, gladde dek naast de toren.

Ross dacht aan de uiteenzetting die Goebbels hem een aantal weken geleden in Berlijn had gegeven: 'De *U Swinemünde* zal u overvaren. Dat is een onderzeeboot voor vrachten met een verre bestemming. Hij heeft in de afgelopen jaren kostbare ladingen naar Japan overgebracht en weer kostbare ladingen mee teruggenomen. Ertsen bijvoorbeeld. Niet gebouwd voor torpedo's. Heeft alleen het gebruikelijke dekgeschut.' Olivera wist dat de gehele bemanning bestond uit vrijwilligers, met inbegrip van de commandant. Het waren mensen die uit bemanningen van verschillende andere onderzeeboten waren uitgezocht.

'Allemaal prima mensen,' had Goebbels gezegd. 'Hun antecedenten zijn onderzocht en nog eens onderzocht. Hebben al hun familieleden verloren. Willen niet naar hun vaderland terug. Verwachten daarginds een beter leven. Weten dat ze eventueel achter de tralies gaan. Kennen alle risico's als ze onderweg worden opgebracht. Er varen nog zes andere burgers mee. Ieder heeft zijn eigen opdracht . . .'

De twee bemanningsleden die aan dek stonden kwamen naar voren. Ze hielpen Olivera aan boord. Hij voelde zich onzeker en was bang in het vervuilde water van de bunker te vallen. De koffer met de filmtrommel hield hij stevig vast.

'U moet de ladder bij de toren opklimmen en door het luik de boot in. Er is geen andere weg,' zei commandant Jonson.

Olivera klom de ladder op. De koffer gaf hij aan een van de mannen die hem volgden. Wiebelend bereikte Olivera het luik. Hij verdween naar binnen, daalde daar de sporten af – en hijgde. In zijn ergste dromen had hij zich niet kunnen voorstellen dat het in een onderzeeboot zo zou zijn: zo benauwd, zo beklemmend, zo onheilspellend. Overal zag hij apparaten, machines, instrumentborden met een onnoemelijke hoeveelheid wijzers onder glas. Allemachtig, dacht hij.

'Gaat u maar!' zei de man die boven hem op de ladder stond. 'Ik zal uw koffer dragen. U moet naar de kooien. Door de schotten.' Ross deed op de tast een stap, toen nog een en een derde. Het eerste schot. Hij stapte erdoor. Er brandde zwak licht in de boot. Mannen in jasjes, truien, onderbroeken drongen langs hem heen. Benauwd. Benauwd. Benauwd. Olivera werd gegrepen door een beklemming die heviger werd, steeds heviger. De man met zijn koffer gaf hem een por. Verder! Het volgende schot. Nu bevond Ross zich in een ruimte met kooien, telkens twee boven elkaar, aan weerskanten. Op zes van deze armzalige britsen, boven en beneden, zaten zes burgers.

'Goedemorgen,' zei Ross.

De zes staarden hem aan. Niemand antwoordde.

De maat met de koffer zei: 'Daar boven, dat is uw kooi.' Hij tilde de koffer met de filmrol op het bed en zwaaide door het open schot terug naar voren. Olivera zag dat zijn grote koffers met talrijke andere al onder de kooien waren geschoven. Hij trok zijn jas uit, wist niet waar hij hem en zijn hoed moest laten, gooide ze allebei op de kooi en klom erop. De zes mannen keken toe. Olivera ging op het smalle bed liggen en staarde naar de stalen wand vlak boven hem. Beneden renden matrozen heen en weer. Hij hoorde bevelen en geroep. Blijkbaar werd de boot gereedgemaakt voor vertrek. Geen mens bekommerde zich om de zeven burgers. Niemand van hen zei iets. Het waren uitermate zwijgzame heren.

Een half uur later begonnen de dieselmotoren te draaien. Olivera voelde dat de boot zich langzaam in beweging zette. Het was 6.35 uur op 8 april. Olivera herinnerde zich de uitspraak van een Britse classicus, maar niet diens naam: '*Hell must be a place like London.*' Hij dacht: de hel moet een plaats als deze zijn. Op dat tijdstip had hij er nog geen vermoeden van dat hij de eerstvolgende zesenzeventig dagen en zesenzeventig nachten tot op de vroege ochtend van 23 juni 1945 in deze hel zou moeten doorbrengen.

Overdag vaart de boot onder water om brandstof te besparen. Daarom vaart hij ook niet zo snel. Alleen 's nachts komt hij boven water. De accu's voor de elektromotoren moeten worden opgeladen. 's Nachts kunnen ze allemaal een paar uur aan de benauwde lucht in de boot ontkomen en aan dek frisse lucht opsnuiven. Zesenzeventig dagen en zesenzeventig nachten. Dat is zelfs voor ervaren opvarenden van een onderzeeboot bijna te veel. De zeven zwijgzame burgers, die nog nooit eerder in een onderzeeboot hebben gezeten, vechten puur om te overleven. Ze worden zeeziek. Wat ze eten, komt er prompt weer uit. Daarna geven ze al over zonder iets te eten, als ze alleen nog maar eten ruiken. Ze moeten altijd alles meteen schoonmaken om niet in hun eigen stank te stikken. Ze zijn doodsbang. Zesenzeventig dagen en zesenzeventig nachten doodsbang. Niemand bekommert zich om hen. Door de bemanning worden ze geminacht omdat ze hoge nazi-bonzen zijn. Iedereen aan boord laat zijn baard groeien. Ze kunnen zich niet behoorlijk wassen. Ze walgen van hun eigen lichaam. De stemming wordt alsmaar geprikkelder, zelfs bij de oude rotten onder de bemanning.

De enige die zich er niets van aan schijnt te trekken, is de dertigjarige commandant Heinz Jonson. Deze blijft volkomen dezelfde. Zwijgzaam. Slim. Ziet alles. Hoort alles. Sust dadelijk elke ruzie, haalt zo gauw mogelijk twee mensen uit elkaar die een vechtpartij beginnen. Drijft zonder enige moeite zijn wil door tegenover elke kankeraar,' muiter of intrigant. Zit dag en nacht – ze weten niet meer wanneer het wat is – over zijn kaartentafel gebogen, leest alle mededelingen die de marconist in zijn hokje opvangt en geeft die door als hij van mening is dat ze van belang zouden kunnen zijn.

Al op 25 april reiken Russische en Amerikaanse soldaten elkaar bij Torgau aan de Elbe de hand. Dan zijn drie van de zeven burgers al tien dagen aan de diarree. Die wordt nog erger na deze historische ontmoeting. Op 30 april benoemt Hitler de bevelhebber van de marine, admiraal Dönitz, tot zijn opvolger, laat hij zijn hond en Eva Braun ombrengen en pleegt hij zelfmoord. De mededelingen komen van geallieerde oorlogsschepen die hier rondvaren en de *U Swinemünde* niet mogen ontdekken. Vandaar dat de boot hardnekkig radiostilte in acht neemt.

Een paar uur na het einde van Hitler doodt Goebbels zijn vrouw, zijn vier kinderen en zichzelf en Olivera moet, terwijl hij dit hoort, denken aan het kleine blonde meisje met de pop Tine, waarvan broertje Hans een arm had uitgedraaid. Zou Goebbels de tijd hebben genomen de cyaankali voor het hele gezin in water op te lossen, vraagt Olivera zich af. Vermoedelijk wel. Welk kind bijt er nu vrijwillig op een glazen ampul?

De meeste tijd van de dag ligt Eduardo Olivera in zijn kooi. De koffer met de filmtrommel staat naast hem; de ene helft van een handboei om het handvat, de andere helft vastgemaakt om een stalen steunbalk van de bekleding van de buitenwand. Hij zorgt goed voor zichzelf en blijft zo schoon als maar enigszins mogelijk is. Hij dwingt zichzelf te eten. 's Nachts doet hij aan dek vrije oefeningen tot hij gutst van het zweet. Hij zál deze hellevaart overleven, dat heeft hij zichzelf gezworen. Van de zes andere zwijgzame heren laten de meesten zich bedenkelijk gaan en zijn apathisch of hysterisch geworden. Zwijgzaam zijn ze allemaal.

Op 7 mei laat Dönitz om 2.41 uur generaal Jodl in het hoofdkwartier van Eisenhower in Reims de onvoorwaardelijke Duitse capitulatie tekenen.

Op 9 mei, denkt Daniel, terwijl hij in een jumbo van de Aerolineas Argentinas naar de stad Sao Paulo vliegt, werd de capitulatie in het Russische hoofdkwartier in Berlijn-Karlshorst bekrachtigd, waar veldmaarschalk Keitel, wederom op bevel van Dönitz, ondertekende. Keitel en Jodl worden later in Neurenberg door de overwinnaars opgehangen, bedacht Daniel. Admiraal Dönitz kreeg tien jaartjes, die hij op zijn gemak heeft uitgezeten in Spandau. Op 1 oktober 1956 werd hij vrijgelaten en hij schreef nog een mooi boek, die man, die van de veertigduizend opvarenden van Duitse onderzeeboten er dertigduizend de dood heeft ingejaagd. *Tien jaar en twintig dagen* heette dat fraaie boek. Dönitz is pas overleden op 24 december 1980. Hij zou 89 jaar worden; men moet de ouderdom eren. Heeft toch superintelligent gehandeld in 1945. Nee, instinctief. Geconditioneerde reflex. Zoals bij de honden van Pavlov. Anderen de nederlaag in zijn plaats laten ondertekenen als alles verloren is, dacht Daniel, zo iets heeft in dit land van ons altijd al een levensverlengende uitwerking gehad.

Op de boot vieren ze feest op 9 mei 1945, wanneer om 0.01 uur de voorwaarden van de capitulatie van kracht worden. Smutje heeft bijzonder lekker gekookt en iedereen krijgt een banaan en een sinaasappel en de jonge oude commandant zegt: 'Vervloekt – en nou nooit meer oorlog! Moge God ons allen en ieder in het bijzonder beschermen.' Fijne vent, de ouwe. Wat zou er eigenlijk van hem geworden zijn? Nooit meer oorlog – godnogaantoe!

Op 23 mei wordt de 'regering-Dönitz' in Flensburg gearresteerd en de oudste van de zwijgzame mannen aan boord heeft een negenoog op een bijzonder pijnlijke plaats. Meer dan tien miljoen Duitse soldaten bevinden zich in krijgsgevangenschap. Meer dan de helft van het oostelijke leger, bijna twee miljoen man, bereikt in de laatste oorlogsdagen nog het westelijke machtsgebied. En door de Kriegsmarine worden van 23 januari tot

9 mei meer dan twee miljoen vluchtelingen uit de bruggehoofden aan de Oostzee naar het westen overgebracht.

En verder gaat de tocht, alsmaar verder. De andere zwijgzame burgers krijgen ook negenogen en eczeem en oogontstekingen. Alleen Olivera niet. Een paar leden van de bemanning wel en ze vervloeken die rotbonzen, die schofterige nazi's. Nu kunnen ze immers zonder angst de waarheid zeggen, nietwaar? Er breekt een blinde woede los onder deze jonge, afgebeulde, arme kerels die nog net zijn ontkomen aan de grote slachting. Zijn ze eraan ontkomen? Pas vijftig van de zesenzeventig dagen zijn er om.

Op de eenenvijftigste dag krijgt een van de zwijgzame burgers een aanval van razernij en hij moet aan de stangen van zijn kooi worden vastgebonden. Daar ligt hij dan voortdurend met zijn hoofd tegen de stalen wand te slaan, tot hij bloedt als een rund en ook nog zijn hoofd moet worden vastgezet. Wat een toestand, zo iets! En het werkt aanstekelijk. Een week later gaan een paar andere heren tekeer als een gek en ze moeten worden vastgebonden. Huilbuien hebben ze allemaal – op Olivera na. Als die in zijn kooi ligt, is hij altijd heel stil en rustig en vriendelijk. In de Ju 52 die hem naar Bergen bracht, heeft hij een boek ontdekt dat iemand heeft laten liggen. *Het grote schaakboek* heet het en daarin staan de 250 beste partijen van de beroemdste grootmeesters ter wereld zet voor zet beschreven. Omdat het boek al in 1930 is gedrukt, staan er ook de grote parijen in van joden en Russen. En Georg Ross, die nu Eduardo Olivera heet, bestudeert dit boek regel voor regel. Zet na zet speelt hij in zijn geest de geniale partijen na. De schitterende partijen tussen Bernstein en Janovski, Aljechin en Marshall, Tarasj en Gunsberg, Lasker en Napier, Capablanca en Bogoljoebov en van zo vele, vele anderen. Dit schaakboek, Lc1-g5, b7-b5, redt om zo te zeggen zijn leven, Pf3-e1, Pf8xe6, want op die manier houdt hij zijn zenuwen in bedwang, raakt hij niet over zijn toeren en doorstaat hij volkomen ongedeerd zesenzeventig dagen en zesenzeventig nachten deze hel, De2-h2, Le8-f7.

Op de negenenvijftigste dag van de reis wordt Olivera gewekt door hevig gekreun van de burger die beneden hem ligt. De man heeft een blauw gezicht, verdraaide ogen en schuim op zijn geopende mond en een minuut later is het gekreun over en is het met de man gedaan. Stinken doet het ook, ditmaal bij uitzondering naar iets anders dan anders – namelijk naar bittere amandelen. De vent heeft een cyaankalicapsule, zoals ook Olivera heeft, stukgebeten. Ze schijnen allemaal dergelijke capsules te hebben, de zwijgzame heren. Nu zijn het er nog maar zes. En drie matrozen schuiven de dode in een jutezak, leggen een paar kantijzers bij het lijk en binden de zak stevig dicht. 's Nachts, wanneer de boot boven water komt, smijten ze dan de zak overboord voordat de dode begint te stinken. En alle bagage die hij had, gooien ze erachteraan. Wat doet het ertoe wat voor geheime documenten erbij zitten! Weg met die troep. Er wordt geen gebed uitgesproken. Die komt zo wel in de hemel. En Olivera doet even later zijn vrije oefeningen zoals gewoonlijk. Dg3xh3, a4-a3.

In de nacht van de negenenvijftigste op de zestigste dag van hun reis verliest een tweede burger volkomen zijn verstand. Hij was al een week niet goed meer bij zijn hoofd en sprak voortdurend over röntgenstralen en Maarten Luther. Deze nacht springt hij plotseling overeind en maakt amok in de hele boot, en hij heeft een stiletto, Ph3-f2, Lb3xd1, God mag weten waarvandaan, Tg1-g6, a3-a2, en met dat stiletto steekt hij op iedereen in die zijn pad kruist en hij brult als een beest en wil eruit, eruit, eruit. Td1xd2, Kg8-g7. Ze kunnen hem niet overweldigen en dan neemt de commandant zijn pistool – hij is de enige die een wapen in zijn bezit mag hebben – en schiet drie kogels in de buik van de dolleman en als deze nog steeds niet dood is, schiet hij het hele magazijn leeg en dat is genoeg. En weer moeten ze een onbekende dode in een jutezak stoppen en er kantijzers bij doen en de zak dichtknopen en 's nachts overboord gooien met alle andere spullen. En de hospik behandelt de gewonden – gelukkig allemaal vleeswonden, ongevaarlijke, hij moet ze alleen flink desinfecteren – en Olivera is weer bezig met zijn kniebuigingen en borststrekkingen en diep, diep ademhalen, d4xe5, Pe4xd2. En het is pas de zestigste dag van hun reis.

Nu wordt het steeds heter, afschuwelijk heet. Ze hebben allemaal vrijwel niets aan op de boot en transpireren als gekken, dag en nacht, want ook de nachten zijn nu heet en haast iedereen heeft negenogen en stomatitis en eczeem. Alleen Olivera nog steeds niet, De2xc4, Dc7-c5. Prachtig heeft Rubinstein dat gedaan, schitterend gewoon!

En dan komt de nacht van de vijfenzeventigste op de zesenzeventigste dag, en iedereen weet: nu is het zover! En de zieksten en ellendigsten grijnzen, en de commandant, Heinz Jonson, staat achter de periscoop en observeert de kust, die op een afstand van circa dertig zeemijl aan hen voorbijglijdt en dan – het is drie uur in de ochtend – laat hij de reusachtige periscoop zakken en geeft hij bevel om aan de oppervlakte te komen. En ze klauteren allemaal aan dek, op degenen na die dienst hebben en ze zien een paar verloren lichten in de verte en ze weten dat dat de lichten zijn van een negorij met de naam Bartolomé Bavio, die aan de rechterkant van de Rio de la Plata, dus links voor hen, ligt. En ze hebben hun doel bereikt, in elk geval de burgers. Jonson heeft een bespreking met zijn mensen gehad. Als de burgers weg zijn, zal hij de monding opvaren tot Buenos Aires en zich in de haven overgeven aan de Amerikanen. Daar liggen Amerikaanse schepen, dat weet hij. De commandant zal zeggen dat ze er met de boot vandoor zijn gegaan omdat ze hun buik vol hadden van het 'dierbare' vaderland en dat ze als bewijs van hun oprechtheid en hun goede wil een echte Duitse onderzeevrachtboot, in 1941 van stapel gelopen bij scheepswerf Blohm & Voss in Hamburg, zogezegd als geschenk hebben meegebracht. En dat ze naar Noord-Amerika willen. Als het moet eerst als krijgsgevangene. Maar daarna moet men hen alsjeblieft in dat land laten; ze zullen ook goede burgers zijn. Ze willen in Amerika in vrede verder leven. In Amerika bestaat er voor hen nog hoop. In Duitsland niet. Daarom hebben ze deze krankzinnige tocht geriskeerd.

Heel langzaam nadert de boot de kust. Na enige tijd begint de seiner signalen te geven. Hij seint met rood licht een afgesproken teken.

En kijk! Het signaal wordt beantwoord! Voor de kust flikkert het eveneens rood, telkens en telkens weer. Ze komen om de zwijgzame mannen op te halen. Potverdorie, dat is toch maar mooi gelukt! En de oorlog hebben we ook nog verloren. Tb7-b3, Lc3-g7.

Ongeveer twee uur later komt een zeer grote en zeer snelle motorboot langszij. Duitse stemmen klinken. Snel! Het moet snel gaan, de kustwacht waakt overal. Aan touwen worden de vijf burgers met hun bagage naar de motorboot overgebracht. Hoezo maar vijf? Waar zijn de andere twee? Die zijn ... Zachtjes, zachtjes. Gefluister. En hun koffers? In zee. O verdomme! De commandant staat naast de toren, hij heeft elk van de ongenode gasten een hand gegeven. Nu worden de touwen losgemaakt. De motorboot draait en zet dadelijk op hoge snelheid koers naar de kust. Olivera kijkt nog eenmaal om. In de schemering staat Heinz Jonson helemaal alleen naast de toren.

Een kwartier later bereikt de motorboot de kust. De Rio de la Plata is hier ondiep en het strand is van fijn, wit zand. Ze moeten een stuk door het water waden en dan staan ze op Argentijnse bodem. De mensen met hun motorboot gaan weg. Roerloos staan vijf burgers in smerige kostuums en smerige jassen, een hoed op het hoofd, in de vochtige hitte. Zeseneenhalve minuut staan ze zo, dan komen er zeven wagens, waaronder twee jeeps, aanrijden. Weer het vragen naar de twee die ontbreken, weer dezelfde antwoorden, weer het gevloek.

Weg, we moeten hier zo vlug mogelijk weg! Elk van de heren wordt met zijn bagage in een andere wagen gestopt. Twee wagens hebben geen passagier. Eduardo Olivera zit naast een grote man in een wit overhemd en een witte pantalon voor in een van de jeeps. De bagage ligt achterin, de koffer met de filmrol houdt Olivera op zijn knieën, *Het grote schaakboek* ook.

'We rijden naar Bartolomé Bavio,' zegt de man aan het stuur. 'Daar blijft u een paar dagen. Ondergedoken. Bij vrienden.' Hij spreekt nu Spaans en Olivera reageert in het Spaans: 'Waarom rijden we niet meteen door naar Buenos Aires?'

De chauffeur is tevreden over de uitspraak van Olivera.

'Te gevaarlijk,' zegt hij. 'Hier zijn overal veel militairen. Ik breng u 's nachts verder. Naar uw huis. Alles is voorbereid!' En hij rijdt weg over het parelwitte, fijne zand. De andere wagens zijn al verdwenen. Olivera wordt licht op zijn stoel naar achteren gedrukt. Hij wordt doorstroomd door het geweldige geluksgevoel dat hij in de Ju 52 had. Gered! In veiligheid! Hij heeft het overleefd! Hij begint te lachen. Hij lacht en blijft lachen. De chauffeur schenkt daar helemaal geen aandacht aan. Hij rijdt zonder licht, uiteraard. Nu bevinden ze zich op de weg. En dan, wanneer de jeep door een bocht scheurt, glijdt *Het grote schaakboek* van het koffertje op Olivera's knieën en valt naar buiten, in de duisternis, in het witte zand. En Olivera had het zo graag willen bewaren, voor altijd willen bewaren, dat boek dat hem heeft gespaard voor krankzinnigheid en dood.

'Wat was dat?' vraagt de chauffeur.

'Niets bijzonders,' zegt Olivera.

5

'Dames en heren, mag ik om uw aandacht vragen?'
Een stewardess stond bij de microfoon. Haar stem klonk door de luidsprekers in de hele reusachtige cabine, maar ook door de koptelefoons bij elke zitplaats. Als deze op muziek waren ingeschakeld, werd die automatisch onderbroken. Daniel opende zijn ogen; hij had even tijd nodig voordat hij wist waar hij was. Zoëven had hij nog over de landing van zijn vader in Argentinië zitten dagdromen. Mercedes hield zijn hand vast, merkte hij.

Intussen sprak de stewardess door: 'Over een paar minuten landen we op de internationale luchthaven van São Paulo. We hebben een klein defect aan de airconditioning, dat we voor we doorvliegen willen laten repareren. Dat zal waarschijnlijk ongeveer een half uur duren. Wij moeten u verzoeken het toestel te verlaten en in de transitoruimte te wachten. Wij nodigen u van harte uit voor een drankje. Na de start serveren we de avondmaaltijd. Mag ik u verzoeken nu niet meer te roken en uw veiligheidsriem vast te maken? Dank u.' In drie talen herhaalde het meisje haar mededeling.

Het was donker geworden. In de cabine brandde licht.
'Hoe gaat het, Danny?'
'Veel beter,' zei hij. 'Ik voel me nogal doezelig, maar het gaat veel beter, Mercedes.'
Ze streelde zijn hand. 'Je hebt geslapen.'
'Ja.'
'Je ziet er fantastisch uit als je slaapt.'
'Mercedes!'
'Nee, heus. En ik heb over je slaap gewaakt.'
'Dat was lief van je. Jij ziet er fantastisch uit als je wakker bent.'
'We zien er allebei fantastisch uit.' Ze nam de koptelefoon van zijn hoofd en kuste zijn wangen. De priester die uit het raam keek, zei in het Engels tegen Daniel: 'Dat is de grootste stad van Brazilië. Het middelpunt van het wetenschappelijke leven. Drie rijksuniversiteiten en één katholieke.'

Mercedes en Daniel keken in de diepte. Het toestel vloog over een geweldige lichtzee. Het wegenbouwsysteem leek op dat Buenos Aires. 'Een hoop industrie,' vervolgde de priester. 'De meeste Braziliaanse films worden hier opgenomen. Dit is ook het televisiecentrum van het land. Twee luchthavens. Veel snelwegen. Naar de haven Santos. Tot aan Rio toe. In 1554 is Sao Paulo als missiepost door de jezuïeten gesticht,' zei de priester trots. 'Tegenwoordig noemt men de stad het Chicago van Zuid-Amerika. Heer, Gij hebt ons in Uw goedheid tot nu toe zo wonderbaarlijk beschermd. Blijf ons beschermen, bidden wij U.'

De jumbo verloor nu snel hoogte.
'Gaat de reis nog verder?' vroeg Mercedes.

'O, ja,' zei de priester. 'Naar Frankfurt. En dan naar Keulen. De aartsbisschop heeft me teruggeroepen.'

'Bent u Duitser?'

'Ja,' zei de priester, terwijl de jumbo de grond raakte en over de landingsbaan, die aan weerskanten door lichten was gemarkeerd, stoof. Hij sprak nu Duits: 'Uit Keulen. U kunt het aan mijn tongval horen. Mijn naam is Heinrich Sander.'

'Hoelang bent u in Zuid-Amerika geweest?'

'In Buenos Aires, alleen in Buenos Aires,' zei de priester. 'Vijfentwintig jaar.' Hij glimlachte en het was de zachtaardigste glimlach ter wereld, dacht Ross. 'Nu ben ik oud. Nu kan ik aan mezelf denken. Ik zal eindelijk tijd hebben om te lezen. En om in een grote tuin te werken. Ik ben een heel goede tuinier, moet u weten.'

Het toestel was tot stilstand gekomen en de airconditioning werd uitgeschakeld. Direct brak alle passagiers het zweet uit. Ze probeerden zo snel mogelijk uit het vliegtuig te komen. De zeer lange, zeer slanke en bruin verbrande jongeman die zes rijen achter Mercedes en Daniel in het midden had gezeten en die twee sedert de start niet uit het oog had verloren, stond ook op. Hij zag dat Mercedes de rode tas waarin de twee videocassettes zaten uit het bagagerek haalde. Zijn ogen vernauwden zich. De oude priester liep met een zware, met zilver beslagen stok van zwart hout voor Mercedes en Daniel uit.

Buiten was het net zo afschuwelijk heet als in Buenos Aires. De passagiersbusjes reden snel. Een stewardess zei dat de transitoruimten airconditioned waren. Mercedes had Daniel een arm gegeven en ze steunde hem toen ze door een lange, lichte gang liepen met de priester naast zich. Daniel wankelde een beetje. Zijn gezicht was ingevallen, hij zag bleek. Op het moment dat hij de transitoruimte wilde binnengaan, werd hij omvergetrokken.

Mercedes gilde. Daniel zag dat een lange jongeman met een randloze bril de rode tas uit haar handen probeerde te rukken. Ze stelde zich wanhopig te weer. De jongeman was sterker. Nu had hij de tas. Hij wilde wegrennen, maar zakte daarna kreunend door zijn knieën. De oude priester had hem met het handvat van zijn stok een klap op het hoofd gegeven.

Nu schreeuwden veel passagiers door elkaar. Twee politiemannen renden door de hal. De oude priester bukte zich met een snelheid die niemand van hem had verwacht en ontrukte de jongeman, bij wie het bloed over het gezicht gutste omdat hij een gat in zijn hoofd had, de rode tas.

'Policia!' schreeuwde hij. 'Policia! Socorro! Socorro!'

De jongeman krabbelde overeind, sloeg onbarmhartig om zich heen om zich een weg te banen en rende door een zijdeur de reusachtige hal uit. De twee politieagenten zorgden voor Mercedes. De priester vertelde wat er was gebeurd. Mercedes was zo opgewonden dat ze geen woord kon uitbrengen. Daniel wankelde. De politiemannen begonnen aan de achtervolging van de jongeman. Ze kwamen in de nu door mensen volledig verstopte gang maar langzaam vooruit.

'U moet iets drinken voor de schrik,' zei pater Sander in het Duits met zijn Keulse accent. 'Ik zorg er wel voor. Zoveel mensen. Ik bestel het aan de bar. Gaat u hier zitten en loopt u niet weg. Ik ben zo weer terug.'

Daniel trachtte Mercedes te kalmeren. Ze trilde over haar hele lichaam. Met moeite kreeg ze haar tas open en vergewiste zich ervan dat de twee cassettes er nog in zaten.

'Ik ben namelijk ook in slaap gevallen, net als jij, even maar,' zei ze tegen Daniel.

'Hij zou de tas niet hebben weggegrist als hij de cassettes al had,' zei Daniel.

'De schoft,' zei Mercedes. 'De vuile schoft.' Ze sloot de rode tas en sloeg haar armen eromheen. Vlak daarna kwam de priester terug met een dienblad met drie glazen erop.

'Gin-tonic,' zei Sander. 'Ik heb meteen maar dubbele genomen.' Hij ging zitten.

Kleine, groene citroenen, dacht Daniel, in zijn glas kijkend, net als bij mijn vader.

'Over vijf minuten brengt de ober ons nog eens dezelfde portie,' zei de priester. 'Hebt u iets kostbaars in uw tas?'

'Ja,' zei Mercedes.

'Die lui pikken allemaal,' zei de oude priester. 'Het liefst in de metro of in zo'n gedrang.'

'U was fantastisch, pater,' zei Mercedes. 'Ik dank u.'

'Niets te danken,' zei de oude man. 'Het was me een genoegen. Als ik een paar jaar jonger was geweest, had die knaap geen kans gekregen ervandoor te gaan. Cheerio, op de schrik!' Hij hief zijn glas. Ze toostten met hem. 'Ik ben de beste bokser van de orde geweest,' zei Sander. 'En de snelste op de duizend meter. De verse drankjes moeten zo komen.'

Op datzelfde tijdstip zat de jonge man met de randloze bril in een zwarte Peugeot die op het plein voor de luchthaven stond geparkeerd. Een andere jonge man, kleiner en met zeer lang zwart haar, zat achter het stuur en behandelde de wond. Hij had een verbandtrommeltje op zijn knieën. Nadat hij de wond had gedesinfecteerd, wond hij bij de ander een verband om voorhoofd en haar. Daarna veegde hij het gezicht met alcohol schoon. Intussen spraken ze met elkaar.

'Je weet nu dus waar ze zitten, Pablo. En waar ik heb gezeten. Je moet een andere plaats zoeken. Het toestel is halfleeg.'

'Die zetten nu de tas natuurlijk tussen zich in,' zei Pablo. 'Jij neemt de wagen en rijdt naar de stad, Leon. Hoofdkwartier. Geen risico. Bel vanaf het hoofdkwartier Cristobal op. Hij vertelde me dat Londen de juiste man heeft gevonden. Die neemt de zaak nu over. Hij is in Frankfurt als we daar landen, zei Cristobal. En hij zal mij aanspreken. Hij weet hoe ik eruitzie. Ik houd een orchidee in mijn hand. Vertel Cristobal wat er gebeurd is. Zodat die man het alvast weet. Hij heeft foto's van die twee te zien gekregen, zei Cristobal. Zo, het verband zit. En verdwijn nu, Leon.' Hij deed het verbandtrommeltje dicht en gooide het op de achterbank. 'Ik ga nu naar binnen. Ik heb al ingecheckt. *Até logo*, Leon, het beste!'

'Met jou ook, Pablo,' zei Leon. Ze stapten allebei uit en gaven elkaar een hand. Leon keek Pablo na terwijl deze naar het portaal van de luchthaven ging. Daarna stapte hij achter het stuur van de Peugeot en reed weg. Hij zat direct op een snelweg die naar de stad leidde.

In het appartement van de eenzame oude man, Cristobal genaamd, op huisnummer 25 van de Husares, tegenover de kazernes en exercitieterreinen van het *Regimento 3 de Infanteria/General Belgrano* in Buenos Aires rinkelde de telefoon. Cristobal, zoals in al die voorbije weken thuis alleen gekleed met een handdoek om zijn heupen, omdat hij bijna stierf van de hitte, kwam uit de achterkamer aansloffen en nam op.

'Ja?'

'Met Leon.'

'Waar zit je?'

'São Paulo. Hoofdkwartier.'

'Wat is er aan de hand?'

Leon vertelde wat er aan de hand was.

Cristobal vloekte. 'Jij, verdomde hoerenzoon, wie heeft jou gezegd dat je in actie moest komen? Je moest die twee begeleiden naar São Paulo en meer niet.'

'Ik weet het. Maar ik heb de cassettes gezien. Dat bracht me volkomen van de wijs, Cristobal. Kun je dat begrijpen? Ik dacht dat het heel gemakkelijk zou gaan. En het zou me ook zijn gelukt als die verdomde paap er niet geweest was.'

'Als ... als ... Als jullie voor maar vijf peso's verstand hadden gehad, jullie allemaal bij elkaar!' Cristobal vloekte weer. 'Maar nee, zo'n kleine sufferd als jij moet natuurlijk weer zo nodig 007 spelen. Wanneer je alleen had doorgegeven dat de cassettes in de tas zaten, zou je een bink zijn geweest, klootzak! Je vliegt natuurlijk terug vanaf de andere luchthaven.'

'Natuurlijk. Het spijt me.'

'Spijt! Verdomme! Zit Pablo nu in het toestel?'

'Ja.'

'Overnacht in een klein pension. Breng de huurwagen terug. Vlieg morgen terug. Goedenacht, idioot!'

Cristobal legde de hoorn op de haak, schakelde de interruptor in, slaakte een diepe zucht en belde de advocaat Roger Morley in Londen op.

Huurling Wayne Hyde lag op bed in zijn kamer in hotel Richmond en las sonnetten van Shakespeare. Dat deed hij al meer dan een uur. Het was half vier in de ochtend en Hyde kon niet slapen. Vermoedelijk kon geen mens in Londen slapen. Sedert twee uur raasde er over de stad een storm met de sterkte die Hyde alleen van Noordamerikaanse *blizzards* kende. Hij veegde dakpannen weg, bracht muren tot instorten, ontwortelde grote, oude bomen en ging tekeer met het lawaai van een squadron bommenwerpers.

De storm, die gepaard ging met zware sneeuwval, was werkelijk oorverdovend. Hoewel de ramen dicht waren, waaiden de gordijnen heen en weer en het vertrek werd gevuld met een ijzige koude. Zelfs het oude hotel met zijn dikke muren trilde, Hyde kon het duidelijk voelen. Hij had hoofdpijn en had daarvoor al twee tabletten ingenomen, die niet hielpen.

'Als golf op golf naar 't kiezelrijke strand, / Zo spoeden naar haar eind minuten voort...' Dat was het begin van het zestigste sonnet. Hyde kende het en hield ervan. Voor deze man, die elke vrije minuut las, las als een dorstige, als een maniak, was literatuur datgene wat voor vrome mensen hun godsdienst, voor fanatici hun ideologie betekent. Ja, Wayne Hyde, de veelvoudige moordenaar tegen betaling, was een fanatiek lezer.

'... Elk dringt de vorige uit haar plaats, en spant / Zich in, steeds door de volgende aangespoord. / Wat eens het licht zag, komt slechts langzaam aan / Tot vollen, rijken glans, en al zijn pronk / Heeft met verduist'ring zwaren strijd; vergaan / Doet ras de Tijd, wat hij zo mild eens schonk...'

De telefoon ging. Hyde nam de hoorn op.

'Ja?'

'Met de nachtportier. Neemt u mij niet kwalijk dat ik stoor, sir, maar er heeft een heer opgebeld, die u dringend verzoekt hem terug te bellen. Ik zal u zijn nummer geven.' Hij noemde het op en Hyde merkte na het derde cijfer dat het de aansluiting van Roger Morleys telefoonbeantwoorder was. Hij bedankte, hing op, ging rechtop zitten, liet zijn benen bungelen en terwijl buiten de storm doorwoedde, draaide hij het nummer van Morley. Op het nachtkastje lag de kleine witte decoder. Hij nam die in zijn vrije hand.

Morleys stem klonk door het toestel en noemde naam en adres van de eigenaar die, naar gezegd werd, niet thuis was. Er kon echter een mededeling worden achtergelaten. 'Ga uw gang,' zei de stem van Morley op de band. 'U kunt spreken – nu.'

Hyde hield het zwarte bovenstuk van de decoder voor de microfoon van de telefoonhoorn en drukte op de zwarte knop van het apparaatje. Daarna zond de decoder drie tonen van verschillende hoogte en duur uit. Hyde hield de hoorn weer aan zijn oor. Hij merkte dat er een band terugliep en daarna klonk de stem van Morley: 'Morgen, morgen. Het spijt me als ik u stoor, maar ik neem aan dat u net zo min slaapt als ik. Nieuws voor u...' Via de band berichtte Morley wat de oude, eenzame man met de naam Cristobal in Buenos Aires hem zojuist telefonisch had meegedeeld. Hij besloot met: '... helaas hebben ook wij met stommelingen te doen, beste kerel. Nou, het is goed afgelopen. Dus de cassettes zijn aan boord en we weten nu ook waar. In het dossier hebt u gelezen waaraan u in Frankfurt dadelijk de man kunt herkennen die nu met die twee naar Europa vliegt. Hij heet Pablo. Enorme pech, die sneeuwstorm. Ik heb Heathrow opgebeld. Die zeggen dat het nog twee, drie uur doorgaat. Tot een uur of twaalf vliegt er geen enkele machine, dat is zeker. Vrijwel zeker is dat er ook vanmiddag nog niet kan worden gevlogen. Sneeuwverstuivingen van meer dan twee meter hoog op alle banen. De kans dat u op tijd in Frankfurt bent, is in het gunstigste geval een op vier. *Good luck.*' De band stopte met een zachte klik.

Hyde legde de hoorn op de haak en zette de decoder op het nachtkastje terug, liet zich achterover op zijn bed vallen, pakte zijn boek weer op en las verder . . .

'. . . De Tijd doorpriemt den rijksten blos der jeugd, / En voort zijn lijnen op het schoonst gelaat; / Geen schoon verbidt zijn hand, geen waarde of deugd; / Zijn sikkel treft, wat rijp en heerlijk staat; / Maar toch, mijn dicht, u, uw, waardij gewijd, / Trotseert den Tijd, zijn sikkelslag ten spijt.'

Prachtig, dacht Hyde, gewoonweg prachtig. Een op vier? Dan heb ik, God weet, wel slechtere kansen gehad. Heel wat slechtere . . .

6

'Natuurlijk bracht de man in de jeep me niet meteen naar deze villa,' had Olivera enkele dagen eerder laat in de avond in het park bij het zwembad, dat een blauwe glans had, verteld. 'Ze hadden een grote flat voor me ingericht – in het centrum. Geen pracht en praal, maar schoon en degelijk. Ik werd opgewacht door een huishoudster, een tamelijk oude vrouw. Officieel werd ik geïntroduceerd als de nieuwe directeur van een kleine bank, de Banca Imperiale heette die.'

Aan deze woorden van zijn vader dacht Daniel Ross terug terwijl hij in zijn stoel achteroverleunde. Ze waren nu weer in de lucht en vlogen naar Rio de Janeiro. Het diner was afgelopen. Daniel had geen trek gehad en vrijwel niets gegeten. Het beven van zijn handen werd steeds erger, hij barstte van de hoofdpijn en hij voelde weer die angst . . . Ze was er nog niet, maar ze lag op de loer, ze stond klaar om hem te bespringen. Mercedes observeerde hem met grote bezorgdheid. 'Het is erg, hè?' vroeg ze zacht.

Hij knikte.

'Je moet volhouden! Denk aan wat er op het spel staat!'

'Daar denk ik aan.' Hij dwong zich tot een glimlach. 'Het stomme is dat die Nobilam niet meer werkt. Ik heb in São Paulo twaalf tabletten ingenomen. En dan nog die twee glazen gin-tonic. Geen enkele uitwerking.' Hij streelde haar hand. 'Maar ik red het wel.' Hij wendde zich tot de priester, die een halve fles wijn voor zich had staan en heel langzaam dronk. 'Mag ik alstublieft even de tas hebben?'

'Maar natuurlijk.' De priester met de naam Sander gaf hem de tas. Hij stond links van hem tegen de cabinewand aan. De jonge man met het lange zwarte haar, die Pablo heette en drie rijen achter hen in dezelfde afdeling, dus links, zat, zag dat de priester de rode tas aan Daniel overhandigde. Deze maakte hem open, haalde er een flesje uit en praatte met een stewardess. Ze knikte, haastte zich naar de nabije pantry en kwam terug met een glas water. Pablo kon niet zien dat Daniel twintig druppels uit het flesje in het water liet vallen en het daarna opdronk. Hij kon alleen zien dat de stewardess wegging en dat Daniel de rode tas teruggaf aan de priester. Deze zette hem weer neer tussen zich en de cabinewand. Leon, verdomde rotvent, dacht

Pablo woedend, nu kan geen mens meer bij die tas komen. Natuurlijk was het waanzin in Rio iets te ondernemen. Maar ik hoop dat het in Frankfurt na de landing, samen met de man die mij daar opwacht, wél zal lukken. Pablo hield een doorzichtig doosje vast. Daarin lag een blauwgroen gevlekte orchidee, een zogenaamde venusschoen; het herkenningsteken.

Daniel zei: 'Ik heb de druppels voor de zekerheid ingenomen, voordat het nog erger wordt. Ik heb genoeg. Al moet ik alles innemen, Mercedes – ik hou vol.' Hij pakte haar hand die op de leuning tussen hen in lag en sloot zijn ogen. Weer dacht hij aan het verhaal van zijn vader ...

De Banca Imperiale bood voornamelijk werk aan personeel van Duitse afkomst. Ze verzorgde de zaken voor vele speciale klanten. Olivera had geweten wat hem te wachten stond. Onmiddellijk na de ineenstorting van het Derde Rijk begon een uitstekend voorbereide en uitgeruste firma met de naam ODESSA te werken. ODESSA was de afkorting voor *Organisation der ehemaligen SS-Angehörigen.* Haar leden en medewerkers zaten vrijwel overal en in de eerste jaren na de oorlog draaide ze op volle toeren, later iets langzamer. ODESSA zag het als haar plicht om met behulp van officiële instanties van de verschillende staten, met behulp van rijke particulieren, politici en katholieke hoogwaardigheidsbekleders, die voor een deel zelfs een functie in het Vaticaan bekleedden, topnazi's en oorlogsmisdadigers wier leven in gevaar was uit Duitsland naar overzee, met name naar Zuid-Amerika, te brengen. Zo kwam bijvoorbeeld Adolf Eichmann daar terecht. Geld en goud bezat de nu in het geheim werkende SS in overvloed. De route van de mannen die Duitsland uit gesmokkeld werden, leidde meestal over Oostenrijk, Zuid-Frankrijk, Spanje en Portugal. Vandaar ging het per schip verder. Natuurlijk moest, zoals in het geval Ross alias Olivera, in het nieuwe vaderland alles voor de vluchtelingen zijn voorbereid. Tegenwoordig bestaat er exacte documentatie over ODESSA. Ook de Banca Imperiale was door haar opgericht. Hoe klein dit instituut ook was, het beschikte over enorme sommen geld. Overschrijvingen kwamen grotendeels uit Zwitserland, maar ook uit Duitsland. Een belangrijke rol bij de activiteiten van ODESSA speelde de Duitse naoorlogse industrie. Onder de nieuwe directeuren waren heel wat voormalige leiders van de oorlogseconomie en SS'ers.

Olivera's bank deed voor hen die het land binnengesmokkeld waren dienst als aanloopplaats. Hier kregen ze geld en belangrijke informatie. Er waren nog elf andere banken met dezelfde taak in Argentinië. Ze hoorden allemaal bij ODESSA.

Olivera prees zich gelukkig deze ontkomen massamoordenaars en gezochte nazi-bonzen te kunnen helpen – tenslotte was ook hij ontkomen. De aluminium trommel met de 35 mm-film bewaarde hij in een persoonlijke kluis van de bank. Hij leidde een buitengewoon teruggetrokken leven en wachtte op het bevel de film publiek te maken. Hij wist dat hij jaren zou moeten wachten, vele jaren. Misschien wel zijn hele leven. Zijn ODESSA-klanten zorgden van tijd tot tijd in elk geval voor zenuwslopende incidenten, vervelen deed hij zich niet. Natuurlijk had hij af en toe behoefte aan een vrouw. Er waren zeer discrete huizen in de stad.

Jaren gingen voorbij. De blokkade van Berlijn kwam, de koude oorlog kwam en op 25 juni 1950 de eerste echte oorlog, in Korea. De ontwikkeling die Goebbels had voorzien nam een aanvang. Tegen het middaguur van 12 juli 1950 ontving Olivera een telefoontje van een onbekende, die hem in vloeiend Spaans uitnodigde diezelfde dag precies om drie uur in de internationale Skal Club in de Viamonte 867 aanwezig te zijn. Een man met een witte anjer in het knoopsgat van een blauw kostuum zou hem aanspreken. Olivera moest zijn helft van de verscheurde foto met handtekening meebrengen.

Hij zat in een hoekje van de tearoom van de Skal Club; hij was iets te vroeg. Klokslag drie uur betrad een gezette man van ongeveer vijftig jaar, onder wiens ogen zware, donkere traanzakjes hingen, de gelegenheid. Hij droeg een witte anjer in het knoopsgat van de revers van zijn lichtblauwe kostuum van shantoengzijde. De man kwam direct op Olivera af en gaf hem een slappe, vochtige hand. Hij sprak Duits en zei zacht: 'Heil kameraad!'

'Heil,' zei Olivera. Een ober haastte zich naar hen toe. Zij waren op dit moment de enige bezoekers. De man met de anjer bestelde eveneens thee. Daarna zat hij negen minuten zonder iets te zeggen. Zo lang duurde het voordat de ober de thee had gebracht en weer was verdwenen.

'Goed,' zei hij daarna en legde zijn helft van de foto van Hitler, die Goebbels in de bunker van de Rijkskanselarij op zo'n bizarre wijze in tweeën had gescheurd, op tafel. Olivera haalde de andere helft uit zijn borstzak en legde de beide delen tegen elkaar. 'Oké. Alles in orde met de film?' De dikke man sprak merkwaardig slissend en sproeide speeksel. Zijn gezicht was vertrokken van pijn en aan één kant opgezwollen.

'Natuurlijk,' zei Olivera. 'Wat hebt u?'

'Wortelontsteking. Ik kom rechtstreeks van de tandarts. U kunt zich niet voorstellen hoe 'n pijn dat doet, kameraad. Waar is de film?' Hij besproeide de tafel, de theekopjes, Olivera's gezicht, alles.

'In een kluis van mijn bank.'

'Goed, kameraad. Ben gisteren aangekomen. Heb die vervloekte ontsteking op de vrachtboot opgelopen. Sinds twee weken geen oog dichtgedaan.' Hij nam een slok thee en kreunde.

'Verdorie, te heet. Centrale ODESSA heeft een bevel voor u.'

'Ja?' Een krankzinnig moment lang dacht Olivera dat de onbekende hem zou zeggen dat het tijdstip was aangebroken. Het bloed schoot naar zijn gezicht.

'De internationale situatie is nog lang niet ernstig genoeg. U moet nog langer wachten. Deze zaak is van de grootste betekenis. U hoort nog van ons.' De man met de anjer stopte zijn helft van de fot met Hitler erop in zijn zak, gaf Olivera weer een klam, slap handje, stond op en ging snel de tearoom uit.

In de daaropvolgende vierendertig jaar hoorde Olivera van niemand meer een woord over de film.

'Hebt u eigenlijk ooit aan moeder en mij gedacht?' had Daniel na dit verslag aan zijn vader gevraagd. Het was bijna half drie 's nachts en de lucht werd nu heerlijk fris. Ze zaten nog steeds bij het verlichte zwembad.

'Soms,' zei Olivera. 'Niet vaak.'

'Hebt u geprobeerd erachter te komen of we nog leefden en hoe het met ons ging?'

'Nee, nooit. Hoe ging het met jullie?' vroeg Olivera beleefd.

'Een hele tijd bijzonder slecht. Tot ik kon gaan werken.'

'Dora,' zei Olivera, in het water van het zwembad kijkend. 'Ik heb aan Dora gedacht. Alleen aan Dora. Ik heb dag en nacht aan haar gedacht. Ik heb heel vaak van haar gedroomd. Van haar lachen. Van haar einde. Ik heb veel van haar gehouden. Ik moest er altijd aan denken dat ze met mij mee naar Argentinië had kunnen gaan. We zouden heel gelukkig met elkaar zijn geweest. Nog veel gelukkiger dan in Berlijn . . .' Zijn stem stierf weg.

'Moeder is in 1969 overleden. Op 12 december,' zei Daniel.

Olivera reageerde niet.

'Ik zei dat moeder . . .'

'Ja, ja, ik weet het. Waaraan?'

'Leukemie.'

'Heeft het lang geduurd?'

'Bijna een jaar. Ze heeft veel geleden, vader.'

'Ik ben niet zo gevoelloos als jij denkt, Daniel. Alles wat ik jullie beiden heb aangedaan, spijt me, spijt me verschrikkelijk. Maar ik heb nu eenmaal altijd van Dora gehouden. Hoewel ze al zo lang dood was. Altijd alleen van Dora. In 1954 heb ik haar dan teruggezien.'

'Wát?' Daniel staarde hem aan.

'Ik heb Dora teruggezien,' herhaalde Olivera.

De blauwe bal rolde vlak voor Olivera's voeten.

Over het grindpad liep struikelend een klein meisje in een wit jurkje, met witte schoentjes en witte sokjes aan. Het was in de middag van de vijfde mei 1954 en Olivera liep door het grote Parque de Febrero. Hij kwam uit het planetarium, waar hij een lezing had gehouden.

Nu bukte hij zich en raapte de bal op. Het kleine meisje kwam met uitgestrekte armen op hem af.

'Wat is dat een mooie bal, zeg,' zei Olivera.

'Ik heb nog twee andere, een groene en een rode,' zei het kleine meisje. 'Maar de blauwe heb ik 't liefst. Hoe heet jij?'

'Hé, dat mag je toch niet zo maar vragen aan die meneer,' klonk een donkere vrouwenstem. Olivera keek op en kwam overeind. Hij kreeg het gloeiend heet en daarna ijskoud. Voor hem stond Dora Holm. Haar zwarte haar glinsterde in de zon, haar lichtblauwe ogen straalden en ze lachte naar hem met haar mooi gevormde mond. Zijn adem stokte. Dora, dacht hij, mijn Dora!

Natuurlijk was het niet Dora Holm.

Het was een vrouw die ongelooflijk veel leek op Dora Holm. Ze was zeker tien jaar ouder en haar huid was niet zo blank als die van Dora, maar gebruind door de zon. Ze droeg een blauwe jurk met witte stippen en een witte kraag, met daarbij witte handschoenen en schoenen. Olivera wilde iets zeggen maar stotterde.

'Dank u dat u de bal hebt tegengehouden,' zei de jonge vrouw.

'Graag gedaan.' Hij lichtte zijn linnen hoed. 'Zo'n lief klein meisje. En zo'n . . . charmante moeder. Mijn naam is Eduardo Olivera.'

'Ik heet Mangalez. Eliza Mangalez.'

'En ik heet Mercedes,' zei het kleine meisje. Olivera merkte op dat ook zij zwarte haren en lichtblauwe ogen had. In haar haren droeg Mercedes een rood lint.

De vrouw die zo op Dora Holm leek, lachte weer. 'Waarom kijkt u mij zo aan, meneer Olivera?'

Ze spraken Spaans.

'Omdat u mij . . . Omdat u zo mooi bent,' verbeterde hij zichzelf. 'Zo ontzettend mooi, dat ik . . .'

'Ja?' vroeg ze.

'Niets,' zei hij. 'Mag ik een stukje met u oplopen? Daarginds is een restaurant. Hou je van ijs, Mercedes?'

'O ja! IJs is het lekkerste dat er is.'

'Nu, señora? En zullen wij dan iets drinken? Het is erg heet . . . Ik bedoel natuurlijk alleen als u wilt. U zoudt me er een groot plezier mee doen . . . Maar waarschijnlijk moet u naar huis . . . Waarschijnlijk wacht uw man op u . . .'

Het lachje stierf weg op haar lippen. 'Mijn man wacht niet op mij.'

'Neemt u mij niet kwalijk . . .'

'Mijn man heeft anderhalf jaar geleden scheiding aangevraagd,' zei ze kalm. 'Wegens een andere vrouw. Hij is met haar weggegaan, ver weg. Hij werkt nu in Venezuela.'

'Nu weet je het,' zei Mercedes. 'Papa is weg. Hij wacht niet op ons. We kunnen gerust ijs gaan eten. Ik wil aardbeichocolade. Dat is het allerlekkerste dat er bestaat.'

Olivera keek Eliza Mangalez recht in haar grote, staalblauwe ogen. Ze beantwoordde zijn blik en glimlachte weer. Nog geen drie maanden later trouwden ze.

'Jij was toen nog geen vier,' zei Olivera 's nachts bij het zwembad in het grote park tegen de knappe vrouw die naast hem zat. 'Je kunt je dat natuurlijk niet meer herinneren.'

'Toch wel,' zei ze. 'Het ijs was heerlijk. Ik geloof dat ik twee porties heb gekregen. En toen we elkaar een week kenden, vroeg ik aan u: "Ga je met mijn mammie trouwen?" Moeder vertelde me later dat ze zich dood schaamde voor me.'

'Ja,' zei Olivera, 'dat was een prachtige uitspraak van jou, Mercedes. Met jullie tweeën kwam het geluk weer in mijn leven terug. Privé en zakelijk. In 1955 nam een militaire junta de macht in het land over. Generaal Lonardi werd als president gekozen. Ik kende hem al drie jaar. Je mag wel zeggen dat we bevriend waren. Ik heb hem en zijn mensen binnen de mogelijkheden van mijn bank zeer geholpen.'

'Ik dacht dat u een democratische overtuiging had gekregen,' zei Daniel.

'Had ik ook,' zei Olivera ernstig. 'Maar ik heb het al gezegd – ik was en ben er nog steeds van overtuigd dat een democratie in Argentinië nooit zal functioneren. Denk maar aan wat er in 1955 gebeurde. Democratische regeringen kwamen telkens terug. Maar hoelang bleven ze? Hoelang zal Alfonsin blijven?'

'Ik begrijp het,' zei Daniel. 'En uw vrienden, die u zo goed hebt geholpen, toonden zich nu erkentelijk.'

'Zo is het, Daniel.' Olivera dronk wat whisky en stak een sigaret op. 'Zeer erkentelijk zelfs. Ik kreeg de mogelijkheid een eigen bank te vestigen. Destijds verdiende ik in korte tijd enorm veel geld. In die tijd trokken we in deze villa.' Hij wees om zich heen. 'We waren gelukkig, wij drietjes. Toen ze zes was moest Mercedes naar school. Hier in de buurt is de deftigste van Buenos Aires, met aansluitend lyceum. Mercedes was een uitstekende leerlinge. Ze deed haar eindexamen met lof. Daarna ging ze naar de universiteit . . .' Olivera stopte. Hij legde een hand voor zijn ogen.

'Wat is er?'

'We waren zo gelukkig, wij drieën,' zei de oude man zacht. 'Zoveel jaren. Twintig jaren van geluk. Wie heeft dat nou, Daniel? Toen, op 7 januari 1974 . . .' Hij zweeg.

'. . . kreeg mama een auto-ongeluk op weg naar de luchthaven,' zei Mercedes. 'Ze wilde een vriendin afhalen. Een dronken kerel ramde haar wagen. Die sloeg over de kop en brandde helemaal uit. Mama moet op slag dood zijn geweest. Ze had haar nek gebroken.'

7

'. . . Moskou: In uiterst scherpe bewoordingen heeft een woordvoerder van het Russische ministerie van Buitenlandse Zaken de plannen van de Amerikaanse minister van Defensie Weinberger om de ruimte te bewapenen veroordeeld . . .' Een Engelse omroepstem klonk door de koptelefoons van Mercedes en Daniel. Ze hadden de schakelaar op hun armleuning op vijf afgesteld.

Na de tussenlanding was de jumbo om 3.55 uur op een startbaan tussen de moerassen die de luchthaven van Rio de Janeiro omringden, opgestegen en in een grote boog om de stad heen gevlogen. Nu hield hij recht aan op het reusachtige Christusbeeld van witte steen, dat zegenend met uitgestrekte armen op de top van de Corcovado, een berg die al in de jungle verdween, hoog boven de stad stond. Het standbeeld werd met krachtige schijnwerpers verlicht. Het Christusbeeld straalde. Veel passagiers zaten uit het raam te kijken en te fotograferen.

'... De Russische woordvoerder noemde dergelijke plannen misdadige waanzin, die aan een ziekelijk brein is ontsproten ...' Elk vol uur zond de BBC het laatste nieuws uit.

Steeds dichterbij kwam de stralende Christus. Het toestel ging schuin liggen en maakte een bocht.

De oude priester bad hardop: 'Heer van alle volkeren, luister naar ons, daar wij U smeken aan de wereld ware vrede te geven ...'

'Washington: President Reagan ondersteunt, zoals reeds gezegd, met alle kracht de plannen van Weinberger tegenover het Amerikaanse Congres,' klonk de stem uit de Londense studio van de BBC.

'... de harten van de mensen te bevrijden van haat, nijd en tweedracht,' bad de oude priester.

'... Senator Edward Kennedy noemde Reagan om die reden in een twee uur geleden van kust tot kust uitgezonden interview van de Amerikaanse televisiemaatschappij NBC de "gevaarlijkste president van het nucleaire tijdperk" ...'

Mercedes en Daniel keken elkaar aan.

'Wij bidden U, dat U ons en alle volkeren in dienst van de gerechtigheid wilt sterken en behouden ...'

De reusachtige jumbo vloog in een enorme halve boog om de zegenende Christus heen.'

'Tjonge, pa! De Pershings van de derde generatie hebben zo'n trefzekerheid dat ze de Jezus daar over een afstand van achtduizend kilometer met een waarschijnlijkheid van negen op één zouden opblazen,' zei de Amerikaanse jongen in de korte broek en de loshangend shirt, die als tegenstander van zijn goedmoedige vader met het rode gezicht na de start in Buenos Aires zo lang *NAVO - De oorlog in Europa* had gespeeld.

'Je hebt verdomd gelijk,' zei pa. De twee waren opgestaan. Een hand van de Christus was recht op hen gericht. Pa fotografeerde onophoudelijk.

De oude priester bad: '... dat U de regeerders van alle landen en volkeren een waar inzicht en juiste beslissingen zult geven en de vruchten der aarde wilt bewaren ...'

'Bonn: In de hoofdstad van de Bondsrepubliek is de door de Amerikanen geplande bewapening van de ruimte tot een universeel oorlogsgebied bij alle partijen op zeer grote bezwaren gestuit,' klonk de stem door de koptelefoon.

'... dat U de ontheemden rust en geborgenheid in ons midden wilt bereiden. Wij smeken U, Heer, verhoor ons.'

'De sociaal-democratische fractie in de Bondsdag heeft van de regering verlangd, de eis van minister van Defensie Weinberger van antisatellietwapens scherp van de hand te wijzen.'

'... dat U in ons de helpende liefde voor de behoeftigen en lijdenden wilt doen ontvlammen ...'

'De motivatie van Weinberger dat de Sovjetunie al over dergelijke wapensystemen en over een groot aantal antiraketsystemen beschikt, noemde de vice-voorzitter van de commissie Buitenlandse Zaken en Veiligheidspolitiek, Jungmann, een "twijfelachtig excuus".'

Het toestel had de zegenende Christus nu achter zich gelaten en zette koers in noordoostelijke richting naar open zee. Het beeld was nog lang te zien.

'... dat U de afwezige broeders en zusters naar hun wachtende familie wilt terugvoeren. Wij smeken U, Heer, verhoor ons.'

'De *Süddeutsche Zeitung* schrijft in een van haar laatste edities in een artikel van vier kolommen met de kop "Bewapeningswedloop nu ook in de ruimte": "De Bondsregering heeft zich tegen een bewapeningswedloop in het heelal gekeerd." En verder, dat de Sovjetunie weliswaar op het gebied van de zogenoemde antiraketsystemen een militaire voorsprong heeft bereikt ...'

Weer keken Mercedes en Daniel elkaar aan.

'Dat U onze doden in Uw eeuwige Rijk wilt opnemen ...'

'... maar bij Amerikaanse tegenmaatregelen zou het erop aan moeten komen de strategische eenheid in de NAVO te bewaren. Deze eenheid zou door een verdere bewapening in de ruimte in groot gevaar komen.'

'... en schenk ons vrede, o Heer, dat vragen wij U innig, schenk ons vrede. Amen.'

De Christus was verdwenen. De duisternis maakte de aarde onzichtbaar. Mercedes omklemde de hand van Daniel. Ze fluisterde: 'Ik ben bang.'

'Net als ik,' antwoordde hij.

'Voel je je weer beroerd?'

'Heel erg.'

'Alles komt goed, Danny!'

'Ja,' zei hij, 'beslist.'

8

In de cabine brandde de nachtverlichting.

Daniel viel eindelijk in een verward hazeslaapje, zijn hoofd geleund op Mercedes' schouder. Hij droomde van zijn vader. Ze waren eindelijk naar bed gegaan na die nacht aan het zwembad, doodmoe. De volgende ochtend ontdekten ze de verdwijning van Miguel. Olivera was buiten zichzelf van bezorgdheid en ook van angst. Hij waarschuwde de politie. Agenten kwamen en stelden veel vragen. Ze zochten naar sporen. Die vonden ze niet. Hun vragen kon Olivera niet beantwoorden. Hij kon zich niet voorstellen hoe en waarom Miguel was verdwenen. Hield het verband met hemzelf? Daarop had Olivera geen antwoord.

Laat in de middag maakte hij met Daniel een wandeling door het uitgebreide park. Hij vertelde het slot van zijn geschiedenis; hoe hij na de dood van zijn geliefde vrouw naar een doel in zijn leven had gezocht en zich de oude film had herinnerd. Nu was de situatie op de wereld inderdaad chaotisch geworden. Nu was het tijd om te handelen.

'Nu was het tijd om te handelen,' vertelde Olivera, die naast Daniel liep. Ze hadden allebei een zeer luchtige pantalon aan, een open overhemd en sandalen. Weer was het onbarmhartig heet, ook in de schaduw van de hoge, oude bomen waarin vogels zongen. 'Mijn leven was me volmaakt onverschillig. Ik zou elk gevaar hebben geriskeerd – maar ik had Mercedes, mijn geliefde Mercedes. Ik moest anders te werk gaan. Niet alleen. Je kijkt me zo aan, Daniel. Ik weet wat je denkt: in die tijd is hij begonnen uit te zoeken wat er van zijn zoon in Oostenrijk is geworden.'

'Nou, dat hébt u toch ook gedaan,' zei Daniel.

'Ja, inderdaad,' zei Olivera. Hij keek zijn zoon smekend aan. 'Ondanks al jouw haat voor mij, die ik kan begrijpen, Daniel, ondanks alle verbittering: probeer op z'n minst te begrijpen wat ik heb gedaan. Je hoeft het me niet te vergeven. Je hoeft alleen maar kennis te nemen van alles wat er in een mensenleven kan gebeuren, waarom ik zo heb gehandeld, hoe ik heb gehandeld. Ik heb jouw moeder en jou ongelukkig gemaakt. Ik heb jullie in de steek gelaten. En meer. Ik geef alles toe. Ik vertel je alles wat ik heb gedaan. Noem me een schoft! Een rotvent. Wat heb ik tot mijn verdediging te zeggen? Dat ik boven alles ter wereld heb gehouden van één vrouw: Dora. Dat zij voor mij alles betekende. Dat ik een fanatieke nazi ben geweest die na de dood van Dora een opdracht aannam van Goebbels, omdat ik weg wilde, weg uit dat Duitsland. Dat ik Dora in Eliza meende terug te vinden. Weer gelukkig was – twintig jaar. Haat me! Veracht me! Maar zeg dat je inziet dat al die dingen een man kunnen overkomen. Zeg ten minste dat zo iets kan gebeuren!'

'Goed,' zei Daniel. 'Zo iets kan gebeuren. Laten we dus bij de feiten blijven. U moet mij alles vertellen als we nu gaan samenwerken. Ik zal van alles kennis nemen – zonder van nu af aan een oordeel te vellen.'

'Dank je,' zei Olivera. Alsof hij zich eensklaps zwak voelde, zonk hij neer in het gras en leunde met zijn rug tegen de stam van een eucalyptus. Daniel ging naast hem zitten. Ze waren nu een stuk van de villa verwijderd.

'U hebt dus een onderzoek naar moeder en mij ingesteld.'

'Ja, Daniel.'

'Na de dood van uw vrouw Eliza. In 1974 was dat, zegt u.'

'Ja, in 1974. Via vrienden in Duitsland, via een agentschap. Dat begrijp je wel, hè? De dood van Eliza. Mijn wanhoop. De leegte. Ik moest iets doen. Dóen! Daar was deze wereld waarin het steeds erger en erger toeging. Daar was de onherroepelijke catastrofe waarop we aanstuurden. En daar was ik met mijn film, dat afschuwelijke document. Ik praatte mezelf aan dat het mijn plicht was ermee in de openbaarheid te treden, om misschien – misschien – het ergste te voorkomen. Ik hád nog een taak te volbrengen. Mijn leven was nog niet zinloos. Mercedes studeerde. Ze was intussen drieëntwintig. Ik liet haar de film zien. Je kunt je voorstellen hoe ze reageerde. Nu waren wij beiden bezeten van mijn idee, Mercedes nog meer dan ik.'

Daniel raapte een takje uit het gras en speelde ermee. Hij zei: 'En u hebt van 1974 tot 1984, dus tien jaar, naar ons laten zoeken voordat u mij had gevonden?'

Olivera zweeg.

'Nou? U hebt toch besloten de waarheid over alles te vertellen? Tot hier toe hebt u toch keurig uw ziel blootgelegd . . .'

'Alsjeblieft, Daniel!'

'Ja, ja, het was opmerkelijk. Tien jaar heeft het dus geduurd, tien jaar, hè?'

'Nee,' zei Olivera. 'Ik wist natuurlijk al na twee maanden waar je woonde, dat Thea dood was en jij bij de televisie werkte.'

'En waarom hebt u mij dan niet al tien jaar geleden door Mercedes laten halen? Zwijg niet weer! Kijk me aan! Waarom hebt u er nog eens tien jaar overheen laten gaan, vader?'

Olivera zei: 'Het is immers allemaal niet waar.'

'Wat is niet waar?'

'Wat ik net vertelde. Over de film. Over mijn idee-fixe dat ik daarmee een opdracht diende te vervullen. Het was allemaal heel anders.'

'Hoe was het? De waarheid! Zeg de waarheid!'

'De waarheid . . .' Olivera stak zijn hand op. 'Goed, ook dat nog! Eigenlijk doet het er niet toe. Je kunt me niet nog meer verachten en haten. Ik heb gelogen toen ik zei dat ik dank zij de militaire junta's en Peron steeds welgestelder ben geworden. In 1974 verkeerde ik in een wanhopige situatie. Isabel Peron werd in die zomer presidente. Ik had reusachtige kredieten verstrekt aan de militairen. De meeste generaals waren corrupt. Ja, mijn vrienden waren corrupte schoften. En ik deed zaken met hen – ten koste van het land, dat steeds verder achteruitging. Bekijk het nu maar eens! De militairen en de peronisten hebben het aan de rand van een bankroet gebracht. President Alfonsin heeft een verschrikkelijke erfenis aanvaard.'

Met onzekere stem zei Daniel: 'U, de intieme vriend van de generaals, noemt hen corrupte schoften?'

'Ik noem mijzelf een corrupte schoft. Ik heb samen met mijn schofterige vrienden de vetste truffels opgegraven die in het land te vinden waren en ik heb ze opgegeten, samen met mijn schofterige vrienden. Wordt datgene wat jij het blootleggen van mijn ziel hebt genoemd je nu niet te veel? Ik heb je de waarheid beloofd. Dat is de waarheid, m'n beste zoon.'

'Ik verbaas met niet meer over wat u hebt gedaan. Dus in 1974 verkeerde u in een wanhopige situatie. En toen?'

'En toen! Toen schoot me die oude film weer te binnen – ik was hem bijna vergeten. Ik kwam op het idee die film van de hand te doen. Voor heel veel geld. Ik zou er erg veel geld voor hebben gekregen, dacht je ook niet?'

'Ik denk het wel, ja. Dus al dat gezwets over de morele taak waartoe u zich geroepen voelde, was gelogen?'

'Elk woord. Het was me volmaakt onverschillig wat er met deze wereld gebeurde. Wat er met mij en Mercedes gebeurde, dát was belangrijk, dát alleen. Hier,' – met een wijds gebaar van zijn rechterhand wees Olivera naar het hele terrein – 'hier, de villa, deze luxe wilde ik onder alle omstandigheden houden. Ik wilde niet alles hoeven opgeven. Niet bankroet gaan. Niet wegglijden in armoe na al die jaren waarin ik zozeer aan rijkdom gewend was geraakt. En ik zag nog maar één redding: de film verkopen.'

'Waarom hebt u het niet gedaan? Waarom hebt u mij niet hierheen gehaald?'

'Alvarez,' zei Olivera.

'Wat Alvarez?'

'Mijn vriend, generaal Carlo Alvarez. Van wie ik negen jaar later Miguel heb overgenomen. Hij was lid van de laatste junta. Alvarez hielp mij. Ik kreeg mijn geld terug. Hij zorgde ervoor dat alles weer in orde kwam.'

'Hoe kon hij dat?'

'Nou, door chantage. Er waren toen twee zelfmoorden van leden van de junta. Daarna werden alle kredieten terugbetaald. Bevalt je de waarheid, Daniel, bevalt ze je?' Olivera lachte. 'Je hebt nu eenmaal de grootste zwijnen nodig als je de grootste truffels wilt hebben! Ik kreeg mijn truffels terug. Dus waarom zou ik de film verkopen? Veel te gevaarlijk.'

'U was bang dat u vermoord zou worden.'

'Natuurlijk. Voordat ik mijn truffels terugkreeg, was mijn angst voor een faillissement groter. In die tijd liet ik bij de jood Paulo Klein al videocassettes van de film maken. In die tijd was ik tot alles in staat.'

'Maar toen kwamen de truffels,' zei Daniel.

Olivera lachte. 'Toen kwamen de truffels. Je hebt het gesnapt, Daniel. Maar ook mijn angst dat de film mij noodlottig zou kunnen worden. Dus terug in de kluis met de kopieën! Overigens heb ik de film destijds niet aan Mercedes laten zien. Zij had geen idee van het bestaan ervan. Als geestdriftig aanhangster van de vredesbeweging zou ze me immers het vuur na aan de schenen hebben gelegd, niet? Dat is toch logisch.'

'Volkomen logisch. Maar nu weet ze van de film. Sinds wanneer? Waarom hebt u hem aan haar laten zien? Waarom hebt u mij nu toch laten komen?'

'Omdat ik wéér door de generaals ben bedonderd,' zei Olivera, plotseling doodkalm. 'Omdat die schoften me wéér hebben bedrogen. En omdat mijn goede vriend Alvarez me ditmaal niet kon helpen. Mijn goede vriend Alvarez zit in de gevangenis. De halve junta zit. Maar degenen die mij hebben bedrogen, zijn op tijd het land uitgegaan. Zoals je me hier ziet, Daniel, ben ik – en al een tijdje, alleen weet niemand het nog – geruïneerd. Absoluut geruïneerd. Nog steeds worden mijn wissels geaccepteerd. Nog steeds werken de grote banken met mij samen. Nog steeds! Misschien nog een maand, misschien twee. Maar geen drie meer. Als de zaak dan niet in orde is, zullen ze me alles afnemen wat ik bezit – en ik zal dan in de gevangenis belanden, net als mijn vriend Alvarez, zij het om een andere reden. Wegens bedrieglijke bankbreuk. Wegens verduistering van miljoenen. Ik ben zevenenzeventig, Daniel. Ik wil niet naar de gevangenis. Ik wil niet failliet. Ik heb lak aan deze wereld, echt, het interesseert me niets wat ermee gebeurt. Maar ik heb een film waarin de mensen op deze wereld hevig in geïnteresseerd zijn. Jij hebt hem gezien, hij zou de mensen toch hevig interesseren, hè?'

'Ja,' zei Daniel. Hij had het takje laten vallen.

'Daarom die haast, snap je?'

'Ik snap het.'

'Daarom heb ik de film nu aan Mercedes laten zien en haar er gek mee gemaakt.'

'Ik snap het.'

'Daarom moet je met de film naar Duitsland en hem daar verkopen. Aan jouw televisiezender. Je hebt zelf gezegd dat ik veel geld voor de film zou kunnen krijgen.'

Daniel knikte.

'Goed, dan is nu de blootlegging van mijn ziel ten einde. Nu ken je de hele waarheid, jongen.'

'Hoeveel wilt u voor de film hebben?'

'Tien miljoen dollar,' zei Olivera.

'U bent niet goed snik,' zei Daniel.

'Hoezo?'

'Omdat dat een krankzinnig bedrag is.'

Olivera lachte alsof hij gekieteld werd. 'Krankzinnig? En hoeveel hebben die superslimme jongens van *Stern* zo maar even neergeteld voor de vervalste dagboeken van Hitler, hoewel er in die vervalsingen geen enkele interessante regel stond? Negen en een half miljoen mark. Marken, goed, geen dollars. Maar toch.'

'Dat kunt u niet vergelijken. Dat was toch bedrog, een criminele affaire!'

'O, dus als het bedrog is, als het crimineel is, betalen de Duitsers liever?'

'Vader, hou op! Tien miljoen dollar! Voor twintig miljoen dollar kan de Duitse televisie van ABC de zendrechten van de complete Olympische Spelen in Los Angeles krijgen.'

'Maar mijn film is meer waard van een uitzending van de Olympische Spelen. Ik geef toe, tien miljoen dollar is veel geld. Maar het móet ook veel geld zijn. Dat verhoogt nog de waarde van de film. De enorme waarde die hij toch al heeft, is bijna onbetaalbaar. Tien miljoen, zoals gezegd.'

'Die krijgt u nooit. Hooguit één miljoen.'

'Een miljoen? Belachelijk! Ik heb er tien nodig om ook maar enigszins uit de ellende te komen.'

'Daar heeft de televisie geen boodschap aan.'

Olivera werd kwaadaardig. 'Dan kan de Duitse televisie naar de maan lopen. Dan kun jij naar de maan lopen. Dan blijf je maar wat je bent: een klein redacteurtje. En ik krijg in een handomdraai twaalf, vijftien, twintig miljoen als ik dat wil.'

'Van wie?'

'Van de Amerikanen, bijvoorbeeld.' Olivera's gezicht was nu als van steen. 'Voor het feit dat ik hun de film en alle kopieën overhandig, zodat ze hem kunnen laten verdwijnen en niemand in staat is de film uit te zenden.' Daniel slikte.

'Je moet je oude vader niet voor gek verslijten,' beklaagde Olivera zich.

'Denk je dat ik van de Amerikanen tien miljoen zou krijgen, Daniel?'

'Ja, en daarna zes kogels in uw buik.'

'Je moet niet denken dat ik gek ben, Daniel. Bij de bank ligt een kopie, dat heb ik je al gezegd. Mijn levensverzekering. Als mij iets overkomt, krijgt Gadaffi de film. En dat laat ik de Amerikanen weten.'

'Wie krijgt hem dan?'

'Kolonel Gadaffi, staatshoofd van Libië. Die haat de Amerikanen als niemand anders ter wereld. Die zou honderd miljoen betalen en aan alle landen ter wereld kopieën van de film en de uitzendrechten ten geschenke geven. En gek van vreugde worden. Nog gekker dan hij al is. Of denk je dat hij nee zou zeggen en het geld liever uitgeeft voor een uitzending van de Olympische Spelen?'

Daniel Ross staarde zijn vader aan alsof hij hem nog nooit had gezien.

'Zie je, het werkt al, kerel. Ik zou direct naar Gadaffi kunnen stappen en naar Libië kunnen gaan. Dan zou ik beslist veilig zijn. Ik bezit immers de sensatie van de eeuw. Ik bied een film aan die rijp is voor uitzending. Geen produktiekosten. De televisie hoeft geen dollar meer uit te geven. Maar ze kunnen de licentie verkopen aan andere landen. Aan zestig, zeventig landen over de hele wereld. Wat denk je hoe snel de televisie dan die tien miljoen weer terug heeft? Of twijfel je daaraan, zoon? Ik krijg die tien miljoen dollar. En angst? Op mijn leeftijd? Ieder mens moet sterven. Het is en blijft gevaarlijk – hoe dan ook. Bang ben ik nu alleen nog maar voor armoe, voor de gevangenis, de schande. En daarom heb ik die tien miljoen dollar nodig. En daarom zal ik ze krijgen. Met of zonder jou. Wil je dus de film naar jouw televisieomroep brengen en zien hoe begerig die hem koopt en hoe jij carrière maakt – een geweldige carrière? Of heb je liever dat ik de zaak zelf regel?'

'Ik zal de film meenemen,' zei Daniel. Daarna merkte hij dat zijn handen trilden. Hij haakte zijn vingers in elkaar. Maar Olivera had het al in de gaten.

Olivera lachte weer.

9

Op 21 februari 1984 om 12.35 uur vloog de jumbo van de Aerolineas Argentinas over de Westafrikaanse stad Dakar en zette daarna koers naar Europa. Het was zeer koud in Dakar. De airconditioning zorgde voor warmte. Toen ze later Gibraltar passeerden en zich boven Spaans grondgebied bevonden, kwamen ze in de eerste sneeuwstorm. Er zouden er nog veel volgen. De vlasharige jongen en zijn pa speelden weer *NAVO – De oorlog in Europa*, en junior won weer. Hij was zo trots als een aap en keek, bijval verwachtend, in het rond. Daarbij merkte hij dat de vrouw in de linkerafdeling haar rug naar hem had toegekeerd. Dat irriteerde hem.

'Hé! riep hij. 'Het interesseert u niet, hè?'

Mercedes gaf geen antwoord. Zij en de priester met de naam Sander keken bezorgd naar Daniel, die in elkaar gezakt op zijn stoel tussen hen in zat. 's Nachts was hij een paar keer naar het toilet geweest om over te geven. Hij had een heel flesje druppels leeggedronken. Ze werkten niet meer. De jonge man met de lange zwarte haren, die drie rijen achter hen zat, keek 'gespannen toe wat er gebeurde.

'Nog maar een paar uur,' zei Mercedes wanhopig, 'dan zijn we in Frankfurt. Gaat het nog zo lang, Danny? Danny!' De tweede keer schreeuwde ze zijn naam, want zijn gezicht was eensklaps lijkbleek geworden en zijn lippen werden blauw. Hij kreunde. Dan, onverwacht en verschrikkelijk, begonnen zijn armen en zijn benen te stuiptrekken, steeds erger, het waren echte stuiptrekkingen, die het lichaam heen en weer wierpen.

'Danny!' schreeuwde Mercedes weer.

Het volgende moment zakte Daniel zijwaarts voorover. Met hulp van de priester richtte Mercedes hem moeizaam op. Daniel viel flauw. Nu schreeuwden ook andere passagiers die het gebeurde hadden gezien. Er ontstond paniek. Twee hofmeesters en een stewardess probeerden de mensen naar hun plaats terug te sturen. Daniel kwam weer bij. Hij staarde wezenloos voor zich uit. Zijn lippen bleven blauw, zijn gezicht lijkbleek.

'Danny! Danny! Wat was dat?'

'Weet ik niet,' zei hij moeizaam.

'Een groot glas cognac!' riep de priester naar de stewardess. Ze verdween en keerde meteen daarna met een halfvol cognacglas terug. Daniel nam het met trillende handen aan en dronk het leeg. Hij knikte en zette het glas neer. Het volgende moment begonnen zijn armen en benen weer te trillen, een nieuwe aanval van stuiptrekkingen, erger dan de eerste, en Ross viel weer flauw.

De stewardess rende naar de dichtstbijzijnde microfoon, griste deze uit de houder en zei via de luidspreker: 'Dames en heren, een van onze passagiers is onwel geworden. Is er een dokter aan boord?'

Ze herhaalde de twee zinnen in vier talen.

Na de Franse versie stond helemaal achter in het toestel een kleine man met glanzend, glad zwart haar op.

'Sanatorium Kingston bij Heiligenkreuz.'

'Goedendag. Met de eerste medische universiteitskliniek van Frankfurt. Dokter Reinstein moet dringend dokter Mannholz spreken.'

Dat was om 15.59 uur op 21 februari 1984.

'Een ogenblikje, ik verbind u door.'

Sibylle Mannholz was ditmaal alleen in haar werkkamer toen de telefoon overging. Ze nam op. Twee seconden later hoorde ze een mannenstem: 'Met dokter Mannholz?'

'Ja.'

'Met Reinstein uit Frankfurt.'

'O, goedemiddag, collega. Wat is er aan de hand?'

'Het gaat over uw patiënt Daniel Ross, die ik heb onderzocht.'

Sibylle pakte de hoorn met beide handen beet.

'Ross? Wat is er met hem?'

'Hij bevindt zich op dit moment op de terugreis van Buenos Aires boven Spanje. Ongeveer een half uur geleden kreeg hij stuiptrekkingen en raakte hij buiten kennis.'

'O God!'

De deur ging open. Dokter Herdegen kwam binnen zonder te kloppen. Zonder één woord stapte hij naar het bureau en hield de tweede hoorn tegen zijn oor. Zijn bleke gezicht stond zoals gewoonlijk onbewogen en hij had ook weer die eigenaardige uitdrukking in zijn ogen, die een combinatie lieten zien van twee eigenschappen: ijzige koude en droefheid.

'Hoe weet u dat?' vroeg Sibylle. Ze streek het kastanjebruine haar van haar voorhoofd.

'Wacht u even. Laat ik het u in de goede volgorde vertellen. Er is een Franse arts aan boord.'

'God zij dank!'

'Hij is weliswaar gynaecoloog, maar aan de hand van de symptomen diagnostiseerde hij een epileptische aanval als gevolg van een zwaar misbruik van medicamenten. Ross heeft hem de waarheid verteld.'

'De diagnose is juist. Wat heeft die dokter gedaan?'

'Voordat hij erbij werd gehaald, heeft een stewardess Ross na de eerste aanval cognac gegeven. Die heeft hij gedronken . . .'

'O nee!'

'. . . en daarop kreeg hij prompt een tweede aanval.'

'Natuurlijk!' riep Sibylle. 'Cognac was het meest verkeerde dat ze hem konden geven. Die cognac heeft de tweede aanval veroorzaakt.'

'Ja, dat zegt de gynaecoloog ook. Hij heeft Ross een injectie met alymin gegeven. Intraveneus.'

'Alymin?'

'Hij weet zelf dat dit maar weinig zal helpen. Maar hij had niets beters in zijn tas. Als de aanvallen zich herhalen, zal hij weer alymin toedienen, heeft hij tegen de captain gezegd. Zo redt Ross het tenminste tot Frankfurt zonder dat de machine eerder hoeft te landen. Er bestaat geen acuut levensgevaar. Ross is blijkbaar alleen volkomen uitgeput.'

HIJ MOET HIERHEEN KOMEN! HOE DAN OOK!

schreef Herdegen op een blocnote.

'De dokter is wel van mening dat hij direct na de landing naar een ziekenhuis moet.'

'Hoe weet u dat allemaal?'

'De piloot heeft via de kortegolf met de verkeerstoren in Frankfurt gesproken en verslag uitgebracht. Frankfurt heeft mij opgebeld, omdat mevrouw Olivera – dat is de medereizigster van de heer Ross – tegen de piloot heeft gezegd dat ik hem onlangs heb onderzocht en het beste zou weten wat er na de landing met hem moest gebeuren. Ze wilde blijkbaar voorkomen dat de arts van de luchthaven de zorg voor hem op zich zou nemen. Ik heb met mijn collega daar gebeld en uitgelegd dat ik de heer Ross inderdaad ken. De dokter gaat ermee akkoord dat ik de behandeling van Ross na de landing weer overneem en bepaal wat er met hem gebeurt, voor zover ik de verantwoordelijkheid daarvan kan aanvaarden. Ik heb verteld dat ik ervan op de hoogte ben dat de heer Ross op weg naar u is om een ontwenningskuur te doen. Ik heb gezegd dat ik mij met u in verbinding zou stellen en u zou verzoeken mij de vereiste medische aanwijzingen te geven. Ik ben geen psychiater, u moet daar begrip voor hebben. Als ik werkelijk de verantwoordelijkheid op mij neem en er gebeurt iets . . .'

ORGOLAN!

schreef Herdegen op de blocnote en daaronder:

DAN HOUDT ROSS HET VOL. HIJ MOET HIER KOMEN!

'Ik begrijp u volkomen, collega. Ik ben u buitengewoon dankbaar voor uw hulp.'

'U hebt mij toch ook geholpen. Vaak zelfs.'

'Hij moet direct hier bij mij komen. Hoe dan ook. Ik ken hem al een eeuwigheid en heb hem al tweemaal behandeld.'

Herdegen, die naast Sibylle stond, knikte goedkeurend en streek met een vinger over de lijst van de grote kleurenfoto die op het bureau stond en waarop een ongeveer veertigjarige man met bruine ogen en bruin haar was te zien. Hij leek bijzonder veel op dokter Mannholz.

'Goed, collega. U zegt wat ik moet doen, dan rijd ik naar de luchthaven. Ik heb vertrouwen in u.'

'Wanneer landt het toestel?'

'Om kwart voor zes. Dus over één uur en drie kwartier.'

'Zo lang redt de dokter in het vliegtuig het wel met alymin. Waarschijnlijk heeft hij het helemaal niet meer nodig. Ross zal wel slapen. Weet u wanneer de eerstvolgende machine naar Wenen vertrekt?'

'Daar heb ik al naar geïnformeerd. Halfzeven. Aankomst in Wenen om tien voor acht.'

'Dan kan Ross meteen doorvliegen. Dat is prima. U kunt hem tien cc Orgolan intraveneus geven. Nee, geeft u hem maar twintig! Dan is hij zeker rustig. En de bloedcirculatie blijft goed. Ook daarvoor neem ik de verantwoordelijkheid op mij. Geeft u mij alstublieft de naam en het nummer van de luchthavenarts, dan praat ik met hem. Wij zullen een ambulance sturen naar het vliegveld in Wenen. Hier sneeuwt het niet meer. Bij u ook niet?'

'Nee. Het vliegtuig staat voortdurend in contact met Frankfurt. Ik bel u

200

dadelijk op als er iets onvoorziens gebeurt. Nu nog de luchthavenarts, noteert u maar . . .'

Na de nachtelijke storm bleef de Londense luchthaven Heathrow op 21 februari gesloten tot drie uur 's middags. Toen hadden eindelijk de sneeuwploegen en sneeuwruimvoertuigen een startbaan schoon en kon de eerste machine – een Panam naar New York – om kwart over drie starten. Wayne Hyde arriveerde om vijf over zeven met een Airbus van British Airways in Frankfurt.

De grote, slanke man met het verweerde gezicht verliet het toestel als laatste. Na de pascontrole slenterde hij naar het bagagedepot. Tussen de vele wachtende passagiers ontdekte hij dadelijk zijn mannetje. Pablo met de lange, zwarte haren had een dunne jas aan en hij rilde van de kou. Hij stond wat opzij en hield het doorzichtige doosje met de orchidee in zijn rechterhand. Hyde liep langs hem heen en zei zachtjes in het Engels: 'Ik haal mijn bagage. En dan volgt u mij naar de Blaue Bar . . .' Nog geen kwartier later zat hij met Pablo in de Blaue Bar. De twee grote plunjezakken lagen op de grond. Hyde had thee besteld, Pablo thee met witte rum. Het was allang donker. Door de ramen waren de lichtbakens te zien van de startbanen en de vliegtuigen die in snelle opeenvolging landden of met groot gedaver startten en steil opstegen in de donkere lucht.

Pablo had aan Hyde verslag uitgebracht over alles wat hij voor en na de start van de jumbo in Rio de Janeiro had meegemaakt. Hyde luisterde zwijgend.

'Na de landing hier brachten ze Ross dadelijk naar een ambulance van de luchthaven. Samen met een dokter. Die stond al te wachten bij de gangway. Die mevrouw Olivera heeft verzocht hem in te lichten; hij kent Ross. Dat heb ik bij al die chaos in het toestel begrepen. Ze hebben de dokter via de radio opgeroepen. Reinstein heet hij. Dr. Reinstein . . .' Pablo zweeg, want de ober serveerde de drank.

'Ja?' zei Hyde, toen de ober weg was.

'Die dokter Reinstein moet een verdomd goeie arts zijn. Of een verdomd goed middel hebben gehad. In de lucht dacht ik dat Ross het hoekje om zou gaan, zo beroerd was hij eraan toe. Ook nog bij de landing. Ik heb rondgehangen bij de Rode-Kruispost hier. Na twintig minuten kwam Ross naar buiten. Met die Olivera. Toen kon hij weer zonder hulp lopen en hij had kleur in zijn gezicht en die afschuwelijke stuiptrekkingen waren verdwenen. Hij scheen alleen erg versuft te zijn.'

'Logisch,' zei Hyde en dronk van zijn thee.

'Die rode reistas heeft Olivera nog geen seconde losgelaten. Die sleepte ze overal mee naar toe. De oude priester die Leon een klap heeft verkocht, zat in het toestel naast die twee. Na de landing hield hij zich met Ross bezig. Was ook in de Rode-Kruispost. Ze kwamen allemaal samen naar buiten, ook die dokter Reinstein.' Pablo rilde. 'Die rotkou. Ginds is het ruim veertig graden.'

'Wanneer vliegt u terug?'

'Morgenavond om tien uur. Helaas gaat er niet eerder een vliegtuig. Ik heb hier in het luchthavenhotel een kamer genomen.'

'Laat wat corofax brengen. En neemt u dan de dubbele dosis die op de bijsluiter staat.'

'Wat is dat?'

'Het beste middel tegen diarree. Die krijgt u anders beslist met zulke temperatuurverschillen. Met een koliek kunt u moeilijk reizen. Ik gebruik het altijd.'

'Corofax. Oké. Nou, en verder. Ze gingen allemaal naar het loket van de Austrian Airlines, waar Ross en Olivera twee plaatsen naar Wenen boekten voor de vlucht van halfzeven. De priester zorgde voor hun bagage. Nou ja, en nu zitten ze al boven Oostenrijk. Voor zover ik heb gehoord, moet Ross dadelijk naar een sanatorium.'

'Ja, ik weet het. Gelukkig gaat er vandaag nog een toestel naar Wenen. Lufthansa. Komt uit Parijs. Vertrekt hier om tien over negen. Heeft Olivera die rode tas ook echt meegenomen?'

'Beslist. Die dokter Reinstein is met Ross en de vrouw in een ambulance naar het vliegtuig gebracht. Ik heb gezien dat ze zijn ingestapt. Olivera had de rode tas bij zich.'

'Maar zaten de cassettes er nog in?'

Geschrokken zei Pablo: 'Dat weet ik natuurlijk niet.' Hij wond zich op. 'U hebt gelijk! Het was immers niet te voorzien dat die vent een instorting zou krijgen. Die twee waren vast van plan de cassettes hier in Frankfurt in veiligheid te brengen. Verdomme! God weet waar die cassettes nu zijn. De priester kan ze hebben, de dokter, weet ik veel wie nog meer. Wat doen we nu?'

'U blijft hier,' zei Hyde. 'Ik moet even opbellen. Ik ben zo weer terug.' Hij verliet de bar en ging naar het postkantoor op de luchthaven. Zijn plunjezakken nam hij mee. In de cel had iemand met grote rode letters de volgende woorden op de wand gespoten: VRETEN, NEUKEN, TELEVISIEKIJKEN. Hyde voerde twee gesprekken. Daarna ging hij naar het loket van de Lufthansa, boekte een plaats in de machine van tien over negen, die uit Parijs kwam en doorvloog naar Wenen, en gaf zijn bagage af. Op de grond naast het loket zat een ongeveer twintigjarige jongen. Hij had een kleedje uitgespreid en was gehuld in een gekleurde deken. De jongen speelde gitaar en zong met een mooie, warme stem: 'De bewapeningswedloop is vol van genade. De oorlog wordt nog wat uitgesteld. Wie pech heeft, straalt kapot tot marmelade. Het kookt lekker in het napalmgeweld . . .'

Er stonden een paar mensen om hem heen. Ze wonden zich op. Een oudere man riep: 'Jij met je rotliedjes! Als het hier niet naar je zin is, ga dan maar naar het Oostblok!'

'Daar kom ik net vandaan,' zei de jongen. 'Die wilden me ook niet hebben.'

Hyde keerde naar de Blaue Bar terug.

'We zullen gauw weten of de cassettes nog bij Olivera zijn,' zei hij tegen Pablo, die nu onophoudelijk zat te rillen.

'Wanneer?'
'Als Ross in Wenen is geland.' Hyde keek bezorgd naar de jongeman.
'Gaat u zo snel mogelijk naar bed. En blijf thee met rum drinken. En vergeet vooral die corofax niet! Ik zal u opbellen zodra ik iets weet. Heus, u kunt niet langer hier blijven zitten.'
'Tja, dan ... Ik voel me goed beroerd ... Maar u belt me op, hè? Beloofd?'
'Beloofd.' Hyde gaf de jongeman een hand. 'Hartelijk bedankt en het beste!' Toen hij alleen was, bestelde de huurling nog een portie thee en uit een grote zak van zijn met bont gevoerde duffelse jas haalde hij het boekje met de sonnetten van Shakespeare. Hij leunde achterover, bladerde er even in en las daarna ontoerd deze woorden: 'Zo brons en steen en aarde en oceaan / Moet bukken voor des Tijds vernielingsmacht, / Hoe zal zijn woede schoonheid wederstaan, / Zij, die een teed're bloem gelijkt in kracht!'
Ah, dacht Wayne Hyde, wat prachtig. Wat prachtig.

Om tien over halfnegen rinkelde in de Blaue Bar de telefoon. De barkeeper nam op, sprak even en keek daarna zoekend rond in de gelegenheid, waar zich zo'n twaalf mensen bevonden. Hij zei: 'Dames en heren, hier is een gesprek voor ...'
Hyde was al opgesprongen en haastte zich naar de bar.
'Wayne Hyde,' zei hij, 'is het niet?'
'Ja, meneer.' De barkeeper overhandigde hem de hoorn. De mensen in de bar spraken behoorlijk luid.
'Herdegen,' zei een mannenstem.
'Hyde. En?'
'Ze hebben de cassettes bij zich.'
'U weet het zeker?'
'De douane. Ik ben met een ambulance gekomen en ze lieten ons het vliegveld oprijden om de man af te halen. Maar de douane heeft daarna de vrouw gecontroleerd. Ook de tas is doorzocht. Ik stond er vlakbij.'
'Oké, fijn. Ik vertrek even over negenen en ben tegen tien uur in Wenen.'
'In orde.'
'Hoe is het met hem?'
'Slecht.'
'Goed,' zei Hyde. Hij groette kort en hing op. Daarna hoorde hij zijn naam omroepen. Hij moest bij de douane komen. 'Hoe kan ik van hieruit een hotelgast opbellen?' vroeg hij aan de barkeeper.
'U kunt de negen draaien en dan krijgt u de centrale.'
Even later had Hyde contact met Pablo.
'Met Hyde. Ze hebben de cassettes bij zich.'
'Goddank. Goede vlucht, mr. Hyde.'
'Bedankt en het beste ermee, kerel.'
Hyde betaalde. Daarna gaf hij de barkeeper een knikje en verliet de bar.
Hij dacht aan de laatste woorden van het sonnet dat hij had gelezen: 'Wiens

ijz'ren hand weerhoudt zijn snellen voet? / Wie keert het af, dat hij het schoonste ontwijdt? / O, niemand! zo dit wonder niet geschiedt, / Dat inktzwart u een held'ren luister biedt.'

Ik hoop dat Franz een Springfield meebrengt, dacht Hyde. Dat is een Amerikaans geweer. Ik voel me daar zekerder mee dan met een Duitse 98-k.

10

'Maakt u zich maar geen zorgen,' zei dr. Gerd Herdegen. Hij veegde bij Daniel Ross met een doekje de zweetpareltjes van het voorhoofd. 'Het komt allemaal gauw weer goed.' Hij glimlachte. In zijn merkwaardige ogen overheerste nu de uitdrukking van droefheid boven die van ijzige koude. Daniel keek op naar de man in de witte doktersjas die naast hem zat. Hij lag in hemd en broek op een brancard in de ambulance, die razendsnel van de luchthaven over een donkere weg in zuidoostelijke richting reed.

Tegenover Daniel zat Mercedes. Ze had haar bontmantel uitgedaan. De wagen was verwarmd. Mercedes hield de rode reistas op haar knieën. De sirene van de wagen loeide. Het blauwe zwaailicht, dat hortend op het dak draaide, zond met korte tussenpozen lichtreflexen door de wagen.

'Is het nog ver?' vroeg Mercedes.

'Nog geen twintig kilometer, mevrouw,' antwoordde de dokter. De ambulance reed door dichte bossen. Het sneeuwde nu weer hard. De wagen slipte van tijd tot tijd, maar de chauffeur minderde geen vaart.

'Hij moet langzamer rijden,' zei Daniel.

'Hij rijdt bijzonder veilig. Was vroeger autocoureur,' zei de dokter.

'Kan me niet schelen wat hij vroeger was. Ik wil dat hij langzamer rijdt.'

'U moet zo snel mogelijk naar het ziekenhuis,' zei Herdegen. 'U bent er slecht aan toe. Wilt u weer een aanval krijgen?'

'Ja,' zei Daniel. 'Ik wil weer een aanval krijgen. Liever zelfs nog twee. Hier op de brancard.'

'Danny!' zei Mercedes. En tegen de dokter: 'Neemt u het hem niet kwalijk.'

Herdegen glimlachte naar haar en legde zijn hand op de hare. Daarna stond hij op, schoof het raampje naar de chauffeurscabine wat omhoog en sprak met de chauffeur. Hij sloot het raampje weer en ging opnieuw naast Daniel zitten. 'Hij rijdt langzamer. Merkt u het? Tevreden?'

Daniel gaf geen antwoord.

De sirene bleef loeien en telkens flitste het blauwe zwaailicht.

Na een poosje werd het buiten licht. Mercedes zag door een doorzichtige strook boven in de melkglazen ramen verlichte straten en huizen. Ze reden langs een gemeentehuis.

'Nu zijn we al in Mödling,' zei de dokter. 'Geliefd oord voor uitstapjes aan de rand van het Wienerwald. Ook een cultuurcentrum. Hier hebben Schubert, Hugo Wolf, Wildgans en Grillparzer gewerkt. Nu rijden we door de hoofdstraat. Kijk, ziet u dat verlichte gebouw? Het heet het Hafnerhaus en is een monument. In de zomermaanden van 1818 en 1819 schiep Beethoven hier de *Missa solemnis.*'

'Kluis,' zei Daniel onduidelijk.

'Wat zegt u?' vroeg Herdegen.

Daniel wees naar Mercedes. 'Ik kan moeilijk spreken,' zei hij. Mercedes zei: 'Er is vast wel een brandkast in uw sanatorium, hè dokter?'

'In de kamer van dokter Mannholz, ja. Hoezo?' De lichten waren verdwenen. Ze reden weer door bossen. Mercedes tikte op haar reistas. 'Ik heb hier belangrijke spullen. We wilden ze in Frankfurt naar de bank brengen, maar dat ging niet. We konden de vlucht naar Wenen niet uitstellen. Daarom heb ik die spullen nog steeds bij me.'

'Vanzelfsprekend staat de brandkast tot uw beschikking,' zei Herdegen glimlachend. 'U hoeft zich geen zorgen te maken.' Na een tijdje doken hier en daar weer lichtjes op. 'Hinterbrühl,' zei de dokter. 'Hier is een stilgelegde gipsmijn met het grootste onderaardse meer van Europa. In het hoogseizoen varen daar elektrische bootjes naar binnen. Grote toeristische attractie.'

'Ik maak me zorgen over meneer Ross,' zei Mercedes zacht.

'Dat hoeft niet, mevrouw. Hij is in zeer bekwame handen. Hij zal gauw weer helemaal in orde zijn.' Herdegen glimlachte naar Daniel en voelde zijn pols.

'Hoeveel?' vroeg Daniel.

'Te snel,' zei Herdegen. 'Dat is volkomen normaal. Nu zijn we er zo. Daar is Heiligenkreuz al.' Tegen Mercedes zei hij: 'Daarginds – bij die verlichte kerk, ziet u wel? – ligt het oudste cisterciënzerklooster van Oostenrijk.' Het sneeuwde nu heel hard en in grote vlokken. Mercedes zag een reusachtig bouwwerk naast de kerk. 'Gesticht in 1135 door markgraaf Leopold de Heilige. Fantastisch! Als u de ontwenningskuur achter de rug hebt, meneer Ross, moet u dat allemaal samen met mevrouw eens gaan bekijken. Hier liggen de graven van de oude vorsten van Oostenrijk. Het klooster Heiligenkreuz is ook een bedevaartsoord en . . .' De wagen slingerde weer hevig.

'Inderdaad een prima chauffeur,' zei Daniel.

Nadat ze nog even waren doorgereden, zei Herdegen: 'We zijn er.'

De chauffeur toeterde.

Met haar wang tegen de koude ruit gedrukt zag Mercedes in het licht van de koplampen een hoog smeedijzeren hek in een hoge muur. Achter de muur zag ze een stuk van de portiersloge, waaruit nu een man met laarzen en een jack aan naar buiten stapte om het grote hek te openen. Het hek zwaaide achteruit opzij. De ambulance reed door een groot park dat onder een dikke laag sneeuw lag en stopte enkele minuten later voor een wit gebouw.

Alles ging bijzonder snel. De chauffeur en zijn collega stapten uit en openden de achterportieren van de wagen. Herdegen had Mercedes in haar bontmantel geholpen en een deken over Ross heen gelegd. Nu was hij Mercedes, die de reistas tegen zich aandrukte, behulpzaam bij het uitstappen. De chauffeur en zijn collega trokken snel en vaardig de brancard met

Daniel uit de wagen. Zwijgend haastten ze zich de trappen op naar de ingang van het sanatorium en tilden de brancard op een onderstel op rubber wieltjes. Ze gingen door een stralend witte gang naar een goederenlift. De beide mannen brachten Daniel naar boven. Een andere gang. Ook hier zeer fel licht. De mannen duwden de brancard snel en toch voorzichtig voort. Daniel zag in een flits de gezichten van enkele verpleegsters en dokters voorbijglijden, hij zag deuren, heel veel deuren. Een ervan stond open. En toen zag Daniel plotseling de vrouw met het kortgeknipte kastanjebruine haar en de grote bruine ogen. Ze droeg een doktersjas en Daniel voelde dat zijn hart eensklaps begon te bonken als een razende. Ze boog zich over hem heen en hij sloeg zijn armen om haar hals.

'Sibylle,' zei hij hees.

'Dag Danny,' zei ze en kuste hem op beide wangen.

De mannen tilden de brancard van het onderstel, haastten zich een witte ziekenkamer binnen en legden Daniel op bed. Ze verdwenen zonder een woord te zeggen.

Sibylle kwam naderbij. Ze drukte haar mond tegen Daniels linkeroor. Hij hoorde haar vlug fluisteren: 'Er zit een microfoon in jouw kamer. Elk woord wordt afgeluisterd. Zeg dat tegen je vriendin. Maar zachtjes.'

11

Twee verplegers brachten de bagage.

'Kan ik verder nog iets voor u doen, dokter Mannholz?' vroeg de een. Hij had grijs haar, grijze ogen, een goedmoedig gezicht en het lichaam van een atleet.

'Nee, dank u, meneer Aigner,' zei Sibylle.

'Als u mij nodig hebt, ik ben in de theekeuken.' Hij keek Sibylle ernstig aan.

'Goed, meneer Aigner,' zei ze.

'Tot ziens, meneer Ross,' zei de verpleger en verdween.

Sibylle was naast Daniel op het bed gaan zitten. Ze keken elkaar in de ogen en spraken geen woord. Hij probeerde een paar keer te glimlachen. Zij beantwoordde zijn poging geen enkele keer. Haar ogen waren heel groot en ernstig en haar gezicht was even mooi als hij het zich herinnerde, maar het stond zeer bezorgd.

Eindelijk zei ze: 'Na zo'n lange tijd, Danny.'

'Ja, na zo'n lange tijd,' zei hij.

'En natuurlijk ben je weer in je oude fout vervallen. Deze keer is het ernstig.'

'Jij krijgt me weer op de been, hè Sibylle?'

'Heb ik je niet elke keer nog op de been gekregen?' Ze fluisterde in zijn oor: 'Bij de eerste de beste gelegenheid laat ik je alles uitleggen wat hier aan de hand is; wees tot dan voorzichtig!' En hij rook de geur van haar haren en alles, alles was eensklaps alsof het gisteren was gebeurd, gisteren en niet twaalf jaar geleden, twaalf lange jaren die verzwolgen waren in de zee van de tijd.

'Gaat het goed met je, Sibylle?'

'Heel goed, Danny,' zei ze, maar op haar gezicht stond een grote droefheid te lezen die haar woorden logenstrafte.

Hij streelde haar arm en glimlachte weer en weer bleef ze ernstig, zo ontzettend ernstig.

Hij wilde iets zeggen, maar ze maakte een waarschuwend gebaar.

'Denk je soms nog aan . . . onze tijd, Sibylle?'

'Vaak, Danny, vaak.'

'Weet je, ik droom steeds van ons,' zei hij. Hij trok haar naar zich toe en gaf een kus op haar mond. 'Sinds twaalf jaar droom ik van ons beiden. Gek, hè?'

'Ja,' zei ze, 'knettergek.'

Ineens stonden haar ogen vol tranen. Hij keek haar verbijsterd aan. Weer maakte ze een waarschuwend gebaar. Met een zakdoek depte ze snel haar ogen droog.

'*Wenn ich mir was wünschen dürfte . . .*' zei hij. 'Weet je het nog?'

'Ik weet alles nog, Danny. Alles.'

'Ik ook. Heel precies. Het leven is vreemd, vind je niet?'

'Ja,' zei ze. 'Bijzonder vreemd. Ik geloof dat daar je vriendin komt met dokter Herdegen.'

'Waar zijn ze zo lang geweest?'

'Patiëntenregistratie. Je hebt mevrouw Olivera toch je pas gegeven, is het niet?'

'Ja. Die dokter Herdegen heeft dat gevraagd.'

'De voorschriften zijn zeer streng,' zei Sibylle. 'We hebben hier veel buitenlandse patiënten, weet je. Alle in- en uitschrijvingen moeten direct bij de politie in Heiligenkreuz worden gebracht.' Weer fluisterde ze in zijn oor: 'Ze fotokopiëren je pas en houden die dan in bewaring zolang je hier bent. Die fotokopieën hebben ze dadelijk nodig. Ik zal je later alles vertellen . . .'

Op de gang waren stemmen en voetstappen te horen.

Sibylle kwam overeind. Even later kwamen Herdegen en Mercedes de kamer binnen. Daniel stelde de twee vrouwen aan elkaar voor. Mercedes was groter en ze was even ernstig als Sibylle toen ze elkaar een hand gaven. Daarna glimlachten ze allebei. Daniel zag dat ze elkaar hierna nauwkeurig observeerden. Ze spraken nu met Herdegen over hem alsof hij niet aanwezig was. Hij moest direct onderzocht worden, zei Sibylle. Hart, bloedsomloop, longen. Routine. Een ECG kon wel in bed worden gemaakt. De rest ook.

'Als u wilt, kunt u hier bij meneer Ross slapen,' zei Herdegen. 'Het is een grote kamer met twee bedden.'

'Dank u,' zei Mercedes. 'Erg vriendelijk van u.'

'We beginnen dan dadelijk met de behandeling,' zei Sibylle zakelijk. 'Die zal ik op me nemen, dokter Herdegen. Meneer Ross is een oude vriend van mij. Ik heb hem al eerder behandeld. Helaas valt hij telkens terug in zijn oude fout. Wilt u even zijn toiletspullen en een pyjama uit de bagage halen, mevrouw Olivera?' En tegen Daniel: 'De badkamer is daar. Ik kom over een half uur voor het onderzoek. Oké?'

'Goed, Sibylle,' zei hij zacht. 'Dank je.'

Mercedes had al een koffer opengemaakt. Terwijl ze nog aan het zoeken was, zei de bleke Herdegen met het volle zwarte haar en de eigenaardige uitdrukking in zijn ogen: 'Mevrouw Olivera heeft nog een verzoek. Ze zou graag belangrijke documenten in uw brandkast willen opbergen, dokter Mannholz.'

Sibylles gezicht verstrakte tot een masker, vond Daniel, die onafgebroken naar haar keek. Tot een masker van angst en schrik, dacht hij ontsteld.

'In mijn brandkast . . .' Sibylles stem klonk toonloos.

'Ja, dokter. Het zijn zeer belangrijke documenten,' zei Mercedes.

'Hier wordt niet gestolen, mevrouw Olivera.'

'Natuurlijk niet. Maar ik zou het toch prettig vinden die documenten in uw brandkast te weten.'

'Ik ook, Sibylle,' zei Daniel.

'U hoort het, dokter Mannholz.' Alleen de uitdrukking in de ogen van Herdegen veranderde. Nu was het een ijskoude blik. 'U hebt er vast geen bezwaar tegen.'

Sibylle zweeg.

'Dokter . . .'

Ze schrok. 'Zeker niet,' zei ze en haar krampachtige lachje bevroor ook tot een masker, een ander masker.

'Dan kunnen we het beste nu dadelijk gaan,' zei Herdegen beminnelijk. 'Meneer Ross kan intussen naar de badkamer.'

'Zoals u wilt.' Sibylle gaf Daniel een knikje, waarna ze met de beide anderen de kamer verliet. Door de helder verlichte gang haastten de drie zich naar de lift. De deur van de personeelskamer stond open. Een jonge dokter en twee verpleegsters zaten daar koffie te drinken. Ze groetten vriendelijk. Verder zag Mercedes geen mens op de hele weg naar de werkkamer van Sibylle, die op de parterre lag.

De brandkast was heel groot – de deur was hoger dan Sibylle – en hij was ingebouwd in de muur links naast haar bureau, dat bedolven was onder de paperassen, boeken en doosjes medicijnen. De stalen plaat van de kast glansde mat. Op halve hoogte zat een groot verchroomd wiel, met in het midden daarvan een stalen conus ter grootte van een waterglas. De conus had veel ribbels en werd omgeven door een schaal met strepen en cijfers erop. Sibylle ging voor de conus staan. Door de stalen kern heen en weer te draaien begon ze de brandkast te ontsluiten. Met haar smalle rug verborg ze daarbij de conus en de cirkel met cijfers.

'Wat een bakbeest,' zei Mercedes verbaasd.

Sibylle antwoordde niet. In haar plaats zei Herdegen: 'Hierin worden alle belangrijke papieren van de kliniek en van onze patiënten bewaard – de ziektegeschiedenissen bijvoorbeeld. Maakt u zich maar niet ongerust. De brandkast heeft een combinatie van vijf cijfers, die naar believen elk moment met een keuzesleutel – ziet u – veranderd kan worden. Er zijn een miljoen mogelijkheden. We veranderen telkens de combinatie. Alleen zij kent de op dit moment ingestelde combinatie.'

Het was gaan stormen en de sneeuw sloeg tegen het grote, donkere raam. 'Vijf cijfers en telkens andere – hoe kunt u dat onthouden, dokter Mannholz?' vroeg Mercedes.

'Ik heb een zeer goede methode,' zei Sibylle, die aan de conus draaide. 'Maar die verraadt u niet,' zei Herdegen hartelijk lachend. Sibylle draaide zich om en keek hem ernstig aan. Hij bleef lachen. Ze trok aan het grote zilveren wiel. Met een zuigend geluid ging de zeker dertig centimeter dikke gepantserde deur open. Tegelijkertijd ging in het manshoge hokje daarachter elektrisch licht aan. Mercedes zag een tafel en rekken langs de wanden van de kast. Er lagen zeer veel dossiers, dichtgebonden pakjes en ordners.

'Wat wilt u deponeren?' informeerde Sibylle. Haar gezicht was nu grauw. Mercedes zette de rode reistas op een hoek van het bureau, trok de ritssluiting open en haalde twee videocassettes te voorschijn. Er stond een opschrift in het Spaans op en de systeemaanduiding VHS.

'Alstublieft.' Herdegen overhandigde Mercedes een grote gele envelop. 'Dank u.' Ze stopte de twee cassettes erin. 'En nu?'

'Nu gaat u de brandkast in en legt u het pakje op de eerste plank links,' zei Sibylle. Haar stem klonk eensklaps doodmoe.

Mercedes gaf gehoor aan dat verzoek. Ze voelde zich niet op haar gemak toen ze de brandkast in stapte. Vlug ging ze er weer uit.

'Zo,' zei Herdegen opgewekt, 'nu kunt u gerust zijn.' Sibylle stelde de cijfercombinatie in en sloot de grote deur. Ze moet die getallen ergens noteren, dacht Mercedes, als ze telkens veranderd worden. Haar blik viel op de ingelijste kleurenfoto van een circa veertigjarige man met bruin haar en bruine ogen. De man lachte.

'O,' zei Mercedes verrast. 'Wat lijkt hij op u, dokter! Uw broer?'

'Ja,' zei Sibylle en ze hield zich, alsof ze een aanval van zwakte kreeg, aan het verchroomde wiel van de brandkast vast. 'Dat is mijn broer Eugen.'

12

Ongeveer een uur later sloot dokter Sibylle Mannholz Daniel Ross aan op een infuus. Ze prikte vaardig en snel de naald aan het einde van de lange, dunne plastic slang die van de fles vol heldergele vloeistof omlaaghing, in een ader van zijn rechterarm en fixeerde de naald. Daarna kwam Sibylle overeind en regelde het infuus. Eerst had ze Ross grondig onderzocht. Ze was geschrokken van de mate van zijn uitputting.

'Voor mij is het al vijf over twaalf, hè?' zei hij.

'Tien over twaalf. Had ik maar zo'n hart als jij, Danny! Ieder ander zou allang dood zijn geweest.'

'Sibylle?'

'Ja?'
'Ik ben blij dat ik hier bij jou ben.'
'Ik ook, malle jongen.'
Terwijl ze zo praatten, had Sibylle op een envelop, die ze hem overhandigde, geschreven: *Praat door terwijl je leest* . . .
'Je pakt nu natuurlijk mijn Nobilam af,' zei hij.
. . . *Ik weet niet wat je in Buenos Aires hebt ontdekt. Onder geen woorwaarde mag je daarover hardop spreken met mevrouw Olivera* . . .
'Natuurlijk pak ik dat af,' zei Sibylle. 'Totdat het uit je lichaam is verdwenen; dat duurt tweeënzeventig uur. We zullen je een dag of drie, vier moeten zuiveren.'
. . . *Je wilde naar mij, logisch,* las Ross. *Maar je had geen gevaarlijker plaats kunnen uitzoeken. Pas als je weer op krachten bent en kunt gaan wandelen, zal alles aan je worden uitgelegd. Ik verkeer in een zeer ernstige situatie* . . .
'En na die drie, vier dagen?'
'Zul jij je niet meer zo prettig voelen als nu, lieve jongen.'
. . . *Mevrouw Olivera had die videocassettes nooit in mijn brandkast moeten deponeren,* las Daniel verder. *Nooit! Nu is het te laat. Nu kunnen we alleen nog hopen dat alles goed gaat* . . .
'En wat doe je daarna met mij?'
. . . *Ik herhaal: geen persoonlijke gesprekken! Zeg dat zacht tegen mevrouw Olivera! Of schrijf het ook op!*
'Dat zien we dan wel. Bang voor ontwenningsverschijnselen, hè?'
'Natuurlijk. Je weet toch wat een lafaard ik ben.'
Sibylle had de envelop van hem afgenomen en ging naar de badkamer, waar ze het papier versnipperde en door het toilet wegspoelde. Ze kwam terug en zei: ' "Een lafaard sterft duizend doden," zegt een spreekwoord, "en een dapper mens maar één." Dat is natuurlijk onzin. Een dapper mens sterft tienduizend doden als hij intelligent is.'
'Ik ben intelligent,' zei hij, terwijl hij zijn ledematen zwaar voelde worden. 'Helaas.'
'Ja,' zei Sibylle. 'Maar jij hoeft ook niet moedig te zijn, mijn kleine lafaard. Het zou geen enkel verschil maken. We laten je echt niet doodgaan, Danny. En een flinke portie angst en ontwenningsverschijnselen zijn een goede zaak. Dan onthoud je dat – hoop ik – tenminste voor een tijdje. De mensen vergeten zo vlug.' Ze gaf hem een kus op beide wangen en op zijn mond en streek over zijn haar. 'Zo, ga nu lekker slapen, ouwe jongen.'
'Zal ik kunnen slapen?'
'Als een marmot. Je wordt niet eens wakker als ik een nieuwe fles aansluit. *See you later, alligator!*' Haar tragische gezichtsuitdrukking was zeer in tegenspraak met haar gewild vrolijke stem. Ze liep naar de deur en wuifde nog eens naar Daniel.
Op de gang zat Mercedes te wachten. Ze stond op.
'Zo, klaar,' zei Sibylle. Nu glimlachte ze zelfs. 'U kunt naar hem toe, mevrouw Olivera. Alles is in orde.'

'Dank u, dokter. Heel erg bedankt.'

'Niets te danken,' zei Sibylle. Ze liep de witte gang door. Ze had haar handen in de zakken van haar doktersjas gestoken. Mercedes keek haar na en merkte op dat Sibylles rug een beetje schokte. Ze had er geen vermoeden van dat de slanke vrouw met het bruine haar die daar wegliep al haar kracht bijeengaarde om zich op de been te houden en niet in te storten.

Mercedes kwam de kamer in en draaide zich om omdat ze de deur wilde sluiten. Op hetzelfde moment ging de sterke neonverlichting op de witte gang uit, die nu in een blauw nachtlicht was gedompeld. Ze keek op haar horloge. Precies tien uur. Ze duwde de deur in het slot en zag dat Daniel een schrijfblok op zijn opgetrokken knieën had liggen en snel iets met zijn linkerhand opschreef. Zijn rechterarm was verbonden met het infuus, maar omdat hij links was, kon hij met beide handen schrijven. Mercedes wilde iets zeggen, maar hij legde snel een vinger op zijn lippen en hield haar de blocnote voor. Hij had de eerste bladzij al volgeschreven. Mercedes had de situatie vlug door.

'Hallo, Danny, hoe gaat het?'

'Moe,' zei hij. ' "Ik gedenk een lange slaap te doen, want de kwelling dezer laatste dagen was groot." Schiller, *Wallensteins dood*, vijfde bedrijf, vijfde scène.'

Had hij eerder gelezen wat Sibylle opschreef terwijl hij tegen haar praatte, nu las Mercedes tijdens het gesprek wat hij had geschreven.

'Maar je voelt je beter, hè?'

'Veel beter. Nu ben ik hier. Nu is alles goed.'

'Het is een fantastische vrouw, die Sibylle van jou.'

'Ja,' zei hij, 'vind je ook niet?'

Mercedes had zijn woorden gelezen. Ze wist nu alles wat Sibylle Daniel had toevertrouwd. Ze keek hem verbijsterd aan. Hij haalde zijn schouders op en legde weer een vinger tegen zijn mond. Daarna streelde hij haar hand en keek haar aan. Houd moed, zei zijn glimlach. Houd moed!

'Je hebt heel veel van Sibylle gehouden, hè?' vroeg ze.

'Heel veel, ja.'

'Het moet een bijzonder weerzien zijn geweest.'

'O ja, zeker.'

'Hou je nog steeds van haar?'

'Ja, maar als van een zus. Als van iemand die je zeer na staat.'

'Zeg je echt de waarheid?'

'Ik zeg de waarheid, Mercedes.'

'Je moet de waarheid zeggen, hoor je? Het zou gemeen zijn te liegen. Ik zou het best kunnen begrijpen als je nog altijd van haar hield. Dan zou ik gewoon pech hebben. Maar ik móet de waarheid weten, want ik houd zoveel van jou.'

'En ik van jou, Mercedes. Anders. Heel anders, maar evenveel als ik eens van Sibylle heb gehouden.'

'Dan is het goed. Ik hou van jou zoals ik nog nooit van iemand heb gehouden, Danny.'
Er volgde een stilte.

'Zo. En nu een lange kus,' zei een ongeveer dertigjarige pafferige man met een rood gezicht en bleekblond haar. 'Diep die mond in met die tong.'
'Hou je waffel, Toni!' zei Herdegen, die voor de luidspreker stond.
De stilte duurde lang.
'Hé,' zei de pafferige man, die Toni heette. 'Ze zullen er toch niet in gestikt zijn?'
Door de luidspreker klonken zich verwijderende voetstappen. Daarna begon er water te ruisen.
'Neemt een bad, die tante,' zei Toni. 'Ach, wat een prachtige, heerlijke liefdesscène!'
De luidspreker bevond zich in een ruimte zonder ramen, die volgestopt was met elektronische apparatuur. Langs een hele muur stonden in rekken moderne kleine bandrecorders. Op de smalle voorkant van de zwarte planken was onder elke recorder een etiketje geplakt met een naam en een getal erop. Boven het rek hingen zesendertig luidsprekers die eender waren als die waarmee het met een verborgen microfoon opgenomen gesprek tussen Mercedes en Daniel werd doorgegeven. Elke luidspreker hoorde bij een bepaalde bandrecorder en op elke stond het overeenkomstige nummer in witte verf geschilderd. Voor deze muur stonden achter een lange tafel tal van bureaustoelen met verstelbare rugleuning. Tegen de andere muur waren grote en kleine machines en apparatuur geïnstalleerd, waaronder een complete radio-installatie. Een luchtververser zorgde voortdurend voor frisse lucht.
'Iets anders zult u beslist niet te horen krijgen, dokter,' zei de pafferige man. Hij zat in zijn overhemd en transpireerde. Onder zijn armen zaten donkere plekken. Het vertrek was oververhit en het was ondanks de luchtververser benauwd.
'Mannholz heeft die twee gewaarschuwd.'
'Mannholz? Nooit van z'n leven, Toni! Dat durft ze niet. Ze weet wat er gebeurt als we erachter komen.'
'Hoe wilt u daarachter komen, dokter? Het is al voldoende als ze die Ross heeft gewaarschuwd. Het waren vroeger toch geliefden van elkaar.'
'Kan zijn, maar ze is veel te bang. Ze maakte ook dadelijk de brandkast open.'
'Waarom?'
'Waarom wat?'
'Waarom heeft Mannholz de brandkast opengemaakt?' vroeg de pafferige man op het stoeltje.
'Olivera wilde de videocassettes beslist in veiligheid hebben.'
De man die Toni heette, kon niet meer van het lachen.
'In de ambulance had ze het er al voortdurend over. Nou, toen heb ik haar over de grote kluis verteld. Nu zijn de cassettes in veiligheid, Toni.'

Nog steeds klonk het geruis van het water door de luidspreker.

'Als Mannholz haar niet heeft gewaarschuwd, dan moeten ze wel verschrikkelijk onnozel zijn,' zei Toni, eensklaps somber. 'En als ze zo onnozel zijn, waarom praten ze dan niet over die affaire?'

'Ze zijn niet onnozel. Ze zijn uitermate intelligent, allebei. Je weet dat Ross vroeger van Mannholz heeft gehouden. En zij van hem. Hij vertrouwt haar volkomen. Dus vertrouwt ook Olivera haar. Vertrouwen is iets fantastisch, Toni.'

'En als ze zoveel vertrouwen hebben, waarom praten ze dan niet over de cassettes?'

'Juist omdat ze intelligent zijn.' Herdegen ging op een van de bureaustoeltjes zitten. 'Ze hebben fantasie. Ze willen gewoon geen risico nemen. In hun situatie. Hebben al eens iets over afluisterapparatuur gehoord.'

'Dat is natuurlijk volslagen onzin. En dan zou Olivera de cassettes in de brandkast leggen – voor de veiligheid?'

'Ik zeg je toch, ze vertrouwen Mannholz volkomen. En hou er nu over op! We moeten nu afwachten tot die Wayne Hyde komt.'

'Wie?'

'De man die Londen heeft aangekondigd.' Herdegen keek op zijn horloge. 'Zijn toestel landt over een half uur.'

Tijdens dit gesprek was Daniel Ross opgestaan. Hij verplaatste zich langzaam en voorzichtig om te voorkomen dat de naald van het infuus verschoof. Hij pakte de verchroomde stang op de driepoot met wieltjes waaraan de fles met goudgele vloeistof hing met zijn linkerhand vast en rolde het apparaat behoedzaam voor zich uit naar de badkamer, waar water in de badkuip stroomde.

Alleen gekleed in een broekje stond Mercedes bij de wastafel haar tanden te poetsen. Ze draaide zich met een ruk om toen ze Ross in de spiegel zag.

'Danny! Je bent niet wijs!'

'Ssst! Zachtjes.' Hij kwam de badkamer in, duwde het infuus voor zich uit en ging op een kruk zitten.

'Je mag nog niet opstaan. Als er iets gebeurt!' fluisterde ze. Het ruisen van het water overstemde hun gesprek.

'Er gebeurt echt niets. Ik moet je nog iets zeggen, Mercedes.'

'Wat?' Ze werd zich ervan bewust dat ze vrijwel niets aan had. Vlug sloeg ze een badjas om.

'Het is niet waar,' fluisterde Daniel bedrukt.

'Wat is niet waar?'

'Wat ik zojuist heb gezegd. Over Sibylle. Dat ik van haar houd als van een zus, als van iemand die mij zeer na staat.'

'O.' Er volgde een stilte. Het water ruiste. Mercedes ging op de rand van de badkuip zitten.

'Ik bedoel: het wás waar. Twee uur geleden was het nog waar, begrijp je, dat zweer ik je bij mijn leven, Mercedes. Maar op het moment dat ik haar terugzag, dat ik haar stem weer hoorde . . .'

'Toen was het weer net als vroeger,' fluisterde Mercedes.

'Ja. Net als vroeger. Ik . . . ik kan niet tegen jou liegen. Daarvoor houd ik te veel van jou. Ik . . . ik ben volkomen in de war . . . Ik had het nooit verwacht . . . echt niet . . . Maar toen ik haar terugzag, was alles weer net als twaalf jaar geleden . . . Alsof er niet een hele tijd tussenzat . . . nog geen dag . . .'

'En Sibylle?' fluisterde Mercedes.

'Ik weet het niet . . . Ze heeft nauwelijks iets gezegd . . .'

'Zo iets merk je toch dadelijk, Danny!'

'Ik weet werkelijk niet hoe ze erover denkt . . . Ze is erg veranderd . . . Zo ernstig en gesloten. Ze moet veel verdriet hebben . . .'

'Heb je niet gevraagd waarover?'

'Ik zeg toch dat we elkaar vrijwel niet gesproken hebben. Ik . . . ik ben zo kapot . . . Misschien is alles alleen daarom zo . . . Misschien hou ik over een paar dagen . . . morgen al . . . werkelijk van haar als van een zus . . . Maar nu . . .'

'Hou je van ons alle twee?'

'Ja,' fluisterde hij.

'Van allebei evenveel?'

'Ja . . . nee . . . ja, toch wel . . . neem me niet kwalijk, Mercedes.'

'Wat valt je kwalijk te nemen. Ik vermoedde al zo iets, de hele tijd, ik heb het verwacht . . .'

Ze keken elkaar zwijgend aan.

Het water ruiste nog steeds . . .

. . . en daarom was dit gesprek voor Herdegen en de pafferige man die Toni werd genoemd, onhoorbaar. Deze twee zetten hun gesprek voort.

'Wat was er aan de hand tijdens jouw dienst?' informeerde Herdegen. 'Zuster Gertie zegt dat de man van de Union of Concerned Scientists bezoek had.'

'De man van de "Bezorgde Wetenschappers", inderdaad. Die had bezoek. Een Amerikaan. Zeer interessant.' Toni wees naar de vele kleine recorders. 'Nummer 22. Alles staat erop. Reagan heeft toch bevel gegeven dat de ruimte wordt bewapend, niet? Hij noemt het heelal het "slagveld van de toekomst". Binnen de eerstvolgende tien jaar moeten er permanent bezette ruimtestations komen. Ze worden gebouwd met space shuttles, van die ruimteveren die opnieuw kunnen worden gebruikt, zoals de Challenger. Die kunnen grote ladingen vervoeren, dat hebben ze al bewezen. Als die ruimtestations eenmaal zijn geïnstalleerd, hebben ze ook laserkanonnen, waarmee naderende vijandelijke raketten in de lucht kunnen worden vernietigd. Dat is overigens maar één aspect van de planning. Bij de Russen ziet het er, naar wordt gezegd, eender uit. In elk geval wordt het in de bioscoop geboren begrip Star Wars door Reagan en Weinberger al gelijkgesteld met een waterdichte verdediging tegen ballistische raketten. Die twee denken dat ze binnen tien jaar absoluut beveiligd zijn tegen Russische raketten. De "Bezorgde Wetenschappers" schijnen zéér bezorgd te zijn. U

214

moest beslist horen, dokter, wat die Amerikaan nog meer heeft verteld. Je krijgt het gevoel dat alle Russische en Amerikaanse kopstukken hier bij ons in het gekkenhuis horen! Maar ze komen niet hier. Hoe zal het over tien jaar zijn?'

'Het hangt ervan af of dat allemaal echt wel mogelijk is, en zo ja, wie dat het eerste voor elkaar heeft. En dan: welterusten! En verder?'

'Piontak heeft ook bezoek gehad. Een Pool, een landgenoot. Houdt zich bezig met computeropleidingen. Zodoende mag hij het land in en uit. Ze hebben nieuwe acties van Solidariteit besproken. Daar gaat het een en ander gebeuren, zeg. Alles op de band. Moeten de Russen zo snel mogelijk weten.'

'Dat gebeurt ook, Toni, dat gebeurt ook. Verder?'

'Nummer veertien. De man van de MAD. Bezoek van een collega. De Duitse militaire contraspionage heeft het nu toch zwaar te verduren omdat men met tippelende homo's als getuigen heeft beweerd dat die NAVO-generaal een nicht is. Ze zeggen dat er koppen gaan rollen bij de MAD. En nu willen ze een vuile streek uithalen. Als ze niet met rust worden gelaten, willen ze zeggen dat ze gehandeld hebben in opdracht van de Amerikaanse chef van de NAVO, omdat hij die Duitser beslist kwijt wil.'

'Lekker clubje!'

'Alles op de band, dokter.'

'En wat nog meer?'

'Natuurlijk Damiani. Urenlange ruzie met Isabella van Castilië, Ferdinand van Aragon en die Borgia-paus. Zoals gewoonlijk over het verdrag van Tordesillas, van 7 juni 1494. Ik ken dat allemaal al uit mijn hoofd. Natuurlijk níet opgenomen. Arme drommel, die Damiani. Zo'n beroemde volkenrechtsgeleerde! Volslagen mesjogge, hè?'

'Zwaar schizofreen.'

'En? Wordt nooit meer beter, hè?'

'Nee. Uitzichtloos. We zullen hem terugsturen naar de Italianen. We wachten alleen nog op de instructie van hogerhand.'

'En o, dokter, het belangrijkste: de moellah!'

'Wat is er met hem?'

'Dat moet dadelijk aan de Amerikanen worden doorgegeven. Iemand van de ambassade was vanmiddag bij hem. Khomeini wil een groot offensief beginnen met een half miljoen man om Irak definitief te verslaan. En dan de Golf afsluiten. En het Westen onder druk zetten.'

Herdegen was eenklaps opgewonden. 'Waar is de band?'

'Drieënvijftig.'

Herdegen pakte recorder nummer 53 uit het vak. 'Ik ga het dadelijk afluisteren. Het was wél een middag vol wederwaardigheden, Toni.'

'Dat kun je wel zeggen. Ik ben doodop. En nu nog tot vannacht twaalf uur! Al mijn botten doen pijn. Wie lost me af?'

'Buja.'

'Buja krijgt altijd de kerkhofdienst! Die boft. Tussen middernacht en het ontbijt slapen ze allemaal. Buja kan ook gerust gaan slapen. Ik heb

hoofdpijn. Het is hier verschrikkelijk benauwd. Ondanks de luchtver-verser. Het stinkt hier als in een schijthuis, echt, dokter.'
'Dat ben je zelf.'
'Ik? Nou moet u eens goed naar me luisteren, dokter!'
'Je zweet als een paard. Je stinkt zelf. Een beetje meer wassen, vaker een schoon overhemd aantrekken. Heus, Toni, ik mag je graag, maar je bent gewoon een verschrikkelijke smeerlap.'

13

In dit gebouw wordt op de eersteklasafdeling dagelijks een gulden betaald en op de tweede dagelijks dertig kreuzer. Gratis worden opgenomen: minvermogenden die hebben vastgelegd dat hun stipendium toevalt aan het huis; voorts krankzinnigen uit de klasse van degenen die bij het algemene gasthuis voor tien kreuzer of zonder betaling worden opgenomen.

Voor geestelijken die het ongeluk hebben krankzinnig te worden, zijn bij de Barmhartige Broeders kamers beschikbaar, zodat zij opname in dit huis niet nodig hebben. Voor rustige krankzinnigen zal het zogenaamde lazaret-gebouw worden ingericht.

Op broos, vergeeld papier gedrukt, hing deze mededeling achter glas aan een muur in de spreekkamer van Sibylle op de eerste verdieping van de psychiatrisch-neurologische afdeling van het academisch ziekenhuis in Wenen. Daaronder stond een eenvoudig bed. Hier sliep de docente dr. Mannholz als ze nachtdienst had. Op deze herfstachtige avond in november 1970 kon men door de openstaande ramen veel andere afdelingen zien op het reusachtige terrein van het Algemeen Ziekenhuis, waarvan de hoofdingang aan de Lazarettgasse lag. Het gebouw van de psychiatrie stak op een zacht glooiende heuvel boven de andere afdelingen uit. Sibylle was zesendertig jaar, ze had een gemiddelde lengte en was slank. Ze had kastanjebruin haar en bijzonder grote ogen van dezelfde kleur. Haar mond was breed, haar lippen zacht gebogen en geschapen om te lachen. Daniel was drieëndertig en zijn haar was nog blond. Hij zag er opgeknapt en gezond uit. Daniel en Sibylle stonden bij haar bureau tegenover elkaar.
'Tja, er is nog een complicatie waarvan ik je op de hoogte moet stellen,' zei hij.
'Nog een complicatie?'
'Ja,' zei hij.
'Welke?'
'Ik houd van je, Sibylle. Sedert ik je ken. Ik aanbid je.'
Haar ogen waren eensklaps zo groot als schoteltjes. Hij sloeg zijn armen om haar heen en drukte zijn lichaam tegen het hare. Ze verweerde zich tevergeefs. Hun lippen ontmoetten elkaar. Hij kuste ze hard, en hard bleef haar mond. Daarna openden haar lippen zich en ze werden zacht en

heerlijk. De kus duurde lang. Op het laatst legde ze haar hoofd op zijn schouder, met haar wang tegen de zijne.

Ze fluisterde: 'Ik begrijp je, Daniel ...' Haar armen omknelden hem. Ze kusten elkaar weer. Daarna keken ze elkaar in de ogen.

'Voor eeuwig,' zei hij.

'Voor eeuwig,' antwoordde zij. Daarna glimlachte ze plotseling.

'Wat is er?'

'Niets, liefste.'

'Wel! Waar dacht je aan?'

'Toe, nu niet.'

'Toe, nu wel! Waar dacht je aan?'

'Ik dacht bij mezelf: moederbinding! Natuurlijk ben ik ouder,' zei Sibylle en ze lachte weer ...

Zo was het destijds begonnen.

En zo begon de droom die Daniel sedertdien wel dozijnen keren had gedroomd. Altijd zo, precies zo. Zo begon de droom ook in de nacht van 21 op 22 februari 1984, de eerste nacht die Daniel dromend in sanatorium Kingston bij Heiligenkreuz doorbracht, liggend op zijn rug en zijn rechterarm verbonden met een infuus.

Hij glimlachte in zijn slaap. Mercedes zat bij zijn bed naar hem te kijken. Ze droeg een badjas en haar gezicht stond ernstig. Er brandde alleen een lampje op de schrijftafel op de achtergrond. Het was doodstil. De storm was gaan liggen. Maar de sneeuw bleef vallen, heel veel sneeuw. Daniel droomt van haar, dacht Mercedes. Ze was er volkomen zeker van dat hij van Sibylle droomde.

De man met de Tiroolse hoed op stond voor de grote ruit die de aankomsthal van luchthaven Schwechat bij Wenen in tweeën deelde. Nu stonden er nog maar een paar mensen die waren gekomen om vrienden of familieleden af te halen die met het laatste toestel van deze dag, vlucht 345 van de Lufthansa uit Parijs, met een tussenlanding in Frankfurt, om halfelf hun bestemming hadden bereikt. Het was tien voor elf en de man met de grote kwast van gemshaar en de brede groene band op zijn zwarte hoed zag door het raam Wayne Hyde bij de bagageafgifte weggaan en naar zich toe komen. De huurling droeg twee grote, oude plunjezakken. Nu ontdekte hij de zwaaiende man achter het raam en lachte verheugd. Hij stevende op een van de talrijke eenrichtingsdeuren in de glazen scheidingswand af. De man die gekleed was in een loden jas en een Tiroolse hoed op had, ging aan zijn kant naar de deur. Nu doken er andere passagiers achter Hyde op en weer andere mensen die hadden gewacht stonden te zwaaien. In de reusachtige hal verspreidden neonbuizen hun afschuwelijke licht als uit het rijk der doden. Alle mensen hadden een wassen gezicht. De gestifte lippen van de vrouwen leken zwart.

Wayne Hyde passeerde de deur, gooide een plunjezak over zijn schouder en schudde de man die op hem gewacht had hartelijk de hand. Op het kortgeknipte blonde haar van Hyde lagen sneeuwkristallen en zijn door weer en wind getekende gezicht had een blos.

'Hallo, Franz, ouwe jongen!' zei hij.

'*Servus*, kerel!' zei Franz Loderer. Ook hij had een smal gezicht en ook zijn ogen waren zeer licht. Hij gaf Hyde een klap op de schouder. 'Is dát een verrassing, zeg,' zei hij. 'Werkelijk. Weet je hoelang we elkaar niet meer hebben gezien?'

'Precies. Sinds 1978. Angola. Dat was de laatste keer.'

'Daar hebben we de MPLA leuk uit de nesten geholpen, hè? Dat was nog eens wat! Toen we met die Sikorski-helikopter zijn neergestort, hè?' Ze lachten allebei.

'Nog veel leuker dan de Kongo,' zei Hyde.

'Gewoon geen vergelijking,' zei Franz. 'De Kongo was daarbij een treurspel. Geef je zakken maar hier.'

'Nee, laat me maar. Ik red het best alleen.'

'Mijn auto staat hier vlakbij.' Ze liepen nu zij aan zij. Franz Loderer straalde nog steeds. 'Nou, werkelijk, jongen. Toen je had opgebeld, heb ik echt moeten grienen, stel je voor!'

'Goeie, ouwe Franz,' zei Hyde. Ze bereikten een van de uitgangen. Het sneeuwde hard.

'Daarginds,' zei Franz. 'Eerste parkeerplaats.' Hij moest alweer lachen. 'Ik heb die onderscheiding van de MPLA nog eens bekeken na jouw telefoontje. Die reuzenplak. Weet je het nog? Heb jij de jouwe nog?'

'Natuurlijk.'

'Nou, ik heb een hele la vol met dat blik. Ik zou er een winkel mee kunnen beginnen. Jij ook. Dat was een plak, zeg, die van de MPLA. De grootste onderscheiding van allemaal.'

'Hebben die kaffers van de Russen gekregen. Russische onderscheidingen zijn altijd het grootst,' zei Wayne Hyde. Na de Angolese burgeroorlog, die in 1976 was begonnen, was na jaren eindelijk de door de Sovjetunie en Cuba en hun huurlingen gesteunde marxistische MPLA aan de macht gekomen. Wayne Hyde en zijn vriend Franz Loderer hadden twee jaar voor hen gevochten.

'Proletariërs aller landen, verenigt u!' zei Hyde. 'Boy, oh boy, ik zou wel eens willen weten voor welke ideologie we nog geen mensen het hoekje om geholpen hebben.'

'Daar sta ik,' zei zijn vriend met de Tiroolse hoed en hij maakte de kofferbak van een zwarte Mercedes open. Hyde stopte zijn plunjezakken erin. Daarna stapten ze in de auto. De voorruit was dichtgesneeuwd. Franz knipte het binnenlicht aan en zette een zware tas van zeildoek op Hydes knieën.

'Zo, jongen,' zei hij. 'Alles is er.'

In de tas lagen lade, loop en demontabele telescoop van een geweer, munitie en een zwaar pistool.

'Wat je wilde hebben,' zei Franz. 'Springfield 03, kaliber 762, magazijn voor tien schoten. Telescoop. Ik heb tien magazijnen meegebracht, omdat er altijd maar zes patronen in zitten. Oké, merc?'

'Oké, buddy.'

'Hou me vast, ik doe 't in m'n broek! Die ouwe Wayne in onze stad! Waar gaan we heen?' Franz Loderer startte en zette de ruitewisser aan. De lichten begonnen te branden.

'Heiligenkreuz.'

'Wat?' Franz was verbluft. 'Wil je een paar geestelijken een kopje kleiner maken?'

'Nee, hoezo?'

'Dat is een klooster, jongen.'

'In de buurt is een sanatorium.'

'O.' Franz trok op. 'Voor wie werk je nu? Voor de Amerikanen of voor de Russen?'

'Voor allebei,' zei Wayne Hyde.

Daniel Ross droomt . . .

Naakt lig hij naast de eveneens naakte Sibylle. Voor het eerst hebben ze met elkaar geslapen. Het is diep in de nacht. Hij streelt haar kleine, stevige borsten. Ze roken samen een sigaret. Het bed is groot en vierkant. Overdag is het een rechthoekige bank. Voor het raam van het kamertje glinsteren in de diepte miljoenen lichtjes: de lichtjes van Wenen. Op een tafeltje staan een klein televisietoestel en een kleine platenspeler, die bij een heel kleine stereo-installatie hoort. Hij heeft een platenwisselaar waarop tien platen gezet kunnen worden.

De twee liggen te luisteren naar zachte, sentimentele muziek uit voorbije tijden. Willi Forst heeft net *Bel ami* gezongen. Sibylle verzamelt oude schellakplaten. De volgende valt op de draaitafel. Er klinkt een piano, een klaaglijke saxofoon, violen. De muziek heeft de eigenaardige, blikkerige, schijnbaar te hoge klank die op al deze oude platen te horen is. Het arrangement is heel anders dan in later tijden, iets te langzaam, wat slepend. De saxofoon en de violen zwijgen nu. Alleen de piano begeleidt een heldere, zeer jonge, o zo weemoedige vrouwenstem die zingt: *Man hat uns nicht gefragt, als wir noch kein Gesicht, ob wir leben wollten oder lieber nicht. Jetzt gehe ich allein durch eine grosse Stadt – und ich weiss nicht ob sie mich lieb hat. Ich schaue in die Stuben durch Tür und Fensterglas, und ich warte, und ich warte auf etwas . . . Wenn ich mir was wünschen dürfte, käm' ich in Verlegenheit, was ich mir denn wünschen sollte, eine schlimme oder gute Zeit . . .'*

Daniel luistert oplettend.

'Wie is dat? Wie zingt dat?'

'Ik weet het niet, lieveling.' Sibylles vingers strijken door zijn haar, steeds opnieuw. Ze laat hem een trekje nemen van de sigaret en dan tikt ze de as af op een bordje dat naast haar bed staat.

'. . . *Wenn ich mir was wünschen dürfte, möcht' ich etwas glücklich sein,*' zingt het kindvrouwtje op de oude plaat, '*denn wenn ich gar zu glücklich wär', hätt' ich Heimweh nach dem Traurigsein.*' De saxofoon zet weer in en de violen keren terug. Dan is het lied afgelopen.

Snel richt Daniel zich op en hij zet de platenspeler stil.

'Wat wil je?'

'Kijken wie dat zong.'

Ze komt op haar knieën achter hem. Haar naakte lichaam vlijt zich tegen het zijne. Hij pakt de plaat van de draaitafel.

'Vreemd,' zegt hij.

'Wat is vreemd, Danny?' Haar kleine borsten drukken zich tegen zijn rug.

'Het etiket! Moet je zien! Helemaal stuk gekrast. Ook aan de andere kant . . . Ik kan geen woord meer ontcijferen. Op al jouw andere oude platen is het etiket leesbaar, alleen op deze niet. Ik heb die plaat ook nog nooit gezien, nog nooit gehoord. Werkelijk vreemd. Ik dacht dat ik ze allemaal kende.'

'Ik dacht ook dat ik alles van jou kende,' zegt ze en ze laat zich op het bed terugvallen met haar armen wijd uitgespreid.

En hij glijdt boven op haar en weer begint het wonder, dat wonderbaarlijke wonder voor hen beiden in dit vertrek dat vrijwel de hele woning van Sibylle omvat, in dit vertrek dat zo klein is dat slechts twee mensen die heel veel van elkaar houden, er samen in kunnen leven. Er is nog een badkamer, een keuken en een halletje, alles even klein.

Jaren later, in 1973, zal het terrein van het Weense Algemeen Ziekenhuis jarenlang een steeds groeiende, ten slotte reusachtige bouwput worden. Stuk voor stuk worden alle oude afdelingen gesloopt – allereerst het vroeger geel geverfde, oeroude en lelijke gebouw van de psychiatrie. Elke afdeling wordt vervangen door een nieuwe, hypermodern. Deze reorganisatie, die onlosmakelijk verbonden blijft met een omkoopaffaire, het zogenaamde AKH-schandaal, is ook op het moment dat Daniel van Sibylles kleine woning droomt nog niet afgesloten.

Reeds voor 1970 zijn in de buurt van de Lazarettgasse twee enorme woontorens van zeventien hoog opgetrokken voor mannelijke en vrouwelijke artsen, verplegers en verpleegsters van het grote ziekenhuis. Ook Sibylle trok erin. Op de vijftiende verdieping, appartement 15-08.

Ze zijn allemaal even klein, die appartementen: twintig vierkante meter. Op elke oneven etage zijn de vloeren, gordijnen en spreien blauw, op elke even etage geel – net als de muren van de eindeloze gangen die uitkomen op de liften waarin men gemakkelijk ruimtevrees zou kunnen krijgen. Eigenlijk moet elk normaal mens gek worden in deze gestandaardiseerde cellen, waar de grote, rechthoekige bank tot de voorgeschreven inrichting behoort. Ontelbare exemplaren staan er op zeventien verdiepingen, telkens op precies dezelfde plaats.

In zijn droom hoort Daniel Sibylle zeggen: 'Toen ik nog alleen was, heb ik een tijd heel slecht geslapen. En in die tijd moest ik – het was duivels – er elke nacht urenlang over nadenken waar die veertien mensen onder mij met hun hoofd en hun voeten lagen.'

Ja, je zou gek worden in die onmenselijke bijenkorf. Elk jaar springen minstens twee bewoners uit het raam in de diepte. Maar zo'n bijenkorf kan ook een oase van geluk, zaligheid en vrede worden – als twee mensen van elkaar houden. Zoveel van elkaar houden als Sibylle en Daniel. Daniel Ross, de succesvolle chef van de bij de zender Frankfurt behorende Studio Zuidoost-Europa, de man die een verhoogd risico van verslaving loopt. Natuurlijk heeft de centrale ook correspondenten in de hoofdsteden van Zuidoost-Europa, maar hun werk wordt vanuit Wenen gecoördineerd. Daniel heeft een ruime flat in de Grinzinger Allee, maar zo vaak hij kan, slaapt hij bij Sibylle. Van haar ouders, die in Salzburg wonen – haar vader is eveneens arts – heeft ze een antieke secretaire gekregen. Meer oude meubels konden er niet in het enige vertrek met zijn veel minder dan twintig vierkante meter. In aan de muur hangende rekken boven de secretaire is zeer veel vakliteratuur ondergebracht. Op de vloer liggen stapels pocketboeken; voor gewone boeken is geen plaats. In rekken van triplex staan ontelbare langspeelplaten – en Sibylles verzameling van 78-toerenplaten. Overdag ligt er een blauwe sprei over de slaapbank met een berg gekleurde kussens erop. Aan de muur hangt een reproduktie van *De violist* van Sibylles en Daniels lievelingsschilder Marc Chagall: een kleine, gebochelde jood danst en musiceert op het schindeldak van een scheefgezakt huis, omringd door maan, wolken, sterren, ezel en koe, de kerk en andere schots-en-scheve huizen van arme joden uit het geboortedorp van Chagall, Liosno bij Witebsk.

Hier, in dit kamertje, waar ze slechts achter elkaar door de ruimte kunnen lopen tussen de bank en de secretaire, vindt Daniel Ross, voortdurend opgejaagd, voortdurend rusteloos, rust. Hier is hij gelukkig, ongelooflijk gelukkig met Sibylle. Ze kijken televisie. Ze luisteren naar muziek: Tsjaikovski en Mozart net zo goed als Gershwin en Louis Armstrong. Hier lezen ze elkaar voor uit de pocketuitgaven van hun geliefde schrijvers: Hemingway, Steinbeck, Gary, Silone, Fallada, Graham Greene . . .

Dat allemaal zag en hoorde Daniel in zijn droom, de droom die hij in de afgelopen twaalf jaar zo vaak heeft gedroomd. En er lag een glimlach op zijn gezicht en Mercedes zat bij zijn bed en keek roerloos naar hem – ernstig en verdrietig.

Sibylle kwam binnen en verving voorzichtig de vrijwel lege infuusfles door een volle. Daniel werd niet wakker. De vrouwen keken elkaar een hele tijd zwijgend aan. U moet toch slapen, fluisterde Sibylle Mercedes toe, maar deze schudde het hoofd. Sibylle knikte en ging weer. Nog steeds viel er buiten sneeuw, alleen Daniels diepe, regelmatige ademhaling was in de doodse stilte te horen en weer droomde hij van Sibylle en zichzelf en hun grote liefde . . .

Ze hebben dezelfde smaak en dezelfde opvattingen, voorliefdes en belangstelling en hun lichamen – hun 'chemie' zegt Sibylle – zijn voor elkaar geschapen. En als ze zich moe gevrijd hebben, liggen ze te slapen, elkaar omhelzend en tegen elkaar gevlijd, één wezen schijnt het, één enkel mens, tegen al het boze beschermd door zesendertig rechtvaardigen die de

221

grote Martin Buber noemt in zijn vertelling van de chassidische legende. Op onze aarde zijn, sinds ze bestaat, rechtvaardigen en onrechtvaardigen, soms meer rechtvaardigen, dan weer minder rechtvaardigen. Altijd echter en te allen tijde zijn er van hen minstens zesendertig. Die moeten er zijn, want anders zou deze wereld geen dag langer kunnen bestaan. Ze zou ondergaan in haar eigen schuld...

En dit alles beleefde Daniel in zijn droom die hij al twaalf jaar droomde, telkens weer. De beelden en woorden wisselden, zoals dat in dromen gebeurt.

Daar is de vrouw van wie de kleine bioscoop Bellario is, waar regelmatig oude, zeer oude films worden gedraaid. En ze vragen aan de vrouw of zij weet wie *Wenn ich mir was wünschen dürfte* in welke film heeft gezongen, want dat lied is sedert die bewuste nacht, toen alles voor het eerst gebeurde, hun lied geworden. En de oude dame herinnert zich dat het in de film *De man die zijn moordenaar zoekt* werd gezongen en dat Heinz Rühmann daarin meespeelde en Rober Siodmak de regie had en dat Friedrich Hollaender de muziek en de tekst heeft geschreven, maar ze kan niet meer aan een kopie komen van die film uit 1931, een van de eerste geluidsfilms, en daardoor komen Sibylle en Daniel nooit te weten wie hun lied zingt op de oude grammofoonplaat met het doorgekraste label.

Ze letten op dat hun vakantie samenvalt en ze gaan met de Opel Admiral van Daniel, die het eigendom is van de studio, naar Normandië, naar de vogelstranden en de woeste zee; ze gaan in de Camargue naar de wilde witte paarden; in de Rivièra naar Vallauris, Antibes, Saint-Paul-de-Vence; ze zien het origineel van de schilderijen van de schilders die daar hebben geleefd – schilderijen van Bonnard, Picasso, Calder, Kandinsky, Miro, Ubac en natuurlijk Chagall.

Ze reizen naar Joegoslavië. Ze reizen naar Rome en gooien muntjes in de Trevi-fontein, want wie dat doet, zo wordt verteld, zal terugkeren. O, en wat kunnen ze samen lachen! Wat heerlijk te lachen met iemand die precies zo voelt als jijzelf.

In 1971, in oktober, een jaar nadat hun liefde is begonnen, treden bij Daniel bijverschijnselen op van de oxazepam die Sibylle hem na de valium heeft gegeven.

En dat alles zag hij, hoorde hij, beleefde hij opnieuw in zijn droom. Hoe hij plotseling hees werd en op het laatst alleen nog kon fluisteren, hoe hij aan een steeds grotere, onweerstaanbare behoefte aan slaap leed en hoe hij op een avond, toen hij met Sibylle in een hotel had afgesproken, de donkere, spiegelende glazen deur van een telefooncel aanzag voor de donkere, spiegelende glazen deur van de hotelingang en met zijn volle gewicht tegen het glas van de cel sloeg omdat zijn ogen niet meer functioneerden...

... Dan pakt Sibylle hem liefdevol bij de hand en brengt hem naar de auto. Ze gaat achter het stuur zitten en rijdt dadelijk, nog diezelfde avond, naar het ziekenhuis, afdeling B22 van de psychiatrie, waar hij al eens heeft gelegen toen hij een ontwenningskuur voor valium deed. Hij geeft direct toe dat hij oxazepam in overdoses heeft ingenomen.

'Het is zo'n fantastisch middel,' zegt hij met krakende stem. 'Het pepte me eerst altijd op als ik moe was en ik wilde niet moe zijn bij jou. Ik heb het geslikt, almaar meer om nog langer wakker en gelukkig te kunnen zijn. Geloof je me niet?'

'Natuurlijk geloof ik je, Danny.'

'Ben je niet boos?'

'Hoe zou ik?'

'Maar je minacht me ...'

'Wat een onzin!'

'Omdat ik zo zwak ben ... zo labiel ... omdat ik bezwijk voor iedere verleiding ... omdat ik absoluut geen steun voor je ben, als ik mezelf niet overeind kan houden ...'

'Je bent zeker een steun voor mij, lieve dwaas,' zei Sibylle en kust hem op de mond. Dan ligt hij al in bed aan een infuus en de verwijdering van het gif uit zijn lichaam is al begonnen.

Zoals ruim twaalf jaar later Mercedes, zit die nacht in oktober 1971 Sibylle naast het bed van Daniel tot hij in slaap is gevallen – een magere man met een smal, grauw jongensgezicht en verward, blond haar dat al grijs begint te worden. Zodra Sibylle hem diep en regelmatig hoort ademhalen, verlaat ze het vertrek. Maar ze blijft in haar werkkamer en komt telkens terug om de flessen te verwisselen. Het was altijd zijn moeder, denkt ze. Het zal wel altijd zijn moeder blijven. Ik dacht dat ik de sterkste zou zijn, maar ik heb me vergist. Lieve, goede, arme, arme Danny ...

De telefoon in de kamer van Herdegen rinkelde.

Hij lag op een veldbed te roken. Hij pakte de hoorn op en noemde zijn naam.

'Met de portier, dokter. Er is net een wagen aangekomen. Een heer wil u spreken. Hij heeft een afspraak met u, zegt hij.'

'Geef hem even aan mij.'

'Een ogenblikje.'

Daar klonk een andere mannenstem: 'Met dokter Herdegen?'

'Ja.'

'Met Wayne Hyde.'

'Geweldig. Hoe bent u hier gekomen? Met een taxi?'

'Een vriend heeft me gereden.'

'Wilt u drie minuten wachten? Ik kom u afhalen bij de poort.' Herdegen legde de hoorn op de haak, trok een dikke jas aan over zijn witte doktersjas en haastte zich de gang van de eerste verdieping op. Hij ging met de lift naar de garage. Daar stonden talrijke auto's. Herdegen stapte achter het stuur van een Landrover. De wagen hobbelde over een dik besneeuwd pad van het park. In het licht van de koplampen zag Herdegen dat veel takken onder het gewicht van de sneeuw waren afgebroken. Hij kwam bij de poort. Hier stond een lange, slanke man in een met bont gevoerde duffelse jas te wachten. De man had blond, kortgeknipt haar, zeer lichte ogen en het gezicht van iemand die veel in de buitenlucht is. Hij had twee plunjezakken over zijn schouder. Voor hem stond een tas van zeildoek en naast hem de kleine, dikke portier die op dat moment dienst had.

Herdegen stopte en stapte uit. Hij verwelkomde Hyde. Ze schudden elkaar de hand. Daarna zetten ze de bagage in de Rover. Hyde klom in de stoel naast Herdegen. Deze keerde en reed naar het grote, moderne ziekenhuisgebouw terug.

'Waar zijn die twee?'

'Op hun kamer. Hij slaapt allang. Was volkomen uitgeput. Zij niet. Zij is een taaie.'

'Ik weet het. Ze was landelijk jeugdkampioene op de achthonderd meter borstcrawl en duizend meter schoolzwemmen. Ze rijdt uitstekend paard. Ook prijzen voor tennis en golf. Ik heb haar dossier doorgelezen.'

'Mr. Morley heeft mij van die twee op de hoogte gesteld.'

'Nogal een wrak, die Ross.'

'Ja, op het moment wel. Maar hij is gauw weer op de been. Valt beslist niet te onderschatten. Zij is de gevaarlijkste van de twee. Ze is fanatiek. Zit al jaren in de internationale vredesbeweging.'

Hyde zei: 'Wat wilt u, dokter? Die vredesbewegingen zijn er voor elke wereldoorlog geweest.'

Herdegen lachte hartelijk.

Daniel droomt . . .

Ditmaal duren de ontwenningskuur en de overschakeling op een nieuw middel vier weken. Het nieuwe middel heet Nobilam.

Sibylle zegt: 'Eigenlijk verkeerd en onverantwoordelijk wat ik doe. Ik zou je helemaal niets mogen geven.'

'Liefste, alsjeblieft, ik kan niet . . .'

'Ik weet het, Danny. Ik ken je. Je bent zo afhankelijk geworden van die vervloekte kalmeringsmiddelen dat ik je iets móet geven. Erg, heel erg. We zullen het bij jou met een heel langzame vermindering en steeds zwakkere middelen proberen. Nobilam is wel een relatief goed werkend middel. Juist daarom is het gevaar groot dat je er weer misbruik van maakt. Je kunt niet eeuwig zo doorgaan. Geen lichaam houdt dat vol. Beloof me dat je echt alleen de hoeveelheid zult nemen die ik heb toegestaan.'

'Ik zweer het. Op onze liefde,' zei hij.

Ach, dacht hij in zijn droom, op onze liefde heb ik gezworen . . .

Een paar avonden later vertelt hij Sibylle in haar flatje: 'Werner Farmer is in Wenen. Een oude vriend van mij. Kunsthistoricus. De aardigste vent ter wereld, nee, heus! Je moet kennis met hem maken. Mag ik hem morgenavond meebrengen?'

Ze zou liever met hem alleen zijn – zoals altijd – maar vanzelfsprekend zegt ze: 'Natuurlijk, Danny.'

'En . . . lieveling . . . wil je voor ons koken? Je kookt immers zo heerlijk! Ik heb er tegenover Werner al over opgeschept.'

Ze lacht. 'Dan weet ik al wat het moet worden: Tafelspitz met spinazie, gebakken aardappelen, zoetzure saus en een knoflooksaus.'

224

Dan lacht hij ook en hij kust haar.

Er werd geklopt.
Voordat Sibylle 'binnen' kon zeggen, werd de deur van haar werkkamer geopend en de grote, lijkbleke Herdegen stapte binnen. Hij werd gevolgd door een even grote, slanke man, die een flanellen pantalon, een tweed jasje en een coltrui droeg.
Sibylle, die met haar rug naar de deur in het donker zat en naar het sneeuwen had zitten kijken, draaide zich met een ruk op haar stoel om. Herdegen had bij het binnenkomen meteen de plafondverlichting aangedaan.
'Wat heeft dit te betekenen, dokter Herdegen?' Sibylle was geschrokken en geprikkeld. 'U klopt en komt zomaar binnen? Ik had wel kunnen slapen!'
'U hebt de nachtdienst geruild met collega Habeck omdat u zelf voor de heer Ross wilt zorgen.'
'Nou en? Het was donker in mijn kamer. Als ik even was gaan liggen ...'
'U bent niet gaan liggen. Het spijt me dat ik u moet storen, dokter. Maar de zaak is zeer dringend. Mag ik u voorstellen: Peter Corley. Meneer Corley, dit is dokter Mannholz.'
'Hallo,' zei Wayne Hyde glimlachend. Hij had heel grote, gelige tanden. 'Bijna twaalf uur. Het spijt me werkelijk, dokter. We storen u maar heel even.'
'Wat wilt u?'
'Dat u de brandkast openmaakt.'
Sibylle was opgestaan. Haar onderlip trilde, haar gezicht trok wit weg.
'De brandkast – waarom?'
'U weet zelf wel waarom,' zei Herdegen.
'Ik heb geen idee.'
'Dokter Mannholz, alstublieft!'
Wayne Hyde glimlachte nog steeds. 'U hebt vanavond een nieuwe patiënt opgenomen, de heer Daniel Ross. De vrouw die bij hem was, Mercedes Olivera, heeft twee videocassettes in de kluis gedeponeerd. Ik heb ze dringend nodig. Dus alstublieft, dokter Mannholz!'
'Nee,' zei Sibylle. Haar handen beefden. Ze balde ze tot vuisten.
'Dokter, ik heb uw dossier gelezen. Natuurlijk opent u de kluis,' zei Wayne Hyde. Zijn glimlach was nu gewoonweg teder.
'Dat doe ik niet.'
'Wat is er toch met u, dokter? In uw dossier staat dat het een genoegen is met u samen te werken. Er wordt vol lof over uw medewerking gesproken. En juist dit kleine genoegen wilt u mij niet doen?'
'De heer Ross is een zeer oude vriend van mij. Hij en mevrouw Olivera hebben de cassettes vol vertrouwen aan mij overgedragen.'
'Zeker, zeker. En u draagt ze nu aan mij over.'
'Nee, dat doe ik niet, mr. Corley.'

'Och, dat doet u wel, dokter. Moet ik u nu echt aan uw broer helpen herinneren? Dat is pijnlijk voor mij.'

'Hou op!' Eensklaps schreeuwde Sibylle. 'Moet dat dan eeuwig zo doorgaan? Moet ik dan eeuwig aan iedere gemeenheid meedoen?'

'Zegt u dat toch niet, dokter. Gemeenheid, tut, tut, tut. Maar doorgaan? Wel, natuurlijk moet het zo doorgaan. U gaat al jaren akkoord met onze overeenkomst. Ik begrijp absoluut niet wat u hebt, echt niet. Is het mogelijk dat het weerzien met uw vriend u zo van de kook heeft gebracht? Dat zou me spijten. Maar stelt u zich nu alstublieft niet langer aan. De tijd dringt!'

Wayne pakte de grote, ingelijste kleurenfoto van het bureau en bekeek die. 'Ziet er goed uit, die jongen, werkelijk . . .'

'Zet onmiddellijk die foto neer!' schreeuwde Sibylle.

'Maar natuurlijk, dokter.' Hyde deed wat hem op luide toon te verstaan werd gegeven. Plotseling glimlachte hij niet meer. 'Zo,' zei hij. 'En nu is het afgelopen. Opendoen en vlug een beetje!'

Sibylle verroerde zich niet.

'Voor de laatste keer, dokter, maak open!'

Sibylle schudde het hoofd. Ze wilde iets zeggen. Haar stem begaf het.

'Goed.' Herdegen kwam naar voren en pakte de telefoonhoorn op. Hij draaide. Daarna sprak hij onmiddellijk: 'Goedenavond. Met Herdegen. Geeft u mij de heer Abad. Het is dringend . . . Ja, dank u. Ik wacht . . .' Hij keek Sibylle aan. Deze beantwoordde zijn blik, bevend over haar hele lichaam.

'Met Abad? . . . Ja, Herdegen. Ik moet u helaas zeggen dat dokter Mannholz weigert . . .'

Met een afschuwelijke uitdrukking van overgave op haar gezicht was Sibylle naar de deur van de kluis gegaan en begon ze aan de conus in de cirkel met cijfers te draaien.

'Een ogenblikje,' zei Herdegen in de hoorn. 'Een ogenblikje graag, meneer Abad . . .'

Sibylle had de combinatie ingesteld. Ze trok aan het grote, verzilverde wiel. De gepantserde deur zwaaide open en in de kluis sprong het licht aan.

'Neemt u mij niet kwalijk, meneer Abad. Alles is alweer in orde. De dokter gedraagt zich weer even verstandig als gewoonlijk . . . Het spijt me dat ik u heb gestoord, maar . . . Erg vriendelijk van u . . . Ja . . . Ja . . . Ja . . . ik zal het doorgeven. Goedenacht!' Hij legde de hoorn op de haak en zei tegen Sibylle, die met haar rug tegen het raam was gezakt: 'Hartelijke groeten van de heer Abad. En bedankt.' Met deze woorden ging Herdegen de kluis in, waar hij de gele envelop met beide videocassettes van de plank nam. Hij kwam terug en zei: 'Heus, dokter, u weet toch dat zulke scènes nergens toe leiden! U windt u alleen volkomen nutteloos op. U had het ook dadelijk kunnen doen. Komt u mee, mr. Corley? We gaan naar mijn kamer boven.'

'Ik verzoek u nogmaals ons de storing niet kwalijk te nemen,' zei Wayne Hyde. Daarna volgde hij de bleke dokter. De deur viel achter hen in het slot. Roerloos stond Sibylle tegen het raam geleund.

Nu glimlachte Daniel plotseling niet meer, zag Mercedes, die aan zijn bed zat. Hij droomde niet meer van Sibylle. Alles was plotseling anders geworden en hij zag heel andere beelden, beleefde een heel ander leven, zoals dat gebeurt in dromen.

Het leven, samen met zijn moeder. Indertijd, vlak na de oorlog. Puin, ruïnes, kou, ellende. De afschuwelijke kamer in het huis van die nare, vreemde mensen bij wie ze waren "ondergebracht". Thea Ross werkt als serveerster in de nabijgelegen Amerikaanse club Clam-Gallas-Palais in de Währinger Strasse, bij het Chemisch Instituut. En daar hebben ze doughnuts.

Doughnuts!

In onze dromen herinneren we ons de kleinste en verst verwijderde dingen. Hoe vaak heeft Daniel al niet van die doughnuts gedroomd! Het zijn in vet gebakken deegringen. Altijd pas tegen elf uur 's avonds komt moeder thuis. Altijd is Daniel nog wakker. En dan wacht hij vol gelukzaligheid op moeder alsof het Kerstmis is, elke nacht Kerstmis. En zo is het ook. Want moeder brengt steeds drie doughnuts en een thermosfles warme chocolademelk mee uit de club. En dan begint elke nacht Kerstmis voor Daniel, de kleine jongen met het smalle snuitje, de grote ogen en het magere lijfje. Doughnuts en warme chocolademelk voor hem! Soms een stuk wittebrood met pindakaas.

Gossie, wat voelt hij zich dan zalig in zijn harde bed! En moeder zeker, als ze over zijn haar strijkt, doodmoe, blij dat ze haar schoenen van haar gezwollen voeten kan doen. Dan moet ze altijd glimlachen. En diezelfde glimlach hebben de madonna's in de kerken waar Daniel zo vaak mee naar toe wordt genomen, omdat moeder zo vaak bidt om ander werk, werk dat lichter is, en om een eigen huisje. Alstublieft, lieve God, vader is dood, wij zijn alleen en wij hebben alleen elkaar nog. Daniel, o, wat houd ik van jou. Ik ook van u, moeder. Ik ook van u. Zo moet het in de hemel zijn. Moeder en doughnuts. Misschien ook nog pindakaas. En warme chocolademelk.

Dan gaat Daniel naar het gymnasium. En hij is de beste van de klas en leert het ijverigst, om moeder plezier te doen, moeder, die altijd bedroefd is en bedroefd is geweest zolang hij zich kan herinneren – ook toen vader nog leefde en uit de oorlog op verlof kwam. Nu is er geen oorlog meer. Langzaam verdwijnen de puinhopen. Dan hébben ze een eigen flatje, in de Schopenhauerstrasse, parterre; oudbouw, maar dat geeft niet. En moeder heeft ander werk; bij een nieuwe uitgeverij. Ze is daar lectrice voor Franse, Engelse en Italiaanse boeken. Want moeder kent vreemde talen, ze heeft een goede opleiding gehad. En nu worden toch al die vele boeken gedrukt die onder de nazi's verboden waren. Daniel gaat na school boodschappen doen en hij houdt ook het huis schoon en wast af en pas daarna maakt hij zijn huiswerk – net als Anton in *Puntje en Anton* van Erich Kästner, die ook boven alles van zijn moeder houdt.

En net als Erich Kästner begint Daniel al heel vroeg te schrijven. Zijn eerste korte verhaal wordt op zijn vijftiende verjaardag gedrukt, in *Neues Österreich*. Hoelang bestaat die krant al niet meer! Honderdvijftig schilling honorarium krijgt Daniel. Wat is moeder gelukkig. Niet om het geld. Nee, voor Daniel. Ze is zo trots op haar geliefde zoon.

En deze blijft schrijven. Zijn verhalen worden ook in Duitsland gedrukt. Het zijn er zeer veel. Wat een heerlijke tijd! Nieuwe boeken, nieuwe films, nieuwe toneelstukken! Daniel gaat met zijn moeder naar de bioscoop, naar de schouwburg. Andere jongens van zijn leeftijd gaan met een vriendinnetje. Vriendin? Daniel wil er geen. Hij wil alleen moeder, die altijd zo goed voor hem is geweest. Dan komt er natuurlijk toch een vriendin. Erika heet ze. En wat doet Daniel, die voor het eerst verliefd is op een meisje? Nog voordat hij haar voor het eerst heeft gekust, stelt hij haar aan moeder voor. Moeder vindt haar aardig. Gelukkig maar. Want als moeder haar niet aardig had gevonden, was het dadelijk uit geweest met Erika.

Maar moeder is immers zo verstandig, denkt hij. En eensklaps voelt hij haat in zijn droom. Ze weet dat de tijd komt dat ze zijn liefde zal moeten delen. Natuurlijk haat ze Erika. Niet als Erika. Als rivale. Och, denkt hij direct daarop beschaamd in zijn droom, wat heeft ze allemaal niet meegemaakt: vader, de oorlog, het zware werk als serveerster, wij tweeën alleen. Ze is toch een arm slachtoffer. Het slachtoffer van de liefde, wij alle twee ...

Het duurt niet lang met Erika. Moeder heeft zoveel te doen. 's Avonds moet ze thuis nog rapporten uittikken. Haar ogen worden steeds slechter. Dan gaat Daniel, nadat hij zijn afspraakje met Erika heeft afgezegd, achter de machine zitten en tikt wat zijn moeder dicteert. En ze strijkt weer over zijn haar. Mijn goede jongen.

Natuurlijk laat Erika dat niet op zich zitten. Ze zegt tegen Daniel dat ze een andere vriend heeft gevonden en dat het uit is tussen hen. Wat is Daniel wanhopig. En moeder ook. Om hem te troosten gaat ze – ze kunnen alweer reizen – met hem naar Elba. Elke middag zitten ze bij de haven van Portoferraio in hun lievelingsbar – alle cafeetjes in Italië heten bar – en ze zijn gelukkig, zo gelukkig, moeder en Daniel.

Er komen andere meisjes. Moeder vindt ze allemaal even lief. Maar de meisjes gaan ook allemaal weer. Geen enkele blijft. Heel vaak is Daniel daar blij om. Want hij vergelijkt hen allemaal met moeder. En dan is de een te ijdel en de ander te lichtzinnig en nummer drie weet niet hoe het beroemde boek heet dat Marcel Proust heeft geschreven.

Daniels verhalen hebben hem bekendheid gegeven. De chef-redacteur van de Amerikaanse militaire zendergroep Rood-Wit-Rood vraagt hem. En zo komt hij bij de radio. Heeft zijn eigen programma, algauw. Schrijft, spreekt, produceert zelf. Wordt als correspondent naar Hamburg gestuurd. Moeder alleen in Wenen? Nee, nu verdient hij genoeg. Ze moet mee naar Hamburg. Bij hem zijn. Hij wordt correspondent in Londen. Natuurlijk gaat moeder weer mee. Haar ogen zijn nu wel heel slecht. Een operatie door de beste arts helpt. Daniel geeft moeder altijd veel geld. Ze heeft het allemaal niet nodig. Zal het sparen voor hem, zegt ze, voor haar lieve Daniel, voor als het eens slecht met hem gaat.

In Londen ontmoet hij Alice ... charmant, ouder dan hij, dertien jaar ouder. En wat doet hij? Ze trouwen. Moeder trekt bij hen in, dat heeft

Daniel direct aan Alice duidelijk gemaakt. Hij huurt een mooi appartement in Mayfair. Dan is hij al correspondent bij de televisie. Bij de zender Frankfurt. Wat een carrière! 'Een reportage van Daniel Ross vanuit Londen...' Na een half jaar zet Alice hem voor het blok: óf moeder gaat, óf zij gaat. Heftige scènes. Moeder biedt dadelijk aan weer naar Wenen te gaan. Geen sprake van. Dus Alice gaat. Een half jaar later is Daniel gescheiden. En zo gelukkig met moeder.

Hij wordt overgeplaatst naar Rome. Nu is hij toch wat voorzichtiger. Dat gedoe, dat rondtrekken, wordt te vermoeiend voor moeder. Hij koopt een appartement in Wenen, in Hietzing. Daar gaat moeder wonen en ze zal hem vaak in Rome bezoeken. Met het vliegtuig is dat een kippe-eindje. Natuurlijk, je wilt vrij zijn, zegt moeder. Och, wat is ze verstandig, wat heeft ze een begrip.

In Rome ontmoet hij Anna. Houdt van haar, zij van hem. Moeder komt op bezoek en is zo aardig tegen Anna, zo vriendelijk. Maar vlak voor Kerstmis wordt ze ziek en ze vraagt aan Anna en Daniel naar haar in Wenen te komen. Anna heeft een zoontje. Dat moet natuurlijk in Rome Kerstmis vieren. Ditmaal is alles anders. Daniel staat aan Anna's kant. Voor het eerst is hij op kerstavond niet bij moeder. Hij belt haar op. Ze is zo vol begrip aan de telefoon. Maar natuurlijk, hij kan onmogelijk komen. Ze maakt hem geen verwijten. Maar hij maakt zichzelf verwijten. En hij maakt Anna verwijten.

Dit kerstfeest brengt het einde van zijn tweede liefde voor een volwassen vrouw. Op eerste kerstdag verlaat Anna samen met de kleine Robertino, haar zoontje, Daniel. Hij wil zich bedrinken, zinloos bedrinken. Maar hij kan niet tegen alcohol. Hij moet overgeven. Hij voelt zich kotsmisselijk. Hypernerveus is hij, gejaagd, beverig.

Dan – een moord!

Hij moet werken met zijn team. Hij kan niet... Hij kan niet... Een cameraman geeft hem een paar tabletjes.

'Neem die. Ze zijn prima.'

'Wat is dat?'

'Valium.'

Valium!

O, heerlijk, gezegend valium!

Weg dat beven, weg die duizelingen. Daniel is weer helemaal zeker van zichzelf. Hij kan weer werken. En hij werkt in de volgende jaren, en hoe! Zo goed als nooit tevoren. Altijd met valium, natuurlijk.

Hij wordt belast met de leiding van de Weense studio Zuidoost-Europa. Nu is hij weer bij moeder, in dezelfde stad, in hetzelfde huis. Een grote cirkel is weer gesloten. Nu hoeft hij geen schuldgevoelens meer te hebben. Geen valium meer te nemen. Maar hij móet het innemen. Hij heeft het nodig. Hij kan niet meer leven zonder valium.

'Mijn jongen,' zegt moeder, 'mijn lieve, grote jongen!' Wat hebben ze nu een mooie flat in de Grinzinger Allee! Dan wordt moeder ziek. Ze moet

naar het ziekenhuis. En hij moet telkens weer weg – naar Praag, Boedapest, Boekarest, Belgrado. Meer valium. Moeder wordt steeds zieker. De grote aardbeving bij Napels. Hij moet erheen. Smerig komt hij in het hotel terug van het filmen. Een telegram. Moeder is dood. En hij was niet bij haar toen zij stierf . . .
Valium, natuurlijk, heel veel valium.

Romeinse godin van haard en haardvuur met vijf letters. Niet te vinden. Buja, de man van de kerkhofdienst in de kamer met elektronische apparatuur achter het werkvertrek van dokter Herdegen, zat er al drie minuten over te piekeren. Klein, gezet en met een spaarzame haarkrans, zat hij daar met een puzzelboekje voor zich. Door verscheidene luidsprekers drong het geluid van open verbindingen. Laten we het eens horizontaal proberen, misschien krijgen we dan tenminste één letter. Horizontaal dus: antiek schip met drie rijen roeiers. Om van te kotsen!
De deur ging open en Herdegen kwam haastig binnen met een man die de kerkhofdienst niet kende.
'Goeieavond, Buja.'
'Goeieavond, dokter.'
'Geen nieuws zeker, hè?'
'Nee, niets.'
'Ga even naar buiten, Buja.'
'Wat zegt u?'
'Je moet naar buiten. We moeten even iets bekijken. Ga maar in mijn kamer zitten.'
'Zeker.' De man die Buja werd genoemd, stond op, rekte zich uit, geeuwde, trok zijn bretels omhoog en pakte zijn jasje. Herdegen was met de onbekende man al midden in de kamer. Hij draaide zich om naar een televisietoestel en een videorecorder. Buja zag dat hij twee cassettes in zijn hand had.
'Hoe komt het eigenlijk dat je hier al bent?'
'In verband met de sneeuw ben ik eerder uit Wenen weggegaan.'
'Vooruit, verdwijn! En je laat niemand binnen, begrepen?'
'Begrepen.' Buja ergerde zich aan die ijskoude toon. We zitten hier niet in het leger! Hij nam het puzzelboekje mee. Rotgodin van het haardvuur! In de kamer van de dokter staat een Brockhaus in vierentwintig delen. Dan zullen we maar eens kijken . . .
De deur viel dicht achter Buja.
Herdegen zette het toestel aan, schoof de eerste cassette in de gereedstaande videorecorder en stelde het apparaat met de afstandsbediening op een ander kanaal in. Wayne Hyde was gaan zitten. Het beeldscherm flikkerde. Herdegen drukte op de startknop van de recorder en ging naast Hyde zitten.
Op de beeldbuis flikkerde het nog een paar seconden, vervolgens verschenen de cijfers 3, 2, 1 en daarna een grote X. Plotseling was daar een

kleurenfilm. De beide mannen lazen: WALT DISNEY PRESENTS: THE BEST OF MICKEY MOUSE.

Er klonk overmoedige jazzmuziek. Het volgende half uur zagen Herdegen en Hyde zes Mickey Mouse-films, die heel goed waren.

Herdegen stond op, zette de recorder stil, verving de eerste cassette door de tweede en liet die lopen.

3,2,1, een grote X en het volgende opschrift: WALT DISNEY PRESENTS: THE BEST OF DONALD DUCK. Weer opgewekte jazzmuziek. Weer zes tekenfilms, ditmaal over de wereldberoemde eend, als laatste een film waarin Donald Duck zijn verjaardag viert, want dit cartoonfiguur is net vijftig jaar geworden.

Herdegen zette het toestel uit en stopte de cassettes terug in de hoezen.

'Ik bel Londen op,' zei hij.

'Straks,' zei Hyde. 'Eerst moeten de cassettes terug in de kluis. Misschien wil Olivera ze opeens zien. Dokter Mannholz houdt haar mond toch wel, hè? Die doet toch wat u haar zegt?'

'U hebt het zelf gezien,' zei Herdegen. 'Omdat namelijk ...'

'Ik weet waarom,' zei Hyde en hij liep al weg. In de aangrenzende kamer zat de bijna kale, dikke Buja van de kerkhofdienst.

Hij keek op toen de beide mannen verschenen.

'Bedankt,' zei Herdegen. 'Je kunt weer in je kamer. We zijn zo terug.' Hij verliet achter Wayne Hyde de spreekkamer. Buja haalde zijn schouders op en stond op. Wat was er? De dokter had een hoogrood gezicht. Anders zag hij er toch altijd zo beroerd uit. Vesta heette de Romeinse godin van het haardvuur met vijf letters.

En Daniel droomt wat hij telkens opnieuw droomt ...

Werner Farmer, zijn oude vriend die net in Wenen is, komt op bezoek in het kabouterwoninkje. Daniel wil dat Sibylle hem leert kennen. En trots wil hij aan Werner Farmer laten zien wat voor geweldige vrouw Sibylle is. Ze staan in het piepkleine halletje en kunnen zich amper verroeren. Sibylle moet de keuken in en Werner krijgt het papier niet van het boeket bloemen dat hij heeft meegebracht. En hij en Sibylle zijn erg stil, maar Daniel maakt gelukkig en verliefd lawaai voor twee.

'Is ze niet geweldig? Heb ik overdreven?'

'Danny, toe,' zegt Sibylle.

'Dat meisje is fantastisch,' zegt Werner en lacht schuw en verlegen. Hij maakt een buiging. Werner Farmer is groter dan Daniel, flinker, hij heeft een breed gezicht, een hoog voorhoofd en zwart haar. Hij draagt een hoornen bril, zijn ogen zijn groen en zijn huid heeft grove poriën. Hij had als jongen heel veel last van acne, Daniel kan het zich nog goed herinneren.

Sibylle heeft in het kabouterkamertje de tafel feestelijk gedekt en in de keuken schenkt ze drankjes in, een droge Martini voor Werner Farmer en zichzelf. Daniel, die niet tegen alcohol kan, krijgt tonic. Hij praat het meest, hij zou zo graag willen dat Sibylle en Werner elkaar direct sympathiek vinden. Het is een gesprek met onderbrekingen, want Sibylle moet telkens naar de keuken om te zien hoe het met het eten is dat op het gas staat.

'Werner maakt de prachtigste kunstboeken ter wereld, Sibylle! Je kunt je niet voorstellen hoe prachtig die zijn! Fantastische kleuren!'

'Natuurlijk zwaar overdreven,' zegt Werner. Hij is weer verlegen. Sibylle ook. Ze kijken elkaar nauwelijks aan.

Daniel merkt het niet. Hij zegt enthousiast: 'Echt waar, Sibylle!' Werner vertelt: 'Het is een enorm project waar veel mensen aan meewerken. En twee uitgevers: een Engelse en een Duitse. Het zou te duur zijn voor één uitgever alleen. Honderden kleurafbeeldingen in ieder deel. Met tekeningen en kaarten. Ik ben alleen verantwoordelijk voor de kunsthistorische teksten – samen met enkele Engelse collega's. Het wordt inderdaad een grote serie. Er zijn al een paar delen uit, als laatste *De renaissance*.'

'O, *De renaissance*!' Sibylle kent dat deel. Vader in Salzburg heeft het. 'O, dus jij bent het die zo iets prachtigs heeft gemaakt!'

'Ik heb je toch gezegd, Sibylle, dat hij een genie is, een echt genie!'

'Alsjeblieft, Danny.' Farmer friemelt aan zijn bril. 'Ik vind het natuurlijk fijn dat je het boek zo mooi vond, Sibylle.'

'Waar ben je nu mee bezig?'

'Met het deel over de baroktijd.'

'En Werner zal een heel jaar in Wenen moeten werken,' roept Daniel. 'In het Kunsthistorisch Museum, in de Albertina en in de Staatsbibliotheek.'

'Telkens een paar weken achter elkaar,' vertelt Farmer. 'Dan moet ik weer terug naar München. Daar zit de Duitse uitgever.' Hij wordt nog meer verlegen. 'Danny heeft al zoveel over jou verteld. Hoe je hem hebt geholpen. Je bent een heel goede arts.'

'O, lieve help!' Ook Sibylle wordt nog meer verlegen. 'Laten we elkaar nu nog even de Nobelprijs waardig verklaren en dan gaan we eten.'

'Eten!' Daniel geeft zijn vriend een klap op de schouder. 'Wat je nu te eten krijgt, dát verdient de Nobelprijs! Zo iets heb je nog nooit gegeten. Dat krijg je alleen maar bij mevrouw de docente. In haar beroep – goed, ik geef toe dat ze wat af weet van medicijnen. Maar als kokkin – man, op die manier heeft ze al een paar keer mijn leven gered. Ik heb al verscheidene tafelspitz-ontwenningskuren achter de rug. En er zullen er nog wel meer volgen. Ik ben hopeloos verslaafd aan dat spul.'

Sibylle geeft een zoen op zijn wang. 'Gekke vent.'

'Natuurlijk ben ik gek! Dat moet je toch wel worden met zulke tafel . . . ik bedoel: met zo'n vrouw. Hè, Werner?'

'Tja, ik denk dat zo iets niet te vermijden zal zijn,' zegt Werner. En dan eten ze en Daniel knort van genoegen. 'Is het geen paradijs hier – met haar?'

Farmer zet zijn bril weer recht. 'Ja,' zegt hij, 'dat is het, Danny.'

'Hij mag nog eens komen, hè, Sibylle? Telkens als hij in Wenen werkt, maken we een afspraak.'

'Graag,' zegt Sibylle. Ze kijkt Farmer daarbij niet aan.

'En we brengen hem nog even naar het station.'

'Naar het station – hoezo?'

'Hij moet vandaag nog naar München terug. Ik heb hem afgehaald bij het hotel. Zijn koffer ligt in de auto. We hebben de tijd. De Oriëntexpress vertrekt pas om kwart over twaalf.'
'Ik reis graag in een slaapwagen,' zegt Farmer. 'Dat bespaart tijd. En ik slaap er prima in.'
'Dat moet je nog maar afwachten, of je vannacht goed slaapt, terwijl je zoveel naar binnen hebt gewerkt!' roept Daniel, en Sibylle protesteert.
'Nou, ik toch ook, liefste! Werner zal heel voorzichtig op zijn rug moeten liggen, anders rolt zijn buik eraf.' En Daniel schatert. Hij is gelukkig, omdat zijn vriend nu weet wat een kostbare schat hij bezit.

Om half twaalf breken ze op. Ze rijden naar het Westbahnhof. Daniel staat erop de koffer van Werner te dragen.
'Nee, nee, hij is loodzwaar. Er zitten een heleboel boeken in.'
'Boeken, laat me niet lachen.' Daniel tilt met moeite de koffer uit de auto. Het volgende moment scheldt hij zichzelf in stilte uit voor vervloekte idioot. De koffer trekt hem bijna ondersteboven. Daniel heeft nog nooit zo'n zware koffer gedragen. En dan nog zo volgevreten als ik ben, denkt hij terwijl hij al de grote trap op wankelt die naar de perrons gaat. O God, is me dat een koffer! En de Oriëntexpress is eindeloos lang en de slaapwagen van Werner is natuurlijk helemaal vooraan in de trein. Ze lopen naast elkaar. Er schijnt geen eind aan te komen. Ik ben een held, denkt Daniel. Een idiote, heldhaftige kerel ben ik. Bijna aan het eind van zijn krachten bereikt hij de slaapwagen en sleept die vervloekte koffer ook nog het ijzeren trapje naar de gang op. Hij hijgt. Zijn overhemd kleeft aan zijn lichaam. Hij voelt steken in zijn zij. Maar hij grijnst.
'Tot ziens, ouwe jongen. Wanneer kom je weer?'
'Aanstaande donderdag – een hele maand.'
'Heb je het gehoord, Sibylle? Een hele maand! Dan zien we elkaar vaak, hoor!'
'Natuurlijk,' zegt Sibylle.
Werner Farmer neemt afscheid en bedankt hen.
'Fijn dat ik je heb leren kennen,' zegt Sibylle. Ze kijkt hem daarbij weer niet aan.
Hij klimt het rijtuig in. Even later staat hij bij het raam van zijn coupé. Hij kan het raam niet opendoen. Hij zwaait. Zij zwaaien ook. Daniel lacht, Sibylle niet. Minuten staan ze daar zo, dan vertrekt de trein. Daniel zwaait tot de Oriëntexpress in een wirwar van rails en rode en witte lichten is verdwenen.
'Was die even enthousiast over jou!' zegt Daniel
Ze lopen het perron af.
'Denk je?'
'Of ik dat denk? Die zat je gewoon met zijn ogen te verslinden. Heb je dat niet gemerkt?'
'Nee, daar heb ik niets van gemerkt. Deed hij dacht echt?'
'Ja hoor. Die is volkomen van de kaart! En jij? Hoe vind jij hem?'
'O, wel aardig,' zegt ze.

Daniel lacht.

'Een heel jaar moet hij in Wenen zijn. We zullen een fijne tijd hebben, hè?'

'Ja,' zegt ze, 'beslist.'

Hij pakt haar hand en begint eensklaps met haar te rennen.

'Wat heb je, Danny? Danny!'

'Kom, laten we naar onze toren teruggaan,' zegt hij. 'Ik ben zo verschrikkelijk verliefd. Zullen we gaan spelen, Sibylle? Zullen we gaan spelen . . .?'

De deur van de kamer ging zachtjes open.

Mercedes, die aan Daniels bed zat, schrok ervan. Sibylle kwam binnen. Ze legde haar vinger op haar lippen. Ze kwam naar het bed. Uit een zak van haar doktersjas haalde ze een vel papier en gaf het aan Mercedes.

Sibylle had ook een nieuwe fles meegebracht en ruilde die vaardig om tegen de bijna lege die aan het infuus hing. Daniel voelde niets, hij lag in diepe slaap en glimlachte gelukkig.

Mercedes was opgestaan. In de badkamer brandde een lamp. Door de halfopen deur viel het lichtschijnsel en daarin las Mercedes de volgende woorden:

Snel lezen en vernietigen! Ik word gechanteerd. U bevindt zich in een spionagecentrum. Herdegen en een onbekende man dwongen me de kluis te openen. Ze hebben uw cassettes eruitgehaald en na veertig minuten zonder commentaar weer teruggebracht. De beslissing is aan u, wat er nu verder gebeurt.

Terwijl Mercedes las, zei Sibylle zachtjes: 'Waarom gaat u niet naar bed, mevrouw Olivera? U moet doodmoe zijn.'

En zacht klonk Sibylles stem door een van de vele luidsprekers in het raamloze vertrek achter de spreekkamer van Herdegen. De kleine, gezette technicus met het spaarzame haar, Buja genaamd, die kerkhofdienst had, draaide aan een regelaar om de stemmen luider te krijgen. Af en toe kraakte er iets op de lijn.

Daar klonk de stem van Mercedes: 'Ik ben helemaal niet moe. Ik wil bij hem waken.'

Sibylles stem: 'U hoeft zich geen zorgen om Daniel te maken. Alles komt in orde. Ik kom telkens even kijken. En ook de nachtzuster komt langs.'

Achter Buja, die op een stoel met verstelbare rugleuning voor de lange afluisterwand zat, stonden Herdegen en Wayne Hyde.

'Mannholz heeft alles op een briefje geschreven, dat zweer ik je,' zei Herdegen.

'Dat hoop ik maar,' antwoordde Hyde. 'Dat is precies wat we nu willen. Precies wat mr. Morley net aan de telefoon wenste. Ross en Olivera moeten weten dat we achter hen aan zitten. Alleen dan zullen ze sneller handelen. Wel voorzichtig, maar ze zullen handelen. Ze moeten geprovoceerd worden . . .'

Op het vel papier krabbelde Mercedes met een balpen: *In de kluis liggen cassettes van tekenfilms, de echte zijn in veiligheid. Bedankt voor uw hulp!*

234

Intussen zei ze zachtjes: 'Ik kan gewoon niet slapen, dokter. Ik ben zo over mijn toeren. En ondanks alles maak ik me zorgen om Daniel.'

'Volkomen overbodig,' zei Sibylle zacht. Ze knipte een aansteker aan, stak het vel papier in brand en ging ermee naar de badkamer, waar ze de verkoolde resten in het toilet liet vallen. Met gebaren beduidde ze Mercedes later door te spoelen. Intussen ging ze voort: 'Hij heeft een ongelooflijk sterk gestel. De volgende week loopt hij alweer rond, dat beloof ik u.'

'Dank u,' fluisterde Mercedes.

De beide vrouwen stonden nu tegenover elkaar. Ze keken elkaar lang en ernstig aan. Daarna fluisterde Sibylle: 'Tot straks!' waarna ze abrupt het vertrek verliet. Ze ging door de in blauw licht gedompelde gang naar beneden.

Eensklaps had ze het gevoel dat ze niet de minste kracht meer had. Ze wankelde en kon nog net een bank bereiken. Ze zakte erop neer met gesloten ogen en bleef lange tijd roerloos zitten. Een keer kreunde ze zacht.

Herdegen zat nu in zijn werkkamer achter zijn bureau. Hij telefoneerde met Londen. De advocaat Roger Morley had teruggebeld. Herdegen schakelde de interruptor in. Wayne Hyde zat op het schrijfblad met het meeluister-apparaat aan zijn oor.

'Ik heb uw inlichtingen doorgegeven, dokter. Ik moet u en mr. Hyde het volgende mededelen: geen reden om de moed te verliezen. We hebben nu eenmaal niet met domme mensen te doen. Maar de zaak heeft wel de grootste haast. Er moet zo snel mogelijk beweging in komen. Flink wat beweging. Wat is er? Wilde u iets zeggen, dokter?'

'Er zál beweging in komen, mr. Morley. Mannholz was net in de zieken-kamer. Olivera zit bij Ross te waken. Mr. Hyde en ik zijn er vast van overtuigd dat Mannholz de vriendin van Ross schriftelijk op de hoogte heeft gesteld van het feit dat wij haar hebben gedwongen de kluis te openen en de cassettes af te geven. En dat we ze zonder commentaar hebben teruggebracht.'

'Ik hoopte erop dat zo iets zou gebeuren – weet u wel? En verder: de instorting van Ross in het vliegtuig was niet gespeeld en niet voorzien. In Frankfurt hadden die twee geen tijd meer de echte cassettes in veiligheid te brengen. U weet dat in São Paulo een oude priester die stomme Leon met zijn stok een klap op zijn hoofd gaf. Daarna heeft de zeereerwaarde op de rode tas gelet. Welnu, onze mensen in Frankfurt hebben dat nagegaan. Volgens de passagierslijst heet die priester Heinrich Sander. Om halfzeven zijn onze vrienden doorgevlogen naar Wenen. Sander vloog even later door – naar Keulen met vlucht 328 van de Lufthansa. Daar werd hij door twee jonge priesters opgewacht. Met een taxi zijn die drie naar het grote cisterciënzerklooster aan de Daverkusenstrasse in de stadswijk Merkenich gebracht. Er staat een kerk naast, zei de chauffeur. De Andreaskerk.'

'Bent u dat allemaal binnen een uur aan de weet gekomen?' vroeg Herdegen verbaasd.

235

'Wij hebben alleen maar topmensen in dienst, dat weet u, dokter. Net als u tweeën. Als zo iets lukt, lukt het snel.'
'Maar wanneer zou die Sander de cassettes kunnen hebben geruild? En hoe kwam hij aan de Walt Disney-cassettes?' vroeg Herdegen. Hyde knikte instemmend. Morleys stem uit Londen: 'Hij vloog al met hen mee vanaf Buenos Aires. Misschien is daar alles al begonnen. U zegt dat de Disney-cassettes een etiket hebben met Spaanse opdruk. Misschien werden ze allang voor het vertrek gekocht en zaten ze al in de rode tas. En zaten de echte in de bagage van Sander. Zo zou het kúnnen zijn. Het hoeft niet, maar er valt veel voor te zeggen. Vooral omdat Sander priester is. Denkt u maar aan de overweldigend grote rol van de kerk in de vredesbeweging! Ik zei u al: we hebben hier niet met domme mensen te maken. Geeft u mij mr. Hyde eens.' Hyde nam de hoorn over en noemde zijn naam. De twee mannen groetten elkaar. Daarna zei Morley: 'U hebt alles gehoord, hè?'
'Ja, mr. Morley.'
'Ross is de eerstkomende tijd niet in staat iets te ondernemen. Instructie voor u – en voor de dokter: die twee moeten gescheiden worden, begrijpt u? Olivera weet waar de echte cassettes liggen. Het hoeft immers niet de priester te zijn geweest, daar mogen we ons niet in vastbijten. Maar het ziet er wel naar uit. En als we ons vergissen – ergens moeten die cassettes toch zijn. U hebt nu alleen met een vrouw te maken. Ik denk dat u toch wel een vrouw aankunt, mr. Hyde.'
'Dat denk ik ook.'
'Geweld alleen als het niet anders kan en het werkelijk nut heeft.'
'Ik zit al zeventien jaar in dit vak, mr. Morley. Ik weet wat ik doe. Overigens bedankt voor de overmaking van het geld.'
'O, u hebt al in Zürich geïnformeerd?'
'Nog vanuit Londen. Geen overmaking en ik zou niet eens naar Frankfurt zijn gevlogen. Maar hoe krijgen we Olivera zover dat ze Ross alleen laat?'
'Dat zal ik u vertellen.'

14

De visite begon om negen uur.
Om half tien kwam Sibylle, gevolgd door Herdegen en nog twee andere artsen, twee vrouwelijke artsen en de hoofdverpleegster bij Daniel. Hij was gewassen en geschoren en keek lachend naar Sibylle. Mercedes zat naast hem. Het sneeuwde nog steeds.
Sibylle keek even naar de koorts-, pols- en bloeddrukcurven, die in verschillende kleuren op een groot vel aan het voeteneinde van Daniels bed waren getekend.
'Alles normaal. Behoorlijk trek in het ontbijt, hoor ik, en goed geslapen.'
'Als een blok, Sibylle.'

'Ik weet het. Ik ben een paar maal bij je geweest, boef.' Sibylle was bleek en zag er doodmoe uit. Ze had donkere wallen onder haar ogen. Ze besprak even met Herdegen de verdere behandeling. Hij was uitermate beleefd, ronduit onderdanig. Sibylle gaf aan de hoofdverpleegster, een dikke vrouw met bril die alles noteerde, de medicatie op. 'En natuurlijk blijft hij aan het infuus. Heb je alles, Magdalena?'

'Zeker, dokter.'

'Strek je armen eens uit,' zei Sibylle. 'Vingers spreiden. Niet zo wijd, losjes. Doe nu je ogen dicht.' Daniels vingers trilden hevig en daarna beefden zelfs zijn hele handen.

'Mooi, mooi,' zei Sibylle.

'En het wordt nog mooier, mevrouw Olivera. Schrikt u maar niet. Het is heel normaal,' zei Herdegen tegen Mercedes, die een blauw mantelpakje droeg. 'Maar niet lang meer.' Hij wendde zich tot Sibylle. 'Dan was er nog iets, dokter . . .'

(In de grote afluisterkamer stond naast een technicus, die de gezette Buja, de kerkhofdienst, om acht uur 's morgens had afgelost, Wayne Hyde. Hij knikte tevreden. De conversatie kwam door de luidspreker.)

'O ja, juist. Bedankt, collega.' Sibylle keek Mercedes aan. 'We hebben er zojuist over gesproken, dat . . .'

'Waarover, dokter?'

Sibylle lachte zwakjes. 'Niets ernstigs. U hoeft zich werkelijk geen zorgen over uw patiënt te maken, mevrouw Olivera. Die knapt wel weer op. En juist daarover hebben we nagedacht. Als hij over een dag of vijf, zes opstaat, moet hij gauw in de frisse lucht. Wandelen. Veel wandelen. Nu heb ik gisteren gezien dat hij alleen luchtige zomerkleding in zijn koffer heeft. Natuurlijk – in Argentinië is het nu heet. Maar bij ons . . . Hij heeft stevige schoenen nodig, warme pakken, een winterjas enzovoort.'

'Dat is allemaal in Frankfurt,' zei Daniel.

'Natuurlijk,' zei Sibylle. En tegen Mercedes: 'De komende dagen kunt u niet veel voor hem doen. Dan moeten wij ons nog flink met hem bezighouden. En ú moet beslist hier zijn als het gif uit zijn lichaam is verwijderd en hij op een nieuw preparaat overschakelt. Dan heeft hij u nodig. We wilden u vragen de tussentijd te benutten om naar Frankfurt te gaan en zijn winterspullen te halen. Nu hebt u er de tijd voor.'

'Ja, dat is zo.' Mercedes knikte. 'Vind je ook niet, Daniel?'

Hij keek Sibylle aan. Zij beantwoordde zijn blik zonder enige uitdrukking, want ze voelde dat Herdegen haar in de gaten hield.

'Vind ik ook,' zei Daniel. 'Zoek bij elkaar wat je geschikt lijkt. Zelf heb je warmere kleding meegebracht.'

Er schoot Mercedes iets te binnen. Ze zei tegen Sibylle: 'Ik heb gehoord dat Daniel zich tussen de zuivering en de overschakeling op een ander middel niet zo goed zal voelen.'

'Daar komt hij wel doorheen. Hij kent die toestand al. Zo goed als nu zal hij zich natuurlijk niet voelen.'

'Dan wil ik wel weer zo snel mogelijk bij hem zijn,' zei Mercedes. 'Ik denk dat ik vandaag nog vertrek.'

'Uitstekend idee,' zei Sibylle glimlachend. Herdegen hield haar voortdurend in de gaten.

'Dan ben ik misschien morgen al terug.'

('Kijk aan!' zei Wayne Hyde in de afluisterkamer tegen de technicus van de dagdienst, die Sjors werd genoemd.)

'Overdag vertrekken er verscheidene machines naar Frankfurt,' zei Sibylle. 'De secretaresse zal u een dienstregeling laten zien en u bij de reservering behulpzaam zijn. Uw pas hebt u ook nodig.'

'Een verpleger zal u met de wagen naar Schwechat brengen en u natuurlijk ook weer afhalen, mevrouw Olivera,' zei Herdegen.

'Ik breng u naar de secretaresse,' zei de dikke hoofdzuster vriendelijk, 'zodra de visite voorbij is.'

'Dank u, zuster.'

'Tot zo,' zei Sibylle tegen Daniel. 'Ik moet een paar uur slapen. Dag! Tot ziens, mevrouw Olivera.'

Ze verliet de kamer, gevolgd door het hele gezelschap. De deur viel dicht, Mercedes en Daniel waren weer alleen. Ze keek hem een hele tijd zwijgend aan. Daarna fluisterde ze in zijn oor: 'Is het nog even sterk als gisteren?'

'Nee,' fluisterde hij. 'Lang niet meer zo sterk.'

'Leugenaar,' zei ze. 'Mijn lieve leugenaar.'

'Je moet me begrijpen, zo plotseling . . . na al die tijd . . .'

'Ik begrijp het immers,' zei ze nauwelijks hoorbaar.

'Dank je,' zei hij. 'Het zal overgaan, Mercedes. Zij is ook erg in de war – natuurlijk.'

'Natuurlijk,' zei Mercedes.

Een half uur later verliet Sibylle het ziekenhuis en stapte over een van sneeuw vrijgemaakt pad door het park naar een nabijgelegen villa. Ze droeg nu laarzen en een bontmantel over haar doktersjas. Ze maakte de voordeur open. Door vertrekken met mooie antieke meubelen, madonna's, schilderijen en iconen liep ze naar een werkkamer, waarvan de muren tot aan het plafond met volgepropte boekenrekken bedekt waren. Achter het bureau bij het raam zat een grote, flinke man. Hij had een flanellen pantalon aan en een rood-zwart geruit overhemd met opgerolde mouwen. Zijn gezicht was breed, het voorhoofd hoog, zijn haar was zwart en de huid had grove poriën. De man had groene ogen en droeg een zware hoornen bril. Op het bureau lagen boeken, kleurenfoto's van schilderijen en drukproeven van een boek van groot formaat. De man zat te typen toen Sibylle de kamer binnenkwam.

'Goeiemorgen, Werner,' zei ze. Ze liep naar hem toe en gaf hem een kus op de wang.

'Goeiemorgen, lieveling. Hoe is het met hem?'

'Alles in orde,' zei ze, terwijl ze probeerde kalm te blijven. 'Ik ga nu even liggen. Ik ben erg moe. Hoe is het bij jou?'

238

'Zo, zo,' zei Werner Farmer. Ze ging achter hem staan, legde haar handen op zijn schouders en las de laatste regel die hij getypt had.
'. . . en deze lichte bovenverdieping maakte Tiepolo nog "langer" door tegen een achtergrond van blauwe en witte, bolle wolken *Vier continenten huldigen Karl Philip von Greifenklau* te schilderen – een zinloze en heerlijke fantasie zoals hij wel voor de huizen van de decadente Venetiaanse adel had geschapen.'

15

Het toestel van de Austrian Airlines met Mercedes aan boord bereikte Frankfurt om halfacht 's avonds. In Frankfurt was het erg koud, maar het sneeuwde er niet.

Mercedes ging in de aankomsthal naar de bagageband. Het duurde een half uur voordat ze in het bezit van haar spullen was: ze bracht de zomerkleding van Daniel mee terug en nog een koffertje met ondergoed, een extra mantelpak en haar toiletspullen. Met de taxi reed ze door het dik besneeuwde Stadtwald. Door de autoradio klonken stemmen.

'Stoort het u?' vroeg de chauffeur. 'Van Erich Kästner. *Die Acharner.* Heeft hij vlak na de oorlog geschreven. Voor een cabaret in München.'

'Laat u de radio maar rustig aanstaan,' zei Mercedes.

'Ach wat, radio,' zei de chauffeur. 'Zo iets wordt bijna nooit door de radio uitgezonden, mevrouw. Het is een cassette. Op cassette is dat nog te krijgen. 't Is zo afgelopen.' De chauffeur, een tamelijk oude man, knikte bij de woorden die nu klonken . . .

'. . . Snijdt het koren en hoedt de kudde, terwijl de planeet om de zon heen draait! Perst de wijn en roskamt de paarden! Mooi zijn, mooi zijn, dat kan toch de aarde, als jullie maar wilden, als jullie maar willen . . .'

De wagen gleed opzij. Onder de sneeuw was de weg bevroren. Als in een sprookje, zo betoverd zagen de bomen eruit die in het licht van de koplampen opdoken en in de duisternis weer verdwenen.

'. . . Reikt elkaar de hand, weest één gemeenschap! Vrede, vrede, heette dan de overwinning. Gelooft niet dat jullie miljoenen vijanden hebben! Jullie enige vijand heet – oorlog! . . .'

Bij deze passage slaakte de chauffeur een zucht.

'. . . Vrede, vrede, helpt dat hij komt. Doet wat jullie willen en niet wat jullie moeten. Snijdt het koren en hoedt de kudde. Perst de wijn en roskamt de paarden. Mooi zijn, mooi zijn, dat kan deze aarde, als jullie maar wilden, als jullie maar willen!'

De muziek begon.

De chauffeur vroeg: 'Is er iets, mevrouw? Voelt u zich niet goed?'

'Ik moet huilen,' zei Mercedes. Ze snoot haar neus.

'Ik zou ook kunnen janken,' zei de chauffeur. 'Maar wat kunnen we eraan doen? Die arme Erich Kästner. Zijn leven lang heeft hij tegen de oorlog geschreven. En wat heeft hij bereikt? Niets. Omdat wij niets kunnen doen, wij kleintjes.'

'Er zijn vier en een half miljard van die kleintjes,' zei Mercedes.

'En die vier en een half miljard kunnen niets doen,' zei de chauffeur. Ze waren nu op de Kennedyallee. De stad naderde. Mercedes zag het niet, ze zag alleen dat de lichten van de stad de hemel beschenen, de donkere wolken verlichtend.

'U kunt wel iets doen!' zei Mercedes luid.

'Och, mevrouwtje,' zei de taxichauffeur. 'Eens heb ik dat ook gedacht – na de oorlog. Laten we er niet meer over praten.'

Toen hij daarna in de Sandhöfer Allee stopte voor het gebouw waar Daniel woonde, droeg hij de koffers nog voor haar tot bij de voordeur. Mercedes gaf hem een hand.

Hij keek haar met knipperende ogen aan. 'Dat was een mooie tijd, toen ik er nog in geloofde. En zoveel anderen ook. Komt nooit meer terug.' Hij liep snel de paar treden naar de uitgang af.

Mercedes deed de deur achter zich op slot, schoof de ketting ervoor en ging Daniels grote werkkamer in, waar ze het licht aandeed.

'Goedenavond,' zei Wayne Hyde.

Hij had zijn duffelse jas uitgedaan en zat in een diepe fauteuil met zijn benen over elkaar geslagen. Hij droeg een bruin pak, een wit overhemd en een bruine stropdas. In zijn handen had hij een pistool. Mercedes verstarde midden in haar beweging. Ze slikte krampachtig, maar kon geen woord uitbrengen. Hyde stond op. 'Handen laten zien!' Hij doorzocht de zakken van haar bontjas en daarna gooide hij deze over de stoel bij het bureau. Daar stond het zilveren plaatje met de ingegraveerde spreuk van Bertrand Russell. DE WERELD WAARIN WIJ LEVEN ... Het was nog geen twee weken geleden dat Mercedes die voor het eerst had gelezen. Ze had het gevoel alsof het twintig jaar geleden was.

'Omdraaien! Handen tegen de muur! Benen wijd!' Zijn stem klonk bruut. Ze deed wat haar gezegd werd. Hij tastte haar lichaam af op wapens: haar borsten, heupen, dijen.

'Oké. Ga bij het bureau zitten, handen op de knieën!'

Hij stapte achteruit. Ze zakte op de stoel neer. Nu kon ze met moeite spreken: 'Wie ... bent u?'

'Corley is mijn naam. Peter Corley. Onderzoeken van allerlei aard. Niet doen! Rustig blijven zitten, verdomme!' Hij liet de veiligheidspal van zijn wapen terugklikken. Het was een 9 mm SIG/Sauer-politiepistool. Wayne Hyde had hem gekregen van zijn oude vriend Heinz Erkner, met wie hij samen in 1971 op Sri Lanka voor de Indische regeringstroepen tegen oppositiegroepen van de Tamils en in 1974 op Cyprus voor Griekse Cyprioten tegen Turkse Cyprioten en Turkse eenheden had gevochten. Wayne Hyde was 's middags al op het vliegveld van Frankfurt geland. Vanuit Wenen had hij Heinz opgebeld en gezegd wat hij nodig had: een 9 mm SIG/Sauer en een geweer van het merk Sterling Mk 9 met telescoop. Heinz was precies op tijd gekomen en had overal keurig voor gezorgd, net als Wayne Hydes Oostenrijkse huurlingenvriend Franz Loderer, wiens wapen Hyde onder de hoede van Herdegen had achtergelaten. Hij moest zijn voorraad zelf nog aanleggen. Gelukkig had hij veel vrienden. Heinz Erkner was hem bijzonder dankbaar. Hyde had op Cyprus zijn leven gered, toen ze in een hinderlaag waren gelopen. Erkner was door twee geweerkogels in zijn schouder getroffen. Met gevaar voor eigen leven en onder voortdurende beschieting door de Turken was Hyde met zijn vriend op zijn rug naar de grindoever van een rivier gewankeld. Daar kon dan een Griekse helikopter, die Wayne Hyde via de radio had opgeroepen, landen. Ze hadden daarover gesproken, nu ze elkaar weer zagen. Het ging uitstekend met Heinz. Hij had twee peepshows en drie pornobioscopen, had fantastische kleren aan en de wapens lagen in de kofferbak van zijn Mercedes 450. Nadat Hyde een BMW bij Hertz had gehuurd, waren de wapenfoedralen in de kofferbak van de grijze BMW overgebracht. Deze stond nu geparkeerd voor het academisch ziekenhuis, dichtbij. Hyde had alleen de 9 mm SIG/Sauer meegebracht.

'Hoe bent u hier binnengekomen?' vroeg Mercedes.

'Precies zoals u hier bent binnengekomen.'

'Wat bedoelt u?'

'Keukenraam ingeslagen vanuit de tuin en de knip weggeschoven.'

'Hoe weet u dat ik dat heb gedaan?'

'We hebben u in de gaten gehouden. De vorige keer is iemand vanuit Buenos Aires met u mee naar Zürich en Frankfurt gevlogen. En daarna met u en Ross teruggegaan.'

'Wie heeft u verteld dat ik vandaag hier zou komen?'

'Ík stel de vragen en u antwoordt. Waar zijn de filmcassettes?'

'Welke cassettes?'

'Vooruit, waar zijn ze?'

Ze zweeg.

Hij hief zijn hand op.

De deurbel snerpte.

Het volgende moment voelde ze de loop van het pistool op haar slaap.

'Geen kik!' fluisterde hij.

De bel begon weer te snerpen. Hij hield niet meer op.

'Mercedes!' klonk een mannenstem.

De druk van de loop op haar slaap werd harder.

'Mercedes!' schreeuwde de man voor de deur. 'Je bent thuis. Ik heb licht gezien. Als je nu geen antwoord geeft, weet ik dat er iemand bij je is die je bedreigt.'

'Rustig! Heel rustig!' fluisterde Hyde. De pistoolloop deed pijn, zo hard drukte hij hem tegen haar hoofd.

'Ik heb een mobilofoon. Ik waarschuw de politie . . .'

Met vier stappen was Hyde bij de voordeur. Hij maakte de ketting los, rukte de deur open en sprong opzij.

'Kom binnen,' zei hij. 'Vlug!'

Een slanke, lange man van ongeveer vijftig jaar met zwart haar en grijze ogen in een intelligent gezicht stapte naar binnen. Zijn blauwe kostuum was maatwerk, evenals zijn lichtblauwe overhemd. Op zijn donkere stropdas waren zilveren olifantjes geborduurd. De boord van zijn overhemd zat los en de stropdas was omlaaggetrokken. Toen hij in de gang stond, duwde Hyde de deur achter hem in het slot.

'Handen tegen de muur en benen wijd!'

Hyde fouilleerde ook de lange man zorgvuldig op wapens. Hij vond niets.

Daarna wenkte hij met zijn pistool. 'Daarheen, bij de dame.'

Ze gingen allebei de werkkamer in.

'Dag, Mercedes,' zei de man in het blauwe kostuum. 'Het spijt me. Het heeft allemaal zo lang geduurd. Heeft mijn secretaresse niet opgebeld naar de luchthaven? Er moet iets misgegaan zijn. Je had bericht moeten krijgen dat ik nog het een en ander te doen had en dat ik om tijd te sparen rechtstreeks hierheen zou komen.'

'Er is iets misgegaan, zoals je zegt. Er was geen mededeling voor me.'

'Nou, 't is me wat moois,' zei de lange man en hij keek Hyde aan. 'Hij wil de film zeker, hè?'

'Ja,' zei Mercedes.

'Wat weet u daarvan?' informeerde Hyde.

'Een hoop.'

'Wie bent u?'

'Mijn naam is Conrad Colledo,' zei de lange man.

'En?'

'En wat?'

'Wat is uw beroep?'

'Ik kom uit Königstein in het Taunusgebergte.'

'Maak het kort!'

'In Königstein in de Taunus staan de studio's van de televisiezender Frankfurt. Ik ben daar hoofd van de afdeling Politiek en actualiteiten.'

'En wie heeft de cassettes?' vroeg Wayne Hyde.

'Ik,' zei Conrad Colledo.

16

Op dat moment slaapt Daniel alweer ...

15 mei 1972. Op die smoorhete dag keert hij terug uit Rome. Hij moest daar zes weken lang de leiding van de studio op zich nemen. De vaste correspondent lag met een hartinfarct in het ziekenhuis. Daniel heeft nog vanuit Rome Sibylle opgebeld – zoals elke dag.

'Kom naar me toe,' zegt Sibylle nu in zijn droom. 'Werner komt ook. Maar hij moet vannacht nog voor een paar dagen naar München.'

'Prima, dan zijn wij tweetjes alleen.'

Daniel verheugt zich erop. Na de landing rijdt hij snel naar zijn flat in de Grinzinger Allee, laat de bagage daar achter, neemt een bad en verkleedt zich. Dan is hij bij Sibylle in de woontoren. Hij omhelst en kust haar telkens weer. God, wat is hij blij weer bij haar te zijn! Werner Farmer zit er al. Hij ziet bleek. Overwerkt, denkt Daniel. Ze eten en Daniel vertelt enthousiast. 'Rome is fantastisch, kinderen! Italië is fantastisch. Wát een corruptie, zeg. Gewoonweg fantastisch! Ontelbare regeringen hebben ze sedert de oorlog al gehad. Krankzinnige werkloosheid. De miljonairs zitten in het noorden en worden ontvoerd of achter de tralies gezet wegens miljardenzwendel. Er bestaat geen land waar zó gezwendeld wordt. Geweldig! De armen – zulke arme mensen heb ik nog nooit gezien. De boeren op het land. In het zuiden de mensen in de steden. Zouden eigenlijk allemaal allang verhongerd moeten zijn met zo'n inflatie, met die mafia. Maar ze leven en zingen en drinken wijn. God weet waar ze die vandaan halen. Die mensen hebben ons uitgenodigd – zelfs in Rusland hebben arme mensen ons niet zo goed verzorgd. Fantastisch, gewoonweg fantastisch! Allemaal goede katholieke communisten. Allemaal Don Camillo's en Peppones. Zesenvijftig miljoen Don Camillo's en Peppones. Ik heb nachtenlang gesproken met Berlinguer, die net algemeen secretaris van de CPI is geworden. Een groot man! Ontwikkeld, hoffelijk, zo nu en dan zelfs verlegen. En ook met mijn twee Zwitserse vrienden, Nägeli en Bürgler, van de Zwitserse Garde. Wisten jullie dat de Zwitserse Garde van de paus echt uit Zwitsers bestaat? Ik niet. Huursoldaten zijn het, heuse huursoldaten! Bestaat al sinds het eind van de achttiende eeuw! Toen het niet meer zo lekker liep met de heren ridders. Toen namen de machtigen der aarde Zwitserse huurlingentroepen in dienst. Dat waren de moedigste. Zwitserse huursoldaten – altijd de beste. Nou ja, toen heeft de een of andere paus – ik kom er straks wel op welke – gezegd dat hij die ook moest hebben. Sindsdien bestaat de Guardia Svizzera Pontificia. Hebben een leven als een prins. Veel vrije tijd. Ze kunnen drinken, meisjes hebben, alles. Natuurlijk ook communist zijn. Hij betaalt ze verdomd slecht, de Heilige Vader. Maar hun pensioen! Toen ze eenmaal stomdronken waren, hebben Nägeli en Bürgli mij verklaard dat God niet bestaat. Allemaal flauwe kul. Heb ik God moeten verdedigen – ík, stel je dat eens voor! Maar ik redde het niet met God. Fantastische Zwitsers. Fantastische stad, Rome, nee werkelijk . . .'

Daniel houdt eindelijk op en kijkt met volle mond – hij heeft de hele tijd onder het praten door zitten eten – van de een naar de ander.

'Wat is er met jullie? Jullie zijn zo stil! En eten doen jullie ook bijna niet. Is er iets gebeurd? Kom, vooruit, vertel het pappie maar! Het zal allemaal wel niet zo erg zijn.'

'Dat is het wél,' zegt Werner Farmer, zijn bril recht zettend. 'Het is wél erg. Het is zo erg als het maar zijn kan.'

'Ik begrijp er niets van,' zegt Daniel. 'Als jullie dan geen honger hebben, Sibylle, liefje, wil je mij nog een snee geven – dank je, God zal je belonen, Nou, wat is er zo erg als het maar zijn kan?'

'Het is uit, Danny,' zegt Sibylle, elk woord naar buiten wringend.

'Hoe bedoel je?' Nu laat hij zijn vork en mes zakken.

'Tussen jou en mij. Het moet uit zijn. Want we willen je niet bedriegen.'

'Wat is dit?' vraagt Daniel. 'Een sketch? Een Engelse misschien? Of is hij zelfgemaakt? Speciaal voor mij? Om te lachen? Een sketch om te lachen?' Sibylle barst in tranen uit.

Werner Farmer zegt: 'Het is niet om te lachen. Begrijp je het dan niet, stommeling? Wij houden van elkaar, Sibylle en ik. We willen trouwen.' Daniel lacht zo hard dat een stuk vlees uit zijn mond op zijn bord valt. 'Trouwen! O God, o God, o God!' Hij is aangeschoten – whisky onderweg, hij kan er toch niet tegen. 'Dit moet wel een Engelse sketch zijn! Alleen Engelsen kunnen zo iets. In het vliegtuig heb ik de cartoons van de nieuwste *Punch* bekeken: twee pandaberen. Jullie weten wel, de kleine zwart-witte, die voortdurend doodgaan bij ons. Zegt de een tegen de ander: "Ik geloof niet dat dit de juiste wereld is om panda's groot te brengen!"' Daniel lacht weer. Dan kijkt hij de twee aan. Lang. Daarna legt hij zijn vork en mes neer. 'Dus geen sketch,' zegt hij. 'Ja. Maar ik begrijp het niet. Toen ik opbelde, liefste, elke avond, toen was toch alles in orde. Gisteren nog.'

'Er was niets in orde, Danny,' snikte Sibylle. 'Geef me een zakdoek.'

'Natuurlijk, alsjeblieft.' Daniel geeft haar er een. Ze snuit haar neus met veel lawaai. 'Nou goed,' zegt Daniel, 'jullie houden van elkaar en gaan trouwen. Uitstekend idee, werkelijk. Een vent van de Zwitserse Garde had ook zo'n grote liefde. Voor een andere Zwitser van de Zwitserse Garde. Toen hij stomdronken was, heeft hij . . .'

'Danny, toe! Wees nu eindelijk serieus!' zegt Werner.

'Een ogenblikje, wil je?' zegt Daniel. 'Wat bedoel je met: wees eindelijk serieus? Denk je soms dat ik zo vrolijk ben? Dat ik me uitbundig amuseer om wat jullie me daar vertellen? Als ik me niet als een dwaas aanstel, begin ik te grienen, net als die arme Sibylle, stommeling! Tjonge zeg, wat hebben jullie me een leuke verrassing bezorgd! Mijn compliment, hoor. Maar wat bedoelen jullie met dat jullie me niet willen bedriegen? Wat hebben jullie dan de hele tijd gedaan? Wil je daarmee zeggen dat jullie nog niet samen naar bed zijn geweest, Sibylle?'

'Ja-ha, dat wil ik zeggen . . . Je hebt er geen idee van wat een kwelling het voor ons was. We hebben elkaar ontlopen. Als de een opbelde, nam de ander niet op. Maar dat heeft alles alleen nog maar erger gemaakt. We houden van elkaar, Danny, we houden van elkaar . . .' Ze kijkt hem met een betraand gezicht aan. 'Ik weet niet hoe het kon gebeuren. Werner ook niet. Eerst mochten we elkaar helemaal niet. En toen ineens . . . Het is me een raadsel, Danny, een volkomen raadsel, maar het is zo: ik houd van Werner en hij houdt van mij – en ik houd meer van hem dan van jou, Danny, vergeef me.'

'Vergeef me, wat een onzin!' zegt Daniel. 'En wat heet raadsel? Ben jij nou psychiater? Laat me niet lachen, een raadsel! Het ligt toch voor de hand dat het zo moest gaan. Daar is Werner. Een moedige man, die nergens van ondersteboven is. Die weet wat hij wil. Die in iets gelooft. Die iets moois schept . . . En daar is Danny. Gelooft nergens in. Is niet moedig. Is laf en schept niets moois en kan niets – dat wil zeggen, hij kan wel iets: medicijnen slikken.'

'Dat is niet waar, Danny!'

'Natuurlijk is het waar,' zegt hij. 'Je kunt hem geven wat je wilt, hij maakt er misbruik van, *abusus* zou een Latinist zeggen, maar hij zegt het niet . . .'

'Danny!' roept ze. 'Hou op, daarmee maak je alles alleen maar erger!'

'Is dat mogelijk?' vraagt hij verwonderd. 'Nóg erger?' Hij schuift zijn bord weg. 'Het was heerlijk zoals altijd, liefste. Nu toch maar liever geen brood meer. O ja, natuurlijk mijn hartelijke gelukwensen! En dat jullie alijd gelukkig zullen blijven. Altijd! Niet maar voor zo'n korte tijd als wij samen.'

'Dit is niet om uit te houden,' zegt Werner. 'Ik moet frisse lucht hebben.'

'Ik ook,' zegt Sibylle.

'Mag ik ook mee?' vraagt Daniel. Nu is ook hij zeer ernstig. 'Toe, laten we nog even wat rondlopen in de stad. En dan brengen we Werner naar het station en ik breng je naar huis terug. Niet naar boven, wees maar niet bang. Alleen tot de voordeur . . . Er gebeurt zoveel . . .

En zo lopen ze door het donkere Wenen en zeggen vrijwel geen woord. Eenmaal geeft Sibylle de beide mannen een arm, maar ze trekt ze vrijwel direct weer terug. Het is deze avond erg warm. Eindelijk keren ze naar de Lazarettgasse terug. Daniel heeft zijn Opel Admiral aan Sibylle geleend toen hij naar Rome moest. Hij staat op de parkeerplaats.

'Zit je koffer er al in?' vraagt Daniel. Werner knikt. Daniel rijdt, Sibylle zit naast hem.

Bij het Westbahnhof wil Werner niet dat Daniel zijn koffer draagt. Daniel doet een stap naar achteren en slaat Werner met zijn vuist in het gezicht zo hard hij kan. Vervolgens pakt hij de koffer en loopt ermee weg. Al na een minuut, op de grote trap, baadt hij in het zweet. Hij hijgt als een postpaard. Zijn hart bonst in zijn oren, ogen, op zijn tong. Hij blijft doorlopen. Al val ik er dood bij neer, denkt hij. Hij sjouwt Werners koffer de lange weg langs de wagons van de Oriëntexpress tot helemaal vooraan, precies zoals hij het altijd heeft gedaan. Hij tilt de koffer in het portaal van de wagon. Dan gaat hij op een bagagewagentje zitten en wacht. Het duurt een hele tijd voordat de andere twee komen.

Wanneer ze ten slotte komen opdagen, zegt Werner: 'We kunnen je dit niet aandoen, Danny. Ik geef mijn werk op. Ik kom niet meer naar Wenen.'

'Jullie zijn geschift,' zegt Daniel, van het karretje glijdend. 'Ík ben degene die nu verdwijnt. Ik zal vanavond nog Colledo in Frankfurt bellen. Dat is mijn chef. Hij moet me terughalen naar de zender. Tot ziens, Werner, het beste.' Hij geeft zijn vriend een hand. Werners kin is intussen gezwollen. 'Het spijt me dat ik je een mep heb verkocht,' zegt Daniel. En tegen Sibylle: 'Ik wacht in de auto op je . . .'

Tot tien voor halfeen zit hij dan achter het stuur. Een oude man loopt peuken van de stoep op te rapen. Daniel telt de peuken. Wanneer hij bij zevenendertig is gekomen, zit Sibylle naast hem. Hij start de wagen. Hij rijdt terug naar het ziekenhuis. Voor de woontoren stopt hij en daarna helpt hij Sibylle bij het uitstappen. Hij loopt met haar mee tot bij de grote glazen ingang en wacht tot ze de sleutel in haar jaszak heeft gevonden. Ze huilt nu weer.

'Niet doen,' zegt Daniel, 'toe, liefste, niet huilen! Jullie hebben je heel dapper gedragen. Nu bedriegen jullie me niet meer als jullie samen naar bed gaan.' Hij neemt haar hoofd tussen zijn handen en geeft haar een kus op het voorhoofd. Daarna geeft hij er met zijn vinger een kruisje op.

'Wat heeft dat te betekenen?'

'Moge God je beschermen.'

'Je gelooft toch niet in Hem, arme Danny!'

'Ik niet, maar jij wel. Nou, maak die deur open!'

'Dank je,' zegt Sibylle. 'Dank je, Danny. Ik zal je nooit vergeten.'

'Ik jou ook niet, lieveling,' zegt hij. 'Ga nu. Vlug! Alsjeblieft, ga vlug . . .'

Ze kijkt hem nog eenmaal aan, dan rent ze het gebouw in. De zware glazen deur valt langzaam dicht. Daniel kijkt Sibylle na tot ze de hoek om strompelt naar de lift. Dan gaat hij naar zijn auto terug.

'Toen zijn vader hem de film had laten zien, belde Daniel mij direct op en vertelde me erover. Daarop ben ik met het eerste het beste toestel naar Buenos Aires gevlogen,' zei Conrad Colledo. 'U bent toch van alles op de hoogte, mr. Corley. Dan weet u natuurlijk ook dat Daniel en ik al eenentwintig jaar vrienden zijn en heel lang hebben samengewerkt.'

'Waar hebt u gelogeerd?' vroeg Wayne Hyde.

'In hotel Nogaro.' Colledo gooide een lucifersboekje naar Hyde. 'Het telefoonnummer staat erop. U kunt informeren.'

'Dus u bent alleen naar aanleiding van een telefoontje van Ross naar Argentinië gevlogen?' Hyde speelde met het boekje.

'Ik heb u immers gezegd dat we al jaren samenwerken. Hij heeft mijn volle vertrouwen. Toen hij mij vertelde wat hij had, ben ik natuurlijk direct vertrokken. Zou u niet zijn gegaan? Doet u toch eindelijk dat pistool weg, het is gewoon belachelijk.' Hyde stopte het wapen in een schouderholster, nadat hij de veiligheidspal weer op veilig had gezet.

'En verder?' vroeg hij.

'Niet veel. Toen Daniel en Mercedes – mevrouw Olivera – naar Ezeiza gingen – hun vader was erbij – om naar Europa terug te keren, was ik ook op de luchthaven. Ik vloog eveneens terug.'

'In hetzelfde toestel?'

'In hetzelfde toestel.'

'Hoe hebt u dat geregeld met het overhandigen van de film?'

'Daniel gaf me telefonisch het cassettemerk door. Ik kocht twee cassettes met Disney-films van hetzelfde merk. Ik had een rode reistas van de Aerolineas Argentinas, Daniel ook. Bij het inchecken stonden we naast elkaar. We hebben gewoon de tassen verwisseld.'

'Die stommelingen!'

'Wie?'

'Ross en mevrouw Olivera werden in de gaten gehouden.'

'Daar waren we van overtuigd. Geen mens kon merken dat we de tassen

246

verwisselden. We hadden ze al andersom op de balie gezet. Om kort te gaan, mr. Corley: ik heb dus de goede cassettes mee naar Frankfurt gebracht en ben er dadelijk mee naar Königstein gegaan. Wat er daarna gebeurde, vertel ik u natuurlijk niet.'

Er ontstond een stilte.

Hyde stond op en liep naar het bureau.

'Wat wilt u?' vroeg Colledo.

'Bellen, als u het goedvindt.' Hyde haalde de kleine decoder uit zijn zak, nam de hoorn op en draaide het nummer in Londen van Morleys antwoordapparaat. Nadat de stem van de advocaat had geklonken, hield Hyde de decoder tegen het spreekgedeelte totdat met de drie pieptonen het antwoordapparaat was geprepareerd. Morleys stem op de band klonk nerveus: 'Tweeëntwintig februari 1984, 18.50 uur Middeneuropese tijd. Voor Mr. Hyde. Mr. Hyde, waar u ook bent en wat u ook doet of van plan bent te doen: onderneemt u niets! Trekt u zich ogenblikkelijk uit alles terug. U moet onmiddellijk een kamer in een hotel nemen en u mag die niet verlaten voordat u van mij nieuwe instructies hebt ontvangen. Ik verneem zojuist dat de twee filmcassettes in het bezit zijn van de zender Frankfurt. Een man, Conrad Colledo genaamd, heeft ze uit Buenos Aires mee naar Duitsland gebracht. Daardoor is de situatie volkomen veranderd. Mijn opdrachtgevers beraadslagen over de verdere gang van zaken. Belt u mij om 23.00 uur Middeneuropese tijd weer op. Ik hoop u dan meer te kunnen zeggen. Dat is alles.'

Wayne Hyde legde de hoorn weer op het toestel, pakte de duffelse jas van een fauteuil en verliet zonder één woord en zonder Mercedes en Colledo ook maar aan te kijken de flat. Colledo liep naar een raam waardoor hij op straat kon kijken. Hij zag Hyde in een grijze BMW stappen. De BMW trok op. Colledo keerde naar de werkkamer terug.

'Vertel me wat er intussen is gebeurd, Conrad,' zei Mercedes. 'Ik moet het weten. Danny ook.'

Colledo ging zitten.

'Tja, ik reed dus met die cassettes naar de studio. Meneer Von Karrelis, dat is de intendant, wachtte me op. Dan was er ook nog Hans Kleinhals, de hoofdredacteur, en ook onze juridisch adviseur met twee mensen van de juridische afdeling. We gingen naar een projectiekamer om de film te zien. In het begin was iedereen verschrikkelijk sceptisch.'

'Hoezo?'

'We dachten natuurlijk dat het een vervalsing was.'

'Het ís geen vervalsing. Hij is echt!' viel Mercedes uit.

'Alsjeblieft, Mercedes,' zei Colledo. 'Jij bent ervan overtuigd dat hij echt is. Omdat jij je stiefvader gelooft. Natuurlijk ook omdat je zo graag wilt dat hij echt is. Die kerels bij de omroep zijn uitgeslapen. Die hebben al de ongelooflijkste dingen meegemaakt, vooral die jongens van de juridische afdeling. Het hoort bij hun beroep argwanend te zijn. Als die film echt is – dan zou dat de grootste sensatie in de geschiedenis van de televisie zijn.'

'Dat is hij ook! Dat is hij ook!'

'Mercedes . . .' Colledo maakte een hulpeloos gebaar. 'Je wilt weten wat er is gebeurd. Ik zal het je vertellen. Aanvankelijk stelde Hans Kleinhals, de hoofdredacteur, zich het meest negatief op. Hij was van mening dat de film eigenlijk op de afdeling Ontspanning thuishoorde. De advocaten waarschuwden. Toen vertelde ik alles over de herkomst en de geschiedenis van de film, wat Danny mij in Buenos Aires door de telefoon heeft verteld. Dat stemde tot nadenken. Von Karrelis kwam uiteindelijk met een voorstel dat iedereen accepteerde.'

'Wat voor een voorstel?'

'Om van de film een enorme documentaire te maken en die in verscheidene delen uit te zenden. Alles in het werk te stellen om uit te vinden of het een vervalsing is of niet. Onze beste mensen erop uit te sturen. Al hun research, alles wat zij aan bewijzen of getuigen voor of tegen de echtheid van de film vinden, tot een onderdeel van de documentaire te maken. En dat hele documentaire werk dan samen met de film uit te zenden – onverschillig of uit het onderzoek blijkt dat hij echt of vals is. De kluif die we hier hebben is gewoon tè geweldig om te laten liggen. En op die manier wordt het volgens alle wettelijke bepalingen mogelijk de film uit te zenden – en ook nog echte televisiegeschiedenis te maken. Danny werkt uiteraard weer bij ons. De discussie heeft tot in de ochtend geduurd. Daarop volgden gesprekken met de bondskanselier in Bonn en met de minister van Buitenlandse Zaken.'

'Waarom?'

'Omdat we fair willen zijn. Volgens de Grondwet en volgens de Omroepwet mag de regering geen enkele invloed uitoefenen op het redactionele werk van de omroep en vooral niet op het nieuwsapparaat. Dat mag alleen de omroepraad van de ARD.'

'Wat is dat?'

'De afkorting voor *Arbeitsgemeinschaft der Rundfunkanstalten Deutschlands*. Wij horen bij de zendergroep van de ARD. Daarom verzocht Von Karrelis de voorzitter van de omroepraad vannacht nog naar Königstein te komen. Hij heeft hem de film laten zien. Daarna werd Kleinhals, de hoofdredacteur, erbij gehaald. Die drie hebben even met elkaar geconfereerd. Daarna gaf de voorzitter van de omroepraad het groene licht.'

'En de bondskanselier?' informeerde Mercedes. 'En de minister van Buitenlandse Zaken?'

'Von Karrelis is vanmorgen naar Bonn gevlogen. Hij werd met een toestel van de Bundeswehr afgehaald. Von Karrelis had aan de telefoon aangekondigd dat het om een zaak van wereldbelang ging. In Bonn bracht bij daarna verslag uit aan de bondskanselier en de minister van Buitenlandse Zaken.'

'En?'

'Allebei waren ze zeer bezorgd. Ze verzochten Von Karrelis de film nog even achter te houden. Ze wilden contact opnemen met de Amerikaanse bondgenoten en met de leiding van het Kremlin. Als die film echt is, kan de

248

uitzending onoverzienbare politieke gevolgen hebben. Voor de hele wereld.'

'Hij ís echt.'

'Ja, Mercedes, ja. Misschien. Misschien ook niet,' zei Colledo. 'We gaan dat vaststellen. Daar hebben we tijd voor nodig. Dus kon de intendant in Bonn inderdaad beloven de film nog achter de hand te houden. Meer heeft hij niet beloofd. Natuurlijk zouden de kanselier en de minister de film het liefst in beslag hebben laten nemen. Dat zou dan hun laatste officiële daad zijn geweest en dat wisten ze.' Colledo keek Mercedes aan. 'Dit alles, en wat er verder nog kwam, duurde zó lang, dat ik het niet meer redde naar het vliegveld.'

Mercedes knikte.

'Kun je het allemaal op de een of andere manier aan Danny doorgeven?'

'Ja. En wat kwam er toen nog meer?' vroeg Mercedes.

'Von Karrelis kwam vanmiddag terug. We moesten dadelijk met de documentaire beginnen, dus van alles opbouwen en de intendant schminken. Daarna belde hij de Amerikaanse en de Russische ambassade in Bonn op. Bij de Amerikaanse ambassadeur duurde het krap twintig minuten voordat meneer de moeite nam aan het toestel te komen. De intendant had in de tussentijd met drie andere heren gesproken voordat hij eindelijk de ambassadeur aan de lijn kreeg . . .'

'Excellentie, mijn naam is Emanuel von Karrelis. Ik ben intendant van de . . .'

'Oké, oké,' zei de ambassadeur met een zwaar Amerikaans accent. 'Dat is mij al verteld. U schijnt bijzonder opgewonden te zijn, meneer Von Karrelis. Als ik het goed heb begrepen, gaat het over een film die in uw bezit is.'

'Ik ben inderdaad buitengewoon opgewonden, excellentie. Dat zou u ook zijn als u de film had gezien. Om precies te zijn: de videofilm.'

'Ik heb geen idee waar u het over hebt,' zei de ambassadeur.

'Natuurlijk niet. De drie heren met wie ik hiervoor heb gesproken, hebben ook geen idee. Ik meen dat serieus. U kúnt er ook geen idee van hebben. Alleen uw president en het staatshoofd van de Sovjetunie met hun naaste medewerkers zijn ervan op de hoogte. Uw mensen belden mij terug op de zender om er zeker van te zijn dat zij niet het slachtoffer zijn van een mystificatie. Pas daarna heb ik hun verteld wat voor film het is. Men beloofde mij u op de hoogte te stellen. Is dat gebeurd, excellentie?'

'Jawel.'

'Nou dan.'

'Luister, die hele zaak is gewoonweg krankzinnig. Zo'n film bestaat niet.'

'Ik heb die film – en een kopie – hier in de studio, excellentie.'

'Krankzinnig.'

'Ja, dat zei u al. Ik stel voor dat u zich onmiddellijk met uw president in verbinding stelt. De Duitse bondskanselier heeft dat waarschijnlijk al gedaan. Uw president zal u kunnen vertellen om wat voor film het gaat en wat er op het spel staat. Een ogenblikje, excellentie. Ik heb u nog iets te zeggen en wilt u dat alstublieft tegenover uw president herhalen? Wij zijn vastbesloten die film uit te zenden . . .'

'Ik geloof dat we dit gesprek beter kunnen beëindigen.'

'Dat geloof ik niet. Die film uit te zenden, zeg ik, zodra we al het mogelijke onderzoek naar de echtheid hebben ingesteld. Het gaat hier niet om die belachelijke vervalste dagboeken van Hitler. Het gaat hier – hoe dan ook – om het meest riskante politieke document sinds de oorlog. We zijn ons zonder meer bewust van de grote verantwoordelijkheid die wij nu op ons nemen. Wij hebben hier uitstekende speurders. Zij willen bewijzen, en nog in leven zijnde getuigen voor de echtheid of vervalsing van deze film vinden.

'Natuurlijk is hij vervalst.'

'O, dus u kent hem toch?'

'Voor zover mijn mensen mij erover hebben verteld. Alleen al het idee van een dergelijke film is absurd.'

'Wat dat betreft ben ik het met u eens, excellentie. Wilt u nu alstublieft goed naar me luisteren: mocht blijken dat de nazi's – of andere belanghebbenden – de film hebben vervalst, dan zenden wij hem ook uit. Met alle getuigenverklaringen en bewijzen die aantonen dat het een vervalsing is. We zullen ook bekendmaken waar wij die film vandaan hebben. Wij zullen de toeschouwers alle begeleidende omstandigheden tonen, ze krijgen werkelijk álles te zien. Bijvoorbeeld mij, op dit moment.'

'Wat bedoelt u daarmee?'

'Dat wil zeggen, excellentie, dat twee camera's mij hier opnemen terwijl ik met u spreek. Ook ons gesprek werd van het begin af aan opgenomen. We zullen al onze stappen kunnen documenteren als we de film uitzenden. In geen geval zullen we iets manipuleren. Daar is de zaak te ernstig voor. Als blijkt dat de film vals is, kan dat alleen maar een enorme steun voor de politieke en morele macht van uw land betekenen.'

'Wat een brutaliteit!'

'Ik ben ervan overtuigd dat er ook bij u een bandrecorder staat die ons telefoongesprek opneemt. Zo kunt u de band voor Washington afdraaien. Ik kom nu namelijk bij een bijzonder belangrijk punt: ik zou mij kunnen voorstellen, excellentie, dat u – ik bedoel natuurlijk voor dergelijke acties speciaal opgeleide mensen – nu zullen proberen de cassettes in uw bezit te krijgen. Als het niet anders kan, door moord en terreur. U krijgt echter, met een doldrieste commando-actie zelfs de cassettes de zender niet eens uit. Maar het is mogelijk dat iemand op de gedachte komt een of meer mensen die aan onze kant met de film bezig zijn – redacteuren of research-mensen bijvoorbeeld – of hun familieleden te gijzelen en te trachten ze te chanteren.'

'Zo, nu is het wel genoeg geweest, ik maak een eind aan dit gesprek.'

Von Karrelis sprak zonder onderbreking verder: 'U zult het gesprek niet afbreken, excellentie. Tot de bijzonder geëxponeerde personen in dit verband worden gerekend de heer Eduardo Olivera in Buenos Aires, zijn zoon Daniel Ross, zijn stiefdochter Mercedes Olivera, onze hoofdredacteur Hans Kleinhals, het hoofd van de desbetreffende afdeling, Conrad Colledo, en ikzelf. Ik heb de namen al doorgegeven aan een van uw heren en hij heeft ze opgeschreven ... Laat u mij alstublieft uitspreken, excellentie. Zoals gezegd: wij zijn van plan dit filmdocument pas na uiterst nauwlettend onderzoek en onder bekendmaking van alle onderzoeksresultaten uit te zenden. Mocht een van de zojuist genoemde personen of een ander die met de film te maken heeft of te maken zal hebben, in de tussentijd iets overkomen – ontvoering, gijzeling, moord, bedreiging met moord – dan zullen wij, en ik verzoek u nu goed op mijn woorden te letten, excellentie, de film onmiddellijk uitzenden, zonder verder onderzoek! Maar dan wel met een uitvoerig verslag over wat u hebt gedaan om de uitzending te verhinderen. Begrijpt u? U hebt het ook op de band. De film is onze levensverzekering. Excellentie, ik hoop dat u mijn betuiging van hoogachting in ontvangst wilt nemen.' Von Karrelis legde de hoorn neer. Daarna belde hij de Russische ambassade in Bonn op.

Nadat hij zijn naam en zijn functie had genoemd, kreeg hij te horen dat de Russische ambassadeur in Moskou was. Hoelang? Voor onbepaalde tijd. De intendant verzocht met zijn plaatsvervanger te worden doorverbonden.
  'Het spijt ons. Hij is mee naar Moskou om verslag uit te brengen.'
  'Geeft u mij de eerste secretaris dan maar.'
  'Waar gaat het over?'
  'Dat zal ik de eerste secretaris vertellen.'
  'De eerste secretaris is in bespreking. Hij mag niet gestoord worden.'
  En zo ging het verder. Ten slotte lukte het Von Karrelis de persattaché aan de lijn te krijgen. Hij begon – weer in het Engels – hetzelfde te vertellen als in het gesprek met de Amerikaanse ambassadeur.
  'Zo'n film bestaat niet,' verklaarde de persattaché daarna.
  'Ik heb hem zelf gezien.'
  'Dan is het een Amerikaanse vervalsing.'
  De intendant liet zich niet van de wijs brengen. Hij adviseerde de attaché zo snel mogelijk contact met Moskou op te nemen.
  'Een schandelijke daad van de Amerikanen. We zullen direct een internationale persconferentie houden.'
  'Ik betwijfel of u dat zult doen.' Von Karrelis herhaalde alles wat hij tegen de Amerikaanse ambassadeur had gezegd. Hij waarschuwde dringend voor gewelddadige acties tegen iedereen die met de film te maken had, respectievelijk tegen hun familieleden.
  'We zenden hem dan dadelijk uit, zonder de uitslag van het onderzoek af te wachten. Maar we zouden wel tot in de details beschrijven op welke wijze u hebt geprobeerd de uitzending te voorkomen. Meneer de attaché, ik hoop dat u mijn betuiging van hoogachting in ontvangst wilt nemen.'

  'Dat gebeurde dus vandaag laat in de middag,' zei Conrad Colledo. Hij stond op en ging naar een kleine barkast. 'Goed dat Danny een paar flessen drank in huis heeft, al drinkt hij zelf nauwelijks,' zei hij. 'Ik heb nu behoefte aan een whisky.'

'Ik ook,' zei Mercedes.

'Ook whisky?'

'Ja. Puur, met ijs. Wacht, ik zal het even halen.' Ze ging naar de keuken en kwam even later terug met een zilveren ijsemmertje. Met een zilveren tang liet ze de ijsblokjes in de beide glazen vallen.

'Cheers,' zei Colledo.

Ze dronken.

'God sta ons bij,' zei Mercedes. 'We hebben het aan de stok met de twee grootste mogendheden.'

'Jij bent toch bereid elk risico te nemen als dat helpt de vrede te bewaren, heeft Danny mij verteld.'

'Ja,' zei Mercedes. 'Maar bang ben ik toch.'

'De anderen ook – als dat een troost voor je is,' zei Colledo en hij nam weer een slok.

'Ja,' zei Mercedes. 'Nu is iedereen bang.'

Wayne Hyde had een kamer in een hotel in het stadscentrum genomen. Hij pakte zijn plunjezakken uit en ging op het bed zitten. Vervolgens draaide hij een lang nummer dat met de cijfers 00 13 12 begon, het toegangsnummer voor Chicago.

Hij hoorde de zwakke, beverige stem van een oude vrouw toen de verbinding tot stand kwam.

'Ja?'

'Hallo ma, met Wayne.'

'O, Wayne!' Zijn moeder lachte verheerlijkt. 'Ik heb al zo lang zitten wachten! Je hebt gezegd dat je vandaag nog zou opbellen.'

'Doe ik toch, sweetheart. Het ging niet vroeger, helaas. Ik heb het verschrikkelijk druk.'

'Waar ben je? Nog steeds in Rome?'

'Nog steeds, ja. De onderhandelingen duren eindeloos lang.'

'Lieve jongen, wat ben ik blij je stem weer te horen!'

'U hoort hem twee keer per week, ma.'

'Ja, dat is zo. Maar jij bent immers alles wat ik heb. Ik hou toch zoveel van je, Wayne.'

'En ik van u. U bent ook alles wat ik heb, ma.' Hij streek met zijn hand door zijn korte, blonde haar.

'Bedankt voor de bloemen.'

'Hebben ze goede geleverd?'

'Ze zijn prachtig. Ik heb nog nooit zulke schitterende orchideeën gekregen. Allemaal trossen! Je bent gek, jongen.'

'Volkomen geschift. Dat heb ik op schrift. Zijn ze echt goed, die orchideeen, ma? Bij een bestelling overzee weet je het immers maar nooit.'

'Je neemt toch altijd dezelfde zaak hier, schat. Mr. Kleene is een eerlijke vent. Hij vindt het altijd fijn voor mij als er bloemen komen. "U hebt een fantastische zoon, mrs. Hyde," zegt hij. "Wat moet die van u houden!"'

'Mr. Kleene heeft gelijk. Hoe is het met uw been?'

'Dokter Hailey zegt dat het nog lang zal duren voordat ik kan opstaan. Het was een zeer gecompliceerde breuk. En op mijn leeftijd groeien de botten niet meer zo snel aan elkaar. Ik zal wel nooit meer kunnen lopen.'

'Zegt de dokter dat?'

'Dat zeg ík.'

'Zeg dat nooit weer, hoort u! Wat een onzin! Hailey is de beste dokter die we in Chicago konden krijgen. Natuurlijk zult u weer kunnen lopen. Ik bid voor u, ma, elke nacht. Heus waar. Elke nacht bid ik God dat uw been snel geneest.'

'Mijn één en alles. Ik bid ook voor jou. Dat je succes hebt en gezond blijft.'

'Wij alle twee,' zei Hyde. 'Wat doet u nu? Naar de televisie kijken? Het wordt nu immers avond bij jullie, hè?'

'Ik zit naar een danswedstrijd te kijken. Je weet immers dat ik gek ben op danswedstrijden. Hoe de mensen schrijden en glijden, hoe ze zich draaien, wat is dat prachtig! Ik ben ook eens een heel goede danseres geweest, hè? En nu moet juist mij dit met dat been overkomen. Och, lieve jongen . . .'

'Alles komt weer in orde. Is de verpleegster goed?'

'Geweldig. Maar duur. Je geeft zoveel geld voor mij uit, Wayne!'

'Voor wie anders?'

'Als de bank je maar niet altijd de hele wereld rond zou sturen, Wayne.'

'Dat kan niet anders, ma. Het is nu eenmaal een hoge vertrouwenspositie die ik heb. Een grote verantwoording.'

'Ja, zeker. Ik ben ook erg trots op je. Maar het duurt soms zo lang voordat je terug bent. Hoelang duurt het deze keer?'

'Kan ik niet zeggen, ma. Nog een flink tijdje, vrees ik. Maar als ik thuiskom, gaan we vakantie vieren. Weg uit dat smerige Chicago. Dan vliegen we naar Hawaii.'

'Heb je je verstand verloren?'

'We gaan naar Hawaii en logeren daar in het duurste hotel in de mooiste suite en hebben zand en zon en de blauwe zee – en elkaar.'

'Maar ik kan toch niet lopen – met dat been van mij.'

'Dan kopen we een elektrische rolstoel. De verpleegster gaat mee. Geen tegenspraak! Alles is al in kannen en kruiken. Zo, en nu moet ik er een eind aan maken, ma. Pas goed op uzelf, hebt u 't gehoord?'

'Jij ook, lieveling. Dat je niets overkomt. De tijden zijn zo slecht geworden. Overal gangsters en moordenaars. Toe, wees voorzichtig. Ook met vrouwen. Er zijn zoveel slechte vrouwen.'

'Voor mij bestaat u alleen maar en dat weet u best. Een dikke kus, ma! Over een dag of drie bel ik weer op. Weer tegen de avond. Tot dan!'

Hyde legde de hoorn op de haak, nam hem er weer af en draaide weer een nummer. De roomservice meldde zich. Hyde noemde zijn kamernummer.

'Brengt u mij een biefstuk met patates frites en verse boontjes,' zei hij. 'De biefstuk medium. En een fles mineraalwater. Bedankt.'

Een kwartier later verscheen de kelner met een serveerwagen en de maaltijd die Hyde had besteld. Hij at met smaak en dronk er een glas water bij. Aan het eind nam hij de fles en het glas van de wagen en zette die op een tafeltje. De wagen reed hij de gang op. Aan de deurknop hing hij het bordje 'Niet storen'. Het was precies elf uur toen Hyde het nummer van Roger Morley in Londen draaide en de blokkering van de automatische telefoonbeantwoorder ophief met behulp van zijn kleine decoder.

Nu klonk de stem van de advocaat: '22 februari 1984, 22.45 uur. Het spijt me, mr. Hyde. Men overlegt nog steeds. Onderneemt u niets. Blijf waar u bent. Belt u mij vannacht om twee uur Middeneuropese tijd terug. Dan weet ik meer. Het beste!' De band stopte met een zacht klikje. Hyde schonk nog wat water in en pakte zijn boek dat op het telefoontafeltje lag. Zijn stoel was comfortabel. Het licht van een staande lamp viel op de bladzijden. Hij dronk langzaam. Hij las langzaam en aandachtig: ''k Ben dus een rijkaard, wien zijn sleutel stil / Zijn weggesloten schat kan doen bespieden, / Doch die niet daag'lijks hem aanschouwen wil, / Wijl 't zeldzaam zien verfijnd genot kan bieden ...'

Conrad Colledo hielp Mercedes met inpakken. Ze namen twee koffers, want de winterkleding van Daniel was zwaar en nam veel plaats in.

'Jij komt met mij mee naar huis en overnacht bij ons, Mercedes. Ik heb alles al met mijn vrouw besproken,' zei Colledo. 'Anders heb ik geen minuut rust.'

'Maar ik heb nu toch mijn "levensverzekering"?'

'Toch ga je mee,' zei hij. 'We weten immers niet wat ze in hun eerste schrik doen ... Nee, alsjeblieft, spreek me niet tegen. Je gaat mee.' Hij droeg de bagage naar zijn auto. Bij het rijden zette hij een bril op. Het was een flinke afstand. Colledo woonde in de Siesmayerstrasse bij het grote Grüneburgpark naast de palmentuin. Dat vertelde hij aan Mercedes toen hij startte. En zonder enige overgang: 'Lisa – mijn vrouw – is de vorige zomer in de tuin gevallen en ongelukkig terechtgekomen. Pal in de messen van een grasmaaier. De pezen van beide polsen zijn doorgesneden. Zes operaties. Er is vrijwel niets van te zien. Maar een heleboel dingen kan ze niet meer doen met haar handen.'

Lisa Colledo was een kleine, tengere vrouw met blond haar en blauwe ogen. Ze verwelkomde Mercedes hartelijk. Haar handen waren ijskoud. In de eetkamer van de modern ingerichte villa zag Mercedes een gedekte tafel.

'Je hebt gezegd dat het waarschijnlijk laat werd, Conny. Theres heeft goelasj klaargemaakt. Twintig minuten en we kunnen eten.'

Op de eerste verdieping was een logeerappartement met badkamer en telefoon. Mercedes douchte, trok daarna haar andere mantelpakje aan en ging weer naar beneden. Theres, de kokkin, was een vrouw van minstens zestig jaar met een vriendelijk gezicht en een prachtig kunstgebit. Ze serveerde en schepte voor Lisa op. Colledo sneed het vlees voor haar klein.

'Conny heeft alles al verteld, hè?' Lisa keek eerst naar Mercedes en vervolgens naar haar handen. Mercedes knikte. 'Het is gewoon belachelijk. Heel veel dingen kan ik nog. En andere doodeenvoudige dingen niet meer. Ik zou bijvoorbeeld zonder meer kunnen autorijden. Maar dat gaat niet omdat ik het portier niet openkrijg als ik wil uitstappen. Mijn handschrift is absoluut niet veranderd. Professor Eichholz is van mening dat het weer in orde komt. Smaakt de goelasj? Theres is een Weense. Het komt natuurlijk nooit meer goed. Ik kan niet eens boter op een broodje smeren,' zei ze zacht.

Colledo had Mercedes tijdens de rit verteld dat hij zijn vrouw niet op de hoogte had gesteld van wat er aan de hand was. Hij had alleen tegen haar gezegd dat het op het moment erg druk was en dat Mercedes een vriendin van Daniel uit Brazilië was en in Frankfurt was geland om Daniel een bezoek te brengen. Maar die deed immers net een ontwenningskuur in de buurt van Wenen.

'Morgen reist Mercedes door. Danny zal erg blij zijn.'

'Danny!' Lisa glimlachte toen het gesprek op hem kwam en eensklaps had haar gezicht de lieflijkheid van een jong meisje. 'Dat is al zo'n oude vriend van ons. Zo'n fijne vent. Mijn man en hij werken al een eeuwigheid uitstekend samen . . .'

Mercedes keek Colledo aan. Deze sloot even zijn ogen. Zijn vrouw wist dus ook niet dat Daniel ontslagen en weer in dienst genomen was. Colledo scheen alles verre van haar te houden.

De Weense kokkin kwam en ging.

'Heerlijke goelasj, Theres.'

'Dank u, meneer. Ik heb nog sorbets. Daar houdt meneer immers zo van. Mevrouw ook?'

'Heel erg,' zei Mercedes.

'Mooi zo.'

Na het eten zaten ze nog een half uur bij de open haard in de woonkamer. Er lagen enorme houtblokken te branden. Langs de muren van de vertrekken had Mercedes talrijke schilderijen gezien – allemaal met hetzelfde motief, een klein meisje. Het speelde. Het sliep. Het liep. Boven de schoorsteen hing een portret waarop het meisje lachte. Lisa merkte de blik van Mercedes op.

'We hebben een kind gehad,' zei ze. 'Ze is overleden. Toen ze dertien was. Van de zomer.'

Colledo zei: 'Al die portretten van Kathi heeft mijn vrouw geschilderd. Ze heeft enorm veel talent.'

'Ja, zeker,' zei Mercedes.

'Och nee,' zei Lisa afwerend. 'En nu zou ik helemaal niet meer kunnen schilderen. Ik wil het ook niet. Ik heb alle andere schilderijen vernietigd toen . . . Kathi stierf. Alleen die van haar heb ik bewaard.' Ze begon ineens te huilen. Colledo sloeg een arm om haar heen en praatte troostend tegen haar.

'Het is zó gemeen!' zei Lisa tegen Mercedes. 'Hoe kan Hij zo iets toelaten? Zo'n goed kind. "Mijn engeltje", noemde Theres haar altijd. Nee, Hij bestaat niet . . .' Ze verborg haar gezicht tegen de borst van Colledo. Deze keek Mercedes met smekende ogen aan.

Haar polsen doorgesneden. Door de messen van een grasmaaier. Van z'n leven niet, dacht Mercedes. Dat was een heel ander mes geweest . . .

Ze gingen weldra slapen.

'Als je nu je vader wilt opbellen,' zei Colledo toen ze al bij de trap waren. 'Daarginds is het pas halfacht.'

'Ja, bedankt,' zei Mercedes.

Ook op haar kamer hing een portret van het kleine meisje. Mercedes ging naast het telefoontoestel op bed zitten. Ze draaide het lange nummer. Haar stiefvader nam dadelijk op.

'Olivera.'

'Vader, met Mercedes.'

'Ik zit al sinds gisteren te wachten.' Zijn stem klonk ongerust. 'Is er iets gebeurd?'

'Alles in orde.'

Goudblond haar had het kleine meisje en blauwe ogen. Ook op dit schilderij lachte ze.

'Waar is Daniel?'

'Nog in de studio,' loog Mercedes.

'Waar bel je vandaan? Kan er niemand meeluisteren?'

'We logeren bij vrienden van hem. Niemand kan meeluisteren.'

Het kleine meisje op het schilderij hield haar hoofd opgeheven.

'En? Hoe is het? Lieve hemel, zeg toch eindelijk iets!'

'Ze zijn zwaar onder de indruk. Ze gaan de film uitzenden. Eerst moeten ze de affaire natuurlijk heel nauwlettend onderzoeken – dat heeft Danny u al verteld.'

'Ja ja ja. En betalen ze de prijs?'

'In principe zijn ze daartoe bereid.'

'Wat heet "in principe"?' Zijn stem werd luider. Over een afstand van duizenden kilometers, over oerwouden en steppen, over een wereldzee heen voelde ze dat hij steeds nijdiger werd, steeds meer zijn zelfbeheersing verloor.

'Vader . . . alstublieft . . . We zijn hier pas een dag. Het is een ongelooflijk bedrag dat u vraagt . . . Het is een ongelooflijke zaak waar ze zich mee inlaten . . . Denk aan het schandaal over de hele wereld! Ze moeten wel een onderzoek instellen, ze moeten zichzelf wel dekken . . .'

'Jij weet wat die mensen daar in handen hebben. Natuurlijk zullen anderen nu alles in het werk stellen om de film voor een vervalsing uit te maken . . . Er zullen getuigen worden omgekocht om valse verklaringen te laten afleggen en leugens te laten verkondigen . . .'

'Precies! En om alle getuigen voor en tegen de echtheid te vinden, hebben ze bij de studio tijd nodig.'

'Hoeveel tijd?'

'Dat weet ik niet . . . Goeie genade, vader! Ze hebben het materiaal toch nog maar net gekregen! Ze beginnen net met een onderzoek.'

'En ze betalen niet voordat dat afgesloten is.'

'Inderdaad,' zei Mercedes hard. Zo had ze haar vader nog nooit meegemaakt. Wilde hij niet net als zij met deze film de mensen wakker schudden? Een ontzettende oorlog voorkomen? Ging het hem ineens alleen om het geld? Mercedes was verbijsterd en geschokt. 'Nee,' zei ze nog eens, 'van tevoren betalen ze niets.' Wat was er met haar vader gebeurd?

Het kleine meisje op het schilderij droeg een donkerrode jurk. Door de telefoon kwam geen antwoord.

'Vader!'

'Ja.'

'Waarom zegt u niets?'

'Omdat . . . Zo heb ik het niet met Daniel afgesproken. Dus ze betalen pas wanneer ze hun onderzoek hebben beëindigd. Dat kan wel een maand duren, hè? Hoor je mij? Ik heb gezegd: dat kan wel een maand duren, hè?'

'Ik weet het niet, vader. Ja, misschien een maand . . . Misschien wel langer . . .'

'Langer?' Nu klonk zijn stem hysterisch. 'Luister goed, Mercedes: een maand is het absolute maximum dat ik hun geef. Als ze over een maand nog niet hebben betaald – het hele bedrag – kunnen ze de zaak vergeten. Dan doe ik wat ik tegen Daniel heb gezegd. Dat moet hij tegen zijn collega's zeggen.'

'U doet helemaal niets, vader! Toe! U brengt uzelf in levensgevaar – en ook nog een heleboel andere mensen. Ik smeek het u!'

'Levensgevaar! Ik kán niet langer dan een maand wachten. Daar zullen de heren genoegen mee moeten nemen. Ik bel over drie dagen op – waar kan ik jullie bereiken?'

'Dat weet ik niet, vader. We zijn nu voortdurend op pad. We bellen u wel op.'

'Voor mijn part. Maar als ik niet de vaste toezegging krijg dat het hele bedrag uiterlijk over een maand wordt overgemaakt, neem ik andere maatregelen.'

'Vader, ik smeek u . . .'

'Neem ik ándere maatregelen!' schreeuwde hij. Daarna klonk zijn stem weer normaal: 'Welterusten, kindje.' En de verbinding was verbroken.

Mercedes legde de hoorn neer en bleef roerloos zitten. Ze staarde naar het portret van het kleine meisje dat zo hartelijk lachte en in werkelijkheid zo ellendig aan haar einde was gekomen.

Hij neemt andere maatregelen, dacht Mercedes. Waar leiden die toe? Eensklaps was ze weer in de kille greep van de angst. Ze begroef haar gezicht in haar handen.

De advocaat Roger Morley in Londen legde eveneens de telefoonhoorn neer. Hij had bijna twee uur met verschillende contactmensen gesproken en maakte een uitgeputte indruk. Nu zat de kleine man met het rozige gezicht, de blozende wangen, de rode mond, de muizetandjes en het warrige grijze haar achterovergeleund in de makkelijke stoel in zijn kantoor en vouwde zijn handjes over zijn puntbuikje. Het was 's nachts tien over een. In de Chancery Lane toeterde een auto, lang en enerverend. Daarna was het weer stil. Morley depte met een zijden zakdoek zijn voorhoofd droog. Ik word oud, dacht hij droevig. Daarna klaarde zijn gezicht op. Thee! Wat hij nu nodig had, was een paar koppen thee.

Hij stond kwiek op en haastte zich met trippelende pasjes naar de kitchenette. Daar vulde hij een ketel met water en stak het fornuis aan. Peinzend keek hij naar de rij gekleurde blikken trommeltjes die op een plank boven het fornuis stonden. Wat zullen we nemen? Flowery Orange Tea? China Jasmin with Flowers? O nee, laten we eens een Finest China Keemun, bloemig zacht, nemen! Roger Morley maakte de drank klaar die hem verlichting van de plagen van de dag moest brengen en deed dit met de overgave van een dirigent. Hij haalde alles bij elkaar wat hij nodig had. Op een zilveren dienblad bracht hij alles naar zijn bureau. Eerst deed hij drie stukjes kandijsuiker in het kopje van dun Chinees porselein. Daarna schonk hij het halfvol thee. Vervolgens verdunde hij deze met heet water. Hij wachtte en snoof de geur van de Finest China Keemun op.

Eindelijk dronk hij. De gelukkige glimlach van een baby verhelderde zijn gezicht.

Ach ja, zo smaakte het nu eenmaal!

Nadat hij twee kopjes had gedronken voelde hij zich weer opgeknapt. Hij maakte alvast een derde kopje klaar, trok het tafeltje met de automatische telefoonbeantwoorder naar zich toe, zette deze aan, pakte een microfoon en begon te spreken.

'Goedenavond, mr. Hyde. Of liever goedemorgen. Het is 23 februari 1984, 1.25 uur. Ik ben nu in staat u nieuwe instructies te geven.'

Een slokje thee.

'De situatie is veranderd, zoals ik u reeds meedeelde. Het belangrijkste punt: de verantwoordelijke mensen van studio Frankfurt, die de film nu hebben, zullen hem – na nauwkeurig onderzoek – uitzenden, onverschillig of na het onderzoek blijkt of hij vals is of niet. Zonder enige twijfel zullen er echter gewetenloze getuigen zijn die beweren dat hij echt is. Mijn kennissen wilden eerst – u herinnert het zich – dat de film in hun bezit kwam en onder geen voorwaarde zou worden uitgezonden. De ideale oplossing is niet haalbaar meer. Nu is het de bedoeling dat de film op zijn minst als een infame vervalsing, die hij ook is, te kijken wordt gezet. U dient er wel rekening mee te houden dat de intendant van de zender tegenover mijn kennissen heeft benadrukt dat hij nu in het bezit is van de beide filmkopieën en deze beschouwt als een 'levensverzekering' voor iedereen die aan het project deelneemt, natuurlijk in het bijzonder voor Ross en mevrouw Olivera.'

Iets te sterk de thee ditmaal. Morley schonk heet water bij. Hij proefde. Nu was de samenstelling perfect.

'Onder geen voorwaarde, mr. Hyde, in geen enkele situatie, hoe die zich ook voordoet, mag u dus geweld tegen die twee personen gebruiken. Ha, ha, ha. Ik houd van dergelijke wendingen. U ook? Eigenlijk is er in principe niets veranderd: we hebben te maken met een oude nazi-misdadiger die een vervalste film in de openbaarheid wil brengen en daarmee zoveel mogelijk geld wil verdienen. De getuigen die nu beweren dat de film echt is, zijn óf ook nazi's en liegen daarom bewust en gewetenloos, of ze krijgen er geld voor, dat is duidelijk. Maar dat is niet duidelijk te maken aan de gewone man voor de beeldbuis. Hij zal onder de indruk zijn van elke verklaring van welke getuige ook. Daarom is het – en luistert u nu goed, mr. Hyde – van het grootste belang dat deze valse getuigen worden geliquideerd, en wel nog voordat zij in de gelegenheid zijn hun verklaring voor de camera af te leggen. Wij moeten dus eerder of op zijn minst op dezelfde tijd bij die schoften zien te komen als de onderzoekers van de televisie. Voor u betekent dit, dat Ross en Olivera voortdurend in de gaten dienen te worden gehouden. Natuurlijk zullen die twee nu ook getuigen gaan zoeken. U, mr. Hyde, moet een mogelijkheid vinden waardoor u gelijktijdig met hen hoort of een dergelijke getuige de waarheid zal vertellen, dus dat de film vals is, of dat hij van plan is de echtheid van de film te bevestigen. In het eerste geval is het noodzakelijk er steeds voor te zorgen dat de getuige zijn verklaring voor de camera kan afleggen. In het tweede geval is het uw taak de getuige te liquideren voordat er een camera bij hem is.'

Een slokje thee.

'Nu, beste mr. Hyde, u kunt zich niet met alle mensen bij de zender bezighouden die op onderzoek worden uitgestuurd naar getuigen en bewijzen. Om die reden zijn er al talrijke andere beroepsmensen aangeworven. U blijft natuurlijk de belangrijkste man. U zult – volgens de laatste instructies – uitsluitend een oogje op Olivera en Ross houden. Die twee zijn het gevaarlijkst. Het allergevaarlijkst is Olivera. Waarom? Omdat ze fanatiek is en alle mensen op de wereld – met uitzondering van zo'n "tweehonderd misdadige oude mannen" – en zichzelf als slachtoffers beschouwt. Weet u wie de ergste zijn, mr. Hyde? De slachtoffers, zodra ze aanklagers worden. Ik kan u binnenkort uiteenzetten hoe de jacht moet beginnen. Op dit moment wordt er een scenario uitgewerkt. Daarbij dient te worden uitgegaan van het feit . . .'

'. . . dat u terugkeert naar Wenen en in de onmiddellijke nabijheid blijft van de twee door u te observeren personen,' klonk de stem van Roger Morley aan Hydes oor. Deze had, zoals verzocht, de advocaat om twee uur 's morgens vanuit zijn hotelkamer in Frankfurt opgebeld. Hij zat met de hoorn in zijn hand onder de lamp. De fles mineraalwater was leeg. 'Wilt u dokter Herdegen van alles op de hoogte stellen? Hij kan u in het sanatorium onderbrengen. Natuurlijk mag Olivera u nu niet in Heiligenkreuz of ergens anders zien, dat is logisch.'

Ik moet Heinz de wapens teruggeven voordat ik naar Wenen vertrek, dacht Hyde. En ik moet inzage hebben in de passagierslijsten om te voorkomen dat ik in hetzelfde toestel beland als Olivera.

'Uw werk en dat van uw collega's, die alleen of met z'n tweeën werken, wordt van hieruit gecoördineerd. Het zou schadelijk en gevaarlijk zijn als u elkaar zoudt kennen. Ik herhaal: *getuigen voor de echtheid van de film dienen onmiddellijk te worden geliquideerd*. Aan de andere kant hebben we dringend getuigen nodig die zo indrukwekkend mogelijk kunnen aantonen dat de film vals is en hoe de vervalsing tot stand is gekomen. Weliswaar wordt de film ook dan uitgezonden als alle getuigen roepen dat het een vervalsing is, hebben we vernomen van de kant van de zender – waar wij overigens God zij dank een betrouwbare man hebben gevonden die ons van alles op de hoogte houdt. Maar de film zal – afkloppen! – een volkomen andere uitwerking hebben dan die waarop bijvoorbeeld de internationale vredesbeweging hoopt. Juist deze vredesbeweging zal dan te kijk worden gezet als een groep mensen die zich van dwepende fantasten hebben ontwikkeld tot gevaarlijke psychopaten die voor geen enkel bedrog terugschrikken en in feite het grootste gevaar voor de vrede betekenen. Dit aan te tonen is het doel dat nu onvoorwaardelijk dient te worden nagestreefd, mr. Hyde. Er ligt een grote taak op u te wachten.'

Plotseling hoorde Hyde de advocaat lachen en toen volgden de woorden: 'Vergeeft u mij mijn ongepaste vrolijkheid. Ik zat net te denken: natuurlijk is de film vals! Maar als hij dat níet is, zouden wij allemaal de Amerikanen en de Russen op onze blote knieën moeten danken voor dat geheime verdrag, want uiteindelijk is het toch zo dat er nu al negenendertig jaar geen wereldoorlog meer is geweest, nietwaar?'

Boek drie

1

'Nu heb ik u dus uiteengezet voor welk doel sanatorium Kingston is ingericht en hoe het functioneert – evenals alle andere Kingston-sanatoria in Europa. De Russen en de Amerikanen willen in deze tijd gewoon dergelijke centra hebben, waarin ze samen belangrijke inlichtingen inwinnen,' zei Josef Aigner, de verpleger met het goedmoedige gezicht, de grijze haren en de grijze ogen en met het lichaam van een atleet. Hij liep tussen Daniel en Mercedes in. Het was op de ochtend van 5 maart 1984.

De drie mensen staken langzaam het besneeuwde plein van de abdij van Heiligenkreuz over. Sedert vier dagen maakte Daniel in het gezelschap van Mercedes en telkens andere verplegers dergelijke uitstapjes in de nog steeds winterse omgeving van het sanatorium. Hij was goed door de ontwenning en overschakeling op Amadam heen gekomen, had een enorme eetlust, sliep goed en kwam ongelooflijk vlug weer op krachten. Aan dit vierde uitstapje nam de verpleger Josef Aigner deel. In de afgelopen vijftien minuten had hij Mercedes en Daniel het geheim van de merkwaardige kliniek verraden.

'Waarom vertelt u ons dat, meneer Aigner?' vroeg Daniel, onder de indruk.

'Zegt u alstublieft Josef, meneer Ross, en niet meneer Aigner. Ik ben Josef.'

'Goed, Josef. Maar waarom?'

'Omdat dokter Mannholz me dat heeft verzocht,' antwoordde de zachtaardige reus. 'Zij zou het u allemaal veel liever zelf hebben verteld, maar dat gaat niet. Dokter Herdegen zou nooit goedvinden dat zij buiten het sanatorium met u alleen spreekt. Of dat ze ook maar met u gaat wandelen. Nee, nee, dat is uitgesloten. Die arme dokter is een echte gevangene. Ik ben hier de enige die ze kan vertrouwen, want haar broer en ik hebben op dezelfde school gezeten en daarna ben ik jarenlang zijn vriend geweest. Maar dat weten ze hier niet, God zij dank!'

'Sibylles broer!' zei Daniel. 'Ik heb hem al die tijd in Wenen nooit gezien. Maar ze sprak vaak over hem, heel vaak. Ze was erg dol op haar broer, kan ik mij herinneren.'

'Dat is nog altijd zo,' zei Josef bedroefd. 'Dat is nu juist de narigheid. Zodoende hadden ze het gemakkelijk met haar,' Twee priesters kwamen in hun richting over het geweldige plein en passeerden hen. Dadelijk veranderde Josef van onderwerp en toon. 'En hier, als mevrouw en meneer de Drievuldigheidszuil willen bekijken.' Hij bleef staan voor een van steen gemetseld hoog gedenkteken, waarvan de figuren en symbolen dikke sneeuwkappen droegen. Bovenop rees een groot gouden kruis op tegen de donkere achtergrond van laaghangende wolken. 'Is gebouwd in 1939. Goedendag.' De priesters namen allebei hun zwarte hoed af. 'Een prachtige zuil,' zei Josef. 'Zo, en nu gaan we naar de Josephsbrunnen, die is van hetzelfde jaar. Elke zomer komen er duizenden mensen naartoe. De abdij is namelijk een bedevaartsoord, weet u? In het jaar 1188 hebben de geestelijke heren van de Babenbergse hertog Leopold V een relikwie van het heilige kruis gekregen. Tja, m'n hemel, het is allemaal al eeuwen oud. Wat denkt u hoeveel bussen van reisondernemingen hier in de zomer geparkeerd staan! Rijen dik! Ook in dit jaargetijde komen er bezoekers.' En zonder overgang, daar de beide priesters zich hadden verwijderd: 'Dokter Mannholz kan me inderdaad vertrouwen, dat weet ze. Daarom heeft ze gezegd dat ik u alles moest vertellen als ik aan de beurt was om met u mee uit wandelen te gaan – alles over het sanatorium en over haar. Die arme, goede dokter! We kunnen het beste eerst de abdijkerk ingaan. Dokter Herdegen heeft bij het bestuur toestemming gevraagd overal te mogen komen voor een bezichtiging. Dat doet hij vaak voor patiënten, als hij ze tenminste het sanatorium uit laat . . .' Ze waren het plein overgestoken en gingen nu tegenover de arcades van twee verdiepingen de grote, oude kerk in. 'Dokter Mannholz vond dat u alles moest weten, opdat u nog voorzichtiger zult zijn.' Hun stappen weerklonken op de uitgesleten tegels. Voor een zijaltaar stond, in gebed verzonken, een oude vrouw met een zwarte hoofddoek. Josef reageerde onmiddellijk: 'Ziet u de gebrandschilderde ramen? Zijn uit het jaar 1300 . . . Dus in 1976, acht jaar geleden, werkte dokter Mannholz nog in het Algemeen Ziekenhuis . . . Op de psychiatrische afdeling, niet?'

'Ja,' zei Daniel. 'Ik heb haar, toen ik haar de eerste keer opbelde, gevraagd waarom ze daar is weggegaan. Ze wilde er immers helemaal niet weg. Ik heb daar geen antwoord op gekregen.'

'Nu zult u dat wél krijgen. Zoals de dokter het wil, namelijk dat ik u alles vertel. Langzaam door blijven lopen, mevrouw en meneer, net doen alsof we alles bekijken; er zijn nog een paar mensen in de kerk, zie ik. Tja, het was op 18 juni 1976. Toen kreeg dokter Mannholz een telefoontje . . .'

'Met dokter Mannholz?' informeerde een mannenstem met een licht Slavisch accent.

'Inderdaad.' Sibylle had op een elektrische schrijfmachine een ziekteverloop uitgetypt toen de telefoon ging. Heldere zonneschijn viel in haar werkkamer. Deze was hypermodern ingericht, zoals het hele gebouw van de nieuwe psychiatrische afdeling. Deze afdeling was vlak bij de plaats gebouwd waar de oude kliniek was gesloopt. Alle andere gebouwen stonden er nog. De psychiatrische afdeling was de eerste nieuwbouw.

'Mijn naam is Abad,' zei de man. 'Ik verzoek u dringend mij te verontschuldigen voor het feit dat ik u stoor.'

'U stoort niet, meneer Abad. Waar gaat het over?'

'Ik – dat wil zeggen, mijn opdrachtgevers, kunnen u een aanbod doen met het oog op uw carrière.'

'Ik werk al jaren in deze kliniek en ik wil hier blijven, meneer Abad.'

'O, maar u kent het aanbod niet, dokter! Het is beslist uniek. Ik praat er liever niet over via de telefoon. Wanneer kunnen wij elkaar ontmoeten?'

Sibylle aarzelde.

'Ik vrees dat het geen nut heeft, meneer Abad.'

'Het heeft beslist nut,' zei hij geestdriftig. 'Wilt u mij het genoegen doen vanavond met mij uit eten te gaan? Ik ken Wenen niet zo goed. Men beweert dat het restaurant in de Donautoren een attractie is. En het eten uitstekend. Kunt u vanavond al?'

Sibylle dacht na. Haar man was drie dagen naar Parijs. Hij moest in het Louvre werken.

'Wacht eens.' Mercedes onderbrak het verslag van Josef. Haar gezicht was ineens bleek. 'Is dokter Mannholz getrouwd?'

'Ja, zeker. Wist u dat niet, mevrouw Olivera?'

'Nee, dat wist ik niet.' Mercedes keek Daniel aan. 'Wist jij dat?'

Hij knikte.

'We hebben het nog nooit uitvoerig over Sibylle gehad, Mercedes,' zei hij zwakjes. 'Ze is in 1973 getrouwd. Met een oude vriend van mij. Ik heb die twee met elkaar in contact gebracht.'

'Waarom heet ze dan nog altijd Mannholz?'

'Dat was haar naam toen ze nog een jonge arts was. Onder die naam was ze bekend. Ze wilde geen dubbele naam en hield de hare aan. Haar man, Werner Farmer, is kunsthistoricus.'

'Waar woont hij?'

'Nou, hier natuurlijk, mevrouw. Samen met de dokter. In de villa in het park. U hebt de villa toch gezien, hè?'

'Ja, die heb ik gezien,' zei Mercedes. Ze keek Daniel weer lang aan. Daarna glimlachte ze en gaf hem een arm terwijl ze doorliepen en de verpleger verder ging met zijn verhaal . . .

Sibylle dacht na. Haar man was drie dagen in Parijs. Hij moest in het Louvre werken.

'Vanavond zou wel kunnen,' zei ze aarzelend.

'Mag ik u afhalen – laten we zeggen om zeven uur?'

Sibylle woonde allang niet meer in de woontoren. Ze had met Werner een huis gehuurd in Sievering.

'Dank u. Maar doet u geen moeite. Ik heb een auto.'

'Prima. Dan kan ik dus een tafel reserveren in het bovenrestaurant voor – laten we zeggen halfacht?'

'Goed, halfacht. Hoe kan ik u herkennen, meneer Abad?'

'Maakt u zich geen zorgen, dokter. Ik ken ú.'

'Hoezo? Waarvan?'

'O, van heel veel foto's. Wij hebben elkaar ook een paar maal ontmoet.'

'Waar?'

'In het ziekenhuis. Bij uw colleges in de grote collegezaal.'

'Ik kan me werkelijk niet herinneren . . .'

'U hebt mij niet gezien. Maar ik heb u heel goed gezien. Ik zal u vanavond in de Donautoren alles uitleggen.'

De Weense Donautoren werd ter gelegenheid van de Internationale Bloemententoonstelling gebouwd en in 1964 in gebruik genomen. Hij is 252 meter hoog en het hoogste bouwwerk van de stad. Met twee snelle liften worden de bezoekers in 45 seconden naar de centrale verdieping gebracht, op een hoogte van 165 meter. De toren heeft twee uitzichtterrassen en twee ronddraaiende restaurants met airconditioning, en wel op een hoogte van 160 en 170 meter. De beide restaurants kunnen met een snelheid van 26, 39 of 52 minuten per rotatie ronddraaien.

Op de avond van 18 juni 1976 zat de docente Sibylle Mannholz hier tegenover een opvallend kleine, zorgelijk uitziende man. Abad had een te grote neus en te grote oren voor zijn kleine hoofd. Zijn ogen waren maar moeilijk te zien achter zijn zeer sterke bril. Zijn voorhoofd was gegroefd, zijn haar dun en strak achterover gekamd. Abad droeg een grote parel op de knoop van zijn stropdas. Zijn handen leken op die van een pianist. Hij maakte een tengere, kwetsbare indruk.

Tijdens het diner had hij hoffelijke opmerkingen over Sibylles uiterlijk en over haar capaciteiten ten aanzien van haar beroep gemaakt en haar verzekerd dat hij haar man en de kunstboeken waaraan deze meewerkte, zeer bewonderde. Nu, bij de koffie met cognac, leunde hij voorover, legde zijn kleine vingers over elkaar en liet zijn stem dalen. Buiten gleed vrijwel onmerkbaar de lichtzee van het stadscentrum voorbij.

'Nu dan, dokter,' zei de dwergachtige Abad. 'Laten we ter zake komen. Hebt u al eens van de Kingston-sanatoria gehoord?'

'Nee.'

'Nou ja, ze bestaan ook nog niet zo lang en er wordt ook geen reclame voor gemaakt. Ze zijn gebouwd door een Amerikaanse miljonair met de naam Kingston, zoals andere Amerikaanse miljonairs hotelketens in heel Europa bouwen. Het zijn psychiatrisch-neurologische klinieken met alle denkbare comfort en de modernste en duurste apparatuur voor gecompliceerde onderzoeken. Alleen autoriteiten van de bovenste plank werken in deze ziekenhuizen en ook het overige personeel is uitstekend. Hier vlak bij is ook zo'n sanatorium – niet ver van de abdij van Heiligenkreuz. U kent Heiligenkreuz? Dacht ik wel. Nu, in opdracht van het bestuur van de Kingston-sanatoria heb ik de eer u de leiding van de kliniek bij Heiligenkreuz aan te bieden.'

Sibylle staarde de dwerg aan. De lichtzee buiten was verdwenen omdat het restaurant was doorgedraaid. Maneschijn viel op de bergen van het Wienerwald.

'Waarom biedt u mij die functie aan, meneer Abad?'

'Ze nemen alleen eersteklas specialisten, dat zei ik al. Men heeft uw werk lang en nauwlettend geobserveerd en is tot de overtuiging gekomen dat er in Wenen niemand is die deze functie beter kan vervullen dan u.'

'Dat is erg vriendelijk van u, maar . . .' Ze zweeg.

'Maar?'

'Maar ook zeer ongewoon.'

'U bedoelt: omdat u een vrouw bent? Toe nou, dokter! U werkt in het

Algemeen Ziekenhuis toch ook net zo zelfstandig als uw mannelijke collega's!'
'Dat bedoelde ik niet.'
'Wat dan?'
Nu boog ook Sibylle zich naar voren.
'Meneer Abad, u bent toch een buitenlander, hè? Ik bedoel: u spreekt fantastisch goed Duits, maar ik hoor toch een licht accent. Een Slavisch accent...'
'Mijn ouders waren Russen.'
'Ziet u wel.'
'Wat moet ik zien, dokter?'
'U bent een Rus, zegt u, en u doet dit aanbod uit naam van een Amerikaanse maatschappij?'
'Precies,' zei Abad met een droevige glimlach. 'En dat is beslist niet in tegenspraak met elkaar. Deze Kingston-sanatoria worden namelijk zowel...'

'Alle wapenstenen en altaarbeelden die u hier ziet zijn afkomstig van de grote kunstenaars Rottmayr en Altomonte,' zei de verpleger Josef luid en snel. Hij onderbrak zijn verslag omdat een man en een vrouw hen door het hoge middenschip van de kerk tegemoet kwamen. De man had een reisgids in zijn handen, waarin blijkbaar een beschrijving van de kerk en de hele abdij stond, want hij las eruit voor aan zijn metgezellin. Ze bleven staan en bekeken een altaarbeeld. Mercedes, Daniel en de verpleger Josef liepen door. Toen ze ver genoeg weg waren, zei Josef: 'Toen heeft die Abad de dokter heel openhartig uiteengezet wat voor instellingen die Kingston-sanatoria zijn...

'Dokters en personeel weten natuurlijk absoluut van niks. Ik kan u dat heel eerlijk verklaren, dokter,' zei de kleine man, een slokje cognac nemend, 'want ik weet hoeveel u van uw broer Eugen houdt.'
'Wat heeft mijn broer Eugen ermee te maken?'
'O, heel veel, beste dokter. Hij zal de doorslaggevende reden zijn waarom u ons aanbod aanneemt.'
'Ik zal uw aanbod nooit aannemen,' zei Sibylle. 'Hoort u? Nooit! Ik ben ontdaan over wat u mij over de zin en de werkwijze van deze sanatoria hebt verteld. Ik wil nooit van mijn leven met zo'n inrichting te maken hebben. Als ik had geweten...'
'Uw geliefde broer Eugen werkt sedert negen jaar voor de Westduitse militaire inlichtingendienst, de Bundesnachrichtendienst,' onderbrak Abad Sibylle en zijn stem werd nu bedroefd. 'De BND heeft zijn centrale in Pullach bij München. Nog geen drie jaar geleden werd uw broer – op een heel handige manier – de Sovjetunie in gesmokkeld; hij werkt in Moskou als correspondent van een grote Westduitse krant – u weet wel, welke. Dat klopt, hè?'
Sibylle knikte zwijgend.

Nu zag ze door het raam de brede rivier die een zilveren glans had in de weerschijn van het maanlicht.

'U had regelmatig contact met hem. U hebt altijd, al die jaren, in angst om uw broer gezeten. Maar nu zit hij ook in angst.'

'Wat bedoelt u daarmee?'

'Daar bedoel ik mee, dat het de Russische veiligheidsdienst na zo'n lange tijd – mijn compliment, uw broer is een intelligent man – na zo'n lange tijd, is gelukt voldoende belastend materiaal tegen Eugen Mannholz te verzamelen om hem als een Westduitse spion te ontmaskeren en hem voor de rechter te kunnen dagen. Het proces heeft vier weken geleden plaatsgevonden. Uw broer werd schuldig bevonden en ter dood veroordeeld.'

'De kruisgang die we nu gaan bezichtigen,' zei Josef Aigner, zijn verslag opnieuw onderbrekend omdat een groep Duitse toeristen met een gids hen passeerde, 'is ontstaan tussen 1220 en 1240. Ik ben vergeten te vermelden dat de abdij in de zeventiende eeuw door Angelo Canavale met barokke gedeelten is uitgebreid, zoals het prachtige voorplein van de abdij met de arcaden die we hebben gezien . . .' De toeristen waren doorgelopen. 'Die arme dokter Mannholz! Ze was volkomen in de war. Ze houdt werkelijk heel veel van haar broer en ze had inderdaad voortdurend in angst over hem gezeten. Eugen was in onze schooltijd al een bijzonder wilde jongen. Bij klimpartijen op de Rax heeft hij zich aan rotshellingen gewaagd bij het zien waarvan wij anderen al misselijk werden. Hetzelfde was het met gymnastiek, met zwemmen en met motorrijden. Wij beweerden altijd dat Eugen geen zenuwen had. Wat hem zo fascineerde, was het avontuur, het gevaar, op school al . . .' Josef slaakte een zucht. 'Zo is hij dan later bij de BND gekomen en naar Rusland gegaan. Daar hebben ze hem uiteindelijk ontmaskerd en ter dood veroordeeld. En om te zorgen dat de dokter aan de woorden van die meneer Abad ook geloof zou schenken, spreidde hij op de tafel in het restaurant een reeks foto's uit . . .'

Sibylle pakte de ene foto na de andere op. Haar gezicht was verstard tot een wasbleek masker. De foto's lieten de vierenveertigjarige Eugen Mannholz zien in gevangeniskleding op een gevangenisplein en, gekleed in burger, met geopend overhemd, zonder stropdas, voor de rechters van een militaire rechtbank. Het raam van het restaurant was nu naar de vele flatgebouwen met hun verlichte vensters in de Donaustad op de linkeroever van de rivier gekeerd.

'Het spijt me verschrikkelijk,' zei Abad, terwijl hij met de met een parel opgesierde knoop van zijn stropdas speelde. 'Ik weet hoezeer u gehecht bent aan uw broer – maar hij heeft vrijwillig zijn beroep als spion gekozen. Hij heeft de Sovjetunie jarenlang grote schade berokkend, zodat de militaire rechtbank niets anders kon doen dan zijn doodvonnis door ophanging uit te spreken. Er bestaat echter een uitweg . . .'

Sibylle ging recht zitten.

'Wat zei u?'

In plaats van haar te antwoorden, overhandigde Abad haar over de tafel een envelop. Sibylle haalde er een opgevouwen vel papier uit. Toen ze de brief openvouwde, moest ze hem op het tafellaken leggen, want haar handen beefden te hevig. Het handschrift van haar broer! Zonder twijfel. Sibylle herkende het met absolute zekerheid. Ze las:

Moskou, 20 mei 1976
Lieve Sibylle,
Als je deze woorden leest, zul je al weten wat er gebeurd is. Ik heb altijd geweten wat ik deed en wat me zou overkomen als ik pech had. Ik vond mezelf veel te slim. Ik was nooit bang om te moeten sterven. Nu ik veroordeeld ben, kan ik nog nauwelijks ademhalen, niet meer eten en niet meer slapen. Ik wil niet dood!

Sibylle zuchtte. Het uitzicht door het raam toonde nu onbewoond en overstroomd gebied.

Een uur geleden waren er twee hoge officieren in mijn cel. Ik heb papier en potlood gekregen plus de toestemming jou te schrijven. Onder één enkele voorwaarde acht het Opperste Gerechtshof zich in staat de doodstraf te wijzigen in een gevangenisstraf van vijfentwintig jaar: jij neemt het aanbod aan dat de brenger van deze brief je doet. Ik weet wat ik jou daarmee aandoe, maar toch verzoek ik je het aanbod te accepteren, opdat zij mij in leven laten!
Als je het aanneemt en ze over jouw werk tevreden zijn, krijg ik ook toestemming jou eens in de acht weken een brief te schrijven. Bovendien hebben ze mij een lichter regime in het vooruitzicht gesteld. Voor het geval je uitstekend werk levert, bestaat zelfs de mogelijkheid van verkorting van de gevangenisstraf. Doe alsjeblieft wat de man die je deze brief overhandigt van je wil! De datum van mijn terechtstelling is al vastgelegd en zal niet worden verzet. Help mij!
Veel liefs van je broer Eugen

Naast de naam zag Sibylle, half verblind door tranen, een rond stempel met cyrillische letters.

'De letters van het stempel betekenen: militair censuurbureau 21,' lichtte de kleine, zorgzame heer Abad toe. 'Droogt u nu uw tranen en beheerst u zich. We mogen hier geen opzien baren. Vooruit!' zei hij met onverwachte scherpte. Sibylle pakte een zakdoek en deed wat hij gezegd had.

'Zijn mevrouw en meneer tevreden? Is alles in orde?' Glimlachend stond ineens een ober bij hun tafel.

'Het was uitstekend,' zei Abad. 'Dank u zeer.'

'Wij moeten u bedanken, meneer,' zei de ober. Hij maakte een buiging en liep glimlachend door. In een ander gedeelte van het ronde restaurant begonnen een paar mannen en vrouwen te zingen.

'*Es wird ein Wein sein, und wir wern nimmer sein . . .*'

269

'Nu?' informeerde Abad.

Sibylle wilde antwoorden, maar kon geen klank door haar keel krijgen.

'Dókter!' zei Abad.

Ze antwoordde niet. Ze kon niet antwoorden, hoezeer ze ook haar best deed.

'Vandaag is het de achttiende,' zei Abad. 'Over zeven dagen . . .'

'Houdt u óp!' zei Sibylle eensklaps luid.

'Zachtjes!' maande Abad. 'Heel zachtjes.'

'. . . 's wird schöne Mädeln geb'n, und wir wern nimmer leb'n,' zong het vrolijke gezelschap. Door het grote raam konden ze nu in het bleke maanlicht de oude bomen, plassen, zandbanken en volkstuincomplexen van de Lobau zien. Verloren schitterden daar een paar lichtjes.

'Chantage dus,' zei Sibylle. Zij en Abad spraken van nu af aan bijna fluisterend.

'Alstublieft,' zei Abad, 'wilt u dat niet meer zeggen? Wilt u dat nóóit meer zeggen? Het is geen chantage. Het is de grootmoedige bereidheid van de Russische autoriteiten in een daad van volkomen misplaatste menselijkheid uw broer gratie te verlenen – als ook u toont bereid te zijn.'

'Hoe weet ik dat Eugen niet toch terecht wordt gesteld, al zeg ik toe? Wie garandeert mij dat?'

'Dat,' zei Abad, 'garandeer ik u namens en in opdracht van het Opperste Militaire Gerechtshof van de Sovjetunie. Als u die functie aanneemt, zal men uw broer toestaan dadelijk zijn eerste brief te schrijven. En er zullen meer brieven volgen. Dat is toch óók een garantie! Meer garantie kan niemand verlangen.'

'Wanneer moet ik in Heiligenkreuz beginnen?' vroeg Sibylle. Eerst had ze haar glas in één teug leeggedronken. 'Mijn opzeggingstermijn bij het Algemeen Ziekenhuis is een half jaar.'

'Ze zullen u direct laten gaan als u van baan wilt veranderen,' zei Abad. 'Dat wordt overal grootmoedig toegestaan. U dient zo snel mogelijk te beginnen.'

'En me verplichten voor vijfentwintig jaar? Voor vijfentwintig jaar?'

'Voorlopig wel, ja,' zei de elegante Abad. 'Het hangt allemaal van u beiden af. Zoals uw broer schrijft: als men bijzonder tevreden over u beiden is, kan de gevangenisstraf korter worden. Onder bepaalde omstandigheden zelfs veel korter. Het spreekt vanzelf dat u over ons gesprek en over de ware redenen waarom u overgaat van het Algemeen Ziekenhuis naar het Kingston-sanatorium bij Heiligenkreuz nooit met iemand zult spreken – in het bijzonder niet met uw man. Hij is een wetenschapsbeoefenaar. U hebt een voorbeeldig, rustig huwelijk en bent wars – Abad zei werkelijk 'wars' – van grote feesten. Uw man kan overal werken. Heiligenkreuz ligt maar dertig kilometer van Wenen. Men zal u een mooie villa in het park naast het sanatorium ter beschikking stellen. Wij staan er borg voor dat uw privé-leven gerespecteerd wordt. Dat wil zeggen, in uw eigen huis zal zich geen afluisterapparatuur bevinden. U kunt natuurlijk uw vrienden uitnodigen. Soms zullen wij u verzoeken een of twee patiënten uit te nodigen. Maar dan zal dokter Herdegen, wiens functie ik u al heb uiteengezet, aanwezig zijn, want dergelijke uitnodigingen van patiënten dienen als een onderdeel van uw werk te worden beschouwd. U blijkt telkens weer nodig te zijn, omdat . . .'

'. . . en in dit zogenaamde bronhuis hier – vroege gotiek – ziet u de oudste afbeeldingen van de Babenbergers in Oostenrijk.' De verpleger Josef Aigner onderbrak zijn zacht vertelde verhaal onverwachts omdat een priester in hun richting kwam. 'Dag, pater.'
De geestelijke knikte vriendelijk.

Josef zette de rondleiding voort, terwijl hij verder ging met het verslag van het gesprek dat Sibylle op de avond van 18 juni 1976 in het boven-restaurant van de Donautoren had gevoerd met de man die Abad heette. ' "Omdat men persoonlijke inlichtingen van patiënten gemakkelijker in een persoonlijke omgeving verkrijgt," zei Abad destijds tegen dokter Mannholz.'

'Een ogenblikje,' zei Daniel, het verhaal van Josef onderbrekend. 'Die Abad heeft dokter Mannholz verboden ooit ook maar met een sterveling over de ware achtergronden van haar verandering van baan te spreken, zelfs niet met haar man. Hoe weet jij het dan?'

'Ik ben de enige aan wie dokter Mannholz het heeft toevertrouwd. Ze kan voor de volle honderd procent op mij rekenen. Ik zat toch samen met Eugen op school . . .'

'Ja, dat heb je al verteld,' zei Daniel. 'Dus ze heeft in jou meer vertrouwen dan in haar man?'

'Dat natuurlijk niet, meneer Ross.'

'Waarom heeft ze over die zaak dan toch nooit met haar man gesproken?'

'Maar dat is toch logisch, meneer Ross. Uit liefde! Omdat ze hem niet lastig wil vallen met die geschiedenis. Kunt u dat niet begrijpen?'

'Ik wel,' zei Mercedes. 'Ik kan het heel goed begrijpen. Aan de andere kant heeft ze nu opdracht gegeven ons op de hoogte te stellen. Ze kent mij niet eens. En meneer Ross heeft ze twaalf jaar niet meer gezien.'

'De dokter,' zei Josef ernstig, 'is wanhopig over het feit dat u, meneer Ross, en u, mevrouw, zoals het ongelukkige toeval heeft gewild, hier terecht bent gekomen – en dat u bovendien heel duidelijk verwikkeld bent in een geschiedenis waarin men ten zeerste is geïnteresseerd. De dokter heeft tegen mij gezegd dat u beslist de waarheid moet weten. En snel. Ter bescherming. Zij zelf kan u dit alles niet vertellen. Ze zullen haar nooit met u alleen laten. In het sanatorium praten is onmogelijk. Daar wordt u afgeluisterd. In de villa is altijd dokter Herdegen erbij. Ze heeft er wel aan gedacht het op een cassette in te spreken, maar dat zou ook veel te riskant zijn geweest. Ze moet immers bij alles wat ze doet ook aan Eugen denken! Ze mag haar broer niet in gevaar brengen. Ze moet steeds meer hun vertrouwen winnen in verband met vermindering van de straf.' Josef zei: 'Ze moet verschrikkelijk veel vertrouwen in u hebben als ze tegen mij zegt dat ik u alles moet vertellen. Ze moet er heel zeker van zijn dat u haar nooit zult verraden.'

'Dat kan ze ook zijn,' zei Mercedes. 'Het is werkelijk een geweldige vrouw, Danny.'

'Ja,' zei hij, 'inderdaad.' Mercedes drukte zijn arm tegen de hare. Ze stonden nog steeds voor de stenen afbeelding van de familie Babenberger. 'En gaat het goed met Eugen?'

'Het gaat goed,' zei Josef. 'Sinds vijf jaar mag hij al eens in de vier weken schrijven. Dokter Herdegen ontvangt de brieven en geeft ze geopend door aan dokter Mannholz. En intussen mag Eugen al een hele tijd lezen in zijn vrije tijd, krijgt hij beter eten en geniet alle mogelijk gunsten, schrijft hij. De dokter vertelt het me altijd als er een brief komt. U begrijpt haar, hè? Dat heeft ze me namelijk nog speciaal opgedragen.'

'Wat?' vroeg Daniel.

'U te vragen of u kunt begrijpen dat zij hier de leiding op zich heeft genomen en overal aan meewerkt en doet wat van haar wordt verlangd. Of u dat echt kunt begrijpen en of u dat ook juist vindt.'

'Ik zou precies hetzelfde hebben gedaan,' verklaarde Mercedes. 'Jij ook, Danny!'

'Natuurlijk,' zei deze. 'Lieve hemel, het ging om het leven van haar broer. Natuurlijk heeft ze niet anders kunnen doen. Zeg dat alsjeblieft tegen haar.'

'Dat zal ik doen. Direct. Vaak vraagt ze het ook aan mij – na al die tijd. Het is zo moeilijk voor haar. Ze kan er alleen met mij over praten. Dat heeft ieder mens nodig: een ander, al is het er maar één, met wie je over alles kunt praten . . . Zo, nu gaan we door,' zei Josef. 'Wilt u nu naar de kapittelzaal of meteen naar de schilderijengalerij?'

'Een andere keer graag,' verzocht Daniel. 'Laten we er nu een punt achter zetten. Ik ben moe.'

Hij sliep als een blok, zonder te dromen.

Hij hoorde iemand zijn naam roepen en werd wakker. Aanvankelijk voelde hij zich erg suf en wist hij niet waar hij was. In een waas zag hij drie mensen aan zijn bed.

'Danny!' Dat was de stem van Sibylle. Het waas verdween en daar stond ze voor hem in haar doktersjas, glimlachend.

'Hallo,' zei hij en glimlachte ook. Hij merkte dat er licht brandde. 'Hoe laat is het?'

'Over achten. Je hebt de hele middag geslapen. Hoe voel je je?'

'Goed,' zei hij terwijl hij rechtop ging zitten. 'Wat hebben we nu? Avondbezoek?'

'Dat is allang voorbij. Dit is een heel bijzondere visitie. Iemand wil je al een hele tijd gedag zeggen. Ik heb hem meegebracht.'

Nu eindelijk voelde hij zich weer helemaal helder. Hij zag Mercedes naast Sibylle en naast Mercedes stond Werner Farmer.

'Werner, ouwe jongen!' Daniel sprong zijn bed uit. In zijn pyjama omhelsde hij zijn vriend. Ze sloegen elkaar op de schouders. Daarna keken ze elkaar aan.

Hij is oud geworden, dacht Daniel. Hij ziet er overwerkt uit. Hij is oud geworden, dacht Werner. Zijn haar helemaal wit. Twaalf jaar is een lange tijd. Twaalf jaar maar, dacht Daniel. En hij is zo veranderd. Zou hij ziek zijn? Nee, hij is altijd een vent geweest die meer werk verzette dan hij aankon. Net als ik. Waarschijnlijk denkt hij hetzelfde over mij. Wat kort is dit leven toch. Wat is het toch snel voorbij.

'Laat me je eens bekijken,' zei Daniel. 'Je ziet er fantastisch uit!'

'En jij zeker,' zei Werner. 'Sibylle heeft je weer leuk opgeknapt.'

'Lang zal ze leven, die lieve Sibylle,' zei Daniel.

'Die uitermate lieve Sibylle,' zei Werner.

'Houden jullie toch op met die onzin!' Sibylle bloosde. Mercedes sloeg haar armen om haar heen. 'Dank u,' zei ze geroerd, 'dank u.'

'Ieder heeft zijn werk,' mompelde Sibylle. 'Je doet wat je kunt.'

Mercedes zei: 'Ik zou graag . . . Neemt u mij niet kwalijk . . . Mag ik u Sibylle noemen?'

'Natuurlijk, Mercedes.' Ze lachte. 'De familie is weer bij elkaar. Nog een erbij gekomen. Nu zijn we met ons vieren.'

'Maar dan moet je voor nog een persoon meer tafelspitz koken,' zei Werner. Ze lachten allemaal.

We lachen allemaal, dacht Daniel, maar de enige wiens lach echt klinkt, is Werner. Die argeloze Werner. Ach, wat heerlijk om argeloos te zijn en niets te weten. Niet wat Mercedes en ik weten, niet wat Sibylle weet en ons via Josef heeft doorgegeven. Doodgewoon nergens van weten. 'En meer spinazie en meer gebakken aardappelen en meer zoetzure en knoflooksaus,' zei Daniel, over Sibylles haar strijkend.

'Wat is tafelspitz?' informeerde Mercedes.

En dat gaf reden tot nieuwe vrolijkheid.

'Dat is niet uit te leggen,' zei Daniel. 'Dat moet je ervaren. Ze had kokkin moeten worden, die lieve Sibylle, en geen dokter.' Hoe zou ze dan gechanteerd worden? dacht hij.

'Ik zal het wel voor ons allemaal klaarmaken,' zei Sibylle. 'Dat doe ik. En gauw. Want Daniel is weer in orde en kan over een dag of twee, drie weg. Weet je, Mercedes, die twee kerels hebben me op een onbeschaamde manier ingepalmd toen Daniel nog in Wenen werkte en ze hebben mij, arme, zwakke vrouw, telkens opnieuw gedwongen voor hen te koken.'

'Tjonge, wat hebben wij gevreten!' zei Werner vol overgave. 'Hè, Danny?'

'Weerzinwekkend,' zei Daniel.

'Degoutant,' zei Werner.

'Onbehouwen en walgelijk,' zei Daniel. 'Arme, arme Sibylle! En nu begint dat lieve leventje weer opnieuw, hoera!'

'Nou, hoera,' zei Herdegen, die naast Wayne Hyde achter de technicus die Sjors werd genoemd in het raamloze vertrek stond. Ze hoorden de hele conversatie via de luidspreker. 'En nog eens hoera,' zei Herdegen. 'Zal zelfs nog meer moeten koken, mevrouw de dokter. Nu moet het voorstel van Morley worden uitgevoerd. Damiani heeft tegenover mij stijf zijn mond dichtgehouden. Nu zou hij wel eens kunnen praten.'

'Het wordt tijd,' zei Hyde.

De advocaat Roger Morley had negen dagen eerder, op 25 februari, tegen de avond opgebeld.

'Dag dokter. Is Hyde bij u? Luistert hij mee?'

'Ja, mr. Morley.'

De twee hielden zich op in de werkkamer van Herdegen. Wayne Hyde had het meeluisterapparaat aan zijn oor ...

'Eergisteren, toen Hyde nog in Frankfurt zat, heb ik tegen hem gezegd dat hij op korte termijn zou horen hoe de jacht zou beginnen. Goed: u hebt in het sanatorium die Damiani, voormalig expert in het volkenrecht bij het Italiaanse ministerie van Buitenlandse Zaken. De man is helaas een complete flop gebleken, nietwaar, dokter?'

'Een absolute flop. Zware schizofrenie. Altijd ruzie met paus Alexander VI, Isabella van Castilië en Ferdinand van Aragon over het Verdrag van Tordesillas, waarin Spanje en Portugal hun overzeese invloedsferen afbakenden. Een koerier heeft u immers een paar cassettes van Damiani's gevechten met de stemmen die hem zo kwellen, gebracht. Sinds hij hier is, spreekt hij over niets anders dan dat vervloekte verdrag van 7 juni 1494. Ik geloof dat er plannen bestaan de patiënt over te brengen naar een kliniek in Rome. We hebben de kamer nodig. Damiani is waardeloos voor ons.'

'Dat denkt u maar!' Morleys stem zwol aan.

'Ik begrijp u niet ...' begon Herdegen, maar Morley onderbrak hem.

'U zult het snel begrijpen. Mijn kennissen hebben vastgesteld dat Damiani van begin 1942 tot mei 1944 in Berlijn was.'

'Damiani in Berlijn?' herhaalde Herdegen stomverbaasd. 'Daar staat geen woord over in zijn levensloop. Daar heeft hij met geen woord over gerept. Ik heb verdorie wekenlang gesprekken met hem gevoerd, maar die schoft heeft zelfs niet aangestipt dat hij in de oorlog in Berlijn heeft gezeten. Vergissen uw kennissen zich niet?'

'Beslist niet. Ze hebben het rechtstreeks van de Italiaanse regering.'

'Maar waarom praat Damiani daar nooit over? Wat zou dat zijn? Blokkering? Verdringing?'

'Dat is uw probleem. Ik vertel u alleen de feiten. Damiani werkte in Berlijn bij de Italiaanse ambassade. Kende natuurlijk zijn Duitse collega's. Was uitermate geliefd. Toen de nazi's die ellendige film vervalsten, hadden ze natuurlijk een deskundige op het gebied van het volkenrecht nodig om het geheime verdrag helemaal echt te laten lijken – ook voor vakmensen. Een Duitse collega van Damiani moet daar dus mee bezig zijn geweest. Begint u het te begrijpen?'

'U bedoelt dat als men Damiani daar nu naar vraagt – natuurlijk niet rechtstreeks, maar subtiel en via een omweg – het mogelijk is dat de blokkering wordt doorbroken en dat hij vertelt wat hij in Berlijn heeft meegemaakt?'

'Slimme jongen,' zei Morley. 'Ja, dat vermoeden hebben mijn kennissen. Of liever: dat hopen ze. Alles wijst in die richting. Zulke specialisten vormen altijd een hecht kliekje. Vinden zichzelf intelligenter dan anderen. Moeten elkaar altijd bewijzen wat voor geweldige kerels ze zijn. Dat is in elk beroep zo. Via Damiani zouden we te weten kunnen komen wie in Berlijn aan het werk werd gezet met het geheime verdrag. Wie het eventueel heeft opgesteld of slechts heeft onderzocht, áls het verdrag er al geweest mocht zijn.'

'En als hij het ons niet vertelt, ondanks alles? Hij heeft er tot nu toe ook niets over gezegd. Als hij die zaak nu beslist wil blijven verdringen?'

'U hebt Ross, is het niet? Dan moet die worden samengebracht met Damiani – hij en die Olivera. U vertelt Damiani bijvoorbeeld van tevoren dat de vader van Ross ook gespecialiseerd was in het volkenrecht. En dat Ross er geen idee van heeft wat zijn vader in Berlijn deed en wat er van hem is geworden. Dat maakt Ross nu nog steeds gek, enzovoort. Bent ú psychiater of ik? Als Damiani de deskundige van het verdrag heeft gekend, dan heeft hij ook Ross senior gekend, op z'n minst van naam. Volkomen nieuwe situatie voor Damiani, niet? Best mogelijk dat hij de jonge Ross vertelt wat hij u níet wil vertellen. Het gesprek mag dan natuurlijk niet in de kliniek plaatsvinden.'

'Natuurlijk niet. Privé en volkomen ongedwongen, zoals we het altijd arrangeren in een dergelijk geval,' zei Herdegen.

'Heel juist. Zo gauw Ross weer op de been is,' had Roger Morley op de avond van 25 februari gezegd. Dat was negen dagen geleden.

Sibylle en Werner namen afscheid in Daniels kamer.

'Gaan jullie vanavond maar lekker televisiekijken,' zei Werner. 'Sibylle en ik doen dat ook. Je zult nu toch onderhand wel uitgeslapen zijn, Danny. Om tien uur. Eerste net. Moeten jullie beslist zien, die film.'

'Hoe heet hij?'

'*De beste jaren van ons leven*. Regie William Wyler. Drie soldaten die uit de oorlog thuiskomen, weet je nog Danny? Wyler heeft die film gemaakt in 1946. Zeven oscars! Sibylle, jij en ik hebben hem zo'n vijfentwintig jaar later in de Bellaria-bioscoop gezien, dat bioscoopje waar altijd oude films werden vertoond.'

'Bellaria,' zei Daniel peinzend. 'Bellaria – ja, natuurlijk weet ik dat nog! Prachtige film. Uit een prachtige tijd. Honger, kou, puin, ruïnes in heel Europa – en iedereen dacht dat er nu nieuwe, betere tijden en een nieuwe, betere wereld zouden komen. Ik was toen nog een jochie. Maar mijn moeder heeft het altijd tegen me gezegd en ik verheugde me zo op die nieuwe, goede wereld. Alle mensen waren arm en ze waren allemaal vol goede hoop.'

'Toen we die film zagen, was het allang weer gedaan met die hoop,' zei Werner.

'Allang, ja,' zei Daniel. Zijn blik ontmoette die van Mercedes.

'Daarom willen wij die film vanavond ook beslist zien,' zei Werner. 'En daarna zijn we weer diep bedroefd – zoals destijds in Bellaria. Van toorn en van woede.'

'En ter nagedachtenis aan alle mensen die zo vol goede hoop waren,' zei Sibylle.

'Jij zat ver weg in Argentinië.' Werner wendde zich tot Mercedes. 'Je kunt je niet voorstellen hoe dat indertijd was, hier bij ons.'

'Nee,' zei ze. 'Dat kan ik me zeker niet voorstellen.'

Sibylle en Werner verlieten de kamer. Daniel pakte een ochtendjas, stapte in zijn pantoffels en ging naar de badkamer om zijn tanden te poetsen. Toen hij zijn mond aan het spoelen was, kwam Mercedes hem na. 'Heb je honger? Je hoeft maar te bellen, heeft de nachtzuster gezegd. Je eten wordt warmgehouden.'

'Nee, ik heb geen honger,' zei Daniel. Ze stonden heel dicht bij elkaar en keken elkaar ononderbroken aan.

'Jij soms?' vroeg Daniel.

'Ik heb ook geen honger, Danny,' zei Mercedes. Haar ogen lieten hem niet los. Nu sprak geen van beiden meer. Sibylle kwam plotseling terug. Ze hadden haar niet horen kloppen. Dadelijk draaide Daniel de waterkraan helemaal open. De bruisende straal veroorzaakte veel lawaai. Sibylle knikte.

'Ik heb Werner al naar de villa gestuurd,' zei ze halfluid, terwijl ze Mercedes een grote envelop gaf. 'Hier, dat is voor jullie.' Ze liep vlug weg. De kamerdeur viel achter haar dicht. De twee zagen wat in het handschrift van Sibylle op de envelop geschreven stond:

AL HET GELUK VAN DE WERELD VOOR JULLIE TWEEËN!

SIBYLLE

Mercedes scheurde de envelop open. Er gleed een oude 78-toerenplaat uit een oude, vergeelde hoes. Er zaten krassen op de plaat en de labels ontbraken.

'Dat is . . .' Mercedes sprak niet verder. Ze keek Daniel verbijsterd aan.

'. . . de plaat waar ik je over heb verteld,' zei Daniel. Ze spraken zachtjes, dicht bij elkaar staand. 'Het lied dat Sibylle en ik hadden: *Wenn ich mir was wünschen dürfte.*'

'Maar waarom . . .'

Het water ruiste.

'Ik heb haar verteld dat wij tweeën het al twee keer hebben gehoord. Nu heeft ze die plaat aan ons gegeven. Nu is het ons lied . . .'

'Weet je het zeker, Danny?' vroeg Mercedes.

'Ja,' zei hij. 'Nu ben ik er heel zeker van.'

'Je moet er heel zeker van zijn,' zei ze. 'Je mag jezelf niets wijsmaken. En mij ook niet. Als je er niet zeker van bent, moet je het mij nu zeggen. Het zal pijn doen, maar ik moet het nu weten. Niet later.'

'Geloof je me niet?'

'Ik weet het niet, Danny . . . Ik weet het niet . . . Sibylle is zo geweldig . . .

Ik zou onmogelijk boos op je kunnen zijn als je het niet zou kunnen opbrengen ooit meer voor een mens te voelen dan voor haar.'

'Mercedes . . .'

'Ja?'

'Ik was in de war toen ik Sibylle terugzag, dat weet je. En de herinnering was zeer sterk. Maar dat is voorbij. Jij bent degene die in deze dagen geweldig is geweest. Jij bent zo dapper.'

'Helemaal niet,' zei ze. 'Maar ik zou het graag willen zijn.'

Hij pakte de schellakplaat uit haar hand en legde hem op een krukje. Daarna kuste hij haar en ze drukten hun lichamen tegen elkaar en omhelsden elkaar zó onstuimig, dat het leek alsof de een voor de ander de laatste steun op deze wereld was, de allerlaatste.

2

Op ongeveer hetzelfde tijdstip sloop een grote, slanke man met laarzen, corduroy broek en jack, bij de Rittersturz in het ondergesneeuwde stadsbos van Koblenz, in de buurt van de Laubachstrasse en de Rijnoever, geruisloos als een kat tussen de oude, hoge bomen en het kreupelhout door. Hier lag een parkeerplaats. Ook daar lag een dikke laag sneeuw.

De man met het jack had een benig gezicht met smalle lippen en ijskoude ogen. Hij sloop al een halfuur door het bos rond de Rittersturz. Hij moest er wel heel zeker van zijn dat hij niet door de politie werd opgewacht. Hij had dergelijke situaties, waarbij het om zijn veiligheid en zijn leven ging, al vaak in vele oorlogen als huursoldaat bij de hand gehad. Eindelijk was hij tevreden. Hier stond geen politie op hem te wachten. Kramer had woord gehouden en was alleen gekomen. Daar stond zijn zwarte VW Golf met gedimde koplampen, zoals door de telefoon was afgesproken. Ik kan het erop wagen, dacht de man met de koude ogen. Hij liep in een paar grote stappen naar de wagen en trok het rechterportier open. Hij liet zich op de stoel naast de chauffeur vallen en sloot het portier weer. De ongeveer dertigjarige man achter het stuur, die Herbert Kramer heette, kromp ineen van schrik. Hij was doodsbleek. In de melkachtige duisternis glansde zijn gezicht als een miniatuurmaan. De dikke glazen van zijn bril fonkelden.

'Dag,' zei de man naast de chauffeur.

Kramer zweeg. Hij rilde, maar niet van de kou.

'Hebt u het meegebracht?' vroeg de slanke man.

'Natuurlijk,' Kramer schraapte krampachtig zijn keel.

'Waar is het?'

'Op de achterbank.'

De slanke boog zich naar achteren en tilde een voorwerp op dat er uitzag als een groot kasboek. Hij pakte een krachtige zaklantaarn, legde het boek op zijn knieën en begon het door te bladeren. De bladzijden waren met een regelmatig handschrift bedekt. De slanke had gevonden wat hij zocht. Bedachtzaam las hij de passages verscheidene malen door.

'Goed,' zei hij daarna. 'Goed, meneer Kramer.'

'Waar is Lotti?' vroeg de man die Kramer heette. Zijn handen sloegen tegen het stuurwiel. 'Om godswil, waar is Lotti?U hebt gezegd dat als ik u het boek bracht, ik haar dadelijk terugkrijg.'

De slanke man draaide het raampje aan zijn kant omlaag, deed de zaklantaarn aan en maakte daarmee drie cirkelvormige bewegingen. Even later kwam een grote Mercedes zonder licht de weg naar de parkeerplaats oprijden. Hij bleef op gelijke hoogte met de Golf staan, maar op een afstand van ongeveer acht meter. De man aan het stuur van de Mercedes deed de binnenverlichting van de wagen aan, draaide zich om en zei iets. Vlak daarna verscheen bij het linkerachterraam van de Mercedes een klein meisje. Het meisje droeg een muts als Roodkapje en een bontjasje. Ze had heel grote donkere ogen en keek strak naar de Golf.

'Goddank!' zei Kramer. 'Ik was zo verschrikkelijk bang dat ze dood was.'

'Ze zou dood zijn geweest als u de politie had ingelicht,' zei de slanke man. 'Of als u dat daar niet had meegebracht.' Hij klopte op het grote boek. 'Toetert u even.'

Kramer deed het.

De claxon van de Mercedes klonk eveneens kort. Daarna stapte de man aan het stuur, een gezette, stevige kerel, de wagen uit en opende het linkerachterportier. Hij tilde het kleine meisje eruit en zei: 'Rennen!'

Het kleine meisje holde, half struikelend door de hoge sneeuw, naar de Golf. Ze had op haar rug een schooltas. Ze viel, krabbelde weer overeind en rende verder. De man met de koude ogen stapte uit.

'Bedankt,' zei Kramer met verstikte stem. 'Dank u dat u woord hebt gehouden.'

'Ik houd altijd mijn woord,' zei de ander. Hij hield het grote boek nu onder zijn linkerarm. Het kleine meisje sprong langs de slanke man heen de Golf in en sloeg haar armen om Kramer heen.

'Pappie!' riep ze. 'Pappie!'

'Ja, Lotti, schatje.' Hij drukte het kind tegen zich aan.

'Het was verschrikkelijk, pappie ... heel verschrikkelijk ... Ik was zo bang ...' Het kleine meisje begon te snikken.

De vader streek onhandig over het zwarte haar. Het rode mutsje was op de grond gevallen.

'Niet huilen, Lotti,' zei hij. 'Niet huilen! Toe, huil nu niet. Alles is nu toch goed.' Hij zei steeds dezelfde woorden. Eindelijk keek hij de slanke man aan. 'Is het nu voorbij?' vroeg hij.

'Ja,' zei de slanke man, 'nu is het voorbij.' Hij had plotseling een groot pistool in zijn rechterhand. Bliksemsnel zette hij de loop tegen de slaap van Kramer en drukte af. De kogel sloeg door de schedel, rukte bij de plaats van uittreding zijn halve gezicht weg en verbrijzelde daarna nog de ruit van het linkerportier. De bril van Kramer was afgevlogen. Het bloed spoot uit zijn hoofd.

'Pappie!' schreeuwde Lotti ontzet. Ze pakte de rechterarm van haar vader beet. De dode viel over het kind heen, dat dadelijk onder het bloed zat. Lotti gilde. Ze probeerde zich te bevrijden. het vloed vloeide in stromen over haar heen.

De slanke man rende naar de Mercedes en sprong naast de gezette chauffeur, die de motor al gestart had. De wagen maakte een razendsnelle bocht over de verlaten, besneeuwde parkeerplaats en gleed daarna de weg naar de Laubachstrasse op. Reeds na korte tijd was de motor niet meer te horen. Lotti had zich van het gewicht van haar dode vader bevrijd en tuimelde uit de Golf de sneeuw in. Ze viel weer, stond op en begon, buiten zichzelf van ontzetting, schel te krijsen. Ze gilde onverstaanbaar, ze gilde en gilde. Ze zat onder het bloed en de Golf zat ook onder het bloed, en er kwam steeds opnieuw bloed uit het hoofd van haar vader.

De volgende ochtend om tien uur, het was 6 maart 1984, reden twee auto's op de Peter Altmeier-Ufer aan de Moezel in de richting van het Deutsches Eck, waar de smerige rivier de Moezel samenstroomt met de nóg vuilere Rijn. De wagens passeerden de nieuwe Moezelbrug en reden voor de spoorbrug, die bij de benedenhaven over de rivier ligt, de grote, nieuwe Messeplatz op. Hier bleven ze staan.

Uit de eerste auto stapte Conrad Colledo, chef van de afdeling Politiek en actualiteiten bij de televisiezender Frankfurt, en een ongeveer vijfentwintigjarige man. Uit de tweede wagen, een grote combi, kwamen vier mannen die de laadruimte openden en er statieven, kabels, schijnwerpers, microfoons, camera's en enkele metalen koffers uit haalden. Met z'n allen liepen ze langs de Clemens Brentanoschool en het zwembad naar het grote gebouw van het Documentatiecentrum van de Duitse Bondsrepubliek, dat achter de Balduinbrug staat. In de hal bij de ingang stonden twee mannen in een winterjas op en versperden Colledo en de mensen die al met hem mee waren gekomen, de weg.

'Wat is er aan de hand?' vroeg Colledo. 'Wat wilt u?'

'Recherche, afdeling Moordzaken,' zei de oudste van de twee met een sigaret in zijn mondhoek. Hij liet zijn penning zien. 'Ik ben inspecteur Bevensen en dit is mijn collega, inspecteur Mack. U komt keurig op tijd, heren.' Intussen waren ook de vier technici met hun apparatuur in de hal aangekomen.

'Hoe wist u dat wij zouden komen?' vroeg Colledo. Hij had weer een stropdas met olifantjes om en droeg een blauw maatkostuum, met ditmaal een blauw-wit gestreept overhemd.

'Er is een misdrijf gepleegd,' zei de slanke inspecteur Bevensen. Zijn haar was kortgeknipt en had een zilveren glans. 'Er is iemand vermoord. Wilt u even meekomen? Hier kunnen we niet praten. De leiding van het instituut heeft ons een vertrek ter beschikking gesteld.'

Even later zaten ze allemaal in dat vertrek. Ze hadden hun jas uitgedaan. Het was er warm. Colledo deed een raam open. Het lawaai van de straat drong naar binnen.

'U bent Heinz Kling, is het niet?' vroeg Bevensen aan de blonde jongeman die met Colledo was meegekomen.

'Ja,' zei deze. 'Hoe . . .'

'Wij zijn al sinds gisteravond bezig met dit onderzoek,' zei Bevensen, terwijl hij met het peukje van zijn sigaret een nieuwe aanstak. 'We weten alles van u af, meneer Kling. Van de personeelsleden bij het archief. U hebt drie dagen hier gewerkt. Herbert Kramer, een bibliothecaris, was u daarbij behulpzaam. U bent als verslaggever in dienst bij de zender Frankfurt. Gistermorgen schijnt u gevonden te hebben wat u zocht, want u was, volgens de verklaring van het personeel in de grote zaal, zeer opgewonden en hebt in de cel naast de ingang een lang telefoongesprek gevoerd.'

'Meneer Kling sprak met mij. Overigens, mijn naam is Colledo. U hebt gelijk, inspecteur. Hij had iets zeer belangrijks – voor óns belangrijks – gevonden. Dank zij de vriendelijke en geduldige hulp van de heer Kramer. Zegt u alstublieft niet dat hij is vermoord!'

'Helaas wel,' zei Bevensen, die zo nerveus rookte als Colledo nog nooit had gezien.

Met veel herrie viel er een statief van tafel. Een van de technici raapte hem op en maakte zijn verontschuldigingen. Daarna zei een hele tijd niemand iets. Het straatlawaai barstte telkens weer los.

'Ontzettend,' zei Conrad Colledo ten slotte. 'Hoe is het gebeurd? En waar?'

'Staat u mij toe?' Inspecteur Mack, jonger en molliger dan Bevensen, stak even zijn hand op. 'Ik zal het in de juiste volgorde vertellen. Zoals wij hebben vernomen, kwam de heer Kling hier in de hoop bepaalde documenten te ontdekken die betrekking hebben op de geheime dienst van de nationaal-socialistische minister van Buitenlandse Zaken Von Ribbentrop. Hij had geluk. Kramer kwam erachter dat dit centrum in het bezit is van de zogenaamde werkjournalen van de dienst, één deel per jaar vanaf 1935 – toen de dienst werd opgericht – tot 1945, nietwaar, meneer Kling?'

'Inderdaad, inspecteur.'

'U zocht drie dagen. De reden voor uw opwinding was een notitie in het werkjournaal van het jaar 1944, is ons verteld.'

De blonde Kling aarzelde.

In plaats van hem antwoordde Colledo: 'Dat is juist, inspecteur.' Bevensen drukte alweer een sigarettepeuk uit, nadat hij er eerst een nieuwe mee had aangestoken. Zijn vingernagels waren geel van de nicotine.

'Hoe luidde die notitie, meneer Kling?'

De jongeman keek Colledo om hulp smekend aan. Deze zei: 'Wij werken aan een strikt geheime produktie, mijne heren.'

'Het gaat hier om moord, meneer Colledo,' zei Mack. Hij keek Colledo agressief aan. Opnieuw ontstond er een pauze.

'Dat gaat mijn bevoegdheden te boven,' zei Colledo uiteindelijk. 'Ik moet de intendant bellen.'

'Doet u dat, meneer Colledo. Doet u dat. Zoals gezegd, in de hal naast de ingang is een telefooncel. Hebt u genoeg kleingeld? Het is een interlokaal gesprek. Alstublief.' Mack overhandigde Colledo een envelop met munten van vijf mark.

'Dank u. Het zal wel even duren.'

'We hebben de tijd,' zei Bevensen.

Ze bleven zitten en keken elkaar niet aan. Niemand sprak een woord en van straat kwam het geluid van het verkeer. Iedereen had het warm, hoewel het raam nu openstond. Even later stond de jonge cameraman op en zei: 'Ik moet pissen.' Toen hij terugkwam, zei hij: 'In het archief hebben ze me verteld dat die Kramer getrouwd was en een kind had. Een klein meisje.'

'Dat klopt,' zei Mack met een onbewogen gezicht.

De cameraman werd woedend. 'Kijk me niet zo aan! Wij hebben hem niet vermoord!'

'Als de heer Kling hier niet was gekomen, zou Kramer nog in leven zijn,' zei Mack.

'Luistert u eens, inspecteur, wij hebben het niet voor het zeggen waar we heen gestuurd worden. Wij . . .'

'Laat dat, Karl,' zei de blonde Kling. 'Meneer Mack heeft groot gelijk.' Hij sloeg krachteloos op het tafelblad. 'Verdomme!' zei hij. Daarna zei niemand meer iets.

Het duurde bijna een half uur voordat Colledo terugkwam. Zijn gezicht stond geïrriteerd en ontevreden.

'Neemt u mij niet kwalijk dat het zo lang heeft geduurd, heren. Ik heb met de intendant gesproken. Die moest eerst met de juridische afdeling spreken. Daarna met de bondskanselier. Deze met de minister van Binnenlandse Zaken. En die weer met de federale recherche.' Colledo keek de vier technici aan. 'Het spijt me, jongens, maar jullie moeten naar buiten. Wacht in de wagen. Ik heb toestemming en opdracht de heren van de afdeling Moordzaken volledig op de hoogte te stellen. De federale recherche en de politie van alle deelstaten werken vanaf dit moment met de zender samen. De federale recherche staat er echter op dat alleen die personen worden geïnformeerd, die de hele waarheid móeten weten. Het gebeurt voor jullie eigen veiligheid.'

'Natuurlijk,' zei de cameraman. 'Dan gaan we maar, jongens.' De vier verlieten het vertrek.

Bevensen stak aan de peuk van de vorige opnieuw een sigaret op.

'En?' vroeg hij.

Colledo begon te vertellen.

Toen hij een kwartier later zweeg, stond Mack op en sloot het raam.

'Ik word nog gek van die herrie,' zei hij. 'En ik draai die verdomde verwarming ook uit. Dat is een wild verhaal, zeg. Godallemachtig! Nou, er staat ons nog heel wat te wachten. De moord op Kramer was nog maar het begin. Vertel jij de heren nu maar wat wíj intussen hebben ontdekt, Tom.'

Bevensen knikte. 'Wel, dit is er gebeurd: nadat u, meneer Kling, gisteren zo opgewonden naar de telefoon bent gerend, heeft iemand tegen halftwee mevrouw Kramer in de Moltkestrasse opgebeld. U hebt tegen tienen getelefoneerd, hè?'

'Ja, ik heb meneer Colledo van mijn vondst verslag uitgebracht. Om in het Documentatiecentrum te kunnen filmen, was natuurlijk toestemming van de directeur nodig. En hij moest die weer hebben van de minister van Binnenlandse Zaken. Uiteindelijk was de zaak rond. We spraken af dat ik hier nog een keer in het hotel zou overnachten. En vanochtend zou de heer Colledo met een cameraploeg hier komen. Maar dat weet u al.' De politiemensen knikten. 'Iemand heeft mevrouw Kramer opgebeld? Drieëneenhalf uur nadat ik heb getelefoneerd?'

'Ja.'

'Wie?'

'Dat weten we niet.'

'Wat wilde hij?'

'Hij zei tegen mevrouw Kramer dat haar dochtertje Lotti ontvoerd was. Op weg van school naar huis. Iemand moet u, meneer Kling, de hele tijd dat u in het Documentatiecentrum aan het werk bent geweest, in de gaten hebben gehouden. Heel nauwlettend zelfs. Is u niemand opgevallen?'

'Nee.'

'U bent verslaggever. U bent gewend dat u gevolgd of geobserveerd wordt?'

'Ja.'

'Maar u hebt in die drie dagen niets gemerkt?'

'Nee. Ik heb erop gelet. Maar ik heb er absoluut niets van gemerkt.'

'Waarom had u er eigenlijk drie dagen voor nodig?'

'Omdat ik alle elf delen van het werkjournaal van 1935 tot 1945 moest uitpluizen.'

'Hebt u nog meer notities gevonden die voor u van belang waren?'

'Nee, alleen die ene.'

'In het deel van 1944.'

'Ja, inspecteur.'

'Professionals,' zei Bevensen.

'Ik vrees van wel,' zei Colledo. 'En verder?'

'De man die belde zei tegen mevrouw Kramer dat ze dadelijk haar man op het Documentatiecentrum moest opbellen en dat ze tegen hem moest zeggen dat hij het werkjournaal van de dienst van Von Ribbentrop over het jaar 1944 moest ontvreemden en meenemen. Mocht hij dat niet doen en niet bereid zijn het boek later – hij zou nog horen waar en wanneer – aan een man te overhandigen, dan liep hij de kans dat hij zijn dochtertje nooit meer levend terug zou zien. Ook niet als hij of zijn vrouw de politie zou inschakelen. Die twee waren zo in paniek dat ze ons prompt niet op de hoogte stelden.'

'En dat Kramer het journaal over 1944 meenam,' zei Colledo.

'Ja,' zei Bevensen. 'In zijn aktentas. Geen mens heeft er iets van gemerkt. Gecontroleerd wordt er hier niet.'

'Er valt hem niets te verwijten,' zei Mack. 'Ze waren allebei buiten

282

zichzelf van angst om het kind, vertelde mevrouw Kramer ons.'

'Waar is ze?'

'In het Sint Josefziekenhuis. Zware shock. Het kleine meisje ook. Ook een shock. We hebben maar vijf minuten met de moeder en vijf minuten met Lotti kunnen spreken.' Bevensen pakte een nieuwe sigaret. Hij maakte een overwerkte en nerveuze indruk. Zijn vingers trilden licht. 'De man aan de telefoon had gezegd dat de ouders thuis op verdere instructies moesten wachten. Nou, ze wachtten tot kwart voor zes. Toen belde er een andere man op die zei dat Kramer zijn VW Golf moest nemen en met het journaal naar restaurant Hafner in de Görtzstrasse moest komen. Kramer eiste een levensteken van zijn dochtertje en toen hoorde hij Lotti huilen en zeggen dat ze bang was en dat hij moest doen wat die meneer zei, want dan mocht ze weer naar huis.'

'Een ogenblikje,' zei de jonge Kling. 'Ik kom vier dagen geleden 's avonds in Koblenz aan. De volgende morgen ga ik naar het Documentatiecentrum. Drie dagen later heb ik gevonden wat ik zoek en ik bel met meneer Colledo. En drieëneenhalf uur later al belt een man mevrouw Kramer op en zegt dat haar dochter is ontvoerd. Dat is toch vrijwel onmogelijk.'

'Dat is natuurlijk heel wel mogelijk,' zei Bevensen.

'Hoe dan?'

'Hebt u uw bezoek aan het Documentatiecentrum niet van tevoren aangekondigd?'

'Zeker.'

'Wanneer?'

Kling antwoordde onzeker: 'Vier dagen geleden. Ik belde op vanuit de studio.'

'Met wie hebt u gesproken?'

Kling bloosde van verlegenheid. 'Met de heer Kramer. Ze hebben mij met hem doorverbonden.'

'Dan hadden die kerels drie dagen de tijd om alles over dat gezin aan de weet te komen: waar het kind op school zat, welke weg ze nam, alles. Kramer heeft tegen zijn collega's gezegd dat er iemand van de televisie zou komen. Dat is overal rondverteld. We kunnen er dus zeker van zijn dat u al werd opgewacht. Die knapen weten – móeten weten – dat alle archieven en instituten op het gebied van de nieuwste geschiedenis nu door uw medewerkers in verband met deze zaak worden bezocht. Zo is het toch, meneer Colledo?'

'Ja,' zei deze. 'Zo is het. We hebben overal medewerkers heen gestuurd voor onderzoek. Niet alleen in Duitsland, ook naar Amerika, Engeland en Frankrijk. Naar Rusland kon niet. Maar het is toch onmogelijk dat ze allemaal geschaduwd worden! Zoveel mensen kunnen ze toch niet hebben!'

'Waarom niet?' vroeg Bevensen. 'Waarom zouden zij niet evenveel mensen kunnen inzetten als u? Misschien nog wel meer?'

'Dat is zo,' beaamde Colledo.

'Er bestaat natuurlijk nog een andere mogelijkheid,' zei Mack.

'En die is?'

'Het is mogelijk dat u een verrader bij de omroep hebt, die de kerels van alles wat er gebeurt op de hoogte houdt.'

'Wat denkt u wel!' Colledo sprong op. 'Ik heb alleen de beste en betrouwbaarste mensen ingewijd. Daartoe behoren de intendant, de hoofdredacteur en de mensen van de juridische afdeling. Wilt u beweren dat...'

'Windt u zich toch niet zo op, meneer Colledo!' Mack maakte een afwerend gebaar. 'Ik wil helemaal niets beweren. Ik heb alleen gezegd dat dat ook nog een mogelijkheid is. Een telefoniste zou al genoeg zijn...'

'Uitgesloten,' zei Colledo. 'Voor de mensen in de studio steek ik mijn hand in het vuur.'

'Zoals u wilt,' zei Mack. 'U hebt uw ervaringen, wij hebben de onze.'

'Vermoedelijk hebben de ontvoerders voor Kramer een bandopname met Lotti's stem afgedraaid,' vervolgde Bevensen, 'want ze antwoordde niet op zijn vragen. Dat weten we van mevrouw Kramer. Hij vertrok dus naar dat restaurant in de Görtzstrasse. Daar zat hij tot ongeveer zeven uur. Op dat tijdstip ging de telefoon en werd er naar hem gevraagd. Dat is ons verteld door een kelner die het zich precies herinnerde. Ongetwijfeld kreeg Kramer nu opdracht naar een andere plek te rijden. We weten niet waar hij allemaal naar toe is gestuurd. Ze wilden er absoluut zeker van zijn dat hij niet tóch de politie had ingelicht en nu door haar geschaduwd werd. Vermoedelijk lieten ze hem van de ene kant van de stad naar de andere rijden.'

'En waar... gebeurde het uiteindelijk?' vroeg Kling.

'In het Stadtwald,' zei Mack. Hij sprak de hele tijd al geprikkeld en was duidelijk woedend. Misschien heeft hij een maagzweer of ruzie met zijn vrouw, dacht Colledo.

'Werd het kind daar aan hem overgedragen?'

'Ja, Lotti heeft ons bij het onderzoek erg geholpen – voor zover ze dat kon in haar toestand. Het arme schaap,' zei Bevensen. 'Het waren twee mannen. Ze hadden haar eerst in een kelder opgesloten. Met haar handen vastgebonden en een prop in haar mond. Vervolgens zijn ze 's avonds met haar vertrokken in een auto. Een lange weg. Naar het Stadtwald. Toen is een van de twee mannen uitgestapt, zegt ze. De ander heeft ongeveer een half uur op de weg gewacht. Ten slotte is hij naar de parkeerplaats gereden. Daar stond de VW Golf. Lotti heeft hem gezien. Met haar vader achter het stuur. De andere man zat naast hem. De man bij haar in de auto had de binnenverlichting aangedaan, zodat haar vader Lotti ook kon zien. Daarna zei de man: "Rennen!" Lotti is naar de Golf gehold. De tweede man is uitgestapt. Hij had een groot boek in zijn hand, zegt Lotti. Ze is in de wagen gesprongen en heeft haar vader omhelsd. Vlak daarna klonk een knal. Haar vader is eerst op het stuur en daarna over Lotti heen gevallen. De man die bij hem was, heeft hem in de rechterslaap geschoten. De kogel sloeg door de schedel en de ruit van het linkerportier. Onze mensen hebben de kogel gevonden bij een boomstam. Kaliber negen millimeter. Lotti deed in het begin niets anders dan gillen, daarna is ze naar de Laubachstrasse gehold. De eerste wagen die passeerde was van een zekere ingenieur Kreuzer, Peter Kreuzer. Hij stopte natuurlijk en luisterde naar het gestamel van het arme kleintje.

Hij reed naar de plaats van het misdrijf, zag de hele afschuwelijke toestand en reed als een razende met Lotti naar het bejaardentehuis Drei-Kaiser-weg en van daaruit belde hij de politie op. Nu weet u alles van ons. En wij weten alles van u,' zei Bevensen. 'Alleen twee dingen nog niet.'

'Welke twee dingen?' informeerde Colledo.

'In de eerste plaats wat er nu met de heer Kling moet gebeuren. Zullen we hem ter bescherming van hemzelf in hechtenis nemen?'

'Waarom?' vroeg Kling.

'Nou, u bent toch de volgende op de lijst,' zei Bevensen. 'Het is gewoon een wonder dat ze u nog niet te grazen hebben genomen. Onbegrijpelijk. U weet immers hoe de notitie in het werkjournaal luidde. Men kan u altijd nog voor de documentaire filmen en een verklaring laten afleggen.'

'Dat zullen we ook doen,' zei Colledo. 'Maar u vergeet dat onze intendant heeft gedreigd de film dadelijk uit te zenden, zonder enige documentatie, zonder research, wanneer ook maar één persoon die met de zaak bezig is, of een van zijn familieleden, iets mocht overkomen. Wij hebben allemaal een "levensverzekering".'

'Natuurlijk,' zei Bevensen. 'Dom van mij.'

'Alleen Kramer had die niet,' zei Mack verbitterd.

'En ten tweede?' vroeg Colledo.

'Ten tweede,' zei Bevensen, 'weten wij nog niet hoe de notitie in het werkjournaal voor het jaar 1944 luidde. Hoe luidde die, meneer Kling?'

De verslaggever keek Colledo aan. Deze knikte.

Kling zei: 'De heer Colledo heeft u verteld dat die Eduardo Olivera in Buenos Aires, die vroeger Georg Ross heette en de vader is van Daniel Ross, beweert dat een agent die hij slechts onder de codenaam CX 21 kende, eind maart 1944 met de film waar alles om draait in de voormalige hoofdstad van het Rijk was aangekomen, weet u wel?'

'Ja,' zei Bevensen.

'Goed,' zei Kling. 'De notitie in het werkjournaal van 31 maart 1944 luidde: "CX 21 uit Teheran met uiterst belangrijk materiaal in Berlijn aangekomen. Hoofd Midden-Oosten stelt minister Von Ribbentrop op de hoogte. Deze laat dadelijk minister Goebbels en Reichsführer Himmler in het AA komen. Materiaal tot geheime rijkszaak klasse I verklaard. Daarom geen verdere vermelding in het werkjournaal."'

3

'Het ergste is de paus,' zei de Italiaanse volkenrechtsgeleerde professor Umberto Damiani klaaglijk tegen Mercedes. 'Die ruzies met Ferdinand van Aragon en Isabella van Castilië zijn al erg genoeg. Maar de beledigingen van Alexander VI worden onverdraaglijk. Een Borgia. En wat voor een! Goeie genade! Uit zijn relatie met Vanozza Cattanei zijn de beruchte kinderen Cesare, Francisco, Giovanni en Lucrezia ontsproten . . . Ik hoef daar niet dieper op in te gaan. Een gebroed, de vader waardig! Oorlogen, rooftochten, gifmoorden, bloedschande, nou ja, u weet het wel. Nee, die Alexander maakt me nog kapot. En dat bedoel ik letterlijk, geachte signora. Ik leef voortdurend in doodsangst.'

Professor Damiani was tweeënzeventig jaar, groot en slank. Hij bezat het dramatische temperament van de zuiderling en zijn handen waren voortdurend in beweging als hij sprak. Hij had zwarte ogen en zwart, dik kroeshaar, dat bij de slapen grijs was. Zijn fluwelige gezichtshuid was olijfkleurig. Hij droeg een donker kostuum, een wit overhemd en een zilverkleurige stropdas. Met over elkaar geslagen benen – witte sokken met zwarte slippers – troonde hij op een stoel in de grote woonkamer van de villa die Sibylle met haar man bewoonde. Het was halftien in de avond. Buiten loeide de storm. Rondom de tafel zaten behalve de Italiaan Mercedes, Daniel, Herdegen, Sibylle en Werner Farmer. Het diner was afgelopen. Het was geserveerd door een huishoudster, maar de maaltijd – tafelspitz met alles erop en eraan – was door Sibylle klaargemaakt. Daniel en Werner hadden met enthousiasme en vol heerlijke herinneringen gegeten, de anderen alleen met enthousiasme, ook Herdegen. Ze hadden Sibylle overladen met complimenten en Damiani had haar hand gekust. Nu, na het eten, was Daniel met de professor in gesprek geraakt. Hij was niet verbaasd over de wijze waarop de geesteszieke over zijn levensprobleem sprak, namelijk geordend, verstandig en volkomen normaal. Sibylle had het Daniel van tevoren gezegd: 'Zolang het over zijn werkterrein gaat, merk je absoluut niet dat Damiani schizofreen is. Maar zodra hij dat terrein verlaat . . .'

Inderdaad hadden de dingen die Damiani met een merkwaardige woordkeuze en manier van spreken tijdens het eten had uitgekraamd, verward en onbegrijpelijk geklonken. Maar nu bereed hij zijn stokpaardje. Nu was zijn gedrag volkomen veranderd.

' . . . Doodsangst, ja zeker, mevrouw.'

'Maar ik begrijp het niet . . . Wat verwijten die mensen u dan?' vroeg Mercedes.

'Och.' Damiani gooide zijn armen omhoog. 'Ik heb veertien jaar geleden een wetenschappelijk boek gepubliceerd . . .'

'Dat in vakkringen over de hele wereld een sensatie was,' zei Herdegen.

'Och, nou ja, men was zo goed enige aandacht te besteden aan mijn werk.' Nu deed Damiani een beetje aanstellerig. Het leek alsof hij voortdurend toneel speelde. 'Mijn werk kreeg belangstelling en kritiek van mijn internationale collega's, omdat het zich zeer uitvoerig bezighoudt met een omstreden kwestie waarvan de wortels al te vinden zijn in het Oude Testament, voornamelijk in psalmen waarin, zoals u weet – ik zeg het nu buitengewoon populair-wetenschappelijk – sprake is van het feit dat deze aarde door Jahwe, God dus, is geschapen en daardoor zijn eigendom is en dat daardoor iedereen onderdanig aan Hem dient te zijn.' Damiani verhief zijn stem en citeerde: '"Alle koningen moeten hun knieën buigen voor Hem." Welnu, daaruit hebben enkele pausen, zijn plaatsvervangers op aarde, nietwaar, de conclusie getrokken dat zij hetzelfde recht hadden deze aarde als hun eigendom te beschouwen en er naar eigen goeddunken over te beschikken. Ziet u, dat was door de eeuwen heen een van de lastigste problemen die voor de vroegere experts op het gebied van het volkenrecht bestonden, niet? En mijn boek *Inter caetera divinae* houdt zich diepgaand met dit probleem bezig.'

'Wat betekent *Inter caetera divinae?*' informeerde Mercedes. Ze probeerde het te vertalen: 'Onder andere . . .'

'U hebt gelijk, signora, volkomen gelijk. Die drie woorden zijn nu onbegrijpelijk, omdat ze het begin van een zin vormen, en wel de eerste zin van de bul van paus Alexander VI, gericht aan de "katholieke koningen" Ferdinand van Aragon en Isabella van Castilië, evenals aan Johannes II van Portugal. De Spaanse heersers hadden zich tot de paus gewend om hun belangensfeer tegenover hun rivaal op het Iberische schiereiland, Portugal dus, erkend en beschermd te krijgen . . .' De woorden van Damiani volgden elkaar nu snel op. 'Nu, in die bul van Alexander VI van 4 mei 1493 staat na een pompeuze algemene inleiding: "Onder de andere aan de goddelijke majesteit" – daar hebt u dat "inter caetera divinae", lieve signora, het "majestatis" is weggelaten – onder de andere aan de goddelijke majesteit welgevallige en door Ons hart gewenste werken in Onze tijd verheerlijkt en overal verbreid worden, enzovoort, enzovoort, als motief en rechtvaardiging voor datgene wat Alexander VI met die bul de facto heeft gedaan.'

'En wat heeft hij gedaan?' vroeg Daniel.

'O,' zei Damiani. 'Hij heeft een demarcatielijn vastgesteld om de ontdekkingen van de Portugezen en de Spanjaarden te scheiden. Deze lijn liep honderd mijl ten westen van de Azoren, van pool tot pool. Al het land ten oosten daarvan zou voor de Portugezen zijn, en alles ten westen daarvan voor de Spanjaarden. Op 17 juni van het jaar daarop kwamen de Spanjaarden en Portugezen met het Verdrag van Tordesillas tot overeenstemming. Volgens het verdrag liep de demarcatielijn door een punt 370 mijl ten westen van Kaap Verde, met andere woorden, de grens werd ten gunste van Portugal in westelijke richting verschoven, en wel van 38 graden westerlengte, zoals in de bul beschreven, naar 46 graden en dertig minuten westerlengte.'

'Met andere woorden: die paus heeft Portugal en Spanje, de toenmalige supermachten, toegestaan de wereld samen te delen,' zei Daniel.

'Precies, signore,' zei Damiani. 'Die twee hebben de wereld onder elkaar verdeeld.'

Dit gesprek vond plaats op de avond van donderdag 8 maart 1984.

Twee dagen eerder, op 6 maart, had Daniel tijdens zijn dagelijkse wandeling – ditmaal met een onbekende verpleger – vanuit een café in Heiligenkreuz met Conrad Colledo getelefoneerd en alles vernomen over de moord op Herbert Kramer, de bibliothecaris van het Documentatiecentrum van de Bondsrepubliek Duitsland in Koblenz.

Colledo was woest geweest. 'Ik heb het idee dat er nu een hoop moordenaars op pad zijn van het soort waarmee Mercedes en ik in jouw flat hebben kennisgemaakt. Peter Corley noemde hij zich. Heet natuurlijk van z'n leven niet zo. Ik heb het gevoel dat hij zich bij jullie in de buurt ophoudt. Schijnt achter jullie tweeën te zijn aan gestuurd. Wees alsjeblieft voorzichtig! De politie is van mening dat dit pas het begin is, een klein begin van een veel grotere zaak.' Colledo vloekte. 'Een notitie in het werkjournaal van de dienst van Von Ribbentrop! Als dát geen bewijs geweest zou zijn! Nu is het bewijs weg en Kramer is dood. Wat een ellende!'

'Als de nazi's de film hebben vervalst en werkelijk aan alles hebben gedacht, dan zouden ze, om de zaak waterdicht te maken, natuurlijk ook de notitie in het werkjournaal vervalst kunnen hebben. Er hoeft op die bewuste dag dan helemaal geen agent uit Teheran te zijn aangekomen.'

'Die schoften die die arme kerel in Koblenz hebben laten doodschieten en het journaal hebben laten verdonkeremanen, willen toch juist áántonen dat de film vervalst is! Maak me nu niet gek, Danny!' riep Colledo.

'Het was maar een idee. De notitie was vast echt. Luister eens, ze kunnen toch niet doodleuk alle bewijzen voor de echtheid van de film op deze manier laten verdwijnen!'

'Waarom niet?' Colledo wond zich op. 'Je ziet nu toch zelf hoe dat in zijn werk gaat. Als ze maar genoeg moordenaars hebben, een geweten hebben ze vast niet. Maar blijkbaar wel al het geld van de wereld.'

'Maar ze kunnen toch niet álle getuigen vermoorden die zeggen dat de film echt is.'

'En waarom niet?'

Daniel zei: 'Als ze inderdaad alleen getuigen in leven laten die zeggen – of daar valse bewijzen voor overleggen – dat de film vervalst is, en wij dan in onze documentaire over de verdwenen bewijzen dat hij echt is en over de dood van een aantal mensen verslag uitbrengen, maakt dat wel een zeer, zeer slechte indruk.'

'Hoezo?'

'Wat een vraag! Dat wekt toch de indruk dat hier door machtige heren moordenaars worden ingehuurd die alle lastige getuigen uit de weg ruimen, opdat alleen diegenen overblijven die verklaren dat de film een propagandaleugen van de nazi's was.'

'Ik ben het niet met je eens,' zei Colledo. In de ijskoude telefooncel van het café rook het naar voedsel en urine. De cel lag in een donkere gang halverwege de keuken en de toiletten. Daniel, die vaak van hieruit met Colledo belde, kon de stank niet meer uit zijn neus krijgen. Zelfs buiten meende hij het nog te ruiken. 'We kunnen dat in onze documentaire dan wel beweren, maar we kunnen het nooit bewijzen. Die lui zijn sluw, Danny, heel sluw. Ze zullen alle gevaarlijke getuigen niet zomaar doodschieten. De ene keer zal het er als zelfmoord uitzien, een andere keer als een ongeluk. Zoals de zaken er nu voorstaan, hebben ze blijkbaar voor deze methode gekozen om de film waardeloos te maken. En – laat het ons duidelijk zijn, Danny, laten we onszelf niets wijsmaken – de film wordt natuurlijk veel minder waard als we alleen getuigen en bewijzen kunnen presenteren die de bewering steunen dat het om een vervalsing gaat. Nee, nee, ze hebben het heel goed bekeken. Dit is hun enig mogelijke antwoord op onze uitdaging. En ze hebben vast – daar is ook de politie en de federale recherche van overtuigd – een fantastisch functionerend netwerk opgebouwd. Met veel, veel meer geld en mensen dan voor ons ooit mogelijk zou zijn. Ik kan me voorstellen dat bepaalde figuren in het sanatorium al vóór ons op de hoogte waren van de moord op Kramer.'

Dat klopte. De advocaat Roger Morley had Herdegen 's nachts, twee uur na de daad, opgebeld en hem en Wayne Hyde ingelicht. 'Het eerste succes. Een belangrijk origineel document dat wijst op echtheid van de film is in ons bezit. Ik bedoel natuurlijk: een door de nazi's vervalst origineel document. Ze hebben aan alles gedacht. Zelfs aan een notitie in het werkjournaal van de dienst van Von Ribbentrop. Nou, dat journaal kan de televisie vergeten.'

'Prima mensen die daar hebben gewerkt,' had Herdegen gezegd.

'Wij stellen alleen maar prima mensen aan, dokter,' was het antwoord uit Londen. 'In mr. Hyde bijvoorbeeld stellen wij bijzonder veel vertrouwen. We hebben grote verwachtingen van hem.'

'Maakt het niet een wat rare indruk, als nu plotseling en volkomen onverwacht een paar – misschien wel talrijke – mensen sterven, mr. Morley?'

'Plotseling en volkomen onverwacht . . . Zo staat het toch altijd in de overlijdensadvertenties, is het niet, dokter? Plotseling en volkomen onverwacht, tja, hm. Snel treedt de dood . . . enzovoort. Natuurlijk zal erover gepraat worden. Laat de mensen maar praten! Belangrijk is dat er geen bewijs en geen getuige voor de zogenaamde echtheid van de film voor de camera komen. Dat klinkt hard, maar het is bij ons geen meisjespensionaat. De mensen, dat weten wij, geloven wat ze horen en zien. De massa in elk geval. En daar komt het nu op aan. Alle research van de televisie moet er nu op uitlopen dat een film uitgezonden wordt die door veel mensen als vervalst wordt beschouwd. Dat is ons doel. En de weg daarheen is uitgestippeld . . .'

In de stinkende cel op de donkere gang van het café in Heiligenkreuz zei Daniel door de telefoon: 'Ik ben weer in orde, Conny. En het is best mogelijk dat ik heel snel een getuige kan presenteren.'

'Wat is er gebeurd?' vroeg Colledo.

'Vanmorgen bracht een jong meisje ons ontbijt. Je weet toch dat hier alle maaltijden op de kamer worden gebruikt om te voorkomen dat de patiënten kennis met elkaar maken. Nou, we hebben dat meisje al vaker gezien. Ze heet Elsie. Elsie was verdrietig en zei . . .'

'. . . ik wens u smakelijk eten, mevrouw, meneer.'

Ze had een blauw-wit gestreepte jasschort aan en een kapje op.

'Wat is er met je?' vroeg Mercedes.

Elsie, erg leuk om te zien, was al twee jaar de vriendin van Herdegen – en zeker niet zijn enige, maar dat wist Elsie niet. Elsie was dol op Herdegen. Wat hij haar vroeg, dat deed Elsie. En Herdegen had haar weer iets gevraagd.

'Of ik iets heb, hoezo, mevrouw?'

'Je kijkt zo bedrukt. Hè, Danny?'

'Ja,' zei Daniel. 'Wat is er aan de hand, Elsie? Een ongelukkige liefde?' Elsie lachte bedroefd.

'Och, houdt u tocht op, meneer! Nee, ik ben verdrietig omdat er iemand weggaat.'

'Een dokter?'

'Een patiënt. De aardigste oude heer die we hier ooit hebben gehad.'

'Tja, maar als ze hem weer gezond hebben gemaakt ...'

'Hij is niet gezond gemaakt. Dat was niet mogelijk. Die arme meneer Damiani!' Elsie schrok. Ze deed in elk geval alsof ze schrok. 'Maria! Dat mag ik toch helemaal niet! Praten over onze patiënten. En dan nog wel zo'n beroemde man. Hij is iets in het volkenrecht of zo.'

Mercedes en Daniel wisselden een blik. Ze dachten allebei hetzelfde.

'We zullen je echt niet verraden, Elsie,' zei Mercedes. 'Wat geeft dat nou? Hier kent toch niemand elkaar. Wie is Damiani? Geen idee. Jij, Danny?'

'Niet in het minst.'

'Zie je, Elsie. Je kunt gerust praten. Die Damiani is dus van alle patiënten het aardigst tegen jou geweest en daarom ben je nu verdrietig dat hij weggaat, is het niet?' Elsie knikte.

'Waar gaat hij dan heen?'

'Weet ik niet, mevrouw. Terug naar Italië, geloof ik. Het is een Italiaan. Misschien gaat hij naar een ander sanatorium. Geen idee. Dokter Mannholz heeft gezegd dat hier alles wat menselijkerwijs gesproken mogelijk is, voor hem is gedaan.'

Ik hoop dat Gerd tevreden over me is, dacht Elsie. Hij zegt altijd dat hij zoveel van mij houdt. Misschien word ik nog eens de vrouw van een dokter.

'*Good girl*,' zei Wayne Hyde, die deze conversatie samen met Herdegen via de luidspreker volgde.

'Ja, inderdaad,' zei Herdegen naast hem. 'Ze heeft ook iets in haar hoofd en niet alleen tussen haar benen. Snapt wat haar gezegd wordt. Ik ben erg tevreden over haar.'

'Het gaat zo slecht met hem,' ging Elsie door. 'Maar het was nog veel slechter met hem toen hij bij ons werd binnengebracht. En toch maakte hij altijd grapjes tegen me als ik bij hem kwam met het ontbijt of het eten. Altijd was hij vriendelijk. Hij had altijd kleine cadeautjes voor me. Hij noemde me altijd *Bellissima*. Ik praat nu al over hem alsof hij er niet meer is. Nou ja, over een paar dagen is het immers zover.'

'Praatte je graag met hem, Elsie?'

'Zeker. En hij kan toch zo goed Duits spreken, mevrouw. De professor

maakte altijd grapjes in het Duits. Omdat hij zo lang in Duitsland heeft gewoond.'
Weer keken Mercedes en Daniel elkaar aan.
'Heeft hij je dat verteld, Elsie?'
'Wat, meneer?'
'Dat hij in Duitsland heeft gewoond?'
'Ja. Het is al lang geleden. Maar spreken doet hij het gewoon fantastisch. Een beetje Berlijns accent.'
'Berlijns?'
'Nou ja, hij heeft immers in Berlijn gewerkt.'
'Wanneer?'
'O, een eeuwigheid geleden,' zei de knappe Elsie. 'In de oorog. Tot halverwege 1944 . . .'

'. . . Tot halverwege 1944 zou hij in Berlijn hebben gewerkt,' zei Daniel door de telefoon tegen Colledo. Iemand slofte langs de cel. En man in ochtendjas en op pantoffels. De w.c.-deur viel achter hem dicht.
'Een valstrik natuurlijk,' zei Colledo.
Daniel haalde zijn schouders op.
'Waarschijnlijk wel, ja. Maar het hoeft niet. Het kan ook toeval zijn.'
'Zo'n toeval niet,' zei Colledo.
'Misschien wel,' zei Daniel. 'Mercedes denkt er hetzelfde over als jij. Ik ben er niet zeker van. En al zou het een valstrik zijn! Ik wil kennismaken met die professor Damiani.'
'Wees in 's hemelsnaam voorzichtig, Danny! Denk aan Kramer in Koblenz. Je hebt te maken met een gewetenloze moordenaarsbende.'
'We moeten vooruitgang boeken. Wie weet waartoe een gesprek met Damiani leidt.'
'Je hebt toch verteld dat gesprekken tussen de patiënten ongewenst zijn.'
'In het sanatorium! Ik heb Sibylle gevraagd ons samen met Damiani voor een etentje uit te nodigen. Ik heb je toch verteld dat ze voor ons zou koken . . .'
'Ja, ja. En? Was Sibylle enthousiast over je verzoek?'
'Natuurlijk niet. Maar Herdegen had haar al opgedragen Damiani en ons uit te nodigen en ze moet immers doen wat hij van haar wil. Ze wordt gechanteerd in verband met haar broer; dat vertel ik je een andere keer wel.'
'Als dat zo is . . . Maar wat ik niet begrijp is waarom ze jou en Mercedes beslist met Damiani in contact willen brengen.'
'Nou, om erachter te komen of hij iets afweet van het geheime verdrag. Hij zat in die tijd in Berlijn. Het is zonder meer denkbaar dat hij als kenner van het volkenrecht ervan heeft gehoord. Misschien zelfs van een Duitse collega die met de zaak belast was. Van een getuige dus.'
'Dat snap ik ook wel. Maar waarom hebben ze jou daarvoor nodig? Damiani is daar toch al lang genoeg. Herdegen had toch zelf kunnen proberen dat uit te vinden?'
'No can do,' zei Daniel. 'Damiani is op een bepaalde manier geblokkeerd.

Sibylle heeft alles voor me opgeschreven. Je weet toch dat hier in elke kamer microfoons zitten. Wat Herdegen en consorten niet mogen horen, moeten we altijd neerkrabbelen terwijl we over iets anders praten.'

'Ja, dat heb je al verteld. Sibylle schreef dus op dat er aan Damiani vragen zijn gesteld over Berlijn, maar dat hij niets vertelde.'

'Ja. Tijdens het afsluitende onderzoek. In haar spreekkamer. Daar is natuurlijk ook een microfoon. Het was erg omslachtig en riskant. Herdegen heeft aan die Damiani verteld hoe ik heet en dat mijn vader in de oorlog ook in Berlijn zat en zogenaamd ook volkenrechtexpert is geweest. En daar mijn vader in 1945 in Berlijn zou zijn omgekomen, zou ik al een hele tijd proberen uit te vinden of dat klopten, en wat hij in Berlijn heeft gedaan. Herdegen vroeg aan Damiani of hij kennis met mij wilde maken omdat ik mij zeer voor zijn vakgebied interesseerde. Damiani is ijdel. Hij voelt zich natuurlijk gevleid. Als hij mij nu ontmoet, de werkelijke zoon van Ross, kan Herdegen aan een getuige komen – als er al een getuige bestaat en Damiani hem kent. En die getuige zou míj zeker de waarheid vertellen.'

'Dat is dus de valstrik.'

'Het is geen valstrik als je weet hoe hij werkt.'

'Goed. Laten we nu eens aannemen dat Damiani jou zo'n getuige noemt. De moordenaars kunnen de man niet dadelijk uit de weg ruimen, want ze weten immers niet wat hij jou vertelt. Misschien vertelt hij je wel dat hij weet dat de film en het geheime verdrag vals zijn. Dan zal hem geen haar gekrenkt worden. Dan is hij voor die kerels goud waard. Hij verkeert pas in levensgevaar als hij zegt dat het document echt is. Dan schieten ze hem meteen overhoop, net als Kramer in Koblenz. Die zitten nu achter alle researchmensen aan en natuurlijk in het bijzonder achter jou en Mercedes. Daarop moeten wij onze handelswijze afstemmen. Als jij een getuige voor de echtheid van de film hebt gevonden – en dat geldt voor iedereen die nu op zoek is – dan moet de man onmiddellijk in bescherming worden genomen. De federale recherche en de politie werken met ons samen. En dan moet de getuige zo snel mogelijk voor de camera!'

'Hoe wil je dat klaarspelen?'

'We moeten parate teams vormen, die dadelijk ter plaatse zijn en niet pas een dag later zoals in Koblenz. Het zou gemakkelijk kunnen als we de andere zenders van de ARD inwijden en om medewerking verzoeken. Maar dan weten te veel mensen van de zaak af. We beperken ons tot de technici van de zender Frankfurt. Gelukkig bestaan er vliegtuigen. Mocht er dus bij die affaire-Damiani een levende getuige boven water komen, dan bel je mij op voordat je naar hem toe vliegt, dan kan ik er een cameraploeg opaf sturen. Maar ik licht de politie pas in als jij weet hoe het met die getuige zit. Niet eerder. Ze zijn er anders toe in staat hem in beschermende hechtenis te nemen. En dan wordt hij bang en doet geen mond meer open. Het belangrijkste is dat we alles dadelijk kunnen opnemen – in elk nieuw geval, bij elke nieuwe getuige.'

'En hoe moet het met de politie in het buitenland? In Amerika? In

Frankrijk? In Engeland? Daar heb je toch ook mensen heen gestuurd voor onderzoek?'
'Dat weet ik nog niet. Ik bel zo met de federale recherche. Die moeten hun collega's om assistentie vragen.'
'Maar dan raken er ook steeds meer mensen op de hoogte.'
'Niet tot in de details. Laat dat maar aan mij over. Doe in elk geval wat ik je gezegd heb, Danny. Succes . . .'

'Met zijn bul *Inter caetera divinae,* waarin hij de wereld dus doodgewoon tussen de Spaanse Isabella en Ferdinand aan de ene kant, en Johan de Tweede van Portugal aan de andere kant verdeelde, bracht paus Alexander de Zesde een enorm gewetensconflict teweeg bij de theologen en juristen die ervan overtuigd waren dat de idee van een universele monarchie, waarvan ze hier de letterlijk oeverloze omvang voor zich zagen, in tegenspraak was met de *lex naturalis,* het natuurrecht,' zei professor Umberto Damiani. Hij had nu nerveuze rode vlekken op zijn wangen.
'Wat is dat, het "natuurrecht"?' vroeg Mercedes.
'Een zeer oud rechtsprincipe, signora. De wortels daarvan gaan terug tot in de zesde en vijfde eeuw voor Christus. De grote Griekse filosofen hebben het geschapen. Het natuurrecht is het in de met verstand begiftigde natuur van de mens gefundeerde, van tijd en plaats zowel als van elke menselijke rechtspraak onafhankelijke recht. Belangrijke onderdelen van het natuurrecht zijn bijvoorbeeld het recht op de onaantastbaarheid van lijf en leven, eigendom en eer, op persoonlijke vrijheid, en op het nakomen van gesloten overeenkomsten. Volgens het natuurrecht, dat uiteraard een geweldige invloed had op het volkenrecht en op de theologie, was het – ik druk me zo eenvoudig mogelijk uit – natuurlijk ongehoord dat een paus zich aanmatigde twee christelijke vorstenhuizen tot heersers over de wereld te maken die dan alle niet-christenen mochten behandelen als dieren, erger dan dieren . . .' Damiani begon steeds zachter en op een eigenaardig slepende toon te spreken; hij keek geïrriteerd naar een ikoon die in het halfdonker naast de schoorsteen hing. Eensklaps zweeg hij. Hij scheen te luisteren, wilde iets zeggen, slikte moeizaam, zijn gezicht liep rood aan en hij hief zijn hand op. 'Neemt u mij niet kwalijk, meneer, maar wat is bijvoorbeeld die Columbus dan van plan?' Hij zweeg weer alsof iemand hem had onderbroken. Daarna zei hij met een grimas: 'Ik vraag om vergeving, goed: Heilige Vader dan. Ik vraag u, Heilige Vader, wat die Columbus van plan is.' Weer het ingespannen en woedende luisteren naar een voor alle anderen onhoorbare stem en daarna zei Damiani hardop: 'Missionarissen meenemen! Mensen in verre continenten tot het christelijke geloof bekeren! En dan? Columbus wil toch alleen maar goud, zilver en andere schatten van die volkeren hebben, Heilige Vader, hoe kunt u dat nu zeggen! Plotseling stond het zweet op Damiani's voorhoofd. Hij veegde het weg. Zijn hoofd schoot naar een van de ramen. Hij luisterde weer, waarna hij woedend zei: 'Och, luistert u eens, majesteit, u maakt uzelf toch belachelijk!'
Mercedes keek hem verschrikt aan.

'Met wie spreekt u, professor?'

'Met Isabella van Castilië en paus Alexander. Ze willen mij wijsmaken dat Columbus en de Spanjaarden zogezegd als brengers van de blijde boodschap de nieuwe zeeweg naar Indië zoeken en alleen missionaire belangstelling hebben. Leugenaars!' schreeuwde hij ineens woest. Weer op normale toon vervolgde hij: 'Zo gaat het nu altijd. Liegen er gewoon op los. Verdraaien elk historisch feit. En de paus is ook nog beledigd als ik hem mijnheer en niet Heilige Vader noem. Ik word nog gek! Dag en nacht gaat dat zo. Altijd zijn die drie er.'

'Die drie?'

'Ook Isabella's echtgenoot, Ferdinand van Aragon, is erbij.'

'Zijn ze er nú ook?' vroeg Mercedes verbluft.

'Natuurlijk, signora, natuurlijk. Ik heb toch met hen gesproken.'

'Waar zijn ze?'

'De paus, pardon, de Heilige Vader, zit naast de schoorsteen. Isabella bij het raam en Ferdinand voor de boekenkast achter u, signora.'

'Ziet u ze echt?' vroeg Daniel.

'Niet duidelijk. Hun silhouetten. Het is daar ook wat schemerig, niet? Maar hun stemmen hoor ik heel duidelijk.' Damiani was nu zeer opgewonden. Hij keek weer naar de schoorsteen waar hij paus Alexander de Zesde zag, en zei met een boosaardige grijns: 'Mooi. Het gaat Columbus dus om een nieuwe zeeweg, geachte Heilige Vader ... Maar waarom wil hij dan onderkoning van de te ontdekken landen worden? Laat u dat, dokter Mannholz, ik ben toch niet bang voor die Borgia, wiens dochter met haar eigen broer – neemt u mij niet kwalijk, dames. Nu, waarom dan wel onderkoning, Heilige Vader? Nu zegt u niets, hè?' Damiani hijgde, leunde achterover en trok aan zijn stropdas. Weer stond het zweet op zijn voorhoofd. Hij snakte naar adem. Daniel zag dat Sibylle en Herdegen er kalm onder bleven. Ze kennen dat, dacht hij. Een arme schizofreen.

'Heus, u hebt er geen idee van wat ik met die drie heb uit te staan,' zei de arme schizofreen. 'Natuurlijk ben ik desondanks bang voor mijn leven. Een Borgia, nu vraag ik u! Hoeveel moorden heeft dat gezelschap ...' Hij schrok en daarna schreeuwde hij naar de schoorsteen: 'U moet niet tegen me schreeuwen, Heilige Vader! Wie schreeuwt, heeft bij voorbaat al ongelijk, dat zeg ik u iedere dag.' En naar Mercedes gewend, zich met moeite beheersend: 'Hij schreeuwt voortdurend, die man. Isabella ook; ze is zwaar hysterisch.' Hij scheen nu onder de aanvallen van die twee te lijden, want hij drukte zijn handen tegen zijn oren en riep: 'Ik hoor u niet! Ik hoor u niet! Ik hoor geen woord!' Hij liet zijn handen zakken. Blijkbaar was hij doodmoe, want hij sprak pas na een hele tijd zacht verder. 'Ik geef toch toe dat het hier om een uiterst moeilijke zaak gaat. Maar ook om een principiële zaak in de geschiedenis van de mensheid.' Daarna sprak hij weer met uitbundige armbewegingen en Italiaans pathos. 'Ik vraag u zich die brutaliteit eens goed voor te stellen, signora, signore. Zich beroepend op de hem door God verleende macht verdeelt een man de wereld van pool tot pool tussen twee hem welgevallige koningshuizen! En waarom welgevallig?

Omdat ze fijn katholiek zijn en hebben beloofd zoveel andere mensen katholiek te maken als ze kunnen. En wel door onderwerping, oorlog, marteling, kerker of bedreiging met de dood. Sedert de kruistochten is het katholieke universalisme niet meer zo militant opgetreden als met deze pauselijke bul. Protesten tegen het gedrag van deze fraaie paus zijn ook altijd, tot in onze tijd, duidelijk geuit.'

'In de eerste plaats en op de bekendste wijze door u, professor,' zei Herdegen in gespannen verwachting.

'Ja, ik geloof dat ik dat zonder aanmatiging kan zeggen,' merkte Damiani op. 'Ach, maar u ziet toch allemaal hoezeer ik eronder te lijden heb dat ik het heb gewaagd Alexander en zijn partner over die verdeling van de wereld aan te vallen. Het zal mijn dood nog worden.'

'Wanneer hebben die heersers dan voor het eerst geprotesteerd?' vroeg Daniel beleefd. 'Op deze brute manier, bedoel ik. Al terwijl u uw werk schreef? Of pas na de publikatie?'

'Och nee.' Damiani maakt een afwerend gebaar. '*Inter caetera divinae* verscheen in 1970. In 1975 was het werk in zesentwintig talen vertaald en had het me – tja, dat kun je wel zeggen – wereldberoemd gemaakt. Maar pas twee jaar later, in september 1977, lieten die drie voor het eerst van zich horen en tekenden ze protest aan – in die tijd nog op een enigermate beleefde manier. Het is in de loop der jaren steeds erger geworden en nu is het vrijwel ondraaglijk.'

'Ja,' zei Sibylle, 'in de herfst van 1977 begonnen zijn tegenstanders de professor aan te vallen.'

'Omdat ik *Inter caetera* heb laten zien als dat wat de bul in werkelijkheid was, namelijk als een schenkingsoorkonde, en omdat ik deze schenking, dit "wegschenken van de wereld", door Alexander gebrandmerkt heb als wat het in werkelijkheid was: een menselijke aanmatiging van onvoorstelbare omvang.' Damiani's hoofd draaide snel naar de schoorsteen. Zijn mond stond open. Hij luisterde aandachtig naar de stem van de voor de anderen onzichtbare en onhoorbare Borgia-paus. Steeds heftiger schudde Damiani zijn hoofd. Ten slotte begon hij gejaagd en luid te spreken: 'Dat is niet waar. Dat is gewoonweg niet wáár, Heilige Vader! Komt u daar niet mee bij mij aan! "Leenrechtelijke formules"! Het is niet zo dat ik die "leenrechtelijke formules" niet goed heb begrepen! Uw bul was een "schenkingsoorkonde", geen "leenoorkonde", daar blijf ik bij. Doodt u mij maar! Vergiftigt u mij maar! Daar hebt u immers ervaring in!' Hij draaide zich naar het raam. 'Nee,' zei hij, 'nee, nee en nog eens nee, majesteit. Ik weet heel goed wat "donamus, concedimus et assignamus" betekent, hoe die woorden dienen te worden vertaald en welke betekenis ze hebben. U wilt met dat trucje waarbij het recht wordt verdraaid alleen het bewijs leveren dat hier geen sprake was van schenking, maar van de overdracht van een leengoed.'

'O God, Danny!' Mercedes keek Daniel ontsteld aan. Hij pakte haar hand en streelde die, terwijl hij hoofdschuddend en zachtjes zei: 'Je ziet toch dat hij ziek is.'

Damiani's opwinding werd nu weer schrikbarend groot. Zijn blik dwaalde tussen schoorsteen, boekenkast en raam heen en weer. Hij scheen door zijn drie tegenstanders tegelijkertijd te worden aangevallen. Zijn stem was volkomen veranderd.

'Goed dan . . . Goed, ik ben bereid te luisteren, majesteit . . . Natuurlijk kan ik u volgen . . . U zegt dat de demarcatielijn van Tordesillas niet alleen een scheepvaartgrens was, maar ook de grens tussen de twee leengebieden . . . Ja, ja . . . ja . . . Ik heb het begrepen, ik ben niet gek . . .' Het hoofd draaide naar de schoorsteen. De stem van Damiani klonk plotseling triomfantelijk: 'En op die manier, geachte Heilige Vader, bent u in uw eigen voetangel gevangen . . . Hoezo? . . . Nu, neemt u mij niet kwalijk, maar één ding kan toch zeker niet ontkend worden: uw hele moeizame leenrechtelijke uitleg van de bul doet toch niets af aan het theocratische feit, dat u zich bij de ontdekte en nog te ontdekken gebieden het dominium, het oppereigendom dus, aanmatigt. Ha! Ik wist wel dat ik u ook ditmaal zou krijgen! U kunt het wenden en keren zoals u wilt, ik krijg u elke keer!' Damiani zakte hijgend in zijn stoel achterover. Hij trok zijn stropdas helemaal af en maakte zijn boord los. Pas na een hele poos was hij weer zover tot rust gekomen dat hij op een normale toon kon spreken. 'Nu hebt u eens zo'n klein dispuut meegemaakt, signora, signore Ross. Mijn goede vrienden hier kennen dat al. Ze helpen mij met alle middelen die tot hun beschikking staan. Maar zoals de zaken er nu voorstaan, is de macht van die drie groter. Nee, dat is niet precies uitgedrukt. Niet hun macht is groter, maar hun uithoudingsvermogen bij hun telkens herhaalde rechtvaardiging van een afschuwelijke zaak . . .

'Van een afschuwelijk bedrog,' zei Mercedes.

Damiani keek haar onzeker aan. Zo exact en logisch als hij zich in zijn strijd tegen de stemmen die hem kwelden had uitgedrukt, zo verward en abstract werden zijn woorden nu hij in de bodemloze diepte van zijn ziekte weggleed.

'Bedrog,' herhaalde hij. 'Natuurlijk bedrog! U wordt bedrogen, ik word bedrogen, wij allen worden bedrogen – vanaf onze kinderjaren, vanaf onze oorsprong. Bedrog van de mensheid! Wij horen heel andere dingen dan wat er werkelijk gebeurt. Wat ons verteld wordt is bedrog. Wat ons getoond wordt is bedrog. De verdragen die afgesloten worden tussen de hogen en de machtigen, wat is dat? Bedrog! Altijd bedrog!' Hij wees met zijn vinger naar Daniel. 'Ziet u, signore Ross, men heeft mij verteld dat uw vader in de oorlog in Berlijn was. U weet niet wat hij daar heeft gedaan. U denkt dat ik het misschien weet, omdat uw vader ook met volkenrecht te maken had, zoals u zegt. Nu, beste meneer Ross, ik . . .' Damiani zweeg. Herdegen zat van spanning ver voorovergebogen. De professor keek hem afwijzend aan en wendde zich tot Sibylle. Zonder enige overgang was hij volkomen helder en verstandig: 'Ik zal de heer Ross graag behulpzaam zijn. Maar het is een zuiver persoonlijke aangelegenheid, dokter, en daarom kan ik er onmogelijk in deze kring over spreken. Is het misschien mogelijk dat ik me even met de heer Ross terugtrek?' Herdegen zonk teleurgesteld in zijn stoel terug. In zijn droevige ogen stond nu een uitdrukking van woede.

'Maar natuurlijk, professor.' Sibylle stond op. 'Komt u maar mee naar de werkkamer van mijn man. Daar kunt u ongestoord met elkaar praten.' Ze liep al vooruit. Daniel en Damiani volgden. In de grote werkkamer met de vele boeken en het overvolle bureau deed ze het licht aan. Voor een raam stonden een tafel en vier stoelen. 'Alstublieft, als u wilt gaan zitten?' 'Heel erg bedankt, Sibylle,' zei Daniel. Ze streelde zijn arm en glimlachte. Daarna viel de deur achter haar dicht. De beide mannen waren alleen. 'U kunt mij iets over mijn vader vertellen?' vroeg Daniel. 'Ja, maar ik wil het alleen tegen u zeggen. Het gaat de anderen niets aan. Het is niet best wat ik u te vertellen heb, signore Ross. Toen ik uw naam hoorde, schoot me de hele geschiedenis weer te binnen.' 'Wat voor geschiedenis?' Weer maakte Damiani heftige armbewegingen. 'Uw vader – het spijt me erg voor u, signore Ross, maar u wilt immers de waarheid weten . . .' 'Natuurlijk. Onvoorwaardelijk.' 'Uw vader was ook een bedrieger. Hij werkte voor bedriegers. Bedrog, bedrog, daar hebt u het weer, ziet u wel?' 'Ik begrijp het niet. Waar werkte mijn vader? Voor wie?' 'Hij mag dan deskundige op het gebied van het volkenrecht zijn geweest, maar in Berlijn werkte hij voor de geheime dienst van het ministerie van Buitenlandse Zaken. Voor de heer Von Ribbentrop, die aartsbedrieger. Ik heb u gezegd dat het me spijt, signore Ross . . .' 'Het hoeft u niet te spijten,' zei Daniel extra vriendelijk. 'Ik had er al een vermoeden van dat mijn vader in de een of andere duistere zaak verwikkeld was. Ik ben blij dat ik daarover nu door u zekerheid krijg. Dus hij heeft voor de geheime dienst van Von Ribbentrop gewerkt. En hoe weet u dat, professor?' Damiani lachte verbitterd. 'Bedrog, altijd bedrog. De hele wereld bestaat uit bedrog, beste signore Ross. Weet u, volkenrechtsgeleerden zijn er niet zoveel. Ik heb in Berlijn voor mijn ambassade als deskundige gewerkt. Natuurlijk hadden de Duitse regeringsinstanties hun eigen experts. Ook het ministerie van Buitenlandse Zaken van Von Ribbentrop, ook zijn geheime dienst. En wij volkenrechtsgeleerden kenden elkaar allemaal. Velen waren met elkaar bevriend. Ik bijvoorbeeld met professor Emil Kant, een autoriteit. Op zekere avond in het voorjaar van 1944 – eind maart moet het geweest zijn, ik heb erover nagedacht – vertelde Emil mij in mijn appartement over weer een geval van dat eeuwige bedrog. We ontmoetten elkaar elke week. Wij waren echte vrienden. Emil kon mij vertrouwen, dat wist hij. Daarom vertelde hij mij ook over die zaak. Het was zeer geheim. Het zou hem direct de kop hebben gekost als de nazi's gehoord zouden hebben dat hij er met mij over sprak. Emil . . .' Damiani staarde in de verte en lachte verloren. Hij zweeg, in gedachten en herinneringen verdiept. 'Professor!' 'O ja, natuurlijk. Neemt u mij niet kwalijk. Weet u, Emil werkte voor uw

vader als expert in het volkenrecht. Hij werkte ook voor andere diensten, maar meestal voor uw vader. Ross, Georg Ross. Zo heette uw vader toch, is het niet?'
'Ja, zo heette hij. U hebt een uitstekend geheugen.'
'Uitstekend. Ik onthoud alles. Tientallen jaren. In mijn hersenen zijn miljoenen gebeurtenissen en feiten gegrift, dat kan ik u wel zeggen. Daar komt nog bij, dat de zaak die uw vader mijn vriend voor onderzoek had gegeven, bij ons tweeën grote opwinding veroorzaakte. Bij Emil natuurlijk veel meer dan bij mij; ik wist toen al enigszins hoe het toegaat in de wereld. Maar ik moet bekennen, ook ik was opgewonden, o ja . . .' Weer dwaalde de blik van Damiani af. Weer zweeg hij. Pas na een hele tijd vervolgde hij: 'Bedrog natuurlijk. Daar ging het om. Een verdrag tussen Amerika en de Sovjetunie, waarin die twee de wereld onder elkaar verdeelden – net als in 1494 de Spanjaarden en de Portugezen – alleen ditmaal zonder de zegen van een paus.' Hij lachte kuchend en wreef in zijn handen.
'Een verdrag tussen Amerika en de Sovjetunie?' herhaalde Daniel met een stem die zo ongelovig mogelijk moest klinken. 'Wanneer zou dat dan zijn gesloten? En waar? En wat had mijn vader daarmee te maken?'
'Dat is allemaal erg onduidelijk, beste signore Ross. Uw vader liet mijn vriend Emil komen en overhandigde hem een afschrift van dat verdrag . . . Naar werd gezegd was het een afschrift van een gefilmd geheim verdrag, waar de dienst van Von Ribbentrop in Teheran de hand op had kunnen leggen . . .'
'In Teheran?'
Rond de villa ging de nachtelijke storm nu wild tekeer. De dakpannen rammelden, het hout kraakte, het tochtte door de dubbele ramen.
'In Teheran, ja. Daar was immers eind 1943 een conferentie tussen de Grote Drie: Churchill, Stalin en Roosevelt. En in die tijd zou dat geheime verdrag afgesloten moeten zijn dat Emil op zijn echtheid moest onderzoeken. Je kunt ook zeggen: waarvan hij de valsheid op haar perfectie diende te onderzoeken. Dergelijke overeenkomsten worden in een heel speciale taal opgesteld, met heel bepaalde formules en regels, nietwaar? Een vakman merkt dadelijk elk verkeerd woord op. En men wilde er toch zeker van zijn dat het bedrog perfect was . . .'
'Wie wilde daar zeker van zijn, professor, wie?'
'Nu, de bedriegers natuurlijk, beste vriend. Of het verdrag was echt – en dan bedrogen de Amerikanen en de Russen de mensheid. Of het was vervalst door de nazi's, maar moest een echte indruk maken omdat men het voor propagandadoeleinden wilde gebruiken – dan bedrogen de nazi's de mensheid, of ze waren dat op z'n minst van plan. In elk geval hadden ze een echte expert nodig die hen kon zeggen of het verdrag qua stijl en formulering correct was. Bedrog, zoals u ziet. Bedrog van de geallieerden, bedrog van de nazi's – dat maakt toch geen enkel verschil, vindt u niet? Emil raakte volkomen buiten zichzelf, die goeie man . . . zo naïef was hij . . . In tegenstelling tot uw vader . . . Het spijt me, ik heb u gezegd dat het me spijt zo over hem te moeten spreken. Maar bedrog was nu eenmaal het beroep van uw

vader, nietwaar? En we worden toch door iedereen bedrogen . . . en werden dat ook altijd. Hoe vaak is deze wereld al niet verdeeld? Hoe vaak zijn de mensen al niet bedrogen? Denkt u maar aan het nietaanvalsverdrag tussen Duitsland en Rusland, dat Von Ribbentrop en Molotov in augustus 1939 ondertekenden . . . En bedenk dan dat Duitsland Rusland daarna in juni 1941, minder dan twee jaar later, aanviel . . . Bedrog . . . bedrog . . . De nazi's bedrogen . . . Bedrogen ook de Amerikanen en de Sovjets de mensen? En wilden de nazi's dit bedrog nu aan de mensheid presenteren? Vermoedelijk wel, ja. Vermoedelijk waren ook Kohl en Reagan in deze zaak betrokken . . .' Damiani's blik dwaalde door het vertrek.

'Maar professor! Reagan was in die tijd filmster in Hollywood en Kohl een jongen van veertien jaar!'

'O . . .' Niets kon Damiani in zijn nu weer weinig realistische argumentatie aan het wankelen brengen. 'Nou ja, maar dat is toch ook helemaal niet belangrijk. Het verloop van de geschiedenis is altijd hetzelfde: wij worden bedrogen. Ik heb doorlopend contact met alle belangrijke persoonlijkheden. Ik ontvang voortdurend nieuwe inlichtingen. Bedrog. Bedrog. Vanaf het begin van de wereld tot aan haar einde . . .'

Daniel sprak nu keihard om Damiani uit zijn verzonkenheid terug te halen. 'En tot welke conclusie is uw vriend gekomen, professor?'

'Conclusie?' Damiani keek Daniel niet-begrijpend aan.

'Na onderzoek van het geheime verdrag dat mijn vader hem had gegeven.'

'Hoezo? O ja! Dat weet ik niet, beste vriend.'

'Waarom niet?'

'Ik moest in mei naar Rome terug. In mei werd de villa van Emil aan de Savignyplatz platgebombardeerd, heb ik nog gehoord. Zijn vrouw en zijn kinderen kwamen om het leven en hijzelf belandde in het ziekenhuis, zwaargewond . . . U weet niet hoe het destijds toeging in Berlijn met al die luchtaanvallen . . . Afschuwelijk . . . In elk geval heb ik nooit meer met Emil over het resultaat van zijn onderzoek gesproken . . . Zoals gezegd, pas toen ik uw naam hoorde en het feit dat uw vader tijdens de oorlog in Berlijn heeft gewerkt, herinnerde ik mij de hele zaak weer . . .'

Daniel zei: 'En als zo'n verdrag tussen de Sovjetunie en Amerika nu eens werkelijk bestond – en nog bestaat?'

'Och.' Damiani maakte vermoeid een afwerend gebaar. 'Dan bestaat het gewoon, beste vriend. Vanuit wetenschappelijk standpunt bezien is het zonder meer denkbaar. Want dat zou toch in de aard van de wereld liggen, nietwaar? Bedrog, bedrog . . . Zo is deze wereld nu eenmaal. Wat denkt u dat er zou gebeuren als zou blijken dat zo'n verdrag inderdaad bestaat? Niets, beste vriend, niet het geringste! Gelooft u mij, het zou geen sterveling interesseren. Omdat we immers voortdurend worden bedrogen . . .' Damiani zonk langzaam weg. Hij lachte verdwaasd. Er volgde een lange stilte die vervuld was van het geraas van de storm buiten. Eindelijk vroeg Daniel voorzichtig: 'En . . . leeft uw vriend nog, professor?'

Damiani keek langzaam op.

'Welke vriend?' Hij was ver, heel ver weg geweest met zijn gedachten, in een andere wereld.

'Degene over wie u mij zojuist hebt verteld. Die van mijn vader dat document voor onderzoek kreeg. Die professor Emil Kant.'

'O, u bedoelt Emil.' Damiani had eensklaps de gezichtsuitdrukking van een kind. 'In 1970 leefde hij nog. Toen verscheen mijn boek en hij feliciteerde mij ermee. We hadden na de oorlog het contact verloren, weet u. Maar toen mijn boek in Italië en in vakkringen enorm, ja dat moet ik zeggen, enorm veel opzien baarde, nam Emil de moeite mijn adres in Rome te achterhalen. We begonnen een drukke briefwisseling en eind 1971 bracht hij mij zelfs een bezoek. Hij was toen – laat me eens even kijken – vierenzestig. Ja, hij was van 1907. Toen in 1973 de Duitse vertaling van *Inter caetera divinae* verscheen, nodigde de volkenrechtelijke faculteit van de Vrije Universiteit in Berlijn mij uit en verleende mij een onderscheiding. De laudatio werd gehouden door mijn oude vriend Emil. Het was zeer aangrijpend. Oktober 1973, ja. Toen zag ik hem voor het laatst. Daarna was ik voortdurend op reis om lezingen over mijn boek te houden en had ik het krankzinnig druk. Ons contact werd weer verbroken. Ik weet dus niet of hij nu nog leeft. Ik heb nooit meer iets van hem gehoord. Maar ik heb ook nooit vernomen dat hij overleden is. Hij zou nu zevenenzeventig zijn. Destijds, toen ik in Berlijn gehuldigd werd, woonde hij samen met een huishoudster in een villa aan de Schwanenwerderweg bij de Wannsee. Kent u Berlijn?'

'Ja.'

'Schwanenwerderweg. Dat is nog in de westelijke sector. Idyllisch is het daar. Nummer 325, geloof ik. Het was iets met 320. Hoezo? Wilt u Emil spreken?'

'Ja, professor. U bent in mei 1944 uit de stad weggegaan. Ons contact met mijn vader werd verbroken in maart 1945. Misschien weet uw vriend wat er van hem geworden is en of hij inderdaad in 1945 is overleden en hoe en waar.'

'U hebt gelijk,' zei Damiani. 'Emil zou dat moeten weten. En ook hoe het verder is gegaan met die Teheran-affaire. Vreemd, we hebben er niet één keer over gesproken toen ik in 1973 in Berlijn was. Ik ben toch benieuwd. Doet u hem de hartelijke groeten van mij. Zeg dat hij me weer eens moet schrijven. Vertelt u hem maar gerust hoe we kennis met elkaar hebben gemaakt en dat het niet zo best met me gaat, helaas. Dat ik die afschuwelijke toestanden heb met Alexander en Isabella en Ferdinand. Vertelt u hem alles. Hij zal u ook alles over uw vader vertellen. Als hij nog leeft . . .'

4

De violiste Franzi moet u gehoord hebben!

Met deze woorden begon de tekst aan de binnenkant van een in dieproze, grijs en wit uitgevoerde folder, waar op de buitenkant een jonge, viool spelende vrouw prijkte. Haar jurk in de stijl van rond de eeuwwisseling was

300

diep uitgesneden. Rood waren haar haren en haar schetsmatig aangegeven gezicht, rood was de viool en rood het decolleté. De schilder Reznicek heeft voor de Eerste Wereldoorlog zulke vrouwen geschilderd, dacht Daniel Ross. Ik heb er veel in oude uitgaven van *Simplicissimus* gezien. Wat een charme . . .

'. . . Ja, juffrouw, juist.' Hij zat te telefoneren aan het bureau in de salon van suite 419/20 in het Ritz Hotel, in de buurt van de Schwarzenbergplatz en hij keek naar de lichten van het doorstromende avondverkeer op de brede Weense Ringstrasse. De suite was ingericht met stijlmeubelen. Op het bureau stond een vaas bloemen van de directie en nog een kleinere vaas met mimosa's. In de slaapkamer hoorde Daniel Mercedes heen en weer lopen. Ze waren een uur geleden aangekomen. Daniel sprak met een telefoniste van het hotel. 'Professor dr. Emil Kant, West-Berlijn, Schwanenwerder-weg, het huisnummer moet rond de 320 zijn . . .'

Weense koffiemaaltijd met de 'Süsse Wiener Mädel' in Café Ritz, dagelijks van 17 tot 19 uur, stond er boven de tekening. Daniel logeerde altijd in het Ritz als hij in Wenen was; hij hield van dit hotel en kende het sedert vele jaren even goed als het bijbehorende beroemde koffiehuis waarvoor de folder reclame maakte.

'U belt dus terug? Dank u wel.' Hij legde de hoorn neer, ontvouwde de folder weer en las nog eens afwezig: *De violiste Franzi moet u gehoord hebben! En ook de temperamentvolle Tschinellen-Fifi . . .*

Het was vrijdag 9 maart 1984, tegen acht uur 's avonds. Twee uur geleden had Daniel samen met Mercedes het sanatorium Kingston bij Heiligen-kreuz verlaten en veel mensen voor hun moeite en hulp bedankt: vrouwelijke en mannelijke artsen, verpleegsters, verplegers, de dikke hoofdzuster Magdalena, de bleke dokter Herdegen. Tot slot stonden Mercedes, hij, Sibylle en Werner voor de ingang van de kliniek naast een taxi in de sneeuw.

'Jou bedank ik natuurlijk het allerhartelijkst, Sibylle. Jij hebt me weer opgelapt. Je bent fantastisch. Voor mij bestaat er geen betere dokter . . .'

'Je zult geen dokter meer nodig hebben als jij jezelf eens houdt aan wat je belooft en niet meer dan twee tabletten Amadam per dag slikt. Ik waarschuw je, jongen! Ditmaal was je wel heel ver weg, en dat is de waarheid.'

. . . Samen met de andere sterren van de legendarische Weense Dameskapel brengen deze twee dames u in hun ban met een reeks melodieën van Strauss tot Lanner, Ziehrer, Stolz en Lehar . . .

'Ik zal erop letten, Sibylle,' zei Mercedes. Ze bleven doorpraten om het definitieve afscheid nog wat uit te stellen. Alle vier waren ze in een weemoedige, sentimentele stemming.

'Dat is lief van je, Mercedes, maar dat kun je niet. Dat kan dat verlopen sujet alleen maar zelf, en dat weet hij. Dat heeft hij altijd geweten . . .'

Daniel omhelsde Sibylle en kuste haar op beide wangen. Ze maakte een kruisje op zijn voorhoofd.

'Wat heeft dat te betekenen?' vroeg hij. 'Ik . . .'

'Jij gelooft niet in God, dat weet ik,' zei Sibylle. 'Maar ik wel. Hij moet jou beschermen. Twaalf jaar geleden stonden we ook zo tegenover elkaar – alleen. 's Avonds laat voor de woontoren bij het Algemeen Ziekenhuis. Toen heb jij een kruisje op mijn voorhoofd gegeven en gezegd dat Hij mij moest beschermen. En ik zei toen: "Wat heeft dat te betekenen? Je gelooft toch niet in God?" En jij antwoordde: "Ik niet, maar jij wel." Weet je nog?' 'Ja, Sibylle,' zei hij. 'Ik weet het nog precies.'

'Laat het niet weer twaalf jaar duren,' zei Werner. 'Mercedes, we stellen jou er nu verantwoordelijk voor dat die vent van nu af aan geregeld iets van zich laat horen – samen met jou. Bel alsjeblieft eens op, waar jullie ook zijn! Wij maken ons immers zorgen om jullie.'

'Goed, Werner,' zei Mercedes.

'Zorg dat jullie gezond en gelukkig blijven. En blijf bij elkaar! En verlies nooit de moed in deze rottijd!' zei Daniel terwijl hij Sibylle aankeek.

Zij sloot even haar ogen. 'Jij ook niet, Danny. En pas goed op jezelf, alsjeblieft.'

. . . Met koffie, thee of warme chocolademelk zoals in anno zoveel. Kiest u een gebakje, brioche, vruchtengebak of taart – gewoon waar u trek in hebt. (En alles inclusief voor 65 schilling . . .)

Uiteindelijk stapten ze vlug in. De taxi vertrok. Daniel keek achterom. Werner en Sibylle zwaaiden hen onder de lamp bij de ingang na.

Daniel had door Colledo een suite in het Ritz laten reserveren: 419/20. Hij kreeg altijd 419/20, zo lang hij het zich kon herinneren. Het was 'zijn' suite geworden in die lange tijd. Alle portiers en receptionisten begroetten hem verheugd. Ze waren ook ditmaal bijzonder voorkomend en behulp-zaam. Hij schudde vele handen en omhelsde de enige dame van de receptie, zijn goede, oude vriendin Edith. Ze kenden elkaar al ruim twintig jaar. Edith, vriendelijk als altijd, droeg een van haar zwarte, hooggesloten jurken. Ze had haar mooie turkooisketting om, was geweldig goed gekapt en beschaafd opgemaakt, zoals gewoonlijk. Ze ging samen met Mercedes en hem naar de vierde verdieping, opende de deur van 419/20, draaide alle lichten aan en wenste hun een prettig verblijf. Toen ze weg was, ontdekte Daniel een envelop met een welkomstgroet die tegen het vaasje op het bureau was neergezet. De mimosa's waren een attentie van Edith. Ze verheugde zich er altijd erg op Daniel weer te zien, schreef ze.

De telefoon vóór hem rinkelde.

Hij nam snel op.

'Ja?'

'Met de centrale, meneer Ross. U wilde het nummer hebben van die professor Emil Kant . . .'

'Hebt u het?'

'Ja, meneer Ross.' Het meisje gaf het door. Hij noteerde het op een schrijfblok dat voor hem lag. 'En het juiste adres is Schwanenwerderweg 327.'

'Dank u wel, juffrouw.' Daniel legde de hoorn op de haak. Het was warm in het appartement. Hij had zich direct na aankomst verkleed. Nu had hij zijn pyjama en een ochtendjas aan.

'Ik heb hem!' riep Daniel.

'Fijn,' klonk de stem van Mercedes uit de slaapkamer. 'Bel hem maar direct. Zo vlug kunnen ze onze telefoon beslist nog niet afluisteren.'

Hij draaide het kengetal van Berlijn en daarna het nummer van Kant. Het duurde een hele tijd voordat iemand opnam. Een vrouw zei: 'Het huis van professor Kant.'

'Goedenavond. Ik bel vanuit Wenen. Mijn naam is Daniel Ross. Kan ik de professor even spreken?'

'Ross zegt u? Uit Wenen?'

'Ja.'

'Een ogenblikje alstublieft.' Ik kom een stapje verder, dacht Daniel. Hij streek opgewonden door zijn witte haar.

Een mannenstem: 'Met Kant.'

'Neemt u mij niet kwalijk dat ik u stoor, professor, maar het is erg belangrijk voor mij. Ik hoop van u inlichtingen te kunnen krijgen over het lot van mijn vader.'

'Hoe is uw naam?'

'Ross, Daniel Ross. Mijn vader heette Georg Ross en in de oorlog werkte hij voor de dienst van Von Ribbentrop. U kende hem . . .'

'Wie zegt dat?'

'Professor Damiani.'

'Umberto? Hoezo . . .'

Daniel bracht in het kort verslag uit van zijn gesprek met Damiani. 'Herinnert u zich die zaak nog, professor?'

Stilte.

'Professor?'

'Ja.'

'Ik vroeg . . .'

'Ik ken u niet, meneer Ross. U zegt dat u belt vanuit Wenen. Ik geloof niet dat wij dit via de telefoon . . .'

'Natuurlijk niet. Mag ik naar Berlijn komen?'

Weer stilte.

Daarna zei Kant: 'Als het voor u zo belangrijk is, meneer Ross . . . goed, komt u dan maar.'

'Wanneer?'

'Wanneer u wilt. Ik heb de tijd.'

'Zou het morgen al kunnen? Ik heb haast. Morgenavond?'

'Wat mij betreft, ja. Zullen we zeggen om zeven uur?'

'Zeven uur is uitstekend. Ik dank u zeer, professor!' Daniel groette en legde de hoorn op de haak. Daarna draaide hij het nummer van de portiersloge. Hij herkende de man die zich meldde aan zijn stem.

'Dag meneer Albert. Met Ross.'

'Dag meneer Ross. Wat kan ik voor u doen?'

'Ik heb vliegtickets nodig. We vertrekken morgen naar Berlijn.'

'Er gaan verscheidene toestellen. Dan moet u in München of in Frankfurt overstappen. Rechtstreekse vluchten zijn er niet.'

'Weet ik. Ik heb om zes uur een afspraak.'

'Momentje. Hier is de dienstregeling. Om zes uur, zegt u? Dan zou ik willen voorstellen dat u de AUA van 11.30 uur naar München neemt. Bijzonder gunstig in verband met de aansluiting. Dan bent u met Pan-American al om halfvier in Berlijn-Tegel.'

'Uitstekend. Maar het is nu al avond. Het boekingskantoor van AUA in de stad . . .'

'Is gesloten. Ik reserveer op de luchthaven. Dan betaalt u de tickets morgen.'

'En als de vlucht is volgeboekt?'

'Niet nu in de winter. De machines zijn halfleeg. Daar hoeft u zich niet bezorgd over te maken. Eenmaal voor u en eenmaal voor mevrouw. Ik zal er dadelijk voor zorgen.'

'Bedankt, meneer Albert.' Daniel stond wat duizelig op. Als ik nu geluk heb, dacht hij . . . Als ik nu geluk heb . . .

Hij liep de salon door en opende de deur naar de slaapkamer. Daar brandde alleen een bedlampje. Mercedes lag zonder kleren op bed. Hij zag haar bruine lichaam, haar grote, mooie borsten, haar lange benen, haar platte buik en de donkere driehoek van schaamhaar.

'Kom, Danny!' zei Mercedes. 'Kom bij me. Ik heb er al zo lang naar verlangd.'

Later.

'Het was fantastisch. Het was zo fantastisch en zo innig als nooit tevoren.'

'Voor mij ook, Mercedes.'

'Bij de meesten is de eerste keer helemaal niet fantastisch. Omdat ze elkaar nog niet goed kennen. Daarom is het goed dat we zo lang hebben moeten wachten, Danny. In die tijd hebben we elkaar precies leren kennen. Daarom was het zo heerlijk. Ik hou heel erg veel van je, weet je dat?'

'En ik van jou, Mercedes. En ik van jou.'

'Soms lukt het bij een man de eerste keer helemaal niet, hoezeer allebei er ook hun best voor doen, heeft een vriendin mij eens verteld. De vrouw mag zich dan bijzonder gelukkig prijzen.'

'Aha.'

'Ja, omdat daaruit blijkt dat de man haar eerlijk en echt liefheeft. Tè oprecht en echt. Hij wil het te graag en te hevig. Daarom lukt het niet. Dat is altijd een goed teken, heb ik gehoord.'

'Dus dan zou je bij mij ook erg gelukkig zijn geweest als het níet was gelukt?'

'Onvoorstelbaar gelukkig.'

'Het spijt me dat ik dat niet eerder wist. Het zou alleen geen nut hebben gehad, vrees ik.'

'Ja, dat vrees ik ook.'

'Maar je gelooft me, als ik zeg dat ik van je houd, hoewel het is gelukt?'

'Ja,' zei ze ernstig. 'Misschien wordt dat wat mijn vriendin mij heeft

verteld, de vrouwen door sommige mannen alleen maar aangepraat. Als smoes. En heb je helemaal niet aan Sibylle moeten denken?'
'Nee, Mercedes.'
'Ik weet het. Ik weet het, Danny. Ik zou het hebben gemerkt, beslist. Het zou niet zo heerlijk zijn geweest. Nu geloof ik dat je echt van mij houdt. Tot nu toe was ik bang.'
'Bang in verband met Sibylle?'
'Ja. Ze is geweldig. Ik moest er de laatste dagen steeds aan denken, dat je gewoon wel van haar móest houden, wat je er zelf ook van zei. Nu weet ik dat ik gerust kan zijn.'
'Heel gerust, Mercedes.' Hij zag iets liggen op het nachtkastje. 'Wat . . . Dat is toch die oude plaat!'
'Die Sibylle ons heeft gegeven, ja. Eens jullie lied. Nu ons lied. Hij moet ons beschermen. Ons en onze liefde. Ik heb die plaat daar neergelegd uit bijgeloof. Ik dacht, als dat lied zo nabij is en het is heerlijk, dan hou je echt van mij.'
'Nou, zie je wel!'
'Maar ik wil voor ons niet alleen een béétje geluk. Ik wil voor ons al het geluk dat we kunnen krijgen. Ik kan nooit tè gelukkig worden. En heimwee naar verdriet zal ik ook nooit hebben . . .'
'Maar weet je, die woorden zijn zo mooi.'
'Ja, dat is natuurlijk wel waar . . .' Ze boog zich over hem heen en omhelsde hem hartstochtelijk. 'O, Danny, liefste, kom weer bij me . . .'

Om elf uur in de avond loste de nachtportier Felix Pokorny zijn voorganger van de middagdienst af. Om die tijd zaten er nog veel gasten in de bar en in de grote hal achterin. Felix Pokorny was al jaren gepensioneerd. Hij had heel lang in het Ritz Hotel gewerkt. Nu werd hij door zijn vroegere collega's van het Ritz en in de andere hotels aan de Ringstrasse altijd gevraagd in te vallen wanneer een van de vaste nachtportiers ziek was geworden. Dan sprong Pokorny voor hen in. Al drie nachten verving hij in het Ritz de twee collega's die altijd samen nachtdienst hadden, maar nu met zware griep in bed lagen.

Pokorny was een flinke, grote man die alleen woonde. Hij had zijn vrouw jaren geleden verloren; de kinderen waren groot en getrouwd. Pokorny sprong graag voor zieke collega's in. Niet om het geld. Hij had te lang in grote hotels gewerkt. De zeldzame fascinatie daarvan hield hem voor altijd in haar greep.

Tegen één uur 's nachts werden de hal en de bar leger. De gasten gingen naar hun kamer. Sommigen namen een editie van de ochtendkrant mee die door de bezorgers was gebracht. Om twee uur was het doodstil. Een hotelbediende zat bij de bagageliften op een stoel te doezelen. Pokorny, die de grote glazen toegangsdeur had afgesloten, zat in de kleine telefooncentrale achter de lange balie van de receptie, en las in een boek met geselecteerde brieven van Ernest Hemingway net de zin: *De wereld is zo vol met vele dingen, dat ik er zeker van ben dat we allemaal zo gelukkig zouden moeten zijn als een koning. Hoe gelukkig is een koning?* Toen rinkelde de bel van de ingang.

Pokorny stond op, liep door de hal en zag voor de glazen deur een man staan die een met bont gevoerde duffelse jas aanhad. Achter hem, aan de zijkant van de Ringstrasse, stond een auto geparkeerd. De man was lang en slank, zijn blonde haar was kortgeknipt. Hij glimlachte terwijl Pokorny de ene helft van de glazen deur openmaakte en hem binnenliet.

'Goedenavond, meneer.'

'Avond,' zei Wayne Hyde. 'Eindelijk! Goeie genade, wat een nacht, zeg! Ik dacht al dat ik nooit meer in Wenen zou aankomen.'

'Wat is er dan gebeurd?' vroeg Pokorny.

'Rechter achterband geklapt. Op de snelweg. Met honderdtwintig kilometer per uur.'

'Jasses,' zei Pokorny. 'Dan heeft meneer wél mazzel gehad.'

'Dat kun je wel zeggen. En geen reserveband. En voordat die wagen was weggesleept!'

'Waar is het eigenlijk gebeurd?'

'Voor Sankt Pölten.'

'Jasses,' zei Pokorny. 'Dan moet u wel doodmoe zijn.'

'Ben ik ook. U hebt toch hoop ik wel een kamer voor mij?'

'Zoveel u maar wilt. Wilt u mij maar volgen ...' Pokorny liep voorop. Wayne Hyde haalde een zakdoek en een klein flesje te voorschijn, opende het snel en drenkte de zakdoek flink in de ether. Hij ging vlak achter Pokorny lopen en drukte de zakdoek op diens neus en mond. De oude portier verzette zich even, maar zakte daarna snel in elkaar. Hyde liet hem op het kleed in de hal glijden. De slaperige hotelbediende kwam bij de bagageliften vandaan omdat hij net door de nachtbel gewekt was. Hij wreef in zijn ogen.

'Wat heeft ...' Verder kwam hij niet. Hyde drukte ook bij hem de zakdoek in het gezicht. De hotelbediende maakte een paar heftige armbewegingen, zakte daarna net als Pokorny op het vloerkleed in elkaar en bleef roerloos liggen.

Hyde verplaatste zich snel en lenig. Geruisloos sloop hij achter de lange balie van de receptie en liet zijn blik over het grote zwarte bord met de vele kaartjes van verschillende kleur glijden. Het was een reserveringsoverzicht met naamkaartjes van de gasten. Hyde vond wat hij zocht.

419/20 – Daniel Ross.

Nu stapte hij het kantoortje achter de sleutelwand binnen, deed het neonlicht aan en keek rond. Daar stond een computer. Op het bureau ernaast ontdekte Hyde een opbergbak met de rekeningen van de gasten en de daarbij behorende nota's. Aan de rekening voor suite 419/20 hingen maar twee nota's: een voor roomservice en een door de computer uitgeprinte strook met gegevens over een telefoongesprek, het gedraaide nummer, spreekduur vier minuten en de kosten. Hyde noteerde het Berlijnse nummer vlug op een stuk papier dat hij in zijn zak stopte. De rekening met de computerstrook legde hij keurig in de bak terug. Hij draaide het neonlicht uit, verliet het kantoortje en ging naar de sleutelwand. In vak 419 ontbrak de sleutel, maar er zat een kaart in. Hyde haalde hem eruit en las wat erop stond.

Hij knikte tevreden en zette de kaart weer terug. Daarna verliet hij het hotel, waarbij hij voorzichtig over de roerloze Pokorny heen stapte. Even later zat hij naast de chauffeur van de wagen die nog steeds voor de ingang stond geparkeerd.

'Waarheen?' vroeg de bleke dokter Herdegen.

'Naar de Rechte Wienzeile 10,' zei Hyde.

Op hetzelfde tijdstip – het was 2.15 uur in de ochtend van zaterdag 10 maart – telefoneerde Conrad Colledo, chef van de afdeling Politiek en actualiteiten van de zender Frankfurt, in de werkkamer van de villa in de Siesmayerstrasse bij het Grüneburgpark in Frankfurt, juist met een van zijn mensen in Los Angeles. Daar was het pas 17.15 uur; het tijdsverschil bedroeg negen uur. Colledo maakte een uitgeputte indruk.

'Om het dus samen te vatten, chef,' klonk de stem van een jongeman aan Colledo's oor, 'de afgelopen twee dagen hebben we voortdurend heen en weer gereisd tussen Washington en Los Angeles. Zeven man. Ze hebben hier de C.C.A. en de A.C.A., de "Club van Cameramensen van Amerika" en de "Vereniging van Amerikaanse Cameralieden". Na veel heen-en-weergepraat, hebben ze ons hun ledenlijsten uit de oorlog laten zien. Vrijwel elke cameraman staat erop, de goeien zeker. Nou, en die broeders in Teheran waren toch beslist niet de eerste de beste.'

'Zeker, Pit. En verder?'

'Nu hebben we een compleet overzicht. Op 11 december 1941 verklaarden Italië en Duitsland Amerika de oorlog. We hebben daarom nagegaan hoeveel en welke leden van de beide verenigingen tussen '41 en '46 in militaire dienst zaten. Het waren en 2657. Tja, wij werden er ook helemaal beroerd van. Bij het ministerie van Defensie in Washington hebben ze ons uitermate beleefd behandeld, maar we kregen de stamlijsten niet ter inzage. We hebben werkelijk van alles geprobeerd, telkens weer. Ten slotte hebben we een oude archivaris zover gekregen, dat hij wilde proberen ons te vertellen op welke *theatres of war*, op welke fronten, of voor welke bijzondere taken de mannen zijn ingezet.'

'En?'

'De oude heer heeft een aanrijding gekregen. Vanmiddag. Voordat hij ons iets kon vertellen. Werd gegrepen op een zebrapad. Aangereden door een auto. Was op slag dood.'

'En de wagen?'

'Doorgereden. Tot nu toe geen spoor, zegt de politie. De nummerborden waren zo vies dat getuigen niets hebben kunnen zien. Duidelijke zaak, niet?'

'Volkomen duidelijk,' zei Colledo. 'Verdorie!'

'We hebben alles wat we hebben gedaan gefilmd. Toen kwamen we erachter hoeveel van die ruim zesentwintighonderd leden van de verenigin-

307

gen die destijds waren ingeschreven nu nog in leven zijn. Namelijk 1998. Werken natuurlijk niet meer allemaal. En degenen die nog werken, zitten niet allemaal in Hollywood, maar ook aan de oostkust of bij een televisiestation. Vrijwel over het hele land verspreid. Die niet meer werken ook, trouwens.'

'Probeer ze allemaal te vinden.'

'Maar chef, ik heb toch gezegd dat het er 1998 zijn!'

'Dat heb ik gehoord. Jullie moeten ze allemaal opzoeken.'

'Dat duurt eeuwen!'

'Dan duurt het maar eeuwen!'

Achter Colledo hing een schilderij van zijn dochtertje Kathi dat vorig jaar was overleden.

'Bijna tweeduizend cameralieden! En wij zijn met z'n zevenen. Dat betekent voor ieder van ons zo'n driehonderd! Dat is onmogelijk, dat moet u toch toegeven, verdorie!'

'Ik stuur nog tien mannetjes naar jullie toe.'

'Maar dat is toch te gek om los te lopen!'

'Weet jij waar we achteraan zitten, Pit?'

'Natuurlijk.'

'Zeur dan niet langer!'

'Zoals u wilt, chef. Dan worden we allemaal maar mesjogge.'

'Precies. Of jullie vinden de juiste mannen.'

'Dat lukt nooit, chef, nooit! Als we dicht genoeg bij hen zijn gekomen, krijgen ze ook een aanrijding. Hebben ze misschien zelfs al gehad. Of is er een wapen afgegaan bij het schoonmaken. Of ...'

'Pit?'

'Ja?'

'Hou je bek en doe wat ik zeg! En houd me op de hoogte. Welterusten.'

Colledo legde de hoorn neer en ondersteunde zijn hoofd met zijn handen. Dus ook niets, dacht hij. Niets en nog eens niets. Ik heb mijn beste mensen overal heen gestuurd. Naar het Instituut voor Hedendaagse Geschiedenis in München, naar het archief in Berlijn. In Koblenz, ja, daar hadden we bijna geluk. Bijna. Ze hebben die arme drommel uit het Documentatiecentrum doodgeschoten en het werkjournaal laten verdwijnen. En verder? Verder niets. Absoluut niets. Niets in het British War Museum in Londen. Niets in het Archive de la Seconde Guerre Mondiale in Parijs en in alle andere archieven. Niets in de archieven van Washington. Niets, niets, niets. Danny heeft opgebeld uit Wenen. Nou ja, hij heeft tenminste iemand gevonden: de beoordelaar van het geheime verdrag. Vliegt vandaag naar Berlijn. Ik heb er al een team op af gestuurd. De BKA is op de hoogte gesteld. Misschien ...

'Conny!'

Hij keek op.

Lisa, zijn kleine, tengere vrouw, was de kamer ingekomen – op blote voeten en in nachtjapon. Haar blonde haar zat in de war.

'Wil je de hele nacht doorwerken? Het is al halfdrie.'

Ze kwam bij hem staan en sloeg haar armen om zijn schouders. Hij kuste haar polsen.

'Ik kom zo,' zei hij.

'Is het die geschiedenis waarover je mij niets wilt vertellen?'

'Ik kan het niet, Lisa, ik kan het niet.'

De kleine vrouw begon plotseling te huilen. Hij probeerde haar te troosten en tot kalmte te brengen, maar het duurde een hele tijd voordat het hem een beetje was gelukt. Ze gingen naar bed. Lisa viel al snel in slaap. Conrad Colledo lag met open ogen naast haar en luisterde naar de regelmatige ademhaling van zijn vrouw. Die nacht deed hij geen moment zijn ogen dicht.

5

Mercedes en Daniel huurden op de luchthaven Tegel een auto en kwamen tegen halfvijf aan bij hotel Kempinski aan de Kurfürstendamm. De hoofdingang was in de Fasanenstrasse. Daniel, die met de Volvo uit de Hardenbergstrasse kwam, parkeerde deze en betrad samen met Mercedes de grote hal. Hotelbedienden ontfermden zich over hun bagage. De hoofdportier, Willi Ruof, een bijzonder vriendelijke en behulpzame reus uit Beieren, verwelkomde Daniel hartelijk. De twee kenden elkaar al vele jaren, want als het enigszins mogelijk was, nam Daniel zijn intrek in dezelfde hotels. Ook in Kempinski kreeg Daniel steeds dezelfde suite: 606/07.

Hij stelde Mercedes en Ruof aan elkaar voor en babbelden een paar minuten. De dag ervoor was een Pools verkeersvliegtuig van de nationale luchtvaartmaatschappij LOT door drie mannen gekaapt en naar West-Berlijn gedirigeerd, waar het op de luchthaven Tempelhof was geland. Het toestel was bezig aan een binnenlandse vlucht. Toen de passagiers doorhadden waar ze waren, besloten elf van hen net als de drie kapers in het Westen te blijven en politiek asiel aan te vragen. Zoals gebruikelijk bij dergelijke incidenten, hoe ernstig ook, hadden de Berlijners er geestig commentaar op.

'Weet u wat LOT betekent, meneer Ross?' vroeg de hoofdportier. 'Landing op Tempelhof ... En er is een boodschap voor u.' Ruof overhandigde Daniel een envelop en wenste hun een prettig verblijf.

In de lift scheurde Daniel de envelop open en las de mededeling.

'Wat is er?' vroeg Mercedes.

Daniel keek naar de jongeman die hen naar boven bracht en overhandigde de mededeling aan Mercedes.

'Team startklaar in hotel Steinberger,' las ze, en daarachter een haar onbekende naam en een telefoonnummer.

De suite in Berlijn beviel Mercedes bijzonder goed. Ze hadden ruim de tijd. Daniel bestelde thee. Terwijl ze die dronken, zocht hij op een plattegrond de beste weg op naar de Wannsee. Hij kende goed de weg in de stad, maar het was nog vroeg in het jaar en al snel donker.

Mercedes werd steeds onrustiger. Ze zag in dat ze niet met Daniel mee kon. Elke uitleg zou professor Kant alleen maar onzeker en ongerust maken. Hij verwachtte één persoon: de zoon van de man met wie hij in de oorlog had samengewerkt. Daniel had gedaan alsof hij wilde horen wat Kant over het lot van zijn vader bekend was. Daarom was het onmogelijk de professor een Argentijnse stiefdochter te presenteren. Dan hadden ze hem van het begin af aan de waarheid moeten zeggen. En juist dat wilden ze geen van tweeën.

'Wees maar niet bang,' zei Daniel bij het afscheid. 'Er gebeurt niets. Daarginds barst het van de politie; daar heeft Conny voor gezorgd. Ze grijpen in zodra ze maar denken dat er iets mis is. En het camerateam komt ook direct nadat ik met de professor over de eigenlijke reden van mijn bezoek heb gesproken.'

'En toch ben ik bang, Danny, verschrikkelijk bang . . .' Ze klampte zich aan hem vast. Hij kuste haar en maakte zich voorzichtig los. 'Jij bent toch mijn dappere Mercedes.'

'Ik ben helemaal niet dapper.'

'Dat ben je wel. En je houdt van mij en weet dat ik alleen moet gaan. En omdat je van me houdt, maak je het me nu niet moeilijk, maar houd je daar dadelijk mee op en zegt dat je absoluut niet bang bent.'

Ze snikte en slikte een paar keer, streek over haar ogen en zei: 'Ik ben absoluut niet bang.'

'Zo ken ik je weer.' Hij omhelsde haar nog eens. Daarna verliet hij snel de suite en liep naar de lift.

Mercedes was in de salon in een stoel gevallen. De tranen schoten in haar ogen en ze fluisterde: 'O God, was ik maar niet zo vreselijk bang!'

De chef van het wagenpark bracht Daniel naar de gehuurde Volvo. Het was kouder geworden.

'Voorzichtig rijden, meneer Ross! Het is glad. Dank u wel.' Hij stopte de munt van vijf mark in zijn zak en gooide het portier achter Daniel dicht.

De Kurfürstendamm was verstopt door de avondspits. Bij de Rathenau-platz sloeg Daniel de Halenseestrasse in. Hij reed in noordelijke richting door deze straat, die al veel rustiger was, tot aan het beursterrein. Voor hem zag hij de zendmast met zijn rode navigatielichten en daarna was hij op de Avus.

Even over halfzeven.

Daniel gaf gas en reed nu aanzienlijk sneller over de ijsvrije snelweg in zuidwestelijke richting. Slechts weinig auto's kwamen hem tegemoet: Ter hoogte van het S-Bahn-station Nikolassee ging hij de weg af. Hij stak de Kronprinzessinnenweg over en sloeg de lange Wannseebadweg in, die in noordwestelijke richting loopt. Uit vele villa's in de parken viel licht naar buiten, andere schenen niet bewoond te zijn. Daniel naderde het water steeds dichter. Onverwachts bevond hij zich in een nevel, vlak daarna in de mist. De westenwind dreef de mist voor zich uit. Daniel kon alles slecht zien en reed nu heel langzaam. Hij wist dat voor hem de Inselstrasse lag, die over een korte dam naar het eilandje Schwanenwerder leidde. Vlak voordat de straat begon, ontdekte hij drie geparkeerde auto's. Hij had telefonisch met Conrad Colledo een signaal afgesproken hoe hij kon zien of de politie haar stelling had betrokken. Stapvoets rijdend seinde Daniel driemaal kort met zijn grote licht. Het grote licht van de drie auto's ging drie keer kort aan. Van de Inselstrasse naar de Schwanenwerderweg was maar een paar meter en vlak daarbij bevond zich huisnummer 327. In de Inselstrasse stond een vierde auto geparkeerd, die eveneens reageerde op het lichtsignaal van Daniel. In minder dan een minuut kunnen die in het huis zijn, dacht Daniel.

Hij sloeg nogmaals rechtsaf en stopte vlak daarop. Hier was geen straatverlichting meer. De mist was dichter geworden, je kon nog maar een paar meter voor je uit kijken. De Wannsee moest heel dichtbij zijn, Daniel rook het water. De villa van de professor had twee verdiepingen en een reusachtig, steil pannendak met grote dakramen. De muren waren bedekt met wilde wingerd en deze rankte langs brede houten latten omhoog. Het volgende huis bevond zich op z'n minst honderd meter verderop.

Daniel belde bij het tuinhek, waarop het huisnummer was aangebracht. Door de intercom klonk een vervormde vrouwenstem: 'Wie is daar?'

Hij boog zich naar voren en zei door de microfoon: 'Daniel Ross. Ik heb een afspraak met de professor.'

'Een ogenblikje.'

Het hek sprong open en boven de voordeur ging een lamp aan. Daniel stapte door de mistige tuin. De voordeur ging open. Daniel zag een tamelijk oude, corpulente vrouw. 'Goedenavond,' zei hij.

'Goedenavond,' zei de vrouw. 'Hebt u uw pas bij u?'

'Ja.'

'Mag ik hem even hebben?'

Daniel gaf hem aan haar.

'Een ogenblikje.'

De deur viel dicht. Daniel hoorde schreden die zich verwijderden. Hij wachtte. De schreden kwamen terug. De deur ging weer open. De oudere vrouw gaf hem zijn pas terug en zei: 'Komt u binnen, meneer Ross. Neemt u ons niet kwalijk. Maar je kunt niet voorzichtig genoeg zijn.' Ze stonden in een voorportaaltje. 'Uw jas graag.'

De vrouw hing hem op een hangertje. Daarna opende ze een andere deur.

'Gaat u maar naar binnen.'

Daniel stapte naar voren en bleef verbaasd staan. Hij bevond zich in een heel groot vertrek dat als een reusachtige woonhal was ingericht. De vloer was bedekt met tapijten, er brandden vijf staande schemerlampen die een warm, helder licht verspreidden. Het vertrek was buitengewoon geraffineerd onderverdeeld in een woon-, een eet- en een werkgedeelte – eenvoudig door de schikking van de meubelstukken. Een brede, vrijdragende houten trap leidde naar de bovenverdieping. De wanden van het werkgedeelte waren bedekt met boekenplanken. Naslagwerken en allerlei papieren lagen onder een sterke lamp op een eiken tafel, waarachter nu een grote, slanke man in een huisjasje en een flanellen pantalon opstond. Hij droeg een wit zijden sjaaltje. Met jeugdige passen kwam hij Daniel tegemoet.

'Welkom, meneer Ross.'

'Goedenavond, professor.'

Ze schudden elkaar de hand. Professor Emil Kant had een rond, blozend gezicht, heldere ogen en een kleine mond. Zijn hoofd was kaal, maar aan de zijkanten en van achteren groeiden nog lange bruine plukken, die Kant in zijn nek had gekamd en met een speld bijeen werden gehouden. De plukken kwamen tot op zijn schouders. Hij zag eruit als een oude hippie.

'Wilt u thee, of koffie – of liever iets met alcohol?'

'Een glaasje whisky kan geen kwaad.'

'Komt eraan.' Kant zei tegen de oudere vrouw die gewacht had: 'Het is in orde, Erna. Bedankt.'

Erna verdween door een onopvallende deur – vermoedelijk naar de keuken.

'Mijn huishoudster. Heb ik al veertien jaar. Ze is geweldig. Zoals die voor me zorgt!' Kant liep met Daniel naar de werkhoek van de hal en wees op de leren fauteuil. 'Gaat u zitten.' Hij boog zich over een tafel vol flessen en glazen en schonk het drankje in. 'IJs en water?'

'Alleen ijs graag.'

'Heel goed. Ik zal er zelf ook een nemen.'

Kant kwam met twee glazen whisky terug. Ze toosten elkaar toe. Daarna ging de professor zitten.

'Het had natuurlijk een valse pas kunnen zijn, hè?' vroeg hij. Daniel wilde iets zeggen, maar Kant maakte een afwerend gebaar.

'Het had geen valse pas kunnen zijn. U hebt aan uw vriend Colledo via de telefoon het pasnummer doorgegeven. Hij gaf het door aan de politie en die gaf het weer door aan mij.' Kant lachte kort en mekkerend.

'Ik ben u werkelijk zeer dankbaar dat u mij zo vlug ontvangt,' zei Daniel, het glas in zijn handen draaiend.

'Waarom niet, als mijn oude vriend Umberto u naar mij heeft doorverwezen.' Kant schudde het hoofd. 'Erg, heel erg. Hij is ernstig ziek, hè?'

'Ik vrees van wel, professor.'

'Schizofrenie?'

'Ja.'

'En geen verbetering te verwachten?'

'Voor zover ik heb begrepen, niet. Hij . . . hij heeft erg veel te lijden van stemmen die hem voortdurend aanvallen. Ik heb het zelf meegemaakt . . .' Daniel vertelde in het kort over het twistgesprek van Damiani met paus Alexander de Zesde, Ferdinand van Aragon en Isabella van Castilië, het gesprek waarvan hij getuige was geweest.

'Arme kerel . . .' Kant schudde verdrietig het hoofd. De hippieharen in zijn nek vlogen heen en weer. 'Het boek dat hij heeft geschreven, *Inter caetera divinae*, heeft indertijd ongelooflijk veel opzien onder theologen en experts op het gebied van het volkenrecht gebaard, dat kunt u zich wel voorstellen. Sommige theologen zijn bijna dol van woede geworden. Natuurlijk kreeg Umberto ook enorm veel bijval. Maar het was een geweldig schandaal! Goeie hemel, wat is hij toen door het slijk gehaald – figuurlijk

312

gesproken. Wat een discussies! Wat een strijd! Tegenwoordig is dat boek hét standaardwerk over dat onderwerp. Maar wat heeft die arme Umberto daar nu aan? De opwinding en de uiterst gemene aanvallen waren te veel voor hem. Je moet natuurlijk ook begrip hebben voor de kerk. Umberto viel haar genadeloos aan. En wat wilt u?' – Kant hief zijn hand op – 'Men kan een sneeuwman nu eenmaal nooit overtuigen van de zegenrijke kracht van de lentezon.' Hij nam een slok. 'Ja, en nu over u, meneer Ross. Ik moet toegeven dat deze ontmoeting mij flink aangrijpt. Tenslotte is het al veertig jaar geleden dat ik met uw vader heb samengewerkt. Ja, nu in maart is het precies veertig jaar geleden dat hij mij dat geheime verdrag voor onderzoek heeft gegeven waarover die arme Umberto sprak. Ik had hem natuurlijk nooit daarover mogen vertellen. Het was een "geheime rijkszaak". Maar u weet hoe dat gaat: er wordt nergens zo gepraat als onder wetenschapsmensen. En wij waren ook dik met elkaar bevriend. Drinkt u toch. Ik zal de fles en het ijs hierheen halen.'

'Ik moet nog autorijden, professor.'

'Och wat, zo'n paar glaasjes kunnen toch geen kwaad.' De oude man liep al naar de tafel en bracht mee wat hij nodig had. Hij zette een whiskyfles en een koelemmertje met ijsblokjes op het lage tafeltje voor Daniel en schonk de glazen bij.

'U hebt de hele oorlog meegemaakt in Berlijn, professor?'

'Tot het bittere einde. En reken maar dat het einde bitter was! Hier, uw glas. Op uw gezondheid!' Ze dronken weer. 'Bitter,' herhaalde Kant. Daarna liet hij weer zijn eigenaardig mekkerende lachje horen. 'De wereld dient te sidderen bij de ondergang van de Germanen, hè? Nou ja. Duivels was het, duivels. Maar ik heb het overleefd . . .'

'En mijn vader?' Daniel zette zijn glas neer. 'Neemt u mij niet kwalijk dat ik daar rechtstreeks naar vraag. U bent mijn laatste hoop.'

'Uw vader is in de strijd gevallen,' zei Kant.

'Dat dacht ik al,' zei Daniel met onbewogen gelaat. 'Ik wilde alleen zekerheid hebben. Die heb ik nu. U bent er natuurlijk heel zeker van, anders zou u mij dat niet zeggen, nietwaar?'

'Heel zeker, meneer Ross. Goebbels zelf heeft het mij verteld.'

'Goebbels?'

'Ja. Hij liet me roepen. In de bunker van de Rijkskanselarij. Dat was op 10 april 1945. Ik heb het in mijn dagboek nagekeken. Een odyssee kan ik u zeggen! De stad permanent onder vuur. De Russen waren al door de laatste verdedigingslinie bij de Lausitzer Neisse gebroken. Twee weken later vochten ze zich van huis tot huis Berlijn in. Laagvliegende vliegtuigen . . .'

'Waarom liet Goebbels u roepen?'

'Om mij te zeggen dat Ross dood was. Hij wist dat ik een jaar tevoren het document voor onderzoek had gekregen – als een vertrouwd medewerker van uw vader. Zijn huis in Dahlem werd al in maart 1944 platgebombardeerd. Sedertdien woonde hij bij een kennis op de Bayerischer Platz, ik kende het huis. Goebbels wilde dat ik er heen ging en daar alle akten vernietigde die uw vader mee naar huis had genomen. Het ministerie van

313

Buitenlandse Zaken was in die tijd allang elders in veiligheid gebracht. Goebbels ging er terecht van uit dat ik alle belangrijke dossiers en papieren zou herkennen. Wat moest ik doen? Ik baande me een weg naar de Bayerischer Platz – daar had ik een dag voor nodig – en verbrandde stapels papieren. Ik had echter pech.'

'Hoezo?'

'De brand liep uit de hand en het huis vatte vlam. Er woonde niemand meer en het was half verwoest. De kennis van uw vader was bij de Volkssturm, vertelde Goebbels. Nooit meer iets van hem gehoord. Ook dood. Of in gevangenschap overleden.'

'Hoe stierf mijn vader?' vroeg Ross. 'En waar?'

'Goebbels zei dat het in de Gneisenaustrasse is gebeurd. In het district Kreuzberg. Hij had uw vader ook naar de Führerbunker laten komen en op de lange weg naar zijn tijdelijke woning aan de Bayerischer Platz kregen ze hem te pakken – pardon! – werd hij gedood. Ik heb toch gezegd dat de Russen voortdurend laagvliegende bommenwerpers inzetten. Die vlogen vlak boven lange straten en wierpen bommen van 50 kg af en schoten met mitrailleurs op alles wat bewoog. Uw vader kon zich niet snel genoeg in veiligheid brengen – die kleine vliegtuigen kwamen altijd heel onverwacht.'

'Hoe wist Goebbels dat mijn vader was gedood?'

'Een patrouille van de Wehrmacht kwam net door de Gneisenaustrasse toen de overlevenden de slachtoffers in een bomtrechter wilden begraven. De mannen van de patrouille haalden de persoonlijke papieren uit de zakken van de lijken. Toen ze merkten welke functie uw vader had vervuld, leverden ze de papieren dadelijk bij de Kommandantur af, en vandaar werden ze naar Goebbels gestuurd. Hij heeft ze mij laten zien.'

'Liet hij u de papieren van mijn vader zien?'

'Dat zeg ik toch! Hij is echt in de Gneisenaustrasse om het leven gekomen. En daar is ook zijn graf. Ergens onder het wegdek. Men kon de doden niet zo maar laten liggen, nietwaar? Dat was in die dagen de gebruikelijke manier om doden te begraven. Heel erg werd het toen de Russen echt in de stad vochten.'

Zo was het dus gegaan, dacht Daniel. Mijn vader gaf Goebbels de capsules met cyaankali toen hij in de bunker was en men hem in de nacht van 7 op 8 april de film overhandigde. Die middag had hij op het ministerie van Buitenlandse Zaken al valse nieuwe papieren ontvangen. Daarna werd hij van Berlijn naar Bergen overgevlogen, zoals hij in Buenos Aires heeft verteld. Moeder en ik, wij hebben immers ook een officiële mededeling van zijn dood ontvangen: gevallen tijdens defensieve gevechten op 2 maart in het district Küstrin. Zo goed functioneerde tot het laatste moment alles in het Derde Rijk. Goebbels wilde dat Georg Ross geen sporen achterliet. Hij moest dood zijn – voor zijn eigen veiligheid.

'Het spijt me,' zei Kant.

'Ik was erop voorbereid,' zei Daniel. 'Anders had hij op een gegeven moment toch wel iets van zich laten horen. Nu weet ik het zeker. En dat geheime verdrag, professor? Hoe zat het daarmee?'

'Nou ja, ik moest het document op echtheid onderzoeken. Overigens gaf uw vader mij een afschrift op de middag voordat zijn huis in Dahlem werd gebombardeerd. Hij liet van de tekst direct nadat hij de film in handen had gekregen een afschrift maken. Volgens mijn dagboek was dat op 31 maart 1944.'

'En was dat geheime verdrag echt, of was het een vervalsing?'

'Echt. Het was echt!' Kant sprak ineens opgewonden.

'Daar bent u zeker van?'

'Absoluut zeker!' riep Kant uit.

'Dat kon en kunt u met stelligheid beweren?'

'Beslist. Toen ik daarna de film zag, bestond er ook niet meer de geringste twijfel over.'

'Hebt u de film gezien?'

'Ja, ik en drie specialisten van Geyer-Kopierwerk.'

'Wanneer was dat?'

'3 augustus 1944. Uw vader heeft hem ons laten zien.'

'Waarom pas zo laat?'

'Uw vader zei dat de kelder waar de film werd bewaard door de bombardementen onder het puin was bedolven en dat het erg lang geduurd had voordat ze hem hadden opgegraven.'

'Dan waren het geheime verdrag en de film naar uw mening en naar die van de andere specialisten echt en geen vervalsing?'

'Zonder meer echt. Met Amerikaans Kodak-materiaal opgenomen. Daar bestaat echt geen twijfel over.'

't Is me wat moois, dacht Wayne Hyde.

Hij lag op zijn buik op de eerste verdieping, vlak bij de trap, zijn lichaam tegen de grond gedrukt en voor hem een geweer van het Russische type Vintovka obr 1891/1930. *Vintovka* is het Russische woord voor geweer. Het leek veel op de Amerikaanse Springfield 03, waar Hyde de voorkeur aan gaf. Het kaliber was bij beide geweren hetzelfde: 7,62. Het Russische geweer was iets lichter en langer, en het had in tegenstelling tot het Amerikaanse een trek naar rechts. In een schouderholster droeg Hyde een Russisch dienstpistool van zwaar kaliber. Op het geweer was een telescoopvizier gemonteerd. Hyde had de professor in het volkenrecht precies in het vizier, het ene moment de borst, het andere moment zijn hoofd. De loop van het geweer bewoog traag heen en weer . . .

Vlak nadat hij bij zijn Weense huurlingenvriend Franz Loderer was gearriveerd, en wel in diens woning aan de achterkant van het gebouw aan de Rechte Wienzeile 10, waar Herdegen hem vanuit het Ritz heen had gebracht en waar hij de rest van de nacht wilde doorbrengen, had Hyde met behulp van de kleine decoder advocaat Roger Morley in Londen opgebeld en het volgende op de band van de telefoonbeantwoorder ingesproken: 'Met Wayne Hyde. Ik ben bij een vriend in Wenen. Het is zaterdag, 10 maart, 2.45 uur. Ik heb het volgende ontdekt: de expert op het gebied van het volkenrecht die in 1944 het geheime verdrag heeft onderzocht, heet

315

professor Emil Kant. Hij woont in Berlijn. Zijn telefoonnummer is drie-vier-twee-twee-vijf-nul-zeven. Dan kunt u gemakkelijk het adres achter-halen. Ross en Olivera hebben voor vandaag een vlucht geboekt naar Berlijn, via München. Vertrek uit Wenen om 11.30 uur. Dit kon ik in het Ritz vaststellen. De boeking ligt in hun sleutelvak. Ze landen tegen halfvier in Berlijn. Ross heeft Kant opgebeld. Met aan zekerheid grenzende waar-schijnlijkheid zal hij hem vlak na zijn aankomst bezoeken. Graag zo snel mogelijk instructies. Bel om 3.30 uur weer op.'

Dat had hij gedaan.

De stem van Morley klonk: 'Goedemorgen, mr. Hyde. Mijn kennissen hebben de situatie onderzocht. U neemt het eerste toestel naar Berlijn, ook via München. Het is een vlucht van Swiss Air om 9.50 uur. U hebt dan aansluiting op PanAm en bent om 12.45 uur op Berlijn-Tegel. Daar rijdt u zo snel mogelijk naar de grensovergang in de Friedrichstrasse, Checkpoint Charlie. U dient naar de dienstdoende Vopo-officier te vragen. Bij hem zal een man u opwachten. Wij hebben ook in Oost-Berlijn onze mensen. U, mr. Hyde, doet wat die man zegt.'

'Het doet me genoegen kennis met u te maken, mr. Hyde,' zei de man in het kantoortje van de dienstdoende Vopo-officier bij Checkpoint Charlie nadat de officier het vertrek had verlaten. 'Stipt op tijd, prima. Wilt u mij maar volgen – uw bagage kunt u het beste hier laten, u komt immers op de terugweg weer hier langs.'

De man was groot en zag eruit als een worstelaar vrije stijl. Zijn neus was platgedrukt. Hij had heel kleine ogen. Varkensoogjes, dacht Hyde. Zijn vingers deden nog pijn na de handdruk van die atleet. 'Mijn naam is Lohotski,' zei de man toen ze al buiten waren en naar een Wolga met een kenteken van de Volkspolizei liepen. Hij opende een portier en liet Hyde achter instappen. Achter het stuur zat een slanke jongeman. Evenals Lohotski was hij in burger.

'Hallo,' zei Hyde.

'Vriendschap,' zei de jongeman.

Lohotski kwam naast hem zitten. 'Rijden maar, Max,' zei hij. 'Trap hem op zijn staart en zet de sirene aan.'

De Wolga stoof weg. De politiesirene begon te loeien. Hyde, die niet zo gauw ergens van schrok, voelde zijn maag ineenkrimpen. Lohotski zat half naar hem toegekeerd.

'Weest u maar niet bang,' zei hij grijnzend. 'Max is de beste chauffeur die we hebben.' De Wolga stoof door het stadscentrum van Oost-Berlijn, passeerde op een afstand van twee, drie centimeter andere wagens en week pas op het laatste moment uit voor tegemoetkomende auto's, die meestal stopten of naar de kant van de weg reden. De sirene loeide. Het zwaailicht was in werking.

'Waar gaan we naar toe?' informeerde Hyde, die op de achterbank heen en weer werd gesmeten.

'Voorlopig in noordelijke richting.' De worstelaar Lohotski voelde zich in zijn element als gids. Hij glimlachte. 'Een in tweeën gedeelde stad, hè? In tweeën gedeeld door de Muur. De Muur is maar vijftien kilometer lang. Maar we moeten ons toch overal beschermen tegen West-Berlijn, niet? Dus loopt er rond heel West-Berlijn een levensgevaarlijke strook grond. Langs de hele grens. Die dodelijke strook is tien meter breed en honderdzeventig kilometer lang. Tja, een groot stuk, West-Berlijn. Prikkeldraadversperringen over een lengte van honderddertig kilometer. Gebruikte hoeveelheid prikkeldraad twaalfduizend kilometer. En dan natuurlijk de bunkers. Rondom West-Berlijn zijn er tweehonderdachtendertig. En controlepunten bij de snelwegen en doorgaande wegen natuurlijk.'

'Natuurlijk,' zei Wayne. 'Dus we moeten eerst zover naar het noorden tot de Muur ophoudt. Tot aan de stadsgrens.'

'Precies, mr. Hyde, precies. Daarna aan de buitenkant om heel West-Berlijn heen. Over DDR-gebied. De Wannsee ligt diep in het zuidwesten.'

'En wat doen we dan?'

'Dat zult u wel zien, mr. Hyde. Dat zult u wel zien.'

Bij de stadsgrens in het noorden werden ze gecontroleerd. Lohotski strekte zijn arm uit en liet aan de Vopo die de Wolga had laten stoppen een penning zien. De Vopo salueerde. De Wolga gleed als in een slalom tussen de afsluiting bij het controlepunt door en stoof vervolgens verder. Nu ging de rit in westelijke richting. Er stonden steeds minder huizen. Ze reden over beijzelde wegen door kleine bossen en onbebouwd gebied.

'Staatsbos Falkenhagen,' zei Lohotski op een gegeven moment. En even later, toen er aan hun rechterhand een grote watervlakte zichtbaar werd: 'De Falkenhagener See.' En ten slotte: 'We rijden nu vlak langs de grens naar de westelijke sector. Ziet u die levensgevaarlijke strook met prikkeldraad? Daar ligt ons controlepunt Staaken. Een stuk verderop controlepunt Heerstrasse. De Heerstrasse is ontzettend lang. Loopt in de westelijke sector door tot aan de Theodor-Heuss-Platz en hier in de richting van Hamburg.' Daarna reden ze over reusachtige onbewoonde vlakten. 'Gross-Glienicker-Heide,' zei Lohotski. 'Nu zijn we opnieuw heel dicht bij de grens. Dat is de Potsdamer Chaussee daarginds. Ziet u die rollen prikkeldraad en de vliegtuigen daarachter? Dat is het vliegveld Gatow. Is van de Engelsen. Daar sluit het prikkeldraad het einde van een startbaan af. Nu moeten we naar het westen, om de Gross-Glienicker-See heen. Daar loopt de grens midden door het water.'

'Er zijn veel meren in Berlijn,' zei Hyde. De chauffeur Max zei geen woord. Hij had het zwaailicht en de sirene al een tijdje uitgeschakeld. Weer zag Hyde een heel grote watervlakte.

'En dat?'

'De Havel,' zei Lohotski. Ze reden over een brede weg. *Spandauer Strasse* las Hyde op een bordje. Plotseling stopte de wagen voor een laag stenen gebouwtje, waarnaast in een mast in de westenwind de vlag van de DDR wapperde.

'Zo, we zijn er,' zei Lohotski. Hij stapte uit en opende het portier voor Hyde. 'Wilt u meekomen?'

Ze gingen samen het gebouwtje binnen. In een vertrek op de begane grond zaten een stuk of zes mannen in uniform aan hun bureau te werken. Lohotski ging naar een jongeman toe en stelde hem aan Hyde voor. De jongeman heette Wilms. Aan de muur achter hem hing een grote kaart van Berlijn en omgeving. Hyde keek op zijn horloge. Het was 14.34 uur. 'Wilt u de situatie even uiteenzetten aan mr. Hyde, Wilms?' vroeg Lohotski.

Deze liep naar de wandkaart. 'Zeker,' zei hij. 'Wij bevinden ons hier, sir.' Hij wees met zijn vinger linksonder op de plattegrond. 'De Spandauer Strasse, ziet u wel? Vanuit de Spandauer Strasse is het een paar meter naar de Havel. Daar loopt de grens dwars door het water. Die dikke rode lijn, ziet u? Daar hebben we natuurlijk boeien en borden en waterpolitie.'

'Natuurlijk,' zei Hyde.

'Aan de andere kant, in het Westen, ligt het grote Pfaueninsel. Daar is een kasteel. En een groot natuurreservaat met een hoop pauwen. Daarom heet het zo.'

'Aha,' zei Hyde.

'Nu een stuk over westelijk gebied de Havel langs,' vervolgde Wilms, 'daar bij die knik hangt de Grosse Wannsee er als een zak in. Ziet u? Strandbad Wannsee. En hier nog een stuk verderop weer een eiland. Veel kleiner dan het Pfaueninsel; Schwanenwerder heet het. De weg maakt er een bocht en loopt dan over een korte dijk naar het vasteland.' Wilms trok de bocht met zijn vinger na. 'Daar loopt hij. Hoe zou hij heten? Inselstrasse natuurlijk. En waar loopt hij op het vasteland rechtstreeks naar toe? Naar de Schwanenwerderweg. Hier. En dit hier,' – hij tikte met zijn knokkel op een plek vlak bij het water – 'dit is nummer 327. Hier woont professor Emil Kant.'

'Als het donker is en er nog flink wat mist opkomt, kunnen we u gemakkelijk via de Havel en over de grens tot op Schwanenwerder brengen,' zei Lohotski. 'En wel naar hier, naar de zuidkant. Daar staan een heleboel treurwilgen en kan een boot zich prima verbergen. We moeten de zuidkant nemen. Aan de noordkant staat namelijk een politiebureau, vlak bij de Inselstrasse. U moet aan de zuidkant een paar honderd meter door het park naar de dijk lopen en dan eroverheen naar de Schwanenwerder-weg. Een kleinigheid voor een man als u, sir. Wij wachten hier aan de zuidkant op u. Als u het karwei hebt geklaard, komt u terug. Dan smeren we 'm. Alles duidelijk?'

'Nee,' zei Hyde.

'Wat is niet duidelijk?'

'Hoe u mij erheen brengt.'

'Nou, met een patrouilleboot natuurlijk,' zei Wilms verbaasd.

'En het geluid van de motor? Het is toch een flinke afstand. We krijgen met die herrie de hele westelijke waterpolitie op onze nek.'

'Er is geen motorlawaai,' zei Wilms.

'Wat?'

'Er is absoluut geen lawaai. Niet het minste. We hebben een elektroboot. Werkt op accu's. Er is niets te horen, absoluut niets.'

'Jullie zijn wel up to date, zeg!'

'Moeten we wel, sir, moeten we wel. De andere kant is het ook.' Wilms deed een stap naar achteren.

'Wat ons betreft, wij garanderen u een veilig transport op de heenweg. Op de rest hebben wij uiteraard geen invloed. Het is wel een verdomd vervelende geschiedenis,' zei Lohotski.

'Hoezo?' vroeg Hyde.

'We hebben een gemeenschappelijke vriend in Londen, nietwaar? Hij heeft mij vannacht opgebeld. U aangekondigd, enzovoort. Tot slot zei hij dat ik u beslist moest vertellen dat het huis van de professor door de politie bewaakt zal zijn. Dat is zeker.'

'Hoe weet hij dat?' vroeg Hyde.

'Heeft zijn mensen overal, schijnt het.'

Ja, dacht Hyde. Ik herinner het me. Morley zei immers dat hij gelukkig een vertrouwensman bij de televisie had. Maar waarom . . .

'Maar waarom heeft hij mij dat niet gezegd?' vroeg hij. 'Ik heb vannacht ook nog met hem gesproken.'

'Waarschijnlijk wist hij het toen nog niet.'

'Ja,' zei Hyde. 'Dat is mogelijk.'

'Hij heeft ook gezegd dat er in West-Berlijn een camerateam zit te wachten. Het staat klaar om op een teken van die Ross direct naar de professor toe te komen. Ze zijn voorzichtig geworden. Is ook wel een sensationele zaak.'

'Ja,' zei Hyde. 'Vindt u ook niet?' Hij keek Lohotski scherp aan.

'Goed, goed,' zei deze. 'Ik weet alles van u af. Ik werk voor dezelfde club. Heeft onze vriend in Londen u dat niet verteld?'

'Zeker.'

'De wapens hebben we hier ook. U kunt uitzoeken wat u wilt hebben. Ik heb gehoord dat u het liefst een Springfield hebt. Die hebben we niet. Maar een Vintovka obr 1891/1930 hebben we bijvoorbeeld wél. Is bijna hetzelfde. En Russische legerpistolen. Negen millimeter; praktisch een Parabellum. Nu is het nog veel te vroeg. We moeten wachten tot de schemering en dan maar hopen dat het veel neveliger wordt. We kunnen wel van geluk spreken dat er nu ook nog mist opkomt, hè?'

'Ja,' zei Wayne Hyde. 'We kunnen inderdaad van geluk spreken.'

Het was vrijwel donker en de mist kwam in dikke slierten toen ze met de elektroboot vanonder de politiepost, waar nog andere boten lagen, afvoeren. Twee Vopo's hadden de zorg voor de besturing op zich genomen. Lohotski en Wilms gingen met Wayne Hyde mee.

'Ik ben in 1981 in Gambia en Oeganda geweest,' zei Lohotski eensklaps. En na een verbaasde blik van Wayne voegde hij eraan toe: 'Heb vroeger in het Westen gewoond.'

'Druk hier, in het Oosten?'

'Behoorlijk,' zei Lohotski.

De boot was hypermodern. Hyde keek zijn ogen uit. De motoren maakten inderdaad vrijwel geen geluid. Stil gleed de patrouilleboot door de mist. Hyde, Lohotski en Wilms zaten achter de kajuit aan dek. Wayne droeg nu een soort nauwsluitend duikerpak en heel soepele, lichte sportschoenen. De schouderholster van het pistool en het foedraal van het geweer waren waterdicht. Hij had een bril met zwarte, kleine glazen aan een elastische band in zijn kortgeknipte, blonde haar geschoven.

Daar kwam het grote Pfaueninsel. Hyde zag het silhouet aan de rechterkant. Toen het wateroppervlak weer groter werd, dook in de mist een zeer klein eilandje op. Wayne wees er met zijn kin naar.

'Kälberwerder,' fluisterde Lohotski. De boot ging over op een hogere snelheid. Ik hoop maar dat ze een goede radarinstallatie hebben, dacht Hyde.

Ze zetten koers naar het noordoosten. Het horloge van Hyde bevatte ook een verlicht kompas. Na een tijdje wijzigden ze hun koers in bijna zuiver oostelijke richting. Een van de Vopo's kwam uit de kleine stuurhut met rondom raampjes en fluisterde iets tegen Lohotski. Deze knikte. Daarop zei de Vopo met zijn lippen bij het rechteroor van Hyde: 'Onze radar signaleert vier voertuigen op de Wannseebadweg en Inselstrasse. Ongetwijfeld politie. U valt op wanneer u van Schwanenwerder af komt. We varen daarom rechtstreeks naar de oever ten noorden van de Wannseeterrassen, vlak bij de dijk. Dan moet u door een paar tuinen en over een weiland achter de auto's om en ook zo terug. Als ze ons ontdekken voordat u terug bent, moeten we er zonder u vandoor.'

Hyde knikte.

De boot ging nu heel langzaam. Het scheen een eeuwigheid te duren voor Hyde bij een smalle rietkraag de oever zag. De boot stopte en schommelde licht op de zwakke deining. Lohotski gaf Hyde een teken: dichterbij kunnen we niet. Vooruit, nú!

Hyde zwaaide over de reling, gleed langzaam in het kniediepe water, pakte het geweerfoedraal en een zak aan die Lohotski hem aanreikte en waadde voorzichtig en gebukt aan land. Na een paar stappen liet hij zich op de grond glijden en begon naar voren te tijgeren. Het foedraal en de tas hield hij daarbij omhoog, terwijl hij met zijn ellebogen langzaam en zacht vooruit schoof.

Het bleef stil. Een weiland. Een boom. Telkens weer controleerde Hyde de richting op zijn kompas. Naar het oosten moest hij. Een hek, Hyde was er al overheen. Een tuin. Een huis. Hij kroop er langs. Alsjeblieft geen honden, dacht hij. Nu alsjeblieft niet zo'n verrekte hond. Het huis moet leeg zijn. De andere huizen ook. Hij zag vaag nog drie huizen. Hij zag geen licht. De ene tuin na de andere kroop hij door. Enkele malen legde hij kleine metalen voorwerpen in het bruine gras, voorwerpen die eruitzagen als zwarte, eivormige handgranaten.

Hij kroop nu een stuk in noordelijke richting en daarna weer naar het oosten. Op het radarscherm van de boot had hij gezien waar de auto's stonden. Een wagen blokkeerde in de Inselstrasse de dijk naar Schwanenwerder. Wayne wilde in zuidelijke richting achter de andere wagens om over de Wannseebadweg. Het lukte. Hij zag de auto's links voor hem. De laatste in de rij – ze stonden allemaal in noordwestelijke richting geparkeerd, naar het eiland toe – bevond zich nog geen tien meter bij hem vandaan toen hij over de Wannseebadweg kroop. Ook hier legde hij een granaat. Nu kwam er nog een tuin. Daarna was hij bij de Schwanenwerderweg.

Hier waren geen auto's. Een huis. Wayne kroop tot vlak bij het tuinhek. Nummer 327. Mooi. Hij gleed een stuk verder, vond een plaats in de omheining waar hij doorheen kon en kroop om het huis heen. Door de mist zag hij de twee verdiepingen en het steile pannendak met de grote dakramen. Hij bereikte de achterkant. Nu stond hij voorzichtig op, trok de riem van het geweerfoedraal over een schouder en rukte onhoorbaar aan de houten latten waaraan de wilde wingerd tot aan het dak omhooggroeide. Hij rukte zo hard als hij kon, om vervolgens tevreden te knikken.

Lenig en snel als een kat klom hij langs de latten en klimop omhoog, naar het dak. Hyde zag een raam. Hij kon het open krijgen en glipte erdoor.

Nu bevond hij zich in een grote, hoge zolderruimte. Hier waren dossiers en boeken opgeslagen. Hyde kroop gebukt verder. Een zwak schijnsel gaf het vierkant van een open luik aan. Hij bereikte het. Vanhier leidde een ladder naar de eerste verdieping. Alleen op de begane grond, in een reusachtige hal, brandde licht. Een oude man sprak daar met een corpulente vrouw. De enorme trap naar de parterre was vrijdragend. Hij kon vanaf de eerste verdieping gemakkelijk naar beneden kijken en bijna zelfs de hele hal overzien. Okido, dacht Hyde. Wat kan me nog gebeuren? Als ze me ontdekken, schiet ik ze allebei neer. Ik blijf hier boven liggen tot Ross komt. Langzaam en bedachtzaam haalde hij het geweer uit het foedraal, zette het telescoopvizier erop, ging weer op zijn buik liggen en wachtte. De vrouw beneden verdween. De man met het huisjasje aan en het vrijwel kale hoofd, wiens bruine, lange zijharen als bij een oude indiaan in de hals bijeen waren gebonden, verdween uit het gezichtsveld van Hyde en scheen achter zijn bureau te zijn gaan zitten. Hyde haalde gelijkmatig adem. Hij was uitermate tevreden en heel rustig.

Pas zesendertig minuten later ging de deurbel en na een tijdje kwam Daniel Ross de hal in. Hij gaf de oude man een hand. Hyde wist hoe Ross eruitzag. Herdegen had hem de man aangewezen, toen Ross de kliniek verliet voor een wandeling. Geen twijfel mogelijk, dat was hem. Hyde kroop nog verder naar voren, tot bij de leuning van het trapportaal. Hij hoorde duidelijk de conversatie van beide mannen. Ze hadden zich aan elkaar voorgesteld. Ook daar was geen twijfel: dat was professor Emil Kant. Hij zat nu schuin onder Hyde in de werkhoek. Het gesprek kabbelde voort. Hyde luisterde geduldig. Het duurde een hele tijd voordat de twee mannen bij de kern van de zaak aankwamen, voordat de oude man luid zei: 'Zonder meer echt. Met Amerikaans Kodak-materiaal opgenomen. Daar bestaat echt geen twijfel over.'

Wayne Hyde had op dat moment de linkerborst van Kant in het vizier, de plaats boven zijn hart . . .

'Zonder meer echt. Met Amerikaans Kodak-materiaal opgenomen. Daar bestaat echt geen twijfel over,' zei Kant.

'Zeiden de specialisten van Kopierwerk dat ook?' informeerde Daniel.

'Ja, die waren er evenzeer van overtuigd.' De stem van Kant werd nog luider, zijn wangen kregen een blos. 'Echt! Ik weet niet hoe de mensen van uw vader aan de film kwamen, maar hij was echt, dat verzker ik u. Als hij aan de mensen was vertoond! Goeie genade. De hele wereld zou in opstand zijn gekomen! Wie waren nu de echte misdadigers? Wij? Laat me niet lachen. De Amerikanen en de Sovjets! Wat de Führer altijd al heeft gezegd! Joden en bolsjewieken. Dat heeft hij honderd keer gezegd. Duizend keer. Bolsjewieken en joden. De bedervers van de wereld. En hier hadden we het bewijs, mijn God, hier hadden we het bewijs!' Kant dronk nerveus. De whisky liep over zijn kin. Hij schonk de glazen weer vol en liet er ijsblokjes in vallen. (In het vizier was nu zijn hoofd te zien. Nog niet, dacht Hyde. Laat hem de rest ook nog maar zeggen. Ik moet alles horen.)

'Waarom is de film dan niet vertoond?' vroeg Daniel.

'Heb ik uw vader ook gevraagd, destijds in augustus. Hij antwoordde dat dat nog zou komen. Een paar dagen later zei hij tegen mij dat de leiding aan de top had besloten het niet te doen. De oorlogssituatie was al te slecht. Iedereen zou de film voor een vervalsing hebben versleten. Ook de Duitsers. Ze durfden de film niet te vertonen. Ze durfden het niet meer. Ik zeg nu nog, dat dit de grootste fout was die er ooit gemaakt is. We zouden de oorlog hebben gewonnen – ook op dat tijdstip nog! Kijk me niet zo aan, jongeman! Ik weet niet wat er van die film geworden is. Maar als we hem nu zouden hebben ... als we hem nu zouden hebben! We zouden er de wereld mee kunnen veranderen.'

'Meent u dat echt?'

'U hebt die film niet gezien. Reken maar dat ik het meen! Als we die film nú zouden hebben, jongeman ...'

Daniel zei: 'We hébben hem, professor.'

'Wát?' Kants rode gezicht verbleekte.

'We hebben de film.'

(Nu was de borst van Kant weer in het vizier. Nog even, dacht Hyde. Nog even.)

'Hoe bent u daaraan gekomen?'

'Dat is een lang verhaal. Ik zal het u later nog wel eens vertellen. Ik heb de film gezien, professor. U hebt gelijk met wat u zei.'

'Wie ... wie bent u?'

'Dat weet u toch! Ik werk bij de zender Frankfurt. Die heeft de film. We zoeken getuigen die er toen mee te maken hadden. U bent zo'n getuige.'

'Inderdaad! Allemachtig, u hebt de film ... U hebt de film ...'

'Bent u bereid te herhalen wat u mij zoëven hebt verteld?'

'Dat ik van de echtheid van de film overtuigd ben – en waarom?'

'Ja.'

'Natuurlijk ben ik daartoe bereid.'

'Ook voor een televisiecamera?'

'Ook voor een televisiecamera. Ongelooflijk! De film is er!'

'Ik heb een camerateam in Berlijn, professor. Dat kan in een half uur hier zijn. Om u te beschermen is er al politie.'

'Ik weet het, ja.'

'Staat u mij toe dat ik nu mijn team waarschuw – en ook de politie.'

'Ga uw gang. De telefoon staat op mijn bureau. Dat ik dat nog mag meemaken ... Mijn God, dat ik dát nog mag meemaken!'

Daniel stond op.

(Nu, nu moet het gebeuren, dacht Wayne Hyde. Vuile nazi. Hij had nu de linkerkant van de borst van de oude man weer in het vizier. Voorzichtig haalde hij de trekker over.)

Er klonk een schot.

Kant werd in zijn fauteuil opgetild, om daarna in elkaar te zakken.

'Professor!' schreeuwde Daniel.

Hij rende om de tafel heen naar Kant. Deze lag met zijn hoofd achterover in zijn stoel. Hij had een hand naar zijn hals opgeheven, alsof hij het warm had en de kraag van zijn overhemd wilde losmaken en de witte zijden halsdoek wilde wegtrekken. Prof. dr. Emil Kant was dood.

6

Wayne Hyde bevond zich nog maar enkele meters boven de grond aan de met klimop begroeide achterzijde van de villa, toen Daniel de voordeur opende en om hulp schreeuwde. De koplampen van vier politiewagens op de Wannseebadweg en in de Inselstrasse vlamden op en uit elke wagen sprongen vier man naar buiten. Enkelen renden naar de Schwanenwerder-weg en verdwenen in het huis van Kant. Twee man bewaakten de ingang. De rest probeerde het gebouw te omsingelen. In enkele naburige villa's gingen ramen en deuren open. Mannen schreeuwden, vrouwen gilden, kinderen huilden en honden blaften alsof ze dol waren geworden. Hyde bereikte de grond. Hij liep gebukt en zigzaggend over bloemperken en grasvelden, sprong over het hek op het naburige terrein en rende daar om het huis heen ...

'Daar is iemand!' schreeuwde een vrouw.

... sprong het volgende hek over en rende langs een onbewoond huis naar de Schwanenwerderweg. De omgeving was nu door de koplampen van de politiewagens en lichten van de villa's in een melkachtig licht gedompeld.

'Daar!'

Twee politiemensen, een in burger, de andere in uniform, kwamen op de Schwanenwerderweg Hyde tegemoet. Mooi zo, dacht hij. Kom maar op, jullie. Dichterbij! Nog dichterbij, schoften! De mannen liepen gebukt, dicht langs het hek. Allebei hadden ze hun machinepistool in de aanslag. Hyde maakte een zak van zijn rubberpak open en haalde er een zwart doosje uit dat veel overeenkomst vertoonde met de afstandsbediening van een televisietoestel. Knopjes blonken zilverachtig. Hyde drukte de vierde knop van rechts in. Op de Schwanenwerderweg, pal voor de beide politiemensen, kwam met de huiveringwekkende lichtflits van een atoombom een verblindingsgranaat tot ontploffing. De beide mannen lieten hun wapens vallen en sloegen de handen voor de ogen. Die zien de eerste tien minuten niets meer, dacht Hyde tevreden. Wie weet wanneer en hoe ze weer kunnen zien. Sommige mensen werden er blind van. Met verblindingsgranaten had Hyde uitstekende ervaringen. Je kunt ook op dat ontstekingsmechanisme aan, dacht hij, terwijl hij als een haas de Schwanenwerderweg over rende en het volgende hek al nam. Hij hoorde weer mannenstemmen door elkaar schreeuwen. Hyde schoof de bril met de kleine zwarte glazen, die hij had opgezet voor hij de verblindingsgranaten tot ontploffing bracht, weer omhoog.

Nu rende hij de ene tuin na de andere door, sprong over het ene hek na het andere en bereikte een bosje; daarna kwam er nog een hek en vervolgens bevond hij zich op de Wannseebadweg.

Hij hoorde plotseling twee machinepistolen vuren. Een aantal kogels sloeg vlak naast hem in het hek in. Hij liet zich op de grond vallen en drukte op een andere knop van de afstandsbediening. De tweede lichtgranaat ontplofte vlak bij de Wannseebadweg. De twee politiemannen die hadden geschoten werden door het afschuwelijke licht eveneens volkomen verblind. Weer had Hyde, voordat hij de ontsteking in werking had gesteld, de beschermende bril opgezet. Haastig ging hij verder. Hij zag door de mist het lichte oeverzand en op het water de patrouilleboot van de Volkspolizei. Hijgend haalde hij nog eenmaal de afstandsbediening te voorschijn. Zeker is zeker, dacht hij, waarna hij de eerste en tweede knop van rechts indrukte. Twee verblindingsgranaten ontploften in de tuinen waar hij doorheen was gekomen. Hyde rende over de oeverstrook en waadde in het ijskoude water door het riet. Het volgende moment was hij bij de boot. Hij zag twee mannen, de worstelaar Lohotski en de jongeman die Wilms heette. Ze trokken hem omhoog en even later stond hij aan dek.

'Vertrekken!' zei Lohotski halfluid.

De beide Vopo's aan het roer reageerden onmiddellijk. De boot gleed reeds in de dichte mist naar de Havel. Nog steeds was op het vasteland veel geschreeuw te horen. Lohotski overhandigde Hyde een ontkurkte fles.

'Wat is dat?'

'Wodka.'

'Bedankt,' zei Hyde, 'ik drink geen alcohol.'

'Hebt u hem te grazen genomen?'

'Reken maar!'

'Gefeliciteerd!' zei Lohotski. 'Geweldig zoals u dat hebt gedaan. Ook uw terugtocht! Hè, Wilms?'

'Inderdaad geweldig, sir.'

'Ja, dat vind ik zelf ook,' mompelde Hyde. De boot gleed geruisloos in zuidwestelijke richting.

'Neen, 'k weet, dat dichters van die vroeg'r tijden / Aan uwe mind'ren lof en hulde wijdden.'
Hij zag de verblufte gezichten van beide mannen. 'Shakespeare,' zei hij.

Tweeëneenhalf uur later had het parket het onderzoek op de plaats van moord beëindigd en het lijk van professor Kant was in een aluminium kist afgevoerd. De huishoudster Erna had men met een zenuwinzinking naar het ziekenhuis moeten brengen. In de reusachtige hal bevonden zich nog een stuk of zes mensen. Op statieven stonden twee schijnwerpers en twee Arriflex-camera's. De schijnwerpers verlichtten de hele hal. Op de vloer lagen kabels. De assistent van de geluidstechnicus hing Daniel een heel kleine zwarte microfoon aan een dun zwart snoer om de hals. Het team dat Conrad Colledo naar Berlijn had gestuurd en dat in hotel Steinberger had zitten wachten, was klaar voor de opnames. Daniel had de mannen laten komen nadat hij met Mercedes had getelefoneerd en haar alles had verteld. Ze wist nu dat hij pas laat in het hotel zou terugkomen . . .
'We kunnen,' zei de assistent van de geluidsman, een jonge reus met een enorme snor.
'Oké, meneer Ross,' zei de cameraman. 'Klaar?'
'Klaar,' zei Daniel. Op de stof van de fauteuil waarvoor hij stond was nog een hoop opgedroogd bloed van professor Kant te zien.
'Geluid?'
Een technicus keek op van zijn apparatuur en zei: 'Klaar.'
'Camera ook. Actie!'
De assistent sprong voor Daniel, klapte bij gebrek aan een klapbord hard in zijn handen en riep luid: 'Hal professor Kant, take één.' Daarna maakte hij dat hij uit beeld kwam.
Daniel sprak recht in de camera: 'Hier is Daniel Ross. Het is 22.44 uur op zaterdag 10 maart 1984. Ik bevind mij in West-Berlijn, Schwanenwerderweg 327. Dit is de villa van professor dr. Emil Kant, een internationaal bekende specialist op het gebied van het volkenrecht. Ongeveer drie uur geleden, om 19.41 uur, werd professor Kant in mijn aanwezigheid in de fauteuil achter mij doodgeschoten. De politie heeft ons verboden de overledene te filmen. Zij heeft ons niet verboden mijn beschrijving van de daad en de gebeurtenissen die daaraan voorafgingen in woord en beeld vast te leggen . . .' Van buiten drong het lawaai van opgewonden stemmen door. 'Wat u daar hoort, zijn Berlijnse televisie-, dagblad- en radioverslaggevers, die tevergeefs proberen het huis binnen te komen . . .'

Voor de villa stonden veel auto's. Het was nu bijzonder licht, want talrijke koplampen verlichtten de nevelslierten. Zo'n vijfentwintig mannen en enkele vrouwen schreeuwden door elkaar en praatten in op een zeer jonge rechercheur, die bij het tuinhek stond. De verslaggevers hadden camera's, fototoestellen, bandrecorders en schijnwerpers meegebracht. Bij hun redactie stond dag en nacht de politieradio aan. Zodoende hadden ze de mededeling over de moord op de Schwanenwerderweg gehoord en waren

325

eropaf gegaan. Door de radio's van de auto's waarvan de portieren vaak openstonden, klonken nu krakende storingsgeluiden en stemmen van de mannen van de politiecentrale en in de patrouillewagens.

Tussen de jonge politieman en de opgewonden groep journalisten zorgde een keten van politiemensen ervoor dat niemand het terrein betrad. Politiemannen en rechercheurs van de identificatiedienst, plus alle beschikbare manschappen van het politiebureau op het eiland Schwanenwerder waren nog steeds in de buurt aan het werk. Met sterke zaklantaarns kamden ze het terrein naar de Havel uit. Ze fotografeerden sporen, het gestreepte profiel van de sportschoenen die Wayne Hyde in de sneeuw had achtergelaten, en ze vulden een paar bijzonder duidelijke indrukken met vloeibaar gips.

'Wat bedoel je met: wij storen het lopende onderzoek?' schreeuwde een meisje met een bontmuts op en een bontjack aan, in spijkerbroek en op laarzen. 'Hoezo? Omdat we willen weten waarom de professor is doodgeschoten?'

'Zeker,' zei de rechercheur. Hij rilde in zijn dunne jas en was woedend dat men hem met de verslaggevers alleen had gelaten.

'Hoezo zeker? Politieke zaak?'

'Wie was de moordenaar?'

'Gesmeerd naar het Oosten zeker, hè?'

Weer schreeuwden de journalisten door elkaar. Ze hadden het allemaal koud, waren oververmoeid en geprikkeld.

'Vooruit, Johnny, schiet op, zeg eens wat!'

'Doe je mond nou eens open!'

'Hoe vaak hebben we jullie niet geholpen?'

'Is het een politieke zaak?'

'Er komt officieel commentaar,' zei de politieman die ze Johnny noemden.

'Officieel commentaar? Verdorie! Dat is toch alleen maar bij elkaar gelogen onzin!'

'Net als in Koblenz. De man van het Documentatiecentrum! Daarvan weet tot op heden ook niemand wat er echt is gebeurd.'

'Er is toch officieel commentaar gekomen.'

'Ja, en hoe! Daar konden we toch niks mee beginnen! Daders en motief onbekend.'

'Waarom mogen we het huis niet in?'

'Niemand mag naar binnen.'

'En die jongens van de televisie een half uur geleden dan? Hoe zit het daarmee?'

'Die mogen wél filmen. Waarom zij wel en wij niet?'

'Ik ben niet bevoegd om ...'

'Bevoegd! Schei toch uit, Johnny! Vertel ons dan tenminste wie dat waren die naar binnen mochten – met camera's en belichting en al. Wat zijn dat voor lui daarbinnen? Amerikanen?'

De man die ze Johnny noemden zei verbeten: 'Geen commentaar. Wachten jullie maar op de officiële mededeling. En smeer 'm nu!' 'Gô, Johnny, wat een ontzettende klootzak ben jij!'

Finest Highgrown Darjeeling smaakt toch het beste, dacht advocaat Roger Morley in zijn ouderwets ingerichte kantoor aan de Chancery Lane in Londen. De kleine man met de warrige, grijze haren, het puntbuikje, het blozende gezicht en de muizetandjes nam een slok thee terwijl hij naar de stem luisterde die door de telefoonhoorn klonk. Hij zette zijn kopje voorzichtig op het bureau. De mannenstem putte zich uit in loftuitingen op Wayne Hyde. Deze had Morley direct nadat hij op het bureau van de Vopo naast de Spandauer Strasse aan de oever van de Havel was aangekomen opgebeld. Met behulp van de kleine decoder kon men inderdaad overal met de telefoonbeantwoorder in Londen contact opnemen. Hydes mededeling dat zijn missie was geslaagd, werd door de advocaat onmiddellijk doorgegeven – aan een van zijn kennissen. In Londen was het een uur vroeger dan in Berlijn – 21.55 uur.

'Onze hartelijke dank aan mr. Hyde,' zei de kennis van Morley. 'Wij komen steeds meer bij hem in het krijt te staan. Die man zet waarlijk zijn leven op het spel voor de vrede in onze wereld.'

Ik heb beslist niets tegen cynische mensen, dacht Morley, van zijn thee nippend, ik ben het zelf ook, maar het lijkt me dat de man overdrijft. Dat kan ik hem natuurlijk niet zeggen. Ik moet het anders formuleren. Roger Morley formuleerde het anders: 'Het kan toch niet werkelijk uw opvatting en die van uw vrienden zijn, sir, dat de uitzending van de film – ook als het lukt alle tegenwerkende getuigen te liquideren en alleen hen aan het woord te laten die hem een vervalsing noemen – tot een opstand van miljoenen zal leiden, tot een rebellie tegen de regeringen van de supermachten. Een film, sir! U kent de mensen net zo goed als ik. Een wereldrevolutie door een film? Dat kan toch niet!'

'Natuurlijk zijn we niet bang voor een opstand van de massa. Dat zou belachelijk zijn.'

'Wat is er dan werkelijk aan de hand, sir?'

'De werkelijkheid, beste mr. Morley, is dat de politici van de met de VS, maar ook de met de Sovjetunie verbonden staten, uiterst geïrriteerd kunnen raken door die film. Ook al zouden alle getuigen hem een vervalsing noemen. Onze bondgenoten – en de bondgenoten van de Sovjets – zouden populair uitgedrukt, kunnen zeggen: goed, die film is al dan niet een vervalsing, maar dat interesseert ons eigenlijk niet in 't minst. Wat ons – of die film nu echt is of niet – zeer tot nadenken stemt is dat de gebeurtenissen van de afgelopen veertig jaar er toch ten zeerste voor spreken dat het verdrag over de verdeling van de wereld tussen de Verenigde Staten en de Sovjetunie inderdaad bestáát. Dát is gevaarlijk, begrijpt u? Dat men onze bondgenoten – en ik spreek nu voor onszelf en voor de Sovjets – door deze film op het idee brengt dat zo'n overeenkomst met zeer, zeer grote waarschijnlijkheid zou kúnnen bestaan. En dát vermoeden, zeker als het uitgroeit tot een overtuiging, zou levensgevaarlijk zijn voor elk bondgenootschap in het Oosten en in het Westen. Want wie sneuvelt nu graag voor buitenlandse belangen, nietwaar? Wie zegt dan niet: kanonnevlees voor de beide supermachten? Nee, dank je wel! Zou uw regering dat niet ook zeggen?'

'Ik denk dat ze dat zeker zou zeggen.'

'Ziet u wel. En alle andere regeringen ook. Dat zou het einde van alle pacten, alle allianties betekenen. De innigste bondgenootschappen zouden worden opgeheven. Elke regering zou er alleen nog maar aan denken, hoe ze haar land buiten een nucleaire catastrofe kan houden. De verdeling van de wereld in twee kampen – en die hebben we in feite – zou opgeheven zijn, de zuiver ideologische verdeling. Sterven voor de idealen van het Westen? Sterven voor de idealen van het Oosten? Als Oost en West samen in het diepste geheim over alle hoofden heen tot overeenstemming zijn gekomen? Dat is een beetje te veel van ons gevergd, zouden onze bondgenoten zeggen, dacht u niet? Een beetje heel erg veel van ons gevergd. Dát is waar wij en de Sovjets bang voor zijn. De grote verwarring, begrijpt u? Het opheffen van het vijandbeeld – tegenover u kan ik heel openhartig zijn. Ja, dat is de beste formulering: de opheffing van het vijandbeeld. En, dat is niet tegen te houden, de gedachten over wie nu werkelijk de vijand of de vijanden van een leven in vrede zijn. Natuurlijk zijn dergelijke gedachten het produkt van een ziekelijke fantasie . . .'

'Natuurlijk,' zei Morley, een slokje thee nemend.

'. . . maar die gedachten zouden er dan toch zijn, hè? Ook in de Verenigde Staten. Ook in de Sovjetunie. En we weten toch wat gedachten – hoe ziekelijk ze ook zijn, juist de ziekelijke! – in het verleden hebben aangericht. We vrezen dus geen oproer, geen heldhaftige opstand van verontwaardigde mensen als de film wordt uitgezonden. Maar wél verwarring. Weerbarstigheid. Onbehagen. Verval van de bestaande systemen. Die Olivera heeft ons wel wat moois geleverd met zijn nazi-vervalsing. Het verderfelijke zaad – na veertig jaar moet het nu nog opkomen! Oké, we kunnen de uitzending van de film dan wel niet verhinderen. Maar we kunnen wél – met de goedgunstige hulp van God – al degenen liquideren die pleiten voor de echtheid van de film . . .'

'Ja,' zei Morley snel, 'en juist daar maak ik me zorgen over. Allemaal getuigen die bevestigen dat het een vervalsing is. Geen enkele die verklaart dat hij echt is. Maar wel een reeks mysterieuze moorden. Denkt u dat dat een gunstige indruk zal maken? Vooral als ik eraan denk dat de Duitse televisie de film ook wil documenteren.'

De mannenstem antwoordde met een zwaar Amerikaans accent: 'Dat is nu precies wat ons de beste oplossing lijkt, mr. Morley.'

'Oplossing?'

'Kijk, een film waarin alle getuigen roepen dat hij vals is, zo'n film maakt toch een heel merkwaardige indruk. Dat zegt u zelf ook. Waarom zenden ze wel zo'n film uit? Nou, natuurlijk zullen de VS en de Sovjetunie nadat de film is uitgezonden commentaar geven. Het commentaar van beide zijden zal ongeveer zo luiden: deze film, met al die getuigen die tegen de echtheid pleiten, is bedoeld om de mensen in verwarring te brengen, hen onzeker te maken in hun overtuiging, hij is bedoeld om de beide grootmachten in diskrediet te brengen, hij is bedoeld om chaos te scheppen. Natuurlijk is de film een vervalsing van de nazi's. Om ondertussen te kunnen beweren dat er ook belangrijke getuigen vóór de echtheid zijn geweest, heeft men – onmenselijk en gewetenloos – een reeks mensen gedood die helemaal niets over de zaak konden zeggen, maar van wie men na hun dood kan beweren, dat ze, als ze niet door mysterieuze moordenaars om het leven waren gebracht, zeer zeker de echtheid van de film hadden bevestigd. En dat terwijl ze zoals gezegd absoluut niets met de zaak te maken hadden. Men heeft hen vermoord. Zo zou het officiële commentaar luiden.'

'En wie is "men"?'

'Beste mr. Morley, nu vraag ik u! Wie is "men"? Alle staatshoofden die steeds banger worden voor hun grote bondgenoten, die steeds banger worden voor het meemaken van een atoomoorlog in eigen land. U moet die belachelijke vredesbeweging vergeten. U moet denken aan de regeringen van al die landen. Kijkt u maar eens hoe de beide Duitse staten toenadering tot elkaar zoeken! Hoe ze verklaren dat de "schade van de opvoering van de bewapening" zoveel mogelijk binnen de perken dient te worden gehouden. Erich Honecker zei in Eisenhüttenstadt in aanwezigheid van de Oostenrijkse president over de nieuwe raketten die de Sovjetunie in de DDR opstelt: "Wij willen dat duivelse wapentuig hier niet hebben." Nu, precies zo heeft Willi Brandt het voor West-Duitsland aan het adres van de Verenigde Staten geformuleerd. Honecker schreef aan bondskanselier Kohl dat het beter was door te gaan met onderhandelingen dan door te gaan met de wapenwedloop en hij schreef dat ook nog "uit naam van het Duitse volk"! De vroegere afhouder pleit nu voortdurend een voor "dialoog", voor "meer veiligheid met minder wapens". Voor haar doen drastischer dan ooit demonstreert de DDR, die Hongarije en Roemenië aan haar zijde heeft, en misschien ook wel andere Oostbloklanden, haar streven naar onafhankelijkheid. Voor het eerst sedert het ontstaan van het Oostblok ziet Moskou zich geplaatst voor een onderling met elkaar afgestemde actie – en in juni '85 loopt het Warschaupact af, zonder automatische verlenging. Begrijpt u wat ik bedoel?'

'Ik begrijp het, sir. En in het Westen . . .'

'In het Westen wordt natuurlijk nog veel heviger en opener geprotesteerd. Het is logisch dat de Duitsers zich het ergst gedupeerd voelen. Want zij weten waar een nucleair geschil op uit zal lopen. Er waren ooit gelukkige tijden waarin de Duitsers zo ongeveer zeiden: "De groten zijn wel gek, maar zo gek dat ze op de knop drukken zijn ze niet." Heerlijke tijden, die komen nooit weer. Nergens! Kijkt u maar naar Nederland, Engeland en Italië! Dezelfde protesten, dezelfde aanklachten tegen de beide supermachten. Frankrijk! Mitterand bezorgt ons nog een schok. Hij haalt de Westeuropese Unie uit haar slapende bestaan terug om het gewicht van Europa tegenover Amerika te vergroten. Steeds minder kunnen de VS en de

Sovjetunie op hun bondgenoten rekenen. Steeds sterker wordt de afkeuring, zelfs vijandigheid van hun bondgenoten ten opzichte van de politiek van de hen beschermende mogendheden, steeds krachtiger hun protest en hun weigering – en vooral, ik herhaal het, in de beide Duitse staten. En dan komt die oude nazi-film boven water. En die zou door de wantrouwenden en bevreesden níet voor hun doel worden gebruikt? Zouden ze ook maar in het minst scrupules hebben om voor zo'n groot doel, de losmaking van de ketens die hen aan de machtige leider van het bondgenootschap binden, een paar mensenlevens op te offeren? Zo ongeveer zal ons commentaar luiden. Wat denkt u ervan, mr. Morley?'

'Uitstekend. De vorm van de argumentatie waarvoor u hebt gekozen, vind ik uitstekend, sir.'

'Het is de enige mogelijkheid. Op een dergelijk infaam bedrog kan men alleen zo antwoorden.'

'U hebt gelijk. Ik ben echt gerustgesteld. Dit alles, als ik mij mag veroorloven het te zeggen, getuigt van de grote . . . hm . . . wijsheid van uw vrienden.'

Iets over negenen was Wayne Hyde alweer bij Checkpoint Charlie. Hij arriveerde in de Wolga met het Vopo-kenteken, die opnieuw door de slanke jongeman, Max genaamd, werd bestuurd. Op de terugweg reed hij niet meer zo beangstigend snel als die middag. Lohotski stapte uit en opende het portier voor Hyde.

'Nu moet u uw bagage meenemen,' zei de ex-huursoldaat die eruitzag als een worstelaar. Het was ijskoud geworden. Lohotski's platgeslagen neus glom donkerrood; uit zijn oogjes, die Hyde aan varkensoogjes deden denken, rolden tranen over zijn wangen.

'Hartelijk bedankt en tot ziens,' zei Hyde tegen Max.

'Vriendschap, vriendschap,' zei Max. Hyde volgde Lohotski naar de barak van de dienstdoende Vopo-officier. Het was nog dezelfde van die middag. Hij groette vol achting en overhandigde Lohotski een gesloten envelop. Een potkachel stond te razen.

'Telex. Een uur geleden binnengekomen.'

'Bedankt.' Lohotski scheurde de envelop open. Er zat een vel papier in. Lohotski gaf het aan Hyde. 'Het is voor u.'

Hyde pakte het vel aan bekeek het even zonder de minste reactie te tonen. Hij stopte het in zijn zak, nam afscheid van Lohotski en pakte vervolgens zijn beide plunjezakken. Hij gooide ze over zijn schouder en liep door de afsluiting in de oostzijde van de grens. Lohotski had met de functionarissen voor de controlebarakken gebeld. Niemand hield Hyde tegen. Twee rillende Vopo's in dikke jassen stonden met hun laarzen op de beijzelde grond te stampen. Ze salueerden.

'Vrienschap,' zei Hyde.

Hij liep langs de stalen hindernissen en barrières die de auto's dwongen hier vlak bij de muur stapvoets een stuk slalom te rijden om van het ene Duitsland in het andere te komen. Felle neonlampen verlichtten de omge-

ving alsof het dag was. Aan de andere kant stonden de politie van West-Berlijn en geallieerde soldaten. Ze hadden het net zo koud als hun collega's in het Oosten. Hyde toonde aan een Amerikaanse sergeant zijn Amerikaans paspoort. De sergeant, een neger, bladerde het zorgvuldig door.
'Wat hebt u daarginds gedaan, mr. Hyde?'
'Een vriend bezocht,' zei Hyde.
'Met al uw bagage?'
'Ik ben meteen na de landing op Tegel met een taxi hierheen gereden. Had haast. Mijn vriend ligt op sterven,' zei Hyde.
'O ja?' De neger nam hem aandachtig op. 'Een ogenblikje, mr. Hyde. U kunt meekomen als u het koud hebt.' De sergeant liep voorop naar een witgeverfd onderkomen van de Amerikaanse militaire politie, waar op het dak een bord was aangebracht. Daarop stonden in klein formaat de vlaggen van de drie westelijke mogendheden en de woorden ALLIED CHECKPOINT. De sergeant wees op een bank. Hyde ging zitten. De neger verdween achter een groengeverfde deur. Ergens stond een radio aan. Hyde hoorde de muziek. Frank Sinatra zong: *At last my love has come along.* Hyde neuriede mee. Toen het lied uit was, hoorde hij een omroeper zeggen: *This is AFN Berlin. We are bringing you 'Music in de Miller Mood' Next: 'Little brown jug'.* Opnieuw klonk er swingende, sentimentele jazzmuziek.

De groene deur ging open en de neger verscheen.
'Hier is uw paspoort, sir,' zei hij overmatig beleefd. 'Ik had het gevoel dat er iemand voor u had opgebeld. Ik heb me niet vergist.'
'Wie heeft opgebeld?' vroeg Hyde onverschillig.
'Dat weet ik niet, sir. Hij heeft alleen een mededeling doorgegeven: u moet beslist dadelijk nadat u hierdoor bent, naar het Checkpoint Restaurant komen. Dat is het gebouw hier vlak naast. Behoorlijk eten, sir. Een heer wacht daar op u.'
'Bedankt,' zei Hyde.
'*Good night, sir,'* zei de neger, '*and good luck.*' Hij bracht zijn hand naar zijn witte plastic helm.

In de winderige gure kou liep Wayne Hyde nu op Westberlijns gebied. Aan de linkerkant van de straat waren een paar zaken, waaronder een fotocentrale. Ze waren allang gesloten. Aan de andere kant bevond zich het Checkpoint Restaurant. Hyde ging naar binnen. De eenvoudige gelegenheid was vrijwel leeg. Een paar taxichauffeurs waren aan het kaarten, een man met een hoornen bril zat alleen aan een tafeltje de *Bild-Zeitung* te lezen. Voor hem stond een bord met de resten van roerei met ham. Achter de blinkende tapkast en een glazen vitrine met gehaktballen en haringen stond de eigenaar.
'Goedenavond,' zei Hyde, in een hoekje plaatsnemend.
De man achter de tapkast kwam aansloffen. Hij droeg een gouden horlogeketting over het vest dat zijn enorme buik omspande. Hij had zijn jasje uitgetrokken en zijn mouwen opgestroopt.
'Goedenavond, meneer. Wat mag het zijn?'
'Een cola en een mineraalwater,' zei Hyde.

'Komt in orde, meneer.' De man slofte weg.

Hyde haalde de telex die Lohotski hem had gegeven uit zijn zak en viste uit een andere zak het boek met de sonnetten van Shakespeare. In de telex stonden alleen maar cijfers. Hyde bekeek ze zeer aandachtig. Hij las: 41 9 23 11 10 14 10 . . .

De restauranthouder was weer bij hem.

'Zo, meneer. Een cola en een mineraalwater. Op uw gezondheid.'

'Dank u,' zei Hyde. Hij nam een flinke teug mineraalwater en pas daarna Coca-Cola.

Nu haalde hij papier en potlood uit de zak van zijn colbertjasje en noteerde 34 2 16 4 3 7 3 . . . Daarbij had hij van elk getal dat in de telex stond, zeven afgetrokken. Na ongeveer vijf minuten had hij zijn werk beëindigd. Hij sloeg het boek open en zocht het vierendertigste sonnet, de tweede regel en de zestiende letter van links op. De letter was een t. De volgende letter was een e. Na een kwartier had Hyde de hele tekst ontcijferd en opgeschreven:

TEDDY SHIMON VAN DE ISRAELISCHE AMBASSADE BONN WAS VANMORGEN BIJ VON KARRELIS IN STUDIO FRANKFURT STOP VLOOG NAAR BERLIJN STOP HOTEL KEMPIN-SKI STOP INLICHTINGEN BIJ MAN MET HOORNEN BRIL EN BILD-ZEITUNG STOP GROETEN MORLEY

Dit codeersysteem had Hyde met Morley afgesproken. De huurling nam het papier op, stak het in brand en keek toe hoe het in as veranderde. De resten stampte hij fijn in een porseleinen asbak. Daarna stond hij op. De restauranthouder was net met een doek de metalen delen van de tapkast aan het oppoetsen.

'Ik moet even,' zei Hyde.

'Die deur daar en dan de eerste deur rechts, meneer.'

Hyde ging naar het herentoilet en bleef voor een van de bakken staan. Na een minuut of twee verscheen de man met de hoornen bril. Hij kwam naast Hyde staan nadat hij eerst had vastgesteld dat alle toiletten onbezet waren.

'Alice in wonderland,' zei de man. 'De witte koningin. Wat deed ze?'

'Ze schreeuwde,' zei Hyde. 'en pas daarna bezeerde ze zich.'

De man zei nu: 'Teddy Shimon heeft in Kempinski kamer 323. Ross en Olivera hebben suite 606/07. Wij hebben voor u 608/09 laten reserveren. Onder uw eigen naam. Het is aan het eind van de gang. We hadden geluk. Was vrij. Ross is nog aan de Wannsee. Met het camerateam. Er is geen tijd te verliezen!'

'Bedankt,' zei Hyde.

'Niets te danken,' zei de man met de bril. 'Gaat u nu maar. Ik blijf hier nog even.'

'Goedenacht,' zei Hyde. Hij keerde in het restaurant terug en ging naar de tafel waaraan de taxichauffeurs zaten te kaarten.

'Wie is er aan de beurt?' vroeg hij.

'Ik.' Een man met vlasblond haar keek op. Hij had een leren jasje met een coltrui en een corduroy broek aan.

'Afrekenen!' riep Hyde. De restauranthouder kwam en noemde het bedrag.

Hyde gaf hem een biljet van tien mark en wachtte totdat hij het wisselgeld in zijn hand kreeg uitgeteld. De chauffeur, die een pet opzette, tilde de twee plunjezakken op. Ze verlieten het café en liepen naar de eerste in de rij taxi's.

'Wat een kou, hè?' zei de chauffeur. 'En dat in maart! Waar moet u heen?'

'Kempinski,' zei Wayne Hyde.

7

'Dus met andere woorden: die fijne heren weigeren nog steeds te betalen. Woedend en luid klonk de stem van Eduardo Olivera door het membraan van de telefoonhoorn aan Mercedes' oor. Ze drukte haar vrije hand tegen haar voorhoofd.

'Vader! Alstublieft! Wees toch redelijk! Hier in Berlijn is zojuist een man doodgeschoten.'

'Wat gaat mij die man aan? Ik wil geld zien.'

'Die man zou een uitstekende getuige voor de echtheid van de film zijn geweest. Dit is al de tweede moord. Ik heb u verteld wat er in Koblenz is gebeurd. We vechten tegen een organisatie van gewetenloze misdadigers.'

'Dat is jullie zorg, niet de mijne. Ik heb andere zorgen. De tijd verstrijkt. Jullie zijn hier vertrokken op 20 februari. Nu is het 10 maart. En ik heb nog geen geld.'

'Ze zijn bereid u honderdduizend dollar als teken van goede wil te bieden, dat heb ik u al drie dagen geleden gezegd . . .' Mercedes belde haar vader regelmatig op. Zijn houding werd steeds boosaardiger, haar stemming steeds wanhopiger.

'Honderdduizend dollar! Ik wil nu eindelijk die tien miljoen hebben! Dat bedrag hebben ze toch geaccepteerd, niet? Nou, dan wil ik het ook hebben! Dan móet ik het ook hebben! Ik heb geld nodig.'

'Hebt u zo dringend tien miljoen dollar nodig?'

Met de hoorn aan haar oor keek Mercedes van de oude mooie gravures aan de salonmuur naar de schoorsteen, van de schoorsteen naar de bar die van een oude kerkbank was gemaakt, en van daar weer terug naar de gravures die scènes uit het oude Berlijn toonden. Er brandde een grote kroonluchter. Het was bijna middernacht. Mercedes was gekleed in een ochtendjas. Ze had die avond in het grillrestaurant gegeten, nadat Daniel haar had opgebeld en gezegd had wat er was gebeurd en dat het erg laat kon worden. Ze had getracht te lezen, tevergeefs. Ze had naar de televisie gekeken, zonder in zich op te nemen wat ze zag. Haar gedachten draaiden steeds in hetzelfde kringetje rond. Professor Kant doodgeschoten. In aanwezigheid van Danny. De tweede dode. Danny in gevaar. Zij in gevaar. De moordenaar of moordenaars in Berlijn, in de stad, misschien wel in het hotel. Mercedes was in paniek geraakt. Ze had een groot glas cognac gedronken, nerveus een aantal sigaretten gerookt. Daarna was haar te binnen geschoten dat het weer tijd was haar stiefvader te bellen. En hij gedroeg zich zoals ze gevreesd had.

'Nu moet je eens goed naar me luisteren, Mercedes!' Ze schrok van de kilheid in zijn stem. 'Het is nu wel genoeg geweest. Ik wacht niet langer. Zes dagen geleden ben ik al door geïnteresseerden benaderd. Uit Libië. Zijn bereid direct te betalen. Fatsoenshalve heb ik hen aan het lijntje gehouden, omdat ik de televisie oorspronkelijk vier weken de tijd heb gegeven, maar . . .'

Er werd geklopt. Mercedes had de kamerdeur op slot gedaan.

'Een ogenblikje, vader, daar is iemand. Ik moet de deur opendoen.' Ze liet de hoorn op de bank vallen, liep naar de deur en riep: 'Wie is daar?'

'Danny.' Het was zijn stem. Ze maakte de deur open en viel hem toen hij binnen was in de armen. Ze snikte.

'Danny . . . Danny . . .'

'Mercedes toch . . . in godsnaam . . . wat is er gebeurd?'

'Ik heb zo'n angst uitgestaan om jou,' stamelde ze terwijl ze zijn gezicht met kussen bedekte. 'Zo'n afschuwelijke angst. En ik heb net vader aan de telefoon . . . Hij wil de film aan de Libiërs verkopen . . .'

'Wàt?'

Daniel maakte zich van haar los en rende naar de bank waarop de telefoonhoorn lag. Hij pakte hem op en begon te spreken.

'Met Daniel.'

'Ja, dat hoor ik.'

'Ik ben net in het hotel terug. Mercedes vertelt me wat u wilt gaan doen. U bent niet goed snik!'

'Ik ben volkomen normaal. Ik heb je uitvoerig mijn situatie uiteengezet toen je hier was, weet je nog?'

'Ja, zeker, maar u hebt ons vier weken de tijd gegeven . . .'

'Ik heb geen tijd meer, Daniel. Geen tijd meer, heb je het begrepen? Het gaat om mijn bestaan.'

'Maar . . .'

'Niets te maren! Ik wacht niet langer. Ik heb een telegram van jouw omroep ontvangen. Er is een televisieploeg op weg hierheen. Dus punt één: zolang ik die tien miljoen niet heb . . .'

'Vader, alstublieft!'

'Hou je mond! Zolang ik die tien miljoen niet heb, kom ik geen seconde voor de camera . . .'

'Dat is . . .'

'Je moet je mond houden, verdorie! Punt twee: ik eis dat mij die tien miljoen binnen drie dagen, dus uiterlijk op de dertiende, wordt overhandigd. Overhandigd, zeg ik. Geen domme streken met overschrijvingen die geblokkeerd kunnen worden of zo iets. Ik wil de cheque in handen hebben! Het kan me niet schelen wie hem brengt. Jij of iemand anders van de televisie. Iemand moet er komen. Wacht, ik ben nog niet klaar. Uiterlijk

morgenmiddag zes uur jullie tijd wil ik van de intendant van de zender – hoe
heet hij?'
'Von Karrelis.'
'. . . wil ik van die Von Karrelis een schriftelijke toezegging dat de cheque
met het hele bedrag uiterlijk de dertiende bij mij wordt afgeleverd. Von
Karrelis moet morgen een telex sturen, waarin hij zich op erewoord
verplicht mijn eis in te willigen.'
'Dat lukt nooit.'
'Afwachten maar. Jij belt nu Frankfurt nog op. Die mensen hebben de
tijd om over alles na te denken. Als ze niet willen, als die film hun geen tien
miljoen waard is – oké. Laat de intendant me dan morgen opbellen. Dan
verkoop ik hem overmorgen aan de Libiërs. Herhaal alles.'
'Waarom? Ik heb het begrepen.'
'Ik wil er zeker van zijn dat je alles hebt begrepen.'
'Maar dat is toch . . .'
'Herhaal alles, verdorie!'
'Ik bel op naar Frankfurt. U weigert voor de camera te komen voordat
u die tien miljoen hebt. U bent in onderhandeling met lui van Gadaffi, die
onmiddellijk willen betalen. Een ultimatum dus. U eist dat uiterlijk de
dertiende een cheque voor het totale bedrag door iemand aan u wordt
overhandigd. Dat moet de intendant morgen op erewoord beloven – voor
zes uur 's avonds onze tijd – en hij moet daarover een telex sturen. Als er niet
gebeurt wat u wilt, verkoopt u de film overmorgen aan de Libiërs.'
'Precies. Welterusten Daniel.'
Er klonk een klik. Daniel staarde naar de hoorn.
'Hij heeft neergelegd,' zei hij verbijsterd. 'Mijn vervloekte vader. Dat
ontbrak er nog maar aan.' Hij trok zijn warme jas uit en slingerde hem in
een hoek. Daarna liet hij een lange vloek horen.
'Danny, toe!' Mercedes raapte de jas op en hing hem in het portaal. Toen
ze terugkwam, was Daniel in een stoel geploft en zat hij met zijn hoofd in
zijn handen. Ze knielde voor hem neer en streelde over zijn haar.
'Liefste, rustig maar, toe . . . Het was heel erg, hè?'
'Een van die schoften heeft Kant neergeschoten. En het is mijn schuld.
Het is míjn schuld, Mercedes.'
'Wat een onzin, zeg!'
'Het is geen onzin. Het is mijn schuld, heus! Omdat ik me heb gedragen
als een kwajongen die indiaantje speelt. Een onnozele kwajongen.'
'Hoezo dan?'
'Ik heb het de moordenaars erg gemakkelijk gemaakt. Ik heb in het hotel
in Wenen aan een meisje van de centrale gevraagd het telefoonnummer en
het adres van Kant op te zoeken. In het hotel, dwaas die ik ben! En van het
hotel uit heb ik als een onnozele hals met Kant gesproken. Ik heb via het
hotel de vlucht naar Berlijn laten reserveren. Ik heb het ene spoor na het
andere achtergelaten. Zelfs een blinde had me kunnen volgen. Het is míjn
schuld dat Kant dood is. Ik heb een mensenleven op mijn geweten!'
'Hou daar onmiddellijk mee op, Danny! De telefoon in Wenen kon nog

niet afgetapt worden. En was de BKA niet op de hoogte gesteld? Werd het huis niet door de politie bewaakt? Hebben jullie niet alles gedaan om te voorkomen dat Kant iets overkwam?'

'Nee, dat hebben we niet. De moordenaar is het huis binnengekomen en heeft Kant gedood. Ondanks de politiebescherming. Ondanks de bewaking.' Daniel pakte haar bij de schouders beet . . . 'En zo zal het steeds gaan, Mercedes, dat heb ik nu begrepen. Ze vermoorden iedereen die bereid en in staat is te verklaren dat de film echt is. Ze moeten overal zijn. Ze moeten alles weten. Alles. We kunnen niets tegen hen uitrichten. We kunnen het beter opgeven, voordat er nog meer slachtoffers vallen.'

'Nee!' schreeuwde Mercedes. Daarna beheerste ze zich. 'We mogen het niet opgeven! Dat is toch precies wat ze willen. We moeten ermee doorgaan! We moeten de mensen inlichten. Dát moeten we doen!'

Hij keek ernstig naar haar. Zo groot is haar fanatisme dus, dacht hij. Beslist nog groter. Ze heeft gezegd dat er niets is wat ze niet zou doen, als ze daarmee zou helpen de vrede te bewaren. Goeie hemel, in wat voor geschiedenis zijn wij verzeild geraakt!

Hij stond abrupt op. 'Sorry, Mercedes.'

Ze lachte krampachtig. 'Het is al goed, Danny. We staan allemaal onder druk.'

Hij stak zijn hand in zijn zak, haalde er gedachteloos een buisje medicijnen uit, opende het en liet de pillen in de kom van zijn hand glijden. Dit buisje had Sibylle hem nog in het sanatorium gegeven. Het bevatte het nieuwe middel waarop hij was overgegaan: Amadam. Hij boog zijn hoofd achterover, opende zijn mond en stond op het punt vijf pillen in te nemen. Terwijl zijn hand al omhoogging, verstarde hij.

'Nee,' zei hij. Hij liet de pillen in het buisje terugglijden. 'Nee,' zei hij nogmaals. 'Ik heb het Sibylle beloofd. Ik kan niet weer mijn woord breken.' Hij stak Mercedes de medicijnen toe. 'Hou jij het maar bij je,' zei hij. 'De andere buisjes ook. Ze zijn in de badkamer. In mijn toilettas. Ik zie dat je de koffers hebt uitgepakt. Hou jij de Amadam nu bij je en geef me twee pillen per dag; een 's morgens en een 's avonds, wat er ook gebeurt. Neem het toch aan, toe!'

'Danny,' zei ze. 'Danny . . .'

'En nu iets te drinken graag,' zei hij. 'Het was een beetje te veel voor me daarginds.'

'Cognac? Whisky?'

'Kan me niet schelen . . . Cognac graag.'

Ze vulde een cognacglas. Hij dronk het in één teug leeg. Zijn gezicht was krijtwit geweest toen hij binnenkwam. Nu keerde de kleur op zijn wangen terug. Hij haalde diep adem.

'Kom bij me zitten, Mercedes,' zei hij. 'Ik zal je alles vertellen . . .'

En hij vertelde haar alles, met zijn arm om haar schouders, en werd daarbij steeds rustiger. 'Nou ja, deze keer hebben we tenminste een precieze documentatie,' besloot hij. 'We hebben alles wat belangrijk was gefilmd, de moord zogezegd gereconstrueerd. Maar dat is ook nog niet genoeg. De volgende keer – ik zal het tegen Conny zeggen als ik hem over vader opbel – moeten de politie en het camerateam direct met me mee komen. Dan kunnen we de getuige zodra we bij hem zijn filmen. Zo iets als vandaag mag nooit meer voorkomen. Het was ... te vreselijk. Het ene moment zat ik nog met Kant te praten en het andere moment was hij dood. Hoe moet het nu eigenlijk verder? Conny zegt dat zijn mensen nog geen enkel spoor hebben gevonden. Niet in Duitsland, niet in Londen, niet in Parijs en niet in Amerika.'

'O, dat is waar,' schrok Mercedes.

'Wat is er?'

'Er heeft een man opgebeld ... zo'n twee uur geleden.'

'Wat voor man?'

'Een zekere Teddy Shimon van de Israëlische ambassade in Bonn. Hij is hier in het hotel. Kamer 323. Je moest hem dadelijk terugbellen als je kwam.'

'Ik ken geen Teddy Shimon.'

'Het is belangrijk, zei hij. Heel belangrijk.'

'Denk je dat het met de film te maken heeft?'

'Ja, dat heeft Conny me verteld.'

'Conny Colledo?' Daniel keek haar verbluft aan.

'Ik ben helemaal in de war. Ja, Conny heeft ook opgebeld ... Nog voor die Shimon ... Hij heeft Shimon aangekondigd ... Die was bij Conny en de intendant ... Ze hebben hem hierheen gestuurd. Hij zei dat we beslist met die Shimon moeten spreken.'

Daniel stond op en nam de telefoonhoorn. Er klonk een vrouwenstem.

'Ja, meneer Ross?'

'Juffrouw, ik zou graag de heer Teddy Shimon spreken. Kamer 323.'

'U kunt zelf opbellen. Draait u voor het kamernummer een acht.'

In de salon van suite 608/09 zat Wayne Hyde op een bank die hij tegen de muur van de aangrenzende suite had geschoven. Hij zat daar al twee uur. Hyde had oneindig veel geduld. Dat was een van de redenen waarom hij nog leefde. Zijn voeten lagen op de tafel voor hem, terwijl hijzelf in een hoek van de bank geleund zat. In zijn oren zaten de beide uiteinden van een metalen beugel die bij een soort stethoscoop hoorde. Op de plaats waar de beide helften van de metalen beugel bij elkaar kwamen, was een rode rubberen slang bevestigd. De slang, ruim een halve meter lang, verbreedde zich aan het andere uiteinde tot een laag, rond kapje. Op de vlakke kant daarvan was met een klem een kleine, maar zeer fijne versterker gemonteerd. Dit ronde kapje drukte Hyde op de tussenmuur met de salon van de aangrenzende suite. Hij kon duidelijk het gesprek tussen Mercedes en Daniel volgen. Even duidelijk waren de woorden van de jonge vrouw tot hem doorgedrongen toen ze met haar vader, met die Teddy Shimon en met Conrad Colledo had getelefoneerd. Het apparaatje werkte fantastisch. In de afgelopen uren had Hyde alles gehoord wat er naast hem gebeurde. Elk geluid, de stappen van Mercedes als ze rondliep, het openen en sluiten van de deuren. Hij had gehoord hoe ze een glas inschonk, hoe ze hoestte nadat ze wat had gedronken, alles. En hij had geduldig geluisterd, oneindig geduldig.

Nu hoorde hij Daniel een nummer van vier cijfers draaien en daarna zijn stem: 'Meneer Shimon? Goedenavond. U spreekt met Daniel Ross. Neemt u mij niet kwalijk dat ik u zo laat stoor. U hebt verzocht om teruggebeld te worden, hoe laat het ook zou zijn . . . Ja, pas een paar minuten geleden . . .' Hyde zat roerloos, alsof hij dood was. 'Dat klopt, ik ken u niet . . . Wat wilt u van mij? . . . De film? . . . Wat voor een film? . . . Meneer Shimon, ik begrijp werkelijk niet waarover u het hebt . . . Ja, ja, de heer Colledo heeft mijn vriendin opgebeld en gezegd dat ik als u contact opnam beslist met u moet spreken . . . Goed, nu dadelijk . . . In de bar misschien? . . . U hebt gelijk . . . Te veel mensen . . . Waarom komt u niet naar mij toe? . . . Hoe bedoelt u, mag mevrouw Olivera er ook bij zijn? Hoe kent u . . . Ach zo . . . Ook haar voornaam . . . Mercedes, ja . . . 606/07, ja . . . Wij wachten op u, meneer Shimon.'

Wayne Hyde bleef doodstil zitten. Op zijn gezicht stond geen enkele uitdrukking.

In de salon van hun suite stonden Mercedes en Daniel tegenover elkaar.

'Conny heeft gezegd dat het erg belangrijk is. Dat heeft hij toch gezegd, hè? Dat het erg belangrijk is?'

'Ja.' Mercedes knikte. 'En dat we ons geen zorgen hoeven te maken. Hij wilde door de telefoon zo min mogelijk zeggen.'

Er werd op de deur geklopt. Daniel ging naar de deur en deed die open.

Buiten stond een boom van een vent, gebruind, blond haar, staalblauwe ogen en een tamelijk lang, goedgevormd gezicht. Onder zijn grijze kostuum tekende zich zijn sportieve, slanke lichaam af.

'Komt u binnen, meneer Shimon,' zei Daniel.

De man hield een legitimatie omhoog. Daarop was een pasfoto in kleur bevestigd en was voorzien van het embleem van de staat Israël, alsmede een verklaring in het Hebreeuws, Engels, Frans en Duits dat Shimon lid van de Israëlische ambassade in Bonn was.

De blonde reus, het oertype van de zogenaamde ariër, maakte een buiging voor Mercedes. De drie gingen zitten. Shimon weigerde een drankje.

'En?' informeerde Daniel. 'Sinds wanneer interesseert de Israëlische ambassade zich voor ons?'

'O, al een hele tijd,' zei Shimon. Hij had stralend witte tanden, die hij liet zien als hij lachte. 'Maar de MOSSAD is heel wat meer in u geïnteresseerd.'

'De MOSSAD?' vroeg Mercedes.

'Ja, de Israëlische geheime dienst,' zei Daniel. En tegen Shimon: 'Waarom?'

'De meeste geheime diensten ter wereld stellen belang in u, meneer Ross. Uw vader in Buenos Aires is onvoorzichtig. En dat wordt hij steeds meer. Hij . . . gedraagt zich hoogst onverstandig. Om een lang verhaal kort te maken: de Amerikanen en de Russen weten uiteraard van uw film af, dat is duidelijk, nietwaar?'

Daniel knikte.

'Maar ook de Engelsen, Fransen, Italianen, Hongaren, Zwitsers en Spanjaarden. Je zou kunnen zeggen dat het wereldje van geheime diensten in opschudding is gebracht en afweet van de film en alle activiteiten die u en vele anderen ondernemen om getuigen te vinden die voor de echtheid instaan – of verklaren dat het een vervalsing is.'

'En u? Wat weet u, meneer Shimon?' vroeg Mercedes.

'Dat de film vervalst is, mevrouw. Ik moet toegeven, een geniale vervalsing. Maar het blijft een vervalsing.'

'En om ons dat te vertellen bent u naar Berlijn gekomen?' vroeg Daniel glimlachend.

'Natuurlijk niet.'

'Waarom dan?'

'Omdat we de vervalser kennen,' zei Shimon. 'Hij verwacht u. Hij is bereid zijn verhaal te vertellen. Voor de camera. De hele waarheid. Waarom kijkt u mij zo aan, meneer Ross?'

'Uit dankbaarheid, meneer Shimon. Wij zijn u buitengewoon dankbaar. Wie had gedacht dat de Israëlische geheime dienst de moeite zou nemen naar Berlijn te vliegen om contact op te nemen ...'

'Dat irriteert u, hè?'

'Nee, hoor.'

'Ja, hoor. Voor de Verenigde Staten is het buitengewoon gunstig als een getuige duidelijk verklaart dat de film vervalst is. Wij zijn slechts een klein, onder voortdurende bedreiging levend volk dat op de permanente hulp van Amerika is aangewezen. Zonder Amerika zijn wij verloren. De ene hand wast de andere. Dat dacht u toch zojuist, meneer Ross?'

'Inderdaad, dat dacht ik,' zei Daniel. 'Een voor de hand liggende gedachte, vindt u niet?'

'Wij helpen Amerika uiteraard graag in deze affaire, dat geef ik eerlijk toe. Daarin ligt het grootste belang van het onderzoek voor de MOSSAD. Maar het is geen moment bij iemand van ons opgekomen Amerika bij een bedriegerij te helpen.'

'Als u iemand zou hebben gevonden die als getuige zou willen verklaren dat de film echt is, zoudt u dan ook hier zijn geweest?'

Shimon aarzelde. 'Nee,' zei hij daarna. 'Dat ziet u heel juist. Maar de MOSSAD heeft nu eenmaal de vervalser gevonden.'

'Hoe?'

'Wat hoe, meneer Ross?'

'Hoe hebben ze hem gevonden?'

'Meneer Ross, hoe kunt u dat nu vragen!' De glimlach van de Israëlische diplomaat werd breder. 'Nee, heus!'

'Ja,' zei Mercedes, 'Hoe kun je dat nu vragen, Danny.'

'Neemt u mij niet kwalijk, meneer Shimon.'

'Och, het geeft niets. De MOSSAD heeft gezocht naar de vervalser – laten we het zo formuleren – net als alle andere geheime diensten, en dat zijn er een heleboel. Nou, wij hadden geluk, we waren er sneller bij dan de anderen. We zijn heel vaak sneller dan de anderen. Godzijdank! Ik kan u de naam van de vervalser noemen.'

'Doet u dat dan toch. Hoe heet hij?'

'Harry Gold.'

'Harry Gold?'

'Harry Gold.'

'En waar woont die Harry Gold?'

'In Frankfurt, meneer Ross.'

'Waar in Frankfurt?'

'Ik zal u en mevrouw bij hem brengen.'

'Dat mag u wat mij betreft doen. Maar ik wil weten waar Harry Gold woont. Ik kom uit Frankfurt. Ik ken de stad vrij behoorlijk.'

'Odrellstrasse 217.'

'Dat is in de wijk Kuhwald,' zei Daniel. 'Ten westen van het jaarbeurs-terrein, tussen de Theodor-Heuss-Allee en het grote rangeerstation.'

'Juist.'

'Heeft meneer Gold telefoon?'

'U hoeft hem niet op te bellen. Ik heb alles voor u geregeld.'

'Heel vriendelijk van u.'

'De heer Gold is bereid zijn verklaring morgen al af te leggen. U kunt bij hem komen wanneer u wilt. Hij verwacht u.'

'Heel mooi. Ik moet nog wel meneer Colledo opbellen. Ik weet niet wat voor cameraploeg ik krijg. Morgen is het zondag.'

'Overhaast u toch niets! Dan heeft de heer Colledo ook wat meer tijd. Er gaat dertien maal per dag een vliegtuig van Berlijn naar Frankfurt. Hier is een dienstregeling.'

Ross bladerde het door.

'Ik zou zeggen dat we het best om 13.35 uur kunnen vertrekken,' zei hij. 'Dan zijn we om 14.35 uur in Frankfurt. Laten we er nog ongeveer een uur bijrekenen voor we bij meneer Gold arriveren. Dus om 15.30 uur. Vindt hij dat goed, denkt u?'

'Die vindt alles best. Hij wacht de hele dag. Het is voldoende als we hem na de landing in Frankfurt opbellen. Kan ik bij de opnamen aanwezig zijn?'

'Maar natuurlijk.'

'Dank u.'

'Wij moeten u bedanken, meneer Shimon. Heel erg zelfs.'

'Het was me een genoegen.'

'Zullen we samen ontbijten?' vroeg Mercedes. 'Hier boven?'

'Graag, mevrouw Olivera.'

'We zullen u opbellen. Zo rond negen uur?' vroeg Daniel.

'Negen uur is uitstekend,' zei Teddy Shimon.

'Wacht u even, ik loop met u mee.'

'Waarheen?'

'Ik moet mijn vriend Colledo nog opbellen.' Daniel pakte zijn jas en gaf Mercedes een zoen. 'Ik ben zo weer terug.'
'Pas goed op jezelf, Danny!' zei ze. 'Alsjeblieft, pas goed op jezelf.'

In de kamer ernaast hoorde Wayne Hyde hoe Shimon afscheid nam van Mercedes, waarna de beide mannen de suite verlieten. Mercedes zette de televisie aan. Hyde hoorde muziek en stemmen. Hij deed de verchroomde beugel van het stethoscoopachtige apparaat af, wachtte tien minuten en stond op. Hij trok zijn duffelse jas aan, verliet zijn suite en ging met de lift naar de hal. Daar zaten nog veel mensen. Uit de bar klonk pianomuziek. Hyde stapte naar buiten. Het was ijskoud; de lucht was helder. Hyde zag sterren.
Hij liep de Kurfürstendamm af naar de Gedächtniskirche. De verwoeste toren rees in de melkachtige duisternis omhoog. Hoe dichter Hyde bij het einde van de Kurfürstendamm kwam, hoe meer hoertjes hij zag. Bijna allemaal spraken ze hem aan. Telkens weigerde hij vriendelijk. De hoertjes waren erg beleefd, al waren ze zeer ontmoedigd. Ze droegen een bontmantel, maar toch hadden ze het koud. Hyde wilde naar Bahnhof Zoo. Toen hij voor de kerk linksaf de Joachimstaler Strasse inging, versperde hem een keurig geklede man de weg. De man lichtte zijn zwarte hoed en zei:
'Och, neemt u mij niet kwalijk, meneer.'
'Wat is er?'
'Mijn naam is Fleischmann, Julius Fleischmann. Voormalig leraar Latijn en Grieks aan een gymnasium. Werkloos. Kijkt u eens, mijn legitimatiebewijs.' Hij hield Hyde het opengeslagen boekje voor.
'Wat wilt u?'
'Een milde gave als u zo goed zoudt willen zijn. Ik heb een vrouw en vier kinderen.'
Hyde knoopte zijn jas los en zocht in de zak van zijn colbertje.
'U hebt een slechte tijd uitgezocht, meneer.'
'Zegt u dat niet! Nu is het nog stil. Maar over een of twee uur . . . Er zijn hier in de buurt veel striptease-tenten. En ook andere gelegenheden. En als dan de mensen komen die te veel hebben gedronken . . . Dronken mensen hebben een goed hart.'
'U bent ook dronken, hè?'
'Een beetje, meneer. Maar het is ook zó koud. Je moet je toch warm houden.'
'Ik heb alleen tien mark.'
'Ik kan wisselen. Hoeveel mag ik houden?'
'Geef me maar . . . Och,' zei Hyde, 'houdt u dat biljet maar.'
'Duizendmaal dank! God zal u zegenen, meneer.'
'Ja, ik hoop het,' zei Hyde. 'Staat u hier elke nacht?'
'Ook overdag. We werken in drie ploegen.'
'We?'
'Een uitvoerder en een vertegenwoordiger in meubels. Je moet je als bedelaar organiseren, begrijpt u? Er zijn er zoveel. Dit is een zeer arme stad.'

341

Ik heb vroeger hier in de Joachimstaler Strasse gewoond. Tot 1 maart 1943. Ik was amper vijf jaar. Op 1 maart 1943 was er een zware luchtaanval. Ze kwamen altijd overdag. Blauwe hemel, lekker zonnetje. Mijn hele familie die in de kelder zat was dood: moeder, vader, zuster. Mij hebben ze uitgegraven. Ik heb nog steeds het gevoel alsof het gisteren is gebeurd. Vreemd, vindt u niet? *O mihi praeteritos si Jupiter referat annos.* In het Duits ...'

'O, dat Jupiter mij de verloren jaren terugbracht,' zei Hyde.

'U kent Latijn?'

'Vloeiend. Ik lees erg veel, weet u.'

'Grieks ook?'

'Geen Grieks. Goedenacht, meneer. En veel succes!'

'Dank u,' zei Fleischmann.

Hyde bereikte Bahnhof Zoo en liep naar het postkantoor op de parterre. Dit was ook 's nachts geopend, maar alleen voor telefoongesprekken. Achter het loket zat een oververmoeide vrouw. Ze gaf Hyde een plastic plaatje met nummer veertien erop.

'Cel veertien. Straks bij mij terugkomen. U kunt zelf draaien.'

'Ik weet het.' In cel vijftien zat een jong meisje op de grond; ze scheen te slapen. Het jonge meisje droeg een vuile spijkerbroek en een smerige trui. Verslaafd zeker, dacht Hyde. Slaapt haar shot uit. Hij stapte cel veertien in en draaide het nummer van Morley in Londen. Met de decoder hief hij de blokkering van het antwoordapparaat op.

De stem van de advocaat klonk: 'Goedenavond, mr. Hyde. Ik neem aan dat u het gesprek van Teddy Shimon met Ross en Olivera hebt kunnen volgen. Wilt u nogmaals dit nummer draaien en verslag uitbrengen?' Toen de beantwoorder bij het tweede telefoontje klaar voor opname was, rapporteerde Hyde wat hij met behulp van zijn zogenaamde stethoscoop had gehoord. Hij noemde naam, straat, huisnummer, vliegtijden en het tijdstip van de ontmoeting. 'Ik zal alles hebben voorbereid als mevrouw en de heren arriveren, u hoeft zich daarover geen zorgen te maken, mr. Morley. En nu iets anders: Olivera en Ross hebben vanavond een telefoongesprek gevoerd met Buenos Aires. De vader ging vreselijk tekeer. Omdat hij zijn tien miljoen niet van de televisie krijgt. Schijnt geruïneerd te zijn. Of dat gebeurt binnenkort. In elk geval beweerde hij dat hij wel met mensen van Gadaffi zou onderhandelen en hij stelde een ultimatum dat Ross direct aan Von Karrelis moet doorgeven.' Hyde rapporteerde de bijzonderheden. 'Haast schijnt dringend geboden. Als u mij zoekt, u kunt mij morgen via een vriend in Frankfurt bereiken.' Hyde gaf het nummer op van zijn huurlingenvriend Heinz Erkner. 'Ik bel nu natuurlijk niet vanuit het Kempinski, maar vanuit een cel. Goedenacht, mr. Morley.' Hyde hing op. Daarna nam hij voor de derde keer de hoorn van de haak en draaide het zojuist genoemde nummer in Frankfurt. De telefoon ging lang over voordat er een ademloze man aan de telefoon kwam.

'Ja, verdomme!'

'Heinz, met Wayne.'

'Wayne!' De stem klonk eensklaps verheugd. Heinz Erkner, Hydes huurlingenvriend in Frankfurt, hijgde nog steeds. 'Waar zit je, kerel?'
'In West-Berlijn. Wat is er met jou aan de hand? Net geneukt?'
'Ja.'
'Het spijt me.'
'Geeft niets. Het schatje krijgt hem wel weer overeind. Wat is er?'
'Ik kom morgen naar Frankfurt. Halftien. Pan American. Heb weer de SIG/Sauer en de Sterling Mk 9 nodig.'
'In orde, kerel. Ik wacht bij de balie van PanAm in de aankomsthal. Heb dan alles bij me.'
'Prima.'
'Nog iets nodig?'
'Ja, Heinz. Je moet iets voor me regelen.'
Wayne Hyde legde Erkner uit wat deze voor hem moest regelen. Daarna namen ze hartelijk afscheid van elkaar.
'En ga nu maar lekker spuiten,' besloot Hyde.
'Als de brandweer, kerel,' zei Heinz Erkner.
In de cel ernaast hoorde Hyde plotseling het meisje kreunen. Verslaafd, precies zoals ik vermoedde, dacht hij. Daarna hoorde hij dat ze kokhalsde.
Toen hij de cel uitkwam, lag het meisje in de andere cel te krimpen van de pijn. Hyde ging naar het nachtloket terug.
'Betalen graag,' zei hij. 'Cel veertien.' Hij schoof het plastic plaatje door de opening in de ruit.
De vermoeide oudere vrouw keek op een teller en rekende iets uit op een papiertje. 'Honderdzestien mark dertig,' zei ze. 'Dat is een dikke rekening.'
Hyde legde twee biljetten van honderd mark neer. Terwijl de vrouw het wisselgeld teruggaf, zei hij: 'In cel vijftien ligt een meisje. Ze geeft over. Ze kreunt en heeft kramp. U moet een dokter waarschuwen.'
'Een verslaafde?'
'Lijkt er wel op.'
'Ik word nog eens gek,' zei de oudere vrouw. 'Elke nacht hetzelfde liedje. De hele winter gaat dat al zo. Als het warmer wordt, liggen ze in de toiletten.' Ze draaide een nummer en zei door de telefoon: 'Eerste Hulp? Met Bahnhof Zoo. Postkantoor. Goedenavond. Goeiemorgen, wat u maar wilt. Hier ligt er een in een cel. Heeft een slechte shot gehad ... Nee, leeft nog – geloof ik tenminste ... Maar jullie moeten wel opschieten ... ja, goed.' Ze hing op en zei geeuwend tegen Hyde, die het wisselgeld opborg: 'Nee, weet u, nee, zo iets zou de Führer nooit hebben toegelaten.'

Daniel was met Teddy Shimon in de lift naar de derde verdieping meegegaan en had daarna afscheid van de Israëliër genomen. Hijzelf ging verder tot in de hal. Hij stapte naar buiten en liep een stukje de Kurfürstendamm af in de richting van de Gedächtniskirche. Daarna stak hij de weg over en ging de Meinekestrasse in. Hier kende hij een beroemd oud Berlijns café. Veel van de blankgeschuurde houten tafels waren bezet. Sommige gasten zaten nu pas te eten. Iedereen dronk. Sigarerook hing in de ruimte. Door de radio klonk pittige jazz. Daniel ging naar de tapkast, bestelde een glas bier en een borrel en zei dat hij moest opbellen.

'Maar natuurlijk, meneer. Toestel in de cel daar achterin. U hoeft maar te draaien. Bij mij loopt een teller.'

Daniel dronk de borrel op en nam het glas bier mee. In de cel was het verstikkend heet. Daniel hield de deur met zijn voet op een kiertje. Het lawaai in het café was zo erg dat niemand kon verstaan wat hij aan de telefoon te zeggen had. Hij nam nog een slok, zette het glas op een plank neer en draaide het nummer van Conrad Colledo in Frankfurt. Zijn vriend nam dadelijk op.

'Conny, met Danny. Ik bel vanuit een café.'

'Hallo, Danny.' De stem klonk vermoeid en zacht.

'Wat is er? Zit je nog aan je bureau?'

'Ja. Een heleboel werk. In Californië hebben de jongens een cameraman gevonden die er destijds in Teheran bij is geweest. William Mackenzie.'

'En?'

'Niks en. Hartinfarct. Drie maanden geleden gestorven. Drie maanden geleden, Danny, maar drie maanden geleden!'

'Pech!'

'Verdomde pech. Alleen maar verdomde pech! Jij ook, met jouw professor. Mercedes heeft me alles verteld toen ik jullie het bezoek van die Shimon aankondigde. Was die nog wat waard?'

'Weet ik nog niet. Ziet er wel naar uit. Dat vertel ik je zo. Verder nog nieuws bij jullie?'

'O, man, om te huilen. Herinner jij je Chan Ragai nog?'

'Chan Ragai?'

'Ja.'

'Nee.'

'Die had jouw vader ingezet. Als resident van de geheime dienst van Von Ribbentrop in Teheran. Dat heeft hij je toch verteld! Onder die man ressorteerde die fantastische agent CX 21.'

'Och ja, natuurlijk! Chan Ragai! Die ouwe baas van mij heeft zeker gelogen, hè?' Daniel dronk van zijn bier.

'Nee, nee, op dat punt heeft hij de waarheid verteld. Ik heb drie jongens Iran binnengesmokkeld. Vanuit Bagdad. Omdat ze van het regime van Chomeini geen inreisvisum kregen.' De vermoeide stem klonk nu luid en woedend. 'Dat land is één groot gekkenhuis!'

'Natuurlijk geen spoor van Chan Ragai.'

'Integendeel, Danny. Integendeel. Mijn jongens hadden een warm spoor. Chan Ragai leeft nog. Niet meer in Teheran. Daar woont zijn zus nog. We waren hem al heel dicht op de hielen, toen die drie jongens van mij gearresteerd werden. Beschuldiging: spionage voor de Verenigde Staten. Om beroerd van te worden, Danny, echt.'

'Tjonge! Spionage? Ik hoop dat ze geen kopje kleiner worden gemaakt.'

'Ze komen weer vrij. Ik heb dadelijk Genscher opgebeld. Heeft goede relaties met Iran. Heeft al met de hoge pieten gesproken, de ambassadeur

erop afgestuurd. Ze zullen die drie vrijlaten, maar ze worden direct het land uitgezet. Nou ja, enzovoort, enzovoort. En meneer de intendant is woest omdat alles misgaat. Ik hoop nu maar dat we met die Harry Gold meer geluk hebben. Wanneer ga je naar hem toe?'
'Morgenmiddag om halfvier. We landen om 14.35 uur. Daarom bel ik op. Deze keer nemen we geen risico. Deze keer moet de ploeg samen met mij het huis ingaan en vanaf het eerste moment meedraaien. En de politie moet er ook zijn voordat ik kom en ze moeten het huis hebben doorzocht. Als je erbij was geweest toen ze die oude Kant vermoordden, midden in een zin, ik stond nog geen meter van hem af ... Al dat bloed ...'
'Met de BKA heb ik al gesproken. Jullie krijgen rechercheurs en politie ter beschikking. Voor het huis, in het huis, tijdens de opnamen. We filmen weer met twee camera's. Laat Gold rustig praten als hij er de tijd voor neemt. Jaag hem niet op! Een rol film kunnen we nog wel betalen. Voor mijn part verfilmen jullie twee kilometer! We monteren het materiaal dan wel zoals we het nodig hebben. En luister eens, je neemt Mercedes natuurlijk niet mee, hè?'
'Natuurlijk niet. Die blijft bij mij thuis.'
'Alleen? Daar komt niets van in. Ik ben op de luchthaven als jullie landen en neem haar mee naar huis totdat alles voorbij is.'
De opgewekte dansmuziek brak af. De omroeper was in het lawaai onverstaanbaar. Daarna klonk plechtig en gedragen het volkslied van de DDR: *Auferstanden aus Ruinen.* Een zeer knappe, donkerharige vrouw aan een tafeltje riep luid: 'Vriendschap, vriendschap!'
De caféhouder rende naar de radio en zette hem uit. Hij riep: 'Neemt u mij niet kwalijk, dames en heren, dat was de verkeerde zender.'
'Wat was dat?' informeerde Colledo.
'Niets. Een ongelukje. En let nu op, Conny! Er komt nog iets fraais.'
'Nog meer? Fijn. Vertel het pappa maar.'
Daniel bracht verslag uit van het gesprek met zijn vader en van diens nieuwe ultimatum.
Colledo vloekte woest.
'Man, wat ben jij door een klootzak verwekt, zeg! Gefeliciteerd!'
'Dank je. En zoals gezegd, hij wil dat de intendant onmiddellijk van alles op de hoogte wordt gesteld.'
'Dat kan gebeuren.' Colledo lachte grimmig. 'Tot ziens, ouwejongen! Tot morgen op de luchthaven. En nu ben ik zo gemeen meneer Von Karrelis wakker te maken ...'
Daniel dronk zijn bier op en ging naar de tapkast om te betalen.
'Dat doen ze met opzet,' zei de waard.
'Wie?'
'De mensen aan de overkant. Altijd zenden ze jazz uit, Amerikaanse, heel goeie. Zodat je je vergist. Dat vinden ze leuk. Dank u wel, meneer, komt u nog eens terug. Ik wens u een goede nacht.'
Daniel stapte de Meinekestrasse weer in. Hij kwam in botsing met een man. De man wankelde. Hij was behoorlijk dronken.

'Nou zeg, helemaal geen rekening houden met een oude man, hè?'
'Het is al goed.'
'Er is helemaal niks goed! Ik wordt nog stapelgek. Nou loop ik al een uur te zoeken. Hoe heet het hier, de Schaperstrasse?'
'Kunt u dat niet wat beleefder vragen?'
'Dan blijf ik nog liever ronddwalen,' zei de dronken man. Zwaaiend verwijderde hij zich weer.

Daniel ging naar het hotel terug. Hij bereikte de ingang tegelijk met een lange, slanke man die beleefd een stapje opzij deed.
'Na u.'
'Dank u,' zei Daniel.
Ze liepen naast elkaar de hal door in de richting van de liften.
'Gaat u ook naar boven?' vroeg Daniel.
'Nee,' zei Wayne Hyde. 'Ik ga nog even naar de bar.'

Mercedes had de deur van de suite afgesloten.
Daniel klopte hard.
Ze deed open, al in haar nachtjapon.
Hij omhelsde en kuste haar. 'Zo, alles is geregeld. Ik kom zo. Vat geen kou, hoor!'
Mercedes liep terwijl hij zijn jas uittrok snel terug naar de slaapkamer. Vlug draaide zij op het toestel dat naast hun bed stond een negen. Een meisje nam de telefoon aan.
'Met mevrouw Olivera. Suite 606/07,' zei Mercedes zacht. 'Met juffrouw Michaela?'
'Ja, mevrouw.'
'U kunt nu beginnen.' Mercedes legde de hoorn op de haak.
Vlak daarna kwam Daniel de slaapkamer in. Hij trok zijn colbertje uit.
'Wat een dag, zeg!' zei hij. Door de ingebouwde radio in het nachtkastje naast Mercedes klonk zachte muziek, de *Rhapsody in blue* van George Gershwin. 'Als jij nu niet bij me zou zijn, zou ik stapelgek worden, liefste. Die arme Conny staat werkelijk op het punt ...' Hij onderbrak zichzelf, want de muziek stierf weg en er volgde nu andere muziek, samen met de diepe, vibrerende stem van Marlene Dietrich.
'... *Wenn ich mir was wünschen dürfte, käm' ich in Verlegenheit* ...'
'Mercedes!'
'Een verrassing,' zei ze stralend. 'Ik ben vanmiddag met onze oude plaat naar de telefooncentrale beneden gegaan en heb gevraagd of zij die niet kunnen spelen. Dat kon. De huismuziek komt van een bandje. Maar ze hadden het lied op een cassettebandje, gezongen door Marlene. Moet je nagaan, Danny, óns lied! Daar is het weer ...'
'... *was ich mir denn wünschen sollte, eine schlimme oder gute Zeit* ...' zong Marlene Dietrich.
Daniel kwam naar het bed. Mercedes zat daar met geopende armen. Hij gleed naast haar. Hun lippen ontmoetten elkaar en Mercedes drukte haar lichaam tegen het zijne.

'... *Wenn ich mir was wünschen dürfte, möchte ich etwas glücklich sein...*'
'Mijn Mercedes!'
'Ja, Danny, ja. O, wat hou ik veel van jou.'
Hij kuste haar weer.
'... *denn wenn ich gar zu glücklich wär', hätt' ich Heimweh nach dem Traurigsein,*' zong Marlene Dietrich.

8

'Jawel,' zei Harry Gold. 'Ik houd van Duitsland. Duitsland is mijn vaderland. Ik zou in geen ander land kunnen leven. Ik heb het geprobeerd. Amerika, Israël, Frankrijk. Onmogelijk! Ik ging dood van heimwee. Duitsland, alleen Duitsland. Hier ben ik geboren, hier wil ik sterven. Ik weet wat u nu denkt. Drie jaar concentratiekamp was nog niet genoeg voor hem, die idioot. Nee, dat wás ook niet genoeg voor mij. Stomme jood, denkt u nu natuurlijk. Zeker, dat zie ik toch! Nou en? Dan ben ik maar een stomme jood. En nu, stel ik mij voor, moet u aan die oude mop denken. Het is het jaar 1933. Joden marcheren over Unter den Linden. Dragen borden met zich mee. Op die borden staat: WEG MET ONS! Heel komisch.'

Harry Gold was een gezet mannetje met een groot hoofd en een dikke, grijze haardos die aan Albert Einstein deed denken. Net zo woest en warrig stond het naar alle kanten uit. Gold zat in een leunstoel voor een gashaard. Boven de schoorsteen hing een groot schilderij van keizer Wilhelm de Tweede.

De schijnwerpers en twee camera's waren op Harry Gold gericht. Eén camera nam op. De andere draaide zodra bij de eerste een nieuwe filmcassette moest worden ingezet. Op die manier kon het interview zonder onderbrekingen worden opgenomen. Gold droeg op zijn borst een microfoontje. Hij had een donker kostuum aan met een zilverkleurige stropdas. In een hoek van de woonkamer lag de geluidstechnicus met een koptelefoon op zijn knieën voor zijn apparatuur en hield nauwlettend het uitslaan van vele wijzertjes van evenzovele metertjes in de gaten. Het was heet in het vertrek, hoewel alle ramen openstonden en het buiten nog steeds grimmig koud was. De schijnwerpers gaven een enorme hitte af.

'Er waren een hoop joden voor wie Duitsland alles was,' zei de vijfenzeventigjarige Harry Gold met de zwaarmoedige, donkere ogen en de zware, bolle traanzakken daaronder. 'Mij is gezegd dat ik kan zeggen wat ik wil. Ongeacht hoe lang dat zou duren. En dat moet ik zeggen. Omdat het belangrijk is. Jonge mensen weten er immers niets meer van. Ook vele joden hebben Duitsland groot gemaakt. Heinrich Heine en de schilder Max Liebermann. Paul Ehrlich, de scheikundige en medicus. Max Reinhardt. Elisabeth Bergner. En Kortner, Bassermann, Ernst Deutsch. En de vijf gebroeders Ullstein. Kurt Tucholsky. Walther Rathenau, de minister van Buitenlandse Zaken. Albert Ballin, een intieme vriend van de keizer, oprichter van de HAPAG. Bouwde voor zijn vaderstad de grootste zeehaven van Duitsland en van de wereld van vóór 1914. Pleegde in '18 zelfmoord toen de oorlog verloren was. Carl Zuckmayer. Jacques Offenbach. Ferdinand Lassalle. Maximilian Harden. Bruno Walter. Otto Klemperer. Bismarcks minister Heinrich von Friedberger en Rudolf Friedenthal. De halfblinde Gerson von Bleichröder, privé-bankier van Wilhelm de Tweede, die ook al privé-bankier van Wilhelm de Eerste was. Therese Giese. Fritz Haber met zijn ammoniak-synthese, die de munitievoorziening van Duitsland in de Eerste Wereldoorlog waarborgde. Van de vijfendertig grootste scheikundigen in het keizerrijk waren er zestien jood, Richard Willstätter, Adolf von Baeyer, allebei een Nobelprijs! De fysici Max Born en Albert Einstein. Otto Hahn, de man die in het Derde Rijk nog net geduld werd en zijn medewerkster Lise Meitner. De Duitsers zouden de atoombom eerder hebben kunnen maken dan de Amerikanen. Niels Bohr . . . Ja, ja, ik stop al. En al die grote medici . . . Nu hou ik er echt mee op. Het komt alleen doordat u gezegd hebt dat ik mag vertellen wat ik wil . . . En toen wilde ik uitleggen dat niet alleen een kleine, mesjogge jood van Duitsland houdt, maar dat er ook zoveel grote en geniale Duitse joden zijn geweest . . .'

Camera één liep . . .

De kleinburgerlijk ingerichte woonkamer zat vol mensen. Daniel stond achter de camera tegen een vitrine vol porseleinen beeldjes geleund. Naast hem stond de Israëlische diplomaat Teddy Shimon voor een reusachtig ouddduits buffet van massief zwart hout. Onder in het buffet was waarschijnlijk het 'mooie' servies opgeborgen, op het blad stonden zware, geslepen wijnglazen op hoge steel in allerlei kleuren, zogeheten roemers, en achter de glazen ruitjes van de opbouw waren op verscheidene verdiepingen glazen bakjes te zien, eveneens gekleurd en in metalen houders gevat. Het buffet was rijk versierd met houtsnijwerk: talrijke torentjes, wijnranken, miniatuurvrouwtjes met ontblote borsten, burchten, door zuilen ondersteunde balkonnetjes en in de wind wapperende minuscule vlaggetjes, alles van zwart hout. De hoektafel was net zo opgesierd en daarop stonden talrijke ingelijste foto's, Harry Golds familieleden. Verder stond rond een eiken tafel een zwaar bankstel met zachte kussens en bekleed met donkergroen fluweel. De bank had een hoge rugleuning. Op de plaatsen waar men er mogelijk met zijn hoofd mee in aanraking kon komen, lagen net als op de leuningen kanten kleedjes. Het behang toonde het telkens terugkerende patroon van boeketjes bloemen. Op nog een andere tafel prijkte onder een oleografie van het Laatste Avondmaal van Leonardo da Vinci een zevenarmige menora. En tussen al deze en nog meer oude, zware meubelen hadden zich verscheidene mensen opgesteld: belichters, cameralieden, de assistent van de geluidsman en drie rechercheurs in burger, zwaargewapend.

Stof zweefde in de lichtbundels van de schijnwerpers, het rook naar motteballen, heet metaal en zweet. Rechercheurs met machinepistolen en politieagenten in uniform, eveneens gewapend, stonden buiten op de gang, voor de ingang van het huis en rond het huis in het kleine tuintje. Ze stonden ook op de stoepen van de straat, waaruit alle auto's waren verwijderd. De politiewagens en de auto's van de televisiemensen stonden een stukje verderop in de Odrellstrasse, die bij Harry Golds eengezinswoning was afgesloten. Achter het rood-witte dranghek verdrongen zich de mensen: vrouwen, mannen, kleine kinderen. De wijk Kuhwald beleefde een sensatie. Al uren tevoren waren de eerste politiemensen aangekomen; ze hadden de afsluiting opgesteld, het huis van Gold van onder tot boven doorzocht, evenals de tuin. Het was voor de tijd van het jaar veel te koud. De nieuwsgierigen rilden. Ze wipten van het ene been op het andere en hadden allemaal een rood gezicht. Maar ze bleven waar ze waren. Wanneer viel hier eigenlijk iets te beleven!

Van het nabijgelegen rangeerterrein klonken geluiden: het rijden van de wagons, het op elkaar bonken van de buffers, korte fluitsignalen van de rangeerlocomotieven.

Boven het hoofd van Harry Gold straalde de beeltenis van keizer Wilhelm in het licht van de schijnwerpers. Zijn te korte rechterarm was gestoken in het jasje van een prachtig marine-uniform en zijn borst was gedecoreerd met vele onderscheidingen. Zijn snor was aan de punten opgedraaid en Wilhelm de Tweede keek met een stalen blik in onbekende verten. De kleine, elegante jood onder het olieverfschilderij zei: 'Vanaf 1949 woon ik in dit huis. Alleen. Ik heb alleen nog een zus in Amerika. Ze is daar getrouwd. Al mijn familieleden zijn' – hij slikte – 'overleden. Allang. Ook Elsa, mijn goede vrouw – God hebbe haar ziel!'

'Ze zijn allemaal in verschillende concentratiekampen om het leven gekomen,' zei Daniel achter de eerste camera. Hij had eveneens een microfoontje om. 'Wij hebben inlichtingen ingewonnen.'

'Ze zijn ... om het leven gekomen in concentratiekampen ...' Harry Gold knikte. Haastig zei hij: 'Maar dat waren de nazi's, die misdadigers! Die nazi's waren niet Duitsland. Niet míjn Duitsland.'

'Meneer Gold, toe nou ...' begon Daniel, maar Gold onderbrak hem.

'Ja, ja, ja, ik weet wat u denkt. Volkomen mesjogge, die Gold, denkt u. Nou, dan ben ik maar volkomen mesjogge, kan mij wat schelen. Mijn familie komt uit Frankfurt. Hier hebben we allemaal gewoond. En de mensen zijn vriendelijk en behulpzaam voor ons geweest – tot op het laatst, tot men ze allemaal heeft opgehaald. Elsa – God hebbe haar ziel – was blond. De mensen zeiden altijd: "Nee maar, bent u echt een joodse, mevrouw Gold? U ziet er toch helemaal niet joods uit!" Mijn vader – God hebben zijn ziel – heeft in de Eerste Wereldoorlog het IJzeren Kruis gekregen. Toen ze hem kwamen halen, de lui van de SA, samen met moeder en tante Lenchen, toen stonden er een heleboel mensen op straat en een paar huilden, is mij verteld. Ik was in die tijd met Elsa in ...' Hij stopte. 'Dat vertel ik zo. Ook hier in de wijk – iedereen mag mij. Weet u hoe ze mij noemen? "Onze oude jood" noemen ze mij!' Harry Gold knikte lachend. 'Ik ben hun oude jood ...'

Daniel schraapte zijn keel.

'Neemt u mij niet kwalijk.' De kleine man richtte zich op en zei: 'Nu

349

eindelijk ter zake. Mijn naam is Harry Gold. Ik ben geboren in Frankfurt aan de Main op 11 januari 1909. Daar ben ik ook op school geweest en daar heb ik eindexamen gymnasium gedaan. In 1928 ging ik naar Berlijn. Vanaf '31 had ik een vaste aanstelling bij de UFA, de grootste Duitse filmmaatschappij. Ik wilde cutter worden. Ik begon helemaal onderaan en werkte mijzelf op. In '34 was ik al chef-cutter en meer dan twintig mannen en vrouwen werkten onder mijn leiding. De regisseurs vochten om mij. Ik geloof dat ik gerust kan zeggen dat ik een zeer goede cutter was. Dat had tot gevolg dat ik tot een EWJ werd verklaard en door kon werken.'

'Wat was een EWJ?' vroeg Daniel vanachter de eerste camera.

'Een zogenaamde economisch waardevolle jood,' legde Harry Gold uit en hij kon de trots in zijn stem niet helemaal onderdrukken. 'EWJ's, dat waren scheikundigen, ingenieurs, artsen, wat u maar wilt.'

'Ook filmcutters?'

'Zulke goede als ik wel, ja. Trouwens, alle filmtechnici in het algemeen. Een handjevol maar, natuurlijk. De beste. Heeft Goebbels voor elkaar gekregen. Was bij het toneel ook zo. Niet voor eeuwig, natuurlijk. Maar voor mij tot '42. Maar beter iets dan niets! De EWJ's werden beschermd, ook hun vrouwen en kinderen als ze die hadden. Hoefden geen gele ster te dragen. Kregen dezelfde rantsoenkaarten als de "ariërs". Mochten hun woonruimte behouden. We hadden in die tijd een prachtig appartement, mijn goede Elsa – God hebbe haar ziel – en ik. In de Lassenstrasse in Grunewald. Vlak bij de Hagenplatz. En elke morgen ging ik naar Babelsberg, daar waren de grote filmstudio's van de UFA . . . Nu ja, alles liep goed tot begin '42. Op 20 januari werd mijn EWJ-status opgeheven en op de dertigste zat ik al in het concentratiekamp. Alle familieleden, met uitzondering van mijn zus in Amerika en Elsa, waren al eerder in een concentratiekamp beland. Ik kon immers alleen mijn goede vrouw – God hebbe haar ziel – beschermen. Ze hebben haar tegelijk met mij opgepakt. Elsa kwam in Auschwitz terecht en daar heeft men haar ver . . . Daar is ze overleden.'

'In welk concentratiekamp kwam u terecht, meneer Gold?' vroeg Daniel.

'In Oranienburg,' zei Gold. 'Dat wil zeggen, eigenlijk was het Sachsenhausen. Sachsenhausen is een gemeente in het district Oranienburg. Ik werd in blok 31 gestopt en daardoor ben ik zogezegd gered.'

'Hoezo?' vroeg Daniel.

'Blok 31 was een heel bijzonder blok.'

'Wat was er zo bijzonder aan?'

'Daar werkten allemaal vakmensen. De beste die er waren in Duitsland.'

'Wat voor vakmensen?'

'Vakmensen die vervalsingen konden maken,' zei Harry Gold, en weer klonk er trots in zijn stem door.

Met veel lawaai kletterde er een machinepistool op de grond. 'Stop!' riep de geluidsman.

'Het spijt me,' zei een rechercheur. 'Omlaaggegleden.' Hij raapte het wapen weer op.

'Daar gaan we weer,' zei de geluidsman die voor zijn apparatuur geknield lag.

'Camera klaar?'

'Camera loopt,' zei de tweede operateur.

'Geluid starten!' zei de geluidstechnicus.

Zijn assistent stapte voor een van de beide camera's, sloeg een met krijt beschreven klapbord op elkaar en riep luid: 'Interview heer Gold. Rol drie, take twee.'

Hij stapte snel naar achteren.

'Gaat u alstublieft door, meneer Gold,' zei Daniel.

'Ik moet anders beginnen,' zei deze. 'Anders krijgt u geen juist beeld. Ziet u: in het concentratiekamp Sachsenhausen ontstonden de twee grootste vervalsingen van het Derde Rijk. En wel in blok 31 en in blok 19. Ik heb hier' – Gold hield een boek omhoog dat op zijn knieën had gelegen – 'de herinneringen van een man, die zich als schrijver Walter Hagen noemt. Hij moet allang dood zijn. Die Hagen werkte lang bij de SD, de Staatssicherheitsdienst, in het door Himmler opgerichte Reichssicherheitsamt, het RSHA. Hagen gaf zijn boek de titel *Onderneming Bernhard*, met als ondertitel *Een historisch feitenrelaas over de grootste geldvervalsing aller tijden*. Het boek is bij uitgeverij Welsermühl verschenen. Mijn exemplaar heb ik in 1956 in München gekocht. Als hoofd van de SD had Himmler de SS-Obergruppenführer Reinhard Heydrich aangesteld. Van een van diens medewerkers, een zekere Naujocks, was het plan afkomstig valse Britse pondbiljetten aan te maken, ze met bommenwerpers boven Engeland uit te strooien en ze ook naar andere landen over te brengen, om op die manier de Britse munt en economie te ruïneren. Dit geld werd in de vorm van vijf-, tien-, twintig-, vijftig-, honderd-, vijfhonderd- en duizendpondbiljetten door uitstekende vakmensen inderdaad zo perfect nagemaakt, dat toen de Zwitserse staatsbank een aantal van deze biljetten ter controle aan de Bank van Engeland stuurde, uit Londen prompt de mededeling kwam dat de biljetten zonder meer echt waren.'

'En ze waren allemaal in blok 19 van het concentratiekamp Sachsenhausen vervalst,' zei Daniel.

'Niet vanaf het begin,' protesteerde Gold. 'Hagen beschrijft het verschrikkelijk moeizame werk van de specialisten. Aanvankelijk werd jarenlang in een afgescheiden gedeelte van papierfabriek Spechthausen bij Eberswalde, in de buurt van Berlijn, gewerkt. Begin '42 vond Heydrich de produktie in de papierfabriek in Spechthausen te weinig beveiligd en hij verplaatste deze naar blok 19 van concentratiekamp Sachsenhausen. Naujocks selecteerde uit andere concentratiekampen, uit gevangenissen en uit de Berlijnse onderwereld de beste valsemunters, chemici, papier- en drukspecialisten die hij kon krijgen. Ook joodse bankmensen die al in het concentratiekamp zaten, werden naar Sachsenhausen overgeplaatst. Daarna kreeg Heydrich ruzie met Naujocks en hij zorgde ervoor dat deze naar het front moest. Zijn opvolger heette Krüger. In Sachsenhausen werd het bedrijf groot opgezet. In 1943 werden er maandelijks zo'n vierhonderdduizend biljetten geproduceerd. Men zag er echter van af de kostbare vervalsingen boven Engeland uit te strooien en bracht ze via neutrale landen in omloop.'

Teddy Shimon fluisterde tegen Daniel: 'Nu moet hij eens ter zake komen!'

Daniel zei: 'En wat schrijft die Hagen over uw blok, meneer Gold? Over blok 31?'

'Geen woord. Hij wist niet wat er bij ons gebeurde, hoewel hij toch bij de SD was en beide blokken in hetzelfde kamp lagen. Dat geeft u misschien een beeld van hoe geheim wij werkten. Ik zou zeggen: nog veel geheimer dan de valsemunters. U moet zich dat zo voorstellen: blok 19 en blok 31 waren absoluut autonoom. Zelfstandige, zwaarbewaakte kampen bínnen het kamp. Nooit kwam iemand van ons of van de mannen in blok 19 met een onbekende gevangene in contact. We hadden onze eigen slaapruimte, kantine, verzorging. Hagen kon zijn feitenrelaas over de pondvervalsers schrijven en na de oorlog was er ook een Amerikaans-Engelse onderzoekscommissie en ontstond er grote opwinding. Over datgene wat wij in blok 31 deden is nooit door iemand ook maar een woord geschreven. Ook heeft niemand daarover ooit iets aan een ander verteld. Ik ben de eerste die zijn mond opendoet na meer dan veertig jaar.'

'En waarom doet u dat, meneer Gold?' vroeg Daniel.

'Omdat ik de enige ben die het overleefd heeft. En omdat de waarheid nu aan het licht moet komen,' zei Gold zacht.

'Welke taak had u in blok 31?'

'Ook vervalsen. Alles wat verband hield met de film. De normale gevangenen in het kamp, die wisten natuurlijk dat wij iets bijzonders waren, omdat wij in burger mochten rondlopen, beter eten kregen en dergelijke. Het gerucht deed wel de ronde dat in 19 en 31 vervalsers zaten. Tja, maar wát er vervalst werd, daarvan hadden de andere gevangenen geen idee. Dat wist trouwens alleen maar een handjevol mensen van de RSHA. Toen ik daar aankwam, trof ik cutters aan, geluidstechnici, belichters, mensen uit kopieerbedrijven, filmoperateurs. Ik kende een man van de UFA, mijn vriend Peter Lammers, geluidstechnicus en communist.'

'En wat vervalste u daar nu precies?'

'De grote sensatie kwam pas rond de jaarwisseling '43/'44. Tot dan toe vervalsten we propagandafilms, griezelfilms, films over militaire plannen en militaire operaties die in de handen moesten vallen van de geallieerden ...'

'Een ogenblikje, meneer Gold!' zei Daniel. 'Ongetwijfeld had u voor de griezel- en propagandafilms toch op z'n minst sprekers en commentatoren nodig.'

'Hadden we natuurlijk ook. En die moesten hun talen kennen. Zonder enig accent. Voor Frans en Russisch hadden we joodse buitenlanders die niet meer op tijd uit Duitsland weg hadden kunnen komen. Een Amerikaanse spreker deed het vrijwillig. Misschien hebt u wel eens van lord Haw-Haw gehoord? Dat was een in Amerika geboren Ier met de naam

William Joyce. *Germany calling! Germany calling!* Met die woorden begon de Duitse radio tijdens de oorlog zijn Engelse uitzendingen. Nou, de omroeper was deze William Joyce, die door de Engelsen lord Haw-Haw werd genoemd. Na de oorlog hebben ze hem voor de rechter gebracht en is hij opgehangen. Maar bij dit proces is niet de vraag beantwoord: was William Joyce een dwaze idealist of een gewetenloze misdadiger?'

'Maar Joyce werkte toch niet voor blok 31?'

'Geen sprake van! Die wist absoluut niets van blok 31. Nee, nee, onze specialist heette Richard Clark. Een ervaren radio- en bioscoopjournaal-man. En ook van hem zullen we nooit weten of hij een fanatieke gek of een smerige schoft was. In elk geval was hij een fantastische omroeper. De nazi's gaven hem net zo'n goede behandeling als lord Haw-Haw.'

Harry Gold sprak nu met gesloten ogen. Hij concentreerde zich op wat er kwam.

'Nu ja, in juni '42 werd Heydrich in Praag vermoord, is het niet? Zijn opvolger was Ernst Kaltenbrunner.' De stem van Gold veranderde niet, maar in zijn gezicht begonnen spiertjes te trillen toen hij hieraan dacht. Steeds levendiger werd de herinnering aan wat hij had meegemaakt. 'En nu komen we bij die film van u. Ik weet het allemaal nog heel precies. Het was 26 december '43, tweede kerstdag. Er reden twee vrachtwagens van de SS bij blok 31 voor – en een zwarte Mercedes. Daaruit stapte een man in burger. Hij was erg groot en had grote oorlellen. We werden in de eetzaal geroepen . . .' Verder en verder gleden de gedachten van Gold terug in het verleden . . .

De gevangenen zaten aan de tafels in de kantine. Buiten viel natte sneeuw in grote vlokken neer. Het was doodstil geworden. 'Mijn naam,' zei de grote man, 'doet niet ter zake. Ik ben SS-Sturmbannführer en breng u materiaal in verband met een *Gekados* van het hoogste niveau.' Gekados betekende *Geheime Kommandosache*, dat wist iedereen in de zaal. 'Van 28 november tot en met 1 december heeft in Teheran een conferentie plaatsgevonden met Stalin, Roosevelt en Churchill. Daarbij zouden Stalin en Roosevelt heel goed een geheime overeenkomst kunnen hebben gesloten, waarin die hyena's bij voorbaat de wereld onder elkaar verdelen. Een dergelijke overeenkomst zou door Harry Hopkins kunnen zijn uitgewerkt, de politieke adviseur van Roosevelt, en generaal Vorosjilov, de politieke adviseur van Stalin. Wij zijn in het bezit gekomen van een heleboel filmmateriaal – opnamen voor het bioscoopjournaal, gemaakt door Amerikaanse opera-teurs. Kodak-film. Ook opnamen van Hopkins en Vorosjilov natuurlijk. En van Roosevelt en Stalin. Men ziet ze zelfs ergens iets ondertekenen.'

'Maar hoe . . .' begon de communist Peter Lammers, en hij onderbrak zichzelf. 'Ik ben een sufferd. Neemt u mij niet kwalijk, Sturmbannführer. De SD natuurlijk. De beste agenten die we hebben.'

De SS'er keek hem met samengeknepen ogen geïrriteerd aan.

'Dan zal Canaris wel blij zijn,' zei Lammers snel.

'Je praat te veel,' zei de SS'er. 'Naam?'

'Peter Lammers, Sturmbannführer.'

'Hou je verrekte smoel, Lammers!'

'Zeker, Sturmbannführer.'

'Dat geheime verdrag – jullie zullen het niet geloven – hebben wij ook,' zei de hoge SS'er met de vastgegroeide oorlellen. 'Niet op film uiteraard. Het is een lang verdrag. Moet door jullie in de film worden gemonteerd. Ik breng nauwkeurige instructies mee op welke plaats wat moet komen. Het verdrag moet helemaal worden gefilmd. Pagina voor pagina. Kodak-film hebben jullie hier genoeg. Het verdrag wordt door een specialist in Mauthausen op een Amerikaanse machine uitgetikt en wel precies zoals de Amerikanen het doen. Alle pagina's hebben het Amerikaanse formaat. Jullie hoeven je geen zorgen te maken over de absolute juistheid daarvan. Is onderzocht door experts op het gebied van het volkenrecht. In de Prinz-Albrecht-Strasse. Er zitten geen fouten in. De schrijver van de tekst heeft voor de oorlog in Amerika bij een universiteit gewerkt. Uitstekend, dat geheime verdrag, prima, primissima. Verrekte slim, die jood.'

'Die is natuurlijk intussen de pijp uit,' zei Harry Gold.

'Longontsteking. Je vermoeden is juist, eh . . .'

'Gold, Sturmbannführer. Harry Gold.'

'Ook een slimme jood, hè?'

'Zeker, Sturmbannführer. Dan zal wel iedereen die nu die film in elkaar gaat knutselen aan longontsteking of iets anders de pijp uitgaan, bedenk ik me net.'

'Dat had je al kunnen bedenken toen je de eerste griezelfilm vervalste, Gold. Toch niet zo'n slimme jood, hè?'

'Nee, ik vrees van niet.'

De SS'er werd joviaal: 'Doe het nu maar niet in je broek, hoor. Hoe lang werk je hier al?'

'Bijna twee jaar, Herr Sturmbannführer.'

'Drie jaar,' zei Lammers.

'En heb je het niet fantastisch gehad in die tijd?'

'Fantastisch,' zei Gold.

'Jullie zouden allang onder de groene zoden liggen als jullie niet zulke vaklui waren. Nu leven jullie al twee, drie jaar langer dan jullie toekomt. Als de film goed lukt en we er echt iets mee kunnen beginnen, blijven jullie in leven en blijven jullie het fantastisch hebben. Daarop geef ik jullie mijn erewoord.'

'Maar degene die het verdrag heeft ontworpen . . .' begon Lammers.

'Die hadden de heren niet meer nodig, stommeling,' zei Gold tegen hem.

'Toch een slimme jood,' zei de SS'er. 'Zo is het precies, Lammers. Maar júllie blijven we nodig hebben. Als jullie dood zijn, kunnen jullie geen vervalsing meer maken. Elke dag dat lui als jullie leven, is een geschonken dag. Dat moeten jullie jezelf voortdurend voor ogen houden!'

'Hoor je, Peter?' zei Gold. 'Hoor je wat de Sturmbannführer zegt? Zeg ook ik je niet dagelijks dat we ons dat altijd voor ogen moeten houden – in diepe dankbaarheid? En daarom zo goed moeten werken als we maar kunnen?'

'Ja, en hoe lang nog?' zei Lammers somber.

'Als het je zo niet past en je meteen dood wilt, hoef je het maar te zeggen,' merkte de grote man met de vastgegroeide oorlellen op.

'Hij heeft vandaag zijn dag niet, Herr Sturmbannführer,' zei Gold haastig. En tegen Lammers: 'Beheers je, stommeling! Eens moeten we allemaal dood. Of denk je soms dat jij het eeuwige leven hebt?'

'Je bevalt me, Gold,' zei de SS'er. 'Dat is de juiste instelling. Jij zou het bij ons ver hebben kunnen brengen. Jammer dat je jood bent.'

'Ik had het niet voor 't zeggen, Herr Sturmbannführer. En Lammers ook niet. Hij is een produkt van zijn milieu en opvoeding. In armoe opgegroeid. Vader zonder werk. Moeder dood. Behuizing: vochtig keldergat. De vader drinkt. Is niet goed meer bij z'n hoofd. Daarom gaat hij naar de communistische partij. Daar krijgt hij een beetje ondersteuning. Rode Hulp, hè? Zou hij bij u ook hebben gekregen, andere hulp natuurlijk, dat weet ik wel. Maar goed. Voedt de jongen op als een echte communist. Wat kon het ventje eraan doen? Tegenspreken? Kreeg hij altijd meteen een paar draaien om zijn oren. Ik zeg het toch: opvoeding en milieu. Zo fijn was het in zijn keldergat ook niet.'

'We hadden tenminste geen ratten. Die vonden het te vochtig bij ons,' zei Lammers.

'Kostelijk!' De Sturmbannführer schoot in de lach. 'Het was de ratten te vochtig bij jullie!' Hij werd serieus. 'Goed, tot nu toe hebben jullie uitstekend werk geleverd. Het Rijk grote diensten bewezen. Wij zijn geen gangsters. Jullie weten dat er erejoden bestaan. Ook erecommunisten. Weleens iets gehoord over gratieverlening door de Führer? Natuurlijk mogen jullie nooit je mond opendoen. Maar dat doen jullie vast niet – omdat jullie eigen mensen jullie dan doodslaan. Het hangt er helemaal van af hoe de film wordt. Dat snappen jullie toch, dat de film met het geheime verdrag enorme gevolgen zal hebben als jullie het goed doen. Het kan zelfs van doorslaggevend belang voor de oorlog zijn.'

'Herr Sturmbannführer,' zei Gold, 'u krijgt een film waar de hele wereld over spreekt!'

Deze scène had Harry Gold plotseling weer voor de geest gestaan, toen hij steeds verder in het verleden teruggleed en voor de lopende camera en in het felle licht van de schijnwerpers een kort verslag van de eerste ontmoeting met de Sturmbannführer gaf.

Nu zei hij: 'Velen zeggen dat ik een slechte jood ben. Ik had nooit mogen samenwerken met die nazi-misdadigers. Mijn hele familie – alleen mijn zus niet – is om het leven gebracht. Goed, ik had dus een held moeten zijn en moeten weigeren voor die moordenaars te werken. Ik ben geen held. Ik ben een lafaard. Daarom leef ik nu nog . . .'

Een vliegtuig denderde over het huis. De geluidsman stopte. Toen het lawaai voorbij was en de camera en de bandrecorder weer liepen, zei Daniel: 'En toen hebt u dus die film vervalst, meneer Gold?'

'Ja,' zei deze. 'Het was een hele klus. Waar we allemaal niet op moesten letten! De Amerikaanse cutters hadden destijds een andere snijmethode dan wij in Duitsland. Ik kende die gelukkig. En u kunt zich voorstellen wat Peter Lammers met het geluid heeft afgetobd.'

'Hoezo?'

'Nou, bij de opnamen voor het geheime verdrag werd een begeleidende tekst opgelezen, niet? De Amerikanen hadden in die tijd ook andere geluidsapparatuur. Peter knutselde er zelf een in elkaar. We hadden immers Amerikaanse bioscoopjournaals en Peter had daardoor vergelijkingsmateriaal: hoe het Amerikaanse geluid klonk en hoe de commentatoren daar spraken. Dat was heel belangrijk voor Richard Clark, onze commentator. Dagenlang, wekenlang heeft hij erop gezwoegd. Stond voor het doek waarop de gemonteerde film werd geprojecteerd en sprak en sprak, en nooit was het hem perfect genoeg. Op het laatst liepen we allemaal op ons tandvlees. Toen was Clark eindelijk tevreden. Lammers ook. Ik moet zeggen, met recht. Zo'n perfectie had ik nog nooit meegemaakt. In die tijd hadden we nog optische geluidsregistratie, geen magnetische registratie zoals tegenwoordig. Er ging van alles fout. Maar toch: grandioos wat Clark en Lammers daar voor elkaar hebben gekregen! Het was een rotkarwei, ervoor en erna.'

'Wat bedoelt u met ervoor en erna?'

'Nou, bijvoorbeeld het kopiëren van de hele zaak. Het moest toch allemaal bij elkaar passen. Maar ook weer niet. Het geheime verdrag moest er immers tussengevoegd lijken! Dus andere zwart-witwaarden. Wat hebben die jongens daarmee afgetobd, zeg! En dan de fouten!'

'Wat voor fouten?'

'We hadden uiteraard een onberispelijke kopie kunnen afleveren.'

'Zeker.'

'Maar dat zou verkeerd zijn geweest. De film kwam immers zogenaamd uit Teheran, nietwaar? Primitieve werkomstandigheden. Dus moesten we expres krassen en geluidsverspringingen en nog meer van die dingen aanbrengen, de piepkleine foutjes die zo'n film gewoon moest hebben, wilde hij er niet uitzien alsof hij in Hollywood was opgenomen. Was me dat een toestand! Elke kras diende weloverwogen te worden aangebracht. Hoe groot. Waar. Want natuurlijk mochten er ook weer niet te veel fouten zijn. Nou ja, begin maart '44 waren we eindelijk klaar met het karwei.'

'En wat gebeurde er toen?'

'De Sturmbannführer zonder naam kwam naar Sachsenhausen, samen met Kaltenbrunner, het hoofd van de SD, en nog een hoge SD'er, Walter Schellenberg.'

'Hoe weet u dat zij het waren? Stelden ze zich voor?'

'Geen sprake van! Maar we hadden immers veel politieke gevangenen. Zij en Lammers herkenden hen. De SS-bonzen bekeken de film . . .'

'Alleen die drie?'

'En Lammers en ik. De SS-bonzen waren razend enthousiast. Ze bedankten iedereen. Kaltenbrunner gaf ons allemaal een hand. Daarna vertrokken ze met de film.'

'Weet u wat ermee gebeurde?'

'Nee.'

'U hebt er nooit meer iets over gehoord?'

'Nooit, nee. Er moet iets voorgevallen zijn.'

'Voorgevallen?'

'Met de film. Ze hebben hem toch niet laten maken om hem in de kast te leggen. Ze wilden er toch de volkeren mee opruien. Dat hebben ze nooit gedaan. Geen mens heeft ooit ook maar iets van die film gehoord – tot op dit moment. Zeer merkwaardig . . .'

Daniel dacht na. Eindelijk zei hij: 'Meneer Gold, vanmorgen is u in de studio een film getoond die in ons bezit is gekomen. Is deze film identiek aan de film die u hebt vervalst?'

'Uiteraard.'

'U bent daar absoluut zeker van?'

'Voor de volle honderd procent. Wat . . .'

'Wacht u even. U zei dat u en uw collega's deze film in opdracht van de SD van Himmler hebben vervalst.'

'Ja, natuurlijk. Voor het RSHA.'

'En u bent er heel zeker van dat u niet om de tuin bent geleid?'

'Waarom zou men dat gedaan hebben? De SD heeft immers in blok 19 ook de valse pondbiljetten laten aanmaken. Ik weet toch wel voor wie ik gewerkt heb!'

'Wat weet u van admiraal Canaris?'

'Dat was het hoofd van de militaire inlichtingendienst.'

'Dus ook een geheime dienst.'

'Zeker. Daar waren er een heleboel van. De geheime veldpolitie bijvoorbeeld. Of de geheime dienst van Von Ribbentrop.'

'Daarmee had u nooit iets te maken?'

'Nooit! Ook niet met een andere. Alleen met de SD van het RSHA. Met Kaltenbrunner, Schellenberg en de Sturmbannführer die niet zei hoe hij heette. Ik begrijp niet wat die vraag te betekenen heeft.'

'Vergeet u het maar. Ik wilde alleen nog eens uit uw mond horen dat u voor de veiligheidsdienst van het Reichssicherheitshauptamt en voor niemand anders hebt gewerkt,' zei Daniel. Hij keek Teddy Shimon aan, die zijn wenkbrauwen optrok en fluisterde: 'Ik geloof hem.'

'Wat gebeurde er na half mei '44?'

Schouderophalend antwoordde Gold: 'We bleven in de gewone dagelijkse sleur. We vervalsten films met gruweldaden en al het andere wat we voordien hadden vervalst. Toen, in november 1944, werden wij en de valsemunters uit blok 19 overgeplaatst. De situatie was al zeer ernstig en ze wilden ons uit de buurt van Berlijn hebben.'

'Waarheen werd u overgeplaatst?'

'De valsemunters kwamen in een kamp bij Redl-Zipf in Oostenrijk terecht. Dat is een plaatsje tussen Linz en Salzburg. Als het al bij iemand bekend is, dan is dat door zijn bierbrouwerij. Wij, de filmmensen, werden in een oud kasteel ondergebracht, ongeveer dertig kilometer ten zuidwesten van Redl-Zipf. De Sturmbannführer was nu altijd aanwezig en ook een hoop SS'ers voor de bewaking. Geen sterveling heeft ons ooit te zien gekregen. De oorlog was allang verloren, dat wist iedereen, maar wij gingen nog steeds door met ons werk. Ook de valsemunters in Redl-Zipf.' Gold hield het boek weer omhoog. 'Daarover schrijft Hagen zeer diepgaand en nauwkeurig. Wat zíj deden had tenminste zin – in tegenstelling tot ons. Want de nazi's dachten verder dan het eind van de oorlog en hadden met het valse geld enorme plannen. Ons mooiste moment, als je dat zo wilt noemen, was de Teheran-film geweest en daarmee was iets fout gegaan.'

'Wat voor plannen?'

'Ik begrijp u niet.'

'Wat voor enorme plannen hadden de nazi's na het einde van de oorlog?'

Gold tikte op het boek. 'Ze wilden met het geld nieuwe organisaties in het buitenland opbouwen en financieren, èn de internationale geldmarkt in de war sturen. Daarom hadden ze geld nodig voor de vlucht van nazi-misdadigers en middelen voor spionnen en sympathisanten. U moet echt *Onderneming Bernhard* lezen! Toen daarna de Amerikanen kwamen, begin mei '45, werden we bang. De valsemunters ook. Zij uiteraard ten onrechte. Hen gebeurde absoluut niets. De Amerikanen bevrijdden hen en verhoorden hen over het vervalsen van de bankbiljetten. Dat werd indertijd een reusachtige affaire. Grote artikelen in de *Reader's Digest*! Een Tsjechische gevangene deelde mee dat vanaf '42 tot aan het eind van de oorlog honderdvijftig miljoen pond was aangemaakt en voor het grootste gedeelte naar het buitenland was overgebracht. Een zeer groot bedrag ging richting Zuid-Amerika, met name naar Argentinië. U weet wat de ODESSA was?'

'Ja, dat weet ik.'

'Nou, die werd ook verscheidene keren met dat geld gefinancierd. Interessant is dat *Onderneming Bernhard* niet voor het tribunaal in Neurenberg is vermeld en Schellenberg werd daarom niet aangeklaagd. De Engelsen hebben de Amerikanen verzocht niets te ondernemen, schrijft Hagen. De bankbiljetten werden in de oorlog vervalst en de Engelsen vonden dat een "toegestane krijgslist". Zij hadden tenslotte ook vervalste bonkaarten boven Duitsland rondgestrooid. Dan verging het ons, de filmmensen, veel slechter.'

'Wat gebeurde er met u?'

'Op 1 mei '45 vernietigden de mensen van de SS alle apparatuur en alle documenten. Er mocht geen spoor van achterblijven. We werden in een kelder gedreven en tegen de muur gezet, ook mijn vriend Peter Lammers en onze Amerikaanse commentator Richard Clark. De SS'ers gebruikten een machinegeweer. Ze vermoordden iedereen. Geen getuigen.'

'Maar u leeft nog.'

'De goede God heeft mij gered. Ik kreeg slechts een schampschot aan mijn rechterarm en viel direct neer voordat ik door andere kogels werd geraakt. Er vielen twee doden boven op mij. De SS'ers begonnen nu voorbereidingen te treffen om het kasteel de lucht in te laten vliegen. In die tijd lukte het mij uit de kelder te kruipen en te ontkomen. Ik verborg mij in het bos en zag hoe het kasteel de lucht in vloog en hoe de SS'ers en de Sturmbannführer ervandoor gingen – in westelijke richting. Ongetwijfeld hebben ze zich overgegeven aan de Amerikanen. Toen ze weg waren, strompelde ik naar de dichtstbijzijnde boerderij. De mensen daar hielpen mij zo goed ze konden – maar toen arriveerden ook daar de Amerikanen en die gaven mij een goede medische behandeling.'

'Wat hebt u de Amerikanen verteld?'

'Zo min mogelijk. Dat ik in Sachsenhausen had gewerkt in het blok waar films werden vervalst. Propaganda, foutieve militaire informatie. Ze wisten natuurlijk dat dergelijke valse films werden geproduceerd, maar ze wisten niet wáár. Nou, dat heb ik hun verteld. Ook dat we naar Oostenrijk waren overgebracht en dat de SS alle vervalsers met uitzondering van mij hadden doodgeschoten en het kasteel in de lucht hadden laten vliegen. In vergelijking met de verklaringen van de valsemunters, was hetgeen ik te vertellen had volkomen oninteressant voor de Amerikanen. De Engelse bankbiljetten, dat was pas sensatie.'

'Nu, dè sensatie zou toch de vervalste Teheran-film zijn geweest, meneer Gold, als u daarover ook maar met één woord had gerept. Maar dat hebt u niet gedaan.'

'Nee.'

'Waarom niet?'

Harry Gold riep plotseling uit: 'Omdat ik bang was! Omdat ik zo verschrikkelijk bang was!'

'Voor de Amerikanen?'

'Onzin, niet voor de Amerikanen. Voor de nazi's! Er waren er in die tijd nog zoveel. Verborgen. Ondergedoken. Die zouden mij toch dadelijk uit de weg hebben geruimd als er via mij iets over die film zou zijn uitgelekt. Zijn er nog niet genoeg slachtoffers van de nazi's in mijn familie gevallen? Moest ik mijzelf soms in levensgevaar brengen? Als u in mijn plaats was geweest, zou u dan iets hebben gezegd?'

Stilte.

'Ziet u wel,' zei Harry Gold.

'Maar nu praat u wel,' zei Daniel. 'Nu vertelt u ons alles. Bent u nu niet bang meer?'

'Nee, nu ben ik niet bang meer. Ik ben niet gek. Ik weet dat er nog altijd nazi's in Duitsland zijn. Die vervloekte neo-nazi's. Maar nu staat er zoveel op het spel dat ik wel praten móet. Ik denk dat ik de enige ben die dat kan. Ze hebben Kaltenbrunner in Neurenberg opgehangen, Schellenberg is er goed afgekomen, maar bij hem stelden de overwinnaars alleen maar belang in de valsemunterij. Geen mens vermoedde dat hij ook met de film te maken had. En nu is hij allang dood.'

'En u hebt er nooit aan gedacht dat die film net als de Engelse bankbiljetten wel eens voor de tijd ná de oorlog zou kunnen zijn bedoeld?'

'Daar heeft niemand van ons aan gedacht.'

'Goebbels wel.'

'Goed. Goebbels wel. Ik heb me toch ook direct ter beschikking gesteld toen ik erover hoorde. Alsjeblieft geen opwinding rond die vervloekte film! Die film is vervalst. Ik heb eraan meegewerkt hem te vervalsen. Iedereen die iets anders zegt, liegt. Hij is vervalst! Vervalst! Nooit hebben de Russen en Amerikanen de wereld onderling verdeeld! Ik zweer bij God dat ik . . .'

De telefoon rinkelde. De assistent van de geluidsman nam aan en noemde het abonneenummer.

'Het spijt me, hij heeft het druk. Wilt u over een uurtje nog eens bellen?'

'Wie was dat?' vroeg Gold.

'Hij noemde zich Anton. Wilde u spreken. Niets belangrijks, zei hij. Zal u straks terugbellen.'

'Kijk 's aan, dan doet hij het inderdaad weer,' zei Gold.

'Uw telefoon?' vroeg Daniel en hij riep: 'Doorgaan met de opname! Niet stoppen!' Daarna wendde hij zich weer tot Gold: 'Was uw telefoon niet in orde?'

'Nee. Ik had er helemaal niets van gemerkt, tot die man van de telefoondienst kwam en het tegen me zei. Hij heeft hem gerepareerd.'

'Was er een man van de storingsdienst bij u?' vroeg Daniel heel langzaam.

'Dat zeg ik u toch, meneer Ross.'

'Wanneer?'

'Vanochtend. Zo tegen elven. U had mij net van de filmvertoning in de studio thuisgebracht. Toen belde een man aan. Zei dat anderen hadden geklaagd dat ze mij niet konden bereiken. Hij zou het dadelijk in orde maken.'

'En u hebt die man binnengelaten?'

'Natuurlijk. Een keurige man. Liet mij zijn legitimatie zien. Wie wil nou een kapotte telefoon? Had een gereedschapstas bij zich. We hebben voordat hij wegging samen nog een glas bier gedronken. Fooi wilde hij niet aannemen.'

'Hoe heette de man?'

'Zijn naam ben ik kwijt.'

'Stoppen, graag!' zei een rechercheur. 'Dat zullen we eens bekijken, die telefoon.'

De schijnwerpers werden gedoofd, camera en geluidsapparatuur werden uitgeschakeld. De rechercheur liep samen met een collega naar het telefoontoestel dat op een tafeltje stond. Een van hen schroefde het plastic kapje van het spreekgedeelte af en haalde er een elektronisch elementje uit.

'Heel fraai,' zei hij.

'Wat heeft dat te betekenen?' vroeg Gold geschrokken.

'Dat betekent dat die vent vanmorgen een afluisterapparaat in uw telefoon heeft gemonteerd. En wel volgens de nieuwste methode. Dit hier is een hypergevoelig microfoontje. Registreert alles wat er in het vertrek gezegd wordt, zacht of hard. Degene die afluistert draait dan uw nummer.

Weliswaar gaat hier de telefoon niet over, maar de verbinding komt tot stand zonder dat u het weet.'
'U bedoelt dat iemand anders heeft meegeluisterd?'
'Waarschijnlijk elk woord, meneer Gold.'
'Goeie hemel, maar wie?'
'Ja, wie?' vroeg Teddy Shimon zacht.
Daniel draaide zich om naar de televisiemensen. 'Ik wil deze scène ook opgenomen hebben. Draai de camera's om! Opnieuw belichten! En dan herhaalt u samen precies datgene wat u daarnet heeft gezegd, goed?'

'Dat was het.' Wayne Hyde legde de telefoonhoorn neer. Hij zette een grote bandrecorder uit die op de telefoon was aangesloten. De spoelen die langzaam hadden gedraaid, stonden stil. Hyde liet de band teruglopen.
'Dat heb je prima gedaan,' zei Hyde tegen Heinz Erkner, die hij bij een actie op Cyprus het leven had gered.
'Stelde niks voor, jongen,' zei Erkner. Hij was aan de dikke kant en had enorm grote, rode handen. Zijn zwarte haar glom. Erkner gebruikte brillantine. Tijdens het afgelopen uur dat Hyde aan de telefoon had doorgebracht, had hij aan het bureau in zijn werkkamer de laatste week-afrekeningen van de drie pornobioscopen en twee peepshows doorgenomen. Erkners gezicht toonde een uiterst tevreden uitdrukking. Hij had een villa aan de Rödelheimer Parkweg, naast het Brentanopark in het noord-westen van Frankfurt, ver van de wijk Kuhwald en het huis van Harry Gold verwijderd.
'Japanse chips zijn nog altijd de beste,' zei Hyde. 'Luister, Heinz, ik moet even Londen opbellen.'
'Doe dat dan, jongen.'
'Maar het kan wel even duren en het zal veel geld kosten.'
'Nou, wat geeft dat? Mijn poesjes brengen toch een hoop poen binnen. Ik heb je de knapste drie aangeboden. Maar die wil je niet. Oké, oké, dat is jouw zaak. Ga dan maar telefoneren!'
'Bedankt, Heinz.'
'Bedankt! Schei nou toch uit! Zal ik weggaan?'
'Nee, blijf maar.' Wayne Hyde haalde de kleine witte decoder uit zijn zak. Hij draaide het nummer van de advocaat in Londen, hief de blokkering van de automatische telefoonbeantwoorder op en zei: 'Goedenavond, mr. Morley! Met Wayne Hyde in Frankfurt. Het televisie-interview met Harry Gold heeft plaatsgevonden. Ik heb alles opgenomen en zal het nu voor u afdraaien.' Hyde zette de bandrecorder weer aan en wachtte even. De hoorn hield hij vlak bij de luidspreker. Helder en duidelijk klonk de stem van Harry Gold: 'Jawel. Ik houd van Duitsland. Duitsland is mijn vader-land. Ik zou in geen ander land kunnen leven ...'

De hitte in Buenos Aires was minder geworden. Overdag was het nog maar dertig graden. De eenzame, oude Cristobal, die in de Husares tegenover de exercitieterreinen en kazernes van het *Regimento 3 de Infanteria General*

Belgrado woonde en in de laatste weken van het heetste jaargetijde vrijwel naakt, alleen met een lendedoek om, had rondgelopen, droeg nu een dunne pyjama. Cristobal sliep op een primitief ijzeren ledikant in een kamer die uitkeek op een rustige binnenplaats. Hij lag op zijn rug, had zijn handen op zijn borst gevouwen en glimlachte. Cristobal droomde. In zijn droom was hij weer twaalf jaar.

Zijn vader werkte bij de gemeentelijke vuilophaaldienst, zijn moeder ging uit werken bij vreemde mensen en ze waren straatarm. Maar ze hielden van elkaar en dus bleven ze gelukkig. Cristobal had de mooiste stem van alle jongens op school. Hij mocht 's zondags in de kerk zingen, een armoedige kerk in een armoedige streek en 's zondags was hij altijd stampvol. Alle gelovigen waren net zo arm als Cristobals ouders of nog armer, en daarom waren ze vroom, want de priester sprak altijd zo prachtig over de gerechtigheid van de ontfermende God en dat een ieder die in Hem en in zijn eniggeboren Zoon geloofde, zalig zou worden. Dus geloofden alle parochieleden, de volwassenen evenzeer als de kleine kinderen, daar vurig in. Want ze wilden allemaal zalig worden.

Zalig worden begon voor Cristobal op zijn twaalfde verjaardag. Toen kreeg hij een kaartje cadeau voor de kleine bioscoop op de hoek, waar Amerikaanse films werden vertoond. Het was een kaartje voor een plaats op de eerste rij, dat kostte het minst. En het ventje in de korte broek, het katoenen shirt en de vuile blote voeten moest zijn hoofd ver achteroverbuigen om naar het doek te kunnen opkijken, maar dat vond hij niet erg. De film verhaalde van het leven en het werk van een man en een vrouw, ze waren getrouwd en van beroep fysicus en ze ontdekten na oneindig veel geduld het wonderbaarlijke, aan zieken zegen brengende element radium. De hele film waren ze hard aan het werk en pas aan het eind – op een oudejaarsavond keerden ze terug naar het koude laboratorium om te kijken of alle proeven goed verliepen – sloeg het uur van hun gelukzaligheid. Het laboratorium was een oude, vervallen broeikas en toen de Curies binnenkwamen, zagen ze in de diepe duisternis op een tafel in een glazen schaal een zeer kleine hoeveelheid van een helder stralende substantie: na tientallen jaren werk was het hun gelukt radium in zijn zuivere samenstelling te isoleren.

Nadat Cristobal deze film had gezien, wist hij wat hij later wilde worden: natuurkundige, net als señor en señora Curie. En ook hij wilde een element vinden dat zieken zou helpen. Daar dacht hij vanaf dat moment onophoudelijk aan en elke zondag, in de kerk vol arme mensen waar zoveel over zalig worden werd gesproken, dacht Cristobal heel sterk aan zijn voorbestemde toekomst. Dan zong hij zo mooi, dat de meeste mensen, zelfs de priester en de kleine kinderen, het treurige dagelijkse leven vergaten. Nu ziek en eenzaam op zijn ijzeren bed, zag Cristobal zichzelf voor in de kerk bij het altaar staan en hoorde hij zichzelf zijn lievelingslied zingen, begeleid door een oud, kapot orgel: 'O, hoe zalig zijn de zielen, die in Jezus handen vielen, die zijn levensadem vult, dat zij Hem vurig verwachten, uur na uur slechts naar Hem smachten, met een eindeloos geduld!'

De telefoon in de voorkamer rinkelde luid.

De oude man schoot overeind. Zijn hals en borst waren nat van het zweet; dat kwam door zwakte, wist hij. Omdat hij zo verzwakt was, moest hij ook overdag gaan liggen om een of twee uur te slapen – zoals nu. De telefoon ging zo hard over, dat deze hem altijd wekte.

Cristobal stond op en glimlachte bij de herinnering aan zijn droom, ondertussen naar voren sloffend. Hij glimlachte nog steeds toen hij de hoorn opnam, want hij dacht eraan dat hij ooit een weldoener der mensheid had willen worden.

'Ja?' Hij liet zich in een rieten stoel vallen. Vanaf het exercitieterrein aan de overkant klonken bevelen en gestamp van laarzen. Daar werden in de middaghitte rekruten gedrild. Arme drommels, dacht Cristobal.

'Met Franco,' zei een zeer jeugdige mannenstem. 'Emilio is bij mij. Halfvier. We melden even dat wij nu naar Olivera in de Cespedes 1006 rijden om Roberto en Esteban af te lossen.'

'Ik heb op je telefoontje gewacht, Franco,' zei de oude man. 'In welke wagen rijden jullie vandaag?'

'In een Peugeot, zwart.'

'Goed. Jullie mogen nooit vergeten je door onze garage een ander merk te laten meegeven om te voorkomen dat jullie daar bij Olivera opvallen. Na een paar dagen kunnen jullie weer de oude wagen nemen, als jullie hem tenminste ergens anders neerzetten. Dat heb ik ook tegen Roberto gezegd. Het is van het grootste belang dat het huis van Olivera dag en nacht wordt bewaakt en jullie alle mensen in de gaten houden die komen en gaan.'

'Duidelijk, Cristobal. We gaan nu dus naar Olivera.'

'Nee, dat doen jullie niet,' zei Cristobal. 'Ik heb een opdracht voor jou en Emilio. Komt van boven. Uiterst belangrijk. Roep via de radio Roberto op en zeg tegen hem dat hij vandaag moet overwerken. Jij rijdt dadelijk naar dok Sur, naar de grote olieraffinaderij en de tanks. Ken je daar een straat die Debenedetti heet?'

'Jezus, de rattengrens! Wat moeten we in die uithoek?'

'In die uithoek, op Olimpia 15, wonen de ouders van Miguel Morales.'

'De ouders van wie?'

'Miguel Morales. Die knappe jonge bediende van Olivera. Je weet wel: jullie tweeën, Emilio en jij, zijn hem gevolgd in de nacht toen hij bij Olivera vertrok.'

'Natuurlijk, nu weet ik het weer. Ze zijn met hem naar het Retiro gereden en hebben hem op de nachttrein naar Tucuman gezet. Ik heb gezien dat ze voor hem een kaartje naar Tucuman kochten. Verdraaid ver weg in het noorden. Hij heeft twintig uur gereisd. Maar wat is daar nu mee, Cristobal?'

De oude man slaakte een zucht: 'We moeten zo snel mogelijk uitzoeken of hij nog steeds in Tucuman zit. Of waar hij anders zou kunnen zitten, want ik wil hem ontmoeten.'

'Cristobal! Weet jij wel hoe groot Tucuman is? En hij kan overal zitten. Weet jij wel hoe groot Argentinië is?'

'Dat weet ik heel goed, kleine schijtebroek. Daarom moeten jullie immers naar de rattenwijk bij dok Sur, naar Olimpia 15. Je hebt een plattegrond in de auto. Zoek de weg op. En ga met zijn ouders praten. Miguel is een goede zoon. Daar zijn we inmiddels achter. Hij heeft altijd bijna al zijn geld aan zijn ouders afgedragen. Zijn moeder is ernstig ziek.'

'Ja, ja, ja, Cristobal. Wil je me nu eindelijk vertellen wat ik bij die vervloekte ouders moet?'

'Je bent een oude vriend van Miguel, moet je tegen hen zeggen. Je bent een jaar weggeweest. Moet hem beslist spreken. Je hebt een prima baan voor jullie samen in het vooruitzicht. Maar hij is niet meer op de plaats waar hij een jaar geleden werkte. Hij heeft jou verteld dat zijn ouders altijd weten waar hij zit. Dus je vraagt of zij jou dat willen zeggen.'

'En als ze niet willen?'

'Je hebt toch een prima baantje voor hem! Waarom zouden ze niet willen?'

'Misschien heeft hij het hun verboden. Misschien weten ze wat hij heeft gedaan.'

'Franco! Het zijn heel primitieve mensen. Ze weten absoluut niets. Miguel heeft hen vast niet verteld dat hij een spion van de junta is. Zou jij dat tegen je ouders vertellen?'

'Je hebt gelijk.'

'Miguel is een moederskindje gebleven, altijd. Schrijft beslist elke week. Probeer de enveloppen te zien te krijgen. Daar moet het adres op staan.'

'Oké, oké, het juiste adres dus van Miguel Morales.'

'Precies. Als je het hebt, bel je me dadelijk op, Franco!' De oude man lag achterovergeleund in de versleten stoel. Eensklaps glimlachte hij weer. Met een hoge, ijle stem zong hij zacht met wiegend hoofd: '. . . dat zij Hem vurig verwachten, uur na uur slechts naar Hem smeekten, met een eindeloos geduld!'

9

'En als Harry Gold liegt?' vroeg Emanuel von Karrelis, intendant van studio Frankfurt. Hij was negenenvijftig jaar, groot, slank en had een zeer gevoelig gezicht met warme, bruine ogen en mooi gevormde lippen. Hij zat in een leren fauteuil met zijn benen over elkaar geslagen en de toppen van zijn lange, slanke vingers tegen elkaar gedrukt. Zijn bruine kostuum was afkomstig van een kleermaker uit de Londense Savile Row, bij wie hij al zijn pakken liet maken. Hij droeg een zijden overhemd met een geborduurd monogram en zijn bruine schoenen kwamen van Ferragamo, de beroemde schoenmaker uit Florence. Daar, in een enorm magazijn, stonden gipsvormen van zijn voeten. In rekken waren daar talloos veel gipsvormen opgeslagen: die van de rederijkoning Niarchos, van de filmster Sophia Loren, van president Reagan en minister van Buitenlandse Zaken Gromyko, van de koningin van Engeland en haar echtgenoot, van Frank Sinatra en

Caroline van Monaco, evenals die van bankdirecteuren, wapenfabrikanten, wereldberoemde pianisten en wereldberoemde schilders. De heer Von Karrelis was geen snob. Hij hield er alleen van zich goed te kleden – net als Conrad Colledo die tegenover hem zat. Deze droeg zoals vrijwel altijd een blauw kostuum, een blauw overhemd en een zwarte stropdas met geborduurde zilveren olifantjes. Deze twee mannen zaten samen met vier anderen in de werkkamer van de intendant op de bovenste verdieping van het kantoorgebouw bij Königstein. Had Colledo een kamer met vier ramen als statussymbool, de intendant resideerde in een kamer met zes ramen die zo groot leek als een Engelse club. En zo was deze ook ingericht, met zijn donkere mahoniehouten panelen langs de muren en exquise meubelen. In het vertrek bevond zich een goed gesorteerde bar met krukken bij de tapkast, en er hingen schilderijen van Georges Braque aan de muren. De vloer was bedekt met tapijten. Drie staande schemerlampen met zijden kap verspreidden een zacht licht.

'Waarom zou hij liegen?' vroeg Mercedes. Ze zat naast Colledo. Bovendien waren nog Daniel, Hans Kleinhals, de hoofdredacteur van de omroep, en de juridisch adviseur dr. Volker Brandt in Von Karrelis' kantoor aanwezig. Kleinhals zag eruit als een eerzuchtige boekhouder, de jurist als een Beatle. Hij was ook net zo nonchalant en een beetje merkwaardig gekleed. Ondanks zijn jeugdige leeftijd werd hij door zijn collega's al beschouwd als een van de beste juristen van de Bondsrepubliek.

'Tja,' zei het jonge genie nu vriendelijk tegen Mercedes, 'hij zou bijvoorbeeld kunnen liegen omdat de Israëlische ambassade hem dat verzocht heeft. Refererend aan het feit dat de joodse staat zonder permanente hulp van de Verenigde Staten op economisch, financieel en militair gebied te gronde zou gaan. Dat zouden de Amerikanen de Israëli's te verstaan kunnen hebben gegeven toen ze om die kleine gunst verzochten, nietwaar? En dat zou de heer Shimon van de ambassade op zijn beurt te verstaan gegeven kunnen hebben aan de heer Gold, die jood met de Duitse nationaliteit met zijn tranenverwekkende liefde voor het land waarin al zijn naaste familieleden werden vermoord – wat ik absoluut niet kan volgen.'

'Als u dat werkelijk denkt, zou u ook in overweging moeten nemen dat professor Kant heeft gelogen, en dat de notitie in het werkjournaal van de dienst van Von Ribbentrop, waarvoor een andere man, Herbert Kramer in Koblenz, moest sterven, door de nazi's is vervalst om de film nog echter te laten lijken,' zei Mercedes.

'Dat neem ik zonder meer in overweging,' zei de jonge dr. Volker Brandt. 'En ik denk dat we dat allemaal moeten doen. Stel dat de getuigen liegen en anderen worden vermoord, alleen om een bepaalde indruk te wekken? Een geweten bezitten die moordenaars niet. Maar misschien hebben ze een gecompliceerd plan waar wij niets vanaf weten.'

'Dat bedoel ik nu juist,' zei de intendant, met een Ferragamos-schoen wippend. 'Misschien liegt zelfs uw vader wel, meneer Ross – neemt u mij niet kwalijk.'

'U hoeft zich niet te verontschuldigen.' Daniel schudde het hoofd. 'Daar

365

loop ik al een hele tijd over te denken. Maar ik kan niet geloven dat Harry Gold liegt.'

'Denkt u echt dat hij de film vervalst heeft?' vroeg de zeer jonge jurist.

'Ik kan het me heel goed voorstellen.'

'Voor de SD? Voor het Reichssicherheitshauptamt?'

'Ja.'

'Maar uw vader beweert toch dat de film echt is en in Teheran door een zekere agent CX 21 van de geheime dienst van Von Ribbentrop op de kop is getikt en naar Berlijn is overgebracht. Daar heeft uw vader hem bij het bagagedepot van een station opgehaald en daarna naar het ministerie van Buitenlandse Zaken gebracht, waar hij hem vervolgens aan Von Ribbentrop, Goebbels en Himmler liet zien. Dan liegt uw vader dus op dat punt?'

'Nee, niet op dat punt, geloof ik.'

'Maar meneer Ross!' Hoofdredacteur Kleinhals lachte even. 'Wilt u soms beweren dat de SD, die onder Himmler ressorteerde, de geheime dienst van Von Ribbentrop een film toespeelde die in opdracht van de SD vervalst werd – en dat Himmler daar niets van wist?'

'Ja en nee.'

'Wat wilt u daarmee zeggen?' informeerde Von Karrelis.

'Ja, ik geloof dat de SD de vervalste film toespeelde aan Von Ribbentrop. En nee, ik geloof niet dat Himmler er niets van afwist. Hij moet er wel van afgeweten hebben.'

'Maar dat is toch belachelijk! Volgens uw vader had hij er geen enkel vermoeden van; hij was uitermate achterdochtig en attendeerde erop dat hij vals zou kunnen zijn.'

'Ja, precies, dat deed hij.'

'Hoor eens, Danny, dat is toch te gek om los te lopen,' zei Conrad Colledo.

'O, helemaal niet.' Daniel pakte een boek dat voor hem op tafel lag. 'Ik moet bekennen dat ik na de opname in de Odrellstrasse volkomen radeloos was. Daarom ben ik terwijl bij Gold de boel werd afgebroken nog vlug even naar huis gereden. De zaak maakte me gewoonweg gek. Zoals u er nu gek van wordt, meneer Kleinhals. Ik moest zekerheid hebben. Heeft Gold gelogen? Kón hij de waarheid zeggen? Ik heb een grote hoeveelheid werken over de nieuwste geschiedenis en tussen de boeken over de verschillende geheime diensten bevond zich dit hier van Heinz Höhne. Het heet *Canaris, de dubieuze patriot.* Een uitstekend werk, een uitstekende acteur. Is expert op het gebied van de geheime diensten voor *Der Spiegel.* Nou, ik heb de desbetreffende passages over Himmler, Heydrich, Kaltenbrunner en Schellenberg in allerijl met een paar strookjes papier aangegeven.' Hij keek de anderen een voor een aan. 'Wij hebben er al over gesproken dat er in nazi-Duitsland verschillende geheime diensten waren: de Gestapo, de SD, de Geheime Feldpolizei, de dienst van Von Ribbentrop – en de machtige militaire inlichtingendienst van admiraal Canaris bij het opperbevel van de Wehrmacht. Tussen al deze organisaties heerste een verbitterde rivaliteit.'

'Inderdaad,' zei Colledo. 'De grootste rivaliteit bestond al vanaf het begin tussen de SS-diensten en Canaris.'

'Klopt.' Daniel bladerde verder. 'Höhne schrijft op bladzijde 349: "Op 27 september" - bedoeld wordt het jaar 1939 - "had Himmler Gestapo, recherche en SD onder Heydrich tot één Reichssicherheitshauptamt" - tussen haakjes: RSHA - "samengevoegd, dat de hoogste autoriteit van het politieappraat van de staat diende te worden; op 18 oktober veranderde de groep van Canaris volgens Himmlers wens in het *OKW-Amt Ausland/Abwehr...*" enzovoort.' Daniel keek op. 'Hoewel de beide grootste Duitse diensten in velerlei opzicht noodgedwongen op elkaar waren aangewezen, kon het door verschil in mentaliteit en persoon tussen Canaris en Himmler en ook Heydrich, net zo min iets worden als tussen water en vuur. De twee groten van de SS haatten Canaris vanaf het begin vanuit de grond van hun hart. Bovendien droomde Himmler steeds van de uitbreiding van het RSHA tot een staatsbeschermingskorps in de geest van de nationaal-socialistische staatsideologie. Von Ribbentrop wilde er - dom en zorgeloos - steeds meer vaart achter zetten. Dat ontging Kaltenbrunner en zijn mensen niet. Hun haat tegen de minister van Buitenlandse Zaken werd grenzeloos. In februari '41 had de Abwehr weer een tegenslag en de vorige was nog niet vergeten. "Weer," schrijft Höhne, "werd een golf van toorn van Hitler over de Abwehr en haar hoofd uitgestort, alle medewerkers kregen te horen dat hij genoeg had van de heer Canaris en zijn hele Abwehr... Hitler liet Himmler bij zich in het hoofdkwartier komen. Toen Himmler de dictator weer verliet, was hij een reuzestap dichter bij de totale macht in het Derde Rijk gekomen: Hitler had hem opgedragen, een verenigde geheime dienst bestaande uit SD en Abwehr te vormen, een superinlichtingendienst waarvan de runendragers altijd hadden gedroomd. Canaris werd van zijn post ontheven, kolonel Georg Hansen werd tot de nieuwe regeling met de leiding van de dienst *Ausland/Abwehr* belast." Einde citaat.'

Daniel zweeg even en zei vervolgens: 'U weet allemaal dat Hilter lang heeft geaarzeld Canaris te laten arresteren. Daarna kwam de aanslag van 20 juli 1944. Op 23 juli arresteerde Schellenberg Canaris als een van de samenzweerders. Pas op 9 april 1945 werd de admiraal in concentratiekamp Flossenbürg ter dood gebracht. Er waren veertien maanden verlopen sedert Hitler Himmler bij zich had laten komen en hem opdracht had gegeven een gemeenschappelijke geheime dienst van de SD en de Abwehr te creëren. Die tijd hadden Himmler en consorten goed benut en ze hebben geen uur stilgezeten. Op de dag na het bezoek van Himmler aan Hitler, schrijft Höhne, "liet het hoofd van de SS zijn vertrouwdste medewerkers bij zich komen" - enzovoort, enzovoort - en "verklaarde, dat in het kort diende te worden aangegeven hoe Abwehr en SD samengevoegd konden worden... Kaltenbrunner van zijn kant wilde er ook nog meteen de inlichtingendienst van het ministerie van Buitenlandse Zaken bij betrekken, want hij had de manoeuvres van Von Ribbentrop allang doorzien... De leiders van de SS stelden een bevel van Hitler op, waarna Kaltenbrunner op 13 februari met het stuk naar het hoofdkwartier van de Führer reisde . . . Na de ondertekening van het concept vroeg de dictator hem niet zonder spot, of hij nu eindelijk alles bij elkaar had. Daarop antwoordde Kaltenbrunner: Nu ontbreekt alleen nog de inlichtingendienst van het ministerie van Buitenlandse Zaken. Hitlers antwoord viel zo vaag uit, dat Kaltenbrunner zich voornam ook de diplomatieke inlichtingendienst onder het juk van het RSHA te dwingen . . ." '

Daniel sloot het boek en zei tegen iedereen: 'Zó verklaar ik voor mijzelf de mogelijkheid dat een door de SD vervalste film, die Harry Gold en zijn medegevangenen moesten produceren, in het bezit van de dienst van Von Ribbentrop kwam en daar als een vrucht van eigen inspanningen werd gezien. Kaltenbrunner en Himmler verafschuwden Von Ribbentrop en zijn dienst, dat weten wij. Harry Gold heeft gezegd dat er met de film iets moet zijn gebeurd toen hij af was. Natuurlijk! Het was immers de bedoeling dat hij zo snel mogelijk werd toegespeeld aan de dienst van Von Ribbentrop, zodat die er iets mee kon gaan ondernemen.'

'Hoe kan zich dat hebben afgespeeld?' vroeg de intendant.

'Er zijn een heleboel mogelijkheden,' zei Daniel. 'Ik kan me heel goed voorstellen, dat mannen van de dienst van Von Ribbentrop in Teheran, waar mijn vader een steunpunt had opgebouwd, zich door de SD lieten omkopen en in Berlijn meldden dat ze een Amerikaanse specialist hadden gevonden die bereid was een kopie van de film met inbegrip van het geheime verdrag voor heel veel geld te verkopen. Weet u het nog? Mijn vader vertelde dat zijn resident aldaar, Chan Ragai, reeds tijdens de conferentie een gecodeerde radioboodschap stuurde dat agent CX 21 contact had gelegd met een Amerikaan die bereid was voor een kopie te zorgen, als de dienst van Von Ribbentrop vijf miljoen dollar op een bankrekening in Zwitserland overmaakte. Stel, dat de radioboodschap afkomstig was van omgekochte Von Ribbentrop-mensen. De vijf miljoen dollar is, zegt mijn vader, inderdaad overgemaakt. Stel, dat Von Ribbentrop het geld zonder dat hij het wist naar een Zwitserse rekening van de SD heeft overgemaakt. Eind maart haalde mijn vader, zoals hij zegt, de filmrol bij het bagagedepot van Bahnhof Zoo, waar de mysterieuze agent CX 21 hem had gedeponeerd. Stel, dat ook hij door de SD is omgekocht en de SD in Berlijn de vervalste film bij het bagagedepot heeft afgegeven. Iedereen bij het minsterie van Buitenlandse Zaken was buiten zichzelf over deze fantastische vangst van hún organisatie – ze geloofden daar vast in, niemand twijfelde eraan. De film werd dadelijk aan Goebbels en Himmler getoond. Goebbels was diep onder de indruk . . .'

'Ja, maar Himmler mopperde en vermoedde dat het een vervalsing was. Hij was uitermate achterdochtig en afwijzend,' zei Colledo.

'Luister nou, Conny, dat moest hij toch zijn als de film van hem, van de SD afkomstig was! Begrijp je dat niet? Himmler moest zich wel zo afwijzend en argwanend opstellen om niet de geringste verdenking te laten opkomen dat ze Von Ribbentrop de nek wilden breken.'

'Dat begrijp ik niet.'

'Conny! Denk eens na! Goebbels gaf opdracht om film en verdrag direct door deskundigen op hun echtheid te laten onderzoeken. Zou ook maar de minste twijfel zijn opgekomen, dan had Himmler verontwaardigd aan Hitler meegedeeld dat Buitenlandse Zaken in vervalsingen trapte en de dienst van Von Ribbentrop derhalve niet te dulden was.'

'En als uit allerlei onderzoek was gebleken dat de film echt was?'

'Dan zouden Himmler en Kaltenbrunner Hilter met vreugde hebben bewezen dat die zo echte film in concentratiekamp Sachsenhausen was vervalst. Ze hadden immers getuigen als Gold. Men kon zelf naar de vervalsers luisteren – en ook op die manier de onbekwaamheid van de dienst van Von Ribbentrop aan de kaak stellen. En als alles goed ging, was Himmler met zijn SD de grote man. Ik bedoel, zo zóu het gegaan kunnen zijn. En áls het zo was, was het geniaal, vind ik.'

'En als het niet zo was, meneer Ross?' vroeg Von Karrelis. 'Als de film nu toch geen vervalsing, maar een echte kopie is?'

'Dan weet ik het ook niet meer,' zei Daniel. 'U hebt hardop overwogen of Harry Gold misschien heeft gelogen. Ik zei dat hij heel goed de waarheid kan hebben gesproken en heb die mogelijkheid aangetoond. Het plan de film voor propagandadoeleinden aan te wenden, kon daarna niet meer tot uitvoering worden gebracht omdat de kopie een hele tijd onder het puin van een door bommen getroffen gebouw lag. Toen ze hem eindelijk hadden opgegraven, vond Goebbels de oorlogssituatie al te miserabel om de film nog te vertonen. Misschien is het allemaal fantasie wat ik ten aanzien van de juistheid van de beweringen van Harry Gold heb geconstrueerd. De film kan altijd nog echt of vervalst zijn. We hebben pas één getuige gehoord die beweert hem te hebben vervalst. Wat we nu nodig hebben, is een man die niet alleen net als Kant beweert dat het verdrag echt is, maar die ook bewijst dat de film echt is, het liefst de resident van mijn vader in Teheran, die Chan Ragai. Hoe zit het daarmee, Conny?'

'We zijn hem op het spoor, Danny. Maar het is allemaal heel, heel erg moeilijk.'

'Dan zullen we de waarheid pas weten als we Chan Ragai hebben gevonden en hij een uitspraak heeft gedaan.'

'En als hij inderdaad door de SD is omgekocht en liegt?' vroeg de jonge jurist Brandt.

'Laten we eerst die man maar zien te vinden,' zei de intendant. 'Uw gedachtenspel was zeer interessant, meneer Ross, en ik geloof nu niet meer onvoorwaardelijk dat Harry Gold heeft gelogen. Ik heb in dit verband de hele tijd nog iets anders overwogen.' Hij wendde zich tot Daniel. 'Zojuist zei ik: misschien liegt uw vader ook, meneer Ross. U stemde daarmee in. En nu moet ik voortdurend denken: misschien liegt ook wel iemand van ons of van degenen die van de affaire afweten – en dat zijn er toch een heleboel, nietwaar? – als hij zegt dat hij in deze aangelegenheid loyaal ten opzichte van de omroep staat.'

Von Karrelis stond op en begon in het reusachtige vertrek heen en weer te lopen. 'Slechts een voorbeeld: de heer Shimon kwam gistermiddag bij mij en vertelde over de getuige Harry Gold. Op mijn verzoek vloog hij naar

Berlijn om u, mevrouw, en u, meneer Ross, op de hoogte te stellen. Ik heb de heer Colledo ingelicht en hij het BKA. Bovendien heeft hij een televisieploeg samengesteld. Nu blijkt dat de telefoon van Gold sinds vanmorgen is afgetapt en dat iemand alles wat tijdens de opname is gezegd, heeft afgeluisterd.' Von Karrelis was bij de bar aangekomen en draaide zich om. 'Wil iemand nog iets drinken?'

'Een whisky, graag,' zei Colledo.

'Cognac voor mij,' zei de jurist Brandt.

'Voor mij ook,' zei hoofdredacteur Kleinhals.

'En een whisky voor mij,' vulde Von Karrelis aan, terwijl Mercedes en Daniel bedankten. De bar stond bij een van de grote ramen. De intendant keek naar de miljoenen schitterende lichtjes van de stad Frankfurt die in de verte lag. Hij begon met het klaarmaken van de drankjes. Intussen ging hij door: 'De vraag is dus: hoe kon de andere kant zo snel – en trouwens het feit alleen al! – van het bestaan van Harry Gold en van ons plan hem bij hem thuis te interviewen afweten? Naar mijn mening bestaat daarvoor maar één verklaring. Namelijk dat we hier een verrader hebben.' Hij liep tussen zijn gasten en de bar heen en weer en overhandigde de glazen. 'Op uw gezondheid,' zei hij. 'Die verrader hoeft zich natuurlijk niet in ons kringetje te bevinden. Maar ergens moet een verrader zijn. Is daar iets tegenin te brengen?'

'Nee,' zei Daniel.

Daarna bleef het lange tijd doodstil.

In de werkkamer van Heinz Erkners villa aan de Rödelheimer Parkweg naast het Brentanopark rinkelde de telefoon.

Een man zei: 'Goedemiddag. Mijn naam is Gerd Herdegen. Ik ben in een sanatorium bij Heiligenkreuz en moet dringend mr. Hyde spreken. Is hij misschien bij u of hebt u een idee waar ik hem kan vinden?'

Erkner bedekte de hoorn met zijn hand en fluisterde tegen Wayne Hyde, die net koffie zat te drinken: 'Gerd Herdegen – moet je dringend spreken, jongen.' Hyde knikte. 'Ja, hij is hier. Een ogenblikje.'

Erkner gaf de hoorn aan Hyde.

'Ja, dok?' zei Hyde.

'Godzijdank! Een geluk dat u alle in aanmerking komende telefoonnummers hier hebt achtergelaten!'

'Wat is er?'

'Ik kreeg zojuist een telefoontje van Morley. U moet dadelijk een voor u bestemde boodschap op de band opvragen. Dadelijk!'

'Doe ik, dok.'

Hyde groette. Daarna bracht hij met behulp van de kleine decoder het contact tot stand met de automatische telefoonbeantwoorder van Morley.

Diens stem klonk voor het eerst sedert Hyde Morley kende, gejaagd: 'Mr. Hyde, dit is een absolute noodsituatie. U moet vandaag nog naar Buenos Aires, om 22.00 uur met de Lufthansa, vlucht 917. We hebben al een plaats voor u geboekt. Ticket ligt bij de balie op de luchthaven. U bent morgenochtend om 11.45 uur plaatselijke tijd in Buenos Aires. Om 12.20 uur vertrekt een binnenlands toestel naar Tucuman in Noord-Argentinië. Ook daarvoor is al een plaats voor u geboekt. U herinnert zich nog wel die vroegere bediende van Olivera, die zijn baas in opdracht van een gevangengenomen generaal van de junta bespioneerde. Via die bediende kwamen wij aan de informaties over de film, nietwaar?' Morley schraapte zijn keel. 'Neemt u mij niet kwalijk, ik ben een beetje . . . opgewonden . . . Er . . . Er . . . gebeurt ineens zo ontzettend veel. Ik heb mij net versproken toen ik zei, dat voor u vanuit Buenos Aires een vlucht naar Tucuman is geboekt. Dat is onzin. Tucuman heeft geen vliegveld. U vliegt naar Salta. Dat ligt driehonderd kilometer ten noorden van Tucuman. Huurt u in Salta een auto en rijdt u zo vlug mogelijk via de snelweg naar het zuiden. U weet wel: de bediende heet Miguel Morales. Hij werkt nu als kelner in een restaurant. Dat restaurant – schrijft u dat op, mr. Hyde – heet Oasis en is op het adres 24 Rodrigues Peña . . . Hebt u dat? Oasis, 24 Rodrigues Peña. Het is geen grote gelegenheid. En luistert u nu goed . . .'

Het was lang doodstil in het kantoor van de intendant.

Eindelijk zei Von Karrelis: 'Uiteraard verwacht ik niet dat de verrader zich nu meldt, ook al zouden zijn motieven achtenswaardig zijn of is hij gedwongen tot verraad. Wij hier zijn de meest besloten kring. Ik wil dat het in deze besloten kring iedereen duidelijk is dat zich een verrader onder de ingewijden bevindt, die ons werk voortdurend teniet probeert te doen. Ik zie dat het iedereen van u duidelijk is: moeten wij onder deze omstandigheden doorgaan met ons onderzoek en daarmee het leven van nog meer mensen in gevaar brengen? Wie ervoor is, steekt zijn hand omhoog.' Hij zag dat iedereen zijn hand opstak, daarna stak hij de zijne op. 'We kunnen niet meer terug. De tegenstander zou vanzelfsprekend naar getuigen blijven zoeken, ook al doen wij dat niet meer.'

Mercedes zei hartstochtelijk: 'Mijn stiefvader, de heer Ross en ik zullen voor de documentaire datgene wat wij hebben meegemaakt en weten voor de camera mededelen. En daarbij wil ik beslist verklaren dat ons werk werd gesaboteerd door een verrader – en als we geluk hebben, ontdekken we hem en kunnen we ook daarover nog verslag uitbrengen.'

'Ik vind het uitstekend,' zei Colledo.

'Ik ook,' zei Von Karrelis. 'Tot nu toe bestond er nog geen gelegenheid voor, maar de verklaringen van mevrouw Olivera en de heer Ross dienen zo snel mogelijk te worden opgenomen, meneer Colledo!' Deze knikte. 'Volgende punt.' Von Karrelis draaide zijn whiskyglas heen en weer. 'De heer Colledo heeft me midden in de nacht opgebeld en mij verteld over het ultimatum van uw vader, meneer Ross. Er bestaat Libische belangstelling voor de film.'

'Als hij de waarheid spreekt,' zei Daniel.

'Ik vrees dat hij dat doet,' zei Von Karrelis. 'Gadaffi is toch vastbesloten alles wat maar mogelijk is tegen aartsvijand Amerika te ondernemen. Het staat vast dat hij alle zenders ter wereld onder de geschonken kopieën zou bedelven.' Von Karrelis trok de strop van zijn Foulard-das recht. 'De heer Olivera heeft ook gezegd dat hij geen seconde voor onze camera komt, als hij die tien miljoen niet in zijn bezit heeft.'

'Mooi, mooi,' zei de eigenzinnig geklede jurist Brandt. 'We hebben dus een verrader en een chanteur.'

'Ja, leuk, he?' Von Karrelis leunde naar achteren. 'Ik heb vanmiddag met de kanselier en de minister van Buitenlandse Zaken gebeld en hen de situtaie uiteengezet. De Verenigde Staten zijn onze belangrijkste bondgenoten. Zowel de bondskanselier als de minister waren ontzet bij de gedachte dat Gadaffi de film in bezit zou kunnen krijgen. Want terwijl wij hem met de pro's en contra's van een documentaire willen uitzenden, zou Gadaffi het verdrag zuiver als een ophitsende film willen verspreiden. We moeten dus de kopie van Olivera beslist en zo snel mogelijk kopen, zeiden de kanselier en de minister. Ze waren overigens erg opgelucht te horen dat we een getuige hebben gevonden die beweert dat de film vervalst is en er zelf aan heeft meegewerkt. Ten aanzien van de twee eerste en eventueel nog volgende moorden zal de regeringswoordvoerder op de persconferentie van morgen een standpunt innemen.'

'Dan ben ik erg benieuwd wat hij allemaal bij elkaar liegt,' zei Daniel boosaardig.

'De kanselier en de minister verzekerden mij,' vervolgde Von Karrelis onverstoorbaar, 'dat de tien miljoen die we direct moeten overmaken, indien er iets mocht voorvallen waardoor uitzending van de film onmogelijk is, uit een speciaal regeringsfonds zullen worden vergoed.'

'Wat voor "iets" moet dat wel zijn?' informeerde Mercedes.

'Wel,' zei Von Karrelis, 'de mensen van de tegenpartij zouden de "levensverzekering" die wij voor onszelf hebben gecreëerd wel eens aan hun laars kunnen lappen en een of meer van ons kunnen ontvoeren en dreigen met executie als we niet alle kopieën en al het materiaal afstaan.'

'Dat durven ze nooit! Ze doen toch duidelijk alles om te bereiken dat we alleen getuigen voor de vervalsing kunnen tonen en geen enkele voor de echtheid!' riep Mercedes.

'Juist,' zei Von Karrelis. 'En met die verrader in ons midden zijn ze hun doel al aardig dicht genaderd.'

Kleinhals stond op, liep naar het raam en vloekte luid.

'Nadat ik gesproken had met onze raad van toezicht,' zei Von Karrelis, 'en toestemming van hen kreeg, heb ik uw vader gebeld en hem ons akkoord doorgegeven, meneer Ross. Hij heeft ook de gewenste telex ontvangen. De tien miljoen staan tot zijn beschikking. Boter bij de vis natuurlijk.'

'Wat bedoelt u daarmee?' informeerde Mercedes.

'We hebben het bedrag al telegrafisch naar een rekening van onze zender in Buenos Aires overgemaakt. Colledo vliegt er morgen heen. Zoekt Olivera op. Bekijkt de film, die deze uit zijn bankkluis zal halen. Neemt de kopie mee . . .'

'Wat is dat nu weer? Is mijn vader bereid de kopie uit zijn bankkluis te overhandigen?' onderbrak Daniel hem.

372

'Ja.'

'Maar die wilde hij toch beslist in de safe laten, met de bepaling dat ze ter beschikking zou worden gesteld aan de internationale pers als hem iets zou overkomen!'

'Ik heb hem overreed.' Von Karrelis haalde zijn schouders op. 'Ik vertelde hem over de "levensverzekering" die wij allemaal hebben; ook hij. Ik heb hem duidelijk gemaakt dat de tegenpartij alles in het werk zou stellen om die kopie bij de bank in handen te krijgen en dat men – we kennen hun gewetenloosheid – daarmee beslist succes zal hebben. Je vader zag in dat de kopie in de bankkluis geen enkele bescherming voor hem betekende. In elk geval is hij op mijn eis die kopie aan de heer Colledo te overhandigen, zodat hij ons niet nog eens kan chanteren, ingegaan. Zijn Libische vrienden vindt hij blijkbaar toch een beetje griezelig. Bovendien heb ik de indruk dat het water hem tot aan de lippen staat. Hij schijnt in grote financiële moeilijkheden te verkeren.'

'En hoe is het vervolg van dat boter-bij-de-vis-verhaal?' informeerde dr. Volker Brandt.

'Wanneer de heer Colledo de kopie heeft, overhandigt hij een cheque van tien miljoen dollar. Hij blijft in Olivera's villa tot deze gelegenheid heeft gehad de cheque naar de bank te brengen en zich ervan heeft kunnen overtuigen dat hij gedekt is. Natuurlijk zal Colledo daarbij niet alleen zijn. Het BKA heeft al contact opgenomen met hun collega's in Buenos Aires en men heeft daar officiële hulp toegezegd. Colledo zal voortdurend worden vergezeld door gewapende politiemensen – tot hij terug is in Königstein.'

'U bedelft me onder vreugdevolle mededelingen, meneer Von Karrelis,' zei Conrad Colledo. 'Fijn, dat u mij vandaag al vertelt wat ik morgen moet doen en dat het niet pas een uur voor het vertrek van het vliegtuig gebeurt.' Hij was opgestaan. Zijn stem trilde van onderdrukte woede. Daniel keek gefascineerd naar hem. Nog nooit had hij Colledo zo opgewonden meegemaakt. Deze had zijn handen zo stevig tot vuisten gebald, dat de knokkels in het lamplicht wit waren.

'Nog iets drinken, meneer Colledo?' Von Karrelis keek hem zonder enige uitdrukking aan.

'Dank u, nee!'

'Om te kalmeren, bedoel ik.'

'Ik ben u zeer verplicht, dat u over mijn hoofd heen en zonder mij op de hoogte te stellen al alles hebt beslist, meneer Von Karrelis. Hartelijk dank! Ook uit naam van de verrader. Gemakkelijker had u hem zijn werk niet kunnen maken.'

'Moeilijker helaas ook niet, meneer Colledo,' zei Von Karrelis. 'Hij heeft tot nu toe in elk geval alles nog op tijd gehoord om de tegenpartij ervan in kennis te stellen – of niet soms? Ik begrijp uw opwinding niet. Waar bent u bang voor? Wij betalen Olivera. Hij geeft ons zijn kopie van de film. Op die manier is Gadaffi uitgeschakeld. En daarmee verdwijnt het grootste gevaar dat de Amerikanen bedreigt. Wij kunnen er zeker van zijn dat zij opgelucht ademhalen en ons oneindig dankbaar zullen zijn. Wij hebben

373

immers al twee kopieën van de film. Nu krijgen we er nog een. Zo is ook die aan het verkeer onttrokken en kan hij niet meer door Olivera aan vijanden van Amerika of van de Sovjetunie, of van beide staten, worden verkocht. De toestand wordt heel wat minder gespannen. Ze zullen u evenmin iets doen als de oude Harry Gold, die verklaarde dat hij de film had vervalst. Ik begrijp u niet, meneer Colledo! U had er destijds ook geen enkel bezwaar tegen naar Argentinië te vliegen en de twee cassettes van Ross naar de studio over te brengen. Waar bent u bang voor? Ik bedoel: waar bent u nu ineens zo bang voor, meneer Colledo?'

Ook Mercedes had naar Colledo zitten staren. Radeloos keek ze nu naar Daniel. Deze haalde zijn schouders op.

'Neemt u het mij alstublieft niet kwalijk, meneer Von Karrelis,' zei Colledo, nu weer rustig. 'Ik hoop dat niemand het mij kwalijk neemt, mensen. Zenuwen. Ik ben overwerkt. Ik lig geen nacht voor drieën in bed. En daar kwam nog bj dat ik – eerlijk gezegd – echt geschokt was door het feit dat u, meneer Von Karrelis, niet eerst onder vier ogen met mij over mijn reis hebt gesproken. Dat zou toch ... de normale gang van zaken zijn geweest, nietwaar?'

'Onder normale omstandigheden zeker,' zei Von Karrelis. 'Maar de omstandigheden zijn niet normaal. Omdat er zich aan onze kant een verrader bevindt, wilde ik zien welke indruk deze mededeling van hetgeen er gebeurd is en van hetgeen er gaat gebeuren op iedereen hier in het vertrek zo maken.'

'En wat hebt u kunnen vaststellen?' vroeg Colledo.

'Absoluut niets. Behalve uw reactie, meneer Colledo. Maar die was logisch en te verwachten. Vergeef me dat ik u voor een experiment heb misbruikt.'

'Mag ik nu misschien iets inschenken?' vroeg Colledo.

'Wacht, ik ...'

'Blijft u toch zitten! Ik kan het wel alleen.' Colledo liep naar de bar en schonk zijn glas vol whisky. Hij draaide de anderen de rug toe en dronk de whisky onaangelengd. Zijn hand beefde zo erg dat het glas tegen zijn tanden klapperde. Daniel hoorde het. Dan horen de anderen het ook allemaal, dacht hij. Nou ja, ik zou me als ik Conny was geweest, net zo kwaad hebben gemaakt over het experiment van de intendant. Ja, dacht Daniel, zou ik dat echt hebben gedaan?

Boek vier

1

'Met generaal Carlo Maria Alvarez. Deze boodschap van het grootste belang is bestemd voor Miguel Morales. Je herkende mijn stem direct, hè, Miguel? Je kunt deze man die deze cassette bij je heeft gebracht, volkomen vertrouwen. Maar laat hem toch zijn paspoort tonen. De man heet James Douglas, hij is Amerikaan en komt uit Boston. Hij werkt reeds lang voor ons en wordt altijd in de gevaarlijkste noodgevallen ingezet. Dit is zo'n noodgeval . . .'

'U hebt de stem van de generaal herkend?' vroeg Wayne Hyde.

De knappe jongeman met het zwarte haar, de zwarte ogen en het donkere, fluwelige gezicht knikte.

'Ben je er heel zeker van, Miguel?'

'Heel zeker, señor.'

'Hier is mijn pas. Bekijk hem goed.' Hyde hield de jongeman een Amerikaans paspoort geopend voor. Het was een van de zeven passen die hij in zijn bezit had. Miguel bekeek hem lang. Hij zette de kleine Sony-cassetterecorder die hij tegen zijn oor had gehouden, af. Hij bekeek de foto in de pas. Het was tien over vijf in de middag en in de kathedraal van Tucuman was het koel en stil. De beide mannen zaten in een bank achter in het geweldige schip van de kerk. De kathedraal was om deze tijd verlaten. Slechts een in het zwart gekleed vrouwtje lag voor een zijaltaar ver weg geknield, in diep gebed verzonken. Voorin bij het hoofdaltaar, ver bij Hyde en Miguel vandaan, straalde een groot, gouden kruis. Dit kruis was meer dan vierhonderd jaar oud. In 1565 waren de Spanjaarden, komend uit Peru, met de bouw van Tucuman en de kathedraal begonnen. Het gouden kruis hadden ze meegebracht. De prachtige kerk stond ten noorden van de Plaza Independencia, het centrum van de grote, moderne stad.

Palmen en sinaasappelbomen omzoomden het grote plein en in het midden rees een vrijheidsbeeld op. Aan de zuidzijde verhief zich het regeringspaleis, dat eruitzag als een fantastisch slot uit duizend-en-één-nacht. In het licht van de middagzon straalden paleis en kathedraal, palmen, sinaasappelbomen en het witte vrijheidsbeeld in psychedelische, onwezenlijke kleuren.

Wayne Hyde was in een auto die hij op het vliegveld van Salta had gehuurd, tegen vier uur in de middag in Tucuman aangekomen. Dank zij een plattegrond van de stad vond hij zonder enige moeite het restaurant in de Rodriguez Peña waar Miguel als kelner werkte. De gelegenheid was tot het avondeten gesloten, maar Hyde informeerde in een naburige espresso-bar naar Miguel. Hij had tot kwart voor zeven vrij, werd hem verteld. En men zei hem ook dat Miguel in hetzelfde gebouw woonde, op de tweede verdieping, samen met ander personeel.

'Ik geloof dat hij slaapt,' zei een meisje achter de expressobar. 'Ze bewonen daar altijd met z'n tweeën een kamer.'

'Kan er misschien iemand naar boven gaan en zeggen dat ik hem moet spreken? Het gaat over señor Olivera.'

'Ik ga zelf wel even,' zei het meisje. Even later kwam ze terug met Miguel. Hij droeg een spijkerbroek en een loshangend wit overhemd. Het was erg warm. Hyde had het jasje van zijn beige tropenkostuum uitgetrokken. Miguel keek hem verschrikt aan.

'Wie bent u? Wat wilt u van mij, señor?'

'Een boodschap. Dringend. Hier kunnen we niet praten. Ik ga nu naar de kathedraal. Kom me over vijf minuten achterna.'

'Maar waar gaat het over?'

Hyde zei heel zacht bij Miguels oor: 'De boodschap die ik breng, komt van generaal Alvarez.' Hij sprak Spaans zonder enig accent. Toen hij die naam noemde, zag hij dat er een schok door Miguel heen ging. Zijn zwarte ogen begonnen te glinsteren.

'Wat is er met de generaal?'

'Ssst! Niet hier. In de kathedraal,' zei Hyde. Hij knikte naar het meisje achter de bar. 'Bedankt voor uw hulp,' zei hij.

'Graag gedaan,' zei het meisje glimlachend.

'U hebt mooie tanden,' zei Hyde.

'O, dank u.'

'En mooie ogen.'

'U bent erg vriendelijk, señor,' zei het meisje.

Hyde stapte de straat op en liep naar de nabijgelegen kathedraal. Hij slenterde in de schaduw van de huizen. De lucht was heel helder en toen hij door het park kwam, zag Hyde de machtige bergen van de Sierra de Aconquija, die achter Tucuman naar de diepblauwe hemel oprezen.

Om 11.45 uur van die twaalfde maart 1984 was Wayne Hyde met een Boeing 747 van de Lufthansa, vlucht 917, op Ezeiza, de grootste luchthaven van Zuid-Amerika, drieëndertig kilometer van Buenos Aires, geland. Bij de bagage-uitgifte zag hij de middelgrote jongeman met het lange, zwarte haar weer terug die hij voor het laatst op de luchthaven van Frankfurt had gezien. Hij had als herkenningsteken een orchidee in zijn hand.

'Dag, Pablo,' zei Hyde.

'Dag, mr. Hyde.'

'Ik heet James Douglas, Pablo.'

'O, neemt u mij niet kwalijk, mr. Douglas! Wat dom van mij. Er is mij gezegd dat we elkaar hier moesten ontmoeten. Krankzinnig! Uw bagage wordt toch automatisch in het toestel naar Salta overgeladen, is het niet?'

'Ja,' zei Hyde. 'En dat vertrekt om tien voor halfeen.'

'Wilt u meekomen, mr. Douglas?' Pablo drong zich door de menigte aangekomen passagiers. Hyde volgde hem naar buiten, naar een zwarte Chevrolet op een enorme parkeerplaats. Pablo maakte het linkerportier open. Hyde gleed op de achterbank. Rechts zat een volkomen kale, bleke man van een jaar of zestig. Hij droeg een wit overhemd en een zwarte pantalon.

'Hallo,' zei Hyde. 'U bent Cristobal, hè?'

'Ja, mr. Douglas,' zei de oude man. Hij zag er ziek en zwak uit. 'Londen heeft opdracht gegeven dat ik u persoonlijk de cassette en een recorder breng. Ze zijn erg omzichtig in Londen.'

'Ja, dat zijn ze,' zei Hyde, de Sony-cassetterecorder aanpakkend die Cristobal hem toestak.

'De cassette zit erin,' zei de oude man.

Pablo was buiten gebleven. Hij stond bij de motorkap een sigaret te roken.

'En de generaal spreekt tegen Miguel?' informeerde Hyde.

'Ja. Tijdens de vlucht kunt u het bandje afluisteren. Uitstekend werk! De generaal is ook werkelijk doodsbang.'

'Prima. Hoe hebben jullie het gedaan? Bewakers omgekocht?'

'Natuurlijk. Dat gaat bij ons gelukkig erg makkelijk. De generaal werd vals voorgelicht. Raakte in paniek. Sprak in op de band. Het bandje werd de gevangenis uit gesmokkeld.'

'Jullie hebben verrekt snel gewerkt. Mijn petje af!'

'Dank u. Ja, ik heb goede mensen hier. En Londen zei dat het vlug moest gebeuren.'

'Ik hoop nou maar dat de generaal in zijn angst hartroerend genoeg heeft gesproken.'

'Je krijgt er tranen van in je ogen, mr. Douglas. Miguel zal buiten zichzelf zijn. De generaal is immers zijn grote liefde.'

'Hoe zit het met wapens?'

'Wanneer komt u terug?'

'Als alles goed gaat, vanavond om 23.50 uur. Met de laatste machine uit Salta.'

'Dan zal Pablo weer bij de bagage-uitgifte op u staan te wachten en u naar een auto brengen. Hij geeft u dan de sleutels en de papieren. In het handschoenenvakje vindt u pistolen en munitie.'

'Wat voor pistolen?'

'Welke wilt u?'

'Het liefst 9 mm automatics.'

'Ze zullen er zijn. Voor de villa van Olivera in de Cespedes 1006 staat voortdurend een van onze wagens met twee man erin. Ik vertel u dat voor het geval u hulp nodig hebt. Vannacht zitten de twee mannen in een groene Oldsmobile.'

'Prima.'

Cristobal keek Hyde met zijn oude, vermoeide en droevige ogen ernstig aan.

'Kunt u nog even hier blijven?'

'Wat hebt u?'

'Gedachten. Zoveel. Atijd dezelfde. Vragen. Zoveel. Altijd dezelfde. Ik hoop dat ik het juiste antwoord heb, maar ik ben er niet zeker van.' 's Nachts

379

lig ik vaak wakker en ben bang dat het de verkeerde antwoorden zijn. Dat zou verschrikkelijk zijn. U bent zo'n intelligente, rechtschapen, ervaren man ...'

'Nou, nou!'

'Zeker. Ze hebben het mij verteld.'

'Wie heeft dat verteld?'

'Londen. Mr. Morley. Gisteren pas.'

'Dan heeft hij behoorlijk overdreven.'

'Nee, nee, helemaal niet. Ik heb veel meegemaakt en veel gezien in mijn leven, mr. Douglas. Ik kan veel van gezichten aflezen. Met name uit de ogen. U bent een wijs en goed mens. Daarom moet ik u iets vragen. Ziet u, ik ben nu arm en eenzaam. Heel eenzaam. Ik heb mijn hele leven lang naar beste vermogen getracht het goede te doen. Net als u, mr. Douglas.' Cristobal keek Hyde bijna smekend aan. 'Ik bedoel, áls iemand goed doet, áls iemand probeert het slechte, het verschrikkelijke te voorkomen dat die Olivera daar aan het rollen heeft gebracht, dan zijn dat toch u en mr. Morley en ik en al die anderen, nietwaar?'

'Zeker,' zei Hyde.

'In een tijd waarin het gevaar voor oorlog zo groot is en het woord pacifist een vies woord is geworden, in zo'n tijd móeten u en ik en wij allemaal toch proberen Olivera's plannen te verijdelen – met alle middelen die tot onze beschikking staan. Dat is toch zo, mr. Douglas?'

'Vanzelfsprekend,' zei Hyde met een onbewogen gezicht en hij dacht: ik zou wel eens willen weten wat Morley die arme kerel over onze activiteiten heeft verteld.

'Ik weet heel goed wat slecht is, mr. Douglas. "De overleggingen van het mensenhart zijn van zijn jeugd af slecht", zegt de Heer. Eerste Boek Mozes.'

Tjongejonge, dacht Hyde.

'Al jaren,' vervolgde de oude man, 'houd ik me steeds meer bezig met de vraag: waartoe is de mens hier? Ik geloof dat ik een antwoord heb gevonden. Wilt u het horen?'

'Ja,' zei Hyde.

'De mens is hier voor een hogere verantwoordelijkheid,' zei Cristobal.

Tjongejonge, dacht Hyde.

'Wat zegt u daarvan?'

'Dat u volkomen gelijk hebt, señor Cristobal,' antwoordde Hyde. Er zijn allerlei soorten mensen nodig om een wereld te maken, dacht hij.

Het bleke gezicht van de man begon te stralen. 'Ik heb gelijk. Wat heerlijk! Maar nu verder. Waarom de mens slechte dingen doet, interesseert me niet. Dat weet ik.'

'Eerste Boek Mozes,' zei Hyde.

'Precies.' Cristobal knikte. 'Maar nu de vraag: waarom doen mensen als wij goede dingen?'

Ik weet niet hoe lang ik dit volhou, dacht Hyde. Waarschijnlijk heeft iedereen van ons een klap van de molenwiek, maar toch ...

'Ik geef toe, u en ik en de anderen hebben er ook financieel voordeel van.

Ik kan u wel zeggen, dat ik en degenen die samen met mij hier goed doen, er een erbarmelijk klein voordeel van hebben. Maar ik en mijn vrienden en u, wij zouden het goede ook doen zónder het een of ander voordeel, hè? En ook al weet niemand het, of mag niemand ervan weten, en al zullen de mensen het nooit horen. Nu, dan denk ik dat dit ook met die hogere verantwoordelijkheid te maken heeft. Hoe denkt u daarover? U hebt geen idee van hoe belangrijk uw mening voor mij is, mr. Douglas.'

Arme, eenzame kerel, dacht Hyde. Doodeenzaam. Daar kan blijkbaar geen mens tegen, volkomen eenzaam te zijn. Met uitzondering van heiligen. En voor hen is het ook moeilijk. Waar zou ik zonder mijn moeder zijn? Ik moet vriendelijk tegen die oude man zijn. Ik zal hem een plezier doen. Hyde zei: 'U hebt volkomen gelijk, señor Cristobal. En deze hogere verantwoordelijkheid is zo iets als de belangrijkste sleutel tot uw menselijke identiteit.' Hij schrok. Goeie hemel, dacht hij, wat een onzin heb ik me daar laten ontvallen! Ik hoop maar dat ik de oude man daarmee niet uit zijn evenwicht breng.

'O,' zei Cristobal.

Nou? dacht Hyde. Nou?

'Prachtig.' Het bleke gezicht van Cristobal straalde nu van binnenuit. Hij greep Hydes hand en drukte die stevig. 'Wat hebt u dat prachtig gezegd! En met zo weinig woorden. De belangrijkste sleutel tot mijn menselijke identiteit. Nou zit ik er jaren over te tobben en dan komt u en praat met mij en alles wordt direct duidelijk, volkomen duidelijk. Ik ben zo gelukkig. Zo oneindig gelukkig, mr. Douglas. Deze dag zal ik nooit vergeten. Dank u! Dank u zeer!'

'Het is al goed,' zei Hyde. Dat had ik nooit verwacht, dacht hij. Werkelijk dat had ik nooit verwacht. Verbazingwekkend. Een dwaas is Cristobal niet. Maar deze onzin maakt hem gelukkig? Het gekste wat bestaat zijn mensen.

'Ja,' zei Cristobal en knikte glimlachend. 'Ja, zo is het. En daarom blijven mensen als wij anoniem, niemand kent ons, niemand mag ons kennen.'

'Niemand, nee,' zei Hyde en hij dacht: geef de arme kerel nog een klontje suiker. Hij zei: '*Die in het donker ziet men niet.*'

'Wat zegt u?'

'*Die in het donker ziet men niet,*' herhaalde Hyde. 'Dat is uit het laatste bedrijf van de film *Dreigroschenoper.* U kent de *Dreigroschenoper* van Bertolt Brecht toch wel?'

'Wie kent die niet?'

'Nu, aan de hand van het toneelstuk werd een film gemaakt. De laatste scène laat een oude vrouw zien die over straat loopt, van de zonkant naar de schaduwzijde. Dan verdwijnt ze. En daarbij hoor je de woorden van de zanger . . .' Hyde liet zijn stem een beetje melodieus klinken: '*En de een is in het donker. En de and'ren zijn in 't licht. En men ziet die in het licht zijn. Die in 't donker ziet men niet.*'

'Geweldig,' zei Cristobal ontroerd. 'Absoluut geweldig! Ja, zo zit het met mensen als wij. Hoeveel munitie wilt u voor de twee pistolen, mr Douglas?'

Op hetzelfde moment – in Midden-Europa was het 16.15 uur – zei in Bonn een regeringswoordvoerder op de persconferentie: 'In de afgelopen tijd zijn onder mysterieuze omstandigheden twee mannen vermoord: in Koblenz de bibliothecaris Herbert Kramer van het Documentatiecentrum van de Duitse Bondsrepubliek, en in Berlijn professor dr. Emil Kant, deskundige op het gebied van het volkenrecht. Volgens de bevindingen van de federale recherche en van de binnenlandse veiligheidsdienst zijn ze het slachtoffer geworden van een terroristische groepering. Meer inlichtingen kunnen er op dit moment niet worden gegeven. Anders zouden er mensenlevens in gevaar komen. Ik verzoek u om begrip voor het feit dat de bevoegde autoriteiten, die koortsachtig werken aan de volledige opheldering van deze zaak, een verbod tot het geven van inlichtingen hebben uitgevaardigd. Dat is alles.'

Prompt brak er onder de bijeengekomen journalisten tumult uit. De woordvoerder stond op, haalde zijn schouders op en verliet de zaal.

In de grote kathedraal van Tucuman begon de oude vrouw die helemaal in het zwart was gekleed en voor een van de zijaltaren lag te bidden, daarbij ritmisch haar uitgeteerde lichaam te bewegen. Ze was in een soort trance geraakt. Zeer groot scheen het ongeluk te zijn waarin ze God om bijstand vroeg.

In een bank die in de schemering stond, zaten Wayne Hyde en Miguel Morales. De jongeman met de olijfkleurige huid hield de bandrecorder weer aan zijn oor en luisterde ingespannen naar de stem van zijn vroegere werkgever Carlo Maria Alvarez: '. . . ik herhaal, Miguel, het is echt een noodsituatie. Olivera, die schoft, voor wie ik zoveel heb gedaan, is een gemene verrader. Ik heb zojuist vernomen dat hij jarenlang materiaal tegen mij heeft verzameld en zich nu als getuige heeft gemeld bij de openbare aanklager in het proces . . .'

'Nee!' Miguel was zeer geschrokken. Hij zette het toestel uit en liet het zakken.

'Zachtjes, voorzichtig!' zei Hyde.

'Olivera wil tegen de generaal getuigen . . .' stamelde Miguel.

'En of!'

'Maar wat moet ik . . .'

'Luister verder,' zei Hyde.

Miguel zette het toestelletje weer aan en luisterde naar de stem van de generaal. '. . . Olivera heeft zichzelf verkocht. Voor heel veel geld. Ze hebben het perfect voorbereid. Al het – natuurlijk vervalste – materiaal tegen mij is op een videofilm opgenomen. We kunnen de vervalsing niet bewijzen. Mijn advocaten zeggen dat als de film aan de rechtbank wordt getoond, ik beslist op de hoogste straf kan rekenen . . .'

'Jezus Maria,' fluisterde Miguel.

'. . . Daarom mag Olivera niet als getuige optreden, begrijp je, Miguel? Daarom moet die videofilm verdwijnen. Jij kent de combinatie van de brandkast in Olivera's bibliotheek. De film ligt naar alle waarschijnlijkheid daarin. Zo niet, dan moet je Olivera ertoe zien te bewegen de bergplaats te verraden, indien noodzakelijk bedreig je hem met moord. Onze Noordamerikaanse vriend zal je behulpzaam zijn. Je hebt eens – je herinnert het je zeker – gezegd, dat je alles voor me zou doen, Miguel. Als het moet ook iemand doden. Je moet Olivera doden, anders ben ik verloren en dan zien we elkaar nooit weer. Nooit zul je dan meer bij mij kunnen zijn . . .'

Miguels hand waarmee hij de bandrecorder vasthield, beefde. De tranen kwamen in zijn mooie ogen. Hij hield nog steeds van de generaal. Meer dan ooit. Meer dan van zijn ouders. Miguel luisterde nu in de grootste opwinding naar de stem.

'. . . Je moet alles doen wat señor Douglas je zegt. Hij is nu jouw leider . . . Het terrein van Olivera is enige tijd geleden zwaar beveiligd. Langs de muren lopen stroomdraden en er zijn automatisch afgaande vuurwapens. Jij hebt nog steeds het apparaatje waarmee je ook vanuit de auto de hoofdingang naar het park kunt openen en sluiten. Zo kun je het huis binnenkomen . . .'

Het in het zwart geklede vrouwtje zat nog steeds te bidden.

'. . . Señor Douglas zal je precies vertellen wat je moet doen – ook nadat alles is gebeurd. Je moet hem onvoorwaardelijk vertrouwen – zoals jij mij vertrouwt en ik jou, Miguel. Denk eraan: het gaat om mijn leven. Olivera, de schoft, is het zijne niet meer waard. Denk aan je belofte! Ik ben nu helemaal op jouw trouw en toegenegenheid aangewezen. Ik twijfel er niet aan dat ik daarover gerust kan zijn. Jij zult mij niet in de steek laten, Miguel. En blijf er steeds aan denken: als jij nu alle instructies opvolgt, zullen we heel spoedig weer bij elkaar zijn. Zo niet, dan zien we elkaar nooit meer. Ik omhels je heel innig, mijn Miguel. Veel succes en bedankt! Ik blijf altijd jouw generaal Alvarez.'

Dat was het slot van de boodschap, de band draaide nu stil door. Miguel zette de recorder af. Hij keek Hyde bevend aan.

'Die schoft,' fluisterde hij. 'Die vervloekte smeerlap! Zegt u mij maar wat ik moet doen, señor Douglas. Alstublieft, zegt u het mij!'

'Kun je een dag of twee hier weg? Ik bedoel bij het restaurant. Met een smoesje. Moeder ziek, of iets dergelijks.'

'Dat hoeft helemaal niet, een smoesje. De patron, señor Lerron, is één van ons. Daarom hebben ze me ook hierheen gestuurd. Ik kan hem gerust zeggen dat ik iets moet regelen en dat hij daarover tegenover iedereen zijn mond moet houden. Hij is te vertrouwen.'

'Goed. Ga nu naar hem toe en praat met hem. Pak alleen een klein koffertje. We vliegen vandaag nog naar Buenos Aires en . . . regelen alles. Weet je echt de combinatie van de brandkast?'

'Ja, señor Douglas.'

'En heb je de afstandsbediening voor de hoofdingang nog?'

'Natuurlijk. Ik ben daar toch nog maar een paar weken weg.'

'Goed. Kun je met een pistool omgaan?'

'Met wat voor een?'

'9 mm automatic.'

383

'Daarmee heb ik eens bij een schietwedstrijd de tweede prijs gewonnen.'
'Dan gaan we nu. Jij regelt alles met je baas. Ik sta over een uur met een auto voor de kathedraal klaar. Zorg dat je op tijd bent; we moeten naar Salta. Naar de luchthaven. We nemen het nachttoestel naar Buenos Aires. En geef me de bandrecorder terug.' Hyde stopte hem in zijn zak. Op de trappen van de kathedraal gingen ze uiteen.

'Tot over een uur,' zei Hyde.

'Ja, señor,' zei Miguel. 'De schoft,' zei hij verontwaardigd. 'Die vervloekte schoft van een Olivera!'

'Ja.' Hyde knikte. 'Die vervloekte schoft van een Olivera!' Hij slenterde over de grote Plaza Independencia en ging op een bank onder een sinaasappelboom zitten. De vruchten glommen in de zon. Hyde keek lang naar de hoge bergketen van de Sierra de Aconquija, die nu in blauwe nevel voor hem lag. Daarna haalde hij het dunne boekje met Shakespeare-sonnetten uit de zak van zijn colbert, bladerde even en las, terwijl al het verkeerslawaai voor hem wegstierf en er een oneindige rust over hem kwam, deze woorden: 'O gij, mijn lieve jong'ling, gij, wiens hand / Nu 't uurglas en de zicht des Tijds omspant, / Die, bij 't veroud'ren groeiend, door uw schoon / 't Verval van wie u minnen spreidt ten toon . . .'

Ja, dacht Hyde, jij bloeit bij dat verval alleen maar op, mijn lieve jong'ling Miguel.

'Verklaring Mercedes Olivera, take één, opname één.'

Mercedes stond in studio II van de televisiezender Frankfurt voor een zware, elektronische camera. De schijnwerpers dompelden haar gezicht en haar hele lichaam in een fel licht. Ze droeg een zwart mantelpakje. Het doek achter haar was lichtblauw. Een hengel met opgehangen microfoons hing boven haar hoofd, onzichtbaar buiten het beeld van de camera. Daniel en Conrad Colledo zaten opzij. De chef van de afdeling Politiek en actualiteiten wilde de verklaringen van Mercedes en Daniel nog opnemen voordat hij die avond om tien uur naar Buenos Aires zou vertrekken.

'Ga je gang,' zei Colledo.

'Sedert veertig jaar heersen ze over ons,' zei de jonge vrouw luid en hartstochtelijk voor de camera. 'In hun handen ligt de beslissing over de toekomst van de mensheid. Wij, de figuranten in dit spel om macht en meerdere glorie, noemen hen de supermachten. Machtig zijn ze – maar super?' De jonge vrouw haalde adem. 'Mijn naam is Mercedes Olivera. Ik ben de stiefdochter van Eduardo Olivera. Men heeft mij evenals alle andere getuigen toegestaan mijn persoonlijke opvattingen te uiten. Dus: machtig zijn ze, zei ik – maar super?'

De microfoon aan de hengel kwam een beetje omlaag; de assistent van de geluidstechnicus corrigeerde de afstand tot Mercedes' mond. Nu is haar uur gekomen, dacht Daniel. Haar uur . . .

'Washington, voorjaar 1984,' vervolgde Mercedes, en haar stem vibreerde. 'De wereldmacht die zo graag nummer één op de aardbol zou willen zijn, wordt geleid door mannen die ervan overtuigd zijn dat de bijbelse apocalyps voor de deur staat. Daar worden boosaardige grapjes gemaakt over het van de kaart vegen van de Sovjetunie, daar wordt gebazeld over de annulering van de geallieerde overeenkomst van Jalta, daar wordt de wereld alleen nog maar bekeken door de kijkspleten van tanks . . .'

Gefascineerd als altijd wanneer zij sprak, zat Daniel naar Mercedes te kijken. Haar stem werd steeds hartstochtelijker, in haar gezicht werkte alles.

'. . . En als de president wil weten hoe het er met zijn atoomstrijdkrachten voor staat, stuurt het Pentagon hem de gecompliceerde verdedigingsvraagstukken voor beter begrip in de vorm van kleurige tekeningen, waarop atoompaddestoelen van verschillende grootte over de vuurkracht informeren . . .'

De camera nam het gezicht van Mercedes nu van heel dichtbij.

'Negenduizend kilometer oostelijker, in Moskou, biedt de elite van het land – ervan uitgaande dat die in het Kremlin is vertegenwoordigd – een zelfde droevig beeld. Met toonloze stem, naar adem snakkend en elk woord moeizaam en met een star gezicht van papier aflezend, volbrengt het staatsen partijhoofd een paar protocollaire plichtplegingen om vlak daarna door zijn artsen uit het politieke verkeer te worden gehaald – weer een hoofd van het Kremlin dat bij de bevolking als een ziek, nauwelijks nog handelingsbekwaam mens overkomt . . .'

'Fantastisch, hè?' fluisterde Daniel tegen Conrad Colledo.

Deze knikte. Zijn gezicht stond star.

De camera bleef het gezicht van Mercedes van heel dichtbij opnemen.

'Onze supermachten zijn ziek. De diagnose van een psychiater zou luiden: zware aanvallen van achtervolgingswaanzin, zo nu en dan volkomen verlies van werkelijkheidszin. Ze doen zich voor als machten die de wereldorde handhaven, maar in werkelijkheid zijn het machten die de wanorde in de wereld bevorderen, die niet in algemeen, maar alleen in nationaal belang handelen. En daarbij komt dan nog de grote vraag, of redelijk denken zal zegevieren, of asocialiteit, die de mensen zo eigen is – dus het elkaar alleen maar beschouwen als rivalen . . .'

Buenos Aires.

Tegen één uur die nacht gleed een zilvergrijze Porsche door de stadswijk Palermo in noordelijke richting over de Avenida Cabildo, langs witte villa's met grote tuinen, langs de polovereniging, het reusachtige Parques Tres de Febrero met zijn meertjes, de overdekte wielerbaan en het planetarium. De wagen had een radio en deze stond aan. Achter het stuur zat Miguel Morales, met naast hem Wayne Hyde.

De Porsche bereikte de lange Cespedes en sloeg linksaf. Hoge, oude palmbomen stonden nu aan weerskanten van de weg. Hij stopte op enige afstand van het hoge, smeedijzeren hek met ingelegd bladgoud in de hoge stenen muur die rond het grote terrein van Olivera liep. Aan de andere kant stond een groene Oldsmobile vlak bij de ingang geparkeerd.

'Goedenavond, señor Douglas. Goedenavond, Miguel. Wij staan tegenover u te wachten. Veel succes,' klonk eensklaps luid en duidelijk een jonge stem door de luidspreker van de radio.

'Onze vrienden zijn er,' zei Hyde tevreden. Hij opende het handschoenenvakje en haalde daar twee 9 mm-pistolen, twee geluiddempers en acht magazijnen uit. Vier hield hij er zelf en de andere vier gaf hij aan Miguel, wiens gezicht merkwaardig bleek was. 'Schroef de geluiddemper erop,' zei Hyde. 'Één magazijn stop je erin, de andere doe je in je zak. Heb je de afstandsbediening klaar?'

'Ja, señor.'

'Kom mee dan.'

De twee verlieten de Porsche en liepen vlug en zachtjes naar het grote hek. Ze droegen schoenen met zachte zolen die hun stappen onhoorbaar maakten.

'Nu!' zei Hyde.

Miguel haalde het apparaatje ter grootte van een pakje sigaretten uit zijn broekzak en drukte op een knop. Het hek zwaaide open.

'Prima,' zei Hyde.

'Die schoft heeft boven op de muur inderdaad prikkeldraad laten leggen en daar staat vast stroom op,' zei Miguel.

'Reken maar! Dat heeft de generaal je immers al verteld.'

Ze liepen gebukt de inrit op. Miguel sloot het hek weer. Nu slopen ze snel een stuk door het prachtige park met zijn reusachtige bloemperken. Van de bomen, die omrankt waren met klimop, jasmijn en bougainvillea's, hingen trosjes orchideeën omlaag. Een heldere halvemaan straalde aan de hemel en alles was onwezenlijk, een onwezenlijk wereldje. Ze haastten zich langs het zwembad. Vlak bij de rand stonden witte rieten meubelen. Daar was het grote, witte huis van twee verdiepingen met het platte dak en de openslaande tuindeuren. Het bijzonder grote balkon op de eerste verdieping, waarop verscheidene ramen uitkwamen, rustte op zware marmeren zuilen.

'Waar slaapt Olivera?' fluisterde Hyde.

'Aan de achterkant.'

Ze hadden een tuindeur bereikt, die net als alle andere met een houten rolluik tot op de grond was afgesloten.

Hyde had een met gereedschap gevulde leren tas bij zich. In minder dan een minuut had hij het rolluik open. Nu nam hij een grote rol hechtpleister en plakte daarmee kriskras stroken over de ruit van een vleugeldeur. Hij plakte het raam bijna dicht. Daarna haalde hij een hamertje uit zijn tas en sloeg de ruit met twee korte stoten in: in het midden, vlak bij de plaats waar hij de deurknop veronderstelde. Het glas, dat in ontelbare stukjes brak, kon zo niet op de vloer vallen en herrie veroorzaken – het bleef aan de roze hechtpleister hangen. Hyde maakte een driehoekig stuk glas los, stak zijn hand naar binnen, vond de klink, maakte de grendel los en de deur ging open. Een minuut later waren de twee in de grote bibliotheek met de vele boeken. Miguel had een sterke zaklantaarn aangeknipt. Hij sloop voorop.

'Pas op, een stoel!' fluisterde hij. Ze bereikten de schoorsteen met de antieke staande klok. Miguel drukte op een verborgen veer. Een deel van de boekenplank zwaaide opzij en een grote in de muur verzonken brandkast met een cijferslot kwam te voorschijn. Miguel gaf de zaklantaarn aan Hyde. Deze scheen ermee op de brandkast. Miguel had hem tijdens de vlucht van Salta naar Buenos Aires verteld dat een van zijn eerste taken bij Olivera was geweest achter de cijfercombinatie te komen.

'Het was doodeenvoudig. Olivera was er helemaal niet voorzichtig mee. Na drie dagen kende ik de combinatie. Maar daarna heeft zich nooit de noodzaak voorgedaan iets uit de safe te halen.'

Nu stelde hij vlug en vaardig een getallenreeks van vijf cijfers in. De stalen deur zwaaide open. Hij zag dossiers en papieren, enveloppen, ordners en een videocassette.

'Daar!' zei hij.

Miguel gaf de cassette en de elektronische deuropener aan Hyde.

'Dank je, jongen.' Hyde stopte alles in zijn zakken. 'Nu moet je hier even wachten.' Miguel knikte. 'Ik zal me haasten zo veel ik maar kan. Als we geluk hebben blijft iedereen in huis slapen. Als je ontdekt wordt – je hebt een wapen. Maar maak daar alleen gebruik van als er geen andere mogelijkheid is.'

'Ja, señor.'

'En denk erom, maak Olivera niet van kant voordat ik terug ben – als het enigszins kan. We moeten er zeker van zijn dat dit de film is die belastend is voor de generaal. Als dat niet zo is, gaan we een praatje maken met Olivera.'

'Laat mij dat dan doen,' fluisterde Miguel. 'Die vervloekte verrader!'

'Je houdt veel van de generaal, hè?'

Miguel knikte zwijgend. Net zoals ik van mijn moeder houd, dacht Hyde.

'Doorgaan ... doorgaan ... Vlugger ... nog vlugger ... Harder ... ja ... ja ... ja ...' Het knappe jonge meisje lag naakt onder de naakte man te kronkelen. Haar vingers zetten zich vast in zijn rug, haar benen sloten zich om zijn bovenbenen. Hij hijgde. Een ander meisje, naakt, slechts gekleed in zwarte kousen en schoenen met hoge hakken, keek bij deze scène toe en masturbeerde met razendsnelle bewegingen en een vertrokken gezicht. 'Ik kom!' schreeuwde het eerste meisje op het televisiescherm.

Een bel ging over: lang, lang, lang, kort, lang.

De lange, magere man met de blauwe stofjas die de pornofilm met vier videotoestellen tegelijkertijd op drie andere cassettes overzette, keek op de klok. Het was even voor tweeën in de nacht. De man keek op de schaalverdeling van een controleapparaat, knikte tevreden en stond op. Hij was bezig in de werkplaats achter een groot televisie- en videobedrijf aan de Avenida Rivadavia in de wijk Flores. Nu liep hij de zaak door naar de ingang en maakte de deur open. Hyde stapte naar binnen. Het volgende moment lagen de twee mannen in elkaars armen en sloegen ze elkaar op de rug.

'Wayne, ouwe jongen!'

'Mendez, kerel!'

Ze waren even oud en even mager. In 1977 hadden ze samen aan de kant van de guerrilla's tegen troepen van de Argentijnse junta gevochten. Daarbij had Mendez Caballito zoveel verdiend, dat hij de winkel op de Avenida Rivadavia kon kopen. Door de verkoop van videofilms, die hij in grote hoeveelheden kopieerde van Amerikaanse en Franse harde pornoprodukties, waren de zaken pas echt goed gaan lopen. De handel in dergelijke films was in Argentinië verboden en daarom kon Mendez Caballito er ook zoveel voor vragen. Hyde had hem vanuit Tucuman opgebeld om zijn bezoek aan te kondigen.

Caballito sloot de winkeldeur weer af en liep terug naar de werkplaats. De pornofilm draaide nog. De beide meisjes hielden zich nu met de man bezig. De een bereed hem, de ander zat boven zijn mond. Allebei kreunden ze luid en wiegden met hun weelderige lijf. De man gromde. Hij omklemde het achterwerk van het meisje.

'Uit Parijs. Werkelijk uitstekende kwaliteit,' zei Caballito. 'Wil je een beetje kijken, kerel?'

'Ik kots van dat spul,' zei Hyde.

'O, sorry.'

'Heb je alles voor me voorbereid?'

'Natuurlijk.' Caballito keek weer op het metertje en ging daarna met Hyde naar een ander vertrek. Hier stond een televisietoestel met een videorecorder. 'Je hebt gezegd dat je de kopie direct wilde afdraaien.'

'De tijd dringt, ja.'

'Zal ik je iets te drinken brengen?'

'Ik drink toch nooit.'

'Weet je hoe hij werkt?'

'Natuurlijk. Het is heel simpel.' Hyde haalde de cassette die in de brandkast van Olivera had gelegen uit zijn zak. 'Wees niet beledigd, Mendez, ouwejongen, maar ik heb echt een gruwelijke hekel aan porno.'

'Ik begrijp het wel, hoor. Hoe is het met je moeder?'

'Dank je, aardig dat je ernaar vraagt. Ze heeft haar been gebroken.'

'O jee, op die leeftijd!'

'Komt wel weer goed. We hebben de beste dokter die we krijgen konden. Ga gerust weer aan je werk. Ik red het hier wel.'

Zijn vriend vertrok.

Hyde stelde de televisie af op videoweergave, zette de recorder aan, schoof de cassette erin en drukte op de afspeeltoets. Hij ging zitten. Uit de ruimte naast hem klonk de stem van een meisje: 'O god, ik ga dood. Dat hou ik niet uit ... Ik kom alweer ... alweer ...'

Op de beeldbuis van Hyde draaide een zwart-witfilm, daarna verschenen de cijfers 3, 2 en 1 en vervolgens een gestileerde adelaar met een gestileerde olijftak in zijn rechter- en een eveneens gestileerde lictorenbundel in zijn linkerklauw, en voor zijn borst, vierkant en gestileerd, de Amerikaanse vlag, terwijl boven de kop van de adelaar een naar beide kanten opwapperend lint met de woorden E PLURIBUS UNUM prijkte.

Rond de adelaar liep een gesloten cirkel. Hyde las: SEAL OF THE PRESIDENT

OF THE UNITED STATES. Dit vignet bleef een tijdje staan. Daarna las Hyde in hoofdletters de woorden TOP SECRET en daarna een Engelse tekst: *Van deze film bestaat nog slechts één ander exemplaar met Russische tekst en commentaar in het Russisch...*

'Dieper!' riep het meisje in het vertrek ernaast. 'Stop hem er nu heel diep in, toe dan, toe dan!'

Miguel Morales zat in de grote bibliotheek te wachten. Hij wist dat hij nog een hele tijd moest wachten, want Hyde had hem pas enkele minuten geleden alleen gelaten. Door de open deur viel een brede baan maanlicht op het vloerkleed. Miguel dacht: ik ben heel blij dat de generaal mij heeft gevraagd hem in zijn wanhopige situatie te helpen en dat ik hem ook echt kan helpen. Wat een geweldige man, die generaal van mij. Zal ik werkelijk spoedig bij hem zijn? Miguel glimlachte. Hij stelde zich het weerzien voor. Plotseling schoot de plafondverlichting van de grote bibliotheek aan.

Miguel kromp van ontzetting ineen. Eduardo Olivera was binnengekomen. Hij droeg alleen een blauwe pyjama en pantoffels. In zijn hand had hij een pistool van het merk Walther PP, kaliber 7,65. Zijn kortgeknipte, zeer dikke en sneeuwwitte haar glansde in het licht. Zijn smalle gezicht was door de zon gebruind, terwijl zijn ogen die gewoonlijk een hoogmoedige indruk maakten, nu helemaal niet hoogmoedig, maar stomverbaasd schenen.

'Miguel...' zei Olivera heel zacht.

Miguel had zijn pistool op tafel gelegd. Hij greep het. Het volgende moment schoten ze allebei, gelijktijdig. Miguels kogel miste zijn doel en sloeg naast het hoofd van Olivera in de muur. De jongeman werd naar achteren geslingerd en vloog met zijn rug tegen een boekenkast. Olivera schoot het hele magazijn leeg. De meeste kogels troffen de buik van Miguel. Zijn ogen puilden uit hun kassen. Hij opende zijn mond. Het bloed spoot naar buiten. Miguel zakte in elkaar. Om hem heen vormde zich een grote plas bloed. Olivera stond een hele poos roerloos. Daarna ging hij met slepende tred naar de telefoon en draaide een nummer van twee cijfers. Direct daarna zei hij met toonloze stem: 'Met de politie?... Met Eduardo Olivera, Cespedes 1006. Wilt u dadelijk komen? Ik heb een inbreker neergeschoten.'

Een halfuur later nam Hyde afscheid van zijn vriend Mendez Caballito. Hij stapte in zijn zilvergrijze Porsche en reed weg. Onmiddellijk hoorde hij een jongemannenstem door de mobilofoon: 'Hallo, Douglas... hallo, Douglas... Douglas, contact opnemen... Hallo, Douglas...'

Hyde pakte de microfoon en zei: 'Hier Douglas.'

'Eindelijk! We zoeken u al een halfuur.'

'Wie bent u?'

Onder veel krakende storingsgeluiden kwam het antwoord: 'Vrienden. Mijn collega en ik zaten in de groene Oldsmobile die voor Cespedes 1006 stond toen u daar aankwam. We zitten nog steeds in dezelfde wagen, maar

389

zijn er als een haas vandoor gegaan. Ga in geen geval terug naar de Cespedes, Douglas! In geen geval! Daar barst het nu van de politie.'
'Politie?'
'Ja. Er is iets misgegaan.'
'Wat?'
'Olivera heeft Miguel neergeschoten.'
'Verdomme! Hoe weten jullie dat?'
'We kunnen de politieradio afluisteren, Douglas. U moet onmiddellijk Cristobal opbellen. Hij heeft al met Londen gesproken.'

2

De kleine meneer Abad zag er nog zorgelijker uit dan Sibylle hem zich herinnerde. En nog groter schenen haar zijn neus en oren. Met zijn hand, die aan die van een pianist deed denken, betastte de kleine, zo breekbaar lijkende heer de parel op de strop van zijn das. Hij zat tegenover Sibylle aan een tafeltje in een van de beide restaurants in de Donautoren. Voor de grote ramen gleden juist de lichten van het centrum voorbij. Ze hadden gegeten – Sibylle alleen hors d'oeuvres. Nu stond er een kopje koffie en een glas cognac voor hen.

'Ik dank u dat u mijn uitnodiging hebt aangenomen, dokter,' zei Abad. Hij nipte aan zijn cognac. Het restaurant was behoorlijk bezet.

'U hebt gezegd dat het over mijn broer ging.' Sibylle streek met haar hand door haar kortgeknipte kastanjebruine haren. Haar ogen van dezelfde kleur waren half gesloten terwijl ze sprak. 'Wat is er met mijn broer, meneer Abad?'

'Het gaat goed met hem. U krijgt toch regelmatig post van hem, is het niet?'

'Ja.'

'Nu, en schrijft hij niet dat het goed met hem gaat en dat hij alle mogelijke gunsten geniet?'

'U hebt toch niet een afspraak met mij gemaakt om mij dat te vragen?'

'Nee, nee, natuurlijk niet, dokter.'

'Maar waarom dan wel?'

De lichten van de stad bleven achter, werden spaarzamer. Het raam draaide langzaam in de richting van de Kahlenberg.

'Nu, hm, nu...' Abad friemelde langdurig aan de parel en schudde zorgelijk het hoofd. 'U hebt een oude vriend, de heer Ross. Een zeer oude en zeer goede vriend, hè?'

'Ja.'

'Kortgeleden hebt u hem in het sanatorium onder behandeling gehad. Hij was door overmatig gebruik van kalmerende middelen heel ver heen. U hebt hem weer opgelapt. U bent een geweldige arts.'

'Toe nou, meneer Abad.'

'Dat bent u echt. Ross is als herboren. Fris en levendig, actief en succesrijk als nooit tevoren.'

'Hoe weet u dat?'

'Een kennis heeft het mij verteld. Hoort u dan niets van uw oude vriend?'

'Hij belt me van tijd tot tijd op.'

'Nu, dan weet u zelf toch ook dat het goed met hem gaat. Op uw gezondheid, dokter!' Hij hief zijn glas, waardoor hij haar dwong hetzelfde te doen. Ze dronken allebei. Op de hellingen van de Kahlenberg waren maar enkele eenzame lichtjes te zien, plus het snoer van lichtjes langs de Höhenstrasse. Bleek maanschijnsel viel op de bossen en wijngaarden, stenen bergwanden en weilanden.

'Helaas bezorgen uw goede oude vriend Daniel Ross en zijn vriendin Mercedes ons grote moeilijkheden. Steeds grotere. Ik bedoel de moeilijkheden die ze ons bezorgen, worden steeds groter. Nu zijn ze onduldbaar groot geworden. U weet niet waar ik het over heb?'

'Ik heb geen idee, meneer Abad.'

'Ziet u, dokter, uw oude vriend en zijn jonge vriendin menen de mensheid een dienst te bewijzen met wat ze van plan zijn. Andere mensen menen dat ook. Zij allen zijn in een tragische vergissing verstrikt geraakt. Zij zullen de mensheid geen dienst bewijzen, maar er alleen voor zorgen dat de wereld in nog grotere onrust, onzekerheid en angst leeft. Er pakt zich iets noodlottigs samen, dokter, iets wat we onder alle omstandigheden moeten voorkomen.'

Nu kwam de geweldige rivier in zicht, zilverachtig glansde het water in het maanlicht.

'Noodlottig voor wie? Voor uw opdrachtgevers? De heren voor wie u werkt?'

'Nee, nee, voor alle mensen, voor iedereen, ja.' Hij zweeg en voegde er na een stilte droevig aan toe: 'Werkelijk voor iedereen. Wanorde en leed, dat zullen de gevolgen zijn van de activiteiten van de heer Ross en zijn vriendin. Over de hele wereld. Als het niet nog erger is. We moeten dat voorkomen.'

'Dat zei u net ook al, meneer Abad.'

Hij keek haar zwijgend aan.

Na een lange stilte vroeg Sibylle: 'Waarom kijkt u mij zo aan?'

'Ik herinner me onze eerste ontmoeting, geachte mevrouw,' zei de kleine heer. 'Dat is geweest op de avond van 18 juni '76. Ook hier in de Donautoren. U hebt diepe indruk op mij gemaakt. Als een bijzonder knappe vrouw. En als een persoonlijkheid. Ik zal die datum nooit vergeten. 1976! Hemel, dat is al acht jaar geleden ... acht jaar ... Wat gaat de tijd toch snel ... en het leven ... ik ben een oude man ... Spoedig zal ik sterven ...'

'Meneer Abad! Waarom hebt u mij hier laten komen?'

'Niet zo hard alstublieft!' Hij nam weer een slokje en wenkte daarna een ober naderbij. 'Nog tweemaal hetzelfde,' zei hij, op de cognacglazen wijzend.

'Komt in orde, meneer. Nog twee Remy Martins.'

De kleine meneer Abad boog zich naar voren. 'Weet u, dokter ...' Hij streek over zijn voorhoofd. 'U hebt er geen idee van hoe vaak ik mijn beroep

verafschuw ... Ziet u, omdat u in de afgelopen jaren op zo'n fantastische wijze uw medewerking hebt verleend, is de gevangenisstraf van uw broer verminderd tot vijftien jaar, nietwaar. En daarvan heeft hij er al acht uitgezeten. Hij zou dus over zeven jaar vrij kunnen zijn.'
'Wat bedoelt u met: zou kunnen?' viel Sibylle uit.
'Als u eens wist hoe vaak ik mijn beroep ver ...'
'Ja, ja, ja. Wat bedoelde u daarmee, meneer Abad?'
'Hij zou over zeven jaar vrij kunnen zijn als het u lukt datgene te bereiken wat ik nu helaas van u moet verlangen.'
'En wat is dat?'
'Ik verzoek u naar Frankfurt te vliegen en alles in het werk te stellen om Ross en zijn vrienden te laten stoppen met hun werk aan dit project.'
'Hoe kan ik dat nu bereiken?'
De ober arriveerde met twee nieuwe glazen.
Abad dronk het zijne in één teug leeg.
'Dat is uw zaak. Als u het niet voor elkaar krijgt, wordt de straf van uw broer weer teruggebracht tot vijfentwintig jaar. Alle gunsten, álle, dokter, zullen hem worden ontzegd. Dat kunt u tegen Ross zeggen.'
'Wat?'
'Wat ik u zojuist heb gezegd. U was elkaar eens zeer toegedaan. Er bestaat nog steeds een grote innerlijke band. Doe een beroep op zijn medegevoel! Stelt u alles in het werk wat in uw vermogen ligt!'
'Maar ... maar de heer Ross weet toch helemaal niets af van mijn broer! Het was toch streng verboden met wie dan ook over hem te praten.'
'Dat is zo,' zei Abad, eensklaps kil en boosaardig. 'Maar toch weet de heer Ross alles over uw broer. En die mevrouw Olivera ook.'
'Dat is niet waar!'
'Natuurlijk is het waar! U hebt de verpleger Josef Aigner verzocht die twee alles te vertellen – tijdens een bezichtiging van de abdij Heiligenkreuz op vijf maart.'
Nu dronk Sibylle haar glas in één teug leeg.
'U hebt de verpleger Josef beschouwd als een vertrouweling, dokter,' zei Abad klaaglijk. 'Dat was een grote vergissing. U mag geen mens vertrouwen. Nooit. Hij heeft samen met uw broer op school gezeten, hij was jarenlang zijn beste vriend. U hebt Josef in vertrouwen genomen, vaak ...'
Sibylle keek hem zwijgend aan. Haar lippen trilden.
'Het is heel erg dat u ons voor gek verslijt, dokter,' vervolgde Abad zijn klaagzang. 'Dacht u nu echt, dat we niet iedereen die in het sanatorium komt werken nauwkeurig onder de loep nemen voordat we hem in dienst nemen?'
'U wist ...'
'Nu, natuurlijk. Josef was voor ons van onschatbare waarde. Hij heeft ons altijd dadelijk alles doorgegeven wat u hem, de man die u als de enige ware vriend in het sanatorium beschouwde, toevertrouwde. Uiteraard deelde hij ons ook mee dat hij Ross en Olivera in opdracht van u tot in de details op de hoogte had gesteld waarom u in Heiligenkreuz werkt en wat

er met uw broer aan de hand is. Om precies te zijn: hij lichtte ons natuurlijk over uw opdracht in vóórdat hij die uitvoerde. Wij hebben hem daartoe uitdrukkelijk gemachtigd.'

'U hebt hem . . . maar waarom?'

'Omdat wij in onze overwegingen ook een situatie moesten betrekken zoals die zich nu heeft voorgedaan, dokter. En wat was dat verstandig! U kunt uw oude vriend Ross gerust vertellen dat ik u gezegd heb wat er met uw broer gebeurt als Ross en de anderen hun plan werkelijk uitvoeren. Mochten de deelnemers daar hun mond niet kunnen houden en zouden buitenstaanders van de zaak horen, dan is het met uw broer afgelopen – onmiddellijk. Dat moet u ook tegen Ross zeggen.'

Sibylle probeerde tweemaals tevergeefs iets uit te brengen, en sprak toen: 'Maar ik weet toch niet wat Ross van plan is.'

'Nee, dat weet u niet. Vraag het hem! Doet u wat u kunt. Het lot van uw broer staat op het spel, dokter. Alles ligt nu in uw handen . . .' Abad keek uit het raam. De bomen, bosjes en zandbanken van de Lobau trokken aan hen voorbij. Het maanlicht schiep enorme schaduwen en een licht-donkere, vreemde wereld. 'Overigens zult u Josef nooit meer zien,' zei de kleine heer tegen de ruit. 'Hij heeft het sanatorium en Oostenrijk reeds verlaten. We zullen hem ergens anders aanstellen. Heus, dokter, dat ellendige, gemene en nietsontziende beroep – het zal me nog eens het leven kosten. Mijn hart maakt het niet lang meer. Nee, niet lang meer . . .'

Een intercontinentaal gesprek.

'Meneer Von Karrelis, u spreekt met Conrad Colledo. Ik kom net van het hoofdbureau van politie. Olivera wordt vandaag nog vrijgelaten. Binnen achtenveertig uur. De zaak is volkomen duidelijk: noodweer.'

'Dan zullen alle journalisten en correspondenten in Buenos Aires wel present zijn als Olivera vrijkomt.'

'Zeker. Daarom bel ik u op.'

'Hoezo?'

'Ik heb een briefje van Olivera gekregen. Tien minuten geleden. Een omgekochte cipier heeft het naar buiten gesmokkeld. Olivera schrijft, dat hij tegenover de rechter en de politie heeft verklaard dat er uit de brandkast niets is ontvreemd. Hij heeft beweerd dat hij Morales betrapte vlak nadat deze de safe had geopend. Maar in werkelijkheid is de videocassette, die Olivera mij vandaag had moeten overhandigen, verdwenen.'

'Wát?'

'U hebt het goed gehoord.'

'Als die is verdwenen, moet een tweede man samen met Morales hebben ingebroken en dadelijk met de cassette zijn verdwenen.'

'Of Olivera liegt.'

'U bedoelt dat hij de cassette nog heeft en ons om de tuin wil leiden?'

'Als er een tweede man was, waarom bleef Morales dan achter? Waarom nam hij ook niet direct de benen nadat hij de brandkast had opengemaakt en de cassette eruit had gehaald?'

'Hebt u daar een verklaring voor?'

'Het is mogelijk dat de tweede man eerst wilde vaststellen of het de juiste cassette was.'

'En daarom liet hij Morales achter?'

'Ja.'

'Dat begrijp ik niet.'

'Voor het geval dat het de verkeerde cassette zou zijn geweest – ik ga ervan uit, dat hier onze vrienden van de tegenpartij weer aan het werk zijn.'

'Natuurlijk.'

'Als het de verkeerde cassette is geweest, zouden die twee waarschijnlijk hebben geprobeerd Olivera onder druk te zetten om hem zo tot afgifte van de echte film te bewegen.'

'Met al dat personeel in huis? Dat is toch onmogelijk!'

'De enige verklaring die ik kan bedenken.'

'U bedoelt dat Morales of de tweede man Olivera zouden hebben doodgeschoten als de cassette niet goed was geweest en hij niet met de echte over de brug was gekomen?'

'Ze wilden hem in elk geval doodschieten, meneer Von Karrelis. Om te voorkomen dat hij hen zou verraden.'

'Mooi, mooi. Dus die anderen zijn ons prompt weer te vlug af geweest.'

'Inderdaad. Tenzij, zoals gezegd, Olivera liegt en hij de cassette nog heeft.'

'Dan had het weer geen zin, dat – theorie van de tweede man – Morales achterbleef terwijl de eerste man de cassette controleerde.'

'Misschien speelt Olivera komedie en heeft hij zelf geholpen bij de voorbereiding van de inbraak, de zogenaamde inbraak.'

'Hoort het dan ook bij zijn toneelstukje dat hij iemand doodschiet, Colledo?'

'Maar meneer Von Karrelis! Wat denkt u wel van mij? Ik heb u alleen een mogelijke versie laten horen. Meer weet ik niet. Hartelijk dank overigens voor de tactvolle tip dat de tegenpartij alweer op de hoogte moet zijn geweest.'

'Lieve help, doe niet zo vervelend. Zo is het toch – helaas. Heb ik u soms verdacht gemaakt? Nou dan. Zwakke zenuwen, meneer Colledo?'

'Dank u, het gaat nog. De politie hier is uiterst coöperatief. De BKA heeft goede vrienden. Wij worden bewaakt en Olivera krijgt politiebescherming – ook voor later. Er is mij verteld dat hij heel kalm is. Hij heeft een vast vertrouwen in de "levensverzekering" door de cassettes die bij de zender liggen ... U weet wel, u hebt daarmee de afgifte van de derde cassette voor hem aantrekkelijker gemaakt. Nu heb ik zo snel mogelijk uw beslissing nodig.'

'Beslissing?'

'Olivera schrijft in zijn briefje dat het niet zijn schuld is dat de cassette is verdwenen en hij haar dus niet, zoals met u besproken, aan mij kan overdragen. We hebben altijd nog de twee andere cassettes in ons bezit, schrijft hij. Olivera wil die tien miljoen dollar. Dat geld moet ogenblikkelijk bij zijn bank worden gedeponeerd. Gebeurt dat, dan zal hij tegenover journalisten en televisiemensen – tegenover iedereen – bij zijn verhaal blijven dat er niets uit zijn safe is gestolen. Staat die tien miljoen niet op zijn bank als hij vrijkomt, dan zal hij zijn mond opendoen. Flink opendoen. Hij zal die hele verdomde geschiedenis bekendmaken. Alles wat hij weet. Alles ten aanzien van de film en de inhoud daarvan. Hij is volkomen radeloos als hij het geld nu niet krijgt. Hij is dan bankroet en zal de rest van zijn leven wegens zijn financiële affaires in de gevangenis moeten slijten. Zegt u mij wat ik moet doen. Uiterlijk over drie uur wordt Olivera ontslagen.'

'Wat verlangt u van mij, meneer Colledo?'

'Dat u mij zegt of ik die tien miljoen moet storten of niet.'

'Maar . . . maar . . . Godverdomme, die vent chanteert ons alweer!'

'Zou u het in zijn situatie niet doen? Hij moet afschuwelijke schulden hebben. Dit is zijn laatste kans, nu de film weg is.'

'Misschien is hij niet weg. Misschien bedondert die schoft ons!'

'Dat is mogelijk.'

'Hemel-nog-aan-toe, wat een smerige chantage, zeg!'

'Meneer Von Karrelis! Moet ik die tien miljoen dollar nu storten of niet?'

'Nee! Of wacht eens even, als we hem dat geld níet geven . . .'

'Ja, precies.'

'Maar ik kan dat toch niet alleen . . . Ik moet opbellen naar Bonn . . . Geeft u mij een half uur . . . Waar kan ik u bereiken?'

'Ik logeer in hotel Nogaro, net als de vorige keer.'

'Blijf op uw kamer! Ga niet weg! Ik bel terug.'

'Maar wél binnen een uur. Anders is het te laat.'

Vier uur later stond Eduardo Olivera naast de schoorsteen in zijn biblio-theek voor de geopende brandkast. Hij had een lichtblauw zomerkostuum aan, met om zijn hals een brede, witte zijden sjaal. De sjaal en zijn dikke witte haar glansden in het licht van de schijnwerpers. Twee cameramensen en een geluidstechnicus hadden – net als bij Harry Gold – hun apparatuur geïnstalleerd. En ook de veiligheidsmaatregelen deden denken aan Harry Gold – alleen waren die hier veel strenger. Gewapende politiemannen stonden rond het terrein van de villa. Elk hoekje was van tevoren door-zocht.

De mannen van het camerateam die met Conrad Colledo uit Frankfurt waren meegekomen, stonden roerloos te wachten. Camera één liep, het geluid liep, de klap werd dichtgeslagen. Met de handen in zijn broekzakken zei de man in het licht: 'Mijn naam is Eduardo Olivera. Dat is de naam die ik al vele jaren draag. Vroeger heette ik Georg Ross. Ik zweer bij God dat ik hier de waarheid en niets dan de waarheid zal spreken. Ik speelde tijdens de Tweede Wereldoorlog in Berlijn een leidende rol bij de geheime dienst van de minister van Buitenlandse Zaken, Joachim von Ribbentrop. In die positie heb ik in het hele Midden-Oosten een eigen netwerk voor deze geheime dienst opgebouwd . . .'

. . . En sinds twee uur heb je tien miljoen dollar op je bankrekening staan, dacht Conrad Colledo, die naast de geluidsman achter de schijnwerpers zat, en hoef jij je geen zorgen meer te maken over een bankroet en de schande. Het praat lekker en je kunt weer uit de hoogte doen met zoveel geld op de bank.

'Wat fijn dat je de telefoon aannam toen ik je gisteren opbelde, Danny,' zei Sibylle. 'Ik was al bang dat jullie ergens naar toe waren. Het doet me goed, jullie terug te zien. Je maakt een gezonde indruk, Danny, ouwe jongen!'
'Het gaat ook prima met me,' zei deze. 'Mercedes houdt me in de gaten. Ik heb de tabletten aan haar gegeven. Ik krijg er 's avonds een en 's morgens een – zoals jij hebt voorgeschreven. Ja, ik ben helemaal beter. Maar jij ziet er overwerkt uit, lieverd, heel erg overwerkt. Of is er soms iets?'
'Wat zou er zijn?'
'Weet ik veel. Zorgen? Is er iets gebeurd?'
'Helemaal niet, Danny. Echt niet.'
'Je ziet er inderdaad ellendig uit, Sibylle,' zei Mercedes. 'Zo bleek, ingevallen wangen en wallen onder je ogen . . .'
'Te hard gewerkt. Danny zei het net al.' Sibylle lachte.
Ze lacht te luidruchtig, dacht Daniel.
'We hebben twee opdrachten voor onderzoek ontvangen voor een geneesmiddelenconcern. Nieuwe medicijnen. Klinische proefneming. Daarom moest ik naar Frankfurt.' Ze loog gemakkelijk en perfect. Ik hoop dat ik gemakkelijk en perfect lieg, dacht ze. 'Met de chemici hier spreken. Grote conferentie. Als ik geweten had hoeveel werk eraan vastzat, had ik het nooit aangenomen. Voor geen goud ter wereld.'
Sibylle zat tussen Daniel en Mercedes in de grote werkkamer van het appartement aan de stille Sandhöfer Allee. Buiten was het nog steeds ijskoud. Een harde noordenwind floot rond het huis. Mercedes had thee met sandwiches geserveerd. Sibylle deed haar best kalm, beheerst en opgewekt te zijn. Ze zag er inderdaad ellendig uit. De ochtend nadat ze met de kleine meneer Abad uit eten was geweest, was ze meteen naar Frankfurt gevlogen – niet zonder zich er eerst telefonisch van te vergewissen dat Daniel en Mercedes thuis waren. Ze had gevraagd of ze op bezoek mocht komen – omdat ze in de stad moest zijn. Daniel had daar enthousiast op gereageerd. Nu zaten ze bij elkaar, vertelden, lachten, zwegen en Sibylle bracht verslag uit van het leven in het sanatorium. Lieve God, laat mij een begin vinden, dacht ze. Ik moet een begin vinden om te zeggen waarom ik hier ben. Ik moet nog veel meer doen, als ik niet wil dat mijn broer als gevangene sterft. Nog eens vijfentwintig jaar . . .
Ze praatte en praatte. Ik kan geen begin vinden, dacht ze wanhopig.
Mercedes was opgestaan en had een wandkast geopend waarvoor ze nu neerknielde. Uit de twee stereoboxen die in twee verschillende hoeken van de kamer stonden, klonk plotseling muziek, een piano en een klaaglijke saxofoon. De muziek bezat de eigenaardig blikkerige, schijnbaar te hoge klank van heel oude grammofoonplaten. Een jonge, heldere vrouwenstem,

o zo weemoedig, begon te zingen: '*Man hat uns nicht gefragt, als wir noch kein Gesicht, ob wir leben wollten oder nicht...*'

'O,' zei Sibylle. Haar blik dwaalde tussen Daniel en Mercedes heen en weer.

'Je ziet dat we de plaat in ere houden,' zei Mercedes, naar de haard terugkerend. 'Jullie tijd, Sibylle, Danny. Jullie lied. Nu is het ons lied, Sibylle. Jij hebt het ons geschonken.'

'We hebben nooit geweten wie het zingt,' zei Sibylle. 'Hè, Danny? En wat hebben we er een moeite voor gedaan om daarachter te komen!'

'Wij ook,' zei Mercedes. 'Maar nu willen we het helemaal niet meer weten. Het is zo nog veel mooier.'

'... *Jetzt gehe ich allein durch eine grosse Stadt, und ich weiss nicht, ob sie mich lieb hat*,' zong de jonge, onbekende vrouw uit een andere tijd, een andere wereld. Een raam rammelde toen een zeer hevige stormvlaag het huis op zijn grondvesten deed schudden ... '*Ich schaue in die Stuben durch Tür und Fensterglas, und ich warte, und ich warte auf etwas...*'

Mercedes keek Daniel lang aan. Deze knikte eindelijk.

'Ja,' zei hij.

'Ja, wát?' informeerde Sibylle.

'Ja, we willen je vertellen waar we mee bezig zijn,' zei Daniel. 'Jij hebt die verpleger Josef opdracht gegeven ons alles over jou te vertellen, over jou en je broer, over die hele ongelukkige zaak – en wij hebben jou nog nooit iets over onszelf verteld. Dat is erg oneerlijk, vind je ook niet, Mercedes?'

'Zeker,' zei deze.

'We weten dat je het aan niemand doorvertelt,' zei Mercedes.

'Jawel. Aan Werner,' zei Daniel. 'Werner mag het ook weten. Jullie allebei. Jullie horen bij elkaar.'

'Wij horen alle vier bij elkaar,' zei Sibylle heel zacht.

'Dank je,' zei Mercedes even zacht. 'Ik dank je.'

'... *Wenn ich mir was wünschen dürfte, möcht' ich etwas glücklich sein...*'

Daniel zei: 'Ben jij ook bang dat er weer een oorlog komt, Sibylle?'

'Ja,' zei ze. 'Heel erg bang. Werner ook. Iedereen die maar een beetje kan nadenken, is bang. Het wordt van dag tot dag erger. Weet je, ik moet er altijd weer aan denken hoe wijs toch de mannen waren die de bijbel hebben geschreven. "Zalig zijn de armen van geest, want hun zal het koninkrijk der hemelen behoren." ... De armen van geest... Die niet denken, die zich niets kunnen voorstellen ... die zijn niet bang ... Echt, zalig zijn ze!'

'... *denn wenn ich gar zu glücklich wär', hätt' ich Heimweh nach dem Traurigsein*,' zong de jonge stem. Het orkest zette in en speelde het lied uit. Met een klik schakelde het apparaat uit.

'Wij hebben uit het archief van de zender uitspraken en redevoeringen van grote politici gehaald,' zei Daniel. 'En met verbijstering gelezen. Let op, Sibylle, ik citeer uit mijn hoofd ... "Op het ogenblik dat de Sovjetunie het nodige heeft aangeschaft om Amerika van de kaart te vegen en ook deze de middelen bezit de Sovjetunie te vernietigen, is het dan nog denkbaar dat deze twee rivalen, behalve als het hoogst noodzakelijk is, elkaar zullen aanvallen? Maar wat zou hen ervan weerhouden hun bommen op het tussen hen liggende gebied, op Midden- en West-Europa te gooien? De NAVO heeft dus opgehouden de Westeuropeanen hun bestaan te garanderen." Wie heeft dat gezegd? Je raadt het nooit! Generaal de Gaulle! Meer dan twintig jaar geleden. En die was toch echt niet links! Of een andere stem: "Er bestaan duidelijke politieke belangen die pleiten tegen een ontspanning met de Russen. Er is ongelooflijk veel geld mee gemoeid en de economische belangen van veel mensen liggen in de produktie van steeds meer wapens. Dit is uitstekend te verkopen als vaderlandsliefde en bereidheid tot verdediging." Wie zei dat? De Amerikaanse senator Fulbright – vol woede. Leuk, hè?'

'Hulpeloos moeten de Europeanen toezien,' zei Mercedes, 'hoe het onheil nadert. Ze leven allemaal – met de Duitsers voorop – bij de grens waar de blokken op elkaar botsten. Als in Washington regeringsadviseurs spreken van de "vooroorlogse tijd" – en dat zeggen ze echt, Sibylle! – en als in Moskou wordt gewaarschuwd voor westelijke "oorlogsvoorbereidingen", die het noodzakelijk maken "het kruit droog te houden", dan acht niet alleen een zo pessimistisch ingestelde filosoof als Carl Friedrich von Weizsäcker een derde wereldoorlog "waarschijnlijk". Von Weizsäcker zei: "Als er maar genoeg mensen zijn die zich zo gedragen alsof een dergelijke oorlog onafwendbaar is, dan wordt het steeds gemakkelijker dát hij komt."' De noordenwind gierde weer om het huis en deed het raam rammelen. 'God zal ons beschermen,' zei Mercedes met een vertrokken mond. Sibylle zag dat in haar gespannen gezicht veel spiertjes trilden. 'Het Vaticaan heeft immers duidelijk gezegd dat nucleaire afschrikking geenszins immoreel is. Voor de paus zijn atoomwapens met het oog op oorlogsgevaar net zo iets als voorbehoedmiddelen. En wel van een soort' – Mercedes lachte boosaardig – 'waarvoor hij bij uitzondering sympathie heeft.'

'En de Duitse katholieke bisschoppen, Sibylle, stel je dat eens voor,' riep Daniel uit, 'hebben verklaard dat zij voor de vrede zijn – na lang nadenken. De Duitse bisschoppen zijn voor de vrede! En niet voor de oorlog. Fantastisch, hè?'

'Wij, kleine mensen. Wij miljarden kleine mensen,' zei Sibylle. 'Wat kunnen we doen? Wachten tot we gedood worden, meer niet.'

'O nee!' zei Mercedes.

'Wát?'

'O nee,' zei nu ook Daniel. 'Natuurlijk herinner jij je nog wel hoe ik jou in het sanatorium opbelde, volkomen kapot van die Nobilam . . .'

'Natuurlijk. Ik heb je gezegd dat je dadelijk bij me moest komen en jij zei, dat je beslist eerst nog iets moest regelen. Samen met Mercedes, die jou een boodschap had gebracht.'

'Juist. Een boodschap van een man in Buenos Aires, heb ik jou verteld. Een heel belangrijke boodschap. Die man, zei ik, had werk voor mij. En ik moest naar hem toe. Zo snel mogelijk . . . Weet je, wie die man in Buenos Aires was?'

'Nou?' vroeg Sibylle.

'Mijn vader.'

'Jouw vader . . . die is toch in de oorlog gesneuveld . . .'

'Ja, dat dacht ik ook. Maar hij leeft nog. Mijn vader leeft nog, Sibylle! Onder een andere naam. Een oude man. Heel kwiek. Geeft op dit moment een televisie-interview, of heeft het net gegeven.'

'Waarover?'

'Over . . . We zullen je alles vertellen, alles. De hele geschiedenis . . .'

Een halfuur later. Mercedes en Daniel hadden om de beurt gepraat, Sibylle had geluisterd. Nu zwegen ze alle drie. De storm loeide. Verder was het stil in het grote vertrek.

'Gruwelijk,' zei Sibylle eindelijk. 'Werkelijk het gruwelijkste dat ik ooit heb gehoord. Dat is dus jullie werk.'

'Ja, dat is ons werk,' zei Mercedes. 'Als die film wordt uitgezonden, Sibylle . . . het is niet zo dat we ons voorstellen dat de mensen op de barricades zullen gaan of zo. Maar de bondgenoten van de grote twee, de regeringen van zoveel staten, zij zouden toch hun aansluiting bij de beide supermachten moeten opzeggen, als die al in 1943 de wereld onder elkaar hebben verdeeld. Als ze toen al hebben besloten elkaar niets te doen en niet in te grijpen, wanneer een van hen oorlog voert met een weerspannige staat binnen zijn invloedssfeer. Als ze toen al Europa en met name Duitsland hebben aangewezen als proefterrein voor hun nieuwe wapens.'

'We weten nog steeds niet, of de film vals of echt is,' zei Daniel. 'De beide grootmachten stellen met behulp van hun mensen alles, werkelijk alles in het werk om getuigen voor de echtheid van de film uit te schakelen. Dat betekent alleen dat de twee supermogendheden bang zijn voor het uitzenden van de film, omdat het al voldoende is wanneer de regeringen van hun bondgenoten bij zichzelf zouden denken: wat de werkelijke gebeurtenissen sedert 1945 aangaat, zóu de film echt kunnen zijn. En wij zijn slechts slachtvee, vele, vele miljoenen stuks slachtvee.'

'Daarom wordt deze oorlog in het duister zo verbitterd gevoerd, Sibylle,' zei Mercedes. 'Begrijp je het nu?'

'Ja,' zei Sibylle. En ze dacht: nooit, nee nooit mag ik die twee over mijn broer vertellen en hen vragen het werk waar ze zich helemaal aan wijden, op te geven. Het zou ook technisch onmogelijk zijn, de onderneming die daar op gang is gebracht tot stilstand te brengen. En al zou ze tot stilstand kúnnen worden gebracht . . . Natuurlijk kan ik zeggen: deze wereld is toch al verloren, jullie zijn idealistische fantasten, ik moet mijn broer helpen, alleen dat is belangrijk, alleen dát telt. Maar mag ik dat? Wil ik dat?

Sibylle hoorde en zag Mercedes en Daniel tegen zich praten, maar ze verstond niet wat ze tegen haar zeiden. Nee, dacht ze, ik mag hen niet met mijn zorgen ongerust maken, onzeker maken of oneens met elkaar, want wie weet wat er gebeurt als ik van Eugen vertel? Mercedes is te geëngageerd, te fanatiek, ik ken haar ook niet goed genoeg. Maar Danny . . . Hij heeft zo

van mij gehouden . . . en ik van hem . . . Hij is nog steeds aan mij gehecht . . .
En ik aan hem . . . Dát kan ik mij voorstellen, dat ik op z'n minst die arme
Danny in een verschrikkelijk gewetensconflict zou brengen . . . Nee, nee,
nee, ik mag niet over mijn broer spreken. Ik mág het eenvoudig niet.
'. . . niet goed?' Mercedes had iets tegen haar gezegd. Alleen de twee
laatste woorden verstond Sibylle.
'Nee hoor. Waarom?'
'Je bent ineens zo bleek,' zei Mercedes. 'Hè, Danny?'
'Ja,' zei deze. 'Wat heb je, Sibylle?'
'Er is echt niets.' Nu moet ik liegen, dacht ze. 'Alleen moe . . . Ik ben
doodmoe . . . Om vijf uur vanmorgen opgestaan om het vliegtuig te halen.
De besprekingen met de chemici. Erg vermoeiend, weet je. Moe, ja, ik ben
ineens moe, dat is alles.'
'Blijf hier toch slapen tot morgen!' zei Mercedes.
'Nee, dat gaat niet . . .'
'Natuurlijk gaat dat. We hebben plaats genoeg.'
'Niet daarom. Ik moet terug naar het sanatorium. Ik heb een paar
ernstige gevallen . . . Mijn retourvlucht is ook al voor vanavond gereserveerd . . . Ik wilde jullie tweeën alleen weer eens zien . . .' Sibylle voelde dat
het vertrek om haar heen begon te draaien. 'Ik . . . ik . . . ben echt doodmoe.
Ik moet weer fit worden. Danny, jongen, wil je mij een glas whisky geven
– een groot glas, zonder ijs en water, puur?'

Sibylle dronk daarna nog een groot glas whisky en toen Mercedes en Daniel
haar ten slotte met haar koffer in Daniels auto naar de luchthaven Rhein-
Main brachten, was ze wat aangeschoten.
'We moeten elkaar weerzien, ook met Werner erbij,' zei ze telkens. 'We
moeten elkaar weerzien. Ik hou zoveel van jullie. Jullie zijn zo dapper. We
zien elkaar weer gauw, hè?' Ze arriveerden om 20.30 uur bij de balie van de
Lufthansa in de grote vertrekhal. Sibylle kreeg haar ticket, de koffer werd
afgegeven. Naast de balie probeerden vier bewakingsmensen een jongeman van rond de twintig jaar, die gehuld was in een gekleurde deken en op
een kleedje had gezeten, weg te slepen zonder hem pijn te doen. Toen Sibylle
met Mercedes en Daniel was gearriveerd en de bewakers hem probeerden
te overreden, terwijl de eerste kijklustigen bleven staan, zong de jongeman
nog: 'Komt het zien! De gruwelijke oorlogsmachien! Komt het zien . . .' Op
zijn kleedje lagen glanzende foto's. Daarop waren mensen te zien die nog
leefden of al dood waren, na het vallen van de eerste atoombom op de
Japanse stad Hiroshima in augustus 1945. Op de opnamen was ook te zien
wat er enkele minuten na het bombardement nog van Hiroshima over was.
Een van de bewakers raapte nu de foto's bij elkaar.
'Hou je bek, verdomde communist!' schreeuwde een dikke vrouw in een
bontmantel.
'Laat hem toch, hij heeft gelijk!' riep een andere vrouw opgewonden.
De jongeman, wiens gitaar nu door de politiemannen was afgepakt en
die ze nu geweldloos trachtten te verwijderen, zong door: 'Er is niets waar

wij van gruwen! De nucleaire holocaust is altijd nog fotografeerbaar en daarom zeker ook probeerbaar! Prachtige beelden, als ze exploderen, de huid zo liefdevol door vuur verteren! De volgende stap doet iedereen hopen: de bom is raak! Zet ons verstand het dan op een lopen?'

Ze droegen de zanger naar een surveillancewagen. De stem van de jongeman werd zachter. Hij draaide en kronkelde zich en schreeuwde terug: 'Dat lied is van Werner Schneyder. Leve Werner Schneyder! Leve het leven!'

'Hebt ú de politie gewaarschuwd?' vroeg Mercedes aan een van de medewerksters van de Lufthansa achter de balie.

'Zeker, mevrouw,' zei deze ernstig. 'Het ging gewoon niet langer. We waren allemaal nog gek geworden. De kerel zong hier elke avond, mevrouw, en elke avond was er narigheid, soms zelfs een knokpartij.'

Het was dezelfde jongeman die hier al had gezongen toen Wayne Hyde bij deze balie zijn vlucht naar Wenen had betaald, ook met het toestel van 21.10 uur uit Parijs – een paar weken geleden . . .

'Eentje van de vredesbeweging,' zei een man die had staan luisteren.

'Vredesbeweging, hou toch op!' riep een ander. 'Die wordt toch rechtstreeks door het Oostblok beïnvloed, door de DDR, dat weet toch iedereen. Dat verrekte soort! Hier jutten ze de mensen op om te demonstreren en als daarginds ook maar iemand iets tegen de bom zegt, dan zit hij dadelijk in de bak.'

Mercedes raapte een vuil geworden foto op die nog op de vloer lag. Deze liet een vrijwel onherkenbaar, verbrand kindje zien. Mercedes toonde de opname aan de grondstewardess.

'Ja, ja, verschrikkelijk,' zei deze. 'Maar elke avond die herrie en die komedie, weet u . . . We hebben hem hier lang genoeg laten zingen. Te lang.'

'Hebt u kinderen?' informeerde Mercedes.

'Nee,' zei het meisje eensklaps emotioneel. 'En ik wil ook beslist nooit een kind hebben – in deze tijd. Ik zou veel te bang zijn.'

'Ik heb vier kinderen,' riep de man die geschreeuwd had dat de vredesbeweging beïnvloed werd door de DDR. 'En er is een vijfde op komst. En ik ben niet bang. Laten jullie je hoofd toch niet op hol brengen! Er komt geen atoomoorlog!'

'Waarom niet?' vroeg Mercedes. Haar ogen fonkelden.

'Omdat er gewoon geen atoomoorlog mag komen. Het is alleen belangrijk dat de Amerikanen en die rooien altijd even sterk blijven,' riep de man.

'Laten we hier weggaan,' zei Sibylle.

Ze liepen door en hoorden nog dat een magere, oude vrouw zei: 'Ik dank God elke dag dat ik het niet meer mee zal maken. Ik hoop dat ik echt nog op tijd doodga!'

'Mercedes!' Daniel bleef staan. Ze huilde. De tranen rolden over haar wangen. 'Mercedes, toe nou!'

'Dat kind op de foto,' stamelde ze; ze had nog steeds de vuile foto in haar trillende handen. 'Het is alleen die foto.'

'Gooi hem weg!' zei Daniel scherp.

'Nee,' zei Mercedes. Ze vouwde de foto op en stopte hem in haar zak. Ze veegde haar tranen weg. 'Neem me niet kwalijk,' zei ze. 'Neem me alsjeblieft niet kwalijk.'

'De passagiers voor vlucht 345 naar Wenen,' klonk een meisjesstem door vele luidsprekers, 'worden verzocht naar de paspoorten- en douanecontrole te komen.' De stem herhaalde het verzoek in het Engels en het Frans.

'Dat is voor mij,' zei Sibylle. De twee liepen nog met haar mee tot aan de paspoortencontrole. Bij de afsluiting bleef Sibylle staan. Eerst kuste ze Mercedes en daarna Daniel lang en innig. Nu had zíj tranen in haar ogen.

'Moge God jullie en jullie werk beschermen!'

'Moge God jou en Werner beschermen,' zei Mercedes.

'We zullen opbellen,' zei Daniel. 'Vaak.'

'Ja, alsjeblieft,' zei Sibylle. Ze sloeg haar armen om hem heen en kuste hem op zijn mond en wangen en fluisterde in zijn oor: 'Ik hou van je, Danny, ik hou nog steeds van je.'

Daarna liep ze snel door de afsluiting. Voor ze de hoek omging naar de douanecontrole, stak ze even haar hand op als groet.

'Net Liza Minelli,' zei Mercedes.

'Wat?'

'Ze zwaaide net als Liza Minelli in de film *Cabaret*, toen ze op het station in Berlijn afscheid nam van Michael York – en ze zouden elkaar nooit meer zien. O, Danny!'

Ze gaf hem een arm en drukte zich tegen hem aan en zo liepen ze langzaam naar een van de glazen uitgangen. De storm was nog heviger geworden.

De vlucht naar Wenen werd steeds onrustiger; het vliegtuig schommelde, zakte plotseling omlaag en schudde. Veel passagiers waren bang, kinderen huilden. Sibylle zat bij een raampje. Ze bewoog zich niet. Toen het toestel in Schwechat was geland en Sibylle haar koffer weer had, ging ze naar de bar van de luchthaven. Het was bijna kwart voor elf in avond. In de bar zat een eenzaam verliefd stelletje. Uit de luidsprekers klonk muziek. Het orkest van James Last speelde *I'm always chasing rainbows* . . .

Sibylles ogen wenden snel aan de schemering in de bar en ze ontdekte aan een tafeltje de kleine meneer Abad, die beleefd opsprong en haar tegemoetkwam. Hij begroette haar vormelijk, nam haar koffer over en begeleidde haar naar zijn tafeltje.

'Wat mag ik voor u bestellen?' vroeg hij, toen er een vermoeide kelner kwam opdagen.

'Whisky. Een dubbele graag. Zonder ijs en water. Puur.' zei Sibylle.

'Komt in orde, mevrouw,' zei de vermoeide kelner.

'En?' vroeg Abad, aan de parel op zijn stropdas friemelend.

'Ik heb helemaal niet met hen over mijn broer gesproken,' zei Sibylle.

'U hebt helemaal niet . . .'

'Met geen woord.'

'Maar waarom niet?'

De vermoeide kelner bracht de whisky. 'Alstublieft, mevrouw.'
'Dank u.' Sibylle nam een slok.
'Maar waarom niet, dokter Mannholz?' informeerde Abad. Zijn gezicht was grauw, hij zag er plotseling oud uit.
'Omdat ik het niet wilde. En omdat ik het niet kon. Dat was het: ik kon het gewoon niet.'
'Beste dokter, nu vraag ik u: het gaat om uw broer!'
'Dat weet ik. Daar hoeft u mij niet aan te herinneren.'
Sibylle nam weer een slok.
'Hebben die twee u verteld waar ze mee bezig zijn?'
'Ja.'
'En u hebt niet geprobeerd aan de gevoelens van uw oude vriend Ross te appelleren? U hebt hem niet duidelijk gemaakt in welke situatie u zich bevindt? U en uw broer zich bevinden?'
'Nee.'
'Maar . . . maar u houdt toch zielsveel van uw broer?'
'Ja, zielsveel.'
'U hebt acht jaar lang gedaan wat wij van u verlangden. Alleen om hem te helpen.'
'Dat klopt. God weet dat dat waar is.'
'En ditmaal hebt u niets gedaan om uw broer te helpen – helemaal niets.'
'Helemaal niets,' zei Sibylle.
Er volgde een stilte.
'Mooi,' zei Abad daarna. 'Het spijt me heel erg voor uw broer althans.'
'Liegt u niet!' zei Sibylle. 'Het spijt u helemaal niet. Niet voor mijn broer althans. Verder wel. Echt, mijn hart breekt.'
'Uw broer zal dus nog zeventien jaar gevangen blijven, alle gunsten zullen hem worden ontnomen en hij zal een schrijfverbod krijgen – het zal allemaal heel erg voor hem zijn. En voor u ook, dokter.'
'Ja, voor mij ook.'
'Het was erg onverstandig van u, om er niet met uw vrienden over te spreken.'
'Ja, zeker.' zei Sibylle.
'En u denkt dat u met zo'n belasting kunt leven?'
'Dat zal moeten blijken.' Sibylle dronk haar glas leeg en stond op. 'Bedankt voor de whisky.'
Ook Abad stond op. 'Luistert u eens, u kunt toch niet gewoon . . .'
'O ja, dat kan ik wél,' zei Sibylle terwijl ze haar koffer pakte. 'Blijft u maar hier. Ik wil niet dat u met me meegaat. Mijn auto staat op de parkeerplaats, hier vlakbij. Goedenacht, meneer Abad!' Ze verliet vlug de bar. *April in Portugal* speelde het orkest van James Last nu.
De kleine man keek Sibylle na tot ze was verdwenen. Daarna wenkte hij de kelner, betaalde en ging naar de grote hal beneden. Daar stapte hij in een van de vele telefooncellen en draaide een nummer.
'Sanatorium Kingston, met dr. Herdegen,' klonk het.
'Met Abad.'

403

'Is ze al geland?'
'Ja.'
'En? Wat zei ze?'
'Ze heeft met Ross en Olivera helemaal niet over haar broer gesproken.'
'Wát?'
'Met geen woord. Ze kon het niet en ze wilde het niet, zegt ze. Niets aan te doen.'
'Hebt u haar duidelijk gemaakt wat er met haar broer . . .' begon Herdegen.
'Verdorie, natuurlijk!' onderbrak het elegante heertje hem. 'Ik ben toch niet gek! Ik zeg u dat er niets aan te doen is.'
'En hoe moet het nu verder?'
'Dat weet ik niet. We hebben gedaan wat we konden. Zegt u dat maar tegen Morley. Wat we konden, hebben we gedaan.'
'Ja, meneer Abad. Ik bel hem nu dadelijk op. Verdomde pech.'
'Verdomd geluk, dokter,' zei Abad.
'Wat is een verdomd geluk?'
'Dat ze Eugen Mannholz zoveel brieven op voorhand hebben laten ondertekenen en dat alleen op de machine geschreven brieven zijn toegestaan. Nu verliezen we die vrouw in elk geval niet als medicus. Nu zal ze goed werk blijven leveren, zodat er tenminste eindelijk weer brieven van haar broer komen. Daarin zal hij dan – pas na een hele tijd uiteraard – over de eerste nieuwe gunsten schrijven. Nadat hij haar eerst natuurlijk verwijten zal hebben gemaakt.'
'Ik begrijp het niet. Wat bedoelt u met: ze lieten hem op voorhand zoveel brieven ondertekenen?'
'Nou, hij is toch al in september '76 overleden. Drie maanden nadat ik zijn zus zover had gekregen dat ze terwille van hem de functie bij Heiligenkreuz aannam.'
'Is . . . is . . . hij dood?'
'Dat zeg ik toch. Heb ik u dat nooit verteld? Ik word ook al kinds, geloof ik. Natuurlijk is hij dood. Al acht jaar. Maar zijn brieven zijn blijven komen en hij heeft elke vraag van zijn zus beantwoord. Daar hebben de censoren voor gezorgd. Hij was niet meer in staat te antwoorden. Tja, en zo kan het nu door blijven gaan. Hij zal weer alle vragen van zijn zus beantwoorden. Ze hebben nog een heleboel briefpapier . . .'

3

'Stipt op tijd, op de minuut af,' zei de kleine, blozende advocaat Roger Morley met het warrige grijze haar en het puntbuikje, de man die Wayne Hyde altijd deed denken aan een figuur uit de romans van Charles Dickens. Het was negen uur in de ochtend van 22 maart 1984. Morley wreef in zijn rozige handjes. 'Ga zitten, ga zitten, beste kerel.' Hij verdween in het keukentje naast het ouderwetse kantoor en keerde met kopjes, een theepot en andere benodigdheden op een zilveren dienblad terug. 'Vandaag zullen we eens Queen's tea proberen,' zei hij opgewekt. Hij lachte en ontblootte daarbij zijn muizetandjes. 'Een exquise Darjeeling-melange, bloemig en aromatisch. Werkelijk heerlijk. Staat u mij toe . . . Eerst de kandij . . . En nu de thee, door de zeef natuurlijk . . .' Hij bleef praten totdat hij ook zijn eigen kopje had volgeschonken en het zich in zijn stoel achter zijn bureau gemakkelijk had gemaakt. Daarna veranderde zijn stem onverwachts. 'U hebt de cassette?'

'Natuurlijk.' Hyde legde haar op tafel. 'Tot zover ging alles goed in Buenos Aires. Ik heb de film bekeken. Het is de goede. Het spijt me dat de rest fout ging. Die Miguel was een stommeling.'

'God houdt ook van stommelingen, mr. Hyde. Moge Hij Miguel eeuwige rust geven. U hebt uzelf niets te verwijten. U hebt uw best gedaan. Mijn . . . kennissen spreken vol lof over u. Je kunt nu eenmaal niet altijd winnen. Nu hebben we tenminste een kopie van de film. Dat is een enorme hulp. Mijn kennissen zullen na uitzending van deze ordinaire vervalsing veel beter kunnen reageren als ze hem van tevoren al kennen. Ik vind dat we maar eens een slokje moesten nemen, hè?'

'Dat vind ik ook.'

Ze dronken allebei. Morley stak nuffig de pink van de hand waarmee hij het kopje vasthield omhoog. Hij slaakte een zucht van genot. 'Lekker kopje thee, hè?'

'Ja, mr. Morley.'

'Niet te sterk?'

'Precies goed.'

'Niet te zoet?'

'Volmaakt, mr. Morley.'

'Zal ik u eens iets vertellen? Mijn smaak is veranderd. Nu drink ik het liefst deze Queen's tea. Vreemd, hè? Hahaha.'

'Hahaha. Natuurlijk heeft Olivera intussen voor de camera zijn hele verhaal verteld.'

'Volkomen onbelangrijk, mr. Hyde, volkomen onbelangrijk. Als die stomme Miguel hem te pakken had genomen, zouden altijd nog zijn zoon en zijn stiefdochter zijn overgebleven. Die hebben hetzelfde – bijna hetzelfde – verhaal intussen ook voor de camera verteld. Ze hebben weergegeven wat ze van Olivera wisten, heb ik gehoord.'

'Van wie hebt u dat gehoord?'

'Wel, van onze vriend bij de televisie. Een geluk dat we die hebben.'

'Een groot geluk,' zei Hyde. Het regende die ochtend in Londen. De druppels kletterden tegen de ruiten.

'Het is nauwelijks onder woorden te brengen wat een geluk.' Morley nipte van zijn thee. 'Ik heb gisteren weer nieuws van hem gekregen. De reporters hebben nu eindelijk die Chan Ragai gevonden – u weet wel: dat was de resident van de geheime dienst van Von Ribbentrop in Teheran.'

'Met die beroemde agent CX 21.'

'Juist, mr. Hyde. Drinkt u uw thee toch op. Zal ik nog wat bijschen-

ken?... Mooi. Het verheugt me dat de thee u net zo goed smaakt als mij ...
Ja, ze hebben Chan Ragai gelokaliseerd. Het was niet eenvoudig. Weet u,
de reden daarvan is dat hij een vertrouweling is van ayatollah Chomeini –
nog uit de tijd dat Chomeini in Parijs woonde. Die twee kennen elkaar al
jaren. Toen de ayatollah later naar Iran ging, bleef Chan Ragai in Frankijk.
Hij was veel op reis met geheime missies voor de ayatollah. Hij is een
voorzichtig en verstandig man, die Chan Ragai, anders zou hij allang niet
meer in leven zijn. Nu heeft hij zich helemaal teruggetrokken. De reporters
hebben ontdekt waar.'
    'Waar precies?'
    'In La Roquette sur Siagne. Het is een dorpje iets ten noorden van
Cannes. Ligt volkomen verborgen voor de buitenwereld. Je kunt de weg
erheen alleen vinden op een kaart van de Côte d'Azur, zo klein is het.'
    'Klinkt fantastisch. U bent er zeker van dat uw vriend de waarheid
spreekt?'
    'Heel zeker. Morgen vliegt een opnameploeg met Conrad Colledo naar
Nice. Via Zürich. Ze logeren in Cannes in hotel Majestic. Dat betekent dus,
dat ú vandaag al moet vertrekken.'
    'Zo zie ik nog eens wat van de wereld,' zei Hyde. 'Ik mag me niet
beklagen.'
    'Het is al aardig warm aan de Rivièra, mr. Hyde.'
    'Ik heb luchtige kleding. Die heb ik pas nog gedragen.'
    'U hebt luchtige – waar? O ja! Buenos Aires! Neemt u mij niet kwalijk,
natuurlijk! De zaak is ditmaal bijzonder delicaat, weet u. Ik vertelde u dat
Chomeini en Ragai al heel oude vrienden zijn. Ragai heeft een enorme
bewondering voor Chomeini.'
    'En dat hebt u allemaal gehoord van uw vriend bij de televisie?'
    'Ja, en hij heeft het van de mensen die de zaak hebben onderzocht. Het
BKA heeft ook aan de Fransen om politiebescherming gevraagd.'
    'God zij geloofd en geprezen voor zo'n precieze verrader!'
    'Vindt u ook niet? Wel, Ragai weet wat er destijds in december '43 in
Teheran gebeurde. Uiteindelijk was hij toch de resident van die naziclub
van Von Ribbentrop. Maar omdat Ragai zo'n trouwe aanhanger is van
Chomeini, kunnen we wel op onze vingers natellen wat hij voor de camera
zal vertellen. Die man haat de Amerikanen evenzeer als Chomeini ze haat.
We kunnen er zonder meer van uitgaan dat hij zijn verklaring afgeeft in
overleg met de oude man. Hij heeft hem ongetwijfeld verteld dat hij is
opgespoord door Duitse journalisten die precies willen weten wat er
gebeurd is. Mijn kennissen verzoeken mij u een vraag te stellen. Namelijk
deze: wat denkt u dat een man die de Amerikanen zo haat als Chan Ragai
waarschijnlijk zal zeggen?'
    'Dat het om echt materiaal gaat. Dat de hele film echt is, natuurlijk. Daar
zal het op uitlopen.'
    'Heel juist, mr. Hyde. Precies ons idee. Daar zal het in elk geval op
uitlopen. Maar we kunnen nu eenmaal geen getuige gebruiken die een eed

doet op de echtheid, al is dat een grove leugen. U begrijpt wat ik bedoel, mr. Hyde?'

'Ik begrijp het, mr. Morley. Er mag beslist geen camera in de buurt komen van Chan Ragai – zolang hij leeft. En dat betekent dat hij snel dood moet.'

'Heel snel, mr. Hyde. Uw toestel vertrekt over drieëneenhalf uur. Ik heb mijzelf veroorloofd al een ticket te reserveren. Kent u New York?'

'Als mijn broekzak.'

Morley trok zijn bureaula open en pakte er een Amerikaanse pas en een aantal kleurenfoto's uit.

'U heet tot nader order Andy Maree en bent een beursmakelaar uit New York. Wij hebben ons ook veroorloofd dit paspoort alvast voor u klaar te maken. Ik weet dat u altijd uw eigen papieren gebruikt. Neemt u alstublieft ditmaal deze hier.'

'Zoals u wilt. Wat zijn dat voor foto's? Is dat Chan Ragai?'

'Ja. U moet toch weten hoe de man eruitziet die u moet doden.'

Hyde bekeek de foto's aandachtig. Ze toonden een zeer oud uitziende man die in een verwilderde tuin stond en een buitengewoon melancholieke indruk maakte. Zijn pak scheen hem veel te wijd te zitten en hetzelfde gold voor de boord van zijn overhemd. Hij had een smal, olijfkleurig roofvogelgezicht en een zwart snorretje. Zijn haar was eveneens zwart. Natuurlijk geverfd, dacht Hyde. Tegen een plataan geleund stond Chan Ragai daar, broos en droevig. Op de achtergrond was op sommige opnamen een roze huis met één verdieping te zien.

'Is dat zijn huis in La Roquette?' informeerde Hyde.

'Ja. Hij noemt het Villa Biblos. Dat staat op het hek. U moet vanaf het dorpsplein de Avenue du Roi Albert afrijden. Nu weet u ook al hoe het er daar uitziet.'

'Hoe oud is Ragai?'

'Drieënzeventig.'

'Ziet eruit als negentig. Waar hebt u die foto's vandaan? Ook van uw vriend bij de televisie?'

'Waar anders vandaan? Ze zijn gemaakt door journalisten die aan de Côte d'Azur waren en Ragai hebben gevraagd of hij zich wilde laten filmen. Onze vriend moet voor duplicaten hebben gezorgd. Zijn die foto's goed genoeg voor u?'

'Zonder meer, mr. Morley.'

'Fijn. U logeert in hotel Le Mas Candille in Mougins. De kamer is al gereserveerd. Op de naam Andy Maree. Prachtig plaatsje, Mougins. Vlak bij La Roquette sur Siagne. Kent u Mougins, mr. Hyde?'

'Ja. Ik heb daar eens geluncht,' zei Hyde, in herinneringen verdiept. Met dat lijk in de kofferbak, dacht hij.

Het toestel van British Airways vloog ver boven zee, maakte vervolgens een bocht en begon aan de landing op een baan van het Aéroport International Côte d'Azur. Alle vliegtuigen die hier landden of startten, waar ze ook heen gingen, moesten eerst een stuk boven zee vliegen. Wayne Hyde keek door het raampje aan zijn kant. Het water was net zo donkerblauw als de lucht. De zon stond al laag boven de bergketens van de Estérel in de verte. Het zonlicht gaf de rode aarde van de bergen een magische uitstraling en spiegelde zich verblindend in de honderdduizend ruiten van Nice. Lager en lager zakte het toestel. Toen Hyde er al van overtuigd was dat ze in het water zouden storten, raakten ze de landingsbaan.

Het was hier inderdaad al behoorlijk warm. Hyde droeg een blauw, luchtig zomerkostuum, een wit, bij de boord geopend overhemd, witte sokken en witte slippers. Het toestel bleef een eind van de aankomsthal verwijderd staan en er kwam een bus aanrijden. Toen Hyde door de pascontrole was en door de afsluiting de hal in kwam, zag hij een etage lager aan de linkerkant de lopende banden voor de bagage en het kantoor van de douane. De douanemensen droegen een blauw overhemd. Een van hen stond te redetwisten met een felgeblondeerde vrouw, die een piepklein hondje met lange haren onder haar arm hield. De hond had een reusachtige rode strik op zijn kop. Er stonden tal van douanebeambten en nog veel meer passagiers bij de bagagebanden. Voortdurend landden of startten vliegtuigen. Het vakantieseizoen scheen hier al te zijn begonnen. Naast de hoogblonde vrouw (ziet eruit als een hoer, dacht Hyde walgend) stond zijn vriend Raymond Laforet.

Hij had sandalen aan, een witte linnen pantalon, een daarover loshangend wit linnen overhemd en hij was flink bruingebrand. Toen hij lachend zijn hand opstak, zag Hyde blinkend witte tanden. Dat heeft de tandarts mooi voor elkaar gekregen, dacht Hyde terwijl hij terugzwaaide. Die neger was al bezig met zijn geweerkolf het gezicht van Raymond in elkaar te timmeren, toen ik hem nog net op tijd van kant kon maken. Raymond heeft ook een fantastische plastisch chirurg gehad. Aan zijn gezicht was niets te zien. Alles was weer in orde. Alleen een paar littekens. Dat was in Tsjaad gebeurd, in 1978. Nee, in 1979. Heel merkwaardig. Franse troepen tegen guerrilla's en militaire rebellen. Die neger was een Frans soldaat. Wij zaten bij de guerrilla's . . .

Hyde stond voor Laforet. 'Zo, ouwe boef, hoe gaat het?'

'Best, rotvent, en hoe is het met jou?'

'Je ziet er prima uit, Raymond. Waarom word je geen filmster?'

'Man, krijg de klere! Tjonge, wat ben ik blij dat ik je weer eens zie.'

Bij de hoogblonde vrouw stonden nu drie douaniers. Ze had sieraden in haar koffer, zag Hyde. Een van de controleurs nam haar bagage mee naar het kantoor. De hoogblonde vrouw strompelde op hoge hakken krijsend achter hem aan. Ze gilde: *'Assassin!'*

Hyde grijnsde. Dat vond hij altijd vermakelijk in Frankrijk. Als hier ruzie was, onverschillig waarover, zelfs wanneer iemand geen voorrang gaf of wanneer een hond tegen een kinderwagen plaste, begon men dadelijk dat woord te brullen: *assassin!* Moordenaar!

De twee plunjezakken verschenen op de band. Hyde pakte ze op en baande zich ruw een weg door de menigte. Er waren intussen nog twee

machines geland en de hele benedenhal was vol mensen. Een oude man die door een elleboog van Hyde was geraakt, begon te schreeuwen:
'Ben je niet wijs?'
'*Ta gueule*,' zei Hyde.
'*Assassin!*' begon de oude man onmiddellijk te schreeuwen. '*Assassin!*'
Hyde giechelde. Hij ging met zijn vriend naar de balie van Hertz in de bovenhal en huurde een BMW. Ze haalden de wagen op bij de parkeerplaats van Hertz en stapten in. Het was een zwarte auto.
'Waar staat die kar van jou?' vroeg Hyde.
'Daarginds,' zei Laforet. De littekens van de kosmetische operaties vormden lichte strepen op zijn door de zon gebruinde gezicht. 'Je bent lang niet hier geweest, kerel. Ze hebben alles hier verbouwd. Was allang te klein. Ze hebben een hoop parkeerplaatsen gemaakt, daarginds bij de vrachtafdelingen. Alles is alwéér te klein. Op P 2 sta ik. Helemaal achteraan. Er is een automatische slagboom. Je moet een kaartje nemen.' De lucht was zacht en zwoel, het licht anders dan in andere gebieden van Europa en overal waren perken vol bloemen in stralende kleuren. De mensen bewegen zich gemakkelijker en ze zijn allemaal vrolijker dan in Duitsland, Engeland of waar dan ook, dacht Hyde. Dat dacht hij altijd als hij aan de Riviera kwam. Nog een paar jaar, dacht hij bij zichzelf, en ik ga met ma hier een huis zoeken. Weg van de drukte. Het mooiste plekje op aarde, de Côte d'Azur.
Onder oude palmbomen waarin kleurige vogels zongen, reed hij een heel stuk eenrichtingsweg over de reusachtige parkeerplaats P 2.
'Hoe gaan de zaken?' vroeg hij.
'Ik kan het bijna niet meer aan,' zei Laforet. 'Vooral nu met dat filiaal in Cannes erbij. Man, is me dat daar een drukte 's zomers als het echt heet is! Ik weet niet hoeveel rijke ouwe zakken en rijke ouwe wijven met astma en te hoge bloeddruk en last van hun hart. Wat daar allemaal de pijp uitgaat – ik zei het al, ik kan het bijna niet meer aan. En de familieleden kopen alleen de duurste doodskisten. Nu heb ik de kans goedkoop een begrafenisonderneming in Menton te krijgen. Ook een ideale streek. Een heleboel renteniers! Maar zonder compagnon gaat dat niet. Ik wil tenslotte ook wat aan mijn gezin hebben. Monique ziet er nog altijd prima uit en de twee kleintjes zijn onze grote vreugde. Wat doe jij eigenlijk met je poen?'
'De beurs,' zei Hyde. 'Heb daar een makelaar. Met die hoge rentepolitiek van Reagan verdien je je gek als je veel geld hebt.'
'Ja, Reagan is uitstekend voor de rijken,' zei Laforet. 'Daar verderop, die blauwe Citroën. Voor de armen niet zo erg, hè?'
'Nee, voor de armen niet zo erg. Hij zegt dat niemand arm is die niet tegenover God heeft gezondigd. En de rijken zouden rijk zijn omdat ze eerlijk zijn.'
'Een goed mens,' zei Laforet. 'Daarom zegt hij immers ook dat we de strijd tegen het slechte in de wereld moeten aanbinden. Het slechte zijn volgens hem de Russen. Hier stoppen, Wayne.'
Hyde stopte naast de blauwe Citroën. Op het nummerbord stond net als op zijn huurwagen aan het eind het getal 06, het herkenningscijfer voor de

Côte. De Citroën stond voor een hoog hek, waarop zich de paarse en koperkleurige bloemen van de bougainvillea's verdrongen.

'Een paradijs,' zei Laforet terwijl hij zijn kofferbak openmaakte. 'Ik zou nooit meer ergens anders kunnen leven, Wayne.' Hij haald een propvolle canvas tas uit de kofferbak en gaf die aan zijn vriend, die hem in de kofferruimte van de BMW zette. 'Een Parabellum met geluiddemper, een Springfield met telescoopvizier, ook met geluiddemper, en een heleboel munitie. Zoals je via de telefoon hebt gevraagd.'

'Bedankt, Raymond.'

'Dat is toch vanzelfsprekend. Je hebt haast, hè?'

'Inderdaad.'

'Jammer. Ik had het zo graag samen met jou op een zuipen willen zetten en eens lekker gekletst. Over die goeie ouwe tijd. Misschien als je klaar bent met je werk.'

'Misschien.'

'Dat zou fijn zijn,' zei Laforet. 'Echt fijn. Het is te gek om los te lopen, maar ik hou van je, Wayne, weet je dat?'

'Och, man, hou toch op!'

'Nee, echt. Ik hou van je. Heel echt en innig. Je kunt toch werkelijk van een man houden – zomaar – of niet soms?'

'Jij houdt van mij omdat ik net op tijd die neger van kant maakte voordat hij je de schedel insloeg,' zei Hyde.

'Nee, niet daarom. Nou ja, daarom ook. Maar dat is niet de belangrijkste reden. Wij tweeën, weet je . . .'

'Ik begrijp het wel, kerel.'

Ze omhelsden elkaar.

'Je moet goed oppassen,' zei Laforet met verstikte stem. 'De Springfield trekt een beetje naar links.'

Het was druk op de snelweg.

Toen hij Nice achter zich had gelaten, zag Hyde bij Cagnes-sur-Mer de afschuwelijke, volkomen krankzinnig gebouwde flatgebouwen van Marina Baie des Anges. De weg begon te stijgen. Hij herinnerde zich dat men van hieruit een prachtig uitzicht naar het oosten had en hij draaide zich even om. Beneden zich zag hij de zee en de halve cirkel van de baai van Nice met de Promenade des Anglais en dan de bergen van Monaco, met daarachter, in nevel gehuld en ver weg, de Italiaanse bergen. Ja, dacht hij weer, ik neem ma mee hierheen. Misschien vind ik wel iets in Vallauris. Of nog beter in Saint-Paul-de-Vence. Daar heb ik ook alle afbeeldingen van mijn lievelingsschilders bij de hand. Bij de afrit naar Antibes gooide Hyde een paar francstukken in een blikken schaaltje en het verkeerslicht voor hem sprong van rood op groen. Hij reed door. Het tolgeld is al weer hoger geworden, dacht hij. Dat arme, prachtige Frankrijk schijnt aardig in de put te zitten. Des te beter. Dan kunnen wij hier met onze dollars een heerlijk leventje leiden.

Voor de oprit naar Cannes was een gemene bocht. Hyde herinnerde het zich. Die bocht was maar één keer aangegeven, eindeloos lang en smal. Wie daar met een vaart van honderdtwintig inreed, maakte een uitstekende kans er niet meer uit te komen. Hyde remde iets bij. Hij kwam soepel door de bocht, liet de oprit naar Cannes rechts liggen en reed verder, de schitterende zon tegemoet. Hij dacht aan zijn moeder en glimlachte. Ze zal het hier prettig vinden, zei hij bij zichzelf. O ja, beslist.

Nadat hij de snelweg had verlaten, reed hij door een bos bergopwaarts. Mougins ligt op een heuvel. Hyde reed langzaam langs de ruïnes van een vestingmuur en een eeuwenoude poort en zag op het dorpsplein het borstbeeld van een man. Hij wist al sedert zijn eerste bezoek aan het stadje wie deze man was: commandant Lamy, in 1900 bij een expeditie naar de Sahara gesneuveld. Lamy was afkomstig uit Mougins. Hotel Le Mas Candille stond ongeveer driehonderd meter buiten Mougins. Een privé-weg liep door een groot park. Hyde zag weer bloemen in allerlei kleuren. De privé-weg lag in de schaduw van stokoude olijfbomen. Heel verstandig dat monsieur Maree had laten opbellen, zei de receptionist. Want het hotel was vol. Maar voor monsieur hadden ze de mooiste kamer gereserveerd. Nummer elf.

Een huisknecht sjouwde de plunjezakken, maar de tas van zeildoek hield Hyde zelf bij zich terwijl de receptionist zich de kans niet liet ontnemen hem te begeleiden. Nummer elf was een hoekkamer met twee openslaande ramen. Het ene keek uit op het bos. Op het brede bed van het in Provençaalse stijl ingerichte vertrek lag in plaats van een kussen een lange rol. Hyde voelde zich vreemd geroerd toen hij naar de rol keek. Het was alsof hij zich alles weer herinnerde wat hij ooit in Frankrijk had meegemaakt. De receptionist opende de deuren van het andere raam, dat uitkwam op een klein balkon.

'Prachtig uitzicht, monsieur Maree,' zei hij. 'Het dal en de hele streek tussen Grasse en de zee.'

'Prachtig,' zei Hyde onder de indruk. Hij gaf de huisknecht een fooi.

'Bent u al eens in Grasse geweest, monsieur?'

'Ja.'

'Afschuwelijk, die stank in de parfumfabrieken, vindt u niet?'

'Inderdaad, ja.'

'Maar als de wind in de goede hoek zit, waait er een heel fijne geur hierheen. Ik hou van die zachte geur. De badkamer is hier, monsieur. Het restaurant is uitstekend. Een paar gasten hebben voor vanavond om bouillabaisse gevraagd. De kok maakt die fantastisch klaar. Hebt u daar soms ook trek in? De beste bouillabaisse die u ooit gegeten hebt. En daarbij een wijntje, we hebben een wijntje, monsieur Maree . . .'

'Geweldig. Voor mij ook bouillabaisse. Geen wijn.'

'Om negen uur? Is dat goed? Eerst een aperitief in de bar?'

'Negen uur is prima. En ook geen aperitief.'

'Uitstekend. Ziet u de mimosa daarginds achter die oude muur? Het duurt niet lang meer en alles staat vol bloeiende mimosa's, monsieur Maree. Ik geloof dat de wind al is gedraaid. Ruikt u de geur uit Grasse?'

411

'Nee.'

'Tja, ik heb een bijzonder fijne neus. Nog even en u zult het ook ruiken . . .
Dank u zeer, monsieur, dat is toch niet nodig. Tjonge, wat hou ik van die
geur . . .'

Toen hij alleen was, trok Hyde al zijn kleren uit; hij douchte en ging met
zijn hoofd op de rol op bed liggen. Hij had zich niet afgedroogd en liet de
waterdruppels verdampen. Met zijn handen achter zijn hoofd gevouwen
keek hij omhoog naar het plafond en dacht eraan dat ieder mens iets moest
hebben om van te houden. De receptionist had de geur die uit Grasse
overwaaide. Morley zijn thee. Hij zijn moeder. Laforet hem. Er bestonden
zoveel soorten liefde.

In de andere kamers logeerden jonge en zeer oude Duitsers en Engelsen,
maar slechts weinig Fransen. Na het eten verlieten de meesten algauw de
eetzaal. Ook Hyde vertrok. Hij ging in het donker op zijn bed naast het open
raam zitten en keek naar het dal en de vele lichtjes die daar nu pinkelden.
Het waren ongelooflijk veel lichtjes. Bij de stralende parelkettingen langs
de wegen kwamen de lichten van de fabrieken waar ook 's nachts werd
gewerkt en de lichten van Grasse en de kleinere plaatsjes met minder
verlichting. Soms zag hij maar één lichtje van een huis dat alleen stond.
Driemaal tijdens de anderhalf uur tot middernacht waarin Hyde op het bed
zat, gleed een lange rij lichtjes snel door het dal: dat waren drie internationale treinen, maar niet het minste geluid van de wielen drong tot het hotel
door. Het was onwezenlijk stil en nu nam Hyde ook de zachte geur van
parfum waar, die met de wind vanuit Grasse overwoei. De hemel stond vol
sterren en de nacht was erg helder met een wassende maan. Hyde zat
roerloos en haalde diep adem. Hij zag de sterren en de maan en de lichtjes
en dacht aan vele dingen.

Even na twaalven gingen de buitenlantaarns van het hotel uit en hoorde
hij dat de conciërge de deuren aan de voorkant afsloot. Hyde stond op,
pakte zijn tas van zeildoek, stapte door de openslaande deur het balkon op
en klom naar beneden. De slippers die hij droeg waren erg dun en soepel en
tussen de grote stenen van de hotelmuur zaten diepe voegen. Hyde sprong
het laatste stuk omlaag, waarna hij naar de parkeerplaats liep waarop meer
dan twintig auto's stonden. Hij stapte in de zwarte BMW van Hertz, haalde
hem van de handrem, zette hem in z'n vrij en de wagen reed geluidloos de
hellende parkeerplaats af. Pas na een tijdje startte Hyde de motor en deed
hij de koplampen aan. Hij reed een bochtige weg af naar de Val de Moulins
en daarna in noordelijke richting via de Avenue de Tournamy naar de
nationale route nummer zeven, die naar Mouans-Sartoux en naar Grasse
liep. Voor Mouans-Sartoux sloeg hij bij een reusachtige plataan linksaf en
daarna reed hij weer in zuidelijke richting. Hier liep het dichte bos aan beide
zijden tot aan de rand van de weg door. Al spoedig ontdekte Hyde tussen
de bomen aan zijn linkerhand talrijke voor een deel nog niet afgebouwde
eengezinswoningen. Overal stonden bouwmachines en vrachtwagens, en
bovendien veel auto's in parkeerhavens langs de weg. Hij stuurde de BMW

naar de andere kant van de weg, stopte op zo'n parkeerplaats en stapte uit. In de bewoonde huizen brandde geen licht meer. Het was doodstil. Eenmaal blafte er een hond.

Hyde opende de kofferbak en haalde er de tas van zeildoek uit. Uit het hotel had hij een sterke zaklantaarn meegebracht. Hij droeg nu een overhemd met opgestikte zakken en epauletten met daaronder een spijkerbroek. Na een paar minuten bereikte hij het begin van het dorp. Op een bord las hij: LA ROQUETTE SUR SIAGNE. Aan de rechterkant van de weg waarlangs hij kwam bevonden zich het postkantoor en een kerk. Lettend op elk geluid stak hij een groot plein over waarop platanen groeiden. Links ontdekte hij een waterput en een gebouw dat op een school leek, maar waar affiches hingen over nieuwe aanwinsten van een bibliotheek en lezingen voor de *troisième âge*, de derde jeugd, voor oudere mensen dus.

Aan de overzijde, wat verder weg, zag hij een grote baan voor *jeu de boules*-spelers en vóór zich, aan de smalle kant van het plein, een kruidenierszaak en de Bar de la Place. Naar links liep de Rue de la Baisse en naar rechts de Avenue du Roi Albert. Op de muur van het cafeetje hing een verscheurde affiche. Hij las: DU-DUBON-DUBONNET – een reclame voor drank. Hyde sloeg de zeer smalle Avenue du Roi Albert in. Hier stonden nog maar enkele, ver uit elkaar gelegen huizen. Chan Ragai woonde in een huis met de naam Biblos, dat had Roger Morley hem verteld. Hyde bereikte een hoge muur en twee vervallen poortstijlen. Op één ervan stond in smeedijzeren letters 'Villa Biblos'. De grond was zanderig. De twee pijlers in de hoge muur, die rond het hele terrein liep, droegen de vleugels van een smeedijzeren hek, dat eruitzag alsof het elk moment kon omvallen. Daarachter zag Hyde een totaal verwilderde tuin. Alles groeide er door elkaar: palmen, pijnbomen, struiken, klimplanten en bloemen. Op de achtergrond lag het huis met de rozegeverfde muren dat Hyde van de foto's van Morley kende. Hij wantrouwde het hek, klom met zijn zware tas over de hoge muur en sprong in het gras. Hij knielde, maakte de tas open, haalde er een schouderholster uit, zette de Springfield in elkaar en schroefde niet alleen daarop, maar ook op de Parabellum de geluiddemper. Daarna schoof hij er de magazijnen in en stopte er nog een paar in de borstzakken van zijn hemd. Het pistool schoof hij in de schouderholster.

De raamluiken van het huis waren donkergroen geverfd en voor een deel gesloten. De maan scheen heel helder. Hyde liep gebukt door het hoge gras van de tuin rond het huis. Hij vond een open kelderraam, gleed geruisloos naar binnen en knipte de zaklantaarn aan. In de tamelijk lage kelder zag hij een grote ruimte met tralies ervoor, die vol stond met flessen wijn, een flinke stapel brandhout en bergen stukgelezen boeken. Er bewoog zich niets. Hyde droeg nu het geweer op zijn schouder en het pistool in zijn rechterhand. Hij glipte de trap op naar de parterre en opende zachtjes een deur die zich onder de trap naar de eerste verdieping bevond en die waarschijnlijk tot de woonruimte toegang moest geven. Rode, afgesleten plavuizen vormden de vloer van de hal. Provençaalse boerenmeubelen stonden naast moderne diepe leunstoelen. In een eethoek ontdekte Hyde een zeer lange tafel en veel stoelen. Daarboven hing een ikoon. De hele schoorsteenwand was met kleurige kiezelsteentjes van het strand en met kleurige stukjes glas die in de nog vochtige, witte kalk waren gedrukt, bedekt. Aan de andere muren hingen surrealistische schilderijen. Tussen de zitruimte en de eethoek was een verhoging. Er waren geen boekenplanken; op veel plaatsen stonden stapels boeken met Duitse, Franse en Engelse teksten op de omslagen. Een witte olifant van faience, die wel vijftig centimeter hoog was, droeg een schaakbord met ivoren stukken op zijn rug. Blijkbaar was de partij onderbroken. De prachtige secretaire in barokstijl met vele laden en schitterend inlegwerk, stond naast een raam en deed dienst als bureau. Hij lag vol papieren. Er lag een boek open en Hyde, die met zijn zaklantaarn het hele vertrek doorzocht, zag dat er een passage was aangestreept. Hij kwam naderbij en las in het Duits: 'Hun hart is ziek en Allah laat het steeds meer over aan de ziekte; bittere straf zal hen wegens hun leugens treffen. Spreekt men tot hen: "Sticht geen onheil op aarde!", dan antwoorden zij: "Wij bevorderen de vrede." Zegt men tot hen: "Gelooft toch zoals de anderen geloven!" dan antwoorden zij: "Moeten we dan geloven als dwazen?" Maar zij zijn zelf dwazen – en weten het niet.'

De vulpen waarmee iemand de passage had aangestreept, lag nog open. Een half opgerookte pijp lag in de asbak. Daarnaast stond een vaas met verse bloemen uit de tuin. Hyde sloot het boek en las op de omslag: DE KORAN - HET HEILIGE BOEK VAN DE ISLAM. In een hoek zag hij een Japans televisietoestel, op het tafeltje ernaast een telefoon.

Hyde ging de keuken in. De vaatwasmachine stond vol met schoon serviesgoed. Hij ging naar de eerste verdieping. Hij bewoog zich snel, soepel en geruisloos. Een keer meende hij achter een van de deuren een geluid te horen. Hij wachtte even, duwde daarna de deur open en sprong opzij. Er bewoog zich niets. Hyde keek voorzichtig de kamer in. Er stond een opgemaakt bed. De kasten waren in de muren ingebouwd. Hyde maakte ze open. Ondergoed van de beste kwaliteit en kostuums lagen en hingen keurig voor hem. Hyde ging de volgende kamer in, eveneens een slaapvertrek. Deze was even netjes opgeruimd als de vorige. Na een halfuur had hij het huis van onder tot boven doorzocht. Hij had geen mens, levend of dood, kunnen vinden.

Hij verliet de villa, liep de heuvel achter het huis op – het terrein was zeer uitgestrekt – en klauterde in een oeroude, enorme boom met kromgegroeide takken. Hij bleef de hele nacht op een van de takken zitten. Om vijf uur in de morgen verliet hij zijn uitkijkpost en keerde terug naar zijn auto. Er was geen mens gekomen en geen mens had zich laten zien. Hyde demonteerde de wapens en borg ze op in de tas, die hij in de kofferbak zette. Hij reed terug naar het hotel, zette zijn auto op de parkeerplaats, liep om het gebouw heen en klom weer omhoog naar zijn balkon. Hij ging aangekleed op zijn brede bed liggen en sliep drie uur. Om halfnegen werd hij wakker, waarna hij douchte, zich schoor en schone spullen aantrok. Daarna ging hij naar de eetzaal om te ontbijten.

Behalve hij was er alleen nog een Duits paartje. Het meisje had blond haar en blauwe ogen en de jonge man had een snor. Ze konden allebei slechts met één hand eten, want de vingers van de andere hand waren ineengestrengeld. Ze keken elkaar vrijwel ononderbroken aan en glimlachten als over een geheim dat alleen zij tweeën wisten. Als het echt een geheim is, moet het een mooi geheim zijn, dacht Hyde, en een paar seconden lang voelde hij zich bedroefd.

Hij maakte snel een einde aan zijn ontbijt en ging de hal in.

De vriendelijke receptionist die hij al kende, stond achter de balie.

'Goedemorgen, monsieur Maree. Hebt u goed geslapen?'

'Als een marmot.'

'Dat is de lucht hier,' zei de man. 'Heerlijke lucht. Wat bent u vandaag van plan?'

'Een beetje in de omgeving rondtoeren,' zei Hyde.

'Maar niet naar de parfumfabrieken in Grasse, hè?' zei de receptionist met een knipoog.

'Nee, vast niet naar de parfumfabrieken in Grasse,' zei Hyde.

'Vandaag staat de wind verkeerd. Je kunt de geur niet ruiken. Het zal wel weer erg heet worden, monsieur Maree. Bent u met de lunch hier?'

'Ik weet het niet,' zei Hyde. 'Waarschijnlijk niet.'

'Ik heb het alleen uit beleefdheid gevraagd,' zei de receptionist. 'Ik laat het uiteraard helemaal aan uzelf over, monsieur Maree.'

Hyde reed naar Cannes.

Hij zette de wagen neer bij de oude haven, achter de verschrikkelijk moderne gebouwen op de plaats waar ooit het prachtige wintercasino had gestaan en liep een stuk langs de Croisette. De bladeren van de oude palmbomen op de middenberm hingen roerloos. Het was volkomen windstil. De zee leek wel gesmolten lood. Drie torpedobootjagers van de Amerikaanse Zesde Vloot lagen buitengaats voor anker. Kleine bootjes vol matrozen voeren haastig heen en weer tussen de schepen en een aanlegplaats in de oude haven. Hyde kende Cannes en wist dat de hoertjes het nu razend druk hadden. Hij zag veel matrozen in het witte uitgaanstenue. Allemaal slenterden ze de Croisette af in de richting van de nieuwe haven Port Canto, waar de meeste meisjes zich ophielden. De hoertjes verdienden altijd fantastisch als de schepen van de Zesde Vloot bij Cannes voor anker lagen. Ze verdienden het meest rond 4 juli, de Amerikaanse Onafhankelijkheidsdag, want dan verschenen hier altijd reusachtige vliegdekschepen en een hele vloot begeleidende schepen en er waren recepties bij de prefect en een gala-avond in Palm Beach. Dan konden de hoertjes het eenvoudig niet meer aan. Hyde kende het verhaal van een meisje dat op 4 juli helemaal opgezwollen en met een shock naar het grote Hôpital des Broussailles moest worden gebracht, nadat ze zonder pauze zevenenveertig flinke Amerikaanse zeelui had bediend. De hoertjes verdienden het hele seizoen goed en paradeerden graag op de Croisette tussen de oude haven en Palm Beach heen en weer, altijd aan de kant waar de hotels en winkels waren. De andere kant, langs de zee, was het terrein van de schandknapen. Hyde zag er nu niet een. De matrozen wilden meisjes, het seizoen voor de schandknapen was nog niet begonnen.

Hyde stak de Croisette over bij de grote krantenzaak Maison de la Presse, liep een stukje de kleine Rue des Serbes in en sloeg linksaf de Rue Notre Dame in. Hier was het hoofdpostkantoor, nu met airconditioning. Acht jaar geleden, toen Hyde hierheen werd gestuurd om een Armeense politicus dood te schieten, was er nog geen airconditioning, maar toen was het wel schoner. Ditmaal zag het er smerig uit. Hyde vond dat Cannes in de tussentijd trouwens helemaal veel van zijn aantrekkelijkheid had verloren. De figuren die in de straten rondhingen, hoorden eigenlijk in Marseille thuis. Hyde wist dat Cannes een gangsterstad was geworden. De criminaliteit, ook de zware, bleef met sprongen stijgen en de politie deed er weinig aan. Ze zal zelf wel weten waarom, dacht Hyde en hij liet zich door een chagrijnige vrouw met een bril op aan het telefoonloket een vuil stuk karton geven waarop nummer dertien stond. Hij ging cel dertien in, liet de deur op een kier, zodat er koele lucht binnenkwam, en draaide het nummer van Morley in Londen. Daarna schakelde hij de decoder in.

Hij zei: 'Goedemorgen, mr. Morley! Met Hyde. Ik ben in het huis van Chan Ragai geweest en heb het de hele nacht geobserveerd. Er was geen sterveling te zien. Het ziet er wel naar uit dat Chan Ragai er nog niet lang geleden is geweest. Wat zal ik doen? Ik bel over een uur weer op.'

Nadat hij bij de chagrijnige vrouw het gesprek had betaald, ging Hyde in de Rue d'Antibes naar een kapper om zijn haar te laten knippen en zijn nagels te laten manicuren. Vervolgens bezocht hij enkele antiekzaken. Hij wilde een boeddha voor zijn moeder kopen, maar kon niets geschikts vinden. Ten slotte slenterde hij door de Rue d'Antibes, waar de stoepen verbreed waren, terug naar het hoofdpostkantoor. Daarbij was hij er getuige van hoe een oude vrouw die vlak langs de rijbaan liep, door twee jongelui op een zware motorfiets van haar handtas werd beroofd. De vrouw gilde en viel. Ze schaafde haar knieën en wangen open, het bloed druppelde op het plaveisel. De beide jongens op de motorfiets waren in volle vaart weggereden. Twee mannen hielpen de oude vrouw op de been, alle andere voorbijgangers liepen onbewogen door. De mannen namen de oude vrouw mee naar een lingeriezaak om haar verwondingen te kunnen behandelen en Hyde hoorde een van de mannen geïrriteerd zeggen: 'Het is uw eigen schuld, madame. U weet toch dat u uw handtas nooit aan de kant van de weg moet dragen, maar altijd aan de huizenkant! Iedereen weet het, maar niemand doet het. Daarom gebeuren zulke dingen ook elke dag in die vervloekte Rue d'Antibes.'

'Wat is er van deze stad geworden,' zei de oude vrouw klaaglijk. 'Wat een jeugd! En dat soort krijgt natuurlijk ook nog een werkloosheidsuitkering.'

'Als men er eenmaal mee begint mensen geld te geven omdat ze arm zijn, zullen er heel gauw een heleboel armen zijn,' zei de andere man.

Hyde bereikte het hoofdpostkantoor en draaide opnieuw het nummer van Morley. Diens stem klonk op de band: 'Goedemorgen, mr. Hyde! Het ziet ernaar uit dat men Chan Ragai heeft aangeraden zijn huis te verlaten en zich schuil te houden totdat de televisiemensen en de gendarmes er zijn. Het staat vast dat Conrad Colledo vanochtend met het vliegtuig vanuit Frankfurt met een televisieploeg naar Zürich is vertrokken. Daar zijn ze overgestapt op een machine van Swissair. Het is nu 11.25 uur uw tijd. Het toestel van Swissair landt om 11.45 uur in Nice. Het Majestic bevestigt dat er kamers voor Colledo met zijn ploeg zijn gereserveerd. U weet natuurlijk zelf het beste wat u moet doen, maar ik adviseer u het Majestic in het oog te houden en de aankomst van de mensen af te wachten. Ze brengen hun apparatuur mee en zijn dus gemakkelijk te herkennen. Colledo hebt u al bij het huis van Ross gezien. Helaas is hij nu voorzichtiger geworden. U moet bij hem in de buurt zien te blijven als hij Chan Ragai uit zijn schuilplaats haalt. Jammer dat u Ragai niet hebt kunnen liquideren. Dat moet beslist gebeurd zijn voordat hij een woord voor de camera heeft gesproken. Veel succes! Einde mededeling.'

Hyde ging terug naar de oude haven. Hij kwam twee Amerikaanse matrozen tegen.

'*Hey, Frenchy,*' zei de een. '*Speak English?*'

'*A little,*' zei Hyde.

'*We wanna fuck. Understand?*' De andere matroos maakte een obsceen gebaar met hand en arm.

'Fuck, fuck. Understand,' zei Hyde.

'*Where are the girlies?*'

'*You go down this street. Left side. All way down. Rue de Canada. Many girls.*'

'*Rue de Canada?*'

'*Yes. Much fucking there. Very good fucking,*' zei Hyde. '*Beautiful girls.*'

'*Thanks, buddy,*' zei de eerste matroos, die een fles Scotch in zijn hand had. En tegen zijn vriend: '*Come on, Joe, hurry up! Rue de Canada!*'

Ze liepen de Croisette af over het troittoir langs de zee.

Hyde ging naar zijn auto waarin het gloeiend heet was. Hij reed naar het Majestic, sloeg linksaf en reed de wagen de oprit van het hotel in. Een paar bagagisten in een blauwe broek en blauw overhemd stonden in de schaduw. Hyde reed om het grote ronde bloemperk voor de glazen ingang, stopte en stapte uit. Een bijzonder grote bagagist met een blozend gezicht kwam op hem af en lachte vriendelijk.

'In de garage zetten, graag,' zei Hyde.

'Logeert u in het hotel, monsieur?'

Hyde drukte de grote man twee biljetten van tien franc in de hand. 'Nee.'

'In orde, monsieur,' zei de bagagist, waarna hij achter het stuur plaatsnam en de wagen naar de ondergrondse garage reed. Hyde keerde de ingang de rug toe en liep naar een lage marmeren trap die naar een breed terras leidde. Onder een uitgeschoven zonnescherm van zeildoek stond een groot aantal ronde tafeltjes en stoelen. Voor het terras was een zwembad van wit marmer. Ook de vloer van het terras was van wit marmer. Rond het zwembad stonden talloze bloemen in bloei en dicht struikgewas schermde

417

het af aan de kant van de Croisette. Een paar meisjes en een oude man waren aan het zwemmen. Andere meisjes lagen bij het zwembad in de zon. Onder het enorme zonnescherm zaten in bermuda's geklede Amerikanen. Ze rookten een sigaar en hadden hun diplomatenkoffertje naast zich en veel papieren op tafel. Hyde ging naast de trap zitten en bestelde Gini, een alcoholvrije drank. Voor hem lag een heel knap meisje in het gras dat het bovendeel van een minuscule bikini had afgedaan. Ze lag op haar buik in een rood boek te lezen en was zo goed als naakt. Ze keek Hyde aan en lachte. Ze steunde op haar ellebogen, waardoor haar bovenlichaam zover overeind kwam dat Hyde haar borsten kon zien.

'Hallo,' zei het knappe meisje.

'Hallo,' zei Hyde.

'Het eind van de wereld en Gods Rijk zijn nabij,' zei het knappe meisje.

'Ga maar fijn sabbat vieren,' zei Hyde.

'Wat zegt u?'

'Ga daarmee nou maar eens een fijne zaterdag vieren.'

'Luister eens, monsieur, dat mag u niet zeggen!'

'Maak dat je wegkomt!' zei Hyde. 'Vooruit, maak dat je wegkomt!'

Het knappe meisje stond gekrenkt op, deed op haar gemak het bovendeel van haar bikini aan, pakte het rode boek en ging daarna heupwiegend naar de andere kant van het witte zwembad.

De kelner bracht een glas, ijsblokjes, een flesje Gini, een bakje met zoute amandelen en nog een bakje met olijven.

'*Voilà, m'sieur.*'

'*Merci,*' zei Hyde. Hij had dorst en dronk. Het drankje was zo koud dat zijn tanden er pijn van deden.

Pas om 13.15 uur reed een blauwe Opel Diplomat om het bloemperk heen, waarna hij voor de ingang van het hotel stopte. De man aan het stuur stapte uit en sprak met een bagagist. De man naast hem sprak met twee anderen. Ze haalden de koffers uit de Opel. Achter de blauwe Diplomat stopte een witte Volkswagen Combi. Er stapten verscheidene mannen uit. Ze droegen allemaal luchtige kleding. De bagagisten haalden ook koffers uit de Combi. Achter de voorruit van beide wagens zaten kartonnen bordjes met zwarte opschriften. Hyde had goede ogen. Onder het zonnescherm op het terras zittend, las hij: FERNSEHEN FRANKFURT / TELEVISION ALLEMAGNE FÉDÉRALE. Hyde dronk langzaam zijn derde glas Gini leeg. Hij had Conrad Colledo herkend. Colledo droeg een witte pantalon, witte slippers en een donkerblauw overhemd dat los hing. Hij had een leren tasje in zijn hand. Het was erg stil voor de hotelingang en op het terras. De meeste mensen waren weg. Hyde hoorde de gesprekken van de mannen van de televisie. Ze wilden naar hun kamer, zich wassen en daarna een hapje eten. Ze hadden haast. Een van de mannen vroeg aan de grote, blozende bagagist hoe lang het rijden was naar La Roquette sur Siagne. Hyde wenkte de kelner en beduidde hem dat hij wilde betalen. Hij had een *Nice-Matin* bij de kiosk gehaald en hield het plaatselijk blad voor zijn gezicht. Colledo mocht hem niet zien. Twee bagagisten zetten de beide auto's ten slotte weg, dicht bij de muur naast de marmeren trap, niet in de ondergrondse garage.

Nu verdwenen de mannen in het hotel. Hyde betaalde en wachtte tot ze weer naar buiten kwamen en zich naar de grote eetzaal begaven, die zich tegenover het terras in de zijvleugel van het hotel bevond. Er stonden enkele tafeltjes buiten, door een markies beschut tegen de nu felle zon. Twee mannen bleven buiten eten. Samen met Colledo waren ze met z'n zessen.

Hyde stond op en verliet het terras.

'Mijn wagen, alstublieft,' zei hij tegen de blozende bagagist, 'de zwarte BMW.'

'Komt in orde, monsieur.' De man liep de inrit naar de parkeergarage op. Even later reed hij de BMW naar boven – achteruit en snel, heel vaardig. Hyde bedankte hem en gaf de man nogmaals een fooi.

'Maar u hebt me toch al . . .'

'Drink maar een glaasje op mijn gezondheid!'

'*Merci mille fois, monsieur!*'

Ongeveer twintig minuten later kwamen de eerste televisiemensen uit het restaurant aan de overkant. Ze liepen naar de VW Combi. Hyde had zijn wagen naar de andere kant van het bloemperk gereden. Na een halfuur volgde de rest van het gezelschap. Colledo stapte in de blauwe Opel Diplomat, terwijl er een man naast hem kwam zitten en de anderen in de Combi klommen. Colledo trok langzaam op. De Combi volgde. Ze gleden de oprit naar het hotel af. Hyde startte zijn auto en reed achter de Combi aan. Ook op de Croisette was het nog rustig, zoals altijd rond etenstijd. Colledo sloeg rechtsaf, de beide andere wagens bleven achter hem. Hyde vergrootte de afstand tot de VW Combi.

De drie wagens reden naar rechts door de Rue de Belges, sloegen linksaf, reden een eindje door de Rue d'Antibes en gingen even later weer rechtsaf de Rue Foch in, via welke straat ze snelweg nummer 12 bereikten. Deze brede *voie rapide*, die hier steil omhoog liep, bracht hen bij het grote en slecht ontworpen kruispunt bij het spoorwegviaduct aan het begin van de reusachtige Boulevard Carnot. Hier verdrongen zich de auto's en er was een ongelooflijke hoeveelheid stoplichten en nerveuze verkeersagenten met fluitjes. De drie auto's reden over de Boulevard Carnot met zijn reusachtige schaduwrijke bomen tot aan een rotonde, waar een verbindingsweg met de snelweg begon. Langs de rand van de smalle verbindingsweg stond een open manschappenwagen van de gendarmerie. Op de banken zaten zo'n dertig zwaargewapende mannen in uniform. Hyde stopte, want de twee wagens voor hem waren bij de manschappenwagen gestopt. Een officier liep naar de blauwe Diplomat, salueerde en sprak met Colledo. Hyde beet op zijn lippen. Achter hem claxoneerden een paar automobilisten ongeduldig. Ze schreeuwden door elkaar.

'*Crevez, salopard!*'

'*Allez, allez, assassin!*'

Het zweet stroomde Hyde van zijn wenkbrauwen in zijn ogen. Hij moest hier snel weg. Hij trapte op het gaspedaal. De BMW schoot vooruit en stoof langs de VW Combi, de Opel Diplomat en de manschappenwagen van de gendarmerie over de verbindingsweg naar de snelweg. Hyde had geen andere keus. Mooie boel, zeg! Als ze nú Chan Ragai ergens uit zijn schuilplaats halen voordat ik hem uit de weg kan ruimen, dacht hij langzamer rijdend. Dat kan wat worden met al die gendarmerie. Ik moet wachten tot ze weer voor me rijden, ik weet immers niet waar die Chan Ragai uithangt. In de achteruitkijkspiegel zag hij de manschappenwagen opdoemen, daarachter de Diplomat en als laatste de Combi. Hyde liet de drie auto's passseren. De manschappenwagen en de andere auto's bleven op de verbindingsweg rijden die langs een klaverbladkruising liep en daarna weer een normale weg werd. Nu passeerden ze restaurant Moulin de Mougins. Lekker eten hebben ze daar, dacht Hyde dwaas. Even later werd hij weer nerveus. De kerk Notre Dame de Vie dook op aan de rechterkant. Als die kerels naar La Roquette sur Siagne wilden, moesten ze na de grote bocht de *route nationale* 85 op, en wel naar rechts. Bij de Combi ging de rechterrichtingaanwijzer aan. Kijk's aan! Hyde schakelde zijn rechterrichtingaanwijzer nu ook in. Hij dacht koortsachtig na terwijl hij het kleine konvooi op de *route nationale* die naar Grasse liep, volgde. Geen twijfel mogelijk, die lui waren op weg naar La Roquette sur Siagne. Had Chan Ragai zich zo verborgen, dat ze hem op weg daarheen nog konden oppikken? Morley wist dat de opnamen in Villa Biblos zouden plaatsvinden. Hij had tot nu toe over alles wat de televisiemensen betrof steeds betrouwbare inlichtingen gekregen. Daarop moest Hyde zich verlaten. Ook ditmaal.

Afrit naar Le Val de Mougins. Het konvooi bleef op de nationale route. Hyde ook. De volgende afrit ging naar La Roquette sur Siagne. Het konvooi sloeg bij de grote, oude plataan linksaf. Hyde deed hetzelfde. Hij dacht: ik moet het riskeren. Ik moet het domweg riskeren. Ik moet er zijn vóór die schoften. Hij trapte het gaspedaal in en stoof weg. Toen hij de drie wagens inhaalde, kwam hem een Peugeot tegemoet. Het scheelde maar een haar of de BMW had hem geramd. Hyde zag het ontdane gezicht van een man voorbijschieten. Hij reed nu zo snel hij maar kon, zonder ook maar ergens rekening mee te houden. De wagen slipte elke keer in de bochten. De banden gierden. Hyde liet zijn voet op het gaspedaal.

Hij zette zijn wagen weer op een parkeerplaats voor de nieuwe huizen. In de grootste haast haalde hij zijn tas uit de kofferbak. Hij sprong terug op de weg. Het was nog steeds stil, maar ze moesten er zo aankomen.

Hyde begon te rennen. Het zweet brak hem uit en liep in stromen over zijn lichaam. Hyde hijgde. Zijn hart bonkte, evenals het bloed in zijn slapen. Hij rende over het plein met de kruidenierszaak en het café. Een paar oude mannen speelden in de schaduw van de platanen *jeu de boules*. Niemand lette op hem. Hij rende de smalle Avenue du Roi Albert door. Hij bereikte de muur en het smeedijzeren hek dat scheef in de verroeste scharnieren hing. Hij klom over de muur en liet zich in het hoge gras van de verwilderde tuin vallen. Nu hoorde hij al het geluid van de motoren aanzwellen. Ze kwamen eraan!

Als een haas rende hij door de tuin en om het huis dat verlaten in de zon stond. Hij liet zich door het kelderraam glijden en kroop achter de grote stapel brandhout. Het hout reikte bijna tot aan het plafond. Hij transpireerde nu zo hevig dat zijn overhemd en broek kletsnat waren en de druppels op de vloer vielen. Hij trachtte rustiger te worden en langzamer adem te halen. Hij opende de tas, zette de Springfield in elkaar en schroefde de geluiddempers op het geweer en op de loop van de Parabellum. Ze zullen alles doorzoeken, dacht hij. Natuurlijk ook de kelder. Als ik geluk heb, ontdekken ze me niet. Als ik geen geluk heb, neem ik nog zoveel van die schoften met me mee als mogelijk is. In elk geval komt er toch een schietpartij, zodra ik naar boven moet om Chan Ragai uit de weg te ruimen. Nou ja, dacht Hyde, ik heb me wel door grotere moeilijkheden heen geslagen.

Hij hoorde nu stemmen, zinnen, Duits en Frans door elkaar, en ook nog Franse bevelen.

'Tien man doorzoeken de tuin! Vijf gaan met me mee het huis in. De rest sluit het terrein af. Een ogenblikje. Ragai heeft mij alle sleutels gegeven. Ik doe de deur open.' Dat moet de officier zijn, dacht Hyde. Ragai heeft hem alle sleutels gegeven. Dus brengen ze hem hierheen, onder bewaking natuurlijk. Eerst moet alles worden doorzocht. Vijftien man sluiten het grote terrein af, overwoog hij, terwijl er al laarzen de keldertrap afstampten. Hij lag nu plat op zijn buik in het donker achter de hoop brandhout op de koude vloer, de Springfield geladen en de veiligheidspal eraf. Er kwamen twee mannen de kelder in. Ze hadden allebei een zaklantaarn. En ze waren geïrriteerd.

'En dat allemaal in die hitte!' zei de een woedend. 'Ik ga dood in dat uniform!'

'Die verrekte *capitaine* kan me wat,' zei de ander. 'Hier is niemand. Wat een poppenkast!'

De schreden verwijderden zich weer over de stenen trap. De deur boven bleef open. Hyde grijnsde. Mooi, dacht hij, ga zo door! Hij hoorde het gestamp van laarzen nu boven zich. Ze doorzoeken echt het hele huis, dacht hij. Natuurlijk doorzoeken ze het hele huis. Plotseling hoorde hij de stem van Colledo. 'Drie uur. We zijn precies op tijd. Nu moet hij komen.'

'Dat hoop ik maar,' klonk een andere stem. 'Laat die ramen toch dicht, jòh! Daar komt toch alleen maar hitte door.'

'We filmen buiten,' zei Colledo. 'Voor het huis.'

Hyde lag roerloos op de vochtige stenen vloer van de kelder. Het rook muf, heel erg muf.

Een halfuur later lag hij nog steeds zo.

Boven was het stil geworden. De meeste gendarmes hadden blijkbaar de villa weer verlaten. De mannen van de televisie zaten te roken. Hyde kon het ruiken. Hij verlangde ook naar een sigaret.

'Wat een toestand,' zei een mannenstem. 'Kan die stomme zak dan niet op tijd komen?'

'Hou je bek, Franz,' klonk een andere stem. 'Hij komt echt wel. Doe niet zo nerveus. Je bent altijd zo zenuwachtig.'
'Och, je kan me wat,' zei de eerste stem. Hyde keek op de verlichte wijzerplaat van zijn polshorloge. Het was 15.33 uur.

Drie minuten over vier was Chan Ragai er nog steeds niet. Hyde hoorde de stem van Colledo: 'Er is iets misgegaan, verdomme.'
'Vrees ik ook, Conny,' zei een mannenstem.
'Wat doen we nu?' vroeg iemand in het Frans.
'Ik zal Jean-Marie opbellen, *mon capitaine*,' klonk de stem van Colledo.
'Ja, goed,' antwoordde deze.
Hyde hoorde dat er een telefoonnummer werd gedraaid. Na een poosje hoorde hij Colledo in het Frans zeggen: 'Jean-Marie? Met Colledo. Wat . . .' Hij zweeg en luisterde een hele tijd. 'Bedankt, Jean-Marie . . . Nee, nee, ga er maar gauw vandoor! Direct!' De hoorn werd op de haak gelegd. Colledo sprak even met de *capitaine*.
'*Grande merde fumante*,' zei deze ontdaan.
'Wat is er aan de hand, Conny?'
'Hij is weg,' zei Colledo.
'Wat bedoel je met "weg"?'
'Weg is weg, idioot!'
'Rustig aan maar, Conny. Altijd rustig blijven, hè? Waar is hij?'
'Jean-Marie zegt dat hij met het vliegtuig is vertrokken.'
'Wanneer?'
'Wat?'
'Wannéér?'
'Vanmorgen. Halfelf. Met PanAm naar Athene.'
'Athene? Dat zegt Jean-Marie?'
'Ja.' Colledo legde het nu in het Frans uit, zodat ook de *capitaine* van de gendarmerie en zijn mensen het konden verstaan.
'Ragai is vanmorgen om halfnegen bij het hotel in Mougins weggereden.'
'Welk hotel?'
'Hotel Le Mas Candille. Daar zou hij op ons wachten en vanmiddag om drie uur zou hij hier zijn.'
O nee! dacht Hyde. O nee! Hij kreeg een onbedaarlijke zin om te lachen. Hij beet in zijn arm. O God, dacht hij. O God, nee! Chan Ragai had in Le Mas Candille gelogeerd. In mijn hotel!
'Hoe weet Jean-Marie dat?'
'Stommeling! Die heeft toch sinds eergisteren op hem gepast. Heeft ook in Le Mas Candille gelogeerd. Ragai wist dat niet. Hij wilde geen enkele bescherming hebben. Was bang om op te vallen.'
Nee, dacht Hyde. Nee, nee, nee!
'En?'
'En vanmorgen om halfacht is Chan Ragai beneden gekomen, heeft zijn rekening betaald en daarna hebben ze zijn koffers in de wagen geladen en is hij 'm gesmeerd. Naar de luchthaven van Nice. Jean-Marie nog steeds

achter hem aan. Hij heeft bij de balie van PanAm alles precies gehoord. Ragai had al geboekt. Naar Athene.'

'Waarom heeft Jean-Marie dan geen bericht voor ons in het Majestic achtergelaten?'

'Hij heeft er toch geen notie van waar het in werkelijkheid om gaat! Hij moest Ragai alleen maar in de gaten houden totdat wij er waren.'

'Verdomme, en waarom heeft hij niet opgebeld naar Frankfurt, naar de zender?'

'Man, ik zeg je toch dat hij absoluut niet weet wat wij van Ragai willen. Denk je soms dat ik hem dat heb toevertrouwd?'

'Wie is die stomme Jean-Marie eigenlijk?'

'Ik ken hem niet persoonlijk. We maken altijd gebruik van hem als iemand hier in de buurt mensen in de gaten moet houden.'

'Wie heeft hem op Chan Ragai afgestuurd?'

'Kleinhals, de hoofdredacteur. Die heeft hem opgebeld. Jean-Marie en Kleinhals hebben elkaar leren kennen toen Kleinhals hier eens is overvallen. Toen heeft Jean-Marie hem ontzet bij de kloppartij. Die twee hebben toen vriendschap gesloten. Drie jaar geleden, tijdens de zomer.'

'Waarom was Kleinhals hier?'

'Omdat hij hier op vakantie was. Maak me nou niet gek! Ragai is weg, de schoft!' schreeuwde Colledo.

'En wat doet die Jean-Marie als hij niet op mensen past?'

'In La Roquette sur Siagne heeft eens een multimiljonair gewoond. In een mooie villa. Op de weg naar het kerkhof. Heeft Kleinhals me verteld. Jean-Marie was een van zijn lijfwachten. Toen is die miljonair overleden. Hij lag erg mooi, die villa. Jean-Marie is bokser geweest. Zwaargewicht.'

'Dat heeft Kleinhals je allemaal verteld?'

'Natuurlijk, halve gare. Hoe zou ik het anders weten? Jean-Marie was totaal wanhopig. Wist niet meer wat hij moest doen. Kleinhals heeft hem gezegd dat als er iets tussenkwam, als er iets gebeurde, hij in hotel Le Mas Candille moest wachten tot er iemand van ons opbelt. En nu heb ik opgebeld. Eindelijk tevreden? Of heb je nog meer vragen?'

'Ja. Hoe komt het dat die Jean-Marie hier nog steeds is terwijl die miljonair dood is?'

'Heeft hier een bedrijfje gekocht. Hij houdt van deze streek. Wil er nooit meer weg, zegt Kleinhals. Schiet op nu, vooruit!'

'Opschieten, waarheen?'

'Terug naar Cannes. Ik moet de intendant bellen.'

'Nou, bel hem dan op, man!'

'Niet hiervandaan. Misschien is er iets met deze telefoon aan de hand. Ook niet uit het hotel. Uit een postkantoor,' zei Colledo. 'Verdomme, wat een toestand!' Daarna sprak hij weer Frans met de *capitaine*.

Tien minuten later hoorde Wayne Hyde het geluid van startende auto's. De wagens reden weg. Op die smalle weg moeten ze achteruitrijden, dacht hij. Nee, ze zullen wel in de tuin gekeerd hebben. Ik moet ook bellen. En ook snel. Waarom is die Chan Ragai 'm gesmeerd?

'Het is nu drie uur Middeneuropese tijd, vrijdagmiddag, 23 maart 1984. Mijn naam is Chan Ragai. Ik ben op 2 augustus 1911 in Teheran geboren. Iraans staatsburger, weduwnaar, godsdienst: Islam. Ik ben ongeneeslijk ziek en heb hooguit nog vijf maanden te leven.'

De man die deze woorden sprak, vrijwel precies op het tijdstip dat Colledo met zijn ploeg en de manschappenwagen met de Franse gendarmes het plaatsje La Roquette sur Siagne bereikten en Wayne Hyde achter de hoge stapel brandhout lag, had een smal, olijfkleurig roofvogelgezicht met donkere, melancholieke ogen. Zijn haar was gitzwart. Op zijn bovenlip had hij een goed verzorgd, smal, zwart snorretje. Het kostuum van Chan Ragai was veel te wijd voor zijn sterk vermagerde lichaam en hetzelfde gold voor zijn overhemd waarvan de boord een vingerdikte van zijn hals afweek. Hij had grote gele tanden. Zijn stem klonk erg vermoeid.

Hij zat met zijn rug naar het bureau in het appartement van Daniel Ross aan de Sandhöfer Allee in Frankfurt. Alle gordijnen waren gesloten. De schijnwerpers op hoge statieven brandden. Twee Arriflex-camera's in een vaste positie waren op de ellendig uitziende man gericht. De ene camera liep. In een wirwar van kabels had een geluidstechnicus zijn apparatuur geïnstalleerd en nu hield hij met de koptelefoon op de wijzertjes op de instrumenten in de gaten. Achter de camera's zaten Mercedes en Daniel. Naast hen stonden twee politiemannen met een machinepistool. Twee andere agenten patrouilleerden voor de ramen van de parterrewoning. Op straat stond een surveillancewagen met een bezetting van vier man. In Frankfurt regende het. Achter het stille gebouw stonden de crocussen in het gras in bloei.

'Deze korte tijd die mij nog rest voor mijn dood heeft mij ertoe bewogen, na een teruggetrokken leven van een aantal jaren, voor de laatste keer in de openbaarheid te treden – voor miljoenen mensen over de hele wereld. Tot gisteren, donderdagmorgen, woonde ik in mijn huis in het dorpje La Roquette sur Siagne in Zuid-Frankrijk, in de buurt van Cannes. Het doodvonnis van de artsen is mij al een maand bekend. Toen research-mensen van de zender Frankfurt mij eindelijk in La Roquette sur Siagne hadden gevonden en mij vertelden wat ze van mij wilden, vroeg ik om een dag bedenktijd. Daarna verklaarde ik mij bereid voor de camera te komen en alles te vertellen wat ik weet over een film, die door Amerikaanse en Russische militaire cameralieden is opgenomen tijdens de conferentie van de zogeheten Grote Drie, Churchill, Roosevelt en Stalin, tussen 28 november en 1 december 1943. Ik ben in staat een verklaring over deze film af te leggen, omdat ik in die tijd in Teheran bureauchef was voor de geheime dienst van de nazi-minister van Buitenlandse Zaken, Von Ribbentrop.'

Chan Ragai hoestte. Het was een droge, harde hoest, die pijn scheen te doen, want de oude man vertrok zijn ingevallen gezicht en kromde zich. Hij hield een zakdoek voor zijn mond. Het duurde enige tijd voordat hij weer kon spreken.

'Neemt u mij niet kwalijk. Totdat de research-mensen bij mij kwamen, leefde ik in de veronderstelling dat deze film in Berlijn tijdens de laatste oorlogsjaren was vernietigd, verloren gegaan of verdwenen. Toen ik hoorde dat hij – overgebracht op videocassette – nog steeds bestond en dat er een verbitterd gevecht in het duister werd geleverd met het doel mensen als ik, die van de film afweten, te liquideren om zo de geplande televisie-uitzending over de hele wereld zinloos te maken, heb ik mij ook bereid verklaard akkoord te gaan met alle veiligheidsmaatregelen van de Franse en Duitse politie ter bescherming van mijn leven. Ik weet dat ik binnenkort zal sterven – maar dat zal niet gebeuren vóór het voor mij bepaalde tijdstip. Mijn toestand zal natuurlijk achteruitgaan. Daarom leg ik mijn verklaring nu al af, een dag nadat ik mijn huisje in Zuid-Frankrijk heb verlaten. Ik zal daar nooit meer terugkeren.'

Weer werd Chan Ragai gekweld door een droge hoest. Op zijn voorhoofd parelden zweetdruppeltjes.

'Stop,' zei Daniel. De cameraman zette zijn apparaat uit. 'Neemt u de tijd er maar voor, meneer Ragai. U mag niet te veel van uzelf vergen. We zullen telkens even pauzeren. Iedereen weet hoe inspannend spreken voor u is.'

Mercedes was opgestaan en schonk uit een karaf water in een glas. Ragai keek haar dankbaar aan terwijl hij het in zijn tot op het bot vermagerde rechterhand pakte en een slok nam. Hij leunde achterover en sloot zijn ogen. Na een paar minuten was hij weer wat opgeknapt. Camera en geluidsapparatuur liepen weer.

'Men heeft mij gewaarschuwd en uitgelegd,' zei Ragai, 'dat zich bij de zender een verrader bevindt, die elke geplande stap van de met de film werkende staf doorgeeft aan degenen die de voortgang van het project onder alle omstandigheden willen verhinderen. Het was ons natuurlijk duidelijk, dat juist ik – met het oog op de uiterst negatieve instelling van de Iraanse regering tegenover de Verenigde Staten en ook tegenover de Sovjetunie – bijzonder groot gevaar liep, want de tegenstanders van deze zaak dienen te worden gezocht bij deze twee mogendheden. Om die reden heeft een zeer besloten kringetje van ingewijden een avontuurlijk plan ontwikkeld. Aan de anderen werd meegedeeld dat het hoofd van de afdeling Politiek en actualiteiten met een televisieploeg vandaag, vrijdag, naar Nice zou vliegen en naar mij toe zou gaan om mijn verklaring in mijn huis in La Roquette sur Siagne vast te leggen. Dat is ook gebeurd. De heer Colledo, de ploeg en de voor mijn bescherming aangevraagde gendarmes moeten zich nu op mijn terrein en in mijn huis bevinden – en potentiële plegers van een aanslag eveneens, want de onbekende verrader heeft dit plan vast doorgegeven. Alleen hoge officieren van de gendarmerie in het departement Alpes-Maritimes werden van een en ander op de hoogte gesteld. Twee officieren van de gendarmerie hebben mij gisterochtend – na een kleine afleidingsmanoeuvre – in een particulier vliegtuig van Nice naar Frankfurt overgebracht. Op de luchthaven werd ik opgewacht door de Duitse politie. Ik heb de nacht doorgebracht in deze woning, waarvan u om begrijpelijke redenen alleen het gordijn achter mij ziet. Als ik mijn verklaring heb afgelegd, zal ik onder politiebescherming direct doorvliegen naar

Teheran, waar op een onbekende plek een huis voor mij klaarstaat. Zo is mijn situatie. Ik zal nu vertellen wat ik van de film weet.'

Ragai wiste met een zakdoek het zweet van zijn voorhoofd. 'Mijn rechtstreekse superieur in Berlijn, die mij in dienst heeft genomen en voor het spionagenet in het Midden-Oosten verantwoordelijk was, heette Georg Ross. Zoals bij dergelijke diensten gebruikelijk is, hadden we voor ons radio- en koeriersverkeer een vaak wisselende code. Geruime tijd voor het begin van de conferentie ontving ik een radioboodschap van Ross, waarin hij mij de opdracht gaf alles wat met de ontmoeting van de Grote Drie verband hield nauwlettend te volgen. Dat deed ik.'

'Hoe deed u dat, meneer Ragai?' vroeg Daniel, die net als Mercedes en Ragai een microfoontje aan een dun snoer om de hals had.

'Ik had uitstekende medewerkers. Het lukte mij twee mannen als ober bij de Britse delegatie onder te brengen, twee anderen bij de zeer grote Amerikaanse afvaardiging en een bij de Sovjets. Deze vijf obers smokkelde ik binnen tussen de vele inheemse personeelsleden die gevraagd werden, want natuurlijk moest iemand de kamers opruimen, de gebouwen schoonhouden en serveren. De delegaties brachten zelf hun koks mee. Molotov kwam al op de zesentwintigste, de Britse en Amerikaanse delegatie kwamen in de loop van de zevenentwintigste november in Teheran aan. Met deze laatstgenoemde delegaties kwamen ook zeer veel journalisten, fotografen en cameramensen van het bioscoopjournaal mee. Een van de beide mannen die ik bij de Amerikanen had binnengesmokkeld was mijn jongste en succesrijkste agent.'

'Hoe heette hij?' vroeg Mercedes.

'Dat weet ik tot op heden nog steeds niet.'

'Ik begrijp niet . . .' begon Daniel.

'Die man was een Duitser. Hij werd door Georg Ross uit Berlijn naar mij toe gestuurd. Natuurlijk was de man in het bezit van papieren en van een naam. Dat had hij nodig om van de autoriteiten in Teheran een verblijfsvergunning te krijgen. Natuurlijk waren de papieren vals.'

'Wat heet natuurlijk? Was het gebruikelijk dat uw medewerkers valse papieren hadden?'

'Gebruikelijk was het niet. Maar het kwam wel vaak voor. Dat komt bij elke geheime dienst vaak voor. Natuurlijk is iemand helemaal aan de top – het hoofd van het spionagenet – dan op de hoogte wie zulke mensen in werkelijkheid zijn en hoe ze werkelijk heten. Ze moeten immers allemaal heel nauwlettend zijn doorgelicht voordat ze in dienst worden genomen. Deze jongeman, mijn beste spion, die door Ross uit Berlijn naar mij was gestuurd, noemde zich Werner Kalmann – op papier tenminste. Voor het radio- en koeriersverkeer kreeg hij de aanduiding CX 21.'

'CX 21,' herhaalde Daniel.

'Ja, CX 21. Ook het gebruik van dergelijke afkortingen was niet ongebruikelijk.'

'Zolang, zoals u zegt, het hoofd van de geheime dienst alles afwist van zo'n man met een dergelijke afkorting.'

'Precies.' Ragai knikte.

Daniel keek Mercedes aan. Hij fluisterde: 'Dan heeft mijn vader gelogen toen hij ons vertelde dat hij niet wist wie CX 21 was. Hij wist het precies.' Mercedes knikte. 'Of Ragai liegt nu,' fluisterde ze.

Daniel zei weer hardop: 'U zei "de jongeman", meneer Ragai. Hoe jong was hij?'

'Achttien.'

'Hóe oud?'

'Achttien jaar! Ik was zelf verbaasd over zijn leeftijd. Maar Ross wist precies wie hij naar me toe stuurde. Deze geheimzinnige CX 21 sprak vloeiend Perzisch, Engels en Frans. Hij was superintelligent, ondanks zijn jeugd uitermate belezen, algemeen ontwikkeld en was gewoonweg van alles op de hoogte. Hij had uitstekende manieren. Hij kon overal binnenkomen – als zoon van goede familie, als een rijke playboy, als snob – en ook als ober. Hij kon namelijk uitstekend serveren.'

De twee cameralieden wisselden een blik. De eerste gaf daarmee aan, dat er op zijn filmcassette nog maar een paar meter onbelicht was. Volgens het beproefde systeem liet de tweede nu zijn apparaat draaien. Zijn collega had daarna de tijd om in alle rust een nieuwe cassette in te zetten.

'CX 21 had heel snel succes,' vervolgde Ragai. Zijn stem werd zachter, zijn vermoeide ogen sloten zich half. Terwijl hij vertelde wat er was gebeurd, herleefden de gebeurtenissen en gesprekken nog eens voor hem. 'Reeds in de nacht van 28 op 29 november kwam hij tegen tweeën bij mij thuis, omdat hij – zoals hij zei – iets van het grootste belang had gehoord. Hij was kalm en beheerst. Des te meer opgewonden werd ik . . .'

'Het gaat om het volgende, chef,' zegt de slanke, knappe jongeman met de afkorting CX 21. 'Alle Amerikaanse pers- en radiomensen en de cameralieden van het bioscoopjournaal verblijven in de Amerikaanse legatie. Ze weten dat Roosevelt en zijn grote staf daarentegen op aandringen van de Russische minister van Buitenlandse Zaken Molotov vanmiddag naar een gebouw op het terrein van de Russische ambassade zijn verhuisd.'

'Ja,' zegt Chan Ragai. Hij sliep al toen CX 21 hem opbelde. Nu zit hij in pyjama en ochtendjas met verwarde haren in de woonkamer op een bank. 'Om veiligheidsredenen, hebben onze mensen gehoord. De Russische veiligheidsmensen zouden een Duits komplot op het spoor gekomen zijn. Teheran, zeggen ze, is het hoofdkwartier voor alle spionage van de As-mogendheden in het Midden-Oosten, stond tot voor kort nog volledig onder Duitse controle en er bevinden zich talrijke sympathisanten van de Duitsers onder de bevolking. Er zou een aanslag op Roosevelt zijn beraamd. Dat zou mooi zijn. Een sigaret?'

'Nee, dank u.' CX 21, de jongeman met het bruine haar en de gevoelige donkere ogen, schudt het hoofd.

'Maar ga in elk geval zitten.' Ragai steekt een sigaret op en blaast de rook de lucht in. De centrale verwarming in zijn huis brandt. Het is bar koud in Teheran. 'Natuurlijk is er íets waar van dat geklets over Duitse invloed en sympathie voor Duitsland. Maar helaas moet ik zeggen dat de Russen mateloos overdrijven. De Grote Drie zouden voor hun ontmoeting echt wel een andere stad hebben uitgezocht als ze hier werkelijk in gevaar zouden verkeren. Tenslotte hebben de veiligheidsmensen van drie staten de stad op haar deugdelijkheid onderzocht – weken voordat de delegaties arriveerden.'

'Precies,' zegt CX 21, die plaatsneemt en daarbij zijn perfect geperste broekspijpen optrekt. De jongeman ziet er zeer verzorgd uit en draagt nu niet de kelnerkleding, maar een blauw kostuum. 'Vanzelfsprekend is die geschiedenis over dat komplot alleen een voorwendsel om de Amerikaanse president en zijn medewerkers op Russisch territorium en zeer waarschijnlijk in de onmiddellijke nabijheid van Russische afluisterapparatuur te krijgen. De Russen kennen de vrees van de Amerikanen voor aanslagen; enkele presidenten van hen zijn immers vermoord. De Russen hebben op een schitterende manier gebruik gemaakt van hun daaruit resulterende, lichtelijk paranoïde instelling. De mensen van de pers, de radio en het bioscoopjournaal zitten nu twee kilometer van de Amerikaanse delegatie af in de ambassade. Ze worden daar verzorgd. Het inheemse personeel is verdeeld. Ik ben godzijdank aangewezen voor de verzorging van de mensen in de ambassade.'

'Hoezo godzijdank?'

'Even wachten, chef, even wachten! Ik hoefde er helemaal niets voor te doen. Het ging allemaal volkomen vanzelf. Ziet u, gisteren viel mij al op dat twee cameralieden van de Amerikanen niet meededen aan de grote verbroederingstoestanden waar alle andere correspondenten zich in stortten. Ze hielden zich vanaf het eerste moment erg afzijdig – dat wilden ze zelf, leek het. Ze eten samen aan een tafeltje voor twee personen, praten nauwelijks met collega's en ook hun beide kamers liggen wat achteraf in de ambassade. De een heet William Mackenzie en komt uit Californië, de ander komt uit New York en heet Ernest Rosen. Een nogal vreemd stel, die twee.'

'Hoezo vreemd?'

'Mackenzie is waarschijnlijk zevenentwintig, achtentwintig, Rosen op zijn minst veertig. Hun rang is korporaal. Ik heb de indruk dat ze zich nogal wat moeite moeten getroosten om met elkaar op te kunnen schieten. Rosen heeft een vrouw, maar geen kinderen. Mackenzie heeft een gezin met drie kinderen. Rosen drinkt en rookt niet. Mackenzie rookt als een schoorsteen en hij zuipt. Ik kan het niet anders noemen, chef. Toen ik net bij hem wegging, was hij straalbezopen. Ik moest hem uitkleden en in bed leggen.'

'U was tot zojuist in de ambassade?'

'Dat zeg ik toch! Ik had late dienst en toen heeft Mackenzie me ook nog meegenomen naar zijn kamer.'

'Luister eens, als ze u ontdekt hebben ...'

'Dat hebben ze niet. Vannacht zijn een hoop correspondenten op de Amerikaanse ambassade dronken. En opgewonden. Wegens die zogenaamde plannen voor een aanslag. Dat hoorden de correspondenten

428

natuurlijk ook. Dat Hopkins alles ontkende en verklaarde dat deze geruchten niet in de openbaarheid mochten komen, maakte niemand rustiger. En die verhuizing vandaag, nee, gistermiddag, al helemaal niet. Eergisteren werd er al veel gedronken. De meeste jongens waren teut. Mackenzie ook. Hij kreeg ruzie met zijn collega Rosen – ik weet niet waarom – en Rosen liet hem alleen en ging naar zijn kamer. Mackenzie bleef nog in de mess zitten en begon tegen mij te kletsen. Hij wilde weten hoe ik over dat komplot dacht, of er inderdaad zoveel Duitse spionnen in de stad waren, of ik afkomstig was uit Teheran, of ik hier de weg kende, of ik misschien wist wie voor de Duitsers werkte, enzovoort.'

'Nogal vreemd, hè?'

'Ja, chef. Dat vond ik ook. Maar zo dronken als hij was ... Hij zat verstrikt in een idee-fixe. Eergisteren wist ik nog niet welk. Maar nu weet ik het.'

'Wat voor een idee-fixe?' informeert Ragai. Zijn zwarte haar glanst in het licht van een kroonluchter.

'Alles in de juiste volgorde, chef! Goed, ik ging natuurlijk dadelijk als een moeder op het gebrabbel van Mackenzie in en zei dat ik hier geboren ben en toen hij zijn bewondering uitsprak over mijn fantastische Engels, vertelde ik hem dat ik voor de oorlog een jaar in Amerika had gewerkt als kelner, en wel in Californië, in Los Angeles. Nu, hij is afkomstig uit San Diego, daar vlakbij, en dat maakte hem nog vertrouwelijker en sentimenteler. Toen vroeg ik aan hem waarom hij en zijn collega zich afzijdig van de anderen hielden. Hij zei dat ze een opdracht hadden die *top secret* was en dat hij er niet over mocht praten. Ik drong daar natuurlijk ook niet bij hem op aan, maar lette er alleen goed op dat hij 'm flink raakte. Hij werd huilerig en noemde mij kind en zei dat ik hem Bill moest noemen en ik moest samen met hem een paar glazen drinken – nou ja, er waren erg veel bezoekers in de mess, het ging er erg luidruchtig aan toe en niemand sloeg acht op ons. Ik zei dus Bill tegen hem en hij vertelde mij dat hij in de puree zat, maar dan ook echt, en dat hij er geen gat meer in zag ...'

'Waarin? Hoezo in de puree?'

'Dat vertelde hij me niet. Eergisteren vertelde hij het me nog niet. Eergisteravond praatte hij er maar zo'n beetje omheen en hij begon weer over die Duitse spionnen en dat ik toch wel de een of ander moest kennen. Ik schudde maar wat met mijn hoofd en zei tja, tja, ik hoor natuurlijk wel het een en ander en weet een heleboel over veel mensen hier en ik heb vrienden. Maar toen kwam er een veiligheidsman aan en zei tegen Mackenzie dat hij naar bed moest – dat was dus eergisteren. Daarom vroeg hij mij ook gisteravond op zijn kamer te komen.'

'Waarom?'

'Om ongestoord te kunnen praten. Ik zei al dat hij weer bezopen was, maar nu draaide hij er niet zo omheen, nu sloeg hij spijkers met koppen. Hij vertelde dat hij enorme schulden had. Hij heeft een vermogen bij de paardenrennen verloren.'

'Hoeveel?'

'Ruim zestigduizend dollar.'

Ragai zegt: 'Onzin. Een dronken kerel kletst maar wat. Het Amerikaanse leger heeft de antecedenten van de man toch nauwlettend onderzocht, als hij echt een taak heeft die *top secret* is. Een man die zulke hoge schulden heeft, betekent toch een veiligheidsrisico, man! Hij staat open voor chantage, hij is in staat zijn opdracht voor geld te verraden . . .'

'Precies,' zegt CX 21.

'Wat precies?'

'Precies dát heeft hij gedaan.'

'Heeft hij zijn opdracht verraden? Aan u?'

'Ja, chef.'

'Vannacht?'

'Vannacht. Hij heeft nog veel meer gedaan. Ik kom daar zo op terug. Ik wilde alleen maar zeggen: natuurlijk is hij doorgelicht. Daar heb ik hem ook dadelijk op aangesproken. Hij zei dat niemand iets afwist van zijn enorme schulden – hij heeft het erg handig aangepakt, heeft wissels getekend. Zijn schuldeisers zitten in Los Angeles, het leger is er niet achtergekomen. Maar mijn nieuwe vriend Bill heeft ook een wissel verválst, plus ook nog twee cheques en als dat uitkomt en alle x-maal geprolongeerde andere wissels vervallen, gaat Bill op z'n minst voor tien jaar achter de tralies. Nou, ik zei dat me dat echt verschrikkelijk zou spijten en dat ik wou dat ik hem kon helpen, dat ik sinds het begin van mijn betrekking van de Amerikanen ben gaan houden. En toen zei hij dat ik hem inderdaad kon helpen, dat wist hij zeker, maar het was alleen de vraag of ik dat wilde. Ik vroeg waar hij aan dacht en toen verried hij mij zijn *top secret mission*.'

'Een ogenblikje graag,' zegt Ragai. 'Dat meent u toch niet?'

'Wat bedoelt u?'

'Dat die Mackenzie u gisteravond vroeg op zijn kamer te komen.'

'Natuurlijk meen ik dat.'

'Luister eens, die Amerikanen brengen hier per vliegtuig twee cameralieden naar toe met een opdracht die *top secret* is, en een van hen kunt u gewoon aanspreken en uithoren en meenemen naar zijn kamer om bij u uit te huilen – en u wordt niet onmiddellijk door veiligheidsmensen gesnapt en bij kop en kont de deur uit gesmeten? Denkt u nu echt dat ik dat geloof?'

'Dat móet u geloven, chef!'

'Verdomme, zulk slordig werk bestaat niet! De Amerikanen zijn toch niet gek! Ze zullen twee van zulke belangrijke mannen toch wel in de gaten houden!'

'Dat deden ze ook – in het begin. Toen kwam het gerucht over de beraamde aanslag op Roosevelt en raakte iedereen in paniek. Heus, u kunt zich niet voorstellen hoe het nu toegaat op de Amerikaanse ambassade! Ze zijn allemaal doodsbang. Het is daar één grote hysterische toestand en ze rennen allemaal rond als een kip zonder kop. Je zou gewoon medelijden krijgen met de veiligheidsmensen. Elke minuut weer een ander gerucht. Natuurlijk had Mackenzie onder normale omstandigheden nooit zo met mij kunnen praten. Maar in zo'n chaos ... Geluk ... We hebben gewoon geluk gehad, chef!'

Ragai staat op, drukt zijn sigaret uit en begint in de kamer op en neer te lopen.

'Goed,' zegt hij.

'Goed: Mackenzie en Rosen zijn hier om een film te maken, een heel bijzondere film. Na lang heen-en-weergepraat kwam Mackenzie ermee voor de dag. Het moet een soort documentaire worden: de aankomst van de delegaties, de weg van de luchthaven naar de stad, de hoofdpersonen, zittingen en ontmoetingen, de werkdiners, alles volgens een nauwkeurig draaiboek. De aankomst en de eerste dingen hebben ze al opgenomen, zei hij. Het belangrijkste komt nog.'

'Het belangrijkste?'

'Het is beter dat u weer gaat zitten, chef, u kon anders wel eens achteroverslaan van verbazing. Goed, mijn vriend Bill beweert dat de Amerikanen en de Russen hebben besloten hier in Teheran tijdens de conferentie een bilaterale geheime overeenkomst te sluiten. Een verdrag waarvan de Engelsen niets mogen weten. Dat verdrag wordt volgens dit bericht door Roosevelts adviseur Harry Hopkins samen met Stalins adviseur generaal Vorosjilov uitgewerkt, waarna Stalin en Roosevelt het zullen ondertekenen. En dat moet Bill allemaal samen met Rosen filmen – hoe Hopkins en Vorosjilov elkaar in het geheim ontmoeten, dat ze het verdrag uitwerken en dat het daarna wordt ondertekend – en nu komt het, chef: bovendien moeten ze het hele verdrag filmen, pagina voor pagina, zodat ieder woord gelezen kan worden. Eenmaal in het Engels en eenmaal in het Russisch.'

'Waarom?'

'Waarom wát?'

'Waarom wordt het verdrag gefilmd?'

'Dat heb ik ook gevraagd. Antwoord: dit verdrag moet onder alle omstandigheden geheim blijven. De beide oorspronkelijke exemplaren zullen daarom nadat ze gefilmd zijn in aanwezigheid van de ondertekenaars worden verbrand. Elk van de beide mogendheden ontvangt een kopie van de film. Deze dient zo te worden bewaard, dat ze altijd gevrijwaard is voor openbaarmaking, in het bijzonder door opening van de staatsarchieven. En een film met alle deelnemers in beeld kan niet ontkend worden als de partner die film ook in zijn bezit heeft. Duidelijk, niet?'

'Verdomd, wat is dat voor een verdrag, zeg?'

'Dat weet Bill natuurlijk niet. Dat hebben ze hem niet verteld. Maar hij en Rosen weten in elk geval wél dat het een geheim verdrag tussen Rusland en Amerika moet zijn, waarvan de Engelsen en ook niemand anders iets mag weten. Bill en ook Rosen zijn ervan overtuigd dat de Amerikanen en Russen, de machtigste landen ter wereld, hier en in het verdrag tot overeenstemming willen komen hoe ze de wereld na de oorlog onder elkaar verdelen.'

'Dat heeft die Bill tegen die spion van u gezegd? Toen hij hem twee dagen kende?'

'De wereld onder elkaar verdelen – heeft William Mackenzie het inderdaad zo geformuleerd?'

'Dat is toch ondenkbaar!'

'Bent u er zeker van dat die geweldige CX 21 van u dat tegen u heeft gezegd? Bent u er zeker van dat hij geen dubbel spel speelde, meneer Ragai?'

Mercedes en Daniel spraken door elkaar. Mercedes was opgesprongen. De oude, zieke man voor de camera knikte. Hij zei grimmig: 'Heel begrijpelijk, die opwinding van u. Dat verwachtte ik al. Ik was even opgewonden. Ik heb tegen CX 21 gezegd: "Hou me niet voor de gek, man ..."'

'... Dat heeft die bezopen Bill u nooit van zijn leven verteld!' zegt Chan Ragai in de nacht van 28 op 29 november 1943 in zijn huis in Teheran. Hij zegt het nijdig en erg hard.

'Oké, dan niet. Vergeet u de zaak dan maar! Tot ziens, chef.' CX 21 staat op.

'Wat doet u nu?' vraagt Ragai.

'Ik ga naar huis. Ik laat me door u niet afblaffen. Knapt u het zaakje dan zelf maar op!'

Ragai bekruipt een onaangenaam gevoel. Stel, dat die jongeman de waarheid spreekt. Hij is blijkbaar een beschermeling van de almachtige Georg Ross. Stel, dat CX 21 zich rechtstreeks tot Ross wendt en zich beklaagt ... Ragai zegt haastig: 'Ik heb niet geschreeuwd.'

'U schreeuwde wel!'

'Nee. Ik sprak alleen wat luid. Van verbijstering. U moet niet zo lichtgeraakt zijn! U moet toch begrip voor mij hebben. Het ... het is ongelooflijk dat die Amerikaan dat werkelijk tegen u heeft gezegd. Vindt u het zelf dan niet ongelooflijk?'

'Natuurlijk vind ik het ongelooflijk. Net als u. Daarom kom ik ook midden in de nacht naar u toe. Ik ben verbijsterd. Ik sta perplex. We hebben hiermee de mooiste, de meest fantastische vangst van deze oorlog gedaan. Wat zeg ik? Van deze oorlog? Van deze eeuw! Van de afgelopen eeuwen!' Nu spreekt CX 21 zeer luid. Zijn gezicht loopt rood aan. 'Ik ben er net zo ondersteboven van als u. Maar Bill heeft het echt zo gezegd. Echt waar! U kent hem niet. U kent zijn angst niet om door die geldaffaire in de gevangenis te komen. De man is vertwijfeld, absoluut vertwijfeld, tot alles in staat, tot elke misdaad, elk verraad ... en dan nog vrijwel laveloos ... en dan, moet u bedenken, sprak hij met míj, iemand op wie hij al zijn hoop had gesteld, nadat ik hem had verteld dat ik wel enkele belangrijke Duitse agenten in Teheran kende ... goed kende ... Nogmaals, chef: ik ben voor die Bill, die van angst niet helder meer kan denken, de laatste hoop. De allerlaatste.'

'Ga nu eindelijk weer zitten! Hoezo de allerlaatste hoop?'

'Hij hoopt dat Duitse agenten hem voor een kopie van die film veel geld zullen bieden als ze horen wat voor een film het is.'

'Heeft hij dat gezegd?'

'Gezegd? Gesmeekt heeft hij me, dat ik hem in contact zou brengen met Duitse agenten. Ik weet gewoon niet meer wat hij me allemaal met zijn dronken kop heeft beloofd, als ik het voor elkaar krijg dat Duitse agenten hem voor zijn kopie geld geven. Hijzelf is immers ernstig beperkt in zijn bewegingsvrijheid. Hij heeft een tussenpersoon nodig. Die heeft hij nu gevonden. Mij. Hij heeft voor me op zijn knieën gelegen en me gesmeekt hem te helpen. Op zijn knieën!' CX 21 haalt nu nerveus adem. Hij trekt zijn colbertje uit. Hij begint te transpireren. Hij maakt zijn stropdas wat losser en maakt het bovenste knoopje van zijn overhemd los.

'En u hebt gezegd dat u hem zult helpen?'

'Uiteraard! Die zaak is gewoonweg enorm, chef, dat voel ik; bijna zou ik zeggen: dat weet ik. U moet direct contact opnemen met Berlijn en het doorgeven. Natuurlijk ook de eisen van Bill.'

'Hoe hoog zijn die?'

'Zeer hoog – maar als hij ons de film werkelijk levert en op de film staat wat hij heeft toegezegd, dan is het bedrag dat hij eist in feite een schijntje.'

'Wat vraagt hij dan?'

'Vijf miljoen dollar.'

'Leuk kapitaaltje.'

'Als we een kopie van die film hebben, kunnen we verdeeldheid zaaien onder de geallieerden. De hele oorlogssituatie kan daarmee worden gewijzigd, chef! Jezus, begrijpt u het dan niet?'

'Natuurlijk begrijp ik het. Ik ben niet achterlijk.' Nu is ook Ragai zeer opgewonden. 'En natuurlijk stel ik Berlijn op de hoogte. Von Ribbentrop moet een beslissing nemen.'

'Maar dan zo snel mogelijk! Bill wil het geld dadelijk hebben. Binnen achtenveertig uur moet het geld op een Zwitserse bankrekening staan. Technisch is dat geen probleem. We hebben immers onze mensen in Zwitserland.'

'Dus hij wil het geld nog voor we een meter film hebben?'

'Ja. Al het geld. Direct. Zover moeten we hem vertrouwen, zegt hij. Als de zaak ontdekt wordt, kost het hem zijn leven. En reken maar dat hij daarin gelijk heeft. Hij neemt een krankzinnig risico. En als we hem hebben betaald, hebben we hem in de hand, zegt hij. We kunnen hem dan op elk gewenst moment laten ontmaskeren – met dat geld op zijn rekening. Deze buitensporige zaak kan alleen maar worden doorgezet als de een de ander vertrouwt. Dat moet u Berlijn ook duidelijk maken. Alléén dan!'

'Hoe verloopt het in de praktijk?' vraagt Ragai, die zo nerveus is dat hij zijn vingers brandt wanneer hij een nieuwe sigaret wil opsteken.

'Simpel, chef. Simpel. Hier in Teheran is een tamelijk redelijke studio waar het binnenlandse bioscoopjournaal wordt geproduceerd. Met een bijbehorend kopieerbedrijf. Daar zijn ook montageruimten. Alles wat nodig is. De twee exemplaren van de film – de Amerikaanse en de Russische

– worden op verzoek van de Grote Twee in Teheran vervaardigd. Direct als al het materiaal beschikbaar is. Onder Amerikaans en Russisch toezicht natuurlijk. De film wordt voorzien van commentaar. Amerikaanse en Russische commentatoren van het bioscoopjournaal zijn aanwezig. Afgeproken is, zegt Bill, dat de beide exemplaren als ze klaar zijn, rechtstreeks van hier naar de brandkasten van het Kremlin en het Witte Huis worden gebracht.'

'Hoe wil die Bill van u dan aan een kopie komen?'

'De film wordt natuurlijk alleen geproduceerd door Amerikaanse en Russische specialisten. Cutters, Geluidstechnici. De mensen in het kopieerbedrijf. Bill zegt dat hij een vriend heeft die het eindprodukt van de Amerikaanse versie verzorgt. En die wil voor Bill een extra kopie maken. Ook dat is een levensgevaarlijke zaak, maar die vriend heeft het beloofd. Hij neemt het risico – voor geld natuurlijk. Weest u maar niet bang. Bill heeft gezegd dat hij die man zelf betaalt. Ik weet niet hoeveel van die vijf miljoen hij hem geeft. Misschien de helft, misschien minder. Ik vermoed minder. Dat is dan het financiële deel van de zaak. Nu nog de levertijd. Die zal even duren.'

'Hoe lang?'

'Vier maanden.'

'Wát?'

'Tot eind maart van volgend jaar. Een ogenblikje, chef, een ogenblikje, laat u mij even uitspreken. Natuurlijk is de kopie eerder klaar. Beslist voor Kerstmis. Maar Bill zegt dat hij er wel op moet staan dat we hem die termijn geven. Als wij onze kopie al voor Kerstmis zouden krijgen en naar Berlijn zouden brengen, zou de leiding daarginds toch dadelijk in het geweer komen, of niet soms?'

'Vermoedelijk wel, ja . . .'

'Precies. En dat is voor Bill noch voor zijn vriend acceptabel. Zij zouden dan automatisch verdacht worden. Ze zouden dan worden ontmaskerd. Er moet tijd overheen gaan, zegt Bill. Hij en zijn vriend moeten allang ergens anders zijn ingezet. En wat het voornaamste is, Bill moet onopvallend zijn financiële verplichtingen regelen en alle sporen die hun kant op wijzen uitwissen, en daar heeft hij tijd voor nodig. Hij zit in het leger. Hij kan niet gewoon verlof vragen en in Californië alles regelen. Daarom moet er wat tijd overheen gaan. Dat is best te begrijpen, vind ik.'

'Maar in maart pas! Wij moeten binnen achtenveertig uur betalen – en dan vier maanden op de kopie wachten! Dat is wel wat veel gevraagd!'

'Anders gaat het niet, chef. Het is zo – of helemaal niet, zegt Bill. *Take it or leave it.* Natuurlijk smeekt hij, wanhopig als hij is, God op zijn blote knieën dat wij op zijn voorwaarden ingaan. Maar zo wanhopig is hij ook weer niet dat hij zichzelf helemaal aan ons overlevert.'

Er volgde een stilte.

Daarna vraagt Ragai: 'En als Berlijn erop ingaat, hoe krijgen wij dan eind maart die kopie?'

'Van een vriend die een kennis bij het technische personeel van de

ambassade heeft. De man is chauffeur. Die weet dan waar de kopie is verborgen. Hij zal contact met mij opnemen.'
'Met u?'
'Natuurlijk met mij. Ik kon toch moeilijk uw naam en uw adres geven! Ik ben de man die dan in maart contact legt tussen u en die chauffeur.'
'Goeie genade, wat een verhaal.' Ragai rookt nu ononderbroken, hij steekt de ene sigaret aan met de peuk van de vorige.
'Aan de andere kant: wat een prachtkans!'
'Precies, chef. Zo'n kans krijgen we nooit meer.'
'Ik zal Berlijn van alles op de hoogte stellen. Wat riskeren we eigenlijk? Dat we erin geluisd worden en geen kopie krijgen. Dan kunnen we die Bill van u en zijn vriend altijd nog laten oppakken en ervoor zorgen dat ze alle twee terechtgesteld worden.'
'Dat zeg ik toch de hele tijd al, chef! Bills risico is veel groter dan het onze! Wat is nu vijf miljoen voor de Rijksregering? Een schijntje. En wat kan die film voor ons betekenen? Alles!'

Weer kwelde een hoestbui, erger dan de eerste, de oude man voor de camera. Chan Ragai snakte naar adem, zijn lichaam kromde zich weer en de huid van zijn gezicht was doorzichtig bleek geworden. Hij hield een zakdoek voor zijn mond.
'Stoppen!' zei Daniel.
Camera twee, die op dat moment liep, werd stilgezet.
'Pauze,' zei Daniel. 'We houden nu pauze. U hebt te veel van uzelf gevergd. U hebt te lang gesproken, meneer Ragai. De schijnwerpers ook uit!'
Ze werden uitgeschakeld.
Ragai hoestte nog steeds, droog en hard. Iedereen die het gehoest hoorde, dacht hetzelfde: nog vijf maanden te leven, hooguit. Mercedes was weer bij de oude man. Ze hield het glas waaruit hij dronk aan zijn lippen. De handen van Ragai beefden hevig. Hij keek dankbaar naar haar op. In zijn ogen stonden tranen; de hoestbui was verschikkelijk vermoeiend voor hem.
'We kunnen ook één of twee uur onderbreken,' zei Daniel. 'Als u even wilt gaan liggen, meneer Ragai...'
De oude man schudde het hoofd.
'Doorgaan... Ik wil door... gaan... Nog maar... een paar... minuten...'
Inderdaad was hij na een kwartiertje weer opgeknapt.
De schijnwerpers flitsten weer aan. Camera twee liep.
Ragai zei: 'Ik moet alles wat ik te zeggen heb, vandaag en nu zeggen. Het vliegtuig... Ik wil het vliegtuig halen... Ik wil weg... Ik wil naar huis... naar Teheran...'
'Ik geloof dat u bijna alles hebt verteld,' zei Daniel. 'We zijn zo klaar. Het is dus allemaal goed verlopen, want eind maart '44 arriveerde uw geheimzinnige agent CX 21 met de kopie in Berlijn, dat weten we.'
'Ja,' zei Ragai. 'Het was goed verlopen. Ik verstuurde nog op 29 novem-

ber een lange radioboodschap naar Berlijn. Ross antwoordde nog dezelfde dag. Hij had met Von Ribbentrop gesproken. De vijf miljoen waren in Zwitserland gestort op de door William Mackenzie opgegeven bankrekening ...'

'Onze reporters hebben overigens in San Diego een cameraman met de naam William Mackenzie gevonden, die volgens kennissen van hem destijds in Teheran was,' zei Daniel.

'Ja?' Ragai keek snel op. Zijn vermoeide ogen begonnen eensklaps te stralen. 'Ziet u wel! En wat zegt hij?'

'Niets, meneer Ragai. Hij is drie maanden geleden gestorven. Hartinfarct.'

'Goeie hemel!'

'Ja, enorme pech. Hoewel ...' Daniel zweeg.

'Hoewel?'

'Hoewel hij natuurlijk nooit zou hebben toegegeven dat hij vijf miljoen dollar van de nazi's heeft gekregen en daarvoor de kopie van een film heeft geleverd.'

'Maar mijn verklaring zou hem zwaar belasten.'

'Ja, zeker. Maar ...'

'Wat maar?' Ragai wond zich op.

'Rustig, blijft u toch rustig! Mag ik u een vraag stellen? Die agent CX 21 – is het mogelijk dat hij dubbel spel speelde?'

'Ik begrijp niet ...'

'Nou, ronduit gezegd: is het mogelijk dat CX 21 – ik heb goede redenen dat te vragen, meneer Ragai – is het mogelijk dat CX 21 door een andere Duitse geheime dienst, bijvoorbeeld de SD van Kaltenbrunner, was omgekocht en een spelletje met u heeft gespeeld?'

'Ik begrijp er echt niets meer van, meneer Ross.'

'Ik zal het u uitleggen. We hebben een getuige die beweert de film in opdracht van de SD met door deze dienst geleverd materiaal, dus de opnamen en stukken film uit Teheran, samen met andere gevangenen uit het concentratiekamp Sachsenhausen te hebben vervalst.'

'Dat is absoluut onmogelijk. De man liegt.'

'Wacht even, meneer Ragai, wacht even! Het is natuurlijk allemaal zuiver theorie ... Maar is het mogelijk – ik weet dat het ongelooflijk klinkt, maar wat is er niet ongelooflijk in deze hele affaire? – is het mogelijk dat de SD uw agent heeft omgekocht om te bewerkstelligen dat hij die film, die hij van Mackenzie of iemand anders in stukken, maar zonder het compleet gefilmde geheime verdrag kreeg, in Teheran eerst aan leden van de SD overhandigde? Die konden dan alle delen naar Duitsland sturen en in concentratiekamp Sachsenhausen met gebruik van een in Duitsland opgesteld geheim verdrag een schandelijke vervalsing laten maken, zoals deze getuige beweert ...'

'Volkomen uitgesloten!'

'Onderbreekt u mij alstublieft niet, meneer Ragai. Uitgesloten is het niet. Theoretisch – laten we eens met die gedachte spelen – is het zonder meer mogelijk dat het zo is gegaan. U kon dat niet weten, u mócht het zelfs niet weten. Het is denkbaar, meneer Ragai, het is denkbaar, dat de film op die manier is vervalst en daarna naar Teheran is teruggebracht, waar hij, zoals tussen CX 21 en die William Mackenzie was afgeproken, eind maart '44 als de aangekondigde film werd overhandigd. De door mij genoemde getuige zegt dat hij en zijn medegevangenen begin maart '44 klaar waren met de film. Kaltenbrunner kwam met twee andere mannen persoonlijk naar het concentratiekamp – volgens de getuige – ze bekeken de vervalsing in een filmvoorstelling, feliciteerden de gevangenen en vertrokken met de film. Er zou dus – hypothese, allemaal hypothese – nog genoeg tijd zijn overgebleven om de film terug te sturen naar Teheran en hem u als de gewenste kopie te overhandigen. Ik zeg niet dát het zo was, meneer Ragai. Ik zeg niet dat CX 21 zich werkelijk door de SD heeft laten omkopen. Ik zeg alleen dat wij over een getuige beschikken die beweert de film samen met andere gevangenen te hebben vervalst. Ik zeg dat het mogelijk is dat hij de waarheid spreekt. Het zou kunnen dat het gegaan is zoals ik het zojuist beschreef. Ik zeg niet dát het zo is. Nu vraag ik u: zou het zo gegaan kunnen zijn?'

Ragai zweeg.

'Meneer Ragai, alstublieft, ik heb u iets gevraagd!'

'Ik heb erover nagedacht,' zei de oude man. 'Theoretisch zou het – tenminste wat de tijd aangaat – mogelijk zijn geweest. Zoals u zegt: het is zuiver spelen met een gedachte. Voor mij is het volkomen uitgesloten dat het zo is gelopen. Ik ontving van CX 21 de filmkopie op 27 maart. Ik weet het nog precies. Ik weet nog precies dat CX 21 met die kopie op 28 maart via het neutrale Turkije naar Berlijn is gevlogen. En ik weet precies dat ik zijn aankomst via de radio aan Berlijn doorgaf en ook waar de filmkopie door Georg Ross diende te worden afgehaald.'

'Waar was dat?' informeerde Daniel.

'U weet het zelf toch ook! Maar goed: in het bagagedepot van Bahnhof Zoo. Het reçu, deelde ik mee, zou CX 21 in een envelop aan het privé-adres van Georg Ross sturen. In Dahlem. De film lag in een koffer met een cijfercombinatie. Ik gaf ook de combinatie door. Op 31 maart kwam een radiomededeling binnen van Ross: hij had de film zelf op Bahnhof Zoo afgehaald en bedankte mij. Dat is alles wat ik te zeggen heb.'

'En u blijft erbij, dat datgene wat Ross ontving een kopie was van de echte Amerikaanse versie die in Teheran werd geproduceerd?'

'Ja, daar blijf ik bij. Die andere getuige liegt. Daar zal hij zijn redenen wel voor hebben. Hij zat in het concentratiekamp, zei u?'

'Ja.'

'Jood?'

'Ja.'

'Nu, dan is zijn motief om te liegen waarschijnlijk de wens of de opdracht, door de bewering dat de film een vervalsing is, Amerika te ontlasten. Israël is afhankelijk van Amerika. Dat is toch een zwaarwegend motief, niet?'

'Meneer Ragai,' zei Daniel, 'ik verzoek u zich niet beledigd te voelen,

437

maar: Chomeini en de leden van de Iraanse regering haten Amerika onnoemelijk. Is dat niet een even zwaarwegend motief voor de bewering dat de film niet vals maar echt is?'

Ragai knikte kalm. 'U hebt twee getuigen. Beide getuigen hebben zeer goede motieven. "Men mag voor een handelwijze geen verheven motief vertrouwen, als er ook een laaghartig motief kan worden gevonden," zegt Edward Gibbon.'

'Wie is dat?'

'Een Engelse historicus uit de achttiende eeuw. Twee getuigen, ja. Eén van de twee moet wel liegen. U mag zelf bepalen wie.'

'Meneer Ragai, wij danken u voor dit gesprek,' zei Daniel. Hij wachtte een paar seconden en riep toen: 'Stop!'

De verklaring van Ragai was ten einde. De technici begonnen met het inpakken van hun apparatuur en maakten de ramen en gordijnen open om de hete, verbruikte lucht door frisse te vervangen. De oude man had zich op zijn stoel omgedraaid en zat nu voor het met stukken beladen bureau. Uitgeput maar tevreden keek hij in de tuin achter het huis naar de crocussen en de uitbottende takken van de oude bomen.

Mercedes en Daniel kwamen naar hem toe.

'Ik ga even thee zetten voor iedereen,' zei Mercedes. 'Voor de televisie-ploeg, de politiemensen en ons. Drinkt u ook thee, meneer Ragai?'

'Graag, mevrouw,' zei de oude man. Mercedes ging naar de keuken. De technici spraken zachtjes met elkaar, de beide politiemannen eveneens.

Chan Ragai bekeek het zilveren plaatje met de woorden van Bertrand Russell. Hij las halfluid: '"De wereld waarin wij leven kan worden beschouwd als het resultaat van verwarring en toeval; als zij echter het resultaat is van een plan, dan moet dat het plan van een duivel geweest zijn. Ik acht toeval een minder pijnlijke en tevens meer plausibele verklaring." ... Prachtig!' zei hij. Hij slaakte een diepe zucht. Zijn blik dwaalde langs een tiental oude foto's die een man op verschillende leeftijden toonden, en die op het bureau lagen. Hij boog voorover. Hij pakte enkele foto's op. Zijn stem was plotseling schor en ademloos: 'Wie is dat?'

'Onze intendant,' zei Daniel, wie de opwinding van de oude man volledig ontging. 'De heer Von Karrelis. Viert over twee maanden zijn vijftienjarig jubileum bij de omroep. Is dan driemaal vijf jaar intendant. We zijn bezig met het samenstellen van een feestelijk boekje. Dat wil zeggen, dat moet ik doen. De afdeling Voorlichting heeft hem om die foto's gevraagd ... Hoezo? Kent u hem?'

'Ja,' zei de oude man. Hij hield nu een enigszins vergeelde foto in zijn bevende hand waarop een jonge, knappe man met een smal, gevoelig gezicht, bruine ogen en mooi gevormde lippen stond. De jongeman zat op een tuinbank. Hij droeg een donker kostuum, had zijn benen over elkaar geslagen en keek de kijker peinzend aan.

'Wat hebt u, meneer Ragai?' Nu was Daniel verontrust.

'Dat is 'm,' zei Chan Ragai. 'Ik ben er absoluut zeker van, dat is 'm.'

'Wie?'

'Agent CX 21,' zei de oude man.

4

Coram Fields is de grootste kinderspeelplaats van Londen. Op de middag van 23 maart 1984 – de zon scheen, bloemen stonden in bloei en de lucht was zoel – wandelden twee mannen heen en weer tussen de vele jongetjes en meisjes die door elkaar heen renden, op kleurige klimrekken klommen, over glijbanen zoefden, schreeuwden en lachten. Ze hadden afgesproken om vijf uur. In het appartement van Daniel beëindigde Chan Ragai juist zijn verklaring. Tussen Frankfurt en Londen bestond een uur tijdverschil.

'Wanneer komt de wagen?' vroeg Emanuel Von Karrelis. Zijn overgevoelige, smalle gezicht was bleek, in zijn warme, bruine ogen was een zweem van angst. Hij droeg een kameelharen jas, een bruin pak, bruine wildlederen schoenen en een bruine hoed.

'Om halfzes,' antwoordde de kleine, dikke advocaat Roger Morley. 'Maakt u zich maar niet bezorgd. Alles gaat gesmeerd. Stond er in Frankfurt niet een Lear-jet klaar nadat u mij had opgebeld?'

'Natuurlijk, ja.'

'Toen u op Heathrow landde, was er toen niet een koerier ter plekke die u hier bracht en uw bagage op Oval Green heeft bezorgd?'

'Zeker.' Oval Green was een Amerikaanse luchtmachtbasis ten zuiden van de hoofdstad. 'Neemt u mij niet kwalijk, ik ben nerveus.'

'Volkomen begrijpelijk, meneer Von Karrelis, volkomen begrijpelijk. In uw plaats zou het mij precies zo vergaan.' Morley was een beetje buiten adem. Hij trippelde naast de lange intendant voort. Van tijd tot tijd kwamen ze in botsing met kinderen. Morley streek dan elke keer vertederd over hun haar en had telkens een grapje klaar. 'Maar u moet kalm blijven, heel kalm! Natuurlijk houden mijn Amerikaanse kennissen woord. Tegenover een man die hun zulke waardevolle diensten heeft bewezen! Zeker, we hadden elkaar ook pas op Oval Green kunnen ontmoeten, maar mijn kennissen wilden dat niet. Hier, tussen al die kinderen, vallen we niemand op; hier zijn immers zoveel vaders en moeders. Niemand zoekt u in Coram Fields. Daarom had deze speelplaats de voorkeur boven mijn kantoor voor onze laatste bespreking.'

'Bespreking? Door de telefoon gebruikte u dat woord ook al. Wat valt er nog te bespreken?'

'Nu, meneer Von Karrelis . . .' De kleine advocaat was plotseling afgeleid. Met zijn rozige handje wees hij naar een gebouw dat voor hen aan de rand van het reusachtige speelterrein lag. 'Deze plaats voor kinderen is genoemd naar Thomas Coram, die hier in 1745 een bekend tehuis voor vondelingen stichtte. Het gebouw is in 1926 gesloopt en op die plaats, op Brunswick Square 40, is nu een museum gevestigd dat de geschiedenis van dit instituut beschrijft. Wist u dat dit tehuis zeer werd gesteund door een van uw grootste componisten?'

'Nee. Ik vroeg wat er nog . . .'

'Door Georg Friedrich Händel! Houdt u ook zo van zijn muziek? O, ik ben gewoon dol op alles van hem. Zijn orgelconcerten, de concerti grossi, natuurlijk de *Water Music* en *Fire Works*. En dan zijn oratoria!'

'Wat is er nog . . .'

'In dat kleine museum daar voor ons wordt ook een originele partituur van het oratorium de *Messiah* bewaard. Denkt u zich eens in! Händel dirigeerde het kinderkoor van het vondelingenhuis. Hij leefde sedert 1712 in Londen, nietwaar. Zullen we even – nee, ik zie het al, u doet het liever niet. Hoewel het echt de moeite waard is. Maar zoals u wilt . . .'

'Mr. Morley, wat valt er nog te bespreken?'

'Wat zegt u? Wat bedoelt . . . O ja, dat is waar! Wel, u hebt me nog niet verteld – u had zo'n haast aan de telefoon – hoe men u op het spoor is gekomen, waarde heer Von Karrelis . . .'

Een intercontinentaal telefoongesprek.

'Vader!'

'Mercedes! Wat heerlijk! Waar ben je?'

'In Frankfurt. Op het hoofdpostkantoor.'

'Je klink helemaal buiten adem. Is er iets . . .'

'Ja.'

'Wat?'

'We hebben zojuist Chan Ragai geïnterviewd.'

'O.'

Stilte.

'Vader!'

'Ja.'

'Ik zei . . .'

'Ik heb het gehoord. En? Zegt hij dat de film echt is?'

'Ja.'

'Zie je wel!'

'Hij heeft ons ook gezegd wie agent CX 21 is.'

Lange stilte.

'Vader!'

'Ja, ik ben er nog. Ik ben zeer verrast. Hoe kon hij dat zeggen?'

'Er lagen foto's van Von Karrelis op Danny's bureau – voor een jubileumboekje. Ook jeugdfoto's. Chan Ragai heeft hem herkend – met absolute zekerheid.'

'Hm.'

'Hoezo hm?'

'Wat zegt Von Karrelis zelf van die bewering?'

'Niets! Hij is verdwenen.'

'O.'

'Vader, Von Karrelis werd door ú naar Teheran gestuurd, zegt Chan

Ragai. Onder een valse naam. Met valse papieren. Hij noemde zich Werner Kalmann. U hebt hem die afkorting CX 21 gegeven. Dat kwam wel meer voor, zei Chan Ragai. In speciale gevallen. Als bijvoorbeeld het hoofd van de geheime dienst dat wilde. Waarom wilde u het, vader?'

'Ik ... ik heb een verklaring afgelegd. Uitvoerig. Voor mij is de zaak afgedaan.'

'Maar niet voor ons. Kunt u zich voorstellen wat een schandaal het hier zal veroorzaken? We moeten de waarheid weten. Zeg die tegen mij, vader. Als u de waarheid niet zegt, zullen we ook uw weigering in de documentaire opnemen.'

'Hoor eens, je kunt me niet zomaar ... ! Dat neem ik niet.'

'Ik ben erg opgewonden. Neem me niet kwalijk. Maar beantwoord alstublieft mijn vraag.'

Lange stilte.

'Vader!'

'Ik kan het niet, Mercedes ...'

'U moet!'

Weer stilte.

'Goed dan ... Ik heb jullie verteld over Dora Holm ... de jonge actrice in Berlijn van wie ik zoveel hield en die bij een bombardement op zo'n verschrikkelijke manier om het leven is gekomen ... Weet je nog, Mercedes? Dora Holm, ze speelde al grote rollen bij de UFA ...'

'Ik weet het nog, vader.'

'Nu, zie je ... Dora Holm was haar filmnaam ...'

'In werkelijkheid heette ze anders?'

'Ja.'

'Hoe heette ze in werkelijkheid? Vader!'

'In werkelijkheid ... in werkelijkheid heette ze Dora von Karrelis.'

'En die CX 21 ...'

'... was haar broer. Emanuel von Karrelis. Ik leerde hem kennen via Dora ... Hij was hyperintelligent ... geniaal. Een fenomeen. Sprak verscheidene talen accentloos ... Zelfs Perzisch. Was als kind een paar jaar in Iran ... met zijn vader, een ingenieur. Was acht jaar jonger dan Dora ... In militaire dienst zouden ze de gevoelige jongen kapot hebben gemaakt ... Dora verafgoodde hem ... Stond verschrikkelijke angst om hem uit ... Toen nam ik hem op in de dienst van Von Ribbentrop ... uit liefde voor Dora ... Om Emanuel te beschermen ... Kun je dat begrijpen, Mercedes?'

'Ja, dat kan ik begrijpen ... Maar het is ongelooflijk, vader. Gewoonweg ongelooflijk! De intendant van de zender Frankfurt was vroeger uw spion in Teheran!'

'En bezorgde mij die film, ja, ja, ja.'

'Wie was daar toen van op de hoogte? Ik bedoel, dat CX 21 Von Karrelis heette en werkzaam was als spion?'

'Alleen twee mannen van mijn dienst en Dora.'

'Hun ouders niet?'

'Hun ouders niet. Hij schreef hen dat hij tolk was bij het ministerie van

Buitenlandse Zaken. Ook Chan Ragai had geen vermoeden, geen verdenking, hij wist nergens van . . .'

'Tot vandaag. Tot hij de foto's van Von Karrelis zag. Hij is bereid openlijk te verklaren dat Von Karrelis zijn agent CX 21 is geweest.'

'Hij gaat zijn gang maar! Wat verandert dat aan het beschikbaar zijn van de film? Ik ben nu over de schrik heen. Ik vind het geweldig. Nu hebben jullie immers de kroongetuige voor de echtheid van de film!'

'Wie?'

'Von Karrelis, verdorie! Haal hem voor de camrea! Laat hem zijn verhaal vertellen. De waarheid, de hele waarheid, zoals ik die nu aan jou heb verteld, kindje.'

'Vader, ik zei toch dat hij verdwenen is!'

'Dat begrijp ik niet . . . Maar waarom . . . wanneer?'

Een paar uur geleden heeft hij de studio verlaten, is ons verteld. Niemand weet waarheen. We kunnen gevoeglijk aannemen dat hij allang niet meer in Duitsland is.'

'Maar waarom?'

'Hij was de verrader. Alles wijst daarop.'

'Von Karrelis? Dat geloof ik niet!'

'Het staat al zo goed als vast. Von Karrelis heeft al onze activiteiten van tevoren aan de tegenpartij verraden. Danny en Colledo hadden daar al enige tijd het vermoeden van. Ze zetten een val op. Hij meende dat we Chan Ragai in Zuid-Frankrijk zouden interviewen; die heeft daar namelijk een huis in een dorpje bij Cannes. Colledo vloog er ook met een televisieploeg heen om Von Karrelis in die waan te laten. Zonder twijfel heeft Von Karrelis dit aan zijn vrienden doorgegeven, zodat Chan Ragai daar aan de Rivièra kon worden vermoord – net als de anderen die Von Karrelis heeft verraden. Maar ditmaal waren Danny en Colledo hem te slim af. In het geheim lieten ze Chan Ragai naar Frankfurt overkomen, naar Danny's huis, onder bewaking. En in Danny's huis heeft Chan Ragai zojuist voor de camera zijn verklaring afgelegd. De intendant moet argwaan hebben gekregen dat we hem op het spoor waren – we weten nog niet hoe – en toen is hij gevlogen, onmiddellijk.'

'Ongelooflijk. Ik . . .'

'Het contact tussen hem en u is nooit verbroken, hè?'

'Ja hoor. Toen de oorlog was afgelopen. Een paar jaar. Toen hoorde ik dat Emanuel was gaan werken bij de Norddeutsche Rundfunk. Ik stuurde hem een berichtje – via derden. Hij antwoordde per omgaande. Het ging goed met hem. Hij had vlak voor het eind van de oorlog West-Duitsland bereikt. Al zijn familie was dood . . . Toen de televisie in Duitsland begon, was dat zijn kans. In '69 werd hij intendant van de zender Frankfurt. Werd tweemaal herkozen. Lieve hemel, zijn verleden zou nooit zijn uitgekomen als die Chan Ragai zou zijn vermoord voordat hij een verklaring had kunnen afleggen. Het is werkelijk ongelooflijk.'

'Het zou toch zijn uitgekomen, vader. Ik zei toch dat Colledo en Danny argwaan hadden.'

442

'Maar waarom in vredesnaam moet Von Karrelis de verrader zijn geweest? Om welke reden, Mercedes?'
'Misschien om dezelfde reden als u, vader.'
'Wat wil je daarmee zeggen? Welke reden had ik dan?'
'Geld.'
'Dat is . . . dat is . . .'
'. . . de waarheid. Geen reden om u beledigd te voelen. U hebt geweten dat Von Karrelis intendant was van de zender Frankfurt, nog voordat u wist waar Danny was, of hij nog leefde en waar, hè?'
'Ja.'
'En toen u daarachterkwam, kwam u dat allemaal goed van pas.'
'Heel goed. Ik kan op dezelfde manier tegen jou praten als jij tegen mij. Het kwam me heel goed van pas, kind. Ik had een tussenpersoon nodig. Ik kon toch niet rechtstreeks contact opnemen met Von Karrelis en hem de film geven. Ze mochten immers niet ontdekken dat wij elkaar kenden. Niemand zou anders hebben geloofd wat thans door de verklaring van Chan Ragai vaststaat – namelijk dat de film echt is.'
'Maar u hebt met Von Karrelis over de film en over de uitzending en met name over de aankoop ervan gesproken vóórdat u mij wegstuurde om Danny mee terug te brengen, hè?'
'Natuurlijk. Had ik me soms moeten wenden tot een mij onbekende intendant van een andere zender?'
'Er komt weer een televisieploeg naar u toe. U dient ook voor de camera alles te vertellen.'
'Nooit van m'n leven!'
'Dan zal ík het vertellen. Alles wat u mij nu hebt verteld, woord voor woord, hebt u dat liever?'
'Chan . . . chanteer je mij?'
'Natuurlijk. Hoe moet ik u anders aanpakken? De ploeg komt zo snel mogelijk. U hoort binnenkort weer van mij. Het beste!'
'Mercedes! Wacht toch even! Mercedes!! . . . Opgehangen. En dat moet ik allemaal maar accepteren. Alsof ik een misdadiger ben!'

Een jongetje rende op de kinderspeelplaats Coram Fields tegen Roger Morley op. 'Hup, jòh,' zei de advocaat. 'Ik ben geen stuiterbal, hè?' Hij haastte zich gelijke pas te houden met Von Karrelis. 'Mijn kennissen willen nog weten hoe men u op het spoor gekomen is. Laat me even recapituleren: nadat de kopieën van de film bij u in de studio waren aangekomen, hebt u uiterst handig en omzichtig contact opgenomen met de Amerikaanse ambassade in Bonn en aangeboden u ter beschikking van hen te stellen, omdat u de verantwoordelijkheid van uitzending van de film, die u plotseling op de schouders had gekregen, niet wilde dragen en omdat u – zeer terecht – van mening was dat een dergelijke uitzending, in elk geval met getuigen die een eed doen op de echtheid van de film, alleen maar onheil kon aanrichten. Voor het verlenen van uw diensten hebt u een – als ik het zo zeggen mag – aardig sommetje geëist, dat door mijn kennissen direct naar een door u genoemde bankrekening in Toronto is overgemaakt.'

'Vijf miljoen dollar,' zei Von Karrelis gekrenkt. 'Dat noemt u een aardig sommetje – voor het enorme risico dat ik liep, voor alles wat ik in deze zaak heb gedaan en voorkomen?'

'Vergeeft u mij die ongepaste opmerking, meneer Von Karrelis. Tactloos van mij. U hebt gelijk: het risico was enorm. Nu moet u verdwijnen. Een nieuw leven beginnen. Natuurlijk hebt u daar geld voor nodig. Werkelijk afschuwelijk, die opmerking van mij, als ik eraan denk dat uw handelwijze door overwegingen van zo'n hoog ethisch gehalte werden bepaald.'

Een bal vloog tegen de borst van Morley. Hij gooide hem lachend terug naar een klein meisje in een rood trainingspak, dat haar armpjes ophield. 'Een schatje, hè? Nu moet u voor die overwegingen en overtuiging alle schepen achter u verbranden en ver, ver weggaan. Ik voel oprecht met u mee, meneer Von Karrelis.' Morley lichtte zijn hoed. 'En vertelt u mij nu eindelijk eens door welk duivels toeval men u op het spoor is gekomen.'

'Het was geen toeval, mr. Morley. Het was een grondig voorbereid plan mij ten val te brengen. Colledo is daarvoor verantwoordelijk. Hij heeft een hartgrondige hekel aan mij . . .'

'Waarom?'

Von Karrelis ging niet op die vraag in. Hij vervolgde: '. . . en hij verdacht mij blijkbaar allang. Hij en Daniel Ross. Ik heb u toch dadelijk, toen onze speurders Chan Ragai daar in Zuid-Frankrijk hadden opgescharreld, meegedeeld dat Colledo hem – onder uiterst zorgvuldige bewaking van de Franse gendarmerie – in La Roquette sur Siagne zou interviewen, niet-waar?'

'Inderdaad. U hebt direct opgebeld. Betrouwbaar als altijd. Daarop heb ik onze beste man naar La Roquette sur Siagne gestuurd, nadat ik hem de foto's heb laten zien die u mij hebt gestuurd, de foto's van Chan Ragai. Zodat hij wist hoe de man die hij moest doden vóór er een camera in zijn buurt kwam, eruitzag.'

'Omdat duidelijk was, dat híj beslist een eed zou doen op de echtheid van de film,' zei Von Karrelis. Hij dacht: en omdat hij agent CX 21 kende. Een levende Chan Ragai betekende het einde van mijn veiligheid. Dat is de werkelijke reden waarom Ragai moest sterven. Goeie genade, als Morley en zijn vrienden eens wisten dat ík CX 21 was! Ik moet er niet aan denken! Ze zouden vragen stellen en nog eens vragen stellen en daar nooit meer mee ophouden: heb ik werkelijk de film van de chauffeur van de Amerikaanse ambassade in Teheran gekregen? Is hij dus echt of heb ik samengewerkt met de SD en meegeholpen aan de samenstelling van een vervalsing? Wat ik ook zou antwoorden – ik zou daarna ten dode zijn opgeschreven. Ik ben de enige die de waarheid over de film weet. Alleen een dode Chan Ragai zou mij van nut zijn geweest. Een levende Chan Ragai is levensgevaarlijk voor mij. Daarom moest ik zo snel weg uit Frankfurt. Daarom! Maar dat gaat die advocaat en zijn kennissen niets aan. Nu moet ik zo snel mogelijk onderduiken. Elk uur telt. Hardop zei hij: 'Ik moest weg uit Frankfurt zodra ik hoorde dat Colledo en Ross mij om de tuin hadden geleid en dat ze mij van verraad verdachten. Dat bleek duidelijk uit hun werkwijze. Wie weet wat voor bewijzen ze nu presenteren. Ik moest weg.'

'Logisch, meneer Von Karrelis, heel logisch,' zei Morley.

Als jij de werkelijke reden zou kennen, dacht de intendant bevend. Ik moet verdwijnen. Wanneer komt toch eindelijk die pestwagen die me naar Oval Green moet brengen?

'Wat ik alleen nog van u wil weten: wie bracht u op het idee dat er een komplot tegen u bestond? Wie vertelde u dat Chan Ragai niet in La Roquette sur Siagne was, maar naar Frankfurt was overgebracht?'

Von Karrelis begon verdwaasd te lachen.

'Alstublieft!' zei Morley.

'Een meisje van de Iraanse luchtvaartmaatschappij,' zei Von Karrelis, nog steeds hysterisch lachend. 'Een meisje achter de balie van Iranian Air.'

'Dat begrijp ik niet.'

'Het meisje belde op naar de studio en vroeg naar Daniel Ross. Die was er niet. Het meisje had een belangrijke mededeling voor hem, zei ze tegen een telefoniste van onze centrale. De telefoniste wilde haar doorverbinden met Kleinhals, de hoofdredacteur. Die was niet op zijn kamer. De grond-stewardess bleef aandringen. Toen verbond die lieve, goede telefoniste – God zegene haar – het meisje door met mijn secretaresse, omdat bij de centrale het nieuwtje de ronde deed dat er bij ons in de studio iets belangrijks aan de hand was. Nou, zo kwam het gesprek dan bij mij en vertelde het meisje me wat er zo belangrijk was.'

'En dat was?'

'Dat was dat het toestel naar Teheran dat vanavond vertrekt, was volgeboekt. Er stonden zes mensen op de wachtlijst. En Daniel Ross had de tickets voor de heer Chan Ragai met twee begeleiders wel gereserveerd, maar tevens beloofd dat hij nog zou meedelen of de heer Chan Ragai werkelijk met dit toestel zou vertrekken. Het meisje vertelde me dat de heer Ross had gezegd, dat het ervan afhing of de heer Ragai hier in Frankfurt op tijd klaar zou zijn met zijn werk. De reservering stond dus nog open. En omdat er zes mensen op de wachtlijst stonden, wilde het meisje nu weten of er van de drie plaatsen gebruik zou worden gemaakt of niet.' Von Karrelis voegde eraan toe: 'Vermoedelijk wilde Ross dat uit veiligheids-overwegingen zo lang mogelijk openlaten.'

'Waarom belde het meisje niet naar het huis van Ross?'

'Dat had ze al gedaan. Vermoedelijk lag de hoorn niet goed op de haak, dacht ze. In werkelijkheid zal Ross de hoorn eraf hebben genomen en één cijfer hebben gedraaid, zodat hij voor niemand bereikbaar was zolang Chan Ragai bij hem verbleef – met name tijdens het interview.'

'Wat een krankzinnig verhaal! En wat zei u tegen dat meisje?'

'Ik zei dat ik mijn best zou doen de heer Ross zo snel mogelijk te bereiken en hem zou vragen haar op te bellen. Wacht, het wordt nog veel gekker! Natuurlijk kon ik na dat telefoontje eerst een hele tijd niet helder denken.'

'Natuurlijk niet.'

'Ik was in paniek. Alles maalde door mijn hoofd. En toen, misschien vijf minuten later, verbond de telefoniste het meisje van de Iranian Air nogmaals met mij door. Het meisje zei dat Ross zojuist had opgebeld en de reservering had bevestigd. Chan Ragai vertrekt dus vanavond samen met zijn twee begeleiders in dat toestel. Krankzinnig, niet? Volkomen krankzinnig! Stel, dat hij dat meisje een paar minuten eerder had opgebeld!' Von Karrelis begon weer te lachen. 'Ik zou niets hebben gehoord. Ik zou er geen idee van hebben gehad dat er iets tegen mij aan de gang was. Een paar minuten! O God, o God, o God!'

'Stop!' zei de kleine advocaat met onverwachte scherpte. 'Houd daarmee op!'

Von Karrelis keek hem geschrokken aan. Hij zweeg.

'Het mankeert er nog maar aan dat u nu uw hoofd verliest,' zei Morley. 'Excuseert u mijn toon. Maar dat het met Chan Ragai misliep, dat hij nu de echtheid bevestigt van de film, is al ... zeer onaangenaam voor mijn kennissen, zéér onaangenaam. En nu ook nog het schandaal dat door uw verdwijning wordt veroorzaakt. Bepaald geen reden tot vrolijkheid!'

'Wat zullen uw kennissen doen?'

'Dat weet ik niet. Ik ben nu niet op mijn kantoor, waar ze met mij kunnen spreken. Ook onze beste man kan mij op dit moment niet bereiken. Hij probeert dat beslist. Ik denk, meneer Von Karrelis, dat mijn kennissen nu zullen overgaan tot de uiterste maatregel die hen nog ter beschikking staat om te voorkomen dat de film wordt uitgezonden.'

'Welke uiterste maatregel staat hen nog ter beschikking?'

'Daar hoeft u zich niet druk over te maken. U bent van alle zorgen bevrijd. Die zijn er binnenkort niet meer.'

De twee mannen wandelden langs een kring kinderen, waar in het midden een jongetje stond dat met zijn vinger de een na de ander aanwees, terwijl hij het volgende aftelrijmpje zei:

Humpty Dumpty sat on a wall.
Hympty Dumpty had a great fall.
All the King's horses and all the King's men
Couldn't put Humpty Dumpty together again.

'Alice in Wonderland,' zei Von Karrelis.

'Bijna goed,' zei Morley. 'Humpty Dumpty komt voor in het tweede boek van Lewis Carroll, in Through the looking-glass.'

Op Brunswick Square stopte een gele bestelauto. De achterdeuren van de wagen gingen open en twee mannen in een grijs flanellen pak sprongen op straat.

'Daar zijn ze,' zei Morley.

'Goddank!' zei Von Karrelis. 'Eindelijk.'

Hij verliet samen met de advocaat het plein. De begroeting van de vier mannen was kort en formeel.

'We moeten ons haasten, sir,' zei een van de mannen in grijs flanel. 'Het toestel staat klaar voor de start. Er is ons gezegd dat u zo snel mogelijk wilt vertrekken.'

'Dat klopt,' zei Von Karrelis. 'Wat is het voor machine?'

'Een B-52 lange-afstandsbommenwerper.'

'Wij danken u voor alles wat u voor ons hebt gedaan,' zei Morley. Hij schudde Von Karrelis de hand.

'Ik dank u ook. Het spijt me dat alles zo gelopen is.'

'Niet uw schuld, meneer Von Karrelis,' zei Morley.

De man achter het stuur toeterde. Hij droeg een blauwe overall en een pet met klep. Het was druk op de weg. Veel auto's schoven langzaam over Brunswick Square. Het was erg lawaaiig.

De andere man in flanel zei: 'Komt u mee, sir? We zitten midden in het spitsuur.'

De mannen spraken Engels met een Amerikaans accent.

'God bescherme u!' zei Morley tegen Von Karrelis.

'Hoe zit het?' vroeg Von Karrelis aan de eerste man in grijs flanel. 'Gaat u niet mee?'

'Nee, mijn collega gaat met u mee. Ik heb nieuwe instructies voor mr. Morley bij me. We hebben veel te bespreken. Goede reis!'

'Dank u,' zei Von Karrelis. Hij liep met de andere man naar de gesloten bestelwagen, waarvan de laadruimte aan beide kanten een raampje had. De man hielp Von Karrelis door de geopende deur de laadruimte in. Ook hij stapte in. De deuren gingen achter hem dicht. De bestelwagen trok op. In Guildford Street, die voor hen lag, zwol het verkeerslawaai aan tot een enorm gedruis. In het halfdonker van de bestelwagen zag Von Karrelis een derde man, eveneens gekleed in grijs flanel. Deze knikte en beduidde hem op een bank aan de zijkant te gaan zitten. Toen Von Karrelis dat had gedaan, haalde de man een pistool met een lange loop te voorschijn, hield hem tegen de linkerslaap van Von Karrelis en schoot. De knal van het schot was door het lawaai op straat niet te horen. Von Karrelis viel opzij. Nog voordat het bloed uit de schotwond de wagen kon besmeuren, had de tweede man een plastic zak over het hoofd van de intendant getrokken, die hij snel dichtbond. De bestelauto reed in zuidelijke richting door de Lumb's Conduit Street naar de brede Theobald Road.

'Wat nu?' vroeg de derde man.

'Zoals afgesproken,' zei de tweede. 'Naar de havens bij de Theems. Daar wachten we tot tien uur. Om tien uur komt Joey met het betonvat. Dan is daar geen sterveling meer te bekennen. En dan met die meneer in het betonvat de Theems in.'

'Verdorie,' zei de derde man. 'Kan ik dus de voetbalwedstrijd niet zien. Daar heb ik me zo op verheugd.'

'Koop toch een video net als ik. Fantastisch. Je stelt de tijd in, het ding neemt op wat je wilt zien en je kunt ernaar kijken als je thuiskomt.'

Roger Morley en de eerste man in het grijze flanellen pak stonden nog steeds aan de rand van de kinderspeelplaats.

'Wanneer gebeurt het?' vroeg Morley. Hij had de wagen nagekeken.
'Het is al gebeurd,' zei de man. 'Er is ons gezegd dat we hem dadelijk van kant moesten maken.'
'Moge hij rusten in vrede,' zei Morley ernstig.
'Het kon niet anders,' zei de man in grijs flanel. 'Hij wist te veel.'
'O, natuurlijk,' zei Morley. 'Wat schreef Chesterton ook alweer: "De man die te veel wist, weet nu wat waard is geweten te worden!"'

Op de avond van 27 maart, een dinsdag, zaten twee mannen en twee vrouwen bij een koude open haard onder het portret van een klein meisje. Conrad Colledo en zijn tengere, kleine vrouw Lisa met het blonde haar en de blauwe ogen hadden Daniel en Mercedes in hun villa in de Siesmayerstrasse bij het grote Grüneburgpark vlak bij de Palmentuin te eten gevraagd. De oude Weense kokkin Theresa serveerde en sneed het vlees weer klein voor Lisa, die, zoals Colledo aan Mercedes had verteld, in een grasmaaier was gevallen en daarbij de pezen van haar beide polsen had doorgesneden. Het diner was afgelopen. Ook in de eetkamer hingen net als in de rest van het huis tekeningen en olieverfschilderijen van het kleine meisje, Colledo's dochter, die op de leeftijd van nog maar dertien jaar in de zomer van 1983 was gestorven.

Natuurlijk bleef het gesprek draaien rond de gebeurtenissen van de afgelopen dagen. Colledo had verteld over zijn belevenissen aan de Riviera en in La Roquette sur Siagne en Daniel over zijn interview met Chan Ragai in Frankfurt. De oude man was allang naar Teheran vertrokken. Colledo had inmiddels van de secretaresse van de intendant gehoord over het voorval met het telefoontje van Iranian Air. Voor de haard zaten ze nu over Emanuel von Karrelis te praten.

'Naar aanleiding van dat telefoontje is hij ervandoor gegaan,' zei Colledo. 'Hij had snel door hoe zwaar we hem verdachten. Dat het ons is gelukt de verklaring van Chan Ragai te krijgen en dat het dankzij onze omzichtigheid niet tot een moordaanslag op Ragai kwam, betekende voor Von Karrelis het einde. Ook al kon hij op het tijdstip dat hij verdween nog niet weten dat Ragai hem aan de hand van de foto's als CX 21 had herkend. Hij moest op zijn minst vrezen door de oude man te worden ontmaskerd – op de een of andere manier. Hij en jouw vader, Danny . . . een fraai stel, zeg! Altijd al geweest. Hoe was het eigenlijk in Buenos Aires, Mercedes? Je hebt toch vanmiddag met Neumann gebeld?'

Neumann was de jonge, eerzuchtige redacteur die Colledo met een televisieploeg naar Argentinië had gestuurd om Olivera nogmaals te bezoeken voor de opname van zijn aanvullende verklaring.

'Alles is goed gegaan,' zei Mercedes. 'Mijn stiefvader heeft het tweede interview afgegeven en alles over zijn relatie met Von Karrelis verteld, zei Neumann. Alles! Maar ik heb hem afgelopen vrijdag aan de telefoon ook flink bang gemaakt. Ik heb gezegd dat als hij niet praat, ík het zou doen – in de documentaire. Neumann zegt dat mijn stiefvader volledig op de sentimentele toer is gegaan: zijn grote liefde voor Dora Holm. Wilde haar broer alleen maar helpen, enzovoort. Wilde alleen maar iets goeds doen. Is uiteraard zeer ontsteld dat Von Karrelis nu de verrader blijkt te zijn. Kan het nog steeds niet geloven. Maar moet het wel – na alles wat er gebeurd is.'

'Kunnen jullie je nog herinneren hoe het was toen ik met de twee cassettes uit Buenos Aires in de studio kwam?' vroeg Colledo. 'Iedereen was aanvankelijk sceptisch: Brandt, de jurist, Kleinhals, de hoofdredacteur – én Von Karrelis! Die speelde zijn scepsis schitterend. En wat legde hij het later handig aan om iedereen vóór uitzending van de film te bewegen door die grote begeleidende documentaire voor te stellen!'

'Zou hij toen al van plan zijn geweest alles te verraden, om te zorgen dat getuigen voor de echtheid van de film zouden worden geliquideerd?' vroeg Mercedes.

'Beslist,' zei Daniel. 'Maar dat hij daarbij uitging van politieke motieven, acht ik uitgesloten. Von Karrelis had in politieke zin evenveel belang bij de film als mijn vader – namelijk absoluut geen belang. Het ging hun allebei alleen om het geld.'

'Precies,' zei Colledo.

Zijn kleine, knappe vrouw informeerde: 'Wat gaat er nu gebeuren, Conny?'

'De omroepraad heeft besloten, dat Kleinhals de leiding van de zender op zich neemt tot er een nieuwe intendant is aangesteld. De media hebben weer een sensatie, de collega's weer een lekkere kluif en de woordvoerder van de regering spreekt van een lopend onderzoek waarbij niet mag worden ingegrepen. De man heeft het ook niet gemakkelijk. En wat ons werk betreft: wij hebben nu voldoende materiaal. De film moet zo snel mogelijk voltooid worden, om hem aan de andere televisiestations te kunnen aanbieden. Kleinhals verwacht er een enorme vraag naar.'

'Ik ben erg blij dat we al zover zijn,' zei Mercedes.

'Zeg, Conny,' zei zijn vrouw Lisa. 'Danny en Mercedes zijn immers goede vrienden van ons. Ik moet hun iets vertellen.'

Colledo schrok. 'Toe, doe het niet, Lisa!'

'Laat me toch, Conny! Ze moeten het weten!'

Haar man haalde zijn schouders op.

'Vorig jaar in juni,' zei Lisa zacht, 'was in New York toch die internationale conferentie voor verbetering en samenwerking tussen televisie-omroepen. Ze begon op acht juni en zou twee weken duren. Het ging met name over een snellere en uitgebreidere uitwisseling van actueel nieuws en uitzendig via commerciële satellieten. Conny moest erheen. Ik heb een schoolvriendin in Kiel en zei tegen Conny, dat Hanni – zo heet ze – met haar verloofde een cruise wilde maken naar Zweden en Noorwegen en dat zij mij had uitgenodigd. De verloofde van Hanni heeft een prachtig, groot zeewaardig jacht met een bemanning van drie personen. Een rijk man. Ik zei dat ik graag mee zou gaan – Conny moest toch weg en Theresa was er voor Kathi. "Natuurlijk," zei Conny, "ga jij maar mee met die cruise en amuseer je!"

Op zeven juni vloog hij naar New York . . .'

Op 11 juni 1983 kwam Conrad Colledo tegen elf uur 's avonds terug in hotel Regency aan de Park Avenue in New York. Hij had een inspannende dag achter de rug en was doodmoe. De receptionist overhandigde hem een rode envelop van de telefooncentrale. Colledo haalde er een opgevouwen vel papier uit. Hij las: *1.32 uur p.M.: mrs. Theresa Poldinger uit Frankfurt belde op. Verzoekt terug gebeld te worden. Het is zeer dringend.*

Colledo ging met de lift naar de tiende verdieping, rende naar zijn kamer en draaide het nummer van de villa bij het Grüneburgpark. Hier is het elf uur, in Europa al vijf uur in de ochtend, dacht hij. Wat is er gebeurd? Nadat de telefoon een keer was overgegaan, werd er in de villa al opgenomen. De stem van de oude Theresa klonk: 'Met het huis van Colledo...'

'Theresa, met...'

Ze gilde: 'Goddank! Eindelijk! Ik zit al zo lang te wachten...'

Hij hoorde haar snikken. 'Kathi...'

'Wat is er met Kathi?'

Met een oceaan tussen hen in hoorde hij haar huilen, vreselijk huilen. 'Theresa!' schreeuwde Colledo.

Theresa kon met moeite uit haar woorden komen: 'Een ramp, meneer, een grote ramp! Goeie God... Mijn kleine Kathi...'

'Wat is er met haar?' schreeuwde Colledo.

'Gisteren was alles nog in orde, meneer. Vannacht kreeg ze buikpijn... Ik dacht dat het kwam doordat ze fruit had gegeten en water had gedronken... maar vanochtend was de buikpijn nog erger... en tegen de middag kreeg ze koorts. Bijna negenendertig graden, o God, o God...'

'Theresa!'

'Toen heb ik dokter Eglin erbij gehaald... Hij zei, blindedarmontsteking, ze moet naar het ziekenhuis... De ambulance is gekomen... Ze hebben haar naar het Clementine Kinderziekenhuis in de Theobald-Christ-Strasse gebracht en dadelijk geopereerd... De dokters zetten allemaal een ernstig gezicht...' Colledo kreunde. 'Haar blindedarm is doorgebroken, zeiden ze... Onze Kathi ligt nu op de intensive care... Het gaat erg slecht met haar, meneer...'

'Ik pak het eerste het beste vliegtuig!' riep Colledo. 'Hoe zit het met mijn vrouw? Heb je haar kunnen bereiken?'

'Nog niet... ik probeer het voortdurend... Via de scheepsradio... Ze is immers op dat schip, meneer...'

'Blijf het proberen, Theresa! Ik kom zo snel ik kan.'

Colledo legde de hoorn op de haak. Hij belde de receptionist op. Deze reserveerde een plaats voor hem in de ochtendmachine. Om zeven uur 's avonds arriveerde Colledo in Frankfurt. Met een taxi reed hij dadelijk naar het Clementine Kinderziekenhuis. De portier wees hem de weg. Op een bank voor de intensive care van de afdeling Chirurgie zat de oude Theresa. Haar gezicht was bleek, haar ogen door het vele huilen gezwollen en ontstoken. Colledo omhelsde haar. De oude vrouw stamelde: 'De professor heeft gezegd... dat ik moet bidden... Ik bid de hele tijd, meneer, de hele tijd doe ik niets anders dan bidden voor mijn schatje...'

'Heb je mijn vrouw kunnen bereiken?'

'Nog steeds niet, meneer . . .'

'Maar dat kán toch niet!'

'Ja, ik begrijp er ook niets van. De mensen van de scheepsradio zeggen dat het jacht niet antwoordt . . .'

'Dat bestaat toch niet! Ze móeten antwoorden!'

'Ja, dat heb ik ook gezegd . . . Maar als ze dan toch niet reageren, meneer . . .'

Door de sluis van de intensive care kwam een tamelijk oude man met grijs haar en vermoeide, donkere ogen naar buiten. Hij droeg een doktersjas.

'Dat is de professor!' riep de kokkin. Colledo versperde hem de weg.

De dokter keek op. 'Ja, wat wilt u? O, bent u de heer Colledo?'

'Ik ben net geland. Hoe staat het ervoor, professor . . .'

'Goldberg.'

'Hoe is het met haar, professor Goldberg?'

De dokter met de vermoeide ogen en zware oogleden keek Colledo zwijgend aan. Daarna sloeg hij een arm om Colledo's schouders en liep samen met hem de lange gang door. Voor een vensternis bleef hij staan.

'Het gaat erg slecht met uw dochtertje, meneer Colledo. Ik vertel u de waarheid.'

'Graag, ja! Iets anders heeft geen zin.'

'Precies. Tja, er is helaas een zware peritonitis – buikvliesontsteking – bijgekomen.' Colledo voelde hoe zijn hele lichaam begon te beven. Hij balde zijn handen tot vuisten. Hij perste zijn kaken op elkaar. Hij kon het beven niet onder controle krijgen. 'We hebben verscheidene draines naar de buikholte aangebracht, meneer Colledo. We spoelen telkens om die schoon te krijgen. Met antibiotica natuurlijk, een massa antibiotica. Maar het helpt niets. Het kind heeft nog steeds hoge koorts. Tegen de veertig graden . . .'

'Mag ik naar haar toe?'

De arts aarzelde.

'Alstublieft, professor! Ik smeek u, laat me naar Kathi gaan!' Vijf minuten later stond Colledo in beschermende kleding bij het bed van zijn dochter. Ze lag aan ontelbare slangen en aan een infuus. Haar gezicht leek zo klein, o zo klein, Kathi lag met haar ogen gesloten. Ze haalde moeizaam adem. Hij sprak tegen haar. Pas na een poosje opende ze haar melkachtig troebele ogen. Nu ging haar ademhaling rochelend.

'Kathi! Ik ben het, pappie!'

'Duiven,' zei het kind, 'een heleboel duiven . . . allemaal duiven . . .' Haar ogen vielen weer dicht. Colledo bleef tien minuten naast het bed zitten, toen hield hij het niet meer uit. Hij verliet de afdeling en stuurde Theresa naar huis. Hij zelf bleef in het ziekenhuis. Telkens opnieuw probeerde hij via het kuststation contact te krijgen met het jacht Jasmin II – tevergeefs. Jasmin II antwoordt niet, werd hem gezegd. Om negen uur 's avonds belde Colledo in Kiel de moeder van de schoolvriendin van zijn vrouw op. Via inlichtingen had hij haar nummer gekregen.

451

Mevrouw Clara Leisen was behoorlijk in verlegenheid gebracht nadat Colledo haar had verteld wat er was gebeurd en dat hij geen contact kon krijgen met het jacht waarmee zijn vrouw Lisa met Hanni, de dochter van mevrouw Leisen, en haar verloofde ergens op de Oostzee voeren. Uiteindelijk zei ze: 'Meneer Colledo, het is verschrikkelijk voor mij. Wat moet ik toch doen?'

'U moet mij de waarheid vertellen,' zei Colledo. 'Er klopt iets niet. Wat is het?'

Mevrouw Leisen slaakte een zucht.

'Uw vrouw is niet samen met Hanni weg, meneer Colledo. Dat heeft ze u maar verteld.'

'Dus ze is niet op het jacht?'

'Nee ... O, wat verschrikkelijk ...'

'Waar is ze dan? Mevrouw Leisen, zeg mij alstublieft wat u weet! Ons dochtertje ligt op sterven. Ik moet weten waar mijn vrouw is. Alstublieft! Als u een vermoeden hebt, zeg het mij dan! Ik smeek het u!'

Heel zacht klonk de stem uit Kiel: 'Uw vrouw is op Sylt, meneer Colledo.'

'Op Sylt?'

'Ja.'

'Maar waarom ...'

'Meneer Colledo, ik weet niet wat ik moet zeggen ... mág zeggen ...'

'De waarheid!' schreeuwde hij.

'De waarheid ... Uw vrouw heeft Hanni gevraagd haar te helpen ...'

'Te helpen? Door mij te vertellen dat mijn vrouw samen met uw dochter en haar verloofde zou zijn?'

'Ja. Maar in werkelijkheid is uw vrouw op Sylt.'

'Waar op Sylt?'

'Dat weet ik niet. Ze heeft Hanni een telefoonnummer gegeven, al ongeveer een jaar geleden ... voor als het nodig mocht zijn ... Die twee zijn oude vriendinnen ...'

'Hebt u dat nummer?'

'Ik ... Ja, maar ...'

'Hebt u dat nummer? In het telefoonboekje van uw dochter misschien?'

'Ja, daar staat het in. Maar ik weet niet ...'

'U móet me het nummer geven, mevrouw Leisen! Ons kind ligt op sterven!'

Ze gaf hem het nummer. Mevrouw Leisen was erg verdrietig.

Colledo draaide het nummer op Sylt. De telefoon ging lange tijd over en daarna klonk een mannenstem.

Von Karrelis!

Het scheelde niet veel of de hoorn was uit de hand van Colledo geglipt. Hij zweeg.

'Hallo!' riep zijn intendant. Hij herkende diens stem uit duizenden.

'Hallo! Met wie spreek ik? Noem uw naam, verdorie! Verduiveld, noem uw naam!'

Conrad Colledo legde de hoorn op de haak.

Tegen zes uur de volgende ochtend begon het leven uit Kathi weg te vloeien. Haar bloeddruk daalde, haar pols werd steeds zwakker. Ze haalde nu nog slechts met korte stootjes en heel oppervlakkig adem. Colledo had de hele nacht aan haar bed gezeten. Ook professor Goldberg was op de afdeling gebleven. Nu stond hij naast Colledo. Het eerste licht van de ochtendzon kwam het vertrek binnen. Boven het bed van Kathi hing een monitor waarop met groenverlichte pieken de werking van haar hart werd weergegeven. De lijn werd steeds onregelmatiger. Colledo voelde de tranen over zijn wangen stromen. Onverwachts sloeg het kind haar ogen op. In de laatste minuut van haar leven was Kathi weer volkomen helder. Ze glimlachte toen ze Colledo zag.

'Pappie!' Haar blik dwaalde rond. 'Waar is . . .?' Ze maakte de zin niet af. Haar ogen gingen weer dicht. Kathi lag roerloos. Ze ademde niet meer. Er liep een lichte trilling door haar heen. Daarna waren ook de onregelmatige pieken op de monitor verdwenen. Daar was nu een rechte lijn op te zien.

'Het is afgelopen,' zei Goldberg. Hij kwam vlak bij Colledo staan en legde een hand op zijn schouder. 'Het spijt me verschrikkelijk voor u. We hebben gedaan wat we konden. Maar het was van het begin af aan hopeloos. Wilt u nu meekomen?'

'Ik wil nog even bij haar blijven, mag dat?' vroeg Colledo. Goldberg knikte en verliet de kamer.

Colledo zat een kwartier aan het bed van zijn overleden dochtertje en probeerde voor het laatst in gedachten met haar te spreken. Het was een vergeefse moeite. Hij had net zo goed afscheid kunnen nemen van een standbeeld. Hij stond op en ging weg. Toen hij de tuin van het ziekenhuis met zijn bloeiende bloemen en bomen inliep, gleed een grote auto over de inrit. De wagen hield vlak naast hem halt. Lisa en Von Karrelis sprongen eruit. Hun gezichten waren lijkbleek.

'Conny!' Zijn vrouw holde naar hem toe. Hij week achteruit. Ze bleef staan. 'Conny, ik . . . Mevrouw Leisen heeft opgebeld . . . vlak na jou . . . We zijn direct vertrokken . . . Er was daar een privé-vliegtuig . . . Vanuit Hamburg zijn we daarna met de auto . . .' Ze deed een stap naar voren en sloeg haar armen om zijn hals. 'Vergeef het me alsjeblieft!' riep ze wanhopig.

Hij pakte haar handen beet en rukte haar armen weg.

'Laat mij alles uitleggen,' begon Von Karrelis. 'Het is mijn schuld. Helemaal mijn schuld, ik heb . . .'

Colledo maakte een beweging alsof hij de intendant een klap wilde geven.

Deze hief zijn hand op.

'Kathi is dood,' zei Colledo met een stem die hemzelf vreemd in de oren klonk. Hij liet de twee verbouwereerd achter en liep naar zijn auto. Onder het lopen dreunden bij iedere stap zijn eigen woorden door zijn hoofd: Kathi is dood . . . Kathi is dood . . .

Hij reed naar huis, heel voorzichtig, want hij voelde zich erg duizelig.

Een huilende Theresa ving hem op. 'Ik heb het al gehoord, meneer. Ze hebben opgebeld uit het ziekenhuis. U moet nog even komen voor de papieren. Zoveel papieren ...'

Colledo stapte zwijgend langs de oude vrouw heen. Hij liep naar zijn slaapkamer en ging aangekleed op bed liggen. Er stond een raam open. Ook hier viel zonlicht naar binnen en in de bomen van de tuin zaten talloze vogels te zingen. Colledo lag op zijn rug naar het plafond te staren en bewoog zich niet. Later hoorde hij zijn vrouw thuiskomen. Ze praatte even met Theresa. Daarna hoorde hij in de badkamer het bad vollopen. Hij bleef onbeweeglijk liggen.

Na een halfuur hoorde hij een zwak gekreun. Hij sprong op en wilde de deur van de badkamer opendoen. Deze was op slot.

'Lisa!' schreeuwde hij.

Geen antwoord, alleen gekreun.

Hij deed een paar stappen achteruit, nam een aanloop en gooide zich met zijn schouder tegen de deur, die opensprong. In de badkuip lag zijn vrouw in het donkerrode water. Lisa's ogen waren groot en helemaal verstard. Haar mond stond open. In haar ene hand hield ze nog het scheermes waarmee ze diep in de aderen en pezen van haar beide polsen had gesneden.

'Een halfuur later en ze zou dood zijn geweest,' zei Mercedes naast Daniel in de auto. Ze reden door de nachtelijke stad. Het was laat geworden bij de familie Colledo, halftwee in de ochtend. De straten waren verlaten. Monotoon knipperden bij de kruispunten de stoplichten.

'Ja, ze heeft enorm geluk gehad,' zei Daniel.

'Ook met haar man,' zei Mercedes. 'Een aardige kerel, die Conny. Hij heeft haar vergeven – onmiddellijk.'

'Hij houdt van haar,' zei Daniel. 'Wat blijft hem anders over?'

'Dat móet wel een grote liefde zijn.'

'O ja,' zei Daniel. 'Heel groot.'

'En toch heeft ze hem bedrogen – ruim een jaar. Begrijp je dat?'

'Nee,' zei Daniel. 'Maar ik begrijp nu wel waarom Conny Von Karrelis zo verschrikkelijk haat.'

'Eigenlijk zou hij Lisa moeten haten,' zei Mercedes. 'Zij heeft hem verraden en bedrogen. Von Karrelis heeft alleen zijn kans waargenomen.'

'Dat is waar,' zei Daniel. 'Maar zodra het om de liefde gaat, is het gedaan met de logica.'

'Wat denk jij, waarom wilde Lisa ons beslist die hele geschiedenis vertellen?'

'Als bewijs van vriendschap, denk ik. Om te tonen hoeveel vertrouwen ze in ons stelt. Die twee leven erg teruggetrokken. Ze willen beslist graag goede vrienden hebben.'

'Dat ben jij toch altijd al geweest, Danny – een goede vriend?'

'Ja. Maar nu ben jij erbij gekomen. Wij vieren – wij horen nu bij elkaar. Ik geloof dat Lisa het zo heeft bedoeld.'

Daniel sloeg de Sandhöfer Allee in en zette zijn auto voor het huis waarin hij woonde. Er was geen mens te zien. Hij zette de motor af en schakelde de koplampen uit. Ze stapten uit en liepen naar de voordeur. Toen ze vlakbij waren, gebeurde alles razendsnel. Een lange, magere man sprong uit de donkere nis voor de huisdeur en gaf Daniel met de kolf van zijn pistool een klap op het hoofd. 'Danny!' schreeuwde Mercedes, die hem op de grond zag vallen. Het volgende moment drukte de lange man een vochtige doek tegen haar neus en mond. Ether, dacht ze. De man had zijn armen om haar heen geklemd. Ze worstelde. Vlak daarna zakte ze bewusteloos in elkaar.

Wayne Hyde tilde Mercedes op en droeg haar naar een auto die een eindje verderop in de laan stond. Hij opende het rechtervoorportier, liet de bewusteloze vrouw op de stoel glijden en maakte de veiligheidsriem vast. Hij liep om de wagen heen en kroop achter het stuur. Uit het handschoenen-vakje haalde hij een plat zilveren doosje. Daarin lag een injectienaald. De vloeistof zat er al in. Met in alcohol gedrenkte watten uit het doosje wreef Hyde een plek op de linkeronderarm van Mercedes schoon. Daarna duwde hij de naald in haar huid en drukte de zuiger omlaag. Een paar seconden later reed hij weg. Niet te snel, dacht Hyde. Heel gewoon. Zorg dat je niet opvalt. Het is toch prima gelukt. Ik heb alleen wat lang moeten wachten. Alles bij de prijs inbegrepen.

5

Daniels hoofd deed zo'n pijn, dat hij dacht dat hij het onmogelijk kon uithouden. Heel langzaam kwam hij weer bij zijn positieven. Hij merkte dat hij met zijn gezicht in een plas op de stoep lag. Moeizaam greep hij met zijn linkerhand naar zijn hoofd. Ook zijn haar was nat. Hij hield zijn hand vlak voor zijn ogen. In het licht van een straatlantaarn zag hij dat zijn hand rood was. Bloed. Zijn bloed. Ook de plas waarin hij lag, was zijn bloed. Hij kreunde. Hij probeerde op te staan en viel direct weer neer. Na de vierde poging gaf hij het op en kroop op handen en voeten naar de voordeur. Met oneindig veel moeite trok hij zich aan een muur omhoog, tot hij de plaat met de intercom had bereikt. Hij drukte op alle knoppen. Na een tijdje hoorde hij een woedende vrouwenstem en twee woedende mannenstemmen. Ze spraken door elkaar heen.

'Wat is er aan de hand?'

'Verdorie, 't is al bijna twee uur in de nacht! Wie is dat?'

'Dronken zeker, hè?'

'Ross,' zei Daniel. 'Help...' Hij had geen kracht meer, zakte weer in elkaar en verloor het bewustzijn.

Toen hij bijkwam, lag hij op een smalle witte tafel onder een zeer sterke lamp. Twee jonge dokters en een verpleegster waren juist zijn hoofd aan het verbinden. Het rook sterk naar desinfecterende middelen.

'Waar ben ik?'

'Afdeling ongevallen. Academisch ziekenhuis,' zei de eerste dokter.

'Mazzel gehad,' zei de tweede. 'Alleen een groot gat in uw achterhoofd.

Is al gehecht.' Daniel kreunde. 'Ja, natuurlijk doet het pijn. Zal nog wel even pijn blijven doen. Niets gebroken. We hebben allerlei foto's gemaakt. Waarschijnlijk zelfs geen hersenschudding.'
'Denkt u dat u kunt praten?' vroeg een politieagent. Hij was plotseling binnen het gezichtsveld van Daniel gestapt.
'Hebt . . .' begon Daniel. Zijn tong leek veel te groot voor zijn mond. 'Hebt u mij hier gebracht . . .'
'Ja, meneer Ross. Huisbewoners hebben de politie gewaarschuwd. Vertelt u mij alstublieft wat er is gebeurd.'
Daniel begon moeizaam te praten.
Elf minuten later werd door de politie van Frankfurt een grootscheepse zoekactie naar Mercedes Olivera gestart.

Een uur eerder was Wayne Hyde met de nog steeds bewusteloze Mercedes de ondergrondse garage van een flatgebouw in de zogenoemde Nordwest-stadt binnengereden. Er woonden duizenden mensen in deze reusachtige voorstad. Ze kenden elkaar nauwelijks. Ze bemoeiden zich niet met elkaar. Dit gedeelte werd ook wel 'slaapstad' genoemd, omdat de meeste bewoners hier alleen de avond en de nacht doorbrachten en overdag in het centrum van Frankfurt werkten.
Hyde reed de wagen naar een onbezette parkeerplaats en zette de motor af. Hij opende het rechtervoorportier, maakte de veiligheidsriem van Mercedes los en tilde haar van haar stoel. Ze mompelde zachtjes. Goed zo, dacht Hyde. Als ik iemand tegenkom, mag ze dat ook doen. Dan maakt ze een aardig bezopen indruk. Hij ging systematisch te werk, zonder enige haast of opwinding. Nadat hij een arm van Mercedes om zijn schouder had gelegd, sjouwde hij haar, terwijl haar voeten over de grond sleepten, door een kelderdeur een lange, smalle gang in, waar vijf liftdeuren waren naar de verschillende blokken van het flatgebouw. Voor de deur van de middelste lift bleef hij staan. Hij haalde met een druk op de knop de lift omlaag. In zijn schouderholster zat het 9 mm SIG/Sauer-pistool, dat zijn Frankfurtse vriend Heinz Erkner hem had bezorgd toen hij drie dagen geleden uit Londen in Frankfurt was gearriveerd. De Sterling Mk. 9 pistoolmitrailleur had hij in de kofferbak laten liggen.
De lift kwam.
Hyde maakte de deur open en sleepte Mercedes de cabine in. Hij ging omhoog naar de veertiende verdieping. Op elke etage waren drie woningen. Met een zacht gezoem stopte de lift. Hyde stapte met de arm van Mercedes om zijn schouders geslagen, naar buiten. Hij haalde de sleutels uit zijn zak en deed de deur van het rechter appartement van het nachtslot. In de beide andere appartementen was het stil. De mensen hier slapen allang, dacht Hyde.
De deur met daarop de metalen cijfers veertien-nul-drie ging open. Hyde hijgde nu. Mercedes was zwaar. Hij stapte met haar de donkere woning in, die bestond uit een heel grote en drie kleinere kamers, een badkamer en een keuken en deed overal het licht aan. Hij had bij zijn vertrek de gordijnen al

dichtgetrokken. De sleutels waren hem gegeven door de advocaat Morley in Londen. Die scheen sleutels van talrijke dergelijke woningen in verschillende steden in zijn bezit te hebben. Hyde onderwierp alles aan een inspectie. Er stonden alleen twee ijzeren bedden in een van de kleine kamertjes, twee stoelen en een tafel. Verder waren de vertrekken leeg. Hij had in een supermarkt van de Nordweststadt levensmiddelen gekocht en de koelkast en de vrieskist in de keuken gevuld. Hij had zeep, toiletpapier, tandenborstels en dergelijke ingeslagen, alsmede een emmer. Ook had hij een rol brede hechtpleister, een schaar en een Polaroid-camera gekocht.

Hyde sjouwde Mercedes, die nu wat luider mompelde, naar een van de twee ijzeren ledikanten, waarvan de dekens en kussens al verschoond waren, en liet haar daarop zakken. Het volgende moment sloeg Mercedes haar ogen op. Haar gezicht was bleek. Ze staarde Hyde aan.

'Ik ken u,' zei Mercedes zacht. 'Ik heb u al meer gezien . . . in het huis van Daniel Ross . . . U heet . . . Corley . . . Peter Corley . . .'

'Bek houden!' zei Hyde.

Hij haalde uit de zak van zijn duffelse jas een cassetterecorder van Sony, daarna trok hij zijn jas uit en gooide hem over een van de twee stoelen. De cassetterecorder zette hij op tafel naast de Polaroid-camera.

'Waar ben ik?' vroeg Mercedes.

'Bek houden!' zei Hyde.

'Waar is de heer Ross?'

'Hou je bek!'

Hyde pakte de grote rol hechtpleister van tafel. 'Rustig liggen en mond dicht!' beval hij. Daarna plakte hij een strook over de mond van Mercedes. Hij pakte de schaar van tafel, knipte de pleister door en plakte een tweede strook dwars over de eerste. 'Zo,' zei hij, terwijl hij opstond van de bedrand. 'Je mag straks weer praten. Berichtje voor Ross. Op cassette. Morgen maken we een leuke foto van jou met de nieuwe *Bild-Zeitung*, en wel zo, dat de kop te lezen is. Het spijt me, maar nu moet je handboeien om. Vastgemaakt aan het bed. Om te voorkomen dat je op stomme ideeën komt.' Hij liep naar de stoel waarover zijn jas hing om een paar handboeien uit zijn binnenzak te halen. Daarbij draaide hij Mercedes de rug toe. De boeien bleven haken in de voering van zijn jaszak. Hyde rukte en trok totdat de stof scheurde. Daarna draaide hij zich om, waarop hij midden in zijn beweging verstijfde. Mercedes lag op het ijzeren bed te rollen en had zo te zien last van geweldige stuiptrekkingen. Ze had de pleister van haar mond getrokken. Haar pupillen waren verdraaid, haar gezicht liep paars aan. Uit haar mond stroomde wit schuim. Haar lichaam schokte. Plotseling lag ze doodstil. Er kwam steeds meer schuim uit haar mond. Een sterke geur van bittere amandelen verspreidde zich. Hyde zag glassplintertjes op de lippen van de jonge vrouw. Hij legde zijn oor op haar borst boven het hart. Hij voelde haar pols. Maar hij deed dit alles zonder hoop. Hij keek naar een dode.

'Jezus,' zei Wayne Hyde. 'Wát een toestand!'

Een telefoongesprek.

'. . . Ik heb een lang gesprek gehad met mijn kennissen, dokter Herdegen. Wanneer belt mr. Hyde u weer op?'

'Morgenochtend om zes uur, mr. Morley.'

'Goed. Zegt u tegen hem dat mijn kennissen willen dat hij doorgaat alsof er niets gebeurd is.'

'Dat heeft nu toch geen zin meer!'

'Hoezo heeft dat geen zin meer, dokter?'

'Omdat Olivera dood is. Hij kan geen foto van haar maken en geen bandopname, het is immers allemaal veel te snel gegaan.'

'Toch moet hij zijn eis stellen.'

'Zonder een levensteken van Olivera gaan ze er beslist niet op in.'

'In het uiterste geval hebt u gelijk. Maar wat we nu nodig hebben, is tijd. U kunt er zeker van zijn dat Ross en de anderen de onderhandelingen in geen geval direct verbreken – als Hyde het handig aanpakt. Ze hebben er immers geen flauw idee van dat Olivera zelfmoord heeft gepleegd. Waar had ze toch die verrekte capsule cyaankali vandaan?'

'Hyde zegt dat het volkomen onverklaarbaar is. Luistert u eens, mr. Morley, ik weet dat het niet aan mij is uw kennissen te bekritiseren, maar dit is toch waanzin! Hoe lang moet Hyde dat idiote spelletje volhouden? Hij wordt nu ook nog opgejaagd door die hele schofterige politie. Er is intussen een grootscheepse zoekactie op touw gezet!'

'Die zou er toch zijn geweest. Dat weet Hyde. U hoeft niet in zijn plaats bang te worden. Hij is het niet. En het is geen idioot spelletje, dokter. Ik zei dat we nu tijd nodig hebben. Tijd om die lui murw te maken, om te zorgen dat ze hun hoofd verliezen. Als er dan nog iemand wordt ontvoerd – mevrouw Colledo bijvoorbeeld – dan zullen ze ongetwijfeld door de knieën gaan.'

'Wilt u Hyde opdracht geven nog iemand te . . .?'

'Uiteraard, dokter. Colledo is even gek op zijn vrouw als Ross op Olivera. Hyde moet gewoon nog veel voorzichtiger zijn dan bij de eerste keer. Dat is geen verwijt. Hij kon niet weten dat Olivera altijd vergif bij zich had. Bij mevrouw Colledo moet hij dat allereerst controleren.'

'Maar . . .'

'Nu is het afgelopen! Ik heb genoeg van dat gemaar, dokter. U geeft aan Hyde opdracht door te gaan alsof er niets is gebeurd. En vertelt u hem over die Colledo-variant. Hij krijgt zo snel mogelijk nieuwe instructies. Einde.'

De telefoon op Daniels bureau rinkelde.

Behalve hijzelf waren er verscheidene mannen in het vertrek: Conrad Colledo, hoofdredacteur Kleinhals, twee technische mensen van de politie en een oudere inspecteur van de recherche, Hollgand genaamd. Direct nadat Daniel uit het ziekenhuis thuis was gebracht, waren technici begonnen met de installatie van een vangapparaat voor zijn telefoonaansluiting. Op het toestel was ook een grote bandrecorder aangesloten waarmee alle gesprekken moesten worden opgenomen.

De telefoon rinkelde voor de tweede keer. Het was woensdag 28 maart,

6.35 uur. De ene technicus legde zijn hand op de hoorn van een tweede telefoon die ook op het bureau stond.

'Voorzichtig,' zei hij en hij telde. 'Drie, twee, een – nu!'

Tegelijkertijd pakten Daniel en hij de hoorn op. Op hetzelfde moment sprong ook de bandrecorder aan. De spoelen draaiden.

'Hallo?' zei Daniel. Hij had zware hoofdpijn. De medicijnen die ze hem hadden gegeven, hielpen niet.

'Met wie spreek ik?' vroeg een metaalachtige, vervormde mannenstem.

'Daniel Ross.'

'Meneer Ross, uw vriendin is in onze macht. Dat blijft ze, totdat de voorzitter van de omroepraad een schriftelijke verklaring heeft afgegeven dat die bewuste film nooit zal worden uitgezonden en totdat al het materiaal van de interviews van de getuigen en ook de rest, waarover wij u nog een specificatie zullen verstrekken, in ons bezit is.'

De technicus gaf Daniel een teken: doorpraten, het gesprek voortzetten, zo lang mogelijk!

Daniel zei: 'Ik wil met mevrouw Olivera spreken.'

'Uitgesloten.'

'Hoe weet ik dat ze nog leeft?'

'Ze leeft. Het gaat goed met haar. U moet mij geloven! Gaat u met uw vrienden en de voorzitter van de omroepraad praten en blijft u in de buurt van de telefoon!'

'We zullen ...'

Klik. De ander had opgehangen.

Daniel vloekte.

De tweede technicus zette de band stil, liet hem teruglopen en startte hem weer. Iedereen luisterde naar het gesprek tussen Daniel en de onbekende.

De tweede telefoon ging over.

De eerste technicus nam hem op. 'Ja?'

'Te kort,' zei een stem. 'We konden niet vaststellen waar het telefoontje vandaan kwam.'

'Hij belt nog wel eens,' zei de eerste technicus.

'Ja, zeker,' zei zijn collega in een van de grote telefooncentrales van de stad Frankfurt.

'Ik moet met de voorzitter praten,' zei Kleinhals.

'Ben je gek?' vroeg Colledo. 'Wil jij op grond van een dreigement zonder een levensteken van mevrouw Olivera aan de eisen van die schoft voldoen?'

'Natuurlijk niet,' zei Kleinhals woedend. 'Maar de voorzitter moet op de hoogte zijn van wat er is gebeurd.'

'Neemt u dit toestel maar,' zei de eerste technicus. 'De lijn van de heer Ross moet vrij blijven.'

Roerloos luisterde Daniel naar het gesprek van Kleinhals. Deze zei nadat hij de telefoon weer had neergelegd: 'We moeten de vent aan het lijntje houden, zolang het maar mogelijk is. De grootste zoekactie sedert de ontvoering van Schleyer is momenteel aan de gang. Al duurt het dagen. We moeten hem aan het lijntje houden. Levenstekens eisen. Als we die hebben,

praten over details. Ross moet dan opnieuw vragen stellen. Enzovoort. Professor Klammer komt zo snel mogelijk hier naar toe.'
Professor Klammer was de voorzitter van de omroepraad.
'Wat doen we nu?' vroeg Colledo.
'Wachten totdat die fielt weer opbelt,' zei Kleinhals.
'Straks komen twee politiemensen,' zei inspecteur Hollgand, een kleine, stille man met een bril op. 'Ze brengen een grote thermoskan koffie mee en sandwiches voor iedereen. Is al geregeld. We worden verzorgd. Er wordt gewerkt in drie ploegen van elk acht uur. Voor u geldt dat helaas niet, meneer Ross.'
'Ik schuif mijn bed wel hierheen,' zei deze. Hij schoot plotseling omhoog, maar begon dadelijk te kreunen, want zijn hoofd reageerde op de snelle beweging met nog meer pijn.
'Wat heb je, Danny?'
'Het dagboek!'
Daniel liep al naar de slaapkamer.
'Wat voor dagboek?'
'Van Mercedes. Ze hield er een bij. En er is me net iets te binnen geschoten . . .' Hij verdween in de slaapkamer en keerde vlak daarna terug met een in rood leer gebonden boek. Intussen zei hij: 'Mercedes heeft eens tegen me gezegd: "Als me iets mocht overkomen – we hebben immers meegemaakt waar die lui toe in staat zijn – als mij dus iets overkomt, kijk dan in mijn dagboek. Daarin ligt een brief voor jou. Lees hem! Maar alleen als het zover is!"' Daniel bladerde in het roodleren boek. Er viel een envelop op de grond. Hij raapte hem op. Nu was het doodstil.
Daniel maakte de envelop open. Er zaten verscheidene vellen in die beschreven waren in het handschrift van Mercedes. Daniel ging zitten en las.

Danny, mijn liefste Danny,
Als je deze woorden leest, ben ik al dood. Vergeef me, wat ik heb gedaan. Ik houd zoveel van je. Ik zou zo graag een gelukkig leven met jou hebben geleid. Maar dat is nu onmogelijk geworden. Je weet met wie we te doen hebben. Je weet dat de handlangers van die lui – zij zelf maken hun handen niet vuil – voor niets terugdeinzen om uitzending van onze film te voorkomen. Van het begin af aan was dat zo. Het zal steeds erger worden naarmate we meer materiaal verzamelen. Het is de tegenpartij bekend hoeveel wij in ons bezit hebben. Daarvoor zorgt een verrader. Ik houd er dagelijks rekening mee ontvoerd te worden. Omdat het bij ons niet gebruikelijk is meteen een mensenleven te offeren, zal men proberen de zender te chanteren. Mijn leven tegen al het materiaal en een bindende toezegging door de hoogste instantie bijvoorbeeld, dat de film nooit zal worden vertoond. Ik weet natuurlijk niet precies hoe ze te werk zullen gaan.
De vernietiging van de wereld dreigt. Daarvoor hebben wij het bewijs in handen. Zo bestaat er misschien nog een kleine kans. Voor alle mensen. Daarom ben ik vastbesloten: als ik word ontvoerd, zal ik mij bij de eerste

de beste gelegenheid vergiftigen. Ik heb capsules met vergif van mijn stiefvader. Hij heeft ze indertijd gekregen van Goebbels, weet je wel? Die zei tegen hem dat het gif in de dichtgesmolten capsules niet zou vergaan. Ik heb het vergif altijd bij me. Ik zal mijzelf doden om te zorgen dat men niet de gelegenheid krijgt jou of Conny of de zender te chanteren. Geloof dus, als ik word ontvoerd, onder geen voorwaarde het leugenachtige verhaal dat ze jou dan zullen vertellen om hun doel te bereiken, want ik zal dan beslist al dood zijn.

Mocht ik in zo'n geval nog gevonden worden, dan wil ik nergens worden opgebaard. Bij mijn graf mag niet gesproken en niet gebeden worden. Ik wil ook geen muziek, bloemen of kransen. Ik wil dat buiten jou, liefste, en de doodgravers niemand bij mijn graf staat. Ik wil begraven worden op een kerkhof dat dicht bij de plaats ligt waar jij woont.

Jij hebt mij altijd fanatiek genoemd, liefste. Nu, dat ben ik ook. Laten we hopen dat je deze brief nooit hoeft te lezen.

Ik omhels je in liefde,
Mercedes

Daaronder stond een datum: 10 maart 1984. De brief was meer dan twee weken geleden geschreven.

Daniel overhandigde de vellen aan Colledo. Daarna steunde hij met zijn pijnlijke hoofd in zijn handen en begon te huilen. Het huilen deed zijn lichaam schokken als in een zware kramp.

Twee uur later kwamen in Wiesbaden vertegenwoordigers van de verschillende Westduitse veiligheidsorganen in het gebouw van de BKA als crisisteam bjeen. De antiterreurgroep GSG-9 werd ingezet. Hun specialisten weken nu niet meer van de zijde van degenen die gevaar liepen, waaronder Daniel Ross, Conrad Colledo, zijn vrouw Lisa en hoofdredacteur Kleinhals met zijn gezin. Alle beschikbare politie en eenheden van de grenspolitie plus het leger zochten in het hele land naar Mercedes Olivera.

Een telefoongesprek.
'Mr. Morley, u spreekt met Herdegen. Hyde heeft zojuist opgebeld. De Bondsrepubliek is . . .'
'In staat van alarm. Weten we. Ook dat alle in aanmerking komende personen worden bewaakt.'
'In deze situatie ziet Hyde geen kans, mevrouw Colledo te ontvoeren.'
'Hoezo geen kans? Er is altijd wel een kans! We hebben hem intussen drie uitstekende mensen ter beschikking gesteld - is het niet? Verdomme, hij wordt goed genoeg betaald voor wat hij doet! En hij heeft maar te doen wat wij opdragen. Zeg dat maar tegen hem! Dag, dokter Herdegen.'

Het was 29 maart 1984, 3.41 uur in de ochtend, toen de telefoon opnieuw rinkelde. Daniel lag te slapen in zijn bed, dat nu naast het bureau met de apparatuur van de technici stond. Een andere ploeg had nu dienst. Colledo was aanwezig. Hij had in een stoel zitten doezelen. Nu schudde hij zijn vriend heen en weer.

'Danny! Danny, wakker worden!'

Daniel kreunde. Hij ging rechtop in bed zitten en legde zijn hand op de hoorn van het toestel. Een technicus legde zijn hand op de hoorn van het andere toestel en telde hardop af. Tegelijk namen ze de hoorn op. De spoelen van de geluidsband begonnen weer te draaien.

Opnieuw klonk de verwrongen stem met de metalige klank die Daniel al kende: 'Hebt u met uw mensen gesproken, meneer Ross?' Daniel wreef in zijn brandende ogen. Het licht van de bureaulamp was fel, de lucht in het vertrek benauwd.

'Ja,' zei hij schor. Hij schraapte zijn keel.

'En?'

'Hoort u eens, dit is toch te gek om los te lopen! Welke zekerheid hebt u dat er geen nieuwe kopieën worden gemaakt en dat de film toch wordt uitgezonden, ook al beloven wij u hem niet uit te zenden en overhandigen wij u al het materiaal om mevrouw Olivera vrij te krijgen?'

Elk woord kostte Daniel moeite. De tranen stroomden uit zijn ogen.

De verwrongen stem: 'Dat is ook niet de bedoeling. Deze ontvoering is alleen bedoeld om aan te tonen waartoe wij in staat zijn. Als mevrouw Olivera na inwilliging van al onze eisen wordt vrijgelaten, is dat slechts een dode op afroep. Op hetzelfde moment dat u uw werk aan de film voortzet of contact opneemt met andere zenders – dat horen wij onmiddellijk – zal mevrouw Olivera sterven. Niemand en niets kan haar dan nog redden.'

'Ik wil een levensteken van haar!' schreeuwde Daniel. 'Ik wil haar stem horen!'

'Dat gaat niet. Ik heb u dat al eerder gezegd. U moet geloven dat het goed met haar is – nu nog tenminste. Zij smeekt u te doen wat wij verlangen.'

'Haar stem!' schreeuwde Daniel buiten zichzelf. 'Ik wil haar stem horen!'

De verbinding werd verbroken.

Na een paar minuten meldde zich een specialist uit de telefooncentrale. Opnieuw was het onmogelijk gebleken, vast te stellen waar het telefoontje vandaan kwam.

Daniel stond abrupt op en ging snel naar de slaapkamer. Hij knipte het licht aan en trok een la open. Daarin lag wat hij zocht. In de badkamer vulde hij een glas met koud water en daarna opende hij een grote doos Amadam, het middel waarop Sibylle hem na zijn ontwenningskuur had laten overstappen en waarvan Mercedes hem tot dusverre 's ochtends en 's avonds telkens een tablet had gegeven. Nu liet hij elf tabletten uit het doosje in zijn hand vallen en spoelde ze door met het water. Hij had aan de telefoon – na lange tijd voor de eerste keer – het ontzettende gevoel gehad dat hij doodging als hij het middel niet meteen innam, veel ervan innam. Hij bleef een kwartier op de rand van de badkuip zitten. Toen had hij weer voldoende kracht om naar de anderen terug te gaan.

Twee dagen verliepen zonder dat de ontvoerder iets van zich liet horen.

Kranten, de televisie en de radio hadden direct na de verdwijning van Mercedes zeer uitvoerig over haar ontvoering bericht, bepaalde boulevardbladen met een reusachtige oplage volgens de gewoonte zeer sensationeel. Radio- en televisiestations maakten herhaaldelijk de beschrijving bekend van de verdwenen vrouw en de politie verzocht alle burgers om hulp bij het zoeken naar haar.

De persvoorlichter van de regering deelde aan de geïrriteerde journalisten alleen mee, dat de ontvoering van de jonge vrouw volgens deskundigen verband hield met de mysterieuze, nog steeds niet opgehelderde twee moorden in de afgelopen weken en dat hij over de aard en de doelstellingen van de criminele groep die erachter zat, niets kon zeggen.

In commentaren en aanvallen op de regering uitten pers-, radio- en televisiemensen daarop de wildste vermoedens ten aanzien van de zo duister gebleven gebeurtenissen – niemand benaderde ook maar enigszins de waarheid.

Tegelijkertijd doorzochten duizenden geduldige, oververmoeide militairen, politiemensen en leden van speciale eenheden de Bondsrepubliek – een in de jungle van de grote steden van begin af aan tot mislukken gedoemde onderneming. Er werd een beloning uitgeloofd van honderdduizend mark voor bruikbare tips om Mercedes Olivera en haar ontvoerders te vinden, waarop zo'n groot aantal zogenaamde waarnemingen binnenkwam, dat het vrijwel niet meer te overzien was. Elke tip moest worden nagegaan. Het vele extra werk dat dit met zich meebracht, leverde geen enkel spoor op. Het BKA had de collega's in alle Europese landen direct bij het begin om medewerking verzocht en niet veel later werd Interpol ingeschakeld. Lucht- en zeehavens werden bewaakt, reizigers in auto's en internationale treinen werden gecontroleerd, de grensposten waren in staat van alarm. In deze tijd slikte Daniel, telkens wanneer zijn angstgevoelens terugkwamen, grote hoeveelheden Amadam.

Op de avond van zondag 1 april kwamen acht mannen in de grote werkkamer van Daniel bijeen: professor Abel Klammer, de voorzitter van de omroepraad, dr. Volker Brandt, de zo jeugdig uitziende juridisch adviseur van de zender Frankfurt, Hans Kleinhals, de hoofdredacteur, en Conrad Colledo, met daarnaast nog twee technici, de politie-inspecteur die ploegendienst had en Daniel Ross.

Hij was erg bleek en droeg een dik verband om zijn hoofd. De pijn was minder geworden. Daniel maakte een beheerste indruk. In de woning, het trappehuis en rond het huizenblok hadden talrijke zwaarbewapende politiemensen en mannen van de GSG-9-antiterreurgroep hun post betrokken. De permanente bewaking van alle met de produktie van de documentaire belaste personen en hun familieleden ging door.

Professor Abel Klammer, een gezette man met een blozend gezicht van eenenzestig jaar zei: 'Ik was aanwezig bij een bijeenkomst van alle leden van de omroepraad en de intendanten van alle ARD-stations. Het ging om de vraag of de zender Frankfurt de produktie van de film moet voortzetten,

463

hem kan uitzenden en aan buitenlandse stations te koop moet aanbieden. Met één tegenstem is de vergadering tot de conclusie gekomen dat zij ten stelligste tegen elk spoor van chantage en vóór de voortzetting van het werk is, waarbij men natuurlijk dadelijk een eventuele andere visie van de rechtstreeks bij de zaak betrokkenen en van de zwaarst getroffene zal respecteren. De vraag die ik u heb te stellen, luidt daarom: bent u ook van mening, dat wij, op de hoogte zijnde van het feit dat mevrouw Olivera met aan zekerheid grenzende waarschijnlijkheid al dagen dood is - neemt u mij niet kwalijk, meneer Ross - en ondanks alle mogelijke verdere terreuraanslagen, de uitzending en de verkoop van de film moeten doorzetten of niet? Ik heb de opdracht ieder van u daar apart naar te vragen. Meneer Kleinhals?'

De man die eruitzag als een eerzuchtige boekhouder, antwoordde: 'Doorgaan.'

'Dr. Brandt?'

De jonge rechtsgeleerde - hij deed denken aan een Beatle en stond onder zijn collega's bekend als de beste in zijn vak - antwoordde: 'Ja, ik ben voor uitzending.'

'Meneer Colledo?'

Het afdelingshoofd Politiek en actualiteiten, die zoals bijna altijd een blauw pak, een blauw overhemd en een met kleine zilveren olifantjes bestikte zwarte stropdas droeg, zei: 'Als ik maar de geringste hoop had dat mevrouw Olivera nog in leven was, als ik niet tot mijn verdriet - door kennis van haar brief en van haar karakter en het feit dat de ontvoerders blijkbaar niet in staat zijn een hoorbaar of zichtbaar levensteken van haar te geven - ervan overtuigd was dat Mercedes dood is, zou ik er met alle mij ter beschikking staande middelen voor vechten aan de eisen van de ontvoerders te voldoen en het project stop te zetten. Zoals de zaken er nu voorstaan, stem ik echter vóór het produceren en uitzenden van de film.'

'Meneer Ross?'

Daniel zei: 'We moeten beslist doorgaan - daarmee voldoen we alleen aan de wens van mevrouw Olivera.'

De blozende, gezette professor Klammer vroeg aan Kleinhals: 'Wanneer kan de film gereed zijn?'

'Wij hebben nu nog een verslag over de laatste gebeurtenissen gemaakt. Als we ons haasten, kunnen we over drie weken zover zijn, dus rond twintig april. Op dat tijdstip zullen we de film kant en klaar aan de andere zenders te koop kunnen bieden. Die zenders - dat is gebruikelijk - zullen de bewerking in hun landstaal op zich nemen. Dat wil zeggen: een tweede stem komt over de oorspronkelijke heen en deze vertaalt wat er gezegd wordt. Natuurlijk vertaalt deze tweede stem ook de tekst van het verdrag. Ik ben van mening dat de film door alle zenders op dezelfde dag moet worden uitgezonden om bij de mensen over de hele wereld het grootst mogelijke effect te bereiken. De Sovjetunie koopt de film beslist niet. De Oostbloklanden zullen dat onder druk van Rusland ook niet kunnen doen. Een deel van de DDR kan ons ontvangen. Maar dat is dan ook alles. We zijn daarom van plan een radioversie van de documentaire samen te stellen en die eveneens van teksten in de verschillende talen te voorzien. Deze bewerkingen kunnen dan worden uitgezonden via de Deutschlandfunk. Die heeft relaisstations over de hele wereld, zodat die met zijn uitzendingen elk land ter wereld kan bereiken. Wij zijn er absoluut zeker van dat wij met de grote Amerikaanse televisiemaatschappijen een contract kunnen afsluiten en hetzelfde geldt voor de Chinese staatstelevisie. We verwachten erg veel belangstelling. We zouden direct in onderhandeling moeten treden met buitenlandse intendanten.'

Een telefonische mededeling.
'Mr. Hyde, u spreekt met Morley. Het is vrijdag 6 april, 11.33 uur. Mijn kennissen hebben er kennis van genomen dat het u ook in samenwerking met anderen onmogelijk is met succes nog een ontvoering te bewerkstelligen. Door de grootscheepse zoekactie is uw situatie zo precair geworden dat u niet langer mag worden blootgesteld aan het risico van ontdekking. U hebt uitstekend werk geleverd. Mijn kennissen betuigen u daar hun dank voor. Ik verzoek u Duitsland zo snel mogelijk te verlaten. Uw missie is beëindigd. De tweede helft van het honorarium is reeds overgemaakt op uw rekening bij de Zwitserse bank in Zürich. Daarmee is onze relatie beëindigd. Mijn kennissen en ik wensen u het allerbeste. Mocht u op een gegeven moment – nu of in de toekomst – in moeilijkheden komen met de politie of andere autoriteiten, dan zullen mijn kennissen noch ik het flauwste idee hebben wie u bent. U zult dan tevergeefs een beroep op ons doen en u mag er nooit op rekenen dat u door mij of iemand anders ook maar enigszins wordt geholpen. Zo was het immers van het begin af aan afgesproken. Vaarwel, mr. Hyde! God bescherme u! Dit is het einde van mijn laatste mededeling aan u.'

De Nordweststadt in Frankfurt heeft een eigen politiebureau.
Op zaterdag 7 april, tegen zeven uur in de morgen verscheen hier een grote, slanke man van ongeveer veertig jaar. Hij trof wachtmeester Josef Niedermoser aan, een geboren Münchenaar die sedert een halfjaar in Frankfurt werkzaam was en wenste hem goedemorgen.
'*Grüss Gott*,' zei Niedermoser, die eveneens groot, maar ook erg flink was. Hij had op de schrijfmachine net een rapport getikt over een geval van doorrijden na een ongeval.
'Mijn naam is Felix Zimmermann. Ik woon hier op de Gerhart-Hauptmann-Ring 12, blok C, veertiende verdieping, appartement veertien-nul-een. Op mijn verdieping zijn nog twee andere flats, veertien-nul-twee en veertien-nul-drie. De heer en mevrouw Esser van veertien-nul-twee zijn drie weken geleden op reis gegaan. Mijn vrouw en ik kennen hen oppervlakkig. Wie op nul-drie woont, weten we niet. Sinds gisteren komt er uit die woning een zoetige stank. Het wordt met het uur erger. Mijn vrouw en ik hebben nooit gezien dat er iemand die woning is binnengegaan of heeft verlaten. Er klopt daar iets niet. Misschien is er iemand overleden en ligt het

lijk te vergaan. Mijn vrouw zei dat ik het u beslist moest zeggen voordat ik naar de stad ga.'

Ongeveer een uur later stopte een politiewagen voor het flatgebouw op de Gerhart-Hauptmann-Ring 12 in de Nordweststadt. Hij stond achter een auto van de brandweer. Uit de politiewagen stapten Daniel Ross, de twee politiemensen die hem op dat moment bewaakten en – als enige in uniform – de chauffeur. De mannen liepen door een groep nieuwsgierigen naar de ingang van het gebouw. Daar stonden nog twee mannen in uniform. Ze groetten zwijgend. Daniel betrad met zijn begeleiders een zeer grote en hoge hal. Er waren vijf liften. De mannen gingen met de middelste – blok C – omhoog naar de veertiende verdieping. De deur van flat veertien-nul-drie was geforceerd. De vier mannen begonnen te kokhalzen. De stank die hen tegemoet kwam was afschuwelijk. Ze hielden een zakdoek voor hun mond en gingen de flat in. Daar werden ze opgewacht door drie brandweerlieden die een gasmasker droegen. Alle ramen van de lege woning stonden open. Een brandweerman gaf Daniel een teken hem te volgen. Ze liepen door een grote kamer naar een kleinere waarin een tafel, twee stoelen en twee ijzeren ledikanten stonden. Het ene bed was verschoond. Op het andere lag een dode vrouw. Haar gezicht was zwart. Haar mond stond open. Haar ogen waren nog slechts met een donkere vloeistof gevulde kassen. Alle mannen keken naar Daniel, die naar het bed was gelopen. Daniel knikte. Daarna rende hij het kleine vertrek uit naar de nabijgelegen badkamer en begon hevig over te geven.

Intussen probeerden andere brandweerlieden beneden in de hal een luchtdicht afsluitbare, zinken kist met dubbele wand in de liftcabine te krijgen. Hun poging bleef zonder succes. De cabine was te klein. Ook de brandtrap achter de liften bleek ongeschikt. Hij was zo smal, dat de mannen de kist niet om de hoeken konden krijgen. De architecten van dit flatgebouw – en waarschijnlijk ook vele andere flats – hadden er blijkbaar niet aan gedacht dat er iemand in een van de woningen zou kunnen overlijden. Er arriveerden twee wagens van de technische dienst. Op dat moment moesten talrijke politiemannen een menigte mensen terugdringen om de rijbaan vrij te houden. Aan een zware balk die uit het raam in de grote kamer van appartement veertien-nul-drie naar buiten werd gestoken, werd een katrol bevestigd. Daaraan vastgemaakt gleed de kist omhoog. Mercedes' lijk was al zozeer vergaan, dat het alleen nog mogelijk was haar met het vuile laken en al in de kist te tillen. Toen de kist, stevig afgesloten met acht schroeven, vervolgens langs de buitenmuur van het flatgebouw weer omlaag werd gelaten, was er allang een zwarte auto van de gemeentelijke begrafenisonderneming gearriveerd. De brandweerlieden schoven de kist erin. De deuren werden gesloten de wagen reed direct weg.

Om drie uur 's middag rinkelde na lange tijd weer de telefoon op Daniels bureau. Na voorafgaand contact met de beide technici die nu dienst hadden, pakte Daniel de hoorn op.

'Ross.'

'Danny, met Sibylle,' klonk een vrouwenstem.

'Sibylle . . .' Hij voelde dat hem over zijn hele lijf het zweet uitbrak. 'Een ogenblikje graag!' Tegen de beide technici en een inspecteur van de recherche zei hij: 'Dit is een persoonlijk gesprek.'

De drie knikten en gingen de gang op. Ze trokken de deur achter zich dicht.

Daniel pakte de hoorn weer op. 'Sorry, hoor. Maar op deze lijn zit een vangschakelaar.'

'Mijn God . . . Danny, mijn arme Danny, ik heb pas een paar minuten geleden gehoord wat er is gebeurd. Ik was in Belgrado op een congres en ben net terug. Het is vreselijk! Ik heb het op de radio gehoord, heel even maar . . . Die arme Mercedes . . .'

'Ja,' zei Daniel. 'Arme Mercedes.' Voor hem stond een kopje thee. Terwijl hij sprak haalde hij het doosje Amadam dat hij nu altijd bij zich had, uit zijn jaszak en opende het.

'Wanneer hebben jullie haar gevonden?'

'Vanmorgen.' Hij liet de tabletten op het bureaublad glijden. De angst was weer in hem omhooggeschoten, die afgrijselijke angst.

'Waar? Kun je het me vertellen Danny, alsjeblieft! Vertel me alles! Alles!'

Hij vertelde haar alles. Tussen twee zinnen door stopte hij een tijdje om negen tabletten van zijn bureau te pakken, in zijn mond te stoppen en met wat slokken thee door te slikken. Hij merkte dat zijn handen trilden. Hij was duizelig en misselijk. Dat kwam nu vaak voor. Amadam hielp.

'Danny . . .' Sibylles stem begaf het. 'Het . . . het spijt me zo voor jou . . . het spijt me zo verschrikkelijk'

'Mij ook.'

'Wat is er? Heb je te veel Amadam genomen?'

'Nee,' loog hij. 'Hoezo?'

'Je praat een beetje met een dubbelslaande tong. Je hebt wél Amadam ingenomen, zeg me de waarheid!'

'Ik zeg de waarheid,' loog hij.

'O God, Danny! Die ploerten . . . Die ellendige ploerten . . . Het is zo ontzettend gemeen . . .'

'Ja,' zei Daniel.

'Ik kom naar Frankfurt. Nu.'

'Nee! Ik . . . wil alleen zijn. Heb daar begrip voor, wil je?'

'Natuurlijk . . . Natuurlijk heb ik daar begrip voor . . . Wanneer is de begrafenis?'

'Maandagmorgen. Ze hebben het lijk naar het gerechtelijk laboratorium gebracht. Ze moeten sectie verrichten. Hoewel het volkomen duidelijk is, wat er gebeurd is. Ze heeft zichzelf vergiftigd.'

'Maar maandag kom ik naar de begrafenis.'

'Alsjeblieft niet, Sibylle,' zei hij. 'Mercedes heeft me een brief geschre-

467

ven ... nagelaten, bedoel ik ... Ze wilde bij haar dood niet opgebaard worden, geen bloemen, geen priester, geen muziek en geen mensen aan haar graf – alleen mij. Ik vind dat we dat moeten respecteren.'

'Zeker, Danny. Zeker. Ik ... ik ...'

'Ja, Sibylle?'

'Ik ben in gedachten bij je, arme jongen. Altijd, Danny, altijd. Ik houd echt van Werner. Maar onze tijd samen kan ik nooit vergeten. Die heerlijke tijd samen.'

'Ik ook niet, Sibylle.'

'Het was zo'n grote liefde. En zo'n liefde gaat nooit echt over, hè?'

'Nee, nooit.'

'En daarom – hoewel ik Werner ontzettend bewonder en gelukkig met hem ben – zal ik hem toch altijd bedriegen met jou, Danny. In gedachten bedriegen. Dat ... dat heb jij geweten, hè? Dat heb jij gevoeld, is het niet?'

'Ja, Sibylle. En jij voelde dat het bij mij met Mercedes precies zo was, hoewel ik ook werkelijk van haar hield. Jij zult gewoon nooit uit mijn leven verdwijnen.'

'En jij niet uit het mijne, Danny.'

'En het is allemaal niet waar,' zei hij luid.

'Wat zeg je?' Haar stem klonk verschrikt. 'Wat bedoel je daarmee, Danny?'

'Och, Sibylle ... Je bent zo lief ... je doet zo je best mij te helpen ... Je wilt dat ik minstens nog in één ding steun vind, wanneer ik eraan denk hoe het tussen ons was.'

'Nou, maar het wás toch heerlijk!'

'Zeker, Sibylle ... het was uitermate heerlijk ... En het heeft ook even geduurd voordat ik van Mercedes kon houden zonder nog telkens zoals in al die jaren ervoor aan jou te denken ... Eindelijk was het dan zover ... Ik hoefde niet meer aan ons tweeën te denken, vergelijkingen te maken, mij dingen herinneren ... Ik kon van Mercedes houden, echt en eerlijk ... zoals ik van jou heb gehouden ... zoals jij van Werner houdt, wees eerlijk ... We mogen niet liegen alleen om het gemakkelijker voor mij te maken ... Het wordt niet gemakkelijker ... Jij houdt van Werner met je hele hart en ik heb van Mercedes gehouden met mijn hele hart ... De rest is nog slechts een herinnering, Sibylle, nog slechts een herinnering die wij samen hebben.'

Ze zweeg lang. Toen ze weer sprak, was haar stem erg zacht. 'Wees niet boos op mij, Danny ... Ik ... ik dacht echt dat het je zou helpen als ik zo praatte. We moeten bij de waarheid blijven ... Je hebt gelijk ... We kennen elkaar al zo lang ... Vergeef me dat ik het zo heb geprobeerd ... Het was echt alleen omdat ...'

'Ja, Sibylle, ja ... En ik dank je ervoor ... We mogen onszelf alleen niets wijsmaken ... het zou zo gemeen zijn tegenover Mercedes ... en gewoonweg niet wáár! Ik zal vaak aan je denken – vaak, heel vaak.'

'En ik aan jou, Danny.' Haar stem klonk nog slechts fluisterend.

'Bel me op, bel me gauw op, wil je?'

'Ja, gauw,' zei Daniel. Hij legde de hoorn neer en liet nog een paar tabletten uit het doosje glijden. Ik heb er meer nodig, dacht hij.

Op de ochtend van 9 april werden een afgelegen deel van de Zuider-begraafplaats en de wegen die daarheen leidden door tweehonderd politie-mensen afgezet. Slechts drie auto's van de televisiezender Frankfurt kregen toestemming te passeren. Op het dak van deze wagens stonden mannen met camera's, waarmee de teraardebestelling van Mercedes werd gefilmd. De begrafenis geschiedde in grote haast. Een wagen van de gemeentelijke begrafenisonderneming reed met de kist tot vlak bij een vers gedolven graf. Er was geen muziek en er waren geen bloemen. Er werden geen redevoerin-gen gehouden en geen gebeden uitgesproken. Daniel stond tussen twee rechercheurs aan het graf. Vier mensen van de begrafenisonderneming lieten de kist omlaagglijden en daarna begonnen doodgravers direct met het dichtgooien van het graf. Politiemensen met machinepistolen stonden er in een grote kring omheen.

Daniels gezicht was bleek en volkomen verstard. De zon scheen op deze mooie lentedag, en in de bomen zongen vogels. Daniel keek een tijdje naar de doodgravers, draaide zich vervolgens om en ging, gevolgd door zijn begeleiders, de lange weg terug naar een politiewagen. Hij had de hele tijd geen woord gesproken.

Aangekomen in de Sandhöfer Allee ging Daniel op zijn bed liggen, dat nu weer in de slaapkamer stond. De twee rechercheurs bleven in de werkkamer. Daniel staarde roerloos naar het plafond. Na een poosje viel hij in slaap. Tegen twaalf uur 's nachts werd hij wakker en voelde zich zwak en versuft. Langzaam liep hij naar de werkkamer. De twee rechercheurs van de nachtdienst zaten voor de boekenwand te kaarten. Ze voelden zich opgelaten. Hij gaf hun een teken gewoon door te gaan, ging naar zijn bureau – en belde zijn vader in Buenos Aires op. Dat deed hij elke dag om deze tijd. Olivera was meteen aan de lijn. Zijn stem trilde. 'Hallo, Daniel?'

'Ja.'

'Wat . . . wat is er gebeurd?'

'Vanmorgen hebben we haar begraven. Op de Zuiderbegraafplaats. Zoals ze zelf heeft gewild. Al was het niet helemaal zoals ze het bedoelde.'

Olivera zweeg.

'Wanneer komt u?' vroeg Daniel.

Geen antwoord.

'Ik vroeg wanneer u komt!'

'Ik kom niet . . .'

'Wát?'

'Je moet me begrijpen, Daniel . . . Ik kan het niet. Ik kan gewoon niet komen . . . Dat is uitgesloten . . . Ik ben veel te wanhopig . . . en ook te oud . . . De reis zou mijn dood zijn . . . Ik kan me amper in huis bewegen . . . Weet je, het is net alsof ík dood ben en in een kist lig en er nooit meer uit kan . . . Begrijp je dat? Zeg dat je het begrijpt, Daniel!'

'Vuile rotvent!' zei Daniel Ross.

6

Op zondag 13 mei 1984, op dát gedeelte van de avond met de hoogste kijkdichtheid, werd het eerste van de drie delen van de documentaire *De verdeelde wereld – waarheid of vervalsing?* in achtenvijftig landen op vijf continenten door vele televisiestations uitgezonden. Daarbij kwamen nog de radiobewerkingen in de verschillende talen. Weken tevoren was in de kranten, op de radio en de televisie al zeer veel over deze produktie geschreven en gesproken. Daardoor was de belangstelling van de mensen ook zo groot. Volgens een later ingesteld onderzoek zaten aan het begin van de uitzending bijna negenhonderd miljoen mensen voor hun toestel: blanken, gelen, zwarten, mensen van allerlei religies, van alle denkbare overtuigingen, beroepen en inkomensgroepen. Voor glinsterende beeldschermen en bij radiotoestellen zaten multimiljonairs en gezinnen die onder de zogenaamde armoedegrens leefden. Er zaten mijnwerkers en beursmakelaars, ondernemers uit de zware industrie en werklozen, politici en hoertjes, priesters en moordenaars, invaliden en zwaargewonden uit de honderdzesenvijftig 'kleine oorlogen' van na 1945 en de grote daarvoor, evenals Nobelprijswinnaars voor de vrede, die zelfs de kleinste van deze oorlogen niet hadden kunnen voorkomen. Er zaten nabestaanden van gesneuvelden en van mannen, vrouwen en kinderen die onder militaire of andere dictaturen doodgemarteld, verdronken, opgehangen, doodgeslagen, verbrand of met vergif, door elektrische stroom, de bijl of zware medicijnen uit het toepassingsgebied van de psychiatrie terechtgesteld waren; en verder nonnen en filmproducenten, generaals en pindaverkopers, atoomgeleerden en verzekeringsagenten, koningen en putjesscheppers, eigenaren van uitgeversconcerns en waterdragers, wapenfabrikanten en automonteurs, toneelspelers en computerspecialisten, verslaafden, winnaars van de Olympische Spelen, dakdekkers en zangeressen, gezonden en zieken, oude en jonge mensen.

Het eerste deel van de documentaire bevatte de verklaring van Olivera over de herkomst van de film, de verklaring van Mercedes en de oude film met het geheime verdrag. De volgende dag en de dag daarna zouden op hetzelfde tijdstip het tweede en derde deel worden uitgezonden. De vervolgdelen bestonden uit de zo in tegenspraak met elkaar zijnde getuigenverklaringen, de verklaring van Daniel Ross, reportages over de telefoongesprekken van de intendant met de Amerikaanse en Russische diplomaten en over de ontmaskering van de intendant, en verder uit reportages over degenen die vermoord waren, en over de ontvoering en het einde van Mercedes Olivera, met inbegrip van de beelden van de spookachtige begrafenis op de Zuiderbegraafplaats in Frankfurt – dit alles met verbindende commentaren en gewetensvolle toelichtingen in onberispelijke journalistieke vorm, informatief en volkomen onbevooroordeeld. Hier zijn slechts enkele uitspraken en reacties naar aanleiding van de uitzending van het eerste deel opgenomen ...

In Caïro, Egypte, zegt de opticien Abdoe Amarna tegen zijn vrouw Isis: 'Ze zouden de leidinggevende politici van de Verenigde Staten en van de Sovjetunie voor een internationaal tribunaal moeten brengen en terecht moeten stellen. Zij zijn de schuld van alle ellende in de wereld.' Zijn vrouw Isis antwoordt: 'Klets toch niet, Abdoe! Dat gebeurt tóch nooit en dat weet je. Zij zijn zo sterk en wij zijn zo zwak.'

In grote delen van Afrika, met name in Ethiopië, heerst de grootste hongersnood van de geschiedenis. Honderdduizenden zijn reeds gestorven, miljoenen zullen nog volgen. In Ethiopië zijn bijna geen wegen. Een konvooi van tientonners, komend van de luchthaven van de hoofdstad Addis Abeba, rijdt langzaam over de harde, droge grond van het ene naar het andere gat in de weg naar Lalibela, in het noorden van het land. De reusachtige wagens hebben op de luchthaven meel, melkpoeder en medicijnen voor het hongersnoodgebied geladen. Ze zijn al vier dagen onderweg. In de cabine van een vrachtwagen luisteren twee chauffeurs naar de uitzending, die door een relaisstation van de Deutschlandfunk in Afrika wordt doorgegeven en met krakende bijgeluiden door de autoradio komt.

De man aan het stuur, Kalo Negesti, zegt: 'Verdelen jullie de wereld maar! Veel geluk met jullie deel! Hier is niemand die zich daar druk om maakt. Hier gaat binnenkort toch iedereen dood. Dan kunnen jullie ons samen onder de grond stoppen. Jullie mogen ons ook laten liggen.'

'En wat mij betreft, jullie kunnen net zo hard verrekken als de mensen hier,' zegt de andere chauffeur, die Ko Yahoema heet.

In Mampawah, een havenstad aan de Zuidchinese Zee, langs de westkust van Borneo, zegt Romang Timor, voormalige koksleerling, tegen zijn moeder Banda: 'Wij hebben nog nooit een Amerikaan of een Rus gezien. Voor mijn part doen die bandieten met deze wereld wat ze willen. Ze hebben mij uit het ziekenhuis in Pontianak naar huis gestuurd omdat de uitzaaiingen nu ook al in mijn strottehoofd zitten. Over een paar maanden ben ik dood.'

Romang Timor is net eenentwinig jaar geworden.

In Santiago de Chile zegt Taipal Chuzco, detective in een supermarkt, tegen zijn broers: 'Nou zeg! Dat is toch eigenlijk een uitzending voor het kleuteruurtje! Lieve kindertjes, stel je toch eens voor, nu hebben twee landen de wereld onder elkaar verdeeld! Wie maakt een film over de misdaden van generaal Pinochet?'

In de bergen van Hindoekoesj, die in het noordoosten van Afghanistan bijna achtduizend meter hoog oprijzen, luisteren opstandelingen in hun vrijwel ontoegankelijke kamp tussen de rotsen naar de radioversie van de uitzending via een buitgemaakte Russische militaire radio. Een man zegt: 'Begrijpen jullie nu waarom de Amerikanen het geslikt hebben dat de Russen ons land zijn binnengevallen?'

'De Amerikaanse politici zijn ontzet,' zegt een ander.

'De hele wereld is ontzet,' zegt de eerste. 'Maar ons helpen doet geen sterveling.'

In Eisenach, in de DDR, zegt de draaier Karl Zschinschke, die samen met zijn vrouw ongehoorzaam de Westduitse televisie heeft aanstaan: 'Daarom hebben die verrekte Amerikanen geen vinger uitgestoken toen ze de Muur bouwden, Emma. En ze hebben ons niet geholpen toen de arbeiders in opstand kwamen en op 17 juni 1953 de Russische tanks binnenrolden. Jouw broertje is toen doodgeschoten in Berlijn, bij de Brandenburger Tor. Hij was elf. Vervloekt zijn ze, allebei!'

'Zet 'm uit, Karl!' zegt zijn vrouw. 'Al zou het zo zijn! Het maakt mijn broertje niet meer levend.'

In Bielefeld in de Duitse Bondsrepubliek zegt hoofdboekhouder Hermann Eipel tegen zijn vrouw en drie kinderen: 'Die film is een oude nazi-vervalsing, dat is wel duidelijk. En het is ook wel duidelijk wie die smeerlapperij nu laat uitzenden.'

'Wie dan?' vraagt zijn vrouw.

'De Groenen en de vredesbeweging. Die hebben hun mensen overal, ook bij de omroep. Geloof het maar!'

In Hamburg zegt de werkloze scheepsarbeider Kuddel Heinke tegen zijn vrouw Elfie: 'Waarheid of vervalsing – ze kunnen de pot op! Het ís gewoon zo. En het zal niet lang duren of ze beginnen weer. En dan gaat ons land er als eerste aan met al die raketten die in de bossen staan.'

'Wat wil je ertegen doen, Kuddel?' vraagt zijn vrouw Elfie, die in verwachting is.

In Düsseldorf zegt de vrouw van zeepfabrikant Kort tegen haar man: 'Daar kan ik echt niet tegen, Karl-Heinz! Wat is er op het andere net?'

'*Willi zal het kind wel wiegen*, met Heinz Erhardt,' zegt haar echtgenoot de miljonair.

'Zet dat maar aan. Ik moet altijd zo lachen om Heinz Erhardt.'

In Lille, Frankrijk, zegt de oude vader van de advocaat Jean-Pierre Quemard: 'Ik acht ze ertoe in staat, Jean-Pierre. Ik acht ze ertoe in staat. Ik acht ze tot alles in staat. Ook dat ze op Europa atoombommen gooien en oorlog voeren. Dat zou dan de derde oorlog in mijn leven zijn.'

'We hebben geen atoombommen meer nodig, vader,' zegt Jean-Pierre. 'Wij maken ons zelf nu snel kapot.'

In Lewes in het graafschap Kent in Engeland zegt treinmachinist Jack Tompkins tegen vrouw en kinderen: 'Natuurlijk zijn de Amerikanen en de Russen misdadigers. Maar het zouden nooit zulke misdadigers zijn geworden zonder Hitler. Hitler was de grootste misdadiger die er ooit geweest is. Door hem is de wereld geworden zoals die nu is. Ach, Orwell was een optimist.'

In Saint Georges, de hoofdstad van Grenada, het zeer kleine, zuidelijkste eilandenstaatje van de Antillen, zegt de exporteur van citrusvruchten Pai Owan tegen zijn vrouw: 'Is het je nu duidelijk waarom de Russen alleen maar een grote mond opzetten toen de Amerikanen hier landden?'

'Zachtjes, Pai,' zegt zijn vrouw, 'zachtjes! Je windt je op. En dan praat je altijd zo hard. Je weet hoe dun de muren zijn en wie hiernaast woont.'

In Athene, Griekenland, zegt de eigenaar van een sauna, Joannis Pagniatopoulos, tegen zijn vrouw Melina: 'En wij zijn lidstaat van de NAVO!'

Zijn vrouw antwoordt: 'En als we lid waren van het Warschaupact – wat zou dat veranderen? De ene kant doodt ons en de andere kant doodt ons. Geef me nog wat wijn, Joannis.'

'Je bent al dronken.'

'Nou, en?' zegt Melina. 'Ik wil me bewusteloos drinken. Volkomen bewusteloos.'

In Amsterdam zegt de weduwe Marie de Vries tegen haar hond, het enige schepsel dat ze nog heeft: 'Nee, ik kan het niet geloven. Zo slecht zijn de mensen toch niet! Maar ik ben bang. Als ze het nu tóch eens zijn?'

In Sorano, een zeer klein stadje in Italië, zegt Andreo Furno tegen zijn familie: 'En áls het nu eens waar is, dan zeg ik bravo! Zolang ze allebei maar even sterk blijven komt er nooit een atoomoorlog. Daarom moeten ze zich alle twee blijven bewapenen. Maar zelfs als de een zwakker wordt en de ander begint – op ons kleine Sorano zijn geen raketten gericht. Zou toch zonde zijn van al dat geld. Sorano – belachelijk! En als de Duitsers het slachtoffer zijn – dan hebben ze pech gehad! Zij hebben ons in de vorige oorlog meegesleurd. Papa en oom Marco zijn toen gesneuveld.'

'En wat gebeurt er met ons als er een noordenwind staat?' vroeg zijn vrouw.

In Haifa, Israël, zegt Bob Bernstein tegen zijn vrouw Ruth: 'Natuurlijk is het een infame vervalsing. En waar komt die uiteraard vandaan? Logisch, uit Duitsland. Ze hebben jouw hele familie uitgemoord, Ruth. Ze hebben mijn hele familie uitgemoord. En het zal altijd een nazistisch land blijven. Nu zie je hoeveel macht de nazi's nog hebben.'

'Ja, het is vreselijk,' zegt Ruth. 'En toch verlang ik nog vaak naar ons Keulen.'

In Managua, de hoofdstad van Nicaragua, zegt de onderwijzer José Patuca tegen zijn vrouw: 'Natuurlijk heeft de Amerikaanse president de Russische president opgebeld en hem meegedeeld dat de CIA onze havens met mijnen zal blokkeren. En voordat ze landen en ons land binnenvallen zal de Amerikaanse president zijn Russische collega weer opbellen en die zal antwoordden: nou ja, als jullie dat nou zo graag willen, ga je gang dan maar. Zodra het in Polen zover is, zal ik ú opbellen.'

In Beiroet, de hoofdstad van Libanon, zegt de islamitische tapijthandelaar Ali Ranpoer, die in de gevechten van de afgelopen dagen zijn vrouw, zijn dochter en zijn zaak heeft verloren, tegen zijn kat: 'Hadden die vervloekte schoften de wereld maar behoorlijk verdeeld! Maar ze hebben het slordig gedaan of helemaal niet. Daarom zijn mijn vrouw en mijn dochter dood. En ik ga er vast ook gauw aan. Jij niet, schoonheid! Katten ruiken gevaar. Katten kunnen altijd voor zichzelf zorgen.' Dat katten voor zichzelf kunnen zorgen, is alle hoop die Ali Ranpoer is gebleven.

In Gdansk, in Polen aan de Oostzee, zitten scheepskapitein Josef Kowalski en zijn vrouw bij de radio; ze luisteren huilend naar de stem van de commentator. En veel mensen in Polen huilen, net als de kapitein en zijn vrouw.

In Vitebsk in de Sovjetunie zegt de staalarbeider Mihail Bogolov tegen zijn vrouw Elisaveta: 'Misschien hebben ze het echt gedaan, Elisaveta. Misschien moeten we er dankbaar voor zijn dat ze het gedaan hebben. Dan blijft Duitsland altijd verdeeld en zal het ons nooit meer kunnen aanvallen. Twintig miljoen Russen zijn omgekomen toen de Duitsers ons aanvielen.' 'Hoeveel miljoenen zullen er omkomen als de Amerikanen ons aanvallen?' vraagt Elisaveta.

In Novgorod zegt Maria Rakoenin tegen haar man Maxim, een vroegere meubelmaker die met haar bij de radio zit: 'Nu weet je waarvoor je blind bent geschoten in Afghanistan.'

'Ze hebben ons nooit verteld dat we in Afghanistan waren, liefste,' zegt hij.

In Praag, Tsjechoslowakije, zegt de vrouw van professor Josef Krb tegen haar man: 'Zeventien jaar was onze zoon, toen hij door een Russische tank werd vermorzeld, Josef. Zeventien jaar. En jouw broer is destijds verdwenen en nooit meer teruggekomen. En Radio Vrij Europa zei onophoudelijk dat we moesten volhouden, want de Amerikanen zouden ons te hulp komen.'

'Zijn de Russen de Noordvietnamezen te hulp gekomen?' vraag haar man. 'Dat daar is een oude nazi-film. Vervalst of echt, dat interesseert me niet. De enige keer dat de nazi's de waarheid wilden zeggen.'

In Keszthely aan het Balatonmeer in Hongarije zegt de scheikundige Clemens Karoly, die hier met zijn vrouw op vakantie is: 'De Russen hebben in 1956 van tevoren tegen de Amerikanen gezegd dat ze onze opstand zouden neerslaan. De Amerikanen hebben gezegd: 'Ga je gang, we hebben er geen bezwaar tegen.' Dat staat historisch vast. Het staat ook vast dat bij de gevechten in Boedapest mijn zus en mijn broer zijn doodgeschoten. Vervloekt, die Amerikanen, én die Russen!'

In Hiroshima, Japan, ligt de vijfenveertigjarige Eiji Kimoera op een ziekenhuiszaal, waar behalve hijzelf nog zeven mannen in bed liggen. Nadat de Amerikanen in 1945 de eerste atoombom boven de stad hadden afgeworpen, waren er zesentachtigduizend doden, eenenzestigduizend gewonden en was er geen stad meer. Intussen is de stad weer opgebouwd en zijn er nog steeds overlevenden van de catastrofe. Ze zijn bijna allemaal verminkt of aangetast door de straling – zoals Eiji Kimoera en de zeven andere mannen op zijn zaal. Eiji Kimoera verblijft de afgelopen negenendertig jaar alleen nog maar in ziekenhuizen. Hij lijdt aan een ernstige bloedziekte. Eiji Kimoera zegt: 'De atoombom die de Amerikanen lieten vallen toen ik zes jaar was, wordt "babybom" genoemd. Omdat hij in vergelijking met de vernietigingskracht van de huidige atoomraketten een baby is. In 1945 waren de Amerikanen en wij vijanden. Sinds lang zijn we bondgenoten. Wat een geluk voor Japan! Want de Amerikanen hebben de afschuwelijkste bommen. En ik ben er zeker van dat zij de eerste slag zullen toebrengen.'

In Detroit, in de Verenigde Staten van Amerika, zegt de warenhuiskoning Jack M. Langley tegen zijn vrouw Katherine: 'Vervloekte Duitse schoften! Ik heb altijd al gezegd dat ze niet te vertrouwen zijn! Wat hebben onze idioten gedaan? Ze hebben West-Duitsland er bovenop geholpen. Dat is nu hun dank. Fijne bondgenoten hebben wij, zeg! Met die oude nazi-vervalsing proberen ze de wereld tegen ons op te hitsen. En tegen de Russen. Terwijl wij samen Hitler hebben overwonnen!' 'Dat is verleden tijd,' zegt zijn vrouw. 'Nu zijn de Russen onze gevaarlijkste vijanden.' 'Wij zijn sterker dan zij,' zegt Langley. 'Ze willen alleen de wereld en alle mensen in verwarring brengen en onzeker maken.' 'Wie?' 'Die verdomde Duitse nazi's,' zegt Langley. 'Die fijne bondgenoten van ons. Nou ja, in elk geval gaan ze er het eerste aan, wat ze ook doen. Daarover zijn wij het in elk geval eens met de Russen.'

In Philadelphia zegt de vrouw van de klerenversteller Fainberg tegen haar man: 'Mojshe, Budd en Danny, onze drie zoons, zijn in Vietnam gesneuveld, Aaron.'

'Ja,' zegt hij. 'Voor vrijheid en democratie. Wist je, dat we Noord-Vietnam nooit de oorlog hebben verklaard?'

'En al hadden we dat wél gedaan?' zegt zijn vrouw. 'Zouden onze zoons dan nog in leven zijn? Deze wereld is verschrikkelijk, Aaron!'

'Wat wil je?' vraagt Aaron Fainberg. 'Moet ze ook nog mooi zijn?'

In Chicago zegt een vrouw in een elektrische rolstoel tegen haar zoon: 'Ik ben zo bang, jongen.'

'Ja,' zegt Wayne Hyde, 'ik ook. Maar zolang wij elkaar nog hebben, ma!'

7

De dag na de uitzending van het eerste deel van de film geven de Verenigde Staten en de Unie van Socialistische Sovjetrepublieken via hun regeringswoordvoerder en via het staatspersbureau TASS twee korte, gelijkluidende verklaringen af. Daarin wordt verzekerd dat de beide staten noch tijdens de conferentie in Teheran, noch op een ander tijdstip daarvoor of daarna een overeenkomst hebben gesloten in de trant van het geheime verdrag in de op dit moment op de televisie van achtenvijftig landen lopende film *De verdeelde wereld - waarheid of vervalsing?* Deze in de Bondsrepubliek geproduceerde film was overduidelijk een vervalsing, waarbij het van een videokopie tussengemonteerde deel hoogstwaarschijnlijk nog een propagandavervalsing van de nazi's was. *De verdeelde wereld* was gemaakt in opdracht van buitengewoon gevaarlijke en nog steeds uiterst actieve fascistische groeperingen met het doel de onvermoeibare strijd van de beide grote mogendheden voor het behouden van de vrede en voor de co-existentie van hun verschillende maatschappelijke systemen te dwarsbomen. Dit voorval toont aan, verklaarde men, met welk een grote waakzaamheid vredelievende mensen over de hele wereld de zo schadelijke fascistische krachten, in het bijzonder die in de Bondsrepubliek Duitsland, in de gaten dienden te houden. Deze krachten te vernietigen was de belangrijkste taak van alle weldenkende mensen.

Met zeer verschillende commentaren reageerden de grote dagbladen over de hele wereld op deze verklaring. Een oproep tot actief of passief verzet of tot boycot van de beide grote mogendheden vond nergens plaats, en zeker niet in de Bondsrepubliek, waar de vetste krantekop in het blad met de grootste oplage op de dag na de uitzending van het eerste deel luidde: LADY DI'S BABY IN GEVAAR – ONTVOERDERS!

Het op maandag uitgezonden tweede deel werd – volgens internationale onderzoeken – nog maar gezien door krap vierhonderd miljoen mensen in plaats van negenhonderd miljoen in het begin, het derde deel slechts door honderd miljoen. De door Mondovisie uitgezonden voetbalwedstrijd tussen Brazilië en Italië werd daarentegen bekeken door rond de zeshonderd miljoen mensen.

Vrijdagmiddag 18 mei zaten Daniel Ross en Conrad Colledo in Colledo's kantoor in het administratiegebouw van de zender Frankfurt.

Colledo had zijn vriend net een rapport gegeven over de reactie op de film en de zo spectaculair dalende kijkdichtheid.

'Het is dus mislukt,' zei Daniel. Hij sprak met een zware tong, want hij had teveel Amadam ingenomen, zoals hij sedert de ontvoering trouwens dagelijks deed.

'Volkomen,' zei Colledo.

'Dat had ik niet verwacht.'

'Ik ook niet.'

'Ik bedoel: ik had verwacht dat onze film zeer verschillende reacties zou oproepen, dat wel. Maar ik was ervan overtuigd dat hij grote belangstelling zou krijgen en een enorme discussie zou veroorzaken. Ik heb me vergist.'

'En hoe!' zei Colledo.

'Je zou dus kunnen zeggen dat al ons werk voor niets is geweest.'

'Dat kun je zonder overdrijving zeggen,' antwoordde Colledo. Hij stond op en ging bij een van de vier ramen van zijn kantoor staan. Hij keek in de verte naar de in de zon schitterende miljoenen ramen van de grote stad Frankfurt. Het was een prachtige dag.

'De dood van Mercedes is volkomen zinloos geweest,' zei Daniel.

'Volkomen zinloos,' zei Colledo, naar de glinsterende stad aan zijn voeten kijkend.

'Arme Mercedes,' zei Daniel.

'Gelukkige Mercedes,' zei Colledo. 'Stel je voor dat ze deze reactie had meegemaakt! Met name zij. Het zou haar hart hebben gebroken.'

'Ja,' zei Daniel, 'dat is waar.'

'Ze stierf toen er nog hoop was,' zei Colledo.

'Ja,' zei zijn vriend. 'Mijn God, wat een geluk heeft Mercedes gehad!'

Direct daarna draaide Colledo zich om, want Daniel was plotseling opgesprongen en schreeuwde als een waanzinnige: 'Dus ook Herbert Kramer, de bibliothecaris uit Koblenz, is zinloos gestorven! Dus ook professor Kant uit Berlijn is zinloos gestorven! Zinloos, volkomen zinloos!'

'Danny, alsjeblieft ...' begon Colledo, maar Daniel liet zich niet onderbreken. Hij bleef doorpraten, niet meer zo hard, maar vol verontwaardiging en hartstocht, en liep daarbij met grote passen in de kamer op en neer. 'Voor niets! Alles voor niets! Het werk van zoveel mensen die hun leven in de waagschaal hebben gesteld. Voor niets! Verdomme, in wat voor wereld leven wij eigenlijk? Niets en niets dan de waarheid hebben we de mensen willen tonen. We wilden ze waarschuwen. De mensen op de hele wereld. De politici op de hele wereld. Ze moesten begrijpen dat we op de rand van de afgrond staán. Ín de afgrond staan! Dat hun gezwets moet ophouden! Dat hun smerige compromissen voorbij moeten zijn! En ook hun lafheid, en domheid en gewetenloosheid! En die misdadige stelling van "afschrikwekkend evenwicht"! En ook dat stompzinnige geklets dat er geen atoomoorlog komt omdat er geen atoomoorlog mág komen!'

'Jezus, Danny! Dat helpt toch allemaal niets! We hebben de mensen verkeerd beoordeeld.'

'De mensen!' schreeuwde Daniel weer. 'Ménsen, zeg je? Viereneenhalf miljard stommelingen zul je bedoelen. Te stom om uit hun ogen te kijken! Te stom om hun oren open te zetten! Laten zich sinds ze bestaan telkens en telkens weer afslachten. Liever creperen dan éénmaal nadenken, dan éénmaal zich verweren. Het is om gek van te worden!' Daniel bleef staan. 'Goed, dan kunnen we hen dus niet helpen. Dan kan niemand hen helpen. Deze rotwereld is eenvoudig niet te redden. Laat haar dan maar in de lucht vliegen. En wat dan nog? Wat is ze dan? Een stofkorreltje in het heelal! Een miezerig grapje! Een wind in de oneindigheid!' Hij keek Colledo aan en zei ineens heel rustig: 'En wij? Wat zijn wij allemaal bij elkaar, wij die dachten dat we de wereld konden veranderen? De grootste idioten! Dode idioten! Op afroep levende idioten! Nou ja, in elk geval idioten! Zonder enig verstand. Maar zelfs dán had ieder van ons tevoren kunnen weten dat alles tevergeefs en voor niets en nutteloos zou zijn, en dat we in 's hemelsnaam die rotfilm zelfs niet met een vuurtang hadden moeten aanraken.' Hij strekte zijn arm uit. 'Idioot,' zei hij, 'geef deze idioot een hand!'

Colledo aarzelde.

'Doe het dan!' brulde Daniel. 'Ik moet weg.'

'Waarheen?'

'Weet ik niet. Ergens heen. Ik krijg hier geen lucht meer. Idioot geeft deze idioot dus geen hand. Niets aan te doen. Nergens is meer iets aan te doen. Nu weten we het tenminste eindelijk.' Hij stormde de kamer uit.

Colledo keek hem een moment verstijfd na, daarna rende hij de gang op achter zijn vriend aan. De gang was leeg. Aan de cijfers die boven de liftdeur oplichtten kon Conrad Colledo zien dat de lift omlaaggleed.

8

Op zaterdag 19 mei 1984, tegen halfacht in de avond, trof Daniel Ross voorbereidselen om zich in zijn appartement op de parterre van een gebouw aan de rustige Sandhöfer Allee in Franfurt aan de Main van het leven te beroven.

Op het bureau onder de lamp met de groene kap had hij alles neergezet wat hij nodig had; een glas, een fles whisky, ijsblokjes in een zilveren emmertje, een bord met een stuk of wat belegde boterhammen en vier potjes Nembutal met het schroefdeksel eraf.

Het slaapmiddel had hij aangeschaft in de weken tussen de begrafenis van Mercedes en de uitzending van de film, en wel op dezelfde manier als hij al eerder had gedaan.

Op deze zaterdag was het al erg warm en in de tuin stonden veel bloemen in de bloei. De zon ging juist in het westen onder en kleurde de hemel stralend rood.

Daniel Ross spoelde nog een handje Nembutal-capsules – hij had de inhoud van alle vier de potjes op het tafelblad geschud – met een grote teug whisky door en nam weer een paar happen van een snee brood met ham, want hij moest voorkomen dat hij misselijk werd en de Nembutal er weer uit zou komen. Hij dacht aan veel mensen en gebeurtenissen van de afgelopen drie maanden, maar slechts zeer vluchtig en verward, want hij was al erg dronken en de Nembutal begon nu duidelijk te werken. Vaag gleed de gedaante van zijn oudste vriend Fritz voorbij, die in december vorig jaar in het Berlijnse Martin Luther Ziekenhuis was overleden en had gezegd: 'Tijd dat ik ga.' Daarna had hij de vriend Fritz de ogen gesloten en was hij dood.

Weer slikte Daniel Ross een handje capsules door, dronk er wat whisky na en at brood met ham. Tijd dat ik ga, dacht hij. Ditmaal is er niemand die me stoort. Mercedes is begraven, Conny en zijn vrouw zijn met vakantie op Capri en Kleinhals is naar zijn zus in Hamburg.

Daniel Ross was erg rustig en hij voelde zich vredig. Toen hij alle capsules had ingenomen en alle boterhammen op had, stond hij onzeker op. Nu was hij stomdronken. Hij liep op zijn pantoffels en in pyjama gekleed nog eens naar de voordeur en controleerde het veiligheidsslot en de ketting voor de deur. Mevrouw Glanzer, zijn huishoudster, kwam pas maandagmorgen om negen uur. Daniel liep door de werkkamer naar de slaapkamer en ging op bed liggen. Nu ga je sterven, dacht hij, en niemand zal je storen. Na lange tijd voelde hij eindelijk weer vreugde. Nu ga je slapen, zei hij bij zichzelf, slapen om nooit meer wakker te hoeven worden. Hij glimlachte. Er is geen leven na de dood, dacht hij, en er is geen God. Na mijn dood, als mijn lichaam vergaan is, zal ik in elke boom en in elk blad, in elke bloem, in de wind en in de regen aanwezig zijn. Net als in de bergen, in de lucht en in alle rivieren en zeeën. Ik zal deel uitmaken van het heelal, dat er altijd al was, dat nooit is begonnen, dat nooit heeft hoeven beginnen, nooit hoeft te eindigen, in alle eeuwigheid niet. Ja, ik zal ook een minuscuul deeltje van de eeuwigheid zijn. Hij hoorde, vaag en zacht, een vrouwenstem die zong *Wenn ich mir was wünschen dürfte*. Hij herinnerde zich de warmte, het gouden licht en de stilte op het moment dat hij de eerste keer bijna was gestorven. Hij peinsde erover dat er toen geen zorgen meer waren en geen beslommeringen, geen haast, geen droefheid en geen angst, nee, geen angst. En toen moest hij aan de wolken denken die hij had gezien, van zilver, en prachtig van vorm. Later zag hij er weer een. Deze dreef langs een stralend blauwe hemel en hij dacht: ook die wolk ben ik nu, ook die wolk. Hij keek er lang naar en opeens ontdekte hij nog een wolk, majestueus en schitterend, die langzaam door oneindige verten dreef. En hij voelde een grote gelukzaligheid toen hij de waarheid ontdekte. Dichter en dichter dreven de beide witte gebergten naar elkaar toe en op het laatst werd Daniel één met de wolk die Mercedes was.